域外漢籍珍本文庫編纂出版委員會

域外漢籍珍本文庫

第二輯

經部

西南師範大學出版社
人民出版社

第十二冊目次

附釋音春秋左傳注疏（二）殘四十九卷　（晉）杜預注　（唐）孔穎達疏　陸德明釋文　元覆宋劉叔剛刊本……一
監本附音春秋公羊注疏二十八卷　（漢）何休注　（唐）徐彦疏　陸德明釋文　元刊明修本……一九三
論語集説六卷　〔日本〕安井息軒撰　日本明治五年三都書林刊本……四六九
中庸首章發蒙圖解不分卷　〔日本〕尾藤孝肇撰　日本明治三年刊本……六三一
孟子論文（一）七卷　〔日本〕竹添光鴻撰　日本明治十五年東京奎文堂刊本……六四九

附釋音春秋左傳注疏（二）

附釋音春秋左傳註疏卷第四十六

杜氏註　孔穎達疏

經十有三年春叔弓帥師圍費。[illegible]

疏 [illegible]

夏四月楚公子比自晉歸于楚弒其君虔于乾谿。[illegible]

疏 [illegible]

楚公子棄疾殺公子比。[illegible]

疏 [illegible]

秋公會劉子晉侯齊侯宋公衛侯鄭伯曹伯莒子邾子滕子薛伯杞伯小邾子于平丘。[illegible]

八月甲戌同盟于平丘。公不與盟。[illegible]

疏 [illegible]

晉人執季孫意如以歸。公至自會。[illegible]

蔡侯廬歸于蔡。陳侯吳歸于陳。[illegible]

疏 [illegible]

名二名皆名皆稱附以其…于楚書名以其未成為君稱名稱爵兩見之也…之曰歸成十八年傳例○
冬十月葬蔡靈公君讎…不復以…○公如晉至河
乃復晉人辭公○吳滅州來州來楚邑用大師焉曰滅疏注州來至曰滅○正
義曰州來楚邑不…其者…以名通者例
昔十…用大師焉曰滅襄十三年傳例
傳十三年春叔弓圍費弗克敗焉為費人所敗不書諱之
平子怒令見費人執之以為囚俘冶區夫曰
非也區夫魯大夫○俘芳夫反冶音也區烏侯反一音丘于反疏非也○正義曰非三代服叛之道也
若見費人寒者衣之飢者食之為之令主而
共其乏困費來如歸南氏亡矣民將叛之誰
與居邑若憚之以威懼之以怒民疾而叛為
之聚也若諸侯皆然費人無歸不親南氏將
焉入矣平子從之費人叛南氏費叛南氏在明年傳善區夫之謀終
言其故○衣於既反食音嗣共音恭憚待旦反
反為之聚也…為反焉於虔反殺尸孝反疏民疾至聚也○正義
曰季氏既執費人以皆懼疾季
氏而叛之為南氏之親聚也○楚子之為令尹也
殺大司馬薳掩而取其室在襄三十年○薳于委反掩於檢反及
即位奪薳居田居掩之族言薳氏所以怨遷許而質許圍
圍許在九年許圍許大夫○質音致
蔡洧有寵於王王之滅蔡也
其父死焉楚滅蔡在十一年洧仕楚其父在國故死○洧于軌反王使與於
守而行洧守國王行至乾谿○與音預守手又反疏楚子至而行○正義
曰易稱善不積不足以成名惡不積不足以滅身小人以小善為無益而弗為以
小惡為無傷而弗去也故惡積而不可揜罪大而不可解至

於滅身也
申之會越大夫戮焉申會在四年疏申之至戮焉正義曰王肅云越大夫常壽過也申之會經書淮夷而不書越者以常壽過有罪不得列會故不書越也戮者陳其罪惡以徇諸軍言將殺之然亦不殺過至今在楚故怨而作亂
王奪鬬韋龜中犨韋龜令尹子文玄孫中犨邑名○犨尺州反
又奪成然邑而使為郊尹成然韋龜子郊尹治郊竟大夫○竟音境
蔓成然故事蔡公蔡公棄疾也故猶舊也韋龜以棄疾有當璧之命故使成然事之○蔓音萬
故薳氏之族及薳居許圍蔡洧
蔓成然皆王所不禮也因羣喪職之族啓越
大夫常壽過作亂常壽過申會所戮者○過古禾反疏故薳至成然○正義曰言族者以掩既被殺唯有族存故言族也韋龜被奪邑而獨數成然者以是時韋龜已死故不言之言邑者據王之奪成然父子被奪故也
圍固城克息舟
城而居之息舟楚邑城而居之以固守疏圍固至居之○正義曰圍固城克息舟即是其一也以圍得有所毀故言滅而居之
觀起之死也其子從在蔡觀起死在襄二十二年○觀古亂反疏註故蔡大
事朝吳夫觀字朝如字疏大聲子之子○正義曰故蔡大夫者此時蔡滅見為楚縣吳今在蔡其父先為蔡國大夫故云故蔡大夫聲子之子也曰
今不封蔡蔡不封矣我請試之觀從以父死怨楚故欲試作亂
以蔡公之命召子干子皙二子皆靈王弟元年子干奔晉子皙奔鄭○皙星曆反
及郊而告之情告以蔡公不知謀強與之盟入襲
蔡蔡公將食見之而逃不知其故驚起辟之○強其丈反疏強與…正義曰二子聞非蔡公之命欲還故觀從強與之盟遂入襲蔡
觀從使子干食
坎用牲加書而速行使子干居蔡公之位食蔡公之食並為與蔡公盟之徵驗以示

己徇於蔡（己，觀從也。○己音紀，徇似俊反）曰：蔡公召二子將納之，與之盟而遣之矣，將師而從之（詐言蔡公將以師助二子）。蔡人聚，將執之（執觀從）。辭曰：失賊成軍，而殺余，何益？乃釋之（賊謂子干、子晳也。言蔡公已成軍，殺己不解罪）。朝吳曰：二三子若能死亡，則如違之，以待所濟（言若能為靈王死亡，則可違蔡公之命以待成敗如何。○為，于僞反）；若求安定，則如與之，以濟所欲（言與蔡公則可得安定）。且違上，何適而可（言不可違上也。上謂蔡公）？衆曰：與之。乃奉蔡公，召二子而盟于鄧（潁川召陵縣西南有鄧城。二子，子干、子晳），依陳、蔡人以國（國陳、蔡而依之）。

疏 依陳蔡人以國。○正義曰：二子更無外衆，唯依倚陳、蔡人耳。以國者，許為復其國，以此招懷之。

楚公子比（子干）、公子黑肱（子晳。○肱，古弘反）、公子棄疾（蔡公）、蔓成然、蔡朝吳帥陳、蔡、不羹、許、葉之師，因四族之徒（四族，薳氏、許圍、蔡洧、蔓成然。○蔓音萬，葉始涉反），以入楚。及郊，陳、蔡欲為名，故請為武軍（欲築壘壁以示後人，為役鋪之名。○壘，力軌反。壁本亦作辟，音壁）。蔡公知之，曰：欲速，且役病矣，請藩而已。乃藩為軍（藩，籬也。○藩方元反，注同。籬也，依字應作籬，今作籬，藉也，力知反）。

疏 蔡公至而已。○正義曰：蔡公知之，知陳、蔡人之情也。蔡公是之公子，猶尚其欲情，不用取有號鋪之名，築壘以示後世，故請藩而已。

蔡公使須務牟與史猈先入，因正僕人殺大子祿及公子罷敵（須務牟、史猈，楚大夫，蔡公之黨也。正僕，大子之近官。○牟亡侯反。猈皮皆反，徐扶蟹反，又扶移反，或扶賣反。罷音皮，徐扶彼反，一音蒲買反）。

疏 正僕人。○正義曰：大僕也。周禮下大夫二人。

公子比為王，公子黑肱為令尹，次于魚陂（竟陵縣城西北有甘魚陂。○陂，彼宜反）。公子棄疾為司馬，先除王宮。使觀從從師于乾谿，而遂告之（從乾谿之師，告使叛靈王）。且曰：先歸復所，後者劓（劓，截鼻。○劓，魚器反，截鼻之刑）。師及訾梁而潰（王還至訾梁而衆散。○訾，子斯反，注同。潰，戶內反）。王聞羣公子之死也，自投于車下，曰：人之愛其子也，亦如余乎？侍者曰：甚焉。小人老而無子，知擠于溝壑矣（擠，隊也。○擠，子細反，說文云排也，一音子禮反。壑，許各反。隊，直類反）。王曰：余殺人子多矣，能無及此乎？右尹子革曰：請待于郊，以聽國人（聽國人之所與）。王曰：衆怒不可犯也。曰：若入於大都，而乞師於諸侯。王曰：皆叛矣。曰：若亡於諸侯，以聽大國之圖君也。王曰：大福不再，祇取辱焉。然丹乃歸于楚（然丹，子革，棄王而歸楚。○祇音支）。王沿夏，將欲入鄢（夏，漢別名。順流為沿。順漢水南至鄢。○沿，以全反。夏，戶雅反，漢水也。鄢，於建反，一音於晚反，本又作至）。芋尹無宇之子申亥曰：吾父再奸王命（謂斷王旌，執人於章華宮。○芋，于付反，徐又音羽。奸音干。斷，丁管反），王弗誅，惠孰大焉？君不可忍，惠不可棄，吾其從王。乃求王，遇諸棘闈以歸（棘，里名。闈，門也。○棘闈音韋）。

疏 注棘里名闈門也。○正義曰：吳語云：昔楚靈王不君，其臣箴諫不入，其民不忍飢勞之殃，三軍叛王於乾谿。王親獨行，屏營彷徨於山林之中，三日乃見其涓人疇。王呼之曰：余不食三日矣。疇趨而進，王枕其股以寢於地。王寐，疇枕王以墣而去之。王覺而無見也，乃匍匐將入於棘闈，棘闈不幼乃入芋尹申亥氏爲孔晁[illegible]棘楚邑[illegible]也案襄二十六年傳言吳伐楚入棘四年傳言吳伐楚入棘以報朱方之役或是也

夏五月癸亥王縊于芋尹申亥氏 癸亥五月二十六日皆在乙卯丙辰後傳終言之○書四月誤○縊一賜反 疏 注癸亥至月誤○正義曰此後傳先言之者因申亥求王遂言王縊是傳終言之也既以五月紀癸亥之日而乙卯丙辰亦是五月之日經則書有四月即令蒙此五月之文而劉炫云杜以此注經書四月誤案上經注云靈王實以五月死楚人生失靈王本其始禍以赴[illegible]注不同以爲杜非今知不然者以其生失靈王不知死在五月誤以四月赴禍言靈王之死是其錯誤之事於文似異義實一也劉以爲二文異而規杜氏非也 申亥以其二女殉而葬之 ○殉似俊反 觀從謂子干曰 本或作謂子干曰 不殺弃疾雖得國猶受禍也子干曰余不忍也子玉曰人將忍子 子玉觀從 吾不忍俟也乃行國每夜駭曰王入矣 把恐以靈王至也○駭戶楷反恐丘勇反下同 乙卯夜弃疾使周走而呼曰王至矣 周徧也乙卯十八日○呼好故反下同徧音遍 國人大驚使蔓成然走告子干子皙曰王至矣國人殺君司馬將來矣 司馬謂弃疾也言司馬見殺以恐子干 君若早自圖也可以無辱衆怒如水火焉不可爲謀又有呼而走至者曰衆至矣二子皆自殺 不書弒君位未定也○弒申志反 丙辰弃疾即位名曰熊居葬子干于訾實訾敖 不成君無號謚者楚皆謂之敖○熊音雄 疏 注不成至之敖○正義曰此與郟敖皆不成君無號謚也元年傳云葬王于郟謂之郟敖此云葬子干于訾謂之訾敖則此敖皆以地名敖未知其故又此家葬之外君有若敖宵敖皆亦[illegible]不知敖是何義 殺囚衣之王服而流

諸漢乃取而葬之以靖國人使子旗爲令尹 子旗蔓成然○衣於旣反旗音其 楚師還自徐 前年圍徐之師 疏 還自徐○正義曰上云師及豫章而次乾谿此又云楚師還自徐者上所云者是乾谿援師此謂蕩侯等五子伐徐師故杜云前年圍徐之師 吳人敗諸豫章獲其五帥 定二年楚人伐吳師于豫章吳人見舟于豫章而潛師于巢以軍楚師於豫章又柏舉之役吳人舍舟于淮汭而自豫章與楚夾漢此皆當在江北淮水南蓋後徙在江南豫章○五帥所類反謂蕩侯潘子司馬督囂尹午陵尹喜五人見賢遍反汭如銳反 平王封陳蔡復遷邑 復遷邑所遷邑 疏 注復遷邑○正義曰成十五年許遷于葉九年傳云遷城父人於陳遷方城外人於許今復遷邑則許復遷葉方城外與城父人各復其本 致羣賂 賂時所貸 施舍寬民宥罪舉職 舉廢官○宥音又 召觀從王曰唯爾所欲 觀從教子干殺弃疾今召用之明在君爲君之義○爲君于僞反 對曰臣之先佐開卜 佐卜人開龜兆 乃使爲卜尹使枝如子躬聘于鄭且致犫櫟之田 犫櫟本鄭邑楚中取之平王新立故還以賂鄭○犫尺由反櫟力狄反 事畢弗致 知鄭國已服不復須賂故○弗音扶復扶又反下將復使同 鄭人請曰聞諸道路將命寡君以犫櫟敢請命對曰臣未聞命旣復王問犫櫟降服而對 降服如今解冠也謝違命 曰臣過失命未之致也王執其手曰子毋勤 王善其有權有事將復使之○毋音無 疏 注王善至復使○正義曰言臣罪過遺失君命道之未之致是無罪也○子毋勤○正義曰言子毋勤以見使爲勤勞 姑歸不穀有事其告子也他年芋尹申亥以王柩告乃改葬之 ○柩其久反 初靈王卜曰余尚得天下 尚庶幾 疏 尚得天下○正義曰謂得

為天下。不吉，投龜，詬天而呼曰：是區區者而不余畀，余必自取之。民患王之無厭也，故從亂如歸。初，共王無冢適，有寵子五人，無適立焉。乃大有事于羣望，而祈曰：請神擇於五人者，使主社稷。乃徧以璧見於羣望，曰：當璧而拜者，神所立也，誰敢違之？既，乃與巴姬密埋璧於大室之庭，使五人齊，而長入拜。康王跨之，靈王肘加焉，子干、子皙皆遠之。平王弱，抱而入，再拜，皆厭紐。鬭韋龜屬成然焉，且曰：棄禮違命，楚其危哉！子干歸，韓宣子問於叔向曰：子干其濟乎？對曰：難。宣子曰：同惡相求，如市賈焉，何難？對曰：無與同好，誰與同惡？取國有五難：有寵而無人，一也；有人而無主，二也；有主而無謀，三也；有謀而無民，四也；有民而無德，五也。子干在晉十三年矣，晉、楚之從，不聞達者，可謂無人；族盡親叛，可謂無主；無釁而動，可謂無謀；為羈終世，可謂無民；亡無愛徵，可謂無德。王虐而不忌，楚君子干涉五難以弒舊君，誰能濟之？有楚國者，其棄疾乎！君陳、蔡，城外屬焉。苛慝不作，盜賊伏隱，私欲不違，民無怨心。先神命之，國民信之。芈姓有亂，必季實立，楚之常也。獲神，一也；有民，二也；令德，三也；寵貴，四也；居常，五也。有五利以去五難，誰能害之？子干之官，則右尹也；數其貴寵，則庶子也；以神所命則又遠之其貴亡矣（位不重○去起呂反）寧其寵棄矣（父既没）疏 焉（非令德）國無與焉（無內主）將何以立宣子曰齊桓晉文不亦是乎（皆無內主）對曰齊桓衛姬之子也有寵於僖（僖公）有鮑叔牙賓須無隰朋以為輔佐有莒衛以為外主（齊桓出奔莒）有國高以為內主（國氏高氏）疏 從善如流下善齊肅不藏賄不從欲施舍不倦（布恩德）求善不厭是以有國不亦宜乎我先君文公狐季姬之子也有寵於獻好學而不貳生十七年有士五人有先大夫子餘子犯以為腹心有魏犫賈佗以為股肱疏 有齊宋秦楚以為外主有欒郤狐先以為內主亡十九年守志彌篤惠懷棄民

民從而與之獻無異親民無異望天方相晉將何以代文此二君者異於子干共有寵子國有奧主無施於民無援於外去晉而不送歸楚而不逆何以冀國疏 晉成虒祁（在八年）諸侯朝而歸者皆有貳心為取郠故晉將以諸侯來討叔向曰諸侯不可以不示威乃並徵會告于吳秋晉侯會吳子于良水道不可吳子辭乃還疏 七月丙寅治兵于邾南甲車四千乘羊舌鮒攝司馬遂合諸侯于平丘子產子大叔相鄭伯以會子產以幄幕九張行子大叔以四十既而悔之每舍損焉及會亦如之次于衛地叔鮒求貨於衛淫芻蕘者

而燒之而致貨。芻初俱反。說文云：刈草也。蕘如遥反。飼牛曰芻，草薪曰蕘。疏 芻蕘。○正義曰：周禮委人掌薪蕘。祭祀之牲牷，祀五帝則繫于牢，芻之三月。說文云：蕘，薪也。從艸，然則芻者飼牛馬之草也，蕘者供燃火之草也。衛人使屠伯饋叔向羹與一篋錦，屠伯，衛大夫。○屠如字。篋，苦協反。曰：諸侯事晉，未敢攜貳，況衛在君之宇下，而敢有異志？芻蕘者異於他日，敢請之。請止之。叔向受羹反錦，受羹示不逆其意。曰：晉有羊舌鮒者，瀆貨無厭，瀆，數也。○數音朔。亦將及矣。將及禍。為此役也，役事也。○為，于偽反。疏 為此役。○正義曰：言叔鮒今為此役，徵求於衛。子若以君命賜之，其已。禁之。客從之，未退而禁之。以君命使禁芻蕘者。

晉人將尋盟，齊人不可。有貳心故。晉侯使叔向告劉獻公，獻公，王卿士劉子。曰：抑齊人不盟，若之何？對曰：盟以底信，底，致也。○底音旨。君苟有信，諸侯不貳，何患焉？告之以文辭，董之以武師，雖齊不許，君庸多矣。董，督也。庸，功也。疏 董督。○正義曰：釋詁云：董，督，正也。是董為督也。又云：庸，勞，功也。討之有辭則前敵易克，故功多也。天子之老請帥王賦，天子大夫稱老。疏 天子之老。○正義曰：上注云獻公王卿士，此注云天子大夫稱老者，是大夫之揔名。詩云方叔元老，毛傳云：方叔，卿士，命為將也。曲禮云：五官之長曰伯，自稱於諸侯曰天子之老。彼謂三公也。此以卿士自稱者，彼謂三公乃得稱天子之老，此卿士得稱老耳，不言卿之自稱不得稱三公也。曲禮又云：諸侯使人於諸侯，使者曰寡君之老，諸侯之使尚得稱老，明知天子之卿得稱天子之老也。○元戎十乘，以先啟行，元戎，戎車在前者。啟，開也。○正義曰：詩小雅

六月之篇也。元，大也。戎，戎車之大在軍前者也。啟開行道也。遲速唯君。欲使晉侯自擇。叔向告于齊曰：諸侯求盟，已在此矣。今君弗利，寡君以為請。對曰：諸侯討貳，則有尋盟。以距晉。若皆用命，何盟之尋？叔向曰：國家之敗，有事而無業，事則不經；業，貢賦之業。有業而無禮，經則不序；禮所以序貢賦也。有禮而無威，序則不共；有威而不昭，共則不明。威不昭告神明。不明棄共，百事不終，所由傾覆也。信義不明則棄威共。是故明王之制，使諸侯歲聘以志業，志識也。歲聘以修其職業。間朝以講禮，三年而一朝，正班爵之義，率長幼之序。○間，間廁之間。再朝而會以示威，六年而一會，以討不共。再會而盟以顯昭明。十二年而一盟，所以昭信義也。凡八聘四朝再會王一巡守，盟于方嶽之下。○守，手又反。志業於好，好，聘也。講禮於等，示威於眾，昭明於神。自古以來，未之或失也。存亡之道，恆由是興。晉禮主盟，懼有不治，奉承齊犧，齊盟之犧牲。而布諸君，求終事也。君曰余必廢之，何齊之有？唯君圖之，寡君聞命矣。齊人懼，對曰：小國言之，大國制之，敢不聽從？既聞命矣，敬共以往，遲速唯君。叔向曰：諸侯有間矣。

疏叔向至命矣○正義曰叔向此言論聘朝會盟四事意在言盟耳從命以聘為次序耳國家之所以敗也有交好之事而無貢賦之業交好之事不得常矣有貢賦之常而無上下之禮事雖有常則不次序矣有上下之禮而無可畏之威雖有次序則不共敬矣有可畏之威而不昭告神明雖為共敬則不明著矣信義不明棄共敬也承事不共敬棄次序也班位不序棄常序也謀命不常棄事宜也事既棄矣則百事不終國家所由傾覆也為此知聖人知其不可是故明王之制使諸侯歲聘以大夫一聘天子以志識貢賦之業間一歲諸侯親自入朝以講習上下之禮天子於諸侯再朝而一大會以示可畏之威再會而一為盟盟以顯諸侯之昭明者也志識貢賦之業在於交好故使聘也講習上下之禮在於尊差故使朝也示可畏之威在於衆聚故為會也昭明德之信在於告神故為盟也自古以來常行此法存之有失也國家存亡之道恒由是興為之則存廢之則亡存亡起於此也今晉以先王之禮主諸侯之盟懼諸侯之事有不治禮者華承齊盟所用之牲以求至此而布諸齊君君終竟盟約之事也君信曰余必廢之何齊盟之有以齊此語陪君自圖謀之寡君聞君之命矣言音知齊必背盟即欲與之戰○註業貢賦之業　正義曰下句歲聘以志業此事云歲聘以志業故年聘者所以共貢賦耳知此業者是貢賦之業也下又云志業於好謂聘事而謂之好則好謂交好諸侯天子雖尊卑不同亦是交好然則有事者謂有交好之事也不經者經謂常也謂交好不常也或聘不以時或貢賦不充是不常也○註威須至義著　正義曰昭亦明也昭為明告神祇明謂信義明著言會雖示威威猶未著必須昭告神明以要束其心而後天下信義始得明著於天下矣○註信義至不成　正義曰杜以信義不明威無可畏則是棄威也不畏威則禮不行是棄禮也無禮則無經無經則無業故百事所以不成劉炫以此傳四文皆緣上事而致下事其上則事業謂賦所致則經序共明傳既言不明棄共自然當云不共棄序不序棄經不經棄事今杜云不明則棄威不威棄禮無禮無經無經無業以杜違背傳文而規杜失今知劉義非者杜以不明棄共不共棄序不序棄經不經棄事自其傳文分明經傳云百事不終明知非貌棄共棄序貌威禮亦棄也杜與傳共為表裏非是違傳劉不附杜意妄為規過謬矣○註志識至職業　正義曰志是記識故為識也歲歲使於天子所以顯其貢賦令諸國各自記其職貢是脩其職業也○註三年至之序　正義曰間朝者據聘為言也既云歲聘間朝是歲聘為始更間二年乃朝然則間朝是二年而一朝也朝以正班爵之義率

長幼之序與下注會以訓上下之則制財用之節皆在三年三年傳文也○注十二至之下○正義曰顯昭明三年皆謂明也十二年而為一盟者大明黜陟之法諸侯之有明德者表顯升進之於此明以光顯諸侯有瑕明之得若宣誓神明所以昭明王之信義以示黜陟必有信也司儀十二年間一凡六聘四朝再會一盟乃訖之下也尚書周官曰六年五服一朝又六年王乃時巡考制度于四岳諸侯各朝于方岳大明黜陟彼文六年五服諸侯一時朝王即此再朝而會是也此傳之文與尚書正合杜言然守盟于方嶽間與彼義符同明此是周典之舊法也而周禮之文不載此法大行人云侯服歲壹見其貢祀物甸服二歲壹見其貢嬪物男服三歲壹見其貢器物采服四歲壹見其貢服物衛服五歲壹見其貢材物要服六歲壹見其貢貨物先儒說周禮者皆以彼為六服諸侯各以服數來朝說此傳者又與彼周禮合先儒通未有解者古書亡滅不可備知然則尚書周官是成王之言周官之辭尚書之言正是正法左氏親與周公合言必不虛周禮只是明文不得不信蓋周公成王之時即自有此二法也又周禮每歲壹見雖言貢物何必見者即是親朝各計道路遠近當遣使貢耳先儒謂彼為朝未有明據大行人又云十有二歲王巡守殷國此守之歲周禮何於尚書六年一巡尚書何以違禮又大宗伯云時見曰會殷見曰同時見者以為時見無常期也諸侯有不順服者王將有征討之事合諸侯而命事焉十二歲王如不巡守則六服盡朝謂之殷見鄭玄以時見無常期者由自有意耳非有明文可據也殷見是此再會而盟時見當此再朝而會未必即如鄭說時見為無常期也若此傳及尚書是正禮也大行人歲一見者是遣使貢物非親朝也今此上聘朝會盟以為諸侯於天子之禮然諸侯相朝亦當然也故云志業於好講禮於等示威於衆昭明於神雖天子於諸侯之禮然王官之伯及霸王亦得與諸侯為盟故晉為盟主以此告齊公齊侵盟也必知此謂聘文兼諸侯者以釋例引明王之制八聘四朝云文襄之制因而簡之三歲而聘五歲而朝以諸侯為文明此聘朝兼諸侯相朝也知盟年朝會俱行者以傳云再朝而會云云故知盟年朝會不廢也又云歲聘以志業云云并聘以行朝故知朝年不行聘禮但以朝聘君臣不等不可會禮同用為故朝年不行聘盟年得有朝會也有盟者傳云同盟不廢也以小國言之○正義曰申上云用華盟之意也見小國言之可了**不可以**可則大國制之也大國謂其須盟言已下敢違也

不示衆八月辛未治兵習戰**建而不旆**建立旌旗不曳其旆

申復旆之諸侯畏之

邾人莒人愬于晉曰魯朝夕伐我幾亡矣我之不共魯故之以不共晉貢以魯故也。○共音恭注及下注同

晉侯不見公使叔向來辭曰諸侯將以甲戌盟寡君知不得事君矣請君無勤

子服惠伯對曰君信蠻夷之訴以絕兄弟之國棄周公之後亦唯君寡君聞命矣叔向曰寡君有甲車四千乘在雖以無道行之必可畏也況其率道其何敵之有牛雖瘠僨於豚上其畏不死

南蒯子仲之憂其庸可弃乎若奉晉之衆用諸侯之師

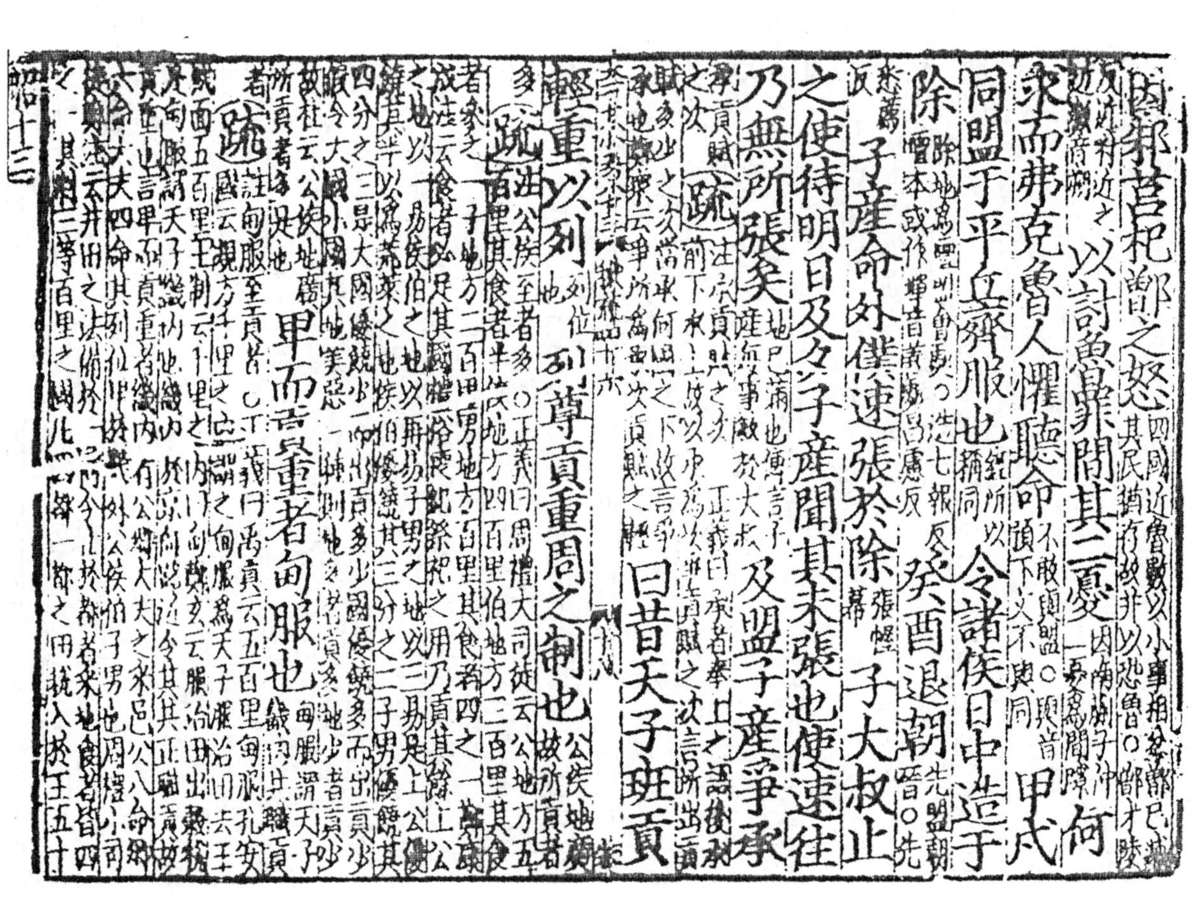

因邾莒杞鄫之怒以討魯罪間其二憂何求而弗克魯人懼聽命甲戌同盟于平丘齊服也令諸侯日中造于除癸酉退朝子產命外僕速張於除子大叔止之使待明日及夕子產聞其未張也使速往乃無所張矣及盟子產爭承曰昔天子班貢輕重以列列尊貢重周之制也卑而貢重者甸服也

里之國凡四縣一縣之田稅入於王二十五里之國凡四甸一甸之田稅入於王食采者出其稅故云甸而貢重也
外之國則卑者貢輕尊者貢重鄭伯男也而使從公侯之貢言鄭國在甸服外爵列伯子男（疏）注言鄭至之貢○正義曰鄭伯男
不應出公侯之貢也諸有多說鄭在男服賈逵云鄭伯爵
在男服也周禮男服在三邦之外距王城千五百里鄭去京師不容
此數賈逵云男當作南謂南面之君也子產爭國小貢重解
言鄭伯爲南面之君復何所爲南面之君者豈貢得輕乎鄭志
云男謂子男也謂以舊俗爲侯伯皆食子男之地鄭之此
言不知所出鄭食子男之地不知復在何時武公既遷東鄭
并十邑爲國不得食子男之地若西鄭之時食子男之地則
今爲大國自當貢重子產不得遠言上世國小以距今之貢
重晉之朝士焉肯以既往之事而責當今不知何所據而爲此說
此與彼皆云鄭伯爵而鄭言之猶言曰公侯及甸辭也杜
用王說言鄭國在甸服之外其爵列於伯子男言已爵卑國
小不應出公侯之貢也今使從公侯之貢懼弗給也諸侯地
有五等命有三等伯居五等之中與侯同受七命據地小大
分爲二等則侯同於公伯同子男僖二十九年在禮之例云公侯

日子言不及伯是不得同於侯也僖二十九年大夫會國君
之例云在禮卿不會公侯會伯子男可也是伯國下同子男
也子產自言其君爵卑下引子男爲例故云鄭伯男也
懼弗給也敢以爲請諸侯靖兵好以爲事靖息也○好呼報反行理之命行理使人通聘問者○使所吏反
無月不至貢之無藝藝法制（疏）行理至無藝○正義曰言晉國使人來責貢賦之命無月不至於鄭每月皆來也○注藝法制○正義曰服虔云藝極也一曰常也二者並非正訓杜以藝爲準藝故爲法制也貢有法制有數徵求無限則不可共也
小國有闕所以得罪也諸侯脩盟存小國也貢獻無極亡可待也存亡之制將在今矣自日中以爭至于昏
晉人許之既盟子大叔咎之曰諸侯若討其可瀆乎瀆易也○咎其九反易以豉反（疏）貢獻無極○正義曰極謂限極無極謂無已時○注諸侯至

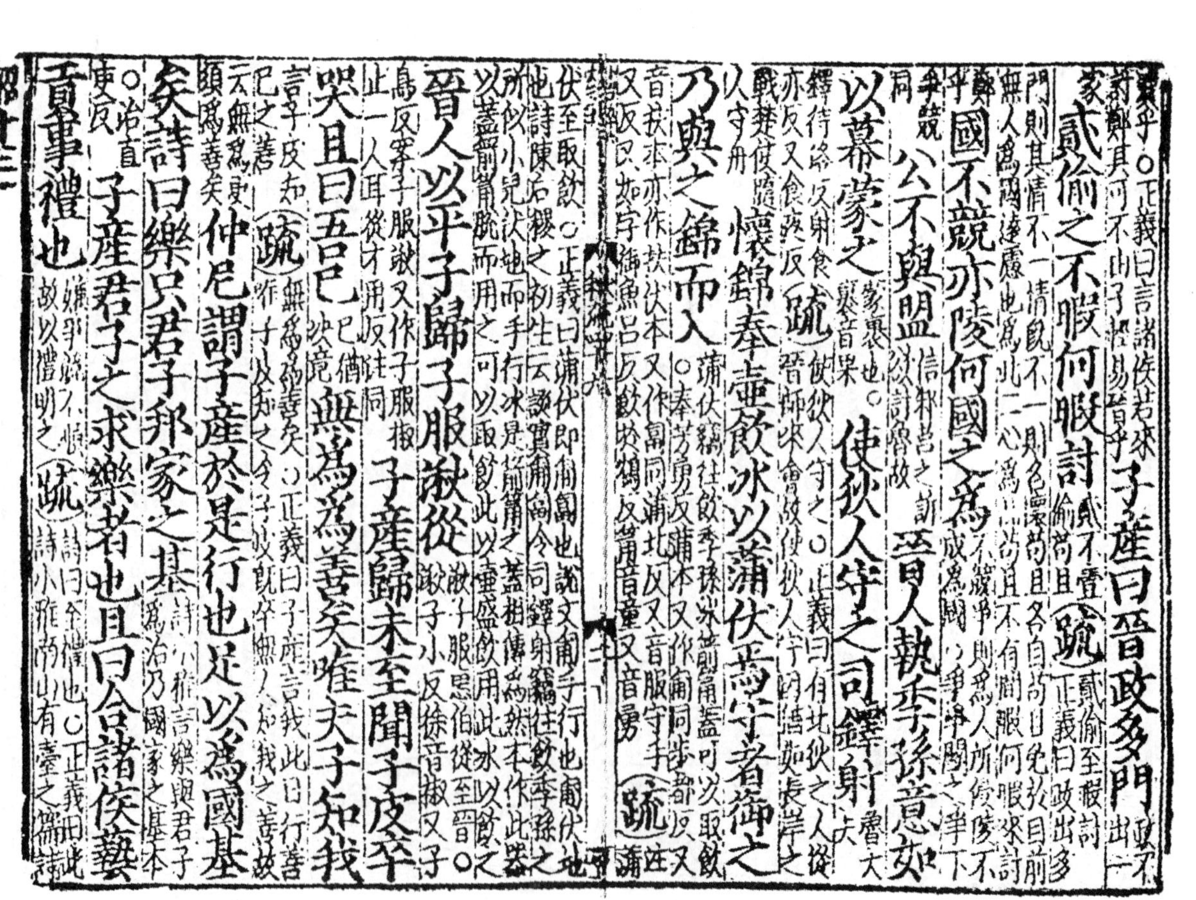

瀆乎○正義曰言諸侯若來討鄭其可不由子輕易晉乎子產曰晉政多門政不出一家貳偷之不暇何暇討偷苟且○貳不壹（疏）貳偷至暇討○正義曰政出多門則其情不一情既不一則各懷苟且各自苟且免於目前無人爲國遠慮也爲此二心爲此苟且不有閑暇何暇求討鄭乎
國不競亦陵何國之爲不競爭則爲人所侵陵不成爲國○爭爭鬭之爭下同
公不與盟信邾莒之訴故討魯故晉人執季孫意如以幕蒙之蒙裹也○蒙音果使狄人守之司鐸射司鐸魯大夫○鐸待洛反射食亦反又食夜反（疏）使狄人守之○正義曰自北狄之人從戰楚彼隨晉師來會故使狄人守之
懷錦奉壺飲冰以蒲伏焉守者御之乃與之錦而入蒲伏竊往飲季孫以冰錦可以取飲○奉芳勇反蒲本又作匍同蒲北反又音服伏本又作匐同步北反又蒲北反又音服守手又反御魚呂反飲於鴆反及篇首音童又音嫪
（疏）注蒲伏至取飲○正義曰蒲伏即匍匐也說文匍手行也匐伏地也詩陳后稷之初生云誕實匍匐今司鐸射竊往飲季孫之所似小兒伏地而手行故以匍匐爲言以此冰可以取飲此以壺盛飲用此冰以飲之以蓋錦齎而用之
晉人以平子歸子服湫從湫子服惠伯從至晉○湫子小反徐音椒又子鳥反案子服湫又作子服椒
子產歸未至聞子皮卒哭且曰吾已無爲爲善矣唯夫子知我已猶止也人耳後才用反注同
言已無爲爲善矣○正義曰子產言我此日行善已之善云無爲爲善矣
仲尼謂子產於是行也足以爲國基矣詩曰樂只君子邦家之基基本也詩小雅言樂與君子爲治乃國家之基本○治直吏反
子產君子之求樂者也且曰合諸侯藝貢事禮也嫌爭承不恪故以禮明之（疏）詩曰至之基○正義曰此詩小雅南山有臺之篇

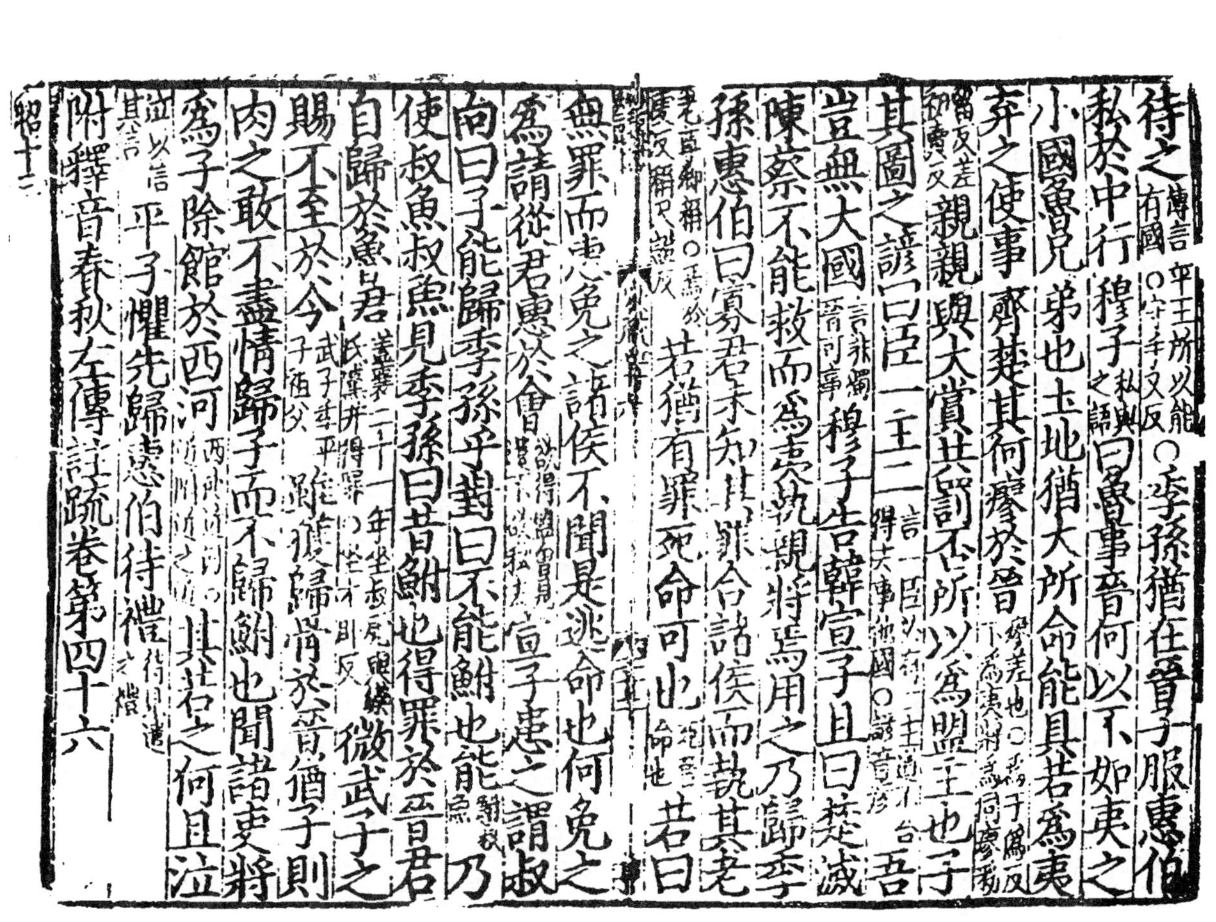

云樂只君子以其能為邦家之基，此今子產是君子之人，樂者也。仲尼日復言曰，盟主會合諸侯，限藝貢賦之事，使貢賦有常，是為禮也。盟主制定貢賦，是為得禮則。子產爭之，不為有失，雖爭競與禮，故以禮明之。○鮮虞人聞晉師之悉起也，而不警邊，且不脩備。言夷狄無謀。○警音景。晉荀吳自著雍五年傳曰遺守四千，今甲車四千乘，故為悉起。以上軍侵鮮虞，及中人，驅衝競，中人，鮮虞邑。競，逐也。[illegible]衝車。大獲而歸。戰鮮虞。○正義曰：上云悉起，得有上軍在者，雖聞鮮虞不警邊，使荀吳侵之，非從本國而去，故云自著雍以上軍侵鮮虞也。疏晉荀至鮮虞。○正義曰：晉侯從平丘會還，行在著雍。

楚之滅蔡也，靈王遷許、胡、沈、道、房、申於荊焉。滅蔡在十一年，許、胡、沈，小國也。道、房、申，皆故諸侯，楚滅以為邑，荊，荊山。平王即位，既封陳、蔡，而皆復之，禮也。傳言平王得安民之禮。疏注得安民。○正義曰：此乃遷動而云安者，以被死首在人，生無寧心，故楚王滅之，此令復從其所欲，民心悅故，故云得安民之禮也。隱大子之子廬歸于蔡，禮也。隱大子，蔡靈公大子有也。廬，蔡平侯。悼大子之吳歸于陳，禮也。悼大子，偃師也。吳，陳惠公。○冬十月，葬蔡靈公，禮也。國復成禮，以葬此靈公，得比諸侯。此傳皆言禮，明楚所封不故明之。○公如晉。荀吳謂韓宣子曰：諸侯相朝，講舊好也。執其卿而朝其君，有不好焉，不如辭之。乃使士景伯辭公于河。景伯，士文伯之子彌牟也。○舊好呼報反。○吳滅州來。令尹子期請伐吳，王弗許，曰：吾未撫民人，未事鬼神，未脩守備，未定國家，而用民力，敗不可悔。州來在吳，猶在楚也。子姑

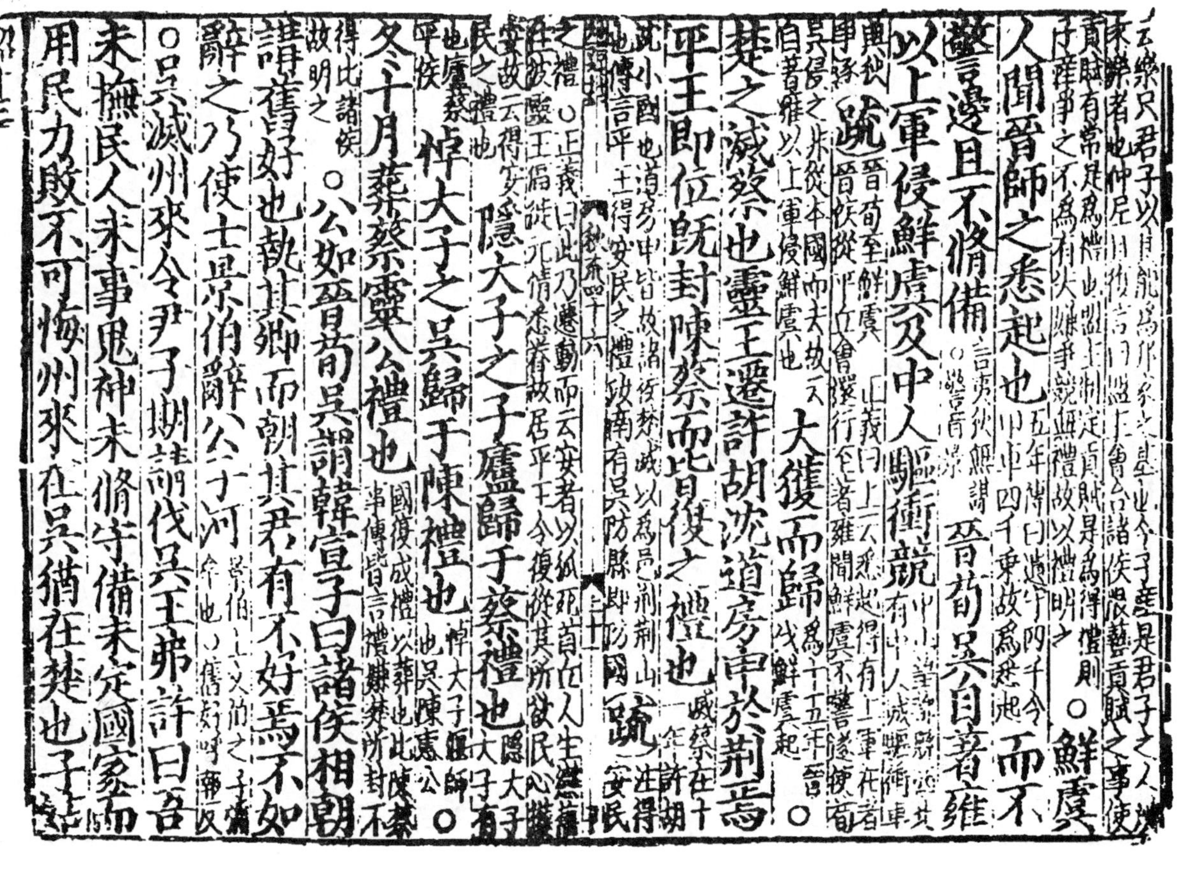

待之。傳言平王所以能有國。○守，手又反。○季孫猶在晉，子服惠伯私於中行穆子曰：魯事晉何以不如夷之小國？私與之語。魯，兄弟也，土地猶大，所命能具。若為夷棄之，使事齊、楚，其何瘳於晉？瘳，差也。○為于偽反，下為夷為同。瘳，勑留反，差，初賣反。親親、與大，賞共、罰否，所以為盟主也。子其圖之。諺曰：臣一主二。言一臣必有二主，道不合，得去事他國。○諺音彥。吾豈無大國？穆子告韓宣子，且曰：楚滅陳、蔡，不能救，而為夷執親，將焉用之？乃歸季孫。惠伯曰：寡君未知其罪，合諸侯而執其老。若猶有罪，死命可也。死命，見殺也。若曰無罪而惠免之，諸侯不聞，是逃命也，何免之為？請從君惠於會。欲得會諸侯見遣，不欲私去。宣子患之，謂叔向曰：子能歸季孫乎？對曰：不能。鮒也能。叔魚名鮒。乃使叔魚。叔魚見季孫曰：昔鮒也得罪於晉君，自歸於魯君。蓋襄二十一年坐叔虎與欒氏黨，井得罪。微武子之賜，不至於今。武子，季平子祖父。○坐才卧反。雖獲歸骨於晉，猶子則肉之，敢不盡情？歸子而不歸，鮒也聞諸吏，將為子除館於西河，西河，河西，[illegible]。其若之何？且泣。以言恐之。平子懼，先歸。惠伯待禮。待禮以遣其公。

附釋音春秋左傳注疏卷第四十六

附釋音春秋左傳註疏卷第四十七　昭十四年盡十六年

杜氏註　孔穎達疏

經十有四年春意如至自晉書至者喜得免○三月曹伯滕卒無傳四同盟【疏】注四同盟○正義曰曹伯負芻以襄十八年冬十月卒則武公立十九年盟于祝柯二十年于澶淵二十五年于重丘位二十七年于宋晉魯俱在是四同盟也○夏四月無傳○秋葬曹武公無傳○八月莒子去疾卒未同盟○去起呂反○冬莒殺其公子意恢以禍亂告不必繫於爲卿故雖公子亦書意恢與亂君爲黨故書名惡之○恢苦回反惡烏路反【疏】注以禍至惡之○正義曰莒是小國其卿多不備禮雖莊宣之世有莒慶見經爾來唯牟夷以竊地故書以外更無見者今意恢非卿亦書故解其意云云釋例曰禍莫大於享國有家禍莫甚於骨肉相殘故公子取國及爲亂見殺者亦皆書之不必繫於爲卿故公子紏意恢以公子見書於經是解非卿而書之意也諸公子大夫被殺而書名皆是惡之文意恢與亂君爲黨故書名惡之

傳十四年春意如至自晉尊晉罪已也以舍族爲尊晉罪已○舍音捨【疏】傳注以舍至罪已○正義曰一命大夫經書爲人以卿之貴得備名氏若有罪過宜貶黜者他國之卿則稱某人魯卿不得自稱魯人有罪則貶去其族族去則非卿此舍意如之族是爲罪已也季孫本實伐莒晉人討而執之故令歸命荷晉恩德罪已亦以尊晉故云尊晉罪已也文二年晉人宋人陳人鄭人伐秦稱晉先且居宋公子成陳袁選鄭公子歸生伐秦傳不書爲穆公故尊秦也謂之崇德注云秦穆悔過終用孟明故貶四國大夫以尊秦也此貶意如以尊晉其事與彼同也此意如至自晉傳言尊晉罪已二十四年婼至自晉傳直云尊晉不言罪已俱是去族傳文不同者釋例曰意如至自晉傳言尊晉罪已婼至自晉傳復重發但言尊晉者意如以罪見執宜在罪已婼本使人不應見執故尊晉而已內大夫行還皆不書至與於公也今此二人執而見釋更以書至見義也若然季孫見執爲魯有罪矣而往年公不與盟注云非國惡故不諱者魯實伐莒取鄆若以伐莒責魯則無辭而衆受邾人之訴妄稱朝夕伐我爲此不與公盟故言非國之惡其執季孫不是無罪也子服湫云寡君未知其罪而執其老者拒晉之怨辭耳尊晉罪已禮也禮修己而不責人○南蒯之將叛也盟費人司徒老祁慮癸二人南蒯家臣○祁巨夷反字林音上尸反【疏】注二人南蒯家臣○正義曰世族譜司徒老祁爲一人慮癸爲一人服虔云司徒姓也老祁字也慮癸亦姓字也二子季氏家臣也杜以下句請於南蒯曰臣願受盟知是南蒯家臣僞廢使請於南蒯曰臣願受盟而疾興若以君靈不死請待間而盟間差也○差音初賣反許之二子因民之欲叛也請朝衆而盟欲因會衆以作亂遂劫南蒯曰羣臣不忘其君君謂季氏○劫居業反【疏】注君謂季氏○正義曰將逐季氏之邑南蒯已是季氏家臣此南蒯之下羣臣還欲歸邑季氏知君謂季氏畏子以及今三年聽命矣子若弗圖費人不忍其君將不能畏子矣不能復畏子○畏子以及今絕句復扶又反子何所不逞欲請送子送使出奔請期五日南蒯請期冀有變遂奔齊侍飲酒於景公公曰叛夫戲之對曰臣欲張公室也張強也子韓皙曰齊大夫○皙音星曆反家臣而欲張公室罪莫大焉言越職司徒老祁慮癸來歸費歸魯齊侯使鮑文子致之南蒯雖叛費人不從未專屬齊二子逐蒯而復其舊故經不書歸費齊使文子致邑欲以假好非事實也○好呼報反【疏】注南蒯至非事實也○正義曰經書叔弓圍費則歸費亦應書經經不書歸故解其意也南蒯雖以費叛降齊費人不從未專屬齊叔弓圍費齊人不救是費未專屬齊也二子逐蒯而費復其舊便是本未失魯故經不書歸費是二子自以費歸非齊人來歸也齊人因其自歸而使文子致邑施恩於魯欲以假好非事實也○夏

懷陳挍　秋疏四十七　一　華福

懷陳挍　秋疏四十七　二　黃永基

楚子使然丹簡上國之兵於宗丘，且撫其民。上國在國都之西，西方居上流，故謂之上國。宗丘，楚地。分貧，振窮。分，與也。振，救也。○分，如字，或扶問反。長孤幼，養老疾，收介特，介特，單身民也。收聚，不使流散。○長，丁丈反。救災患，宥孤寡，寬其賦稅。○宥音又。稅，始銳反。赦罪戾，詰姦慝，詰，起吉反。慝，他得反。舉淹滯，淹滯，有才德而未叙者。禮新，敘舊，新，羈旅也。舊，久滯也。祿勳，合親，勳，功也。親，九族。任良，物官。物，事也。

疏注上國至物官○正義曰：云五兵者，戈殳戟酋矛夷矛也。鄭玄云步卒之五兵，則無夷矛而有弓矢。然則兵者，戰器之名，戰必令人執兵，因即名人為兵也。此簡上國之兵，謂料簡人丁之強弱於宗丘之地，集而簡之，且即慰撫其民也。大體貧窮相類，細言窮困於貧。貧者家少財貨，窮謂全無生業，分財貨以與貧者，振救窮困者。孤弱幼少無父母者，有賜與以長成之。老疾之人，養育之。孤介特獨者，收斂之，不使流散。有水火災患者，救助之。孤子寡妻，寬其賦稅。雖有罪戾，原赦之。姦邪隱慝為民害者，詰治之。賢才淹滯未叙者，舉任用者，賞以祿，羈旅之人新來者，禮待之。舊人未用者，進叙之。施祿於功勳，使有功必得祿也。和合其親戚，使宗族皆相親也。任賢良以職事，使野無遺賢，舉事能以任官，皆令才職相當，不使違方務也。此皆撫民之事也。○注上國至楚地○正義曰：下云簡東國之兵亦如之，知此是簡西國之兵也。西國謂之上國，西為上，則東為下。下言東，則此是西，互相見也。○楚東國皆是楚人在國之東西者，以水皆東流，西方居上流，故謂之上國。○注分與至為宥○正義曰：分減富者之財以與貧者，則分為施與之名，故以分為與也。窮者全無生業，或授之田宅，賜之器物，以救濟之。○注介特至流散○正義曰：傳稱一介行李，逸周書有介葬焉，則介亦特之義也。介特謂單身特立無兄弟者，無所附者，或將轉移，收聚之，令有附依，不使流散。○注寬其賦稅○正義曰：服虔以宥為寬，赦其罪戾，則此宥非寬罪，故以為寬其賦稅也。王制云：少而無父謂之孤，老而無子謂之獨，老而無妻謂之矜，老而無夫謂之寡。此四者，天民之窮而無告者也，皆有常餼。然則孤寡常有餼賜，本無賦稅，而云寬賦稅者，正以不責賦稅即是寬之也。孤寡之人，貧者有餼賜，能自給者，免賦稅，文雖不言矜獨，宥之。

使屈罷簡東國之兵於召陵，東國在東，召陵，楚地。○罷音皮。召，上照反。亦如之。好於邊疆。結好四鄰。○好，呼報反。注同。疆，居良反。息民五年，而後用師，禮也。正義曰：謂從此簡兵之後，息民不征。即十九年城州來，以挑吳，是也。案十七年與吳戰于長岸，未滿五年而云息民五年者，平王之意，息民五年。長岸之戰，吳來伐楚，彼伐不可不禦，非王本心也。

秋八月，莒著丘公卒，郊公不慼。郊公，著丘公子。○著，直居反，徐直據反。國人弗順，欲立著丘公之弟庚與。庚與，莒共公。○與音餘，本亦作輿，下同。蒲餘侯惡公子意恢而善於庚與，蒲餘侯，莒大夫。○惡，烏路反，下同。郊公惡公子鐸而善於意恢。公子鐸因蒲餘侯而與之謀曰：「爾殺意恢，我出君而納庚與。」許之。為下冬殺意恢傳。○楚令尹子旗有德於王，有立王之德。不知度，與養氏比，而求無厭。養氏，子旗之黨，養由基之後。○比，毗志反，又扶必反。厭，於鹽反，本又作猒，下注同。王患之。九月甲午，楚子殺鬭成然，而滅養氏之族。使鬭辛居鄖，以無忘舊勳。鬭辛，子旗之子。○鄖音云。冬十二月，蒲餘侯茲夫殺莒公子意恢，郊公奔齊。公子鐸逆庚與於齊。齊隰黨、公子鉏送之，有賂田。莒賂齊以田。○鉏，仕居反。○晉邢侯與雍子爭鄐田，邢侯，楚申公巫臣之子也。雍子亦故楚人。○鄐，許六反，又勑六反。疏正義曰：邢侯至楚人雍子皆故楚人也襄二十六年傳聲子說巫臣奔晉晉人與之邢奔晉晉人與之鄐則鄐是巫臣之田也邢侯巫臣之子而得與之爭鄐者孔晁注晉語云邢與鄐比界久而無成士景伯如楚景伯晉理官叔魚攝理攝代景伯疏叔魚攝理○正義曰晉語云士景伯如楚叔魚爲贊理孔晁云景伯晉理官叔魚代之景伯聘楚叔魚代晉韓宣子命斷舊獄罪在雍子雍子納其女於叔魚叔魚蔽罪邢侯蔽斷也○命斷丁亂反注同蔽必世反注同徐甫世反又補第反疏注蔽斷也○正義曰周禮大司寇云凡庶民之獄訟以邦成弊之鄭玄云弊之斷其獄訟也尚書康誥云服念五六日至于旬時丕蔽要囚孔安國云服膺思念五六日至於十日至于三月乃大斷之皆以蔽爲斷是相傳爲訓邢侯怒殺叔魚與雍子於朝宣子問其罪於叔向叔向曰三人同罪施生戮死可也施行罪也雍子自知其罪而賂以買直鮒也鬻獄邢侯專殺其罪一也己惡而掠美爲昏掠取也昏亂也○鬻羊六反賣也掠音亮貪以敗官爲墨墨不絜之稱○敗必邁反又如字稱尺證反殺人不忌爲賊忌畏也夏書曰昏墨賊殺逸書三者皆死刑皋陶之刑也請從之乃施邢侯而尸雍子與叔魚於市仲尼曰叔向古之遺直也言叔向之有古人遺風○陶音遙乃施如字陳尸曰施式豉反疏乃施至於市○正義曰晉語云殺邢侯尸雍子叔魚於市其務也則國語云[illegible]注云弛宜爲施施行也服虔云施劾罪於邢侯孔晁云[illegible]亍故朝之[illegible]刑當從施也成十七年傳三郤尸諸朝則尸於市者以其賤故也治國制刑不隱於親但事則有所隱○當丁浪反三數叔魚

之惡不爲末減末薄也減輕也以正言之○數色主反又色具反下同爲于僞反末武葛反疏三數至末減○正義曰三度數叔魚之惡不爲薄輕言皆重其罪之也三者即下云數其賄也稱其詐也言其貪也是也服虔讀減爲咸下屬爲句不爲末者不爲末殺隱蔽之也咸曰義也言人皆曰叔向是義安也曰義也夫可謂直矣於義未安直則有之○夫音扶一讀芳于反下同平丘之會數其賄也貨賄以寬衛國晉不爲暴歸魯季孫稱其詐也謂言欺也以寬魯國晉不爲虐邢侯之獄言其貪也以正刑書晉不爲頗頗偏也三言而除三惡加三利三惡暴虐頗也三利寬則三利加○頗普何反疏注三惡暴虐頗○正義曰尚書武王數紂之罪泰誓云敢行暴虐牧誓云俾暴虐于百姓武成云暴殄天物害虐烝民則暴是亂下之稱虐是殘害之名人同而小異殺親益榮榮名益己猶義也夫三罪唯宣子問不可以不正其餘以直傷義故重疑之○重直用反疏注三罪至疑之○正義曰杜以此夫言猶義也夫言不是義也故言以直傷義謂叔向非是義也劉炫云直則是義而規杜氏今知不然者義者於事合宜而爲溫潤直者[illegible]溫則非詐非義是義之與直二者不同故上傳云義也夫此傳云猶義也夫於義之下並云夫夫是疑怪之辭故杜以爲非義哉可謂之直矣故仲尼云叔向古之遺直不云遺義是直與義別劉以直義爲一而規杜氏非也

經十有五年春王正月吳子夷末卒無傳未同盟○

二月癸酉有事于武宮籥入叔弓卒去樂卒事略書有事爲叔弓卒起也武宮魯武公廟成六年復立之○籥羊略反去起呂反爲于僞反復扶又反疏有事至卒事○正義曰有事謂有祭事于武宮公之宮廟也祭必有樂樂有文舞武舞文舞羽籥武舞干戚其入廟也必先文而後武當籥入之時叔弓卒故去樂不用而終卒祭事也叔弓之卒當籥入之時故書籥入也及其去之則諸樂

皆去故云去樂撤樂磬悉皆去之非獨去籥辭也然禮記殂既陳籩豆既設然後撤樂始入繹先祖之心以大臣之卒以聞樂不樂又孝子之心不忍撤已設之饌故去樂卒事○注略書至立之○正義曰閔二年吉禘于莊公傳八年禘于大廟彼皆書禘此傳言禘于武公則亦是禘不書為禘而言有事者此經所書不論常祭是非略書有祭事者本為叔弓卒起也止為叔弓之卒須道當祭之時所書不為禘也釋例曰三年之禘自國之常常事不書故唯書此數事祭雖得常亦説仲遂叔弓之非常也是言叔弓之卒非常故書之也釋例亦云凡三年喪畢然後禘於是遂以三年為節當於計除喪即吉之月卜日而後行事無復常月也是以經書祫及大事傳唯見莊公之速他無非時之譏也即如例言三年一禘君計喪公之薨則禘當在二年五年八年十一年十四年此年非禘年也若計齊歸之薨則禘當在十三年十六年此年亦非禘年也而云祭雖得常者釋例曰禘于大廟禮之常也各于其宮時之為也雖非三年大祭而書禘用禘禮也昭二十五年傳曰將禘於襄公亦其義也是言于武宮者時之所為嘗非禘年用禘禮於宣非常但經之所書唯譏莊公之速其餘不復譏耳劉不以為譏即是得常故云祭雖得常叔弓為非常也武宮者魯武公廟毀已久矣成六年復立之遂即不毀明堂位云魯公之廟文世室也武公之廟武世室也鄭玄云世室者不毀之名是魯以武公為不毀之廟故禘于其宮不于大廟亦非常也○**夏蔡朝吳出奔鄭**朝吳不違讒人所以見逐而書名○遠于萬反○**六月丁巳朔日有食之**無傳○**秋晉荀吳帥師伐鮮虞○冬公如晉**

傳十五年春將禘于武公戒百官齊戒○禘大計反齊側皆反（疏）戒百官○正義曰周禮大宰祀五帝前期十日帥執事而卜日遂戒其王亦如之鄭玄云前期前所諏之日也十日容散齊七日致齊三日也執事宗伯大卜之屬既卜又戒百官以始齊此戒百官亦當戒之令齊故杜云齊戒言是齊之戒也祭統云及時將祭君子乃齊齊之為言齊也齊不齊以致齊也是故君子之齊也專致其精明之德也故散齊七日以定之致齊三日以齊之定之之謂齊齊者精明之至也是將祭必齊祭前豫戒之也**梓慎曰禘之日其有咎乎吾見赤黑之祲非祭祥也喪氛也**祲妖氛也蓋見於宗廟故以為非祭祥也氛惡氣也○咎其九反祲子鴆反氛芳云反徐扶云反蓋見賢遍反（疏）注祲妖至氛也○正義曰周禮有眡祲之官鄭玄云祲陰陽氣相侵漸成祥者其職掌十煇之法一曰祲二曰象鄭眾云祲謂日光氣也然則祲是陰陽之氣相侵之名日光之氣有名為祲祲之所見非獨見於日光故直云祲妖氣也梓慎唯言見祲不言祲之所在為祭而言故疑云蓋見於宗廟故以為非祭祥也月令云氛霧冥冥則氛亦氣也以言其惡故以氛為惡氣也見赤黑之祲以為喪氛則赤黑是喪象梓慎有以知之服虔云水黑火赤水火相過云云**其在涖事乎**涖臨也○涖音利（疏）其在涖事乎○正義曰既見喪氛又言喪氛所在在其在涖事之人乎意疑涖事者當其咎也**二月癸酉禘叔弓涖事籥入而卒去樂卒事禮也**大臣卒故為之去樂○去起呂反注及下同為于偽反○**楚費無極害朝吳之在蔡也**朝吳蔡大夫有功於楚平王故無極恐其有寵疾害之○費扶味反**欲去之乃謂之曰王唯信子故處子於蔡子亦長矣而在下位辱必求之吾助子請**請求上位○長丁丈反（疏）在下位辱○正義曰言在下位可恥辱也服虔以辱從下讀謂之為辱欲必求之吾助子請也**又謂其上之人**蔡人在上位者**曰王唯信吳故處諸蔡二三子莫之如也而在其上不亦難乎弗圖必及於難夏蔡人逐朝吳朝吳出奔鄭王怒曰余唯信吳故寘諸蔡且微吳吾不及此女何故去之無極對曰臣豈不欲吳**非不欲吳也○於難乃旦反（疏）二三子莫之如也○正義曰二三子無如吳之賢……**然而前知其為人之異也**言其多權譎（疏）然而至異也○正義曰然此朝吳於事必能前知其為人之有異於餘人也**吳在蔡蔡必速飛去吳**

所以翦其翼也以鳥喻也言吳在蔡必能使蔡疏而背楚。背音佩六月乙丑王大子壽卒周景王子○秋八月戊寅王穆后崩大子壽之母也傳為晉荀躒如周葬穆后起○晉荀吳帥師伐鮮虞圍鼓鼓白狄之別鉅鹿下曲陽縣有鼓聚。鼓才喻反鼓人或請以城叛穆子弗許左右曰師徒不勤而可以獲城何故不為穆子曰吾聞諸叔向曰好惡不愆民知所適事無不濟愆過也適歸也。好呼報反惡烏路反或亦依字讀下及注皆同愆起虔反（疏）注好惡至所適。正義曰所好必善所惡必惡在上者不有愆過則下民知所適歸言皆知歸善也或以吾城叛吾所甚惡也人以城來吾獨何好焉賞所甚惡若所好何無以復加所好。復扶又反若其弗賞是失信也何以庇民力能則進否則退量力而行吾不可以欲城而邇姦所喪滋多使鼓人殺叛人而繕守備圍鼓三月鼓人或請降使其民見曰猶有食色姑脩而城軍吏曰獲城而弗取勤民而頓兵何以事君穆子曰吾以事君也獲一邑而教民怠將焉用邑邑以賈怠不如完舊完猶保守。○庇必利反又音秘喪息浪反繕市戰反守手又反降戶江反見賢遍反焉於虔反賈音古下同（疏）獲一邑而教民怠。正義曰若不受其降民心皆一心為主則是教我國人令其以懈怠獲一邑而教民怠將不可用也賈怠無卒卒終也棄舊不祥鼓人能

事其君我亦能事吾君率義不爽爽差也（疏）鼓人全吾君。○正義曰言今不聽降叛使鼓人得全事其君也教民不忘是我亦能事吾君也好惡不愆城可獲而民知義所知義所在也荀吳必其能獲故因以示義（疏）注知義至示義。正義曰知義所在在於事君不忘備不苟求生也十七年荀吳詐以滅陸渾二十二年負甲息涅以入昔陽而此時獨以降而不納者此時荀吳自度己力以其能獲故因以示義有死命而無二心不亦可乎鼓人告食竭力盡而後取之克鼓而反不戮一人以鼓子鳶鞮歸鳶鞮鼓君名。鳶本又作鳶悅全反鞮丁兮反○冬公如晉平丘之會故也平丘會公不與盟季孫見執今既得免故往謝。與音預○十二月晉荀躒如周葬穆后籍談為介既葬除喪以文伯宴樽以魯壺文伯荀躒也魯壺魯所獻壺樽。躒力狄反本又作櫟介音界樽本或作尊又作罇皆同（疏）注魯壺魯所獻壺樽。○正義曰周禮司尊彝云秋嘗冬烝其朝獻用兩壺尊鄭玄云壺者以壺為尊燕禮云司宮尊于東楹之西兩方壺左玄酒是以有以壺為樽王曰伯氏諸侯皆有以鎮撫王室晉獨無有何也感魯壺而言也鎮撫王室謂貢獻之物文伯揖籍談文伯讓籍談使對對曰諸侯之封也皆受明器於王室謂明德之分器。○分扶問反以鎮撫其社稷故能薦彝器於王薦獻也彝常也謂可常寶之器若魯壺之屬。○彝以之反晉居深山戎狄之與鄰而遠於王室王靈不及拜戎不暇言王寵靈不及以撫戎為戎所加陵。○遠于萬反又如字數音朔（疏）拜戎不暇。正義曰數為戎所侵陵拜謝戎師不有閒暇其何以獻器王曰叔氏而忘諸乎叔籍談字叔父唐叔

成王之母弟也其反無分乎密須之鼓與其大路文所以大蒐也密須姞姓國也在安定陰密縣文王伐之得其鼓路以蒐○蒐所求反姞其吉反又其乙反闕鞏之甲武所以克商也闕鞏國所出鎧○鞏九勇反鎧開代反唐叔受之以處參虛匡有戎狄參虛實沈之次晉之分野○參所金反注同疏注參虛至分野○正義曰實沈之次晉之分野上繫參之虛故云參虛其後襄之二路周襄王所賜晉文公大路戎路鏚鉞秬鬯鏚斧也鉞金鉞秬黑黍鬯香酒○鏚音戚鉞音越秬音巨鬯音暢疏注鏚鉞至香酒○正義曰廣雅云鏚鉞斧也俱是斧也蓋鉞大而斧小大公六韜云大柯斧重八斤一名天鉞是鉞大於斧也尚書牧誓云武王左杖黃鉞孔安國云以黃金飾斧是鉞以金飾也秬黑黍釋草文也周禮有鬯人之官鄭玄云鬯釀秬爲酒芬香條暢於上下也是以爲香酒也賜之鏚鉞者使之專殺戮也賜之秬鬯者使之祭先祖也王制云諸侯賜弓矢然後征賜鈇鉞然後殺賜圭瓚然後爲鬯時陳宣王賜召穆公云秬鬯一卣告于文人是也彤弓虎賁文公受之以有南陽之田事在僖二十八年○彤徒冬反賁音奔撫征東夏非分而何夫有勳而不廢加重賞○夏戶雅反疏撫征東夏○正義曰服者撫之叛者征之晉於諸夏國甚近西故令主東夏有績而載書功於策奉之以土田有南陽撫之以彝器弓鉞之屬旌之以車服襄之二路明之以文章旌旗子孫不忘所謂福也福祚之不登叔父焉在言福祚不在叔父當在誰邪○福祚之不登叔父絕句焉於虔反下將焉用之同疏福祚至焉在○正義曰言福祚之不在叔父此福祚更焉所在乎言其不在他也登陟即是在之義也且昔而高祖孫伯黶司晉之典籍以爲大政故曰籍氏孫伯黶晉正卿籍談九世祖○黶烏斬反疏注孫伯至世祖○正義曰孫伯黶爲晉之正卿世掌典籍有功故曰籍氏是籍談九世祖也其九世之次世本云黶生司空靖靖生南里叔子子生叔正官伯伯生司徒公公生曲沃正少襄襄生司功大伯伯生侯季子子生籍游游生談談生秦是也九世之祖稱高祖者言是高遠之祖也鄭子以少皞爲高祖意與此同及辛有之二子董之晉於是乎有董史辛有周人也其二子適晉爲大史籍黶與之共董督晉典因爲董氏董狐其後疏注辛有至其後○正義曰僖二十二年傳曰平王之東遷也辛有適伊川則辛有平王時人也此王因籍談董言晉國唯有籍董二族世掌典籍女司典之後也何故忘之籍談不能對賓出王曰籍父其無後乎數典而忘其祖忘祖業○女音汝數色主反疏籍父其無後乎○正義曰定十四年晉人敗范中行氏之師於潞獲籍秦秦則談之子是無後籍談歸以告叔向叔向曰王其不終乎吾聞之所樂必卒焉今王樂憂若卒以憂不可謂終

王一歲而有三年之喪二焉天子絕期唯服三年故后雖期通謂之三年喪○樂音洛下文注皆同期居其反下同疏王其至未終○正義曰言王其不得以壽終乎言將夭命而橫死也吾聞之心之所樂必卒於此焉今王在憂而樂是爲樂憂也亦既樂憂必以憂卒若性命之卒以憂而死不可謂之終也言以憂死是不終其天年也○注天子至年喪○正義曰喪服斬衰三年章內有父爲長子傳曰何以三年也正體於上又乃將所傳重也齊衰杖期章內有夫爲妻傳曰爲妻何以期也妻至親也服問曰君所主夫人妻大子適婦鄭玄云言妻見大夫以下亦爲此三人爲喪主記言君者主謂諸侯而天子亦與妻爲喪主也然則妻服齊衰期卒而傳以后崩太子卒爲三年之喪二者喪服杖期章內有父在爲母傳曰何以期屈也至尊在不敢伸其私親也父必三年然後娶達子之志也父以其子有三年之戚爲之三年不娶則夫之於妻有三年之義故可通謂之三年之喪於是乎以喪賓宴又求彝器樂憂甚矣且非禮也彝器之來嘉功之由非由喪也三年之喪雖貴

遂服禮也天子諸侯除喪當在卒哭今王既葬而除故譏其不遂 王雖弗遂
宴樂以早亦非禮也言今雖不遂能服猶當靜嘿而便宴樂又失禮也○嘿亡北反
本或作默同【疏】注於是至喪也○正義曰弔喪送葬之賓不合與之宴樂王於是乎以喪賓宴樂又求常寶之
器在憂而為此樂其為樂憂甚矣且求器又非禮也諸侯有
常器之來獻王者乃為嘉功之由諸侯自有勳功乃作常器
以獻其功獻非由喪也言王不可責喪賓獻器也○三年至
非禮○正義曰遂由申也竟也其意言三年之喪雖貴為天
子由當申遂其服使終日月乃是禮也除喪大速是非禮也
王雖不能遂竟其服猶當靜嘿而已不宜宴樂而宴樂以早
亦非禮也○注天子至不遂○正義曰禮葬日為虞既虞之
後乃為卒哭之祭喪服傳稱成服之後晝夜哭無時既虞之
後朝夕各一哭而已卒哭者謂卒此無時之哭故鄭玄士喪
禮注云卒哭虞後祭名始朝夕之間哀至則哭至此祭止
惟朝夕哭而已傳稱既葬除喪譏王不遂其服知天子諸侯
除喪當在卒哭今王既葬而除故譏其不遂也杜云卒止也
止哭與鄭不同若如此言除喪當在卒哭而上下杜注多云
既葬除喪者以葬日即虞虞即卒哭卒哭去葬相去不遠其

正德十二年　○秋左傳昭廿七卷　十三

在一月葬是大禮事書於經故成君以否皆舉葬言之○注
言今至禮也○正義曰王不能遂服乃與喪賓宴又失禮也
以其喪服將終早除猶可宴事少不可也襄十六年晉悼
公平公即位會于湨梁與諸侯宴于溫又九年八月葬我小
君穆姜其年十二月晉侯以公宴于河上傳皆無譏則卒哭之後得宴樂 禮王之大經也一
動而失二禮無大經矣失二禮謂既不遂服又設宴樂【疏】禮王之大經○
正義曰經者綱紀之言也傳稱經國家經德義詩序云經夫
婦中庸云凡為天下國家有九經言禮是王之大經紀也服
喪曰經常也常所當行也 言以考典考成也 典以志經忘經而
多言舉典將焉用之為二十二年王室亂傳【疏】言以至用之○正義曰人之
出言所以成典法也典法所以記識經也王一動而失二
禮忘已大經矣而多為言語舉先王分器之典將焉用之
經十有六年春齊侯伐徐○楚子誘戎蠻子
殺之○誘音酉【疏】楚子至殺之○正義曰四夷之名在西曰戎春秋之時錯居中國汭言河南新城縣

東南有蠻城則是內也之戎在楚北也戎是種號蠻是國名
子爵也十一年楚子虔誘蔡侯般殺之彼書楚子之名此不
書楚子名者彼注云蔡大夫深怨故以楚子名告此非蠻人
所告蓋楚人不以其君名告故不得書其名也公羊傳曰楚
子何以不名夷狄相誘君子不疾也曷為不疾若不疾乃疾
之也言其不足疾更是深責之也賈逵云楚子不名以立其
子二說異於杜也蔡侯般書名蠻子不名者釋例曰諸見誘
者已在罪賤之地書名與否非例所加或名不名從所赴之
文○夏公至自晉○秋八月己亥晉侯夷卒未同盟○九月大雩雩音于○季孫意如如晉○冬十月
葬晉昭公三月而葬速
傳十六年春王正月公在晉晉人止公不書
諱之也猶以取鄆故也公為晉人所執止故諱不書【疏】公在至之也○正義曰禮君不在國則守
國之臣每月告朔云公在某處釋其不得親自朝廟之意若
祭歲首不在則書之於策襄二十九年春王正月公在
楚傳曰釋不朝正於廟是也此年正月公在晉計亦應告
廟書策但為晉人執止公不以被執告廟故史不書諱之○

正德十二年　○秋左傳昭廿七卷　十四

齊侯伐徐楚子聞蠻氏之亂也與蠻子之無
質也質信也○質之實反或音致 使然丹誘戎蠻子嘉殺之
遂取蠻氏既而復立其子焉禮也誅之非也立其子禮也河
南新城縣東南有蠻城○復扶又反【疏】齊侯伐徐○正義曰虛舉經文者經
在楚誘戎蠻上傳依經文故先舉之
下有徐人行成之事非虛舉但行成在誘蠻後故先依次舉
經於上為下徐人行成起本也不下此經文就徐人者出自
史意○楚子至禮也○正義曰蠻子雖與楚舊交元無滅信
故云與蠻子之無信也誘而殺之滅有不可楚能復立其子
大勝遂滅其國嫌其殺父立子猶為非禮故禮之也六蠻之
刑也鯀殛而禹興周公之誅也故祭叔而立祭仲是立子為
得禮 二月丙申齊師至于蒲隧蒲隧徐地下邳取慮縣東有蒲如陂○隧
音遂邳普悲反取慮上音秋下力居反如陂 徐人行成
取音趨鄫音之郳慮音盧郯音談婁音又如陂彼皮反

徐子及郯人莒人會齊侯盟于蒲隧賂以甲父之鼎甲父古國名高平昌邑縣東南有甲父亭徐人得甲父鼎以賂齊○郯音談父音甫叔孫昭子曰諸侯之無伯害哉爲小國害齊君之無道也興師而伐遠方會之有成而還莫之亢也無亢禦○亢苦浪反無伯也夫詩曰宗周既滅靡所止戾正大夫離居莫知我肄詩小雅戾定也肄勞也言周舊爲天下宗今乃衰滅亂無息定執政大夫離居異心無有念民勞者也○也夫音扶肄以制反徐又以自反下同其是之謂乎傳言晉之衰【疏】詩曰至謂乎○正義曰詩小雅雨無正之篇也周家爲天下所宗今既衰滅矣其亂無所止定也執政大夫離散其居處人各異心無有知我民之勞苦者其是此事之謂乎言今晉衰微不能止亂晉之諸卿異心不憂民之勞苦如詩人之所云○二月晉韓起聘于鄭鄭伯享之子產戒曰苟有位於朝無有不共恪孔張後至立於客間孔張子孔之孫○恪苦各反執政禦之執政掌位列者禦止也○禦魚呂反注及下同適客後又禦之適縣間縣樂肆○縣音玄注同【疏】孔張至縣間○正義曰諸侯享賓之禮亡唯有公食大夫禮存耳其禮云大夫納賓賓入門左鄭玄云左西方賓位也又云及廟門公揖入賓入三揖至于階三讓公升二等賓升大夫立于東夾南面北上士立于門東北面西上鄭玄云自卿大夫至此不先即位從君而入者明助君饗食賓自無事也饗食事俱在廟鄭玄饗食並言則享位亦當然也孔張後至當賓入朝門乃始來至當從大夫適東夾之南西面位也張乃亦於客間賓入亦升階位于西方孔張入客行間也執政禦之西客後張乃移立于客之西也又禦之適縣間適鍾磬樂肆之間也大射孔者亦諸侯之禮也樂人宿縣于阼階東笙磬西面其南笙鍾其南鑮皆南陳西階之西頌磬東面其南鍾其南鑮皆南陳張初立客間已在西方被禦適客後又益西也又被禦適縣間是又復漸西入於頌磬鍾鑮之間也客從而笑之

事畢富子諫富子鄭大夫諫子產也曰夫大國之人不可不慎也幾爲之笑而不陵我言數見笑則必被侮我○幾居豈反服虔云幾近也數音朔侮亡甫反【疏】幾爲至陵我○正義曰幾度之爲笑而不於我加陵言數被笑必陵侮我也服虔云幾近也孔張失位近爲所笑近者未至之辭客已笑訖何言近也我皆有禮夫猶鄙我鄙賤也○夫音扶國而無禮何以求榮孔張失位吾子之恥也子產怒曰發命之不衷衷當也○衷丁仲反又音忠當丁浪反或如字出令之不信刑之頗類○類事類以貳偏頗○頗普多反類力對反徐又力緩反【疏】注類事至偏頗○正義曰事有相類真僞難明緣此事類以致偏斷雖非故心亦爲罪也服虔讀類爲纇解云纇偏也纇不平也獄之放紛放縱也紛亂也○紛芳云反縱音子用反會朝之不敬謂國無禮敬之心【疏】會朝之不敬○正義曰此孔張失位則是於朝不敬而子產不以爲恥者此其出外會朝大國非謂在本國故注云謂無禮敬大國之心使命之不聽不從上令【疏】使命之不聽○正義曰謂若伯有使子皙如楚不肯行是也取陵於大國罷民而無功罪及而弗知僑之恥也孔張君之昆孫子孔之後也昆兄也子孔鄭襄公兄孔張之祖父○罷音皮執政之嗣也子孔嘗執鄭國之政【疏】注子孔嘗執鄭國之政○正義曰襄十年盜殺鄭公子騑公子發公孫輒傳曰子孔當國至十九年鄭殺子孔爲嗣大夫承命以使周於諸侯國人所尊諸侯所知立於朝而祀於家卿得自立廟於家○使所吏反下以使同【疏】注卿得自立廟於家○正義曰士以上皆得立廟則孔張雖是大夫亦得立廟而云卿得立廟者以子孔是卿故以卿言之服虔云祀其所自出之君於家以爲大祖崇禮記郊特牲曰諸侯不敢祖天子大夫不敢祖諸侯而公廟之設於私家非禮也安得祀所出之君爲大祖乎有

祿於國（受祿邑）有賦於軍（軍出卿賦百乘○乘繩證反）喪祭有職有所主（受祿）受脤歸脤（受脤謂君祭以肉賜大夫歸脤謂大夫祭歸肉於公皆社之戎祭也○脤市軫反）疏注受脤謂君祭以肉賜大夫至祭也○正義曰周禮掌蜃云祭祀共蜃器之蜃鄭玄云蜃大蛤飾祭器之屬也蜃之器以蜃飾因名焉鄭衆云蜃可以白器令色白是蜃爲器名祭肉盛之脤器以獻遺人因名祭肉爲脤孔張是大夫也而云受脤歸故知受脤爲君祭以肉賜大夫歸脤謂大夫祭以肉歸於公也故周禮祭僕凡祭祀致福者展而受之是在下之祭有歸脤之義又傳有成子受脤于社府代諸儒皆以脤爲祭社之肉故云皆社之戎祭也劉炫故違傳證以破先儒以爲脤亦祭廟之肉以規杜氏文無所出其義非也然大夫不得私自出軍自祭私社而得歸脤於公者謂大夫奉君命以戎事禱祭於社故杜直言祭歸肉於公亦不謂家祭也其祭在廟已有著位在位數世世守其業而忘其所僑焉得恥之（其祭在廟謂助君祭○數色主反焉於虔反下焉用同）疏注其祭至君祭○正義曰謂鄭伯其祭在先君之廟孔張有功祭著位在廟中以有事爲業言其所掌有常也服虔以爲其祭在廟謂孔張先祖配廟食宗周禮司勲云凡有功者銘書於王之大常祭於大烝司勲詔之則配廟食者皆是有功之臣子孔作亂而死公孫洩因妖鬼而立不得有配食在廟辟邪之人而皆及執政是先王無刑罰也（言爲過謬者自應用刑罰○辟匹亦反邪以嗟反）子寧以他規我（規正也）宣子有環其一在鄭商（玉環也工共朴自共爲双○朴普角反）疏注玉環至爲双○正義曰下云韓子奉命以使而求玉焉知環是玉環也釋器云肉倍好謂之瑗肉好若一謂之環李巡云好孔也肉邊也肉倍好邊肉大其孔小也好倍肉其孔大邊肉小也肉好若一其孔及邊肉大小適等曰環是環亦璧之類也言其一在鄭商則其一在韓子知其同工共朴相與爲双故韓子欲得而双之宣子謁諸鄭伯（謁請也）子產弗與曰非官府之守器也寡君不知子大叔子羽謂子產曰韓子亦無幾求（言所

懷陳校　秋左四十七　十七

求少○幾居豈反）晉國亦未可以貳晉國韓子不可偷也（偷薄也○偷他侯反）若屬有讒人交鬬其間鬼神而助之以興其凶怒悔之何及吾子何愛於一環其以取憎於大國也盍求而與之子產曰吾非偷晉而有二心將終事之是以弗與忠信故也僑聞君子非無賄之難立而無令名之患僑聞爲國非不能事大字小之難無禮以定其位之患夫大國之人令於小國而皆獲其求將何以給之一共一否爲罪滋大（共盍也○屬音燭盍户臘反難乃旦反下同又如字共音恭下而共無藝同）疏僑聞至之患○正義曰僑聞君子非無賄之難立於職位而無善名爲身之大患言韓子當患無令名不宜患家無賄也僑聞爲國家者非不能事大字小之難事大國愛小國不爲難也無禮以定其位是國之大患言鄭當患位不定不宜患事晉之難也下句自大國之人至則失位矣此覆無禮定位也自君至獨非罪乎此覆無令名也此辭一爲韓子一爲鄭國故再言僑聞服虔斷字小之難以下爲義解云字養也言事大國易養小國難然則鄭人豈憂養小國乎尚未能齊經辨句復何須注述大典且字爲愛不爲養也大國之求無禮以斥之何饜之有吾且爲鄙邑則失位矣（不復成國○饜於鹽反復扶又反下弗敢復并同）疏注吾且至位矣○正義曰若晉之大夫求無不得則鄭國乃爲晉之邊鄙之邑不復成國謂失國君之位矣若韓子奉命以使而求玉焉貪淫甚矣獨非罪乎出一玉以起二罪吾又失位韓子成貪將焉用之且吾以玉賈罪不亦銳乎（銳細小也○賈音古）

懷陳校　秋左四十七　十八

與強賈同（疏）注出一玉以起二罪。○正義曰一共一否，□注貪淫為韓子之罪。鄭国之罪也，貪淫為韓子之罪也。○注說細小。○正義曰說文鋒芒不得為□韓子買諸賈人，既成賈矣。商人曰：必告君大夫。韓子請諸子產曰：日起請夫環，執政弗義，弗敢復也。復，重求也。○成賈音嫁，本或作價。請夫音扶，重直用反。今買諸商人，商人曰必以聞，敢以為請。子產對曰：昔我先君桓公與商人皆出自周，鄭本在周畿內，桓公東遷，并與商人俱。（疏）注鄭本至人俱。○正義曰：賈人，即商人也。行曰商，坐曰賈。對文雖別，散則不殊。故商賈並言之。○注鄭本在周畿內。○正義曰：世本云：鄭桓公封畿林，即漢之京兆鄭縣是也。本在周之西都畿內也。鄭語稱史伯為桓公謀，使桓公寄帑與賄於虢、鄶之國。桓公從之。其子武公遂滅虢、鄶而國之，當桓公東遷，寄帑之時，并與商人俱來也。庸次比耦，庸，用也。用次更相從耦耕。○比，毗志反。更音庚。以艾殺此地，斬之蓬蒿藜藿而共處之，世有盟誓以相信也。曰：爾無我叛，我無強賈，無強市其物。○艾，魚廢反。蓬，步東反。蒿，呼高反。藜，力兮反。藿，徒吊反。強，其丈反，下強奪同。又其良反，注放此。毋或匄奪，爾有利市寶賄，我勿與知。恃此質誓，故能相保以至于今。今吾子以好來辱，而謂敝邑強奪商人，是教敝邑背盟誓也，毋乃不可乎！吾子得玉而失諸侯，必不為也。若大國令而共無藝，藝，法也。○毋音無，下同。匄，古害反，又如字。匄，乞也。好，呼報反，下注同。背音佩。（疏）注毋或匄奪。○正義曰：六年傳稱楚公子棄疾之過鄭也，不強匄則匄是乞也。乞則可也，亦不得強取。言毋或匄奪，亦謂不得強匄乞奪取也。匄之與乞一字也。取則入聲，與則去聲也。此匄亦有取與，此傳言匄謂取也。說文書稱祖調匄民，謂與民。○

鄭，鄙邑也，亦弗為也。僑若獻玉，不知所成，敢私布之。布，陳也。不欲為鄭邑之事。言強奪者韓子，以威偪之，其賈以饑，故商人欲得告君大夫。子產知其非，韓子意。○正義曰：上云買諸賈人，則是和買，而子產謂之強奪者，韓子以威偪之，其賈必賤，故商人欲得告君大夫。子產知其非和賈，故云然也。韓子辭玉曰：起不敏，敢求玉以徼二罪？敢辭之。傳言子產知禮，宣子能改過。○徼，古堯反。（疏）徼二罪。○正義曰：謂晉失諸侯，鄭為邊邑。○夏四月，鄭六卿餞宣子於郊。餞，送行飲酒。○餞，賤淺反。（疏）注餞送行飲酒。○正義曰：詩云：飲餞于禰。毛傳云：祖而舍軷，飲酒於其側曰餞。宣子曰：二三君子請皆賦，起亦以知鄭志。詩言志也。子齹賦野有蔓草。子齹，子皮之子嬰齊也。野有蔓草，詩鄭風。取其邂逅相遇，適我願兮。○蔓音萬。齹，才何反，又士知反。說文作齹，云齒差跌也。在河千多二反。蔓音萬。邂，戶懈反。逅，戶豆反。（疏）野有蔓草。○正義曰：野有蔓草，思遇時也。君之澤不下流，民窮於兵革，男女失時，思不期而會焉。其詩云：野有蔓草，零露漙兮。有美一人，清揚婉兮。邂逅相遇，適我願兮。注云：清揚，眉目之間婉然美也。邂逅，不期而會，適其時願。宣子曰：孺子善哉，吾有望矣。君子相願已所望也。○孺，如住反。子產賦鄭之羔裘。言鄭別於唐羔裘也。取其彼己之子，舍命不渝，邦之彥兮，以美韓子。○別，彼列反。己音記。舍音捨。渝，羊朱反。（疏）注言鄭至韓子。○正義曰：羔裘，刺朝也。言古之君子以風其朝焉。釋訓云：之子者，是子也，斥韓子也。鄭玄云：己，語辭也。舍，猶處也。渝，變也。處命不變，謂守死善道，見危授命之類也。釋訓云：美士為彥。言一邦之美士，以美韓子也。宣子曰：起不堪也。不堪，國之同直。子大叔賦褰裳。褰裳，詩。言子惠思我，褰裳涉溱，子不我思，豈無他人。○褰，起虔反。溱，側巾反。（疏）褰裳。○正義曰：褰裳，思見正也。狂童恣行，國人思大國之正己也。其詩云：子惠思我，褰裳涉溱。子不我思，豈無他人。鄭玄云：子者，斥大國之正卿。子若愛而思我，我則揭衣渡溱水往告難也。又云：子不思我，豈無他人。注云言他人者，先鄉齊晉宋衛，後之荊楚。宣子曰：起在此敢勤子至於他人乎言己今祟別在此不復令子適他人。復扶又反令力呈反下同子大叔拜謝宣子之有鄭宣子曰善哉子之言是是褰裳〔疏〕注是褰裳。正義曰是謂此也子之言此褰裳之詩也不有是告他人之事其能終相善乎不有是事其能終乎懼韓起不欲令鄭求他人子大叔拜以答之所以晉鄭終善子游賦風雨子游駟帶之子駟偃也風雨詩取其既見君子云胡不夷〔疏〕注風雨。正義曰風雨思君子也亂世則思君子不改其度焉其詩云風雨淒淒雞鳴喈喈注云風且雨淒淒然雞猶守時而鳴喈喈然喻君子雖居亂世不變改其節度又云既見君子云胡不夷注云胡何也夷悅也思而見之云何而心不悅子旗賦有女同車子旗公孫段之子豐施也有女同車取其洵美且都愛樂宣子之志。樂音洛又五孝反〔疏〕注洵美且都。正義曰洵信也都閑也言信美好且閑習於威儀是愛樂宣子之志子柳賦蘀兮子柳印段之子印癸也蘀兮詩取其倡予和女言宣子倡己將和從之。蘀他洛反印一刃反倡昌亮反本或作唱同和戶卧反下注同女音汝〔疏〕蘀兮。正義曰蘀兮刺忽也君弱臣強不倡而和也其詩云蘀兮蘀兮風其吹女叔兮伯兮倡予和女注云蘀槁也槁謂木葉也木葉槁待風乃落喻君有政教臣乃行之言此者刺今不然又云叔兮伯兮倡予和女注云叔伯言群臣長幼也群臣無其君而行自以強弱相服女倡矣我則將和之言此者刺其自專也宣子喜曰鄭其庶乎庶幾於興盛二三君子以君命貺起賦不出鄭志六詩皆鄭風故曰不出鄭志。貺音況皆昵燕好也昵親也賦不出其國以示親好。昵女乙反二三君子數世之主也可以無懼矣宣子皆獻馬焉而賦我將我將詩頌取其日靖四方我其夙夜畏天之威言志在靖亂畏懼天威。數色主反〔疏〕我將。正義曰我將祀文王於明堂也云儀式刑文王之典日靖四方我其夙夜畏天之威于時保之注云早夜敬天於是得安文王之道子產拜使五卿皆拜曰吾子靖亂敢不拜德宣子

私覿於子產以玉與馬曰子命起舍夫玉是賜我玉而免吾死也敢藉手以拜以玉藉手拜謝子產。覿其靳反舍音捨夫音扶藉在夜反注同○公至自晉晉人脫公得歸子服昭伯語季平子昭伯惠伯之子子服回也隨公從晉還。語魚據反曰晉之公室其將遂卑矣君幼弱六卿彊而奢傲將因是以習習實爲常能無卑乎平子曰爾幼惡識國昭伯尚少平子不信其言。傲五報反惡烏路反少詩照反〔疏〕將因至卑乎。正義曰言將因是君幼弱以習奢傲之事既習奢傲實以爲常常行輕君之禮能無卑乎○秋八月晉昭公卒爲下平子如晉葬起○九月大雩旱也鄭大旱使屠擊祝款豎柎有事於桑山三子鄭大夫有事祭也。屠音徒柎音附又方于反斬其木不雨子產曰有事於山蓺山林也蓺養護令繁殖○蓺音藝令力呈反而斬其木其罪大矣奪之官邑○冬十月季平子如晉葬昭公平子曰子服回之言猶信自往見之乃信回言子服氏有子哉言有賢子也

附釋音春秋左傳註疏卷第四十七

附釋音春秋左傳註疏卷第四十八 昭十七年盡十九年

杜氏註　孔穎達疏

經十有七年春小邾子來朝○夏六月甲戌朔日有食之○秋郯子來朝○八月晉荀吳帥師滅陸渾之戎 渾戶門反○冬有星孛于大辰 大辰房心尾也妖變非常故書○孛音佩一音勃 疏 注大辰至故書○正義曰釋天云大辰房心尾也大火謂之大辰李巡云大辰蒼龍宿之體最爲明故曰房心尾也大火蒼龍宿心以候四時故曰辰孫炎曰龍星明者以爲時候故曰大辰大火也心在中最明故時候主焉公羊傳曰孛者何彗星也彗爲篲也言其狀似掃篲也孛字然妖變之星非常所有故書之傳稱孛于大辰西及漢書于大辰者雖在其星之西仍在大辰分野之間故直云于大辰 楚人及吳戰于長岸 吳楚兩敗莫肯告負故但書戰而不書敗也長岸楚地○岸五旦反 疏 注吳楚至楚地○正義曰傳稱大敗吳師又云大敗楚師是兩皆大敗也從使所告故告無肯自云負敗者故但書戰而不書敗也傳稱令尹陽匄則是楚之貴臣而云楚人者楚人恥其敗以賤者告也

傳十七年春小邾穆公來朝公與之燕季平子賦采叔 采叔詩小雅取其君子來朝何錫予之 疏 采叔○正義曰采叔刺幽王侮慢諸侯也云采叔采叔筐之筥之君子來朝何錫予之雖無予之路車乘馬注云賜諸侯以車馬言雖無予之尚以爲贈 穆公賦菁菁者莪 菁菁者莪亦詩小雅取其既見君子樂且有儀以答采叔○菁子丁反莪五河反樂音洛 疏 菁菁者莪○正義曰菁菁者莪云既見君子樂且有儀以見君子者皆爵之而得見也見則心既喜樂又以禮儀見接 昭子曰不有以國其能久乎 嘉其能答賦言其賢故能久有國 疏 不有至久乎○正義曰言不有賢學問之人以治其國能長久乎 夏六月甲戌朔日有食之祝史請所用幣 禮正陽之月日食當用幣於社故請之 疏 注禮正至請之○正義曰陰陽之氣運行於天一消一息周而復始十一月建子爲陽始五月建午爲陰始以易爻卦言之從建子之後每月一陽息一陰消至四月建巳六陰消盡六陽並盛是爲純乾之卦正陽之月也從建午之後每月一陰息一陽消至十月建亥六陽消盡六陰並盛是爲純坤之月正陰之月也此年六月日食是夏之四月正陽之月日食諸侯當用幣於社故魯之祝史依禮法請所用之幣 昭子曰日有食之天子不舉 不舉盛饌○饌仕眷反 伐鼓於社 責羣陰 諸侯用幣於社 請上公 伐鼓於朝 退自責 禮也平子禦之 禦禁也○禦魚呂反注同 曰止也唯正月朔慝未作日有食之於是乎有伐鼓用幣禮也其餘則否太史曰在此月也 正月謂建巳正陽之月也於周爲六月於夏爲四月慝陰氣也四月純陽用事陰氣未動而侵陽災重故有伐鼓用幣之禮也平子以爲六月非正月故太史答言在此月也○慝他得反夏戶雅反下文當夏注當夏並同 疏 昭子至禮也○正義曰昭子雖不言正月而云日食之禮明此月即是正月也文十五年傳與此昭子之言正同是正法有此禮也殺牲盛饌曰舉故天子不舉去盛饌也郊特牲云社所以神地之道也祭土而主陰氣也是社是羣陰所聚論語云鳴鼓而攻之伐鼓者是攻責之事故爲責羣陰亦以責上公也二十九年傳曰封爲上公祀爲貴神社稷五祀是尊是奉是社爲上公之神尊於諸侯故諸侯用幣於社請上公亦所以請羣陰請令勿侵陽也然伐鼓於社云責羣陰用幣於社云請上公社文是一二注不同者以天子之尊無所不責故云責羣陰也諸侯南面之君於諸侯之內惟請上公故云請上公也○平子至則否○正義曰平子聞有此禮而不知正月是周之六月故止其請幣仍說正禮慝惡也人情愛陽而惡陰故謂陰爲慝五月陰始生故四月陰未作也平子亦不識慝爲陰義故稱雖得禮而心不肯從平子言以正月爲歲首之月故云其餘則否○太史曰在此月也○正義曰太史以平子不識正月故爲辨之所言未作所以行伐鼓用幣之禮正當在此月也因此說日食之引夏書證之 日過分而未至 過春分而未夏至 三辰有災 三辰

日月星也日月相侵又犯是宿故三辰皆為災○宿音秀 於是乎百官降物 降物素服 疏注降物素服○正義曰降物謂減其物采也昭義曰日食則天子素服○知百官降物亦素服也古之素服蓋無明文蓋象朝服而用素為之如今之單衣也近世服注日食則擊鼓於大社天子單衣介幘辟正殿坐東西堂百官白服坐本司大常奏官鴆繞大廟過時乃罷 君不舉辟移時 辟正寢過日食時 樂奏鼓 伐鼓 疏樂奏鼓○正義曰樂奏鼓與下瞽奏鼓一也樂謂作樂之人即瞽矇也奏訓進也孔安國尚書傳云瞽樂官樂官進鼓則伐之故社云伐鼓王或有至社親伐鼓之時故周禮大僕云凡軍旅田役贊王鼓救日月食亦如之鄭玄云王通鼓佐擊其餘面則日食王有親鼓之時也 祝用幣 用幣於社 史用辭 用辭以自責 故夏書曰辰不集于房 逸書也集安也房舍也日月不安其舍則食 瞽奏鼓 瞽樂師○瞽音古 嗇夫馳庶人走 車馬曰馳步曰走為救日食備也○嗇音色 疏故夏至人走○正義曰此尚書徵征文也彼云乃季秋月朔辰弗集于房彼季秋日食亦以此禮救之傳言唯正月朔日食乃有伐鼓用幣餘月則否引夏書而與夏書違者蓋先代尚質凡有日食皆用鼓幣周禮極文周家禮法見事有差降唯正陽之月特用鼓幣餘月則否○注逸書至則食○正義曰杜以為止謂之集故訓集為安也孔安國云房所舍之次集合也不合則日食可知與杜少異○注車馬至備也○正義曰杜以馳是馬疾行故云車馬曰馳步曰走孔安國云嗇夫主幣之官馳取幣禮天神嗇夫於周禮無文鄭注覲禮云嗇夫蓋司空之屬也則官屬司空庶人在官若胥徒之屬使之取幣而禮天神也衆人走共救日食之百役也嗇夫取幣未必馳車蓋馳走相對變其文耳古禮天神者謂天子禮傳無天子禮天神之事文不具 此月朔之謂也 當夏四月是謂孟夏 言此六月當夏家之四月 平子弗從昭子退曰夫子將有異志不君君矣 安君之災故曰有異志 疏不君君矣○正義曰日食陰侵陽臣侵君之象救日食所以助君抑臣也平子不肯救日食乃是不君事其君也劉炫云乃是不復以君為君矣 ○秋郯子來朝公與之宴昭子

春秋疏四十八　三

問焉曰少皞氏鳥名官何故也 少皞金天氏黃帝之子己姓之祖也 問何故以鳥名官○少詩照反皞胡老反己音紀又音杞 疏注少皞至名官○正義曰帝系云黃帝生玄囂也史記云黃帝正妃生二子其後皆有天下其一曰玄囂是為青陽玄囂居江水言降居江水謂不為帝也此傳言其以鳥名官則是為帝明矣故世本及春秋緯皆言青陽即是少皞黃帝之子代黃帝之有天下號曰金天氏少皞氏身號金天氏代號也晉語稱青陽與黃帝同德故為姬姓黃帝之子二十四人為十二姓其十二有姬有己青陽既為姬姓則己姓者青陽之後而出不己姓出自少皞共青陽也事遠書亡不可委悉耳 郯子曰吾祖也我知之昔者黃帝氏以雲紀故為雲師而雲名 黃帝軒轅氏姬姓之祖也黃帝受命有雲瑞故以雲紀事百官師長皆以雲為名號縉雲氏蓋其一官也○長丁丈反縉音進 疏注黃帝至官也○正義曰史記云黃帝者少典之子名曰軒轅為天子代神農氏是為黃帝帝繫云黃帝以姬水成為姬姓是姬姓之祖也以少皞之立有鳳鳥之瑞而以鳥紀事黃帝以雲紀事明其初受天命有雲瑞也雲之為瑞未詳聞也史記天官書曰若煙非煙若雲非雲郁郁紛紛蕭索輪囷是謂卿雲或作慶雲或作景雲孝經援神契曰德至山陵則景雲出服虔云黃帝受命有景雲之瑞故以雲紀事黃帝雲瑞或當是景雲也百官師長皆以雲為名號即是以雲紀綱諸事也雲為官名更無所出唯文十八年傳云縉雲氏有不才子賈逵是黃帝時官故云縉雲氏蓋其一官也 炎帝氏以火紀故為火師而火名 炎帝神農氏姜姓之祖也亦有火瑞以火紀事名百官 疏注炎帝至百官○正義曰帝系世本皆為炎帝即神農氏炎帝身號神農代號也譙周考古史以為炎帝與神農各為一人又祖義晉語云炎帝以姜水成為姜姓是為姜姓之祖也火之為瑞亦未聞也 共工氏以水紀故為水師而水名 共工以諸侯霸有九州者在神農前大皞後亦受水瑞以水名官○共音恭大音泰下大皞同 疏注共工至名官○正義曰共工氏霸有九州祭法文也此傳從黃帝向上逆陳之知其工在神農前大皞後也水之為瑞亦未聞也 大皞氏以龍紀故為龍師而龍名 大皞伏羲氏風姓之祖也有龍瑞故以龍命官 疏

春秋疏四十八　四

注大皞至命官○正義曰月令孟春云其帝大皞易下繫云包犧氏之王天下也則大皞身號伏犧代號也僖二十一年傳云任宿須句風姓也實司大皞知大皞是風姓之祖也龍之爲瑞亦未審也此黃帝以上四代用雲火水龍紀事其官之名必用雲火水龍爲之但書典散亡更無文字其名不可復知故杜不復委說唯有縉雲見傳疑是黃帝官耳服虔云黃帝以雲名官蓋春官爲青雲氏夏官爲縉雲氏秋官爲白雲氏冬官爲黑雲氏中官爲黃雲氏炎帝以火名官春官爲大火夏官爲鶉火秋官爲西火冬官爲北火中官爲中火共工以水名官春官爲東水夏官爲南水秋官爲西水冬官爲北水中官爲中水大皞以龍名官春官爲青龍氏夏官爲赤龍氏秋官爲白龍氏冬官爲黑龍氏中官爲黃龍氏此皆書傳無所見而出賈服少皞鳥紀不以五方名官爲知彼四代者皆以四時五方名官乎以縉爲赤色則云夏官爲縉雲焉知餘方不更爲之曰而直稱青黃爲名也以天文有大火鶉火即云春爲大火夏爲鶉火其餘何故直以西北名火也此皆虛而不經故不可采用

我高祖少皞摯之立也鳳鳥適至故紀於鳥爲鳥師而鳥名鳳鳥氏歷正也鳳鳥知天時故以名歷正之官○摯音至

疏注鳳鳥至之官○正義曰釋鳥云鶠鳳其雌皇則此鳥雄曰鳳雌曰皇說文云鳳神鳥也山海經云丹穴之山有鳥焉其狀如雞五采而文名曰鳳皇見則天下大安寧運斗樞云天樞得則鳳皇翔中候握河紀云堯即政七十年鳳皇止庭伯禹拜曰昔帝軒提象鳳巢阿閣白虎通云黃帝時鳳皇蔽日而至止於東園終身不去諸書皆言君有聖德鳳皇乃來是鳳皇知天時也歷正主治歷數正天時之官故名其官爲鳳鳥氏也當時名官直爲鳥名而已其所職掌與後代名官所司事同所言歷正以下及司徒司寇工農之屬皆以後代之官所掌之事託言之言彼時鳥名如今之此官也

玄鳥氏司分者也玄鳥燕也以春分來秋分去○燕於見反

疏注玄鳥至分去○正義曰釋鳥云燕燕鳦郭璞曰詩云燕燕于飛一名玄鳥齊人呼鳦詩云天命玄鳥月令云玄鳥至之日是一名玄鳥也或單呼爲燕或重名燕燕異方語也此鳥以春分來秋分去故以名官使之主二分

伯趙氏司至者也伯趙伯勞也以夏至鳴冬至止

疏注伯趙至冬止○正義曰釋鳥云鵙伯勞也樊光曰春秋云伯趙氏司至伯趙鵙也以夏至來冬至去郭璞曰似鶷鶡而大此鳥以夏至來冬至止去故以名官使之主二至也月令仲夏之月鵙始鳴蔡邕云鵙伯勞也一曰伯趙應時而鳴爲陰候也詩云七月鳴鵙者鄭玄云豳地晚寒鳥物之候從其氣焉王肅云七當爲五古文五字似七故誤

青鳥氏司啓者也青鳥鶬鴳也以立春鳴立夏止○鶬音倉鴳亦作鷃於諫反

疏注青鳥至夏止○正義曰青鳥鶬鴳釋鳥無文先儒相傳說耳立春立夏謂之啓此鳥以立春鳴立夏止故以名官使之主立春立夏

丹鳥氏司閉者也丹鳥鷩雉也以立秋來立冬去入大水爲蜃上四鳥皆歷正之屬官○鷩必滅反蜃市軫反

疏注丹鳥至屬官○正義曰釋鳥雉之類有鷩雉樊光曰丹雉也少皞氏以鳥名官丹鳥氏司閉以立秋來立冬去入水爲蜃周禮王享先公服鷩冕鄭玄云鷩雉也郭璞曰似山雞而小冠背毛黃腹下赤項綠色鮮明是鷩爲丹鳥也立秋立冬謂之閉此鳥以秋來冬去故以名官使之主立秋立冬也分至啓閉立四官使主之鳳皇氏爲之長故云四鳥皆歷正之屬官也

祝鳩氏司徒也祝鳩鷦鳩也鷦鳩孝故爲司徒主教民○鷦音焦本又作焦本或作鵻子遙反又子堯反

疏注祝鳩至教民○正義曰釋鳥云隹其鳺鴀舍人云隹其一名夫不今楚鳩也樊光曰春秋云祝鳩氏司徒祝鳩即隹其夫不孝故爲司徒郭璞曰今鵓鳩也詩云翩翩者鵻毛傳云鵻夫不也一宿之鳥鄭玄云一宿者一意於其所宿之木又云夫不鳥之愨謹者人皆愛之則此是謹愨孝順之鳥故名司徒之官教人使之孝也

鴡鳩氏司馬也鴡鳩王鴡也鷙而有別故爲司馬主法制○鴡七徐反鷙音至本又作摯下同別彼列反

疏注鴡鳩至法制○正義曰釋鳥云鴡鳩王鴡李巡云王鴡一名鴡鳩郭璞云鵰類今江東呼之爲鶚好在江渚山邊食魚毛詩傳曰鳥摯而有別則鴡鳩是鷙擊之鳥又能雌雄有別也司馬主兵又主法制摯而又當法制分明故以此鳥名官使主司馬之職

鳲鳩氏司空也鳲鳩鴶鵴也鳲鳩平均故爲司空平水土○鳲音尸鴶本亦作秸古八反又古黠反鵴本亦作鞠居六反

疏注鳲鳩至水土○正義曰釋鳥云鳲鳩鴶鵴樊光曰春秋云鳲鳩氏司空也自關而東謂之戴勝郭璞曰今之布穀也江東呼爲獲穀詩義疏云今梁宋之間謂布穀爲鴶鵴方言云鳲鳩自關而東謂之戴勝則布穀是鳲鳩則郭云鳲鳩是戴勝也今戴勝自爲鵀至穴中不巢生於樹木詩云鳲鳩在桑其子七兮毛傳云鳲鳩之養其子朝從上下暮從下上平均如一是鳲鳩平均

故爲司空尚書舜典云伯禹作司空帝曰禹汝平水土惟時懋哉是司空主平水土也 爽鳩氏司寇也 爽鳩鷹也鷙故爲司寇主盜賊○爽所丈反 疏 注爽鳩至盜賊○正義曰釋鳥云鷹鶆鳩樊光曰春秋云爽鳩氏司寇鷹鸇是鷙擊之鳥司寇主擊盜賊故爲司寇也郭璞曰鶆當爲鷞字之誤耳左傳作爽鳩是也 鶻鳩氏司事也 鶻鳩鶻鵰也春來冬去故爲司事○鶻音骨鵰陟交反又陟留反 疏 注鶻鳩至司事○正義曰釋鳥云鶌鳩鶻鵃舍人曰鶌鳩一名鶻鵃今之斑鳩也樊光曰春秋云鶻鳩氏司事春來冬去孫炎曰鶻鳩一名鳴鳩月令云鳴鳩拂其羽郭璞云今江東亦呼爲鶻鵃似山鵲而小短尾青黑色多聲即是此也舊說及廣雅皆云斑鳩非也所論與鳴鳩雖有異同其言春來冬去舊有此說國家營事雖治器物一年之間無時暫止故以此鳥名司事之官也司事蓋營造之事於六官皆屬司空此司空司事各爲一官者古今代異爵如舜典司空與共工各爲一官也 五鳩鳩民者也 鳩聚也治民上聚故以鳩爲名 疏 注鳩聚至爲名○正義曰鳩聚釋詁文也治民尚其集聚惡其流散故以鳩爲官名欲其聚斂民也 五雉爲五工正 五雉雉有五種西方曰鷷雉東方曰鶅雉南方曰翟雉北方曰鵗雉伊洛之南曰翬雉○翬許韋反鷷音存又音遵本或作蹲鶅側其反翟音狄下同鵗音希又作希如字一音丁里反 疏 注五雉至翬雉○正義曰釋鳥雉之屬十有四其說四方之雉西方曰鷷東方曰鶅南方曰翟北方曰鵗舍人曰釋四方之雉名也杜言四方之雉唯南方不同也釋鳥又云鷂雉山雉樊光曰其羽可持而舞詩云右手秉翟郭璞云長尾者爾雅之文翟與鷂別而賈逵亦云南方曰翟雉則先儒相傳爲說杜從之也釋鳥又云伊洛而南素質五采皆備成章曰翬李巡曰素質五采備具文章鮮明曰翬孫炎曰翬雉白質五采爲文也傳言五雉必取五方伊洛土之中區明其取翬雉與四方之雉爲五也賈逵云西方曰鷷雉攻木之工也東方曰鶅雉搏埴之工也南方曰翟雉攻金之工也北方曰鵗雉攻皮之工也伊洛而南曰翬雉設五色之工也樊光注爾雅四方之雉配工亦與賈同唯翬雉不配工耳案賈樊所言之工出於考工記耳而考工記更有刮摩之工凡有六工非唯五也且記是後世之書少皞時工未必與記所談又以工配雉無所馮據不可采用故杜不言 利器用正度量夷民者也 夷平也量音亮 疏

昭十七

利器至民者○正義曰雉聲近夷雉訓夷夷爲平故以雉名工正之官使其利便民之器用正丈尺之度斗斛之量所以平均下民也服虔云雉者夷也夷平也使度量器用平也 九扈爲九農正 扈有九種也春扈鳻鶞夏扈竊玄秋扈竊藍冬扈竊黃棘扈竊丹行扈唶唶宵扈嘖嘖桑扈竊脂老扈鷃鷃以九扈爲九農之號各隨其宜以教民事○扈音戶鳻扶云反又如字鶞勑倫反唶側百反又子夜反又助額反嘖音責又音賾 疏 注扈有至民事○正義曰釋鳥云春扈鳻鶞夏扈竊玄秋扈竊藍冬扈竊黃桑扈竊脂棘扈竊丹行扈唶唶宵扈嘖嘖其文相次與此注正同李巡孫炎釋之云諸扈別春夏秋冬四時之名皆因其毛色音聲以爲名竊藍青色釋鳥又云鶨鶟老扈鷃鷃舍人李巡孫炎郭璞皆斷老上屬爲下屬解云鶨一名鶟老扈一名鷃鷃雀也唯樊光斷鶨鶟爲句以老下屬注云春秋云九扈爲九農正九扈者春扈夏扈秋扈冬扈棘扈行扈宵扈桑扈老扈是以老爲下屬唯不重耳李巡云竊脂一名桑扈郭璞曰俗謂之青雀觜曲食肉好盜脂膏因名云鄭玄詩箋云竊脂肉食陸璣毛詩義疏云竊脂青雀也好竊人脯肉及筩中膏故以竊脂爲名也諸儒說竊脂皆謂盜人脂膏也即如此言竊玄竊藍者豈復盜竊玄黃乎爾雅釋獸云虎竊毛謂之虦貓陸璣云如淺毛熊竊毛而黃竊毛皆謂淺毛竊即古之淺字但此鳥其色不純竊玄淺黑也竊藍淺青也竊黃淺黃也竊丹淺赤也四色皆具則竊脂爲淺白也其唶唶嘖嘖則聲音爲之名矣其春扈鳻鶞樊光云鳻鶞言分循也春扈分循五土之宜乃以人事名鳥其義未必然也爾雅春扈名字不重賈服皆云鳻鶞亦聲音爲名也賈逵云春扈分循相五土之宜趣民耕種者也夏扈竊玄趣民耘苗者也秋扈竊藍趣民收斂者也冬扈竊黃趣民蓋藏者也棘扈竊丹爲果驅鳥者也行扈唶唶晝爲民驅鳥者也宵扈嘖嘖夜爲農驅獸者也桑扈竊脂爲蠶驅雀者也老扈鷃鷃趣民收麥令不得晏起者也舍人樊光注爾雅其言亦與賈同其意皆謂以扈爲官遞令依此諸扈而動作也然則趣民耕耘及收斂蓋藏其事可得召民使爲之而號令之其爲果驅鳥爲蠶驅雀豈得多置官方使之就果樹入蠶室爲民驅之哉又晝驅鳥夜驅獸不可竟日通宵常在田野溥天之下何以可周且其言不經難可據信也杜云以九扈爲九農之號各隨其宜以教民事以爲說不可采用又不能知其職掌故未言之 扈民無淫者也 扈止也止民使不淫放 自顓頊以來不能紀遠乃紀於近爲民師

命以民事則不能故也顓頊氏代少皞者德不能致遠瑞而以民事命官。顓音專，頊許玉反【疏】自顓至故也。正義曰傳言少皞摯之立也鳳鳥適至則鳳鳥以初立時至也因其初立而有此瑞鳥遂即以鳥紀事雲火水龍亦以初立之時此瑞用之以紀庶事自顓頊以來初立之時既無遠瑞不能紀以遠而乃紀於近天瑞遠民事近為民之師長而命其官以民事則為不能致遠瑞故仲尼聞之

見於郯子而學之於是仲尼年二十八【疏】注年二十八。正義曰沈文何云襄三十一年注云仲尼年十歲計至此年二十七今云二十八誤既而告人曰吾聞之

天子失官學在四夷猶信失官官不脩其職也傳言聖人無常師【疏】失官學在四夷。正義曰王肅云郯中國也故吳伐郯季文子歎曰中國不振旅蠻夷入伐吾亡無日矣孔子猶學在四夷疾時學廢也郯少皞之後以其世則遠以其國則小矣魯周公之後以其世則近以其國則大矣然其禮不如郯故孔子發此言也失官為所居之官不脩其職也仲尼學樂於萇弘問禮於郯子是聖人無常師。晉侯使

正德十二年　春秋疏四十八　九　余富

屠蒯如周請有事於雒與三塗屠蒯晉侯之膳宰也以忠諫見進雒水也三塗山名在陸渾南。蒯苦怪反雒音洛萇弘謂劉子曰客容猛非祭也其伐戎乎陸渾氏甚睦於楚必是故也君其備之乃警戎備警戒以備戎也欲因晉以合勢。警音景九月丁卯晉荀吳帥師涉自棘津河津名使祭史先用牲于雒陸渾人弗知師從之庚午遂滅陸渾數之以其貳於楚也陸渾子奔楚其衆奔甘鹿甘鹿周地周大獲先發戒備故獲宣子夢文公攜荀吳而授之陸渾故使穆子帥師獻俘于文宮欲以應夢。俘芳夫反應應對之應○冬有星孛于大辰西及漢孛[illegible]

八月辰星見在天漢西今孛星出辰西光芒東及天漢。夏戶雅反下文同見賢遍反【疏】注夏之至天漢。正義曰星孛文在冬下經傳皆無其月但冬以十月為初故以夏之八月解之也月令仲秋之月日在角昏牽牛中大辰是房心尾也其星處於東方之時在角星之北故以八月之昏角星與日俱沒大辰見於西方也天漢在箕斗之間於是時天漢西南東北邪列於天大辰之星見在天漢之西也今孛星又出於大辰之西而尾東指光芒歷辰星而東及天漢也申須曰彗所以除舊布新也申須魯大夫。彗似銳反又音息遂反【疏】彗所至新也。正義曰彗埽帚也其形似彗故名焉帚所以埽去塵穢彗星象之故所以除舊布新也言此星見必有除舊之事天事恒象天道恒以象類告示人今除於火火出必布焉諸侯其有火災乎今火向伏故知當須火出乃布散為災。向許亮反又作緫梓慎曰往年吾見之是其徵也徵始有形象而微也火出而見前年火出時。見賢遍反下及注並同今茲火出而章

鐃陳校　春秋疏四十八　十　熊山

必火入而伏隨火行也【疏】今茲至而伏。正義曰梓慎云往年吾見之是其徵也當時火出之時而彗星已見是隨火而行也今年火星之出而彗星章明是彗漸盛長未即消滅必當火入之時與火俱伏也服虔注本火出而章必火入而伏重火別句孫毓云賈氏舊文無重火字其居火也久矣歷二年其與不然乎言必然也。與如字又音預火出於夏為三月於商為四月於周為五月夏數得天謂昏見得天正【疏】注得天正。正義曰斗柄所指一歲十二月分為四時夏以建寅為正則斗柄東指為春南指為夏是為得天四時之正也若殷周之正則不得正若火作其四國當之在宋衛陳鄭乎宋大辰之虛也大辰大火宋分野。虛起居反下同分扶問反【疏】宋大辰之虛。正義曰虛者舊居之處也陳為大皞之虛鄭為祝融之虛衛為顓頊之虛皆先王先公舊居此地謂之虛可矣大辰星名非人居也而亦謂之虛者以天之十二次地之十二域大辰為大火之次是宋之區域故

謂宋為大辰之虛猶謂晉地為參虛 陳大皞之虛也 大皞居陳木火所自出 鄭祝融之虛也 祝融高辛氏之火正居鄭 皆火房也 房舍也 星孛天漢漢水祥也 天漢水也 衛顓頊之虛也故為帝丘 衛今濮陽縣昔帝顓頊居之其城內有顓頊冢○濮音卜 其星為大水 衛星營室營室水也 水火之牡也 牡雄也○牡茂后反 〔疏〕水火之牡○正義曰牝牡牡是雄也陰陽之書有五行嫁娶之法火畏水故以丁為壬妃是水為火之雄 其以丙子若壬午作乎水火所以合也 丙午火壬子水水火合而相薄水少而火多故水不勝火○薄本又作搏音博 〔疏〕注丙午至勝火○正義曰丙是火日午是火位壬是水日子是水位故丙午為火壬子為水水火合而相薄則是夫妻合而相親親則得行其意或水從火或火從水但彗在大辰為多及漢為少水少而火多故水不勝火火行其意水必助之故此丙子壬午之日當有火災 若火入而伏必以壬午 尚未火[illegible]知今孛星當[illegible]隨火星俱伏不故言若○復扶又反 〔疏〕若火至壬午○正義曰劉炫云丙子壬午雖俱是水火合日但二字之內先言彊若火入而伏則連秋至春歷夫陰水用事雖同其欲水當先火故疑火入而伏則必以壬午也劉炫雖為此釋杜既無注其壬午之事理則未詳 不過其見之月 火見周之五月 鄭裨竈言於子產曰宋衛陳鄭將同日火若我用瓘斝玉瓚鄭必不火 瓘珪也斝玉爵也瓚勺也欲以禳火○裨婢支反瓘古亂反斝古雅反瓚才旦反勺上若反禳本亦作攘如羊反下同○ 〔疏〕注瓘珪至禳火○正義曰瓘是玉名此傳所云皆是成器之器故知瓘是珪也斝是爵名玉字在斝瓚之間知斝亦以玉為之故云斝玉爵也周禮典瑞云祼圭有瓚鄭司農云於圭頭為器可以挹鬯祼祭謂之瓚國語謂之鬯圭鄭玄云漢禮瓚槃大五升口徑八寸下有槃口徑一尺考工記玉人云祼圭尺有二寸有瓚以祀廟鄭玄云瓚如槃其柄用圭有流前注鄭玄詩箋云圭瓚之狀以圭為柄黃金為勺青金為外朱中央是瓚為勺共祭祀之器也裨竈欲用此三物以禳火 子產弗與 以為天災流行

宋[illegible]所息故也為明年宋衛陳鄭災傳 ○吳伐楚陽匄為令尹卜戰不吉 陽匄穆王曾孫令尹子瑕○匄古害反 〔疏〕卜戰不吉○正義曰陽匄心不決死戰必欲將死是不吉也司馬子魚[illegible]以死不以將死為卜故卜之得吉敗吳之後吳人敗之然則不吉○注楚子曾孫○正義曰按世本穆王生王子揚揚生尹尹生令尹匄 司馬子魚曰我得上流何故不吉 子魚公子魴也順江而下易以敗我○魴音房易以豉反 且楚故司馬令龜我請改卜令曰魴也以其屬死之楚師繼之尚大克之吉 得吉兆 戰于長岸子魚先死楚師繼之大敗吳師獲其乘舟餘皇 餘皇舟名○乘繩證反下同 使隨人與後至者守之環而塹之及泉 環周也○環音患塹七豔反 盈其隧炭陳以待命 隧出入道○隧音遂下同炭吐旦反 〔疏〕注隧出入道○正義曰守舟者雖環而塹之猶不得不合有出入之路故隔路置炭以防吳人也 吳公子光 光諸樊子闔廬也○闔戶臘反廬力居反 請於其眾曰喪先王之乘舟豈唯光之罪眾亦有焉請藉取之以救死 藉眾之力以取舟○喪息浪反 眾許之使長鬣者三人 長鬣多髭鬚與吳人異形狀詐為楚人○鬣力輒反髭子斯反鬚音須 潛伏於舟側曰我呼餘皇則對師夜從之 師吳師也○呼好故反下同 三呼皆迭對 迭更也○迭待結反更音庚 楚人從而殺之楚師亂吳人大敗之取餘皇以歸 傳言吳光有謀

經十有八年春王三月曹伯須卒 未同盟而赴以名○

夏五月壬午宋衛陳鄭災 來告故書天火曰災 〔疏〕注來告至曰災

正義曰傳稱皆來告火知是來告故書也春秋書他國之災皆是來告而書公羊傳曰宋衛陳鄭災何以書記異也何異爾異其同日而俱災外異不書此何以書爲天下記異也穀梁亦云其志以同日也杜因此傳有來告之文故顯而異之天火曰災宣十六年傳例也○六月鄅人入鄅鄅國今琅邪開陽縣○鄅音禹許愼郭璞皆音矩國名琅邪本或作郰○秋葬曹平公○冬許遷于白羽自葉遷也畏鄭而樂遷故以自遷爲文○葉始涉反疏注自葉至爲文○正義曰成十五年許遷于葉自是以後許常以葉爲都九年許遷于夷是自葉遷于夷也十三年傳曰楚之滅蔡也靈王遷許胡沈道房申於荊焉平王即位既封陳蔡而皆復之禮也注云荊荊山也滅蔡在十一年許又從夷遷於荊山平王復之復其本國許又歸於葉也故知此年遷于白羽是其自葉遷也凡傳云葉在楚方城外之蔽明其欲遷之時許在葉也案傳王子勝言於楚子使之遷許則是楚人遷許非許自遷楚雖發意遷許許亦畏鄭樂遷故以自遷爲文若許不樂遷楚強遷之當云楚人遷許如宋人遷宿齊人遷陽之類不得云許遷于白羽以其自遷爲文知許人自樂遷也

懷陳校

傳十八年春王二月乙卯周毛得殺毛伯過毛伯過周大夫得過之族○過古禾反而代之代居其位疏注代居其位○正義曰毛氏世有采地爲畿內之國於時天子微弱故自殺自代不能禁之萇弘曰毛得必亡是昆吾稔之日也侈故之以昆吾夏伯也稔熟也侈惡積熟以乙卯日與桀同誅○萇直良反稔而審反侈昌氏反又尸氏反夏戶雅反而毛得以濟侈於王都不亡何待爲二十六年毛伯奔楚傳疏是昆至何待○正義曰是乙卯者昆吾之君惡熟之日也由其侈故以此日死也而毛得以此日成其侈惡於王都不亡何待○注昆吾至同誅○正義曰鄭語云黎爲高辛氏火正命之曰祝融其後八姓昆吾爲夏伯矣楚世家云顓頊生稱稱生卷章卷章生黎黎爲高辛氏火正共工氏作亂帝使黎誅之而不盡帝誅黎使其弟吳回居火正爲祝融吳回生陸終終生子六人坼剖而産焉其長曰昆吾虞叉曰昆吾爲己姓封昆吾世本云昆吾者衛是也然則昆吾國名言昆吾夏伯者以表昆吾國君其上世嘗爲夏伯其惡熟誅者非此爲伯之身當是後世之孫耳詩云韋顧既伐昆吾夏桀其桀同文又傳云乙卯云知以乙卯日與桀同時誅○三月曹平公卒爲下會葬見原伯起本○夏五月火始昏見火心星○見賢遍反丙子風梓愼曰是謂融風火之始也東北曰融風融風木也木火母故曰火之始疏注東北至之始○正義曰東北曰融風易緯作調風俱是東北風一風有二名東北木之始故融風爲木也木是火之母火得風而盛故融爲火之始七月其火作乎從丙子至壬午七日壬午水火合之日故知當火作戊寅風甚壬午大甚疏戊寅至大甚○正義曰甚者益盛之言也丙子初風連日不息至戊寅而風益盛至壬午而風又大盛初言融風是東北風也益自丙子至壬午風不廻而稍益盛傳雖主言魯國之風被四國亦當然也宋衛陳鄭皆火梓愼登大庭氏之庫以望之大庭氏古國名在魯城內魯於其處作庫高顯故登以望氣參近占以審前年之言○大甚本或作火甚處昌慮反下祭處同故登以望氣本或作以望氛氣疏

懷陳校

注大庭至之言○正義曰大庭氏古天子之國名也先儒舊說皆云炎帝號神農氏一曰大庭氏服虔云在黃帝前鄭玄詩譜云大庭在軒轅之前亦以大庭爲炎帝也對文則藏馬曰廄藏車曰庫曲禮云在府言府在庫言庫鄭玄云府謂寶藏貨賄之處庫爲車馬兵甲之處又大學云未有府庫財非其財者則庫亦藏財貨非獨車馬甲兵也古之大庭皆都於魯其虛在魯城內魯於其處作庫而其地高顯故梓愼登之以望氣梓愼往年言其將火今更望氣參驗近占以審已前年之言信也梓愼所望望天氣耳非能望見火也而何休難云宋衛陳鄭去魯皆數千里爲登高以見其火豈實事哉劉炫云案左傳不言望火何以言見其火玄鄭以爲孔子登泰山見吳門之白馬離婁覩千里之毫末梓愼所非常人何知不見數百里之煙火孔子在陳知桓僖災若豈復望見之乎若見火知災則人皆知之矣何所貴乎梓愼左氏傳而編記之哉且四國去魯縱數百里而何休云數千里雖意欲其遠亦虛妄之極梓愼所望自當有以知之不知見何氣知其災也服虔云四國皆有火氣也梓愼不言夜望安知望火陳獨無火何所望哉今以爲服解義或然也曰宋衛陳鄭也數日皆來告火言經所以書○數所主反裨竈

曰不用吾言鄭又將火（前年裨竈欲用瓘斝禳火子產不聽今復請用之○禳如羊反復扶又反下同）鄭人請用之（信竈言）子產不可子大叔曰寶以保民也若有火國幾亡可以救亡子何愛焉子產曰天道遠人道邇非所及也何以知之竈焉知天道是亦多言矣豈不或信（多言者或時有中○幾音祈又音機下同竈焉於虔反中丁仲反）遂不與亦不復火（傳言天道難明雖神竈猶不足以盡知之）鄭之未災也里析告子產曰將有大祥（里析鄭大夫祥變異之氣○析星歷反大祥或作火祥非也）【疏】注將有大祥○正義曰祥者善惡之徵中庸云國家將興必有禎祥國家將亡必有妖孽則凶禍也則祥是善事而里析以為大祥者彼對文言耳書序云亳有祥桑穀共生于朝五行傳云時有青眚青祥白眚白祥之類皆以惡徵為祥是祥有善有惡故杜云祥變異之氣民震動國幾亡吾身泯焉弗良及也（言將先災死○泯面忍反先悉薦反）【疏】弗良及也○正義曰良是語辭史傳多云良所未悟良有以也是古今共有此語也而服虔云弗良及者不能及也良能也能非良之訓妄言耳國遷其可乎子產曰雖可吾不足以定遷矣（子產天災不可逃非遷所免故託以知不足○知音智）及火里析死矣未葬子產使輿三十人遷其柩（以其常與己言故○輿音餘柩其又反）火作子產辭晉公子公孫于東門（晉人新來未入故辭不使前也）【疏】注晉人至前也○正義曰下云出新客禁舊客勿出於宮此辭于東門明是晉人新來未入故辭之不使前也此新來蓋聘使也晉人往因驪姬之難詛無畜羣公子故文襄之世公子皆出在他國自成公以來立公族國內始有公子故使之來聘也自晉適鄭當西入西門而辭之東門者鄭城西臨洧水其西無門蓋從東門入為便故辭于東門使司寇出新客

張德　校　　秋疏四十八　十五　黃永健刊

禁舊客勿出於宮（為其知國情不欲令去○為于偽反令力呈反）使子寬子上巡羣屏攝至于大宮（二子鄭大夫屏攝祭祀之位大宮鄭祖廟巡行宗廟不得使火及之○行下孟反下文行火下注賓行同）【疏】注二子至之位○正義曰子寬游吉之子世族譜子寬與游速渾罕為一人駟帶字子上六年死矣此別有子上非駟帶也世族譜雜人內有子上無子寬明子寬與渾罕為一人也楚語說事神之禮云使名姓之後能知犧牲之物彝器之量屏攝之位壇場之所而心率舊典者為之宗知屏攝是祭祀之位也鄭衆云屏攝束茅以為屏蔽其事或當然使公孫登徙大龜（登開卜大夫）使祝史徙主祏於周廟告于先君（周廟厲王廟也有火災故合羣主於祖廟易救護○祏音石）【疏】注祏廟至救護○正義曰每廟木主皆以石函盛之當祭則出之事畢則納於函藏於廟之北壁之內所以辟火災也文二年傳云鄭祖厲王故知鄭之周廟是厲王廟也既有火災皆須防守故合羣主就於祖王廟易救護也衞次仲云右主八寸左主七寸廣厚三寸穿中央達四方也范甯云天子主長尺二寸諸侯主長一尺也白虎通云納之西壁使府人庫人各儆其事（儆備火也○儆音景）【疏】使府人庫人各儆其事○正義曰曲禮云在府言府在庫言庫皆是藏財賄之處故使其人各自儆守以防火也周官有十府內府外府天府王府泉府而無掌庫之官蓋府庫通言庫亦謂之府也諸侯國異故殊故府庫並言也商成公儆司宮（商成公鄭大夫司宮巷伯寺人之官）出舊宮人寘諸火所不及（舊宮人先公宮女○寘之豉反）司馬司寇列居火道行火所焮（備非常也○焮許靳反）城下之人伍列登城（為部伍登城備姦也）【疏】注行火至登城○正義曰此云司馬司寇之下亦是二官使之行火所焮令人救之也言城下之人為部伍行列以登城亦是司馬司寇之人備姦也明日使野司寇各保其徵（野司寇縣士也火之明日四方乃聞災故戒保所徵役之人）【疏】注野司至之人○正義曰傳言野司寇則司寇之官在野周禮司寇屬官有縣士掌

懷陳　校　　秋疏四十八　十六　陳基

野知野司寇是縣士也鄭玄縣士注云地距王城二百里以外至三百里曰野三百里以外至四百里曰縣四百里以外至五百里曰都都縣野之地其邑非王子弟公卿大夫之采地則皆公邑也謂之縣縣士掌其獄焉言掌野者郊外曰野大總言之也獄居近野之縣獄在二百里上縣之獄在三百里上都之縣獄在四百里上如鄭此言采邑之民有獄則采地之官長各自斷之若公邑之民有獄則縣士斷之縣士司寇屬官所掌在野故此傳謂之野司寇也縣士職曰各掌其縣之民數而聽其獄訟若邦有大役聚衆庶則各掌其縣之禁令則諸侯縣士亦當然也縣士分在四方不聞火火之明月四方乃聞有災故戒使各保其所應受徵役之人皆令具備以待上命應有所須當徵之

郊人助祝史除於國北為祭處於國北者就太陰禳火

疏郊人至國北○正義曰周禮鄉在郊內遂在郊外諸侯亦當然郊人當謂郊內鄉之人也祝史掌祭祀之官也使此鄉人助祝史除地在城之北作壇場為祭處也就國北者南為陽北為陰就大陰禳火也

禳火于玄冥回祿玄冥水神回祿火神○冥亡丁反

疏注玄冥至火神○正義曰月令冬云其神玄冥知玄冥水神也周語云夏之亡也回祿信於聆隧先儒注左傳及國語者皆云回祿火神或當有所見也二十九年傳脩及熙為玄冥則玄冥祭脩熙不知回祿祭何人楚之先吳回為祝融或云回祿即吳回也祭水神欲令水抑火祭火神欲令火自止禳其餘災慮更火也

祈于四鄘鄘城也城積土陰氣所聚故祈祭之以禳火之餘災○鄘音容

書焚室而寬其征與之材征賦稅也○稅始銳反

三日哭國不市亦憂戚不會市

使行人告於諸侯宋衛皆如是陳不救火許不弔災君子是以知陳許之先亡也不義所以亡

疏陳許之先亡也○正義曰哀十七年楚滅陳也定六年鄭游速帥師滅許其後復立許悼公之孫或定為元公其子結元年獲麟之歲也當戰國首為楚所滅

六月鄅人藉稻鄅妘姓國也其君自出藉稻蓋履行之○妘音云

疏注鄅妘至行之○正義曰鄅為妘姓世本文也周之六月夏之四月種稻之時其君自出觀行之藉猶籍也踐履之義故為履行之服虔云藉耕種於藉田也

邾人襲鄅鄅人將閉門郳人羊羅攝其首焉斬得閉門者頭

疏攝訓為持也斬得閉門者首而持其頭

遂入之盡俘以歸鄅子曰余無歸矣從帑於邾邾莊公反鄅夫人而舍其女

疏而舍其女○正義曰言止舍其女而留之○為明年宋伐邾起○帑音奴

秋葬曹平公往者見周原伯魯焉原伯魯周大夫

與之語不說學歸以語閔子馬閔子馬曰周其亂乎夫必多有是說而後及其大人國亂俗壞言者漸以及大人大人在位者○說學音悅

大人患失而惑又曰可以無學無學不害患有學而失道者以求其意

不害而不學則苟而可苟且

於是乎下陵上替能無亂乎夫學殖也不學將落原氏其亡乎殖生長也言學之進德如農之殖苗日新日益○長丁丈反殖時力反

疏周其至亡乎○正義曰周其亂乎夫其國內之人必多有是說而後流傳及其在位之大人言有學而失其道者而以為言曰其實可以無學無學不為害也以為無害而遂不學則苟且而可於是在下陵上在上替廢其位上下失分能無亂乎夫學如殖也國內多有此言有道理也人之學問猶草木之生枝葉也不學則日退猶如草木之隕落枝葉也原氏其亡滅乎

七月鄭子產為火故大為社為治也○為火並如字

祓禳於四方振除火災禮也祓除也○祓芳弗反又音廢

疏為社至禮也○正義曰為社者此非常祭也禮記云大為社者為火特祭云為故禳大於常祭故以大言之四方之神巫掌禳除祓禳皆除凶之祭祓於四方之神以振訊除去火災禮也

禳冬祭非禮故禮之乃簡兵大蒐將爲蒐除治兵於廟城內地迫故除廣之子大叔之廟在道南其寢在道北其庭小庭蒐隘也○場直良反【疏】子大至道北○正義曰鄭簡公之卒將爲葬除除亦欲毀游氏之廟則游吉宅近大路故數將毀毀也其廟當在寢南乃以其近大路故將毀之病在道南寢在道北也寢廟游吉所居宅也過期三日覆小不得一時【疏】過期三日○正義曰此量其庭之大小畢○處昌慮反【疏】而除討之以庭小之故當過期三日欲除道使得望及期得了亦不知本製當盡幾日也使除徒陳於道南廟北曰子產過女而命速除乃毀於而鄉而女也毀女所鄉○女音汝注同鄉許亮反本又作嚮注同子產朝君過而怒之怒不毀除者南毀子產及衝使從者止之曰毀於北方言子產仁不忍毀人廟○衝昌容反從才用反火之作也子產授兵登陴子

春秋左傳四十八卷　十九

大叔曰晉無乃討乎難晉公子公孫而授兵似若叛晉○陴婢支反子產曰吾聞之小國忘守則危況有災乎國之不可小有備故也既晉之邊吏讓鄭曰鄭國有災晉君大夫不敢寧居卜筮走望不愛牲玉鄭之有災寡君之憂也今執事撊然授兵登陴撊然勁忿貌○守手又反一音如字撊遐板反勁吉政反【疏】卜筮至牲玉○正義曰言為鄭卜筮何故有災竟禱向神祇而望祭之祭山川故為望也莊二十五年傳云天災有幣無牲若然不變牲玉者天之見異非求人飲食有牲有幣然牲若祭求則災若則當有牲雲漢之詩美宣王為旱禱祈云靡愛斯牲圭璧既卒亦是用牲玉也○注撊然勁忿貌○正義曰服虔云撊然猛貌也方言云撊猛也晉魏之間曰撊杜言勁忿貌亦是猛也但述晉人責鄭之意故以勁忿解之將以誰罪邊人恐懼不敢不告子

產對曰若吾子之言敝邑之災君之憂也敝邑失政天降之災又懼讒慝之間謀之以啓貪人荐爲敝邑不利荐重也○恐丘勇反慝他得反間間廁之間荐在遍反重直用反下文同【疏】將以誰罪○正義曰將以誰爲罪而欲將兵疑其畏晉襲之欲歸罪於之以重君之憂幸而不亡猶可說也說解也不幸而亡君雖憂之亦無及也鄭有他竟望走在晉言鄭雖與他國爲竟每瞻望晉歸赴之○竟音境【疏】望走在晉○正義曰其所瞻望奔走而歸之者唯在晉耳既事晉矣其敢有二心傳言子產有備【疏】注傳言子產有備○正義曰國有火災懼被人襲登陴固守是有備也○楚左尹王子勝言於楚子曰許於鄭仇敵也而居楚地以不禮於鄭上五年平王復遷邑許自夷遷居葉

春秋左傳四十八卷　二十

恃楚而不事鄭【疏】而居楚地○正義曰當時許都於葉葉本楚地名葉在楚界許本依於鄭請遷近楚楚以葉與之故爲居楚地○十五年遷葉○正義曰案十三年云楚平王復之當從荊則許從夷遷向荊也之城葉也蓋王遷許胡沈道房申於荊則許從夷遷向荊也平王復之當從荊而向夷自夷向葉注不言自荊遷葉者蓋以許遷於夷見經故據以爲言其實自荊遷也晉鄭方睦鄭若伐許而晉助之楚喪地矣君盍遷許許不專於楚自以舊國不專心事楚○喪息浪反盍戶臘反【疏】注自以至事楚○正義曰劉炫云當恃許之於楚更無異望非敢恃舊國不事楚當以畏鄭之故外設備禦不得專心事楚耳今杜必以爲舊國不專心事楚者以此傳許謂鄭人云余舊國許畏於鄭尚以舊國不肯事鄭明以舊國亦不專心事楚劉以爲畏鄭不專心事楚而規杜氏非也鄭方有令政許曰余舊國也許先封○先悉薦反鄭曰余俘邑也隱十一年鄭滅許而復存之故曰我俘邑葉在楚國方城外之蔽也爲方城外之蔽障○障章亮反○復扶又反

土不可易，（易，輕也。○易，以豉反。）國不可小，（謂鄭。）許不可俘，讎不可啓，君其圖之。楚子説。（○説音悦。）冬，楚子使王子勝遷許於析，實白羽。（於傳時，白羽改爲析。○析，星歷反。）

經十有九年春，宋公伐邾。（○爲，于僞反。）夏五月戊辰，許世子止弒其君買。（加弒者，責止不舍藥物。○弒，申志反。舍音捨。）[疏]注"加弒"至"藥物"。○正義曰：案傳，許君飲止之藥而卒，止實非弒，而加弒也。言書曰弒其君，則仲尼新意書弒也。責止事父不舍其藥物，言藥當信醫，不須己自爲也。釋例曰：醫非三世，不服其藥，古之慎戒也。人子之孝，當盡心嘗禱而已。藥物之齊，非所習也。許止身爲國嗣，國非無醫，而輕果進藥，故罪同於弒。雖原其本心，而春秋不赦其罪，蓋爲教之遠防。○己卯，地震。（無傳。）秋，齊高發帥師伐莒。○冬，葬許悼公。（無傳。）

傳十九年春，楚工尹赤遷陰于下陰，（陰縣今屬南鄉郡。）令尹子瑕城郟。叔孫昭子曰：楚不在諸侯矣，其僅自完也，以持其世而已。（遷陰城郟，皆欲以自完守。○郟，古洽反。僅音覲。持如字，本或作恃，怙之字，非也。）○楚子之在蔡也，（蓋爲大夫時往聘蔡。）[疏]注"蓋爲"至"聘蔡"。○正義曰：賈逵云楚子在蔡爲蔡公時也。杜以楚子十一年爲蔡公，十三年而即位，若在蔡生子，唯一二歲耳，未堪立師傅也。至今七年，未得云建可室矣，故疑爲大夫時聘蔡也。郥陽封人之女奔之，（郥陽，蔡邑。○郥，古闃反。）生大子建。及即位，使伍奢爲之師，（伍奢，伍舉之子，伍員之父。○員音云。）費無極爲少師，無寵焉，欲譖諸王，曰：建可室矣。（室，妻也。○少，詩照反。）王爲之聘於秦，無極與逆，勸王取之。正月，楚夫人嬴氏至自秦。（王自取之，故稱夫人至。爲下拜夫人起。○王爲，于僞反。注同。與音預。嬴音盈。）○郥夫人，宋向戌之女也，故向寧請師。（寧，向戌子也。請於宋公伐邾。○向，傷亮反。戌音恤。）二月，宋公伐邾，圍蟲。三月，取之。（蟲，邾邑。不書圍取，不以告。○蟲，直中反。）[疏]注"蟲邾"至"以告"。○正義曰：隱四年莒人伐杞取牟婁，襄二十三年齊侯伐衛，圍邑取邑，皆書於經，知此不書圍取，不以告也。乃盡歸郥俘。○夏，許悼公瘧。五月戊辰，飲大子止之藥，卒。（止獨進藥，不由醫。○瘧，魚略反，病也。）[疏]注"止獨"至"由醫"。○正義曰：言飲大子止之藥，是止獨進藥，不由醫也。大子奔晉。書曰弒其君。君子曰：盡心力以事君，舍藥物可也。（藥物有毒，當由醫，非凡人所知。譏止不舍藥物，所以加弒君之名。○舍音捨，下注舍子同。）[疏]注"君子"至"可也"。○正義曰：此君子論止之罪也。言爲人臣子，盡心盡力以事君父，如禮記文王世子之爲，即自足矣。如此則舍去藥物，已不干知於禮可也。此許世子不舍藥物，致令君死，是違人子之道，故春秋書其弒君，解經書弒君之意也。○邾人、郳人、徐人會宋公。乙亥，同盟于蟲。（終宋公伐邾事。○郳，五兮反。）○楚子爲舟師以伐濮。（濮，南夷也。○濮音卜。）[疏]注"楚子"至"伐濮"。○正義曰：費無極因此生意，令王收南方，使大子居城父，舉此爲發端。費無極言於楚子曰：晉之伯也，邇於諸夏，而楚辟陋，故弗能與爭。若大城城父而寘大子焉，（城父，今襄城城父縣。○伯音霸，又如字。夏，戶雅反。辟，四亦反。父音甫。寘，之豉反。）以通北方，王收南方，是得天下也。王説，從之。故太子建居于城父。令尹子瑕聘于秦，拜夫人也。（爲明年費無極譖大子張本。故以爲夫人遣謝秦。○説音悦。）○秋，齊高發帥師伐莒，莒子奔紀鄣。（紀鄣，莒邑也。東海贛榆縣東北有紀城○鄣音章穀古弄反如淳音歌兪音俞使孫書伐之孫書陳無宇之子子占也初莒有婦人莒子殺其夫已爲嫠婦寡婦爲嫠○嫠力之反本又作釐及老託於紀鄣紡焉以度而去之因紡纑連所紡以度城而藏之以待外攻者欲報讎去起呂反裴松之注魏志云古人謂藏爲去案今關中猶有此音纑力吳反麻縷也疏注及老至去之○正義曰紡謂紡麻作纑也此婦人以紡纑度城高下令長與城等而去藏之去即藏也字書云作弆丘呂反謂掌物也今關西仍呼爲弆東人輕言爲去音莒劉炫云紡謂紡麻作纑爲布作纑之法有小纑紀其井纑既爲布纑所用婦人不肯棄之猜而留之以此小纑度城而去之○注因紡至報讎正義曰連所紡者謂連所紡之纑以爲繩故下云投繩城外或解以連紀纑之繩然紀纑之纑其物細小而知何可以度城婦人意欲報讎於藏纑以爲繩也故杜云連所紡所紡即纑也及師至則投諸外投繩城外隨之而出疏注投繩至而出○正義曰傳言投諸外者當是繫繩城上而投其所繫於外婦人則隨之而出劉炫云淮投繩城外婦人不出今知不然者婦人既託於紀鄣則是愛惜身命若投繩不去身則亦死若准繫繩城上則身不離城何得言投諸子占明知將此婦人而獻之子占師則因繩在城而夜縋登焉劉以爲唯投城外而規杜氏非也獻諸子占子占使師夜縋而登縋縋登城○縋直僞反登者六十人縋絕師鼓譟城上之人亦譟莒共公懼啓西門而出七月丙子齊師入紀傳言怨不在大○譟素報反城上之人亦譟一本作上之人亦譟共音恭疏入紀○正義曰此紀即上紀鄣也釋例土地名於莒地有紀鄣紀二名東海贛榆縣東北有紀城○是歲也鄭駟偃卒子游娶於晉大夫生絲弱子游駟偃也絲弱幼少○少詩照反其父兄立子瑕子瑕子游叔父駟乞疏注子瑕子游叔父○正義曰案世本子游子瑕從公孫夏之子杜云叔父□子產憎其爲人也憎子瑕且以爲不順舍子立叔不順

□□弗許亦弗止許之爲違禮止之爲違衆故中立駟氏聳聳懼也○聳息勇反疏注聳懼也○正義曰釋詁云竦懼也竦與聳音義同他日絲以告其舅冬晉人使以幣如鄭問駟乞之立故駟氏懼駟乞欲逃子產弗遣請龜以卜亦弗予大夫謀對子產不待而對客曰鄭國不天不獲天福寡君之二三臣札瘥夭昏大死曰札小疫曰瘥短折曰夭未名曰昏○札側八反一音截字林作殀壯列反云夭死也瘥才何反字林作瘥大於表反昏如字疫音役疏注大死至曰昏○正義曰此皆賈逵言也周禮大司樂云大札令弛縣鄭玄云札疫癘也是札大疫死也爾雅云瘥病也以此說死事而與札相對故解云小疫也成二年傳說鄭靈公早死云夭子蠻是夭爲少死也尚書六極一曰凶短折孔安國云短未六十折未三十是短折爲早死之名故爲夭也子生三月父名之未名之曰昏謂未三月而死也未名不得爲臣總說諸死連言之耳今又喪我先大夫偃其子幼弱其一二父兄懼隊宗主私族於謀而立長親於私族於謀宜立親之長者○喪息浪反隊直類反長丁丈反注同疏注懼隊宗主○正義曰大夫稱世爲一宗之主恐隊失之也服虔云祏主藏於宗廟故曰宗主少牢饋食大夫禮也大夫無主何所隊乎寡君與其二三老曰抑天實剝亂是吾何知焉言天自欲亂駟氏非國所知○剝邦角反疏二三老○正義曰二三老者鄭之卿大夫也服虔云二三老駟氏家臣上言私族於謀而立長親豈得家臣不知也諺曰無過亂門民有亂兵猶憚過之而況敢知天之所亂今大夫將問其故抑寡君實不敢知其誰實知之平丘之會在十三年○諺音彦過古禾反下同一音古臥反憚待旦反君尋舊盟曰無或失職若寡君之二三

莅其即世者晉大夫而專制其位是晉之縣鄙也何國之爲辭客幣而報其使晉人舍之（逆人報晉使○役所吏反注同）○楚人城州來沈尹戌曰楚人必敗（十三年吳滅州來今就城而取之戌莊王曾孫華公諸樊之子也○戌音恤樊始涉反）昔吳滅州來（在十三年）子旗請伐之王曰吾未撫吾民今亦如之而城州來以挑吳能無敗乎侍者曰王施舍不倦息民五年可謂撫之矣戌曰吾聞撫民者節用於內而樹德於外民樂其性而無寇讎今宮室無量民人日駭勞罷死轉（轉遷徙也○旗音其挑徒了反樂音洛罷音皮本或作疲）【疏】息民五年○正義曰平王以十三年五月始即位其年兵亂未息今歲又役民城州來其間惟有五年則民樂其性○正義曰性生也兵革並起則民不樂生國家和平則樂生忘寢與食非撫之也（傳言平王所以不能霸）○鄭大水龍鬭于時門之外洧淵（時門鄭城門也洧水出熒陽密縣東南至潁川長平入潁○洧于軌反）國人請爲禜焉子產弗許曰我鬬龍不我覿也（覿見也○禜爲命反覿大歷反見賢遍反）【疏】禜焉○正義曰禜祭名元年傳曰山川之神則水旱癘疫之不時於是乎禜之龍鬭我獨何覿焉禳之則彼其室也（淵龍之室）吾無求於龍龍亦無求於我乃止也（傳言子產之知○知音智）【疏】禳之至止也○正義曰言禳之則彼淵是其室也其室既近禳之不難但吾無求於龍龍亦無求於我乃止也言其不復禜○令尹子瑕言蹶由於楚子（蹶由吳王弟五年靈王執以歸○蹶九衛反）曰彼何罪諺所謂室於怒市於色者楚之謂矣（言靈王怒吳子而執其弟猶人忿於室家而作色於市人）【疏】室於怒市於色○正義曰室內於家相瞋怒市於他人作色忿舍前之忿可也乃歸蹶由（言楚子能用善言○舍音捨又音赦）

附釋音春秋左傳註疏卷第四十八

附釋音春秋左傳註疏卷第四十九 昭公二十年

杜氏註　孔穎達疏

經二十年春王正月。○夏曹公孫會自鄸出奔宋。無傳。嘗有玉帛之使來告，故書。鄸，曹邑。○鄸，莫公反，一音亡嘗反，字林音夢，案夢字林亡忠反。使，所吏反。

疏注嘗有至曹邑。○正義曰：宣十年傳例曰：凡諸侯之大夫違，告於諸侯曰：某氏之守臣某失守宗廟，敢告。所有玉帛之使者則告，不然則否。注云：玉帛之使，謂聘。恩好不接，則不告。宜告不接，故不告。如杜之意，此為奔者之身嘗有玉帛之使於彼國，已經相接，則告。若奔者未嘗往聘，恩好不接，則不告。宜告奔者嘗聘之國，餘不告也。曹會嘗來聘魯，故云嘗有玉帛之使來告，故書也。此與二十二年宋華亥、向寧、華定自宋南里出奔楚，其文正同。彼華亥等入南里以叛，又從南里出奔，則此亦應然。賈逵云：前此以鄸叛也，叛使從鄸而出，叛不告，故不書。是言既以鄸叛，又從鄸而出也。南里繫宋，此鄸不繫曹者，鄸是大都，得以名通；南里是宋都之里，非別邑，故繫於宋。此鄸及定十一年讙，皆是別邑，故不繫國也。曹是小國，其臣書名者少，此會書名，蓋備於禮，成為卿也。釋例曰：小國之卿，或命而禮儀不備，或未加命數，故不書之，非卑我之等。其奔亡亦多所書，惟數人而已，知其合制者少也。杜言數人，謂此公孫會與邾快、邾畀我也。是杜意以會備禮成卿，故書名也。劉炫云：春秋未嘗書曹人來聘，非從會不見經。炫謂玉帛之使，謂國家所有交好皆告之，非奔者之身嘗聘也。今賈又云所以華亥、向寧、射姑等不見有玉帛來聘者，以其時未為卿也。○秋，盜殺衛侯之兄縶。齊豹作而不義，故書曰盜，所謂求名而不得。○縶，張立反。

疏注齊豹至不得。○正義曰：襄十年鄭尉止等殺子駟、子國，書曰：盜殺鄭公子騑、公子發。尉止之徒皆士，書之為盜。釋例曰：士微不大夫，則書曰盜。則此書盜，貶之使同於士也。三十一年傳說春秋之義云：或求名而不得，或欲蓋而名章，懲不義也。齊豹為衛司寇，守嗣大夫，作而不義，其書為盜，又曰春秋書齊豹曰盜，懲不義也。宣十七年傳例曰：凡稱弟，皆母弟也。公羊傳曰：母兄稱兄。此縶與衛侯同母，故稱兄。○冬十月，宋華亥、向寧、華定出奔陳。與君爭而出，皆書名，惡之。○華，戶化反。爭，爭鬪之爭。惡，烏路反。○十有一月辛卯，蔡侯盧卒。無傳。未同盟而赴以名。○盧，力烏反，本又作廬，力於反。

傳二十年春王二月己丑，日南至。是歲朔旦冬至之歲也。當言正月己丑朔日南至，時史失閏，閏更在二月後，故經因史而書正月，傳更具於二月，記南至日以正歷也。

疏注是歲至歷也。○正義曰：歷法十九年為一章，章首之歲必周之正月朔旦冬至。僖五年正月辛亥朔日南至，是章首之歲年也。計僖五年至往年，合一百三十三年，是為七章，今年復為章首，故云是歲朔旦冬至之歲也。朔旦冬至，謂正月之朔。當言正月己丑朔日南至，今傳乃云二月己丑日南至，是錯名正月為二月也。歷之正法，往年十二月後宜置閏月，即此年正月當是往年閏月，此年二月乃是正月，故朔日己丑日南至也。時史失閏，往年錯不置閏，閏更在二月之後。傳於八月之下乃云閏月戊辰殺宣姜，是閏在二月後也。不言在八月後而云在二月後者，以正月之前當置閏，二月之後即不可，故據二月言之。時史謂閏月為正月，故經因史而書正月，從其誤而書之。傳以經之正月實非正月，更具於二月，記南至之日以正歷之失也。日南至者，謂冬至也。冬至者，周之正月之中氣。歷法閏月無中氣，中氣必在前月之內。時史誤以閏月為正月，而置冬至於二月之朔，既不曉歷數，故閏月之與冬至悉皆錯也。杜下注云：時魯侯不行登臺之禮，使梓慎望氣。是杜意以為時魯之君臣知此己丑是冬至之日，但不知其不合在二月耳。服虔云：梓慎知失閏，二月冬至，故獨以二月望氣。則服意以為當時魯人置冬至於正月之內，獨梓慎知二月己丑是真冬至耳。其義或當然也。

懷陳　校　藥惟

梓慎望氛，氛，氣也。時魯侯不行登臺之禮，使梓慎望氛。○氛，芳云反。曰：今茲宋有亂，國幾亡，三年而後弭。蔡有大喪。為宋華、向出奔，蔡侯卒傳。○幾，音祈，又音機。弭，彌爾反。叔孫昭子曰：然則戴、桓也。戴族華氏，桓族向氏。汏侈無禮已甚，亂所在也。傳言妖由人興。○汏，音泰。○費無極言於楚子曰：建與伍奢將以方城之外叛，自以為猶宋、鄭也，齊、晉又交輔之，將以害楚，其事集矣。王信之，問伍奢。伍奢對曰：君一過多矣（一過納建妻）何信於讒王執伍奢（於奢切詩）使城父司馬奮揚殺大子未至而使遣之（知大子冤故遣令去○奮方問反宋音元反令力呈反）三月大子建奔宋王召奮揚奮揚使城父人執己以至（疏注城父人○正義曰服虔云城父人城父大夫也）王曰言出於余口入於爾耳誰告建也對曰臣告之君王命臣曰事建如事余臣不佞（佞才也）不能苟貳奉初以還（奉初命以周旋）不忍後命故遣之既而悔之亦無及已王曰而敢來何也對曰使而失命召而不來是再奸也（奸犯也○奸音干）逃無所入王曰歸從政如他日（使還○還音旋）

無極曰奢之子材若在吳必憂楚國盍以免其父召之彼仁必來不然將為患王使召之曰來吾免而父棠君尚謂其弟員（棠君奢之長子尚也為棠邑大夫員尚弟子胥○棠音唐長丁丈反）曰爾適吳我將歸死吾知不逮（自以知不及員○知音智注及下知也同一音如字逮音代一音大）我能死爾能報聞免父之命不可以莫之（詩計反）奔也親戚為戮不可以莫之報也奔死免父孝也度功而行仁也（仁者貴成功○度待洛反）擇任而往知也（負任擔○任音壬注同）知死不辟勇也（尚為勇）父不可棄名不可廢（俱死為廢名○奔死為棄父）爾其勉之相從為愈（愈差也○差初賣切）【疏】注爾其至為愈○正義曰勉謂努力爾其勉之令勉力報讎比於相從俱死為愈也杜云差謂之愈言其勝共死也服虔云相從愈於共死則服意相從使員從其言也語法兩人交互乃得稱相獨使員從己語不得為相從也

伍尚歸奢聞員不來曰楚君大夫其旰食乎（將有吳憂不得早食○旰古旦反）楚人皆殺之員如吳言伐楚之利於州于（州于吳子僚○僚力彫反）公子光曰是宗為戮而欲反其讎不可從也（光吳公子闔廬也反復也）員曰彼將有他志（光欲弒僚不利員用事故破其議而員亦知之）余姑為之求士而鄙以待之（光退居鄙○姑為于偽反）乃見鱄設諸焉（鱄諸勇士○見賢遍反鱄音專）【疏】注鱄設諸焉○正義曰見謂為之紹介使之見光下文齊豹見宗魯於公孟亦然猶論語云門人見之也　而耕於鄙（為二十七年吳弒僚傳○弒申志反）

○宋元公無信多私而惡華向華定華亥與向寧謀曰亡愈於死先諸（恐元公殺己欲先作亂○惡烏路反）華亥偽有疾以誘群公子公子問之則執之夏六月丙申殺公子寅公子御戎公子朱公子固公孫援公孫丁拘向勝向行於其廩（八子皆公黨○御魚呂反又如字援于眷反拘九于反廩力甚反）公如華氏請焉弗許遂劫之（劫公）【疏】公如華氏請焉○正義曰公未知諸人已死故猶往請之　癸卯取大子欒與母弟辰公子地以為質（欒景公也辰及地皆元公弟○欒力官反質音致下同辰及地皆元公弟案公子辰是景公之母弟地是辰兄皆當為元公之子今注皆作元公弟誤耳）【疏】注欒景至公弟○正義曰定十年經書宋公之弟辰及地不得為元公弟也世族譜辰地皆云

二十七

元公子出諸本皆云元公弟當時轉寫誤耳公亦取華亥之子無慼向寧之子羅華定之子啓與華氏盟以爲質爲其出也冬華向出奔陳○慼千歷反○衛公孟縶狎齊豹公孟靈公兄也齊豹齊惡之子爲衛司寇狎輕也○狎戶甲反奪之司寇與鄄鄄豹邑○鄄音絹有役則反之無則取之縶足不良故有役則以官邑還豹使行公孟惡北宮喜褚師圃欲去之喜貞子○惡烏路反褚中呂反圃布五反去起呂反公子朝通于襄夫人宣姜宣姜靈公嫡母○朝如字嫡丁歷反本又作適懼而欲以作亂故齊豹北宮喜褚師圃公子朝作亂初齊豹見宗魯於公孟爲驂乘焉宗魯衛人也見賢遍反驂七南反乘繩證反下將乘同乘一乘皆同乘公乘與乘一乘駟乘皆同將作亂而謂之曰公孟之不善子所知也勿與乘吾將殺之對曰吾由子事公孟子假吾名焉故不吾遠也言子借我以善名故公孟親近我○遠于萬反借子夜反近附近之近雖其不善吾亦知之抑以利故不能去是吾過也今聞難而逃是僭子也使子言不信也○難乃旦反僭子念反子行事乎吾將死之以周事子周猶終竟也而歸死於公孟其可也【疏】注周猶終○正義曰杜意以終子之事謂終子言不泄卻謂殺公孟之言丙辰衛侯在平壽平壽衛下邑公孟有事於蓋獲之門外有事祭也蓋獲衛郭門齊子氏帷於門外而伏甲焉齊子氏齊豹家使祝鼃寘戈於車薪以當門鼃祝史也以車薪當門○鼃烏蛙反寘之豉反

二十七

一乘使一乘從公孟以出從後○從如字又才用反使華齊御公孟宗魯驂乘及閎中閎曲門中○華戶化反閎音宏【疏】注使華齊御公孟○正義曰諸本皆華上有使字華齊是公孟之臣自爲公孟之御非齊氏所當使以不得有使字學者以上文有使祝鼃使一乘下有使華寅乘貳車使華寅肉袒執蓋以此致加使字今定本有使非也齊氏用戈擊公孟宗魯以背蔽之斷肱以中公孟之肩皆殺之公聞亂乘驅自閱門入【疏】乘驅自閱門○正義曰乘驅者乘車而疾驅也閱門者衛城門也○肱古弘反中丁仲反之下中南楚同乘驅起俱反閱音悅又如字又姚志反慶比御公公南楚驂乘使華寅乘貳車公副車○比必二反寅以真反及公宮鴻駵魋駟乘于公駵音留魋徒回反復扶又反公載寶以出褚師子申遇公于馬路之衢遂從從公出○衢其俱反從才用反過齊氏使華寅肉袒執蓋以當其闕袒示不敢與齊氏爭執蓋蔽公而去闕空也以蓋當其闕之空○袒徒早反爭爭闕之爭處昌慮反齊氏射公中南楚之背公遂出寅閉郭門踰而從公踰郭出○從才用反又如字下從公同公如死鳥死鳥衛地○射食亦反令力呈反析朱鉏宵從竇出徒行從公朱鉏成子黑背孫○析星歷反鉏仕居反竇音豆齊侯使公孫青聘于衛青頃公之孫○頃音傾既出聞衛亂使請所聘公曰猶在竟內則衛君也乃將事焉將事行聘事○竟音境遂從諸死鳥請將事辭曰亡人不佞失守社稷越在草莽吾子無

所辱君命賓曰寡君命下臣於朝曰阿下執事阿比也命己使比備臣下。莽莫蕩反臣不敢貳二違命也主人曰君若惠顧先君之好昭臨敝邑鎮撫其社稷則有宗祧在言受聘當在宗廟也。祧他彫反乃止止不行聘事衛侯固請見之欲與青相見不獲命以其良馬見以爲相見之禮○馬見賢遍反下注答禮見同爲未致使故也未致使故不敢以客禮見○爲于僞反使所吏反注同【疏】注未致至禮見○正義曰客禮見者若已致君命則享有庭實復有私覿私面之禮今爲未致使故但以良馬見也衛侯以爲乘馬喜其敬己故賓其物○乘繩證反又如字賓將掫掫行夜○掫側九反又祖侯反行下孟反【疏】注掫行夜○正義曰下云終夕與於燎故知掫是行夜也說文云掫夜戒有所擊也從手取聲主人辭曰亡人之憂不可以及吾子草莽之中不足以辱從者敢辭賓曰寡君之下臣君之牧圉也若不獲扞外役是不有寡君也有猶親有○從才用反圉魚呂反扞戶旦反臣懼不免於戾請以除死親執鐸終夕與於燎設火燎以備守○鐸待洛反與音預下不與聞謀與於青之賓同燎力召反又力弔反一本作終多與於燎齊氏之宰渠子召北宮子北宮喜也北宮氏之宰不與聞謀殺渠子遂伐齊氏滅之丁巳晦公入與北宮喜盟于彭水之上喜本與齊氏同謀故公先與喜盟【疏】丁巳晦○正義曰丙辰丁巳乃是晦日其事既多不應二日之中并爲此事今杜不云日誤者以誤在可知故杜不言且宣二年壬申朝于武宮注云壬申十月五日既有日而無月冬又在壬申下明傳文無較例又注哀十一年傳云此事經在十二月叙上今倒在下更具列其月以爲別者正明本不以爲義例故不舍齊同如杜此言或傳因簡牘之辭不復具顯其日月劉炫以爲月誤而規杜氏非也秋七月戊午朔遂盟國人八月辛亥公子朝褚師圃子玉霄子高魴出奔晉皆齊氏黨閏月戊辰殺宣姜與公子朝通謀故衛侯賜北宮喜謚曰貞子賊齊氏殺【疏】貞子○正義曰謚法外內用情曰貞賜析朱鉏謚曰成子胥從公故而以齊氏之墓予之皆未死而賜謚及墓田傳終而言之衛侯告寧于齊且言子石子石公孫青言其有禮【疏】注子石公孫青○正義曰案世本傾公生子夏[illegible]生子石青是也齊侯將飲酒徧賜大夫曰二三子之教也喜青敬衛侯○徧音遍苑何忌辭曰與於青之賞必及於其罰何忌齊大夫言青若有罪亦當并受其罰○苑於元反在康誥曰父子兄弟罪不相及尚書康誥【疏】在康至相及○正義曰此非康誥之全文引其意而言之其本文云子弗祗服厥父事大傷厥考心于父不能字厥子乃疾厥子于弟弗念天顯乃弗克恭厥兄兄亦不念鞠子哀大不友于弟惟弔茲不于我政人得罪孔安國云至此不孝不慈弗友不恭不於我執政之人得罪乎道教不至所致又曰文王作罰刑茲無赦言刑此不孝不慈之人無赦也刑不慈者不可刑其父又刑其子刑不孝者不可刑其子又刑其父是爲父子兄弟罪不相及況在羣臣臣敢貪君賜以干先王言受賜則犯康誥之義琴張聞宗魯死琴張孔子弟子字子開名牢○牢力刀反【疏】注琴張至名牢○正義曰家語云孔子弟子琴張與宗魯友七十子篇云琴牢衛人字子開一字張則以字配姓爲琴張即牢曰子云是也賈逵鄭衆皆以爲子張即顓孫師服虔云案七十子傳云子張少孔子四十餘歲孔子是時四十宜未有子張鄭賈之說不如所出將往弔之仲尼曰齊豹之盜而孟縶之賊女何弔焉言齊豹所以爲盜孟縶所以見賊皆由宗魯。汲音汲　君子不食姦（姦公孟不善而受其禄是食姦也）不受亂（許豹受亂行事是受亂也）不爲利疚於回（疚病也回邪也以利故不能去是病於邪。爲于僞反疚居又反邪似嗟反下同）不以回待人（知齊豹不去是以邪待人。汲乃旦反下同）不蓋不義（以周事豹是蓋不義）不犯非禮（以二心事繁是非禮。）宋華向之亂，公子城（平公子）公孫忌（宋大夫皆公孫）樂舍（樂喜孫）司馬彊向宜向鄭（向戌子）楚建（楚平王之子）郳甲（小邾穆公子）出奔鄭。（郳五兮反）其徒與華氏戰于鬼閻（鬼閻，穎川長平縣西北有閻亭。閻以廉反又似廉反）敗子城。子城適晉（子城適晉。正義曰：上云公子城以下八人奔鄭，此唯言子城適晉者，子城本為華氏所敗，故獨云適晉）【疏】（[illegible]）華亥與其妻必盥而食所（[illegible]）質公子者而後食。公與夫人每日必適華氏，食公子而後歸。華亥患之，欲歸公子。向寧曰：唯不信，故質其子。若又歸之，死無日矣。公請於華費遂，（費遂，大司馬華氏族。○盥古緩反。而食音嗣，下食公子同。質音致，下同。費扶味反）將攻華氏。對曰：臣不敢愛死，無乃求去憂而滋長乎（恐殺大子益長。○去起呂反。長丁丈反，注及下同）臣是以懼，敢不聽命。公曰：子死亡有命，余不忍其訽。（訽恥也。○訽許候反，本或作詬）【疏】子死至其訽。○正義曰：言我子死亡自有天命，非人所能。我不忍其恥，欲喪子以伐之。冬十月，公殺華向之質而攻之。戊辰，華向奔陳，華登奔吳。（登，費遂之子，黨於向者）向寧欲殺大子。華亥

曰：干君而出，又殺其子，其誰納我。且歸之有庸（可以爲功庸）。使少司寇牼以歸（以三公子歸公也。牼，華亥庶兄。少詩照反，下注少牢同。牼苦耕反）曰：子之齒長矣，不能事人，以三公子爲質，必免（恕信也，送公子歸，可以自明。○質如字，注同）【疏】（人不能事他國，事人爲臣。○正義曰：言年齒既長，不能事人。）公子既入，華牼將自門行（從公門出）公遽見之，執其手曰：余知而無罪也，入復而所（而，汝也。所，所居官。○遽其據反。女音汝）。齊侯疥，遂痁（痁，瘧疾。○疥居戒反。痁失廉反）【疏】齊侯疥遂痁。○正義曰：後魏之世嘗使李繪聘梁，梁人袁狎與繪言及春秋，說此事云，疥當爲痎，痎是小瘧，痁是大瘧，疥患積久，以小致大，非疥也。狎之所言梁主之說也。案說文，疥，搔也。瘧，熱寒休作。痁，有熱瘧。痎，二日一發瘧。今人瘧有二日一發，亦有頻日發者，俗人仍呼二日一發者爲痎瘧，則梁王之言信而有徵也。足齊侯之瘧，初二日一發，後遂頻日熱發，故曰疥遂痁。以此久不差，故諸侯之賓問疾者多在齊也。若其不然，疥是小患，與瘧不類，何云疥遂痁乎。徐仙民音作疥，是先儒舊說皆爲疥。遂痁初疥後瘧，[illegible]今從本亦作[illegible]期而不瘳，諸侯之賓問疾者多在（多在齊。○瘳勑留反。期音基）【疏】期而○正義曰：期二百有六旬又八日，法天數三百六十五度四分度之一，帝言問從全數，以言三百六十有六日。大月却還天，其十度小月不盡置閏。[illegible]梁丘據與裔款言於公曰（二子齊嬖大夫。裔以制反。嬖必計反）吾事鬼神豐，於先君有加矣。今君疾病，爲諸侯憂，是祝史之罪也。諸侯不知，其謂我不敬，君盍誅於祝固史嚚以辭賓（欲殺嚚固以辭謝來問疾之賓。○盍戶臘反。嚚魚巾反）【疏】注

殺其固。○正義曰：服虔云：祝固，齊大祝；史嚚，大史也。謂祝史之固陋嚚闇，不能盡禮，以至於鬼神怒也。其意以為請誅祝史之嚚闇固陋者，嚚、固非人名也。案莊三十二年神降于莘，虢公使祝應、宗區、史嚚享焉，彼是人名，則此亦名也。此族請誅二人，內有祝固、史嚚，此云欲殺嚚、固，是杜以為人名也。公說，告晏子。晏子曰：日宋之盟，日，往日也。宋盟在襄二十七年。○說音悅。屈建問范會之德於趙武。趙武曰：夫子之家事治，言於晉國，竭情無私。其祝史祭祀，陳信不愧。其家事無猜，其祝史不祈。家無猜疑之事，故祝史無求於鬼神。○猜七才反。治直吏反。愧九位反，本又作媿。［疏］晏子曰至不祈。○正義曰：彼傳趙武對曰：夫子之家事治，言於晉國無隱，其祝史祭祀陳信於鬼神無愧辭。此晏子言之，其辭小異，多於彼，其意亦不異也。建以語康王。語，魚據反。康王曰：神人無怨，宜夫子之光輔五君，以為諸侯主也。五君：文、襄、靈、成、景。［疏］光輔五君。○正義曰：文公為戎右，襄、靈為大夫，成公為卿，景公為大傅。公曰：據與款謂寡人能事鬼神，故欲誅於祝史。子稱是語，何故？對曰：若有德之君，外內不廢，無廢事。上下無怨，動無違事，其祝史薦信，無愧心矣。君有功德，祝史陳說之，無所愧。［疏］上下無怨。○正義曰：此言人臣及民上下無相怨耳。服虔云：上下謂人神。無怨即如服言，下云上下怨疾，彼是人與神相怨疾也。是以鬼神用饗，國受其福，祝史與焉。與受國福。○與音預，注同，下為與祝史與焉亦同。其所以蕃祉老壽者，為信君使也，其言忠信於鬼神。其適遇淫君，外內頗邪，上下怨疾，動作辟違，從欲厭私，使私情厭足。○蕃音煩。祉音恥。為于偽反，又如字，下為暴君使同。頗普何反。邪似嗟反。辟匹亦反。從子用反，下淫從同，或音如字。厭於鹽反，注同。高臺深池，撞鐘舞女，○撞直江反。斬刈民力，輸掠其聚，掠，奪取也。○刈，魚廢反。掠音亮。聚，才住反，又如字。［疏］輸掠其聚。○正義曰：輸，墮也。故為墮毀奪其所聚之物。以成其違，不恤後人，暴虐淫從，肆行非度，［疏］肆行非度。○正義曰：肆，縱恣也，縱恣意行非法度之事也。無所還忌，還，顧也。不思謗讟，不思謗讟。○讟音獨。不憚鬼神，神怒民痛，無悛於心。其祝史薦信，是言罪也。以實白神，是為言君之罪。○憚，徒旦反。悛，七全反。［疏］正義曰：俗本無其字，定本有。其蓋失數美，是矯誣也。蓋，掩也。數所主反。矯，居表反。［疏］其蓋至誣也。○正義曰：掩蓋愆失，數說美善，是矯詐誣罔也。進退無辭，則虛以求媚，作虛辭以求媚於神。○媚，眉記反。是以鬼神不饗其國以禍之，祝史與焉。所以夭昏孤疾者，為暴君使也，其言僭嫚於鬼神。言非祝史所能治。○僭，子念反，下僭令同。嫚，武諫反。公曰：然則若之何？對曰：不可為也。山林之木，衡鹿守之；澤之萑蒲，舟鮫守之；藪之薪蒸，虞候守之；海之鹽蜃，祈望守之。衡鹿、舟鮫、虞候、祈望，皆官名也。言公專守山澤之利，不與民共。○萑音丸。鮫音交。藪，素口反。蒸，之承反。蜃，市軫反。［疏］注衡鹿至民共。○正義曰：周禮司徒之屬有林衡之官，掌巡林麓之禁。鄭玄云：衡，平也。平林麓之大小及所生者。竹木生平地曰林，山足曰麓。此置衡鹿之官守山林之木，是其官也。川是行水之器，鮫是大魚之名。澤中有水有魚，故以舟鮫為官名也。周禮山澤之官皆名為虞，每大澤大藪中士四人。鄭玄云：虞，度也，度知山之大小及所生者。澤，水所鍾也。水希曰藪。則藪是少水之澤，立官使之候望，故以虞候為名也。海是水之大神，有時祈望祭之，因以祈望為主海之官也。此皆自立名，故與周禮不同。山澤之利，當與民共之言公正此官使之守掌專山澤之利不與民共故鬼神怒而加病也縣鄙之人入從其政偪介之關暴征其私 介隔也迫近國都之關言邊鄙之人入服政役於近國都之關 近關所征稅布暴奪其私物。○其政如字 疏注介隔至私物。○正義曰一音征偪彼力反介音界近附近之近 聘禮及竟謁關人鄭玄云古者竟上為關以譏異服識異言是關界上之關然則禮之正法同之竟界之上乃有關耳司關注云關界上之門也齊於竟內更復置關不與常禮同以隔外內至國更無關也齊於外竟內更復置關也迫近國都為關以隔鄰鄙之人入故注介為隔也近國都又征稅以近國都為關以隔鄙之人入從國之政役近關又征稅奪其私物而役民困也承嗣大夫強易其賄 承嗣大夫世位者。○強其丈反賄呼罪反布常無藝徵斂無度 藝法制也言布常政無法制 疏注布常正義曰布常之政無準藝宮室日更淫樂不違 違去內寵之妾肆奪於市 肆放外寵之臣僭令於鄙 詐為教令於邊鄙。○僭子念反私欲養求不給則應 養長也所求不給則應之以罪 疏注給則應至以罪。○正義曰言外寵之臣私有所欲長養其精求物共之民不共則應之以罪民人苦病夫婦皆詛祝有益也詛亦有損聊攝以東 聊攝齊西界也平原聊城縣東北有攝城。○聊攝音涉姑尤以西 姑尤齊東界也姑水尤水皆在城陽郡東南入海 疏注聊攝至以西。○正義曰聊攝姑尤皆是邑也管仲奪言其竟界所至故遠舉河海也晏子言其人多故唯舉齊邑言之也其為人也多矣雖其善祝豈能勝億兆人之詛 萬萬曰億萬億曰兆 ○億於力反君若欲誅於祝史修德而後可公說使有司寬政毀關去禁薄斂已責 除逋責。○說音悅去起呂反下以去其否同斂力驗反責側賣反。○十二月齊侯田于沛 沛澤名 本又作旆同浦葢反 招虞人以弓不進 虞人掌山澤之官 公使執之辭曰昔我先君之田也旃以招大夫弓以招士皮冠以招虞人臣不見皮冠故不敢進 [illegible] 乃舍之仲尼曰守道不如守官 守道[illegible] 君子韙之 韙是也。○韙于鬼反 齊侯至自田晏子侍于遄臺子猶馳而造焉 子猶梁丘據。○遄市專反造七報反 公曰唯據與我和夫晏子對曰據亦同也焉得為和公曰和與同異乎對曰異和如羹焉水火醯醢鹽梅 醯呼兮反醢音海 以烹魚肉燀之以薪 燀炊也。○烹普庚反燀昌善反又尺善反 宰夫和之齊之以味濟其不及以洩其過 濟益也洩減也。○齊才細反又如字 疏 齊之至其過。○正義曰齊之者使酸鹹適中濟益其味不足者洩減其味大過者 君子食之以平其心君臣亦然君所謂可而有否焉 否不可也 臣獻其否以成其可 獻君之否以成君可 君所謂否而有可焉臣獻其可以去其否是以政平而不干民無爭心故詩曰亦有和羹既戒既平 詩頌殷中宗言中宗能與賢者和齊可否其政如和羹戒敕也平和也和羹備五味異於大羹。○

爭爭鬬之爭和節並如字一讀上戶卧反下才細反**鬷嘏無言時靡有爭**鬷總也嘏大也言總大政能使上下皆如和羹○鬷子工反嘏古雅反總音揔【疏】注詩曰至有爭○正義曰詩言殷下中宗非徒身自賢明亦有和羹之臣臣與其君可否相濟如宰夫之和齊羹也此臣既敬戒其事矣既志性和平矣中宗總鄧大政自上及下無怨恨之言時皆無有相爭訟者也言其上下悉如和羹○注詩頌至大羹○正義曰詩商頌烈祖之篇祀中宗之詩也中宗殷王大戊湯之玄孫也有桑穀之異懼而脩德殷道復興故表顯之號爲中宗殷人祭其廟述其德而歌此詩也言亦有者臣能諫君君能改悔亦皆有相須之意也言中宗能與臣之賢者和齊可否其爲政教如宰夫和齊羹之味臣敬戒且平言此賢臣之性行也樂記云大羹不和鄭玄云大羹肉湆不調以鹽菜桓二年傳云大羹不致注云大羹肉汁不致五味和羹備五味異於大羹也○注鬷總至和羹○正義曰鬷總嘏大詩毛傳文也言中宗爲天子總大政能使上下皆如和羹焉傳引此詩證民無爭心則以時猶有爭謂時無有爭也**先王之濟五味**濟成也**和五聲也以平其心成其政也聲亦如味一氣**須氣以動○一氣杜解以爲人氣也服云歌氣也【疏】一氣○正義曰服虔云歌氣也杜言須氣以動則一氣不主爲歌必以人以氣主動皆由氣舞絲擊石莫不用氣氣是作樂之主故先言之人作諸樂皆須氣以動則與服不異**二體**舞者有文武【疏】二體○正義曰樂之動身體者唯有舞耳舞者有文武之二體文舞執羽籥武舞執干戚**三類**風雅頌【疏】三類○正義曰樂以歌詩爲主詩有風雅頌其類各別知三類是風雅頌也一國之事諸侯之詩爲風天下之事天子之詩爲雅成功告神爲頌是三者類別各不同**四物**雜用四方之物以成器【疏】四物○正義曰樂之所用八音之器金石絲竹匏土革木其物非一處能備故雜用四方之物以成器**五聲**宮商角徵羽○五聲宮爲君商爲臣角爲民徵爲事羽爲物張里反【疏】五聲○正義曰漢書律歷志云五聲者宮商角徵羽也所以作樂者諧八音蕩滌人之邪志全其正性移風易俗也五聲和八音諧而樂成商之爲言章也物成熟可章度也角觸也物觸地而出戴芒角也宮中也居中央暢四方唱始施生爲四聲綱也徵祉也物盛大而繁祉也羽宇也物聚宇而覆之也夫聲者中於宮觸於角祉於徵章於商宇於羽故四聲爲宮紀也是五聲之名義也杵之於物見分如此五品自然之理也旣以配於五方宮居其中商角徵羽分布四方四時之物春生夏長秋成冬聚取其事而爲之名也故又云五聲之本生黃鍾之律九寸爲宮或損或益以定商角徵羽九六相生陰陽之應也樂記云宮爲君商爲臣角爲民徵爲事羽爲物月令春其音角夏其音徵中央土其音宮秋其音商冬其音羽鄭玄云聲始於宮宮數八十一屬土以其最濁君之象也三分宮去一以生徵徵數五十四屬火以其微清事之象也三分徵益一以生商商數七十二屬金以其濁次宮臣之象也三分商去一以生羽羽數四十八屬水以爲最清物之象也三分羽益一以生角角數六十四屬木以其清濁中民之象也志言或損或益者謂三分損一以生三分益一九六相生者以九生六是三損一也以六生九是三益一也損益之數清濁之差無可以相尋以黃鍾九寸自乘爲九九八十一定之爲宮數因宮而損益以定商角徵羽之差言其相校如此數也唯相準耳非言實有此數可用之也**六律**黃鍾大蔟姑洗蕤賓夷則無射也陽聲爲律陰聲爲呂此十二月之氣○大音泰蔟七豆反蕤人誰反射音亦【疏】六律○正義曰周禮大師掌六律六呂以合陰陽之聲陽聲黃鍾大蔟姑洗蕤賓夷則無射陰聲大呂應鍾南呂林鍾小呂夾鍾月令以小呂爲仲呂律曆志云律有十二陽六爲律陰六爲呂黃帝之所作也黃帝使伶倫自大夏之西崐崙之陰取竹之嶰竅厚均者斷兩節間而吹之以爲黃鍾之宮制十二筩以聽鳳皇之鳴其雄鳴爲六雌鳴亦六以比黃鍾之宮是爲律本黃鍾黃者中之色也鍾者種也天之中數五五爲聲聲上宮五聲莫大焉地之中數六六爲律律有形有色色上黃五色莫盛焉故陽氣施種於黃泉孳萌萬物爲六氣元也以黃色名元氣律者著宮聲也始於子在十一月大呂呂旅也言陰大旅助黃鍾宣氣而牙物也位於丑在十二月大蔟蔟奏也言陽氣大奏地而達物也位於寅在正月夾鍾言陰夾助大蔟宣四方之氣而出種物也位於卯在二月姑洗洗絜也言陽氣洗物辜絜之也位於辰在三月仲呂言微陰始起未成著於其中旅助姑洗宣氣齊物也位於巳在四月蕤賓蕤繼也賓道也言陽氣始道陰氣使繼養物也位於午在五月林鍾林君也言陰氣受任助蕤賓君主種物使長大茂盛也位於未在六月夷則則法也言陽氣正法度而使陰氣夷當傷之物也位於申在七月南呂南任也言陰氣旅助夷則任成萬物也位於酉在八月無射射厭也言陽氣究物而使陰氣畢剝落之終而復始無厭已也位於戌在九月應鍾言陰氣應無射該

藏萬物而雜陽閡種也彼注云始閉曰閡位於亥在十月是辭六律六呂之名義也如志之言初爲律者以竹爲之次其聲也其後用銅爲之以聽氣後漢書章帝時零陵文學奚景於泠道舜祠下得白玉管是古或以玉爲管也續漢書云候氣之法爲土室三重戶閉塗釁必周密布緹縵室中以木爲案每律各一內庳外高從其方位加律其上以葭莩灰實其端案曆而候之其月氣至則灰飛而管通蔡邕章句之道與天地之氣通故取律以候氣月令正月律中大蔟鄭玄云律者候氣之管以竹爲之中猶應也正月氣至則大蔟之律應應謂吹灰也是其舊說然也其律呂相生鄭注周禮大師職云黃鐘之初九下生林鐘之初六林鐘又上生大蔟之九二大蔟又下生南呂之六二南呂又上生姑洗之九三姑洗又下生應鐘之六三應鐘又上生蕤賓之九四蕤賓又上生大呂之六四大呂又下生夷則之九五夷則又上生夾鐘之六五夾鐘又下生無射之上九無射又上生中呂之上六同位者象夫妻異位者象子母所謂律取妻而呂生子也子午以東爲上生子午以西爲下生五下六上乃一終矣鄭玄云同位象夫妻者黃鐘初九林鐘初六及大蔟九二南呂六二之類同在初二之位故象夫妻異位象子母者謂林鐘初六生大蔟九二初之與二其數不同故爲異位象子母律生於呂是爲同位故云律取妻呂生於律則爲異位故云呂生子言五下者謂林鐘夷則南呂無射應鐘皆是子午以東之管下而生之故云下生六上者謂大呂大蔟夾鐘姑洗仲呂蕤賓皆是子午以西之管上而生之故云上生黃鐘爲律之首不是餘管所生不入其數上生者三分益一下生者三分減一皆左旋隔八而相生

七音 周武王代紂自午及子凡七日王因此以數合之以聲昭之故以七同其數以律和其聲謂之七音○七音宮商角徵羽變宮變徵也

【疏】七音○正義曰聲之清濁數不過五而得有七音者終五以外更變爲之也賈逵注周語云周有七音謂七律謂七器音也黃鐘爲宮太蔟爲商姑洗爲角林鐘爲徵南呂爲羽應鐘爲變宮蕤賓爲變徵是五聲以外更加變宮變徵爲七音也周語云景王將鑄無射問律於伶州鳩對曰律所以立均出度也古之神瞽考中聲而量之以制度律均鐘百官軌儀故先王貴之王曰七律者何對曰昔武王伐殷歲在鶉火月在天駟日在析木之津辰在斗柄星在天黿星與日辰之位皆在北維我姬氏出自天黿則我皇妣大姜之姪逢公之所馮神也歲之所在則我周之分野也月之所在辰馬農祥我太祖后稷之所經緯也王欲合是五位三所而用之自鶉及駟七列也南北之揆七同也凡神人以數合之以聲昭之數合聲和然後可同也故以七同其數而以律和其聲於是乎有七律也是言周樂有七音之意也五位者歲月日辰星之位也三所者星與日辰之位是一所也歲之所在是二所也月之所在武王以殷之十二月二十八日戊午發師其年歲星在鶉火之次也其日月合宿於房五度房即天駟之星也日在箕七度箕於次分在析木之津也日月之會謂之辰斗柄斗前也戊午後三日得周正月辛卯朔日月合宿於箕一度在斗前一度是爲辰在斗柄也星在天黿者星於五星爲水星辰星是也天黿即玄枵次之別名也於是辰星在婺女之宿其分在天黿之宿次也鶉是張星也駟是房星也天宿以南旋爲次張星南角亢氐房此七宿相距自鶉火至駟爲七列宿有七也鶉火在午天黿在子斗柄所建月移一次是自午至子爲南北之揆七月也揆度也度量星之有七月也武王既見天時如此因此以數比合之其數有七也以聲昭明之聲亦宜有七也故以七同其數五聲之外加以變宮變徵也此二變者舊樂無之聲或不會而以律和其聲調和其聲使與五音諧會謂之七音由此也武王始加二變周樂有七音耳以前未有七杜言武王伐紂自午及子凡七日者尚書泰誓云戊午王次于河朔又牧誓云時甲子昧爽王朝至于商郊牧野乃誓又武成云戊午師逾孟津癸亥陳于商郊甲子受率其旅若林前徒倒戈攻于後以北血流漂杵一戎衣天下大定是自戊午至甲子七日也劉炫云杜既取周語之文以七同其數以律和其聲何爲又云自午及子凡七日乎是杜意以武王爲上日之故而作樂用七音也違周語之文是杜謬今知不然者以尚書周語俱有七義事得兩通故杜兼而取之劉以爲杜背國語之文而規杜過非也

八風 八方之風○八風易緯通卦驗云東方曰明庶風東南曰清明風南方曰景風西南曰涼風西方曰閶闔風西北曰不周風北方曰廣莫風

【疏】八風○正義曰易緯通卦驗云立春調風至春分明庶風至立夏清明風至夏至景風至立秋涼風至秋分閶闔風至立冬不周風至冬至廣莫風至調風一名融風十八年傳云是謂融風是調與融同也此八方之風以八節而至但八方風氣寒暑不同樂能調陰陽和節氣隱五年傳曰舞所以節八音而行八風故樂以八風相成也八節之風亦與八卦八音相配服虔云兌爲金爲閶闔風也乾爲石爲不周風也坎爲革爲廣莫風也艮爲匏爲融風也震爲竹爲明庶風也巽爲木爲清明風也離爲絲爲景風也坤爲土爲涼風也是先儒依易緯說八風也

九歌 九功之德皆可歌也六府三事謂之九功○六府水火金

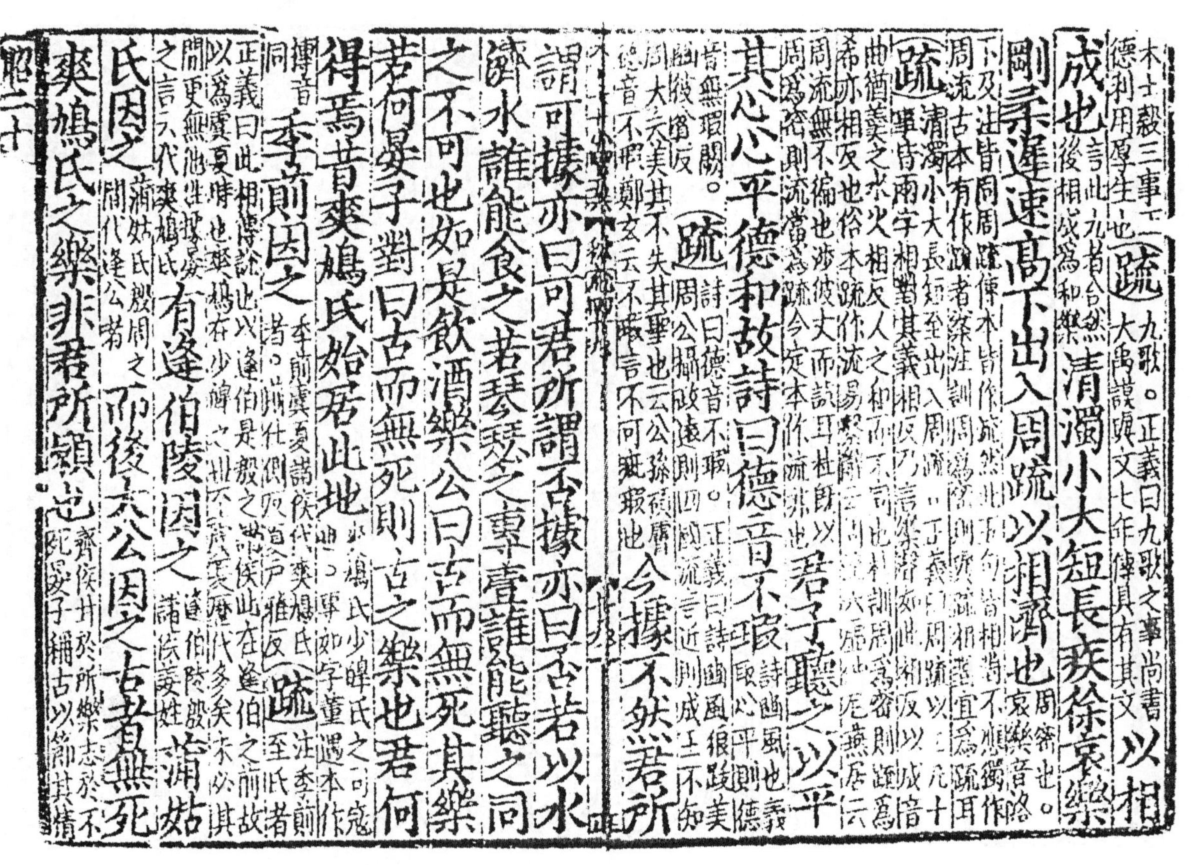

木土穀三事。正德利用厚生也。疏九歌。正義曰：九歌之事，尚書大禹謨文，七年傳具有其文。以相成也。後相成為和樂。清濁小大，短長疾徐，哀樂剛柔，遲速高下，出入周疏，以相濟也。

疏清濁小大……

其心平，德和。故詩曰：「德音不瑕。」詩豳風也。君子聽之，以平疏詩曰德音不瑕。正義曰：詩豳風狼跋美周公……今據不然，君所謂可，據亦曰可；君所謂否，據亦曰否。若以水濟水，誰能食之？若琴瑟之專壹，誰能聽之？同之不可也如是。」飲酒樂。公曰：「古而無死，其樂若何？」晏子對曰：「古而無死，則古之樂也，君何得焉？昔爽鳩氏始居此地，爽鳩氏，少皞氏之司寇也。季前因之，有逢伯陵因之，蒲姑氏因之，而後大公因之。古者無死，爽鳩氏之樂，非君所願也。」

……大音泰。爽鳩氏……疏……

死，子必為政。唯有德者能以寬服民，其次莫如猛。夫火烈，民望而畏之，故鮮死焉；水懦弱，民狎而翫之，則多死焉。故寬難。」疾數月而卒。大叔為政，不忍猛而寬。鄭國多盜，取人於萑苻之澤。大叔悔之，曰：「吾早從夫子，不及此。」興徒兵以攻萑苻之盜，盡殺之，盜少止。仲尼曰：「善哉！政寬則民慢，慢則糾之以猛；猛則民殘，殘則施之以寬。寬以濟猛，猛以濟寬，政是以和。詩曰：『民亦勞止，汔可小康。惠此中國，以綏四方。』施之以寬也。『毋從詭隨，以謹無良。式遏寇虐，慘不畏明。』糾之以猛也。『柔遠能邇，以定我王。』平之以和也。

則王室定【疏】詩曰至和也。正義曰此詩大雅民勞之篇刺厲王之詩也其下十句詩之文也仲尼分爲三段每以一句釋之詩其也惠綏皆安也止辭也於是厲王以苛政勞民故言當今之民亦以疲勞止其可以小息之中國京師也四方諸夏也施惠於中國京師以綏彼諸夏之民此四句者欲其施之以寬也詭隨詭人之善隨人之惡以謹約無良之小者凡事不可含從也用詭隨詭人之善隨人之惡人以謹約無善之人無善之惡人又大於無良式用也遏止也寇虐之惡人又大於無良式用也遏止也寇虐之民之間有爲寇盜者曾不畏明白之刑嚴爲刑威用此法止寇虐也慘曾也此四句者欲其糾之以猛也柔安也邇近也能謂材能也王者當以寬政安遠人使之懷附則各以材能自進者是近人也遠者懷而歸近者以能自進用此以定我爲王之功此二句者言平之以和也。註詩大雅云云。正義曰釋詁文也式用慘曾釋言文也遏止釋詁文也汔幾也杜以幾其同聲故以汔爲其也柔綏皆安及下注過止皆釋詁文也

競不絿不剛不柔詩頌言湯政得中和競彊也絿急也布政優優百祿是遒優優和也遒聚也。絿音求遒在由反又子由反和之至也

及子產卒仲尼聞之出涕曰古之遺愛也子產見愛有古人之遺風【疏】又曰至愛也。正義曰詩商頌長發之篇述成湯之德也湯之爲政不大強不大急不大剛不大柔布行政教優優然和緩百種福祿於是聚而歸之言其和之至也競強釋言文也絿急遒聚毛傳文也。及子產至聞之。正義曰家上子大叔傳後已云仲尼曰善哉今方言及子產卒聞之者上所云先美子大叔之善法政用子產生時法也此出涕重美子產身之賢故傳云及子產卒欲顯仲尼美之意也

附釋音春秋左傳註疏卷第四十九

昭二十

附釋音春秋左傳註疏卷第五十 起二十一年盡二十三年

杜氏註　孔穎達疏

經二十有一年春王三月葬蔡平公○夏晉侯使士鞅來聘晉頃公即位通嗣君。○頃音傾○宋華亥向寧華定自陳入于宋南里以叛自外至故曰入據其邑故曰叛南里宋城內里名。○鞅於丈反【疏】注自外至里名。○正義曰賈逵云書入華貙見晉彼反釋例曰春秋稱入其例有二施於師旅則曰入從國逆之例也則曰國逆國逆又以立爲例逆而不立則曰非例所及諸在例外稱入直自外入內記事常辭義無所取而賈氏皆以爲例如此甚多是杜意以賈氏逆之爲非故云自外至故曰入以頭異之也五年傳叔孫昭子數豎牛之罪云其殺適立庶又披其邑將以赦罪彼注云披析也此分析君邑以自爲己邑故曰叛也傳稱華氏居盧門以南里叛宋城舊鄘及桑林之門守之知此南里是宋城之內里居。○秋七月壬午朔日有食之○八月乙亥叔輒卒叔弓之子伯張○冬蔡侯朱出奔楚宋爲大子則失位遂微弱爲國人所逐故以自出爲文○公如晉至河乃復晉人辭公故還

傳二十一年春天王將鑄無射周景王也無射鐘名律中無射。○鑄之樹反射音亦注同中丁仲反【疏】注周景至無射。○正義曰周語云景王二十一年鑄大錢二十三年將鑄無射單穆公曰不可作重幣以絕民資又鑄大鐘以鮮其繼三年之中而有離民之器二焉國其危哉王不聽問之伶州鳩對王又弗聽卒鑄大鐘二十四年鐘成二十五年王崩孔晁於二十四年注云昭二十一年如彼文則此年鑄鐘成之年而傳云將鑄無射者此爲州鳩之言張本州鳩以未成之時爲此言故此年發傳而言將也州鳩此下之言與國語州鳩之言全不同者彼是對王之問此是自言其事異其辭言故不同也周語及此皆論鐘事故云無射鐘名其聲於律應無射之管故以律名名鐘襄十九年季武子以所得鐘亦是鐘聲應林鐘之律也此無射之鐘在王城鑄之敬王居洛陽

鑄猶毀之也秦滅周其鐘徙於長安歷漢魏晉常在長安及劉裕滅姚泓又移於江東歷宋齊梁陳時鐘猶在東魏使魏收聘梁收作聘遊賦云珍是淫器無射高縣是也及開皇九年平陳又遷於西京置大常寺時人悉▇見之至十五年勑毀之

泠州鳩曰王其以心疾死乎泠樂官州鳩其名也○泠力丁反字或作伶非也夫樂天子之職也職所主也夫音樂之輿也樂因音而行而鐘音之器也音由器以發天子省風以作樂省風俗作樂以移之【疏】注省風至移之○正義曰漢書地理志曰凡民函五常之性而有剛柔緩急音聲不同繫水土之風氣故謂之風好惡取舍動靜無常隨君上之情欲故謂之俗是解風俗之名但風俗盛衰隨時隆替因之將滅風散俗殆天子新受命者省此風俗之敝乃作樂以移之孝經曰移風易俗莫善於樂孔安國云風化也俗常也移太平之化易衰敝之常也地理志以風爲本俗爲末言聖王在上統理人倫必移其本而易其末此混同天下一之乎中和然後王教成是說作樂移風之事也器以鐘之鐘聚也以器聚音輿以行之樂須音而行【疏】器以至行之○正義曰爲上言鐘音之器也故此云器以鐘之言器以鐘聚其音又上言音樂之輿也故此云輿以行之承上語不倫者亦猶易繫辭云天尊地卑乾坤定矣卑高以陳貴賤位矣隨文便而言耳小者不窕窕細不滿○窕他彫反大者不槬槬橫大不入○槬戶化反【疏】小者至不槬○正義曰言小不至窕則窕是細之意也大不至槬則槬是大之義也說文云窕深肆極也向細故能極於深是窕爲細不滿謂不能充滿心也槬聲近橫故爲橫大心所不容故不入心也下窕則不咸咸如字本或作感戶暗反則和於物物和則嘉成嘉樂成也故和聲入於耳而藏於心心億則樂億安也○億於力反樂音洛窕則不咸不充滿人心○咸如字本或作感戶暗反槬則不容心不堪容心是以感感實生疾今鐘槬矣王心弗堪其能久乎爲明年天王崩傳○三月葬蔡平公蔡大子朱失位位在卑不在適子位以長幼齒○適丁歷反長丁丈反【疏】注不在至幼齒○正義曰喪大記記國君初死之禮云既正尸子坐于東方卿大夫父兄子姓立于東方有司庶士哭于堂下北面鄭玄云正尸者謂遷尸牀下南首也子姓謂衆子孫也姓之言生也其男子立於主人後彼言子坐東方謂大子即鄭所謂主人也彼初死之時即別適庶況其在葬君道成矣大子失其位明其不在適子位也位在卑是以長幼爲齒蓋處其庶兄之下大夫送葬者歸見昭子昭子問蔡故以告昭子歎曰蔡其亡乎若不亡是君也必不終詩曰不解于位民之攸塈詩大雅塈息也○解佳賣反塈許器反今蔡侯始即位而適卑身將從之爲蔡侯朱出奔傳○夏晉士鞅來聘叔孫爲政叔孫昭子以二命爲國政季孫欲惡諸晉憎叔孫在己上位欲使得罪於晉○惡烏路反使有司以齊鮑國歸費之禮爲士鞅鮑國歸費在十四年牢禮各如其命數魯人失禮故爲鮑國七牢○費音祕爲于僞反【疏】注鮑國至七牢○正義曰十四年傳曰司徒老祁慮癸來歸費齊侯使鮑文子致之是鮑國歸費之事也杜以周禮掌客云上公饔餼九牢侯伯七牢子男五牢以諸侯牢禮各以其命數卿大夫來者亦當牢禮如其命數計鮑國亦卿不過三命於法當三牢而魯人失禮爲鮑國七牢也下云加四爲十一知本七也劉炫云案聘禮使卿主國待之饔餼五牢則臣之牢禮不依命數鮑國禮當五牢加二牢耳今知非者杜以掌客諸侯牢禮各依命數以卿大夫無文故杜稼諸侯言之不謂卿大夫以下亦依命數而劉以鄭注掌客爵卿五牢爵大夫三牢爵士大牢而規杜非也士鞅怒【疏】士鞅怒○正義曰七牢於禮厚矣而鞅怒者但陳設爲鞅鞅必不怒其時魯人報云鮑國之禮鞅遂怒其輕已曰鮑國之位下其國小而使鞅從其牢禮是卑敝邑也將復諸寡君魯人恐加四牢焉爲十一牢言魯不能以禮事大國且爲哀七年吳徵百牢起○恐丘勇反下注同○宋華費遂

生華貙華多僚華登貙爲少司馬多僚爲御士（公御士。○貙敕俱反少詩照反）與貙相惡乃譖諸公曰貙將納亡人（亡人華多等。○惡如字又烏路反）亟言之公曰司馬以吾故亡其良子（司馬謂費遂爲大司馬良子謂華登。○亟欺冀反）【疏】亟言之。正義曰服虔云亟疾也疾言之欲使信之則服虔讀爲亟也或當爲亟亟數也數言之死亡有命吾不可以再亡之對曰君若愛司馬則如亡（言若愛大司馬則當亡走失國）死如可逃何遠之有（言亡可以逃死勿慮其遠以怒初公）公懼使侍人召司馬之侍人宜僚飲之酒而使告司馬（告司馬使逐貙。○飲於鴆反下同）司馬歎曰必多僚也吾有讒子而弗能殺吾又不死抑君有命可若何乃與公謀逐華貙將使田孟諸而遣之【疏】抑君有命可若何。○正義曰抑語助若如也言吾有讒子謂多僚也雖知其讒既不能殺多僚華貙雖狂於君有逐貙之命如何言無如之何遂謀逐之公飲之酒厚酬之（酬酒幣）賜及從者司馬亦如之（亦如公賜。○從才用反）張匄尤之（張匄華貙臣尤其賜之厚。○匄古害反本亦作丐）曰必有故使子皮承宜僚以劍而訊之（子皮華貙也。○訊音信訊問）宜僚盡以告（告欲因田以遣之）張匄欲殺多僚子皮曰司馬老矣登之謂甚（言登亡已傷司馬心已甚）吾又重之不如亡也五月丙申子皮將見司馬而行則遇多僚御司馬而朝張匄不勝其怒遂與子皮臼任鄭翩殺多僚（臼任鄭翩亦貙家臣。○重直用反見賢遍反臼音舊任音壬翩音篇）劫司馬以叛而召亡人壬寅華向入欒大心豐愆華牼禦諸橫（梁國睢陽縣南有橫亭。○愆起虔反本或作愆睢音雖）華氏居盧門以南里叛（盧門宋東城南門）六月庚午宋城舊鄘及桑林之門而守之（舊鄘故城也桑林城門名。○鄘音容本或作墉）秋七月壬午朔日有食之公問於梓慎曰是何物也禍福何爲（物事也）對曰二至二分（二至冬至夏至二分春分秋分）日有食之不爲災日月之行也分同道也至相過也（二分日夜等故言同道二至長短極故相過）

【疏】分同至過也。○正義曰日月之行交則相食自然之理但日爲君象月爲臣象陰侵陽如臣掩君聖人因之設教制爲輕重以夏之四月純陽之月時陽盛陰氣未作正當陽盛之時不宜爲弱陰所侵以爲大忌此月日食災最重也餘非陽盛之月爲災稍輕至於分至之月日食即不爲災又解不爲災之意以二分晝夜等然其同一道二至長短極並行則相過以爲理必相侵故言不爲災劉炫云此皆假其事以爲等差其實災之大小不如此也且詩云十月之交朔月辛卯日有食之亦孔之醜先儒以爲周之十月夏之八月秋分之月也而甚可醜惡七年四月甲辰朔日食春分之月也而云魯衛惡之衛大魯小安在乎二分之食不爲災足明此是先賢寓言非實事也。○注二分至相過。○正義曰日之行天一歲一周月之行天二十九日有餘已得一周日月異道互相交錯月之一周必半在日道裏從外而入內也半在日道表從內而出外也或六入七出或七入六出凡十三出入而與日一會歷家謂之交道通而計之一百七十三日有餘而有一交交在望前朔則日食望則月食交在望後望則月食後月朔則日食此自然之常數也交數滿則相過非二至乃相過也傳之所言以二分日夜等者春分之時朔則日在婁望則月在角秋分之時朔則日在角望則月在婁是天之中道日月俱從中道故晝夜等似有相敵之理冬至之時朔則日在斗望則月在井夏至之時朔則日在井望則月在斗井南斗北晝夜長短之極似若月之過長可以掩日然故云至相過謂絕相懸殊也此至唯冬言二至者全句以成文此皆假託以為言也以日抵分不大明人君之象不可虧損故於正陽之張未法為重於分至之月其害為甚於餘月之食其以為水假之以垂訓非實事也其他月則為災陽不克也故常為水陰侵陽是陽不勝陰【疏】其他至為水○正義曰其他月非分至之月則為災日食是陰侵陽是陽不勝也故日食常為水愼曰將水昭子曰旱也其年八月大雩旱也則亦不是常為水以莊二十三年六月日食大水此二十四年五月日食常為水也又七年四月甲辰朔日食春分之月而云魯衛惡之當其水之言既無其驗足知是聖賢假託日食以為戒耳於是叔輒哭日食惡其為卒昭子曰子叔將死非所哭也八月叔輒卒○

冬十月華登以吳師救華氏登前年奔吳齊烏枝鳴戍宋烏枝鳴齊大夫廚人濮曰廚宋邑大夫○濮音卜軍志有之先人有奪人之心後人有待其衰盍及其勞且未定也伐諸若入而固則華氏衆矣悔無及也從之丙寅齊師宋師敗吳師于鴻口鴻口梁國睢陽縣東有鴻口亭○盍戶臘反獲其二帥公子苦雂偃州員二帥吳大夫○帥色類反注同雂古含反員音云又音圓華登帥其餘以敗宋師公欲出出奔廚人濮曰吾小人可藉死可借使死難○難乃旦反而不能送亡君請待之【疏】而不能送亡君○正義曰服虔以君上屬下為句恐不明亦以上屬乃徇曰揚徽者公徒也徽識也○徇似俊反徽許歸反【疏】注徽識也○正義曰禮記大傳云聖人南面而治天下必以改正朔易服色殊徽號注云徽號旌旗之名也周禮大司馬職云辨號名之用帥以門名縣鄙各以其名家以號名鄉以州名野以邑名官各象其事以辨軍之夜事鄭玄云號名者徽識所以相別也鄉遂之屬謂之名家之屬謂之號百官之屬謂之事在國以表朝位在軍又象其制而為之被之以備死事帥謂軍將至五長也以門名者所被徽識如其在門所樹者也以此言之徽識即銘旌也同耳縣鄙謂縣正鄙師至鄭長也家謂食采地者之臣也鄉以州名亦謂州長至比長也野謂公邑大夫百官以其職從王者此六者皆書其官與名氏焉夜事戒夜守之事也草止者慎於夜於是上別其部職鄭此言則徽識制如旌旗書其所在之官與姓名於亡者亦以緇長半幅赬末長終幅廣三寸書銘于末曰某氏某之柩今之銘旌也書其官名即也士喪禮云為銘各以其物亡則以緇長半幅赬末長終幅廣三寸書銘于末曰某氏某之柩今之銘旌也此之徽識如死之銘旌其制之大小亦如銘旌也書其官名即今之軍旗令其各自徽識如漢書所謂旗幟者也令軍人云為揚徽欲知其助公多少如漢書絳侯之劉氏者左袒衆從之公自揚門見之見國人皆揚徽揚門陽門正東門名下而巡之曰國亡君死二三子之恥也豈專孤之罪也齊烏枝鳴曰用少莫如齊致死齊致死莫如去備備長兵也○去起呂反彼多兵矣請皆用劍從之華氏北復即之北敗走廚人濮以裳裹首而荷以走曰得華登矣遂敗華氏于新里新里華氏所取邑○裹音果荷何可反又音何翟僂新居于新里既戰說甲于公而歸居華氏地而助公戰○僂力主反說他活反下注同華姪居于公里亦如之姪華氏族故助華氏亦如僂新說甲歸傳言古之為軍不皆小忿○姪他結反下注同嘗本又作甞才斷反又音紫十一月癸未公子城以晉師至城以前年奔晉今還救宋曹翰胡曹大夫○翰音寒又戶旦反會晉荀吳荀吳中行穆子○行戶郎反齊苑何忌齊大夫衛公子朝朝前年出奔晉今還○朝如字救宋丙戌與華氏戰于赭丘赭丘宋地○赭音者丘又作坵同鄭

翩願爲鸛其御願爲鵞鄭翩華氏黨鸛鵞皆陳名。鸛古喚反鵞五彡反陳
直翻子祿御公子城莊堇爲右子祿向宜。莊堇音謹本或作董
反干犨御呂封人華豹張匄爲右華氏黨。呂封人華豹
尺由疏呂封人華豹。正義曰呂封人官名豹即下文華豹是也本或豹上有華下有呂封人並云呂封人
華豹釋例謂一人再見名字不同皆兩載之宋華人内
有呂封人豹華豹爲一人知此本無華也今定本有華相
遇城還華豹曰城也城怒而反之還戰迴還反之將
注豹則關矣注傅矢關引弓。注之樹反關烏環反本又作彎同下同傳音附曰平
公之靈尚輔相余公子城公之子平公父。相息亮反豹射出其間
鄙注將注則又關矣曰不狎鄙更也。狎更也子城言豹不更射爲鄙
反又音食夜反下及注皆同疏注狎更。正義曰服虔云狎更也子城
故而射之不射曰鄙。抽矢城射之殪豹死。殪一計反張匄抽
將射出其間公子城將射而狎鄙然則豹已關矣何爲不射公子城何爲不射公子城何當鄙之云不
更射爲鄙城方與豹相射此非讓之所又何須言不
爲鄙服之二說皆非杜訓狎爲更言更遞也城謂豹女
射我不使我得更遞是爲鄙相豹服此言故抽矢而止此弦
亦不達軍禮也殳而下字殳長文二在車邊。殳市朱反
之戰殳而下音殊長直亮反又如字射之折股扶伏而
擊之折軫扶伏本或作匍匐音蒲下又蒲北反本或作匍匐同
折之設反下及注同軫之忍反軫車軫。
又射之死死求城曰余言女於
君　女音汝　對曰不死伍乘軍之大刑也　同乘共伍
當皆死。乘繩證反　于犨請一矢城曰余言女於
乃射之殪　犨爲於處也。大敗華氏圍諸南里華
亥搏膺而呼見華貙曰吾爲欒氏矣　晉欒盈還入作

翩而死。東襄二十三年。傳音附。呼好故反。貙曰子無我迋不幸而後
亡迋恐也。迋求往反又恐近畏反使華登如楚乞師華貙以車
十五乘徒七十人犯師而出　犯公師出送華登。食於睢
上哭而送之乃復入入南里。睢音雖又反　楚薳越帥
師將逆華氏大宰犯諫曰諸侯唯宋事其君
今又爭國釋君而臣是助無乃不可乎王曰
而告我也後既許之矣華向出奔楚爲明年華向出奔楚傳。○蒸于委反疏注諸侯
唯宋事其君。正義曰言諸侯之內唯宋之臣民善事其君
古以前未嘗有叛逆者也於本或無其字若無其字則是唯
宋事楚於時宋國不屬楚也。○王曰而告我
也後。正義曰謂大宰犯跡華登出奔之後　○蔡侯朱
出奔楚費無極取貨於東國　東國隱太子之子平
侯廬之弟朱叔父也
而謂蔡人曰朱不用命於楚君王將立東國
若不先從王欲楚必圍蔡蔡人懼出朱而立
東國朱愬于楚楚子將討蔡無極曰平侯與
楚有盟故封　盟于鄧依陳蔡以國。○愬悉路反　其子有二心故廢
之　子謂朱也　靈王殺隱太子其子與君同惡德君
必甚　疏　德君必甚。正義曰同惡謂之德言其何其必甚也　又使立之不亦
可乎且廢置在君蔡無他矣　言權在楚則蔡無他心　○公如
晉及河鼓叛晉　鼓叛晉屬鮮虞　晉將伐鮮虞故辭公
狩有軍事無暇於待賓且謀
鮮虞謀。○鮮息仙反又以制反
經二十有二年春齊侯伐莒○宋華亥向寧

華定自宋南里出奔楚 言自南里別從國去。別彼列反 ○大蒐于昌間 無傳。蒐所求反間如字 ○夏四月乙丑天王崩 叔鞅叔弓子三月而葬亂故速。鞅於丈反 六月叔鞅如京師葬景王 王室亂 承叔鞅言而書之未知誰是故但曰亂 疏 注承叔至曰亂。正義曰傳曰叔鞅至自京師言王室之亂是魯史承叔鞅之言而書之也閔馬父聞叔鞅之言乃遂度其事云子朝必不克是未知誰是誰非也故史但書曰亂不言其人其人為亂魯史書事必待告乃書傳聞行言不書之此承叔鞅之言即書策者魯是周之宗國既聞王室之亂義當釋位救之魯聞周亂所憂在已承言即書見魯之憂王室也公羊傳曰何言乎王室亂言不及外也其意言兄弟爭位室內自亂其亂不及外國故指言王室也 ○劉子單子以王猛居于皇 河南鞏縣西南有黃亭辟子朝難出居皇王猛書名未即位。單音善鞏九勇反難乃旦反 疏 注辟子至即位。正義曰傳曰鞏簡公敗績于京郊平公亦敗焉單子欲告急於晉以王如平時遂奔圃車次于皇是辟子朝之難出居皇也王人以在皇告故書皇也景王既葬猛當成君仍書名者王室大亂未得以禮即位故也如莒展弑君而立未會諸侯元年書莒展輿出奔吳鄭忽嗣父而立鄭人賊之不以為君桓十一年書鄭忽出奔衛然則未成君者法當書名此王猛雖未即位異於諸侯故稱王而以名繫之劉炫云以王當國亦如莒展以名繫國也 ○秋劉子單子以王猛入于王城 王城郟鄏今河南縣晉助猛故得還王都。郟古洽反鄏音辱 ○冬十月王子猛卒 未即位故不言崩 疏 注未即至言崩。正義曰未即位不成為王故不言崩也書王子猛卒者未成為君繫父言之故稱子猶魯之子般子野卒 ○十有二月癸酉朔日有食之 無傳此月有庚戌又以長曆推校前後當為癸卯朔書癸酉誤 疏 注此月云云。正義曰案傳十二月庚戌晉籍談云云庚戌上去癸酉三十七日若此月癸酉朔其不得有庚戌也又傳十二月下有閏月晉箕遺云云又云辛丑伐京辛丑是壬寅之前日也二十三年傳曰正月壬寅朔二師圍郊則辛丑是閏月之晦日也又計明年正月之朔與今年十二月朔中有一閏相去當為五十九日此年十二月當為癸卯朔經書癸酉明是誤也故言長曆推校十一月小甲辰朔傳有乙酉十一月也又有己丑十八日也十二月大癸卯朔傳有庚戌八日也閏月小癸酉朔傳有閏月辛丑二十九日也明年正月壬寅朔則上下符合矣

傳二十二年春王二月甲子齊北郭啓帥師伐莒 啓北郭佐之後 莒子將戰苑羊牧之諫 言大夫。苑於元反牧之州牧之牧 曰齊帥賤其求不多不如下之 反下之遐嫁反 大國不可怒也弗聽敗齊師于壽餘 莒地。 齊侯伐莒 怒敗。 莒子行成司馬竈如莒涖盟 竈齊大夫。涖音利又音類 莒子如齊涖盟盟于稷門之外 稷門齊城門也 莒於是乎大惡其君 為明年莒子奔齊張本。惡烏路反 ○楚薳越使告于宋曰寡君聞君有不令之臣為君憂無寧以為宗羞 無寧寧也言華氏為宋宗廟之羞恥 寡君請受而戮之 對曰孤不佞不能媚於父兄 畏逼公族也 以為君憂拜命之辱抑君臣日戰君曰余必臣是助亦唯命人有言曰唯亂門之無過 過亂門猶尚遇禍 君若惠保敝邑無亢不衷以獎亂人孤之望也唯君圖之 楚人患之 患宋以義距之。過古禾反亢苦浪反衷音忠 疏 無亢至亂人。正義曰亢高也衷善也獎勸也無亦高顯不善之事以勸亂人為惡也易曰亢龍有悔言其位高也 諸侯之戍謀曰若華氏知困而致死楚恥無功而疾戰非吾利也不如出之以為楚功其亦能無為也已 言華氏不能復為宋患。復扶又反下復叛同 疏 若華至也已

已○正義曰若華氏知困而致死戰或敗諸侯之師也華氏無功而疾戰戰勝則楚國有功二者並非吾諸侯之利也闕之乃師將至華氏以是楚之功也不如出之以爲楚功其此華氏亦無所能爲也已言雖於今出亦不復能爲宋害言楚之求舊請出之宋人乃從之

何求乃固請出之宋人從之已巳宋華亥向寧華定華貙華登皇奄傷省臧士平出奔楚

宋人處更爲書決欲取殺之故蹤 救宋而除其害又華貙已下五子不書非卿○貙丑俱反臧子郎反

宋公使公孫忌爲大司馬邊卬爲大司徒樂祁爲司城仲幾爲左師樂大心爲右師樂輓爲大司寇以靖國人

忌樂祁子罕孫樂祁○卬五郎反 仲幾仲左孫 代華亥 代華定 費遂 代鄭寧○鄭子罕孫 大心桓族 樂輓 輓音晚 後弭○弭彌氏反

○王子朝賓起有寵於景王

子朝景王之長庶子賓起子朝之傅○朝如字凡人名字皆放此 或云朝當是王子朝之後又音嘲亲錯姓亦有兩音長丁丈反

王與賓孟說之欲立之

疏 王子至立之○正義曰賈逵云賓孟子朝之傅也王愛子朝因其傅故朝起並有寵於景王也與賓孟並談說之欲立朝爲大子周語云景王欲殺下門子乃云賓孟適郊見雄雞自斷其尾然則王與賓孟言說既欲立傅也景王欲立朝故先殺猛傳然則王與賓孟言說既欲立朝乃殺猛傳議久不決故賓孟以雄雞自斷以勸之○注子朝至之傅○正義曰二十六年傳子朝使告于諸侯云單劉贊私立少以朝○長於猛也賓孟欲立子朝則是子朝之傅

劉獻公之庶子伯蚠事單穆公

獻公劉摯伯蚠劉狄穆公單旗○蚠扶粉反 音扶云反摯音至下同

惡賓孟之爲人也願殺之又惡王子朝之言以爲亂願去之

子朝有欲位之言故劉蚠惡之○惡烏路反下同 去起呂反 有欲位之言一本位作立

劉蚠至去之○正義曰伯蚠是果決有知謀者也願得殺賓孟法令劉所以殺子之心故劉子亦與同志共立于廷也於賓孟云願殺之於子朝云願去之者朝是王之寵子王在不可專殺願逐去而已獻謚法知質有聖曰獻

賓孟適郊見雄雞自斷其尾問之侍者曰自憚其犧也

畏其爲犧牲奉宗廟故自殘毀○斷丁管反憚待旦反犧許宜反

遽歸告王且曰雞其憚爲人用乎人異於是

言人見寵飾則當盡盛故欲使王寵己○雞憚犧雞見寵飾然卒當見殺若

犧者實難已犧何害

言設使寵人欲寵人以招禍難使犧在他人則無害已喻子朝欲使王早寵異之○難乃旦反

疏 賓孟至何害○正義曰說文云犧宗廟之牲也曲禮云天子以犧牛鄭玄云犧純毛也周禮牧人掌牧六牲以共祭祀之牲牷鄭玄云六牲謂牛馬羊豕犬雞牷體完具也又曰祭祀共其犧牲以授充人繫之鄭玄云犧牲毛羽完具也授充人者當殊養之然則祭祀之牲選其毛羽完具者養之以爲犧牲者雞亦宗廟之牲也養而藏之雞以毛羽具恐其被養爲犧故自斷其尾毀其形體以求免也賓孟因此怪而問之侍者曰自憚其犧言此雞畏其被寵養也賓孟因此感悟遽歸以雞言告王且又言曰雞其憚爲人用乎人則異於是飾之以寵若被寵飾則當見殺人欲寵飾則當盡盛也此其所以異於雞也犧者龍之名因以犧喻寵子朝爲寵言寵犧者依人用之則爲犧今寵愛爲犧者乃實用人言犧當爲人寵德之人禎如祭犧當用純色之牲也他人之有純德者龍之以爲後實招禍難○他人之犧有何害也但人有親疏若疎人被寵愛爲犧實爲禍難若已家親屬寵愛則犧有何患害也以他人謂子猛也親屬謂子朝也犧者實用人以是犧牲爲牲言普愛凡人也人議賓雞此下人疏疏外之人人字疏同上下人意異○注設使至難已○正義曰犧者繫養之名耳言設飾若當養之時必爲之服飾以異之如今之祭五祭也史記稱楚王欲以莊周爲相謂使者曰郊祭犧牛養之數歲衣以文繡牽入大廟是時欲爲孤豚豈可得乎是亦飾以寵之事○注言設至異之○正義曰賓孟言人犧實難假使以爲就人爲犧然之人能養猶人而禍害主故言設使寵人如龍犧則不宜假人以招禍難假借他人以寵或將反來害己子猛雖亦王子不得王寵與他人無異使犧在他家則無害己喻子朝是己之子欲使王早寵異之而寵

義也王弗應十五年大子壽卒王立子猛復欲立子朝而未定賓孟欲立子朝王心許之故不應○應應對之應注同疏注十五至不應○正義曰賈逵以為大子壽卒王命猛代之後欲廢猛立朝耳服虔以賈為然杜今從鄭說者二十六年傳閔子馬云子朝干景之命則是有命矣若不命猛更命誰爭若二子朝並未有命俱是庶子朝年又長於次當立有求為嗣宜矣劉子何以惡其為亂而欲去之若俱未被立王意不屬羣臣無違王命為嗣則莫敢不從何須將殺單劉以立朝也杜以此知大子壽卒王立子猛為適其後復欲立子朝而王意未定賓孟感雄自毀因此蓋稱賓孟故不應處其淡言也夏四月王田北山使公卿皆從將殺單子劉子北山洛北芒也王知單劉不欲立子朝欲因田獵先殺之○從才用反芒音亡王有心疾乙丑崩于榮錡氏四月十九日河南鞏縣西有榮錡澗○錡魚綺反澗古晏反疏注四月十九日○正義曰此於乙丑之下言四月十九日戊辰之下言二十二日顯言此二日者此年之傳其日稍多臣之與傳又時月令錯故此顯言二十二日以欲令自此以下次推之易驗耳戊辰劉子摯卒二十二日無子單子立劉蚠蚠摯之庶子○蚠扶粉反五月庚辰見王見王猛○見賢遍反注同遂攻賓起殺之盟羣王子于單氏王子猛次正故單劉立之諸王子或黨子朝故盟之疏注王子猛次正○正義曰猛朝俱是王子猛次正故單劉立之也公羊以大子壽之母弟或是后姪娣之子或母貴也蓋為次正之語杜取為說猛為次正不知其本○晉之取鼓也在十五年既獻而反鼓子焉又叛於鮮虞叛晉屬鮮虞六月荀吳略東陽略行也東陽晉之山東邑魏郡廣平以北使師偽糴者負甲以息於昔陽之門外昔陽故肥子所都○糴直歷反遂襲鼓滅之以鼓子鳶鞮歸使涉佗守之守鼓之地涉佗晉大夫○鳶悅全反鞮丁兮反佗徒多反守手又反

○丁巳葬景王王子朝因舊官百工之喪職秩者與靈景之族以作亂百工百官也靈王景王之子孫○喪息浪反下注同帥郊要餞之甲三邑周地○要一遙反餞賤淺反以逐劉子壬戌劉子奔揚揚邑單子逆悼王于莊宮以歸悼王子猛也王子還夜取王以如莊宮王子還子朝黨癸亥單子出失王故出奔王子還與召莊公謀莊公召伯奐子朝黨也○召上照反奐音喚曰不殺單旗不捷旗單子也○旗音其捷才接反與之重盟必來背盟而克者多矣從之從還謀也○背音佩下注同樊頃子曰非言也必不克頃子樊齊單劉黨○頃音傾本或作須字疏注頃子至劉黨○正義曰此下二十三年單子劉子樊齊以王如劉故知是單劉黨也遂奉王以追單子王子還奉王及領大盟而復領周地欲重盟令單子復歸○令力呈反殺摯荒以說摯荒為說荒○說始銳反又音悅劉子如劉歸其采邑單子亡乙丑奔于平時平時周地知王子還欲背盟故亡走○奔于平時一本作平時音止又音市下同本或作平壽誤疏注及領至平時○正義曰此上言子還夜取王以如莊宮遂與召莊謀殺單旗與之重盟必來來而殺之王子還遂奉王追單子及領重盟而還殺摯荒者為前取王如莊宮令單子失王而出奔更殺摯荒以解說於單子冀單子還欲背之又奔平時羣王子追之單子殺還姑發弱鬷延定稠八子靈景之族○鬷子工反稠直由反疏注八子靈景之族○正義曰以上言子朝因靈景之族而作亂殺之八人還若其首還既稱王子明八子皆王子也故知靈景之族子朝奔京其黨奔京丙寅伐之單子伐京京人奔山劉子入于王城子朝奔京故得入辛未鞏簡

公敗績于京乙亥甘平公亦敗焉甘簡二公周卿士皆爲子朝所敗○鞏九勇反（疏）注甘簡公平公○正義曰謚法一德不懈曰簡布綱持紀曰平○注皆爲子朝所敗○正義曰知爲子朝所敗者以傳云敗績于京故知是敬王黨爲子朝所敗也叔鞅至自京師葬景王還言王室之亂也紀所以書閔馬父曰子朝必不克其所與者天所廢也閔馬父閔子馬魯大夫天所廢謂舉兵職秩者單子欲告急於晉秋七月戊寅以王如平時遂如圃車次于皇出必以示急戊寅七月三日經書六月誤也○圃音補（疏）注戊寅至月誤○正義曰傳言七月戊寅杜以長歷推校之戊寅是七月三日明傳是也經書丁巳葬景王乃在六月上知經六月誤劉子如劉單子使王子處守于王城王子處子猛黨守王城距子朝盟百工于平宮平宮平王廟辛卯鄩肸伐皇

鄩肸子朝黨○鄩音尋肸許乙反大敗獲鄩肸壬辰焚諸王城之市肸焚鄩八月辛酉司徒醜以王師敗績于前城醜悼王司徒前城子朝所得邑百工叛司徒醜敗故己巳伐單氏之宮敗焉百工伐單氏爲單氏所敗（疏）注百工至所敗○正義曰知單氏所敗者以上云伐單氏下云反伐之是單氏反伐百工也若單氏被敗焉能反伐百工庚午反伐之單氏反伐百工辛未伐東圉百工所在洛陽東南有圉鄉○圉魚呂反冬十月丁巳晉籍談荀躒帥九州之戎九州戎陸渾戎十七年滅屬晉州鄉屬也九州爲鄉○躒力狄反及焦瑕溫原之師焦瑕溫原晉四邑以納王于王城丁巳在十月經書秋誤（疏）注丁巳至秋誤○正義曰傳言冬十月丁巳杜以長歷推之丁巳是十月十四日經書此事在秋其下乃有冬知經誤庚申單子劉盆以王師敗績于郊

爲子朝之黨所敗前城人敗陸渾于社前城子朝衆社周地○社市者反本或作杜下皆同十一月乙酉王子猛卒乙酉在十二月經書十月誤雖未即位周人謚曰悼王（疏）注乙酉至悼王○正義曰傳言十一月乙酉杜以長歷推校之乙酉是十二月十二日也經書十月誤也上云單子逆悼王于莊宮以王即位也經書爲卒傳言其謚故解之猶未即位周人謚曰悼王敬王猛之母弟敬王位定乃追謚之不成喪也釋所以不稱王崩己丑敬王即位敬王王子猛母弟王子匄○匄古害反（疏）注敬王至子匄○正義曰敬王名匄本紀文也本紀不言欲匡是猛之母弟先儒相傳說耳謚法夙夜共事曰敬館于子旅氏子旅周大夫○十二月庚戌晉籍談荀躒賈辛司馬督司馬烏○督音篤帥師軍于陰籍談所軍于侯氏荀躒所軍于谿泉賈辛所軍○谿泉西南有明谿泉次于社司馬督所次王師軍于氾于解次于任人[illegible]

氾解任人三邑洛陽西南有大解小解○氾音凡解音蟹任音壬閏月晉箕遺樂徵右行詭濟師取前城三子晉大夫濟師渡伊洛○行戶郎反洛乙安反軍其東南王師軍于京楚辛丑伐京毀其西南京楚子朝所在

經二十有三年春王正月叔孫婼如晉謝取邾師○婼勑略反○癸丑叔鞅卒無傳○晉人執我行人叔孫婼稱行人譏晉執使人○使所吏反（疏）注稱行至使人○正義曰傳說婼辭於邾之事則是魯有罪矣而譏晉執者凡諸侯有罪盟主討之執之不宜執其使人故譏之○晉人圍郊討子朝也郊周邑圍郊在叔鞅卒前經書於後從赴（疏）注討子至從赴○正義曰往年傳閏月辛丑晉師王師伐京毀其西南注云京子朝所在此年傳正月壬寅朔二師圍郊辛丑壬寅頻日耳蓋京潰而奔郊郊則子朝之邑故二師圍之故云討子朝也

郊不繫周者，大都以名通也。傳稱朝日圍郊，至癸丑乃叔鞅卒。癸丑，正月十二日也。是圍郊在叔鞅卒前也。晉人來告圍郊，不以圍郊日告之，告在叔鞅卒後，故經書在後，是從赴也。圍郊在朔，或亦在叔孫婼如晉之前，但行無日，未必不以朔行。據鞅卒有日而言之。○夏，六月，蔡侯東國卒于楚。無傳。未同盟而赴以名。○秋，七月，莒子庚輿來奔。○戊辰，吳敗頓、胡、沈、蔡、陳、許之師于雞父。不書楚，楚不戰也。雞父，楚地，安豐縣南有雞備亭。○輿音餘。父音甫。【疏】吳敗至雞父。○正義曰：此戰，獲胡、沈之君，是陳大夫。陳是大夫將，則蔡、許亦大夫將也，故云頓、胡、沈、蔡、陳、許君在臣上，各自以大小爲序耳。桓十三年，經書齊師、宋師、衞師、燕師敗績，此不每國書師而總云師者，傳無其說，杜不爲注，是史略文，非義例也。賈逵云：不國國書師，惡其同役而不同心。案隱十年，宋人、蔡人、衞人伐戴，鄭伯伐取之。傳曰：宋、衞既入鄭，而以伐戴召蔡人，蔡人怒，故不和而敗，亦是同役而不同心，彼既不變其文，此何當變文以見義乎？賈之妄。○注不書楚不戰。○正義曰：杜知楚不戰者，以傳云戰于雞父，吳子以罪人先犯胡、沈與陳，三國敗，舍胡、沈之囚使奔許與蔡、頓，師譟而從之，三國奔，是戰於雞父之時，先犯胡、沈、陳，後破許、蔡、頓也。六國既陳，戰敗而奔，下傳始云楚師大奔，是大國敗後，楚師怖懼，不得成陳，望風而奔，故傳云不言戰，楚未陳。杜云不書楚，楚不戰，劉炫用服虔義云：不書楚，楚諱敗，楚不告。然則必其楚人來告，或諱敗；若吳人來告，豈代楚諱乎？劉炫背傳文，而規杜非也。胡子髡、沈子逞滅，國雖存，君死曰滅。髡，苦門反。逞，勑延反。【疏】注國雖至曰滅。○正義曰：公羊傳曰：君死于位曰滅。其意言本國雖存，其君見殺，與滅國相類，嫌君身言之，謂之滅。獲陳夏齧。大夫死生通曰獲。夏齧，徵舒玄孫。○齧，五結反。【疏】注大夫至玄孫。○正義曰：宣二年，鄭人獲華元，生獲也。哀十一年，獲齊國書，死獲也，故云大夫死生通曰獲。案世本，宣公生子夏，夏生御叔，御叔生徵舒，舒生惠子，惠子生悼子，悼子生御寇(?)，悼子齧，齧是徵舒曾孫。杜云玄孫，未詳。○天王居于狄泉。敬王辟子朝也。狄泉，今洛陽城內大倉西南池水也，時在城外。○大音泰。【疏】注敬王至城外。○正義曰：此事傳無其文，不言無傳者，傳稱六月庚寅，單子、劉子以王如劉，當從劉而居狄泉，不是全無其事，故不云無傳也。

狄泉，今洛陽城內大倉西南池水也。若在城內，宜云王居城。知此時在城外也。今在城內者，杜地名云：或曰定元年城成周，乃遷之入城內也。尹氏立王子朝。尹氏，周世卿也。書尹氏立子朝，明非周人所欲立，獨尹氏立之耳。【疏】注尹氏至之耳。○正義曰：以其世爲卿，王宗族強盛，故能立朝。不言尹子而言尹氏者，見其氏族強盛，故能立之也。敬王是猛之母弟，猛死，次正當立，立之是當。朝不應立，立者無以亂國，書尹氏立朝，所以惡尹氏也。隱四年衞人立晉，美其得衆，書衞人言舉國共立之，此書尹氏立朝，明非周人所欲立，獨尹氏立之耳。○八月乙未，地震。○冬，公如晉，至河，有疾，乃復。

傳二十二年春王正月壬寅朔，二師圍郊。二師，王師、晉師也。郊，子朝邑。癸卯，郊、鄩潰。河南鞏縣西南有地名鄩中。郊、鄩二邑皆子朝所得。○鄩音尋。潰，戶內反。丁未，晉師在平陰，王師在澤邑。平陰，今河陰。師不書，不以告。王使告間。子朝敗，故○間，音閑。庚戌，還。晉師還。○邾人城翼。翼，邾邑。還，將自離姑。離姑，邾邑。從離姑則道經魯之武城。【疏】翼至武城。○正義曰：邾、魯接連，竟界相錯，邾人從翼邑還邾，先經魯之武城，然後始至離姑，而後至邾，故舉離姑爲道次。公孫鉏曰：魯將御我。鉏，邾大夫。○鉏，仕居反。御，魚呂反，下同。欲自武城還，循山而南。至武城而還，依山南行，不欲過武城。○循，似遵反，下遂過同。徐鉏、丘弱、茅地曰：三子，邾大夫。○茅，亡交反。道下，遇雨，將不出，是不歸也。謂此山道下濕。遂自離姑。武城人塞其前，以兵塞其前。○塞，悉則反。斷其後之木而弗殊，邾師過之，乃推而蹶之，斷木不絕，欲使邾師過，乃推而仆之。【疏】武城至殊。○正義曰：武城人既有兵塞其前，又斷其後之木而不絕，俟邾師過之乃推而蹶之。遂取邾師，獲鉏、弱、地。取邾師不書，公命。○斷，丁管反。蹶，居衛反。

如字說文云死也一曰斷也疏注取邾至公命○正義曰竊其月反又音歇又丑衞反 傳言武城人則是武城之大夫自專為此謀也既取邾師邾始愬晉晉人來討乃令叔孫往謝叔孫以年初即行則魯取邾師事在往年因叔孫婼如晉追言之

邾人愬于晉晉人來討愬息路反叔孫婼如晉晉人執之書曰晉人執我行人叔孫婼言使人也使所吏反下同晉人使與邾大夫坐坐訟曲直疏注坐訟曲直○正義曰周禮小司寇以五聲聽獄訟凡獄訟者皆令競者坐而受其辭故使並坐訟曲直叔孫曰列國之卿當小國之君固周制也在禮卿得會伯子男疏注在禮至之君○正義曰僖二十九年傳曰在禮卿不會公侯會伯子男可也於禮得與相會故當小國之君邾又夷也邾雜夷有夷風寡君之命介子服回在子服回魯大夫為叔孫之介副○介音界注同請使當之不敢廢周制故也乃不果坐不果坐與邾使執韓宣子使邾人聚其衆將以叔孫與之叔孫聞之去衆與兵而朝示欲以身死○去起呂反士彌牟謂韓宣子彌牟士景伯○彌亡支反牟亡侯反曰子弗良圖而以叔孫與其讎叔孫必死之魯亡叔孫必亡邾邾君亡國將焉歸將邾君在晉若亡國無所歸○焉於虔反下同子雖悔之何及所謂盟主討違命也若皆相執焉用盟主諸侯皆得執相執乃弗與使各居一館分別叔孫子服回○別彼列反疏注分別至服回○正義曰賈逵云使叔孫子服回各居一館邾魯大夫各居一館鄭衆云使各居一館也欲分別叔孫與子服回不得相見各聽其辭

經二十三

服虔並載所說仍云賈氏近之案傳文各居一館之下即云士伯聽其辭而愬諸宣子乃皆執之則皆執各居一館者也若是邾魯別館豈執邾大夫乎且下云館叔孫於箕舍子服回於他邑則此各居一館是分別子服與叔孫恐其相教示士伯聽其辭而愬諸宣子乃皆執之二子辭不屈故士伯愬而執之疏注二子至執之○正義曰魯人實取邾師二子辭不屈者魯人不假道是邾亦合責不假道小過也取其師大罪也田齊生為辭已甚故士伯愬而執之以其使足以辭罪故晉以明并釋之士伯御叔孫從者四人過邾館以如吏欲使邾人見叔孫之辱○從才用反下同疏注士伯至如吏○正義曰御也叔孫從者皆有四人先過於邾君之館然後以之如吏故杜云欲使邾人見叔孫之辱先歸邾子士伯曰以芻蕘之難從者之病將館子於都都別都謂箕也○芻初俱反蕘而謝反叔孫旦而立期焉立待命也從旦至為期○期本又作朞乃館諸箕舍子服昭伯於他邑別囚之同居其反范獻子求貨於叔孫使請冠焉以求冠為辭取其冠法而與之兩冠曰盡矣既從作冠模法又遺二冠以與之為若不解其意○模莫胡反字從木解音蟹為叔孫故申豐以貨如晉欲行貨以免叔孫○為于偽反叔孫曰見我吾告女所行貨見而不出留申豐不使得出不欲以貨免○女音汝吏人之與叔孫居於箕者請其吠狗弗與及將歸殺而與之食之示不與疏請其吠狗○正義曰狗有吠守者有主獵者主獵者貴吠守者賤吏人請叔孫乞其吠守之狗叔孫所館者雖一日必葺其牆屋葺補治也○葺七入反去之如始至不以當去而有所毀壞○壞音怪○夏四月乙酉單

經二十三

子取訾。劉子取牆人、直人。三邑皆子朝所得。牆人、直人在河南鞏縣西南。○訾，子斯反。

六月壬午，王子朝入于尹。自京入尹氏之邑。【疏】注自京至之邑　正義曰：知自京入尹者，以前年子朝在京，王師雖毀其西南，不言京潰，又今年二師圍郊，不言子朝在郊，故云自京入尹。劉炫以為前年王師已克子朝，子朝從京入郊，郊潰不知子朝所在，而規杜，非也。

癸未，尹圉誘劉佗殺之。尹圉，尹文公也。劉佗，劉蚠族。○圉，魚呂反。佗，徒河反。

丙戌，單子從阪道，劉子從尹道伐尹。單子先至而敗，劉子還。單子敗故。○阪音反，又扶板反。

己丑，召伯奐、南宮極以成周人戍尹。二子，周卿士，子朝黨。奐，召莊公。

庚寅，單子、劉子、樊齊以王如劉。辟子朝。樊齊，劉子邑。

甲午，王子朝入于王城，次于左巷。近東城。○近，附近之近。

秋七月戊申，鄩羅納諸莊宮。鄩羅，周大夫，鄩肸之子。尹辛敗劉師于唐。尹辛，尹氏族。唐，周地。

丙辰，又敗諸鄩。甲子，尹辛取西闈。西闈，周地。○闈音韋，一音暉。

丙寅，攻蒯，蒯潰。蒯，河南縣西南蒯鄉是也。於是敬王居狄泉，尹氏立子朝。○蒯，苦怪反。

○莒子庚輿虐而好劍，苟鑄劍，必試諸人，國人患之。又將叛齊。烏存帥國人以逐之。烏存，莒大夫。○好，呼報反。鑄，之樹反。

庚輿將出，聞烏存執殳而立於道左，懼將止死。殳長丈二而無刃。○殳音殊。【疏】注殳長至無刃　○正義曰：詩毛傳云：殳長丈二而無刃。考工記云：殳長尋有四尺。八尺曰尋，是其長丈二也。又考工記戈戟皆有刃，殳不言刃，是無刃也。

苑羊牧之曰：君過之。羊牧之，莒大夫。烏存以力聞可矣，何必以弒君成名？遂來奔。齊人納郊公。郊公，著丘公之子，十四年奔齊。○著，直居反，又直慮反。

反。○吳人伐州來，楚薳越帥師及諸侯之師奔命救州來。令尹以疾從戎，故薳越攝其事。吳人禦諸鍾離。子瑕卒，楚師熸。子瑕，令尹，下起所疾也。吳楚之間謂火滅為熸。軍之重主喪亡，故其軍人無復氣勢。○熸，子潛反，字林子廉反。復，扶又反，下王往復敗復增修同。

吳公子光曰：諸侯從於楚者眾，而皆小國也，畏楚而不獲已，是以來。吾聞之曰：作事威克其愛，雖小必濟。克，勝也。軍事尚威。【疏】威克至必濟　○正義曰：尚書胤征云：威克厥愛，允濟；愛克厥威，允罔功。是古有此言。

胡、沈之君幼而狂，狂，無常。○狂，求匡反。陳大夫齧壯而頑，頓與許、蔡疾楚政。楚令尹死，其師熸。帥賤、多寵，政令不壹。帥賤，薳越非正卿也。軍多寵人，政令不壹於越。○帥，所類反，注及下帥賤同。

七國同役而不同心。七國，楚、頓、胡、沈、蔡、陳、許。帥賤而不能整，無大威命，楚可敗也。若分師先以犯胡、沈與陳，必先奔。三國敗，諸侯之師乃搖心矣。諸侯乖亂，楚必大奔。請先者去備薄威，示之以不整，以誘之。○去，起呂反。後者敦陳整旅。敦，厚也。○陳，直覲反，下宋陳并注同。

吳子從之。戊辰晦，戰于雞父。七月二十九日，違兵忌晦戰，擊楚所不意。【疏】注七月至不意　○正義曰：成十六年傳稱郤至云：陳不違晦，以犯天忌，我必克之。注云：晦，月終，陰之盡。故兵家以為忌。楚以吳忌之，以為不意兵來擊之，必不設備。吳人故違兵忌，以晦出兵而戰，擊楚所不意也。僖二十二年泓之戰書己巳朔，成十六年鄢陵之戰書甲午晦，此書戊辰而不言晦者，釋例曰：經傳之見晦朔，此時史隨其日而存之，無義例也。賈氏云：泓之戰譏宋襄，以書朔；鄢陵之戰譏楚子，故書晦；雞父之戰夷之，故不書晦。左氏既無此說。案雞父之戰與鄢陵其例非賈氏之實，晦戰而經不書晦，明經不以晦示衆敗吳子以罪人三千先犯胡沈與陳因徒不習戰以示不整三國爭之吳爲三軍以繫於後中軍從王從吳王光帥右掩餘帥左掩餘吳王壽夢子吳之罪人或奔或止三國亂吳師擊之三國敗獲胡沈之君及陳大夫舍胡沈之囚使奔許與蔡頓曰吾君死矣師譟而從之三國奔三國許蔡頓○譟素報反楚師大奔書曰胡子髡沈子逞滅獲陳夏齧君臣之亂也國君社稷之主與宗廟共其存亡者故稱滅大夫輕故曰獲獲得也疏注國君社稷之主與宗廟共其存亡者至獲得也○正義曰傳言舍胡沈之囚使曰吾君死矣是胡沈之君死稱滅也釋例曰國君者社稷之主百姓之望當與社稷宗廟共其存亡者也而見獲於敵國雖存若亡死之與生皆與滅同故曰胡子髡沈子逞滅諸以戰傷死雖敗績而不見擒故經皆不曰滅則社稷國君生見獲亦書爲滅也劉炫謂此胡沈之君戰死故言滅也春秋君戰生見獲者皆言以歸不書滅何得言雖存若亡皆爲滅公羊傳曰其言滅獲何別君臣也君死于位曰滅生得曰獲大夫生死皆曰獲以爲君死曰滅生曰以歸戰敗晉侯從大夫例故書獲以規杜失今知非者莊十年齊師滅譚譚子奔莒定六年鄭游速滅許以許男斯歸是君存稱滅劉炫以爲生獲於敵但言以歸不得稱滅規杜非也但君存稱滅則滅文在上滅許是也國君死則滅文在下胡子沈子是也不言戰楚未陳也諸與陳例相涉故重發之○八月丁酉南宮極震經書乙未地動魯地也丁酉南宮極震周地亦震也爲屋所壓而死○壓本又作厭同於甲反疏注經書至而死○正義曰經書乙未地震謂魯國之地動也丁酉南宮極震則周地亦震周魯相去千里故震日不同以震而兆明爲星所壓萇弘謂劉文公曰君其勉之先君之力可濟也文公劉蚠也先君謂蚠之父獻公也獻公亦欲立子猛未及而卒周之亡也其三川震

昭二十三

謂幽王時也三川涇渭洛水也地動川岸崩疏注謂幽至岸崩○正義曰周語云幽王二年西周三川皆震伯陽父曰周將亡矣陽伏而不能出陰迫而不能烝於是有地震今川實震是陽失其所而鎮陰也陽失而在陰原必塞原塞國必亡夫水土演而民用也土無所演民乏財用不亡何待昔伊洛竭而夏亡河竭而商亡今周德若二代之季矣其川原又塞塞必竭夫國必依山川山崩川竭亡之徵也川竭山必崩若亡不過十年數之紀也夫天之所棄不過其紀是歲也三川竭岐山崩十一年幽王乃滅注國語者亦云三川涇渭洛也西周在雍州之域周禮職方氏正西曰雍州其川涇汭其浸渭洛鄭玄云浸可以爲灌溉者今西王之大臣亦震天棄之矣子朝在王城故謂西王東王必大克敬王居狄泉在王城之東故曰東王○楚大子建之母在郥郥郥陽也平王娶秦女廢大子建故母歸其家○郥古闃反召吳人而啓之冬十月甲申吳大子諸樊入郥諸樊吳王僚之大子○吳大子諸樊案吳子遏號諸樊王僚是遏之弟子先儒又以爲遏弟何容僚子乃取遏號爲名恐或寫誤耳未詳取楚夫人與其寶器以歸楚司馬薳越追之不及將死衆曰請遂伐吳以徼之徼要其勝負○徼古堯反要一遥反疏大子至追之○正義曰上地名郥是蔡地蔡在楚之東北故建母在郥得召吳人也於時蔡名發楚且夫夫人故薳越追之○注諸樊至大子○正義曰吳子諸樊吳王僚之伯父也僚子又名諸樊乃與伯祖同名吳人雖是東夷理亦不應然也此父遂之書又字經篆隸或誤耳薳越曰再敗君師死且有罪此年秋敗於雞父設往復敗爲再敗亡君夫人不可以莫之死也乃縊於薳澨薳澨楚地○縊一賜反澨市制反○公爲叔孫故如晉及河有疾而復此年春晉爲邾人執叔孫故公如晉謝之○爲于僞反注及下注鄭國爲之守相爲同○楚囊瓦爲令尹囊瓦子囊之孫子常也代陽匄○囊乃郎反城郢楚用子囊遺言已築郢城矣今畏吳復增脩以自固○郢以井反又以政反

昭二十三

疏注楚用至自固○正義曰襄十四年子囊將死遺言謂子庚必城郢君子謂子囊忠將死不忘衛社稷可不謂忠乎彼子囊城郢君子謂之爲忠此囊瓦城郢沈尹戌謂之必亡事不同者國而無城不可以治楚自文王都郢城郭未固子囊心欲城之其事未暇將死而令城郢故可謂之爲忠今郢既固矣足以爲治而囊瓦畏吳侵偪恐其寇入國都更復增脩其城以求自固不能遠爲恢竟唯欲近守城郭沈尹謂之必亡爲其事異故也

沈尹戌曰子常必亡郢苟不能衛城無益也古者天子守在四夷德及遠○守手又反下文及注同天子卑守在諸侯政卑損諸侯守在四鄰鄰國爲之守諸侯卑守在四竟裁自完○竟音境下及注同慎其四竟結其四援結四鄰之國爲助○援于眷反民狎其野狎安習也○狎戶甲反三務成功春夏秋三時之務民無內憂而又無外懼國焉用城今吳是懼懷陳設

而城於郢守已小矣卑之不獲能無亡乎不獲守四竟○焉於虔反昔梁伯溝其公宮而民潰在僖十八年注在僖十八年○正義曰事在十九年諸本皆然當是轉寫誤民弃其上不亡何待夫正其疆埸脩其土田險其走集走集邊竟之壘辟○疆居良反埸音亦壘力軌反辟音壁親其民人明其伍候使民有部伍相爲候望疏明其伍候○正義曰賈服王董皆作伍候賈服云五候五方之候也敬授民時四方中央之候王云五候五候山川候平地候也董云五候候四方及國中之姦謀也杜作伍候故云使民有部伍相爲候望彼諸本並以上多云四敵謂爲五也信其鄰國慎其官守守其交禮交接之禮不僭不貪不懦不耆懦弱也耆強也○僭子念反懦乃亂反又乃臥反耆巨支反又一音直交反疏不僭至不耆○正義曰不僭守信也不貪守廉也不懦不受辱也不彊不陵人者此皆論守竟之事不僭不貪不貪不耆謂不侵鄰國也不懦謂不使人侵己也完其守備以待不虞又何畏矣詩曰無念爾祖聿脩厥德詩大雅無念念也聿述也義取念祖考則述治其德以顯之疏注詩曰至厥德○正義曰詩大雅文王篇也無念念也聿述也言士者念女先祖之法則還當述治其先祖之德以顯之無亦監乎若敖蚡冒至于武文四君皆楚先君之賢者○蚡扶粉反冒莫報反疏注四君至賢者○正義曰楚世家云周成王始封熊繹於楚以子男之田居丹陽至十四君至於熊儀是爲若敖若敖生霄敖霄敖生蚡冒蚡冒卒弟熊達立是爲武王武王生文王始都郢杜又十六年云蚡冒楚武王父雖不從世家以蚡冒爲武王兄要沈尹以四君爲賢故皆言之土不過同方百里爲一同言未滿一圻○圻音祈疏土不過同○正義曰言土雖至九百里猶止名同故云不過同非謂百里以下也知者以楚是子爵子方二百里明非百里也慎其四竟猶不城郢今土數圻方千里爲圻○數所主反疏猶不城郢○正義曰楚世家云武王以上未都於郢據當時都郢故以郢言之謂不築其國都也而郢是城不亦難乎言守若是難以爲安也定四年吳入楚傳

附釋音春秋左傳註疏卷第五十

附釋音春秋左傳註疏卷第五十一 昭二十四年盡二十六年

杜氏註　孔穎達疏

經二十四年春王二月丙戌仲孫貜卒無傳孟僖子也○貜俱縛反徐俱碧反○婼至自晉無傳喜得放歸故書至○夏五月乙未朔日有食之○秋八月大雩○丁酉杞伯郁釐卒無傳未同盟而赴以名丁酉九月五日有日無月○郁於六反釐本又作斄力之反又音來疏注丁酉至無月○正義曰此年五月乙未朔一大一小七月至甲午朔九月癸巳朔五日得丁酉又在八月之下是有日而無月也○冬吳滅巢巢楚邑也書滅用大師疏注巢楚邑至大師○正義曰大都以名通故不繫楚也襄十三年傳例曰用大師焉曰滅○葬杞平公無傳

傳二十四年春王正月辛丑召簡公南宮嚚以甘桓公見王子朝簡公召莊公之子也嚚南宮極之子桓公甘平公之子○嚚魚巾反劉子謂萇弘曰甘氏又往矣對曰何害同德度義度謀也言紂雖同心同德則能謀義朝不能於我無害○度待洛反注同疏注度謀至無害○正義曰同德度義尚書泰誓文也劉炫云孔安國云德鈞則秉義者彊長弘此言取彼泰誓之文同乃度義之勝負但使德勝不畏彼彊故即引泰誓而勸其務德杜為不見古文故致有此謬令知非者彼尚書之文論紂兵戰對敵度有義者彊此論甘氏又往既不能同德何能度義翻彼有異與尚書不同其引詩斷章其類多矣劉以為相違尚書之文而規其過非也大誓曰紂有億兆夷人亦有離德大誓周書紂眾億兆非有四夷不能同德疏注大誓至四夷○正義曰孔安國云夷人謂平人凡人也言紂雖有億兆夷人之眾皆叛之孔君以夷為平義杜為四夷其義並得通劉炫以杜為過而規其非也余有亂臣十人同心同德武王言我有治臣十人雖少同

心也今大誓無此語○治直吏反此周所以興也君其務德無患無人戊午王子朝入于鄔鄔周地鄭氏西南有鄔聚言子朝稍強○鄔烏戶反徐又於據反苦侯反晉士彌牟逆叔孫于箕將以叔孫歸之叔孫使梁其踁待于門內踁叔孫家臣○踁戶定反曰余左顧而欬乃殺之欬苦代反右顧而笑乃止叔孫見士伯士伯曰寡君以為盟主之故是以久子以執子以謝邾不腆敝邑之禮將致諸從者使彌牟逆吾子叔孫受禮而歸二月婼至自晉尊晉也言婼已免所以尊晉行人故不言罪已○腆他典反從才用反疏注言婼至尊晉○正義曰仲尚書名氏去氏則為貶貴之意例曰尊晉也言叔孫見執罪在晉不書罪已婼本使人不應見執故尊晉而已內大夫行人皆不書也杜言見書者見其喜得釋歸特書至也異於公也今此二人執而見釋更以書至見義○三月庚戌晉侯使士景伯涖問周故涖臨也就問子朝敬王之曲直○涖音利疏注晉侯至周故○正義曰晉於敬王父叔父也恐敬王不成更審其事故須而問之此晉人於此乃欲定王子朝不納其使則以前納敬王未其心此始絕子朝也士伯立于乾祭而問於介眾乾祭王城北門介大也○乾音干祭側介反晉人乃辭王子朝不納其使眾言子朝曲故○使所吏反○夏五月乙未朔日有食之梓慎曰將水陰勝陽故昭子曰旱也日過分而陽猶不克克必甚能無旱乎陽不

克莫將積聚也陽氣莫然不動乃將積聚○聚○湯不克莫絶句六月壬申王子朝之師攻瑕及杏皆潰瑕杏敬王邑○瑕戶加反杏戶孟反潰戶內反鄭伯如晉子大叔相見范獻子獻子曰若王室何對曰老夫其國家不能恤敢及王室抑人亦有言曰嫠不恤其緯嫠寡婦也織者常苦緯少寡婦所宜憂○相息亮反嫠本又作嫠力之反緯有貴反而憂宗周之隕為將及焉恐禍及己○隕于敏反今王室實蠢蠢焉蠢蠢動擾貌○蠢尺允反擾而小反本又作動擾吾小國懼矣然大國之憂也吾儕何知焉吾子其早圖之詩曰缾之罄矣惟罍之恥詩小雅罍大器缾小器常稟於罍者而所受罄盡則罍為恥缾餘於罍恥之○儕仕皆反缾本又作瓶步丁反罍音雷

【疏】注詩小至恥之　正義曰此詩小雅蓼莪刺幽王之詩也或曰缾是器罍大缾小實由罍所資缾是小器常稟受於罍今缾罄盡罍更無物以共缾惟是罍之恥也缾喻周罍喻晉言周之微弱相依恃於晉今王室亂矣晉無力以恤之是晉之恥也詩注云缾小而盡罍大而盈刺王不使富分貧衆恤寡

王室之不寧晉之恥也獻子懼而與宣子圖之宣子韓起乃徵會於諸侯期以明年為明年會黃父傳○父音甫秋八月大雩旱也終叔孫之言○冬十月癸酉王子朝用成周之寶珪于河禱河求福○珪于河本或作沈于河沈直蔭反又如字甲戌津人得諸河上珪自出水陰不佞以溫人南侵不佞敬王大夫晉以溫救敬王南侵子朝拘得玉者取其玉將賣之則為石王定而獻之不佞拔玉○拘音俱王定而獻之本或作王定之與之東訾東訾周邑○訾子斯反○楚子為舟師以略吳疆略行也行吳界將侵之○疆居良反下同沈尹戌曰此行也楚必亡邑不撫民而勞之吳不動而速之速召吳踵楚踵躡楚跡○踵章勇反躡女輒反而疆埸無備邑能無亡乎越大夫胥犴勞王於豫章之汭汭水曲○埸音亦犴音岸勞力報反汭如銳反越公子倉歸王乘舟歸遺也○歸如字又其媿反乘繩證反倉及壽夢帥師從王壽夢越大夫○夢莫公反王及圉陽而還圉陽楚地○圉魚呂反

【疏】王及圉陽而還　正義曰王師行及圉陽倉與壽夢而還歸於越也

吳人踵楚而邊人不備遂滅巢及鍾離而還鍾離不書告略沈尹戌曰亡郢之始於此在矣王壹動而亡二姓之帥二姓之帥守巢鍾離大夫○帥所類反注同幾如是而不及郢詩曰誰生厲階至今為梗詩大雅厲惡階道梗病也○幾居豈反又音機梗更猛反

【疏】注詩大雅○正義曰此詩大雅桑柔刺厲王之詩也

其王之謂乎為定四年吳入郢傳

經二十有五年春叔孫婼如宋○夏叔詣會晉趙鞅宋樂大心衛北宮喜鄭游吉曹人邾人滕人薛人小邾人于黃父○詣五計反○有鸜鵒來巢此鳥穴居不在魯界故曰來巢非常故書○鸜其俱反鸜本又作鴝音劬公羊傳作鸛音權郭璞云鸜鵒也鵒音欲

【疏】注此鳥至故書　正義曰此鳥穴居江山海經云鸜鵒不踰濟考工記云鸜鵒不○踰濟禹貢導沇水東流為濟入于河溢為滎東出于陶丘北又東至于菏又東北會于汶又北東入于海濟經齊魯之界魯在

汶水之南鸜鵒北方之鳥南不踰濟猶不在魯界今來魯竟不穴又巢居故書來巢傳曰書所無也是非常故書也公羊傳曰何以書記異也何異爾非中國之禽也宜穴又巢穀梁亦然案今大河以北皆有鸜鵒不得云非國之禽也宜穴又巢信○**秋七月上辛大雩季辛又雩**季辛下旬之辛也言又重上事○重直龍反又直用反○【疏】注季辛至上事○正義曰月有三辛上辛上旬之辛也季辛下旬之辛也長歷推校此年七月己丑朔上辛月三日上辛二十三日也不書其日之辰空言辛者本見旱甚欲知二雩相去遠近耳無取於辰故空言辛也季辛又雩不言大者言又見其重上事上辛是大雩明季辛亦大雩也春秋旱則脩雩雩而得雨則書雩喜雩有益雩而不得雨則書旱以明災成此書二雩者上辛雩而得雨雨少尋即爲旱故季辛又雩傳曰秋書再雩旱甚也是言前雩少得雨旱甚而復雩故賈云上辛不注是也公羊傳曰又雩者何又雩者非雩也聚衆以逐季氏也公以九月始孫豈七月已與季氏戰乎若使時實不旱亦不得託雩以聚衆矣○**九月己亥公孫于齊次于陽州**諱奔故曰孫若自孫讓而去位者陽州齊魯竟上邑未敢直前故次于竟○孫音遜本亦作遜注及傳同竟音境下同○**齊侯唁公于野井**濟南祝阿縣東有野井亭齊侯來唁公公不敢遠勞故逆之往至野井○唁音彥弔失國曰唁○**冬十月戊辰叔孫婼卒**公不與小斂而書日者公在外非無恩○與音預斂力驗反○**十有一月己亥宋公佐卒于曲棘**陳留外黃縣城中有曲棘里宋地未同盟而赴以名**十有二月齊侯取鄆**取鄆以居公也○鄆音運

秋疏卷五十一　五　徐添准刊

傳二十五年春叔孫婼聘于宋桐門右師見之右師樂大心居桐門**語卑宋大夫而賤司城氏**司城樂氏之大宗也卑賤謂其才德薄○**昭子告其人曰右師其亡乎君子貴其身而後能及人是以有禮**唯禮可以貴身貴身故尚禮○**今夫子卑其大夫而賤其宗是賤其身也**賤人亦賤己**能有禮乎無禮必亡**爲定十年樂大心出奔傳【疏】君子至必亡○正義曰湯子誡言云何以動而見敬曰敬人何以動而見侮曰侮人然則貴人者人亦貴之卑人者人亦卑之此言凡人輕賤其身則不能以尊貴之道及於他人若君子能自貴其身者已先貴人欲其身之貴必以須有禮然後能以尊貴之道及於他人既尊貴他人是以有禮○**宋公享昭子賦新宮**逸詩【疏】賦新宮○正義曰燕禮記云升歌鹿鳴下管新宮鄭玄云新宮小雅逸篇也其詩既逸知是小雅者管即笙也以燕礼及鄉飲酒升歌笙歌同用小雅知新宮以是小雅也**昭子賦車轄**詩小雅周人思得賢女以配君子昭子將爲季孫迎宋公女故賦之○轄本又作舝胡瞎反將爲于僞反【疏】注詩小至賦之○正義曰其詩辭義皆亡無以知其意也周人思得賢女以配君子車轄詩序也杜以下云逆女故知將爲季孫迎宋公之女故賦之杜以知爲逆女而賦者以車舝之詩論逆女之事其詩云間關車之舝兮思孌季女逝兮言間關然設此車舝思得孌然季女而往迎之又云辰彼碩女令德來教皆論逆女之事又昭子因聘逆女已共宋公平論故於享礼之時而賦車轄猶如季文子如宋致女還賦韓

秋疏卷五十一

奕之詩與此正同又何不可而劉炫以爲昭子賦車轄不爲逆女又以新宮非昏姻之事而規杜過然新宮既亡焉知非是親好爲生異見於義非也○**明日宴飲酒樂宋公使昭子右坐**坐宋公右以相近言改礼坐○樂音洛近附近之近礼坐如字又才臥反【疏】注坐宋至礼坐○正義曰燕礼云司宮筵賓于戶西東上小臣設公席于阼階上西鄉是礼坐公西向賓南向也宋公使昭子右坐合在宋公之右蓋在宋公之北同西向以相近言其改礼坐也**語相泣也樂祁佐**前宴礼○**退而告人曰今茲君與叔孫其皆死乎吾聞之哀樂**可樂而哀○樂哀音洛注及下同○**而樂哀**可哀而樂**皆喪心也心之精爽是謂魂魄魂魄去之何以能久**爲此冬叔孫婼宋公卒傳○喪息浪反下同○**季公若之姊爲小邾夫人**平子庶姑與公若同母姊【疏】注平子至若姊○正義曰以公若爲平子之叔以下衣言平子之姊亦云公若之姊明公若是平子庶叔

姊與公若同母故曰公若姊也○生宋元夫人宋元夫人平子之外甥○生子以妻季平子○妻七計反橫華孟反○昭子如宋聘且逆之平子人臣而因聘逆季氏強橫公若從從昭子○從才用反又如字注同○謂曹氏勿與魯將逐之曹氏宋元夫人曹氏告公公告樂祁樂祁子梁曰與之如是魯君必出政在季氏三世矣文子武子平子〔疏〕注文子武子平子○正義曰武子生悼子悼子生平子平子政在季氏唯云三世不數悼子者悼子未爲卿而卒不執魯政故不數也十二年傳云季悼子之卒也叔孫昭子以再命爲卿卿必再命乃得經書名氏七年十二月經書叔孫婼如齊涖盟其年十一月季孫宿卒是身悼子先武子而卒平子以孫繼祖也魯君喪政四公矣宣成襄昭無民而能逞其志者未之有也國君是以鎮撫其民詩曰人之云亡心之憂矣詩大雅言無人則憂惠至○逞敕景反○魯君失民矣焉得逞其志靖以待命猶可動必憂爲下公孫傳○焉於虔反○夏會于黃父謀王室也王室有子朝之亂謀定之○趙簡子令諸侯之大夫簡子趙鞅輸王粟具戍人曰明年將納王納王於王城○子大叔見趙簡子簡子問揖讓周旋之禮焉對曰是儀也非禮也〔疏〕簡子至非禮○正義曰樂記云簠簋俎豆制度文章禮之器也升降上下周旋裼襲禮之文也又云鋪筵席陳尊俎列籩豆以升降爲禮者禮之末節也故有司掌之仲尼燕居云子張問政子曰師乎前吾語女乎爾以爲必鋪几筵升降酌獻酬酢然後謂之禮乎言而履之禮也又五年傳云公如晉自郊勞至于贈賄禮無違者晉侯以爲知禮女叔齊曰是儀也非禮也此問揖讓周旋之禮又云是儀也非禮也此皆文皆言禮與儀異者之禮儀非禮矣是禮對揖讓之有不同耳禮是儀之心儀是禮之貌本其心謂之禮察其貌謂之儀行禮必爲儀

二十五

爲儀未是禮故云儀非禮也鄭玄禮序云禮者體也履也統之於心曰體踐而行之曰履然此訓兩釋良有以也鄭謂躰爲禮履爲儀是其所以禮儀別也簡子曰敢問何謂禮對曰吉也聞諸先大夫子產曰夫禮天之經也經者道之常○地之義也義者利之宜○民之行也行者人所履行○行下孟反注同天地之經而民實則之則天之明日月星辰天之明也因地之性高下剛柔〔疏〕夫禮至之性○正義曰自夫禮至因地之性地之性也言禮本法天地也自生其六氣至民失其性言天用氣味聲色以養人不得過其度也是故爲禮以下言聖人制禮以奉天性不使過其度也經常也義宜也夫禮者天之常道地之宜利民之所行也天地之有常道人民實法則之法則天之明道因循地之恒性聖人所以制作此禮也此傳文於天言常則地亦常也於地言義則天亦義也覆言天地之經明天地皆有常也天有常明之義地有常利之義也覆云則天之明是天以明爲常因地之性則地以性爲義是天以光明爲常義地以剛柔爲常義義訓理性謂本性

侯官刘校　秋疏五十一　八　張堯卿

言天地性義有常可以爲法故民法之而爲禮也○注經者道之常義者利之宜○正義曰覆而無外高而在上運行不息日月星辰溫涼寒暑皆是天之道也訓經爲常故言道之常也載而無棄物無不殖山川原隰剛柔高下皆是地之利也訓義爲宜故云利之宜也杜以今文孝經云用天之道分地之利故天以道言之地以利言之天無形言其有道理也地有質言其有利益也民之所行法象天地象天而爲之者皆是天之常也象地而爲之者皆是地之宜也故禮爲天之經地之義也孝經以孝爲天之經地之義者孝是禮之本禮爲孝之末本末別名理實不異故取法天地其事同也○注行者人所履○正義曰民謂人也人稟天地之性而生動作皆象天地其踐履謂之爲行但人有賢與不肖行有過與不及聖人制爲中法名之曰禮故禮是民之行也行者人之所履也易及爾雅並訓履爲禮禮是禮名由踐履而生也人之本性自然法象天地聖人還復法象天地而制禮教之是禮由天地而來故仲尼說孝子產論禮皆天地民三者並言之○注日月星辰天之明也高下剛柔地之性也○正義曰則天之明杜以爲日月星辰者以下傳云爲父子兄弟昏媾姻亞以象天明若衆星之共北辰故知天明日月星也杜知高下剛柔地之性者以下傳云爲君臣上下以則地義則君高臣

下臣柔君剛則地義則地之性也傳文上下其理分明人法天地其事多種杜以天明地義率要而言故不備顯刑罰威獄溫慈惠和劉炫貴杜不具載其文而規其過非也此傳文天言則地言因者民見地有宜利因取而法效之因亦則之義也既言天之經不可復言地之經故變文稱義所言則天之明不可復言則地之性故變文言因因之與則互相通也正是變文使辭耳。**生其六氣**謂陰陽風雨晦明。**用其五行**金木水火土。**氣為五味**酸鹹辛苦甘。**發為五色**青黃赤白黑發見也。見賢遍反下解見同。**章為五聲**宮商角徵羽。徵張里反。**淫則昏亂民失其性**為過其聲色則傷性。疏生其至其性。正義曰此言天用氣味聲色以養人不得過其度也因上則天之下更復其本之於天傳稱天有六氣此言生其六氣謂之之也用其五行謂天用之也上天用此五行以養人五行之氣入人之口為五味發見於目為五色章徹於耳為五聲味以養口色以養目聲以養耳此三者雖復用以養人用不得過度過度則為昏亂使人失其恒性故須為禮以節之。注金木水火土。正義曰洪範云五行一曰水二曰火三曰木四曰金五曰土孔安國云皆其生數是其以生數為次也大禹謨六府云水火金木土穀五行之次與洪範異者以相剋為次也此注言金木水火土者隨便而言之不以義為次也五物世所行用故謂之五行五者各有材幹傳又謂之五材此傳所論禮意在味色聲也但味色聲本於五行而來五行又是六氣所生故先言六氣五行然後至於味色聲也釋名五氣於其方各施行白虎通云言為天行氣故謂之五行。注酸鹹辛苦甘。正義曰洪範又演五行云水曰潤下火曰炎上木曰曲直金曰從革土爰稼穡潤下作鹹炎上作苦曲直作酸從革作辛稼穡作甘孔安國云鹹水鹵所生苦焦氣之味酸木實之性辛金之氣味甘味生於百穀是言五行之氣為五味水味鹹火味苦木味酸金味辛土味甘也五行本性自有此氣氣至於人乃為五味味之為言入口乃知言氣為五味謂氣入口與下章也發也皆攝人知為文味為性所有色是形之貌聲是質之響皆可遠聞自近以及遠故以口目耳所知味色聲為次也。注青黃至見也。正義曰五色五行之色也木色青火色赤土色黃金色白水色黑也木生柯葉則青金被磨礪則白土黃火赤水黑則本質自然也發見也謂見於人目有此五色。注宮商角徵羽。正義曰聲之清濁差為五等聖人因其有五分而行其

秋疏五十一　九

本由五行而來也但既配五行即以五者為五行之聲土為宮金為商木為角火為徵水為羽聲之清濁入耳乃是章徹於人為五聲也此言章為五聲元年傳云徵為五聲是彼此不同者擧聲之至人是為章散謂人之知聲則為徵發是被此異言耳。注淫則傷性。正義曰老子云五味令人口爽五色令人目盲五音令人耳聾言其過度者之則有此病是其過則傷本性也。**是故為禮以奉之**制禮以奉其性。**為六畜**馬牛羊雞犬豕。畜許又反。**五牲**麋鹿麏狼兔。麏九倫反本亦作麕。**三犧**祭天地宗廟三者謂之犧。**以奉五味為九文**謂山龍華蟲藻火粉米黼黻也華若草華蟲藻水草火畫火粉米若斧黻若兩己相戾。黼音甫黻音弗。疏是故至五味。正義曰口欲嘗味目欲視色耳欲聽聲人之自然之性也欲之不已則失其性聖人懼其失性是故為禮以奉養其性使不失也牲犧祭祀所用非人所食而以牲犧奉五味者禮以事人道以事神神之所享皆是人食尊鬼神而異其名耳故亦為奉五味。注馬牛羊雞犬豕。正義曰爾雅釋畜馬牛羊犬雞五者之名其豕在釋獸之篇畜養之也家養謂之畜野生謂之獸豕有野豕故因記之於釋獸耳又釋畜之末別釋馬牛羊豕犬雞六者之名其下題曰六畜謂此是也周禮膳夫云膳用六牲是庖用六牲也庖人掌其六畜鄭玄云六牲馬牛羊豕犬雞六者始養之曰畜將用之曰牲是畜牲一也。注麋鹿麏狼兔。正義曰十一年傳曰五牲不相為用注云五牲牛羊豕犬雞此異彼者以上文已言六畜則五牲非六畜故別解之周禮庖人掌共六獸鄭衆云六獸麋鹿熊麏野豕兔鄭玄云獸人冬獻狼夏獻麋又內則無熊則六畜當有狼而熊不屬今杜解五牲之名用鄭玄六獸之說去野豕而以其餘當之也傳稱牛卜日曰牲鄭玄云將用之曰牲此五者實獸也據其將用祭祀故名之曰牲服虔云麋鹿熊狼野豕。注祭天至之犧。正義曰尚書泰誓武王數紂之罪云乃夷居弗事上帝神祇遺厥先宗廟弗祀犧牲粢盛既于凶盜於神祇宗廟之下總言犧牲牲雖不見古文其言閟與之會是祭天地宗廟之牲謂之犧也然則犧亦六畜而別言之者周禮牧人以共祭祀之牲牷以授充人繫之鄭玄云犧牲毛羽完具也授充人者當殊養之然則六畜之內取其毛羽完具別養以共祭祀者乃名為犧故與六畜異言之也服虔云三犧雁鶩雉也。注謂山至文也。正義曰尚書益稷篇云帝曰予欲觀古人之象日月星辰山龍華蟲作會

侯吉劉校　秋疏五十一　十　徐文貴

宗彝藻火粉米黼黻絺繡以五采彰施于五色作服汝明尚書之文如此其解者多有異說孔安國云日月星爲三辰華象草華蟲雉也畫三辰山龍華蟲於衣服旌旗會五采也以五采成此畫焉宗廟彝樽亦以山龍華蟲爲飾藻水草有文者火爲火字粉若粟冰米若聚米黼若斧形黻爲兩己相背葛之精者曰絺五色備曰繡如孔此言日也月也星辰也山也龍也華也蟲也七者畫於衣服旌旗也龍華蟲四者亦畫於宗廟彝器藻也火也粉也米也黼也黻也六者繡之於裳如此數之則十三章矣天之大數不過十二[illegible]爲十二然所法象或以爲孔以華蟲爲一其言與鄭異[illegible]華之蟲故爲雉也若華別以草安知非草木之華孔意[illegible]然以否鄭玄讀會爲繪繪謂畫也絺爲紩謂刺也宗彝謂虎蜼也周禮宗廟彝器有虎彝蜼彝故以宗彝名虎蜼也周禮有袞冕鷩冕毳冕其袞鷩毳各是其服章首所畫象其首章以名服耳袞是袞龍也袞冕九章以龍爲首鷩是華蟲也鷩冕七章以華蟲爲首毳是虎蜼也毳冕五章以虎蜼爲首虎毛淺蜼毛深故以毳言之毳亂毛也如鄭此言則於尚書之文其章不次故於周禮之注具分辨之鄭於司服之注具引尚書之文乃云此古天子冕服十二章絺或作𥿋字之誤也王者相變至周而以日月星辰畫於旌旗所謂三辰旂旗昭

其明也而冕服九章登龍於山登火於宗彝尊其神明也九章初一曰龍次二曰山次三曰華蟲次四曰火次五曰宗彝皆畫以爲繢次六曰藻次七曰粉米次八曰黼次九曰黻皆絺以爲繡則袞之衣五章裳四章凡九也鷩畫以雉謂華蟲也其衣三章裳四章凡七也毳畫虎蜼謂宗彝也其衣三章裳二章凡五也是鄭玄之說華蟲爲一粉米爲一也杜之此注亦以日月星辰畫於旌旗九文惟言衣服之文謂山也龍也華也蟲也藻也粉米也黼也黻也以此爲九杜言華若草華而不言蟲則華蟲各爲一也粉米若白米是粉米共爲一也詩云魚在在藻藻爲水草也孔安國云火爲火字考工記畫繢之事火以圜鄭衆云爲圜形以火鄭玄云形如半環然則杜言火畫火蓋同安國爲火字也粉米色白故粉米若白米也考工記曰白與黑謂之黼孔安國云黼若斧形謂刃白而身黑黻若斧也黻爲兩已相戾今之制黻猶然也引而二年傳曰火龍黼黻昭其文也若以遊火九文是山龍之屬也世本云胡曹作冕注云胡曹黃帝臣也繫辭云黃帝堯舜垂衣裳而天下治蓋取諸乾坤則冕服起於黃帝也如飾起自唐虞也尚書云予欲觀古人之象云云是也所以衣服畫日月星辰者象王者之德照臨天下如三光之耀也山體鎮重象王者之德鎮重安靜四方又能興雲含藏如山興雲致雨也龍者水物也象王者之德流通無壅如水潤萬物生又能變化化無方象人君有無方之德也華蟲即鷩雉雉有文章表王者有文章之德也宗彝常也宗廟之常器有六彝今惟取虎蜼者虎取其淺而有威蜼取其深而有知以表王者有深淺之知威猛之德也藻水草是絜淨之物出於清水而能隨短長以象王者之德清絜隨[illegible]使民[illegible]向上命也火者火炎於上用表王者之德[illegible]也粉米者米能養人之命表王者有濟養之德使民背惡向善也黼若斧斧謂能斷以象王者有[illegible]斷之德也黻爲兩己相背以象王者之[illegible]向己背惡以[illegible]善故爲黻也日之質亦月狀而大也章山作璋考工記云山以章此龍爲水物以章也合其德日月星辰也此者王者與天也合其德日月星天下用昭明日最爲盛所以居先月星光其次之也上以象天下宜法地地之形勢莫大於山故次三光也龍爲水物水出於山故次之也華蟲象以禮樂文章以禮樂文章潤於萬物故次龍也宗彝所次華蟲者言王者既有禮樂須成功乃行然故則民不畏無知則教不成故以次也藻所以次宗彝者王者成知之德隨世而應故以次也火若言王者有德必向歸仰之如火向上故次之也米所以次火者民既歸王王須濟活濟活之理得米爲生故次之也黼所以次米者言王者既濟活兆民宜裁斷合埋如斧之斷決故以次之黻所以次黼者王者既裁斷得所善惡各有分宜人皆背惡從善故以次之○注畫繢至六色○正義曰考工記云畫相次謂之六色○

六采色青與白赤與黑玄與黃皆

疏注畫繢之事雜五色東方謂之青南方謂之赤西方謂之白北方謂之黑天謂之玄地謂之黃青與白相次赤與黑相次玄與黃相次鄭玄云此言畫繢六色所象及布采之第次此杜取彼文省約而爲之辭也

五章以奉五色青與赤謂之文赤與白謂之章白與黑謂之黼黑與青謂之黻五章以奉成五色之用

疏注青與至之用○正義曰考工記文也以此方相次色亦謂之文以上皆考工記文也此刺繡之文與耳鄭注尚書性曰采施曰色味色皆三事色皆其中故杜言集此五章以奉成五色之用明上下二文亦集此所以奉成五味五章

爲九歌八風七音六律以奉五聲發之用樂中以明上下也解見二十年

爲君臣上下以則地義君臣有尊卑法則有高下爲

夫婦外內以經二物夫治外婦治內各治其物疏為君至二物○正義曰此更覆上因地之義也為父子以下至生殖長育覆上則天之明也地有高下聖人制禮為君臣上下君臣上臣在下以法則地之義也以地有剛柔為夫婦外內夫治外婦治內以經紀二物也物事也治理外內之二事也上云天之經此地之義也又云則天之明因地之性兼言之皆先天後地但法地事少則天事多故上先言法天後言法地此先云為君臣上下以則地義始云為父子兄弟以象天明者以其則地事少故先言之象天事多欲下就以從四時類其震曜殺戮以生殖長育皆是象天之事欲使文相連接故後言之也下云以象天明則此當云以象地性而云以則地義者義之與性一也因其先言故遠覆上文地之義也爲父子兄弟姑姊甥舅昏媾姻亞以象天明六親和睦以事嚴父若衆星之共辰極也妻父曰昏重昏曰媾壻父曰姻兩壻相謂曰亞○媾古豆反姻音因亞於嫁反本亦作婭同壻音細反○疏注六親至曰亞○正義曰老子云六親不和焉有孝慈六親謂父子兄弟夫婦也孝經曰孝莫大於嚴父論語云北辰居其所而衆星共之六親以父爲尊嚴衆星北辰爲長六親和睦以事嚴父若衆星之共北極是其象天明也妻父爲昏壻父爲姻兩壻相謂曰亞皆釋親文也重昏曰媾爾雅無文相傳說耳釋親文曰男子先生爲兄後生爲弟男子謂女子先生爲姊後生爲妹父之姊妹爲姑母之昆弟爲舅謂我舅者吾謂之甥此皆世俗常言壯不辭者爲易知故也爲政事庸力行務以從四時在君爲政在臣爲事民功曰庸治功曰力行其德教務其時要禮之本也○治直吏反○疏注在君至本也○正義曰論語云冉子退朝子曰何晏對曰有政子曰其事也如有政雖不吾以吾其與聞之於時冉子仕於季氏稱季氏有政孔子謂之爲事是在君爲政在臣爲事也此對文別耳論語稱孝友是亦爲政明其政事通言也民功曰庸治功曰力周禮司勳文也鄭玄以爲庸謂法施於民若后稷力謂制法成治若咎繇司勳又云王功曰勳國功曰功事功曰勞戰功曰多鄭注云王功者若周公國功者若伊尹事功者若禹戰功者若韓信陳平行其德教務其時要使民春耕夏耘秋斂冬藏聖王之化先致力於民是爲禮之本也○爲刑罰威獄使民畏忌以類其震曜殺戮雷震電曜天之威也聖人作刑戮以象類

之○爲溫慈惠和以效天之生殖長育民有好惡喜怒哀樂生于六氣此六者皆稟陰陽風雨晦明之氣○效戶孝反長丁丈反好呼報反注及下於好皆同惡烏路反下注及下於惡皆同樂音洛下以注皆同○疏注此六至之氣○正義曰賈逵云好生於陽惡生於陰喜生於風怒生於雨哀生於晦樂生於明謂一氣生一志譏矣杜以元年傳云天有六氣降生五味謂六氣共生五味非一氣生一味則民之六志亦六氣共生之非一氣生一志故云此六者皆稟陰陽風雨晦明之氣言其稟六氣而生也○是故審則宜類以制六志爲禮以制好惡喜怒哀樂六志使不過節疏是故至六志○正義曰民有六志其志無限是故人君爲政審法時之所宜擬之所類以制民之六志使之不過節也下云審行信令謂人君行之知此審則宜類亦是人君則之審者言其謹慎之意也此六志禮記謂之六情在己爲情情動爲志情志一也所從言之異耳哀有哭泣樂有歌舞喜有施舍怒有戰鬭喜生於好怒生於惡是故審行信令禍福賞罰以制死生生好物也死惡物也好物樂也惡物哀也哀樂不失乃能協于天地之性是以長久協和也○簡子曰甚哉禮之大也對曰禮上下之紀天地之經緯也經緯錯居以相成者疏天地之經緯○正義曰言禮之於人也猶織之有經緯得經緯相錯乃成文如天地得禮乃成就○民之所以生也是以先王尚之故人之能自曲直以赴禮者謂之成人大不亦宜乎曲直以弼其性疏注曲直至宜乎○正義曰劉炫云禮有宜曲有直不可任情而行故人之能自曲直以赴於禮者謂之成人不能赴禮者則不成爲人謂之爲大不亦宜乎此謂奔赴之言弼以赴禮也服劉義未當○注曲直以弼其性○正義曰性曲者以禮直之性直者以禮曲之故云曲直以弼其性也○簡子曰

昭二十五

鞅也請終身守此言也鞅鞅守此言故終免於晉陽之難○以赴禮者赴盛作從難乃旦反宋樂大心曰我不輸粟我於周為客二王後為賓客若之何使客晉士伯曰自踐土以來踐土在僖二十八年宋何役之不會而何盟之不同曰同恤王室子焉得辟之子奉君命以會大事而宋背盟無乃不可乎右師不敢對受牒而退右師樂大心○焉於虔反背音佩下同疏受牒而退○正義曰說文云簡牒也牒札也於時號令輸王粟具戍人宋之明出人粟之數書之於牒受牒而退言服從也士伯告簡子曰宋右師必亡奉君命以使而欲背盟以干盟主無不祥大焉言不善無大此者為定十年宋樂大心出奔傳○使所吏反有鸜鵒來巢

書所無也師己曰異哉吾聞文武之世童謠有之師己魯大夫○己音紀一音祀辟音避曰鸜之鵒之公出辱之言鸜鵒來則公出辱也○疏鸜之鵒之○正義曰此鳥以兩字為名但謠辭欲令韻分言之鸜鵒之羽公在外野往饋之馬饋遺也○饋音求位反遺唯季反鸜鵒跦跦公在乾侯跦跦跳行貌○跦張于反又張留反跳直彫反徵褰與襦褰袴○褰起虔反袴苦故反襦而朱反或作襦袴音故說文作絝疏注褰袴○正義曰內則云童子不衣裘裳不衣襦袴是衣有袴也以可褰衣故以褰為袴鸜鵒之巢遠哉遙遙稠父喪勞宋父以驕稠父昭公也死外故喪勞宋父定公代立故以驕○稠直留反父音甫下同喪息浪反注同鸜鵒鸜鵒往歌來哭昭公生出歌死還哭童謠有是今鸜鵒來巢其將及乎將及禍也○秋書再雩旱

甚也疏秋書再雩旱甚○正義曰既言旱甚而經不書旱者傳言旱甚解經一月再雩雩雖旱甚然而後雩得雨不至成災故不書旱○初季公鳥娶妻於齊鮑文子生甲公鳥季公亥之兄平子庶叔父○娶七住反公鳥死季公亥與公思展與公鳥之臣申夜姑相其室公亥即公若也展季氏族公鳥妻也相治也○夜本或作射音夜又音亦相息亮反注同及季姒與饔人檀通季姒公鳥妻鮑文子女饔人食官○姒音似檀直丹反人名也或市戰反而懼乃使其妾抶己以示秦遄之妻秦遄魯大夫妻公鳥妹秦姬○抶勑乙反遄市專反曰公若欲使余余不可而抶余又訴於公甫公甫平子弟○訴音素又作愬曰展與夜姑將要余要劫以非禮○展與夜姑亦如字公思展及申夜姑也與及也讀或作餘音余者非也要一遙反下同○秦姬以告公之公之亦平子弟公

之與公甫告平子平子拘展於卞而執夜姑將殺之公若泣而哀之曰殺是是余殺也將為之請平子使豎勿內日中不得請有司逆命執夜姑之有司欲迎受殺之命○為于偽反公之使速殺之故公若怨平子季郈之雞鬭季平子郈昭伯二家相近故鬭雞○郈音后字林下遘反近附近之近季氏介其雞擣芥子播其羽也或曰以膠沙播之為介雞○介又作芥音界疏注擣芥至介雞○正義曰此二解一者以介為芥擣芥子為末播其雞羽可以坌郈氏雞目杜以為然又云或曰不知誰說也鄭眾云介甲也為雞著甲賈逵云擣芥子播其雞羽以膠坌雞之冠瓜然後以沙散之令其澀得傷彼雞也以郈氏為金距言之則著甲是也郈氏為之金距平子怒怒其不下己○下遐嫁反益宮於郈氏侵郈氏室以自益○

且讓之。讓責也。故郈昭伯亦怨平子。臧昭伯之從弟會，昭伯臧爲子。○從才用反，後從者皆同。爲讒於臧氏，而逃於季氏，臧氏執旃。平子怒，拘臧氏老。將禘於襄公，萬者二人，其衆萬於季氏。禘祭也。萬舞也。於礼公當三十六人。○禘大計反。○(疏)將禘至季氏。○正義曰：季氏私祭家廟，與禘同日，言公萬者唯有二人，其衆萬於季氏。季氏舞公室卑，故大夫遂怨。○注禘祭至六人。○正義曰：釋例曰：三年喪畢，致新死之主以進於廟，於是乃大祭於大廟，以審定昭穆，謂之禘。禘於大廟礼之常也，各於其宮，時之爲也。雖非三年大祭，而書禘，用禘礼也。釋天云：禘大祭也，就于臧所舞謂之萬舞也。隱五年傳說舞佾之數云：諸侯用六，是於礼法當三十六人也。此以正礼言耳，亦不知魯時襄公用六佾以否。公羊傳曰：昭公告子家駒曰：季氏僭公室，吾欲弑之，何如？子家駒曰：諸侯僭天子，大夫僭諸侯久矣。公曰：吾何僭矣哉？子家駒曰：設兩觀，乘大路，朱干玉戚以舞大夏，八佾以舞大武，此皆天子之礼也。如彼傳文，魯時或僭八佾，僭不必用六也。臧孫曰：此之謂不能庸先君之廟。不能用礼也。襄公別立廟。○(疏)注襄公別立廟。○正義曰：杜以禘於襄公，亦應禘於大廟，今特云禘於襄，公似與先公異廟，故云襄公別立廟。大夫遂怨平子。公若獻弓於公爲，公爲昭公子務人。且與之出射於外，而謀去季氏。公爲告公果、公賁。果、賁皆公爲弟。○去起呂反。公果、公賁使侍人僚柤告公。公寢，將以戈擊之，乃走。公曰：執之。亦無命也。獨言執之，無勑命。○侍人本亦作寺人。柤側加反。懼而不出，數月不見。公不怒。又使言，公執戈以懼之，乃走。又使言，公曰：非小人之所及也。謂僚柤爲小人。○數所主反，下數世同。見賢遍反。○公果自言，

公以告臧孫。臧孫以難。言難遂。○難乃旦反，注同。告郈孫，郈孫以可，勸。郈孫郈昭伯。○勸勸公逐季氏。告子家懿伯。子家羈，莊公之玄孫，懿伯。○懿伯曰：讒人以君僥倖，事若不克，君受其名，不可爲也。(疏)讒人至爲也。○正義曰：讒人，謂公若、郈孫之徒，讒季氏者，勸君使伐季氏，以君僥天之幸幸而得勝，則以爲己功；不勝則推君爲惡，不可從也。受惡名。○僥古堯反。舍民數世，以求克事，不可必也。(疏)舍民至必也。○正義曰：克勝也。言君從上以來舍民已經數代，今欲求勝此事，不可必也。且政在焉，其難圖也。公退之。使退去。○舍音捨。辭曰：臣與聞命矣，言若洩，臣不獲死。乃館於公。恐受洩命之罪，故留公宮以自明。○與音預。洩息列反，注同。洩泄也。叔孫昭子如闞，闞魯邑。○闞口暫反。公居於長府。長府官府名。九月戊戌，伐季氏，殺公之于門，遂入之。平子登臺而請曰：君不察臣之罪，使有司討臣以干戈，臣請待於沂上以察罪。魯城南自有沂水。平子欲出城待罪也。大沂水出蓋縣南至下邳入泗。○沂魚依反。(疏)注魯城至入泗。○正義曰：劉炫云：案十八年之沂水出蓋縣南至下邳入泗，謂襄十八年注云：魯城南自有沂水，謂出魯縣者也。又云：大沂水出東莞蓋縣，又沂水出泰山蓋縣南，經琅邪東海至下邳入泗，此沂有二也，以其有二，故辯明之。○請囚于費，弗許。請以五乘亡，弗許。子家子曰：君其許之。政自之出久矣，隱民多取食焉，隱約窮困。○爲之徒乘繩證反。爲之徒者衆矣。日入慝作，弗可知也。慝姦惡也。日冥姦人將起，叛君助季氏，不可知。○衆怒不可蓄也。蓄勑六反，本亦作畜下同。

○正蓄而弗治將蘊蘊積也。○蘊本亦作薀，紆粉反。蘊蓄民將生心生心同求將合與季氏同求叛君者君必悔之弗聽郈孫曰必殺之公使郈孫逆孟懿子懿子仲孫何忌叔孫氏之司馬鬷戾言於其衆曰若之何莫對衆疑所助。○鬷子公反，戾力計反。又曰我家臣也不敢知國凡有季氏與無於我孰利皆曰無季氏是無叔孫氏也鬷戾曰然則救諸帥徒以往陷西北隅以入陷公圍也。○陷，陷沒之陷，陷本或作掐，音同。公徒釋甲執冰而踞言無戰心也。冰，櫝丸蓋，或云櫝丸是箭筩，其蓋可以取飲。○踞音據。櫝音獨。丸胡官反。筩音童，又音動，一音勇。疏公徒至而踞。○正義曰：二十七年傳說此事云「將其伐人而說甲執冰以游」，則此踞是倨也。曲禮云「游無倨」，倨是慢也。謂傲慢而遊戲。○注言無至取飲。○正義曰：賈逵云「冰，櫝丸蓋也」，則是相傳為此言也。方言曰「弓藏謂之鞬，或謂之櫝丸」，如彼文，則櫝丸是盛弓者也。此或說櫝丸是箭筩，其蓋何以取飲？十三年傳云「司鐸射奉壺飲冰」，謂執此也。詩云「抑釋掤忌，抑鬯弓忌」，鬯藏弓，則冰藏矢也。毛傳云「掤所以覆矢」，掤與冰字雖異，音義同，是一器也。○遂逐之逐公徒。○孟氏使登西北隅以望季氏見叔孫氏之旌以告孟氏執郈昭伯殺之于南門之西遂伐公徒子家子曰諸臣僞劫君者而負罪以出君止使若非君本意者，君自可止不出。○疏子家至君止。○正義曰：子家子以為公本意自伐季氏，非諸臣所劫，今子家意欲得令諸臣詐僞作劫君以伐季氏者，令負罪而出，君自可止。意如之事君也不敢不改意如，季平子名。公曰余不忍也與臧孫如墓謀辭先君且謀所奔。○遂行己亥公孫于齊次于陽州齊侯將唁公于平陰公先至于野井齊侯曰寡人之罪也使有司待于平陰為近故也齊侯自咎本不欲有司遠詣陽州，而欲近會于平陰，故令魯侯過其先至野井，謙見迎，自咎以謝公。○為于僞反，咎其九反，下同。令力呈反。書曰公孫于齊次于陽州齊侯唁公于野井禮也將求於人則先下之禮之善物也物，事也。謂先往至野井。○下，遐嫁反。齊侯曰自莒疆以西請致千社二十五家為社，千社二萬五千家，欲以給公。○疆居良反。疏注二十五家為社。○正義曰：孔有里社，故特牲揖啗為社事，單出里，以二十五家為里，故知二十五家為社也。以待君命待君伐季氏之命。寡人將帥敝賦以從執事唯命是聽君之憂寡人之憂也公喜子家子曰天祿不再天若胙君不過周公以魯足矣失魯而以千社為臣誰與之立為齊臣。○胙才路反。疏注天祿至之位。○正義曰：天之福祿不可再得，謂天若胙君，不過周公。周公止封魯，以魯封君，此則足矣。君既失魯國，不得過於周公，以千社為臣於齊，誰復與之立也？言從君之人皆將棄君去矣。且齊君無信不如早之晉弗從臧昭伯率從者將盟載書曰戮力壹心好惡同之信罪之有無明有罪無罪者也。○戮音六，又力彫反。繾綣從公無通外內繾綣，不離散。○繾，遣戰反；綣，起阮反。以公命示子家子子家子曰如此吾不可以盟羈也不佞不能與二三子同心而以為皆有罪從者陷君為罪，逐君者有罪也。或欲通外

內且欲去君 去君爲負罪出奔不必繾綣從公 二三子好亡而惡定焉可同也陷君於難罪孰大焉通外內而去君君將速入弗通何爲而何守焉乃不與盟 何必守公○好呼報反惡烏路反焉於虔反難乃旦反不與音預 昭子自闞歸見平子平子稽顙曰子若我何昭子曰人誰不死子以逐君成名子孫不忘不亦傷乎將若子何平子曰苟使意如得改事君所謂生死而肉骨也昭子從公于齊與公言子家子命適公館者執之 恐從者知叔孫謀○適音的稽音啓顙息黨反 公與昭子言於幄內曰將安衆而納公 昭子請歸安衆○幄於角反 公徒將殺昭子 疏 注公徒將殺昭子○正義曰昭子謀歸安衆而從納公則獨公得入從公者不得入故欲殺昭子也 伏諸道 伏兵○ 左師展告公公使昭子自鑄歸 鑄之樹反 平子有異志 不欲復納公○復扶又反 冬十月辛酉昭子齊於其寢使祝宗祈死戊辰卒左師展將以公乘馬而歸公徒執之 展魯大夫欲與公俱輕歸○乘繩證反 疏 注左師至而歸○正義曰古者服牛乘馬以駕車不單騎也至六國之時始有單騎蘇秦所云車千乘騎萬匹是也曲禮云前有車騎者禮記漢世書耳經典無騎字也炫謂此左師展將以公單騎而歸此騎馬之漸也 ○壬申尹文公涉于鞏焚東訾弗克 文公子朝黨於鞏縣涉洛水也東訾敬王邑○ 十一月宋元公將爲公故如晉 請納公○爲于僞反

夢大子欒即位於廟己與平公服而相之 平公元公父○相息亮反 疏 注服而相之○正義曰言己與父平公盛服飾而輔相之也 旦召六卿公曰寡人不佞不能事父兄 父兄謂華向 以爲二三子憂寡人之罪也若以羣子之靈獲保首領以殁唯是楄柎所以藉幹者 楄柎棺中笭牀也幹骸骨也○殁音沒楄蒲田反柎步口反又音附藉在夜反笭力丁反骸戶皆反 疏 注楄柎至骨也○正義曰說文云楄方木也柎木以藉骨明是棺中笭牀也宋元所言藉幹者舉身而言耳非獨爲骨故云幹骸骨也 請無及先君 欲自貶損 仲幾對曰君若以社稷之故私降昵宴羣臣弗敢知 昵近也降昵宴謂損親近樂飲食之事○昵女乙反 若夫宋國之法死生之度先君有命矣羣臣以死守之弗敢失隊臣之失職常刑不赦臣不忍其死君命祇辱 言君命必不行祇適也○隊直類反祇音支 宋公遂行己亥卒于曲棘 爲明年叔孫立張本 ○十二月庚辰齊侯圍鄆 欲取以居公不書圍鄆人自服不成圍 疏 注欲取至成圍○正義曰經書取鄆而傳言圍鄆故云鄆人自服不成圍以傳云書取言易也故賈爲此解杜從之也劉炫以爲此時圍鄆而未得明年方始取之經即因圍書取傳言實圍之日非自服也而規杜氏今知非者案二十六年公至自齊居于鄆取鄆書取不言伐此圍鄆取鄆亦書以不書圍案元年成莒取鄆不得而書圍此若圍鄆不得何取不言圍其義正同何爲不可劉何知此年圍鄆未服鄆若未服經何得書取而規杜氏非也 ○初臧昭伯如晉臧會竊其寶龜僂句 僂句龜所出地名○僂力主反又力具反句古侯反又居具反 疏 注僂句至地名○正義曰釋魚云一曰神龜二曰靈龜三曰攝龜四曰寶龜五曰文龜六曰筮龜七曰山龜八曰澤龜九曰水龜十曰火龜則龜名

无徵句故云所出地之名臧氏有蔡又有此龜所寶非一以卜爲信與僭僭吉（僭不信也○僭子念反注同）臧氏老將如晉問（問昭伯起居）會請往（代家老）昭伯問家故盡對（故事也）及內子與母弟叔孫則不對（內子昭伯妻不對者有他故）再三問不對歸及郊會逆問又如初（又不對）至次於外而察之皆無之（無他故）執而戮之逸奔郈（逸走也）郈魴假使爲賈正焉（賈正掌貨物使有常價若市吏○魴音房賈音嫁注同）【疏】注賈正至市吏○正義曰賈正如周禮之賈師也賈師二十肆則一人其職云各掌其次之貨賄之治辨其物而均平之展其成而奠其賈使有恒賈此郈邑大夫使爲賈正使爲郈市之賈正也郈在後爲叔孫私邑此時尚爲公邑故使賈正通計簿於季氏計於季氏（送計簿於季氏○簿步戶反）臧氏使五人以戈楯伏諸桐汝之閭（桐汝里名○楯食準反又音允）會出逐之反奔執諸季氏中門之外平子怒曰何故以兵入吾門拘臧氏老季臧有惡（相怨惡）及昭伯從公平子立臧會（立以爲臧氏後）會曰僂句不余欺也（傳言[illegible]由人）○楚子使薳射城州屈復茄人焉（還復茄人於州屈○茄居牙反屈居勿反一音其勿反茄人音加）城丘皇遷訾人焉（移訾人於丘皇）使熊相禖郭巢季然郭卷（使二大夫爲巢卷城郭也巢卷皆楚邑卷在南陽葉縣南○相息亮反禖音梅卷音權或眷又爲十媯反）子大叔聞之曰楚王將死矣使民不安其土民必憂憂將及王弗能久矣（爲明年楚子居卒傳）

春秋左傳註疏卷第五十一

附釋音春秋左傳註疏卷第五十二（昭二十六年盡二十八年）

杜氏註　孔穎達疏

經二十有六年春王正月葬宋元公（三月而葬速）○三月公至自齊居于鄆【疏】公至自齊○正義曰往年公孫于齊齊侯唁公于野井公不以往至鄆都亦公孫于齊而自齊者得與齊侯相見也齊侯唁公于陽州是至自齊也公不得歸其國都而書至者賈逵云季氏不敢爲臣故以告廟○夏公圍成（成孟氏邑不書齊師師少車在公○帥所類反）秋公會齊侯莒子邾子杞伯盟于鄟陵（鄟陵地闕○鄟音專又市轉反一音綫九反）公至自會居于鄆（無傳）○九月庚申楚子居卒（未同盟而赴以名）○冬十月天王入于成周（傳言王入在子朝奔後經在前者子朝來告晚）【疏】天王入于成周○正義曰二十三年六月天王居于狄泉自爾以來單子劉子以東西師不出王畿而居無定所此時始得入于成周以成周爲都來告故特書之案傳子朝奔楚及王入成周皆在十一月經書王入成周子朝奔楚皆在十月者從告也劉炫云杜以朝既奔楚王始得入必在朝奔後經書王入在前傳言子朝奔後故以爲王告入在前朝告奔在後故先書王入何得告于諸侯之語故以爲焚謂子朝出示王告下注與此自違○尹氏召伯毛伯以王子朝奔楚（召伯當言召氏經誤也尹召族奔非一人故言氏書奔在王入下者王入乃告諸侯）【疏】注召伯至諸侯○正義曰傳言召伯盈逐王子朝王入于成周則召氏族出奔召伯身不奔也知召伯當爲召氏經誤也宣十年崔氏出奔書崔氏者非其罪也此尹氏召氏並爲有罪而亦書氏者彼崔氏族奔非是舉族盡出但於例諸侯之卿出奔者有罪則名無罪則不名惟將不合書名因其來告以族逐書崔氏示舉族而出非一人之故言氏所謂襄賞而書彼有異與注云尹氏召氏舉族悉奔文同而意異也子朝奔在王入下者王入乃告諸侯也劉炫云此上注云子朝來告晚向爲此注又云三

以乃告諸侯以二注不同將爲杜失今知不然者杜意王入乃告謂王入之後子朝乃告杜以傳云癸酉王入于成周甲戌王入于莊宮始云王子朝使告諸侯是王入之後子朝告諸侯也劉以爲王入乃告諸侯上非諸侯而規杜非也

傳二十六年春王正月庚申齊侯取鄆 前年已取鄆至是乃發傳 ○**疏** 注前年至鄆也 ○正義曰杜謂往年已取鄆至是乃發傳者以爲公取鄆以致齊也服虔以爲往年齊侯取鄆齊侯取鄆者爲下三月公至自齊居于鄆張本故於是言取鄆以服言爲是杜云此年正月庚申取之凡三十一日何書取言易者[illegible]乃取言易若齊侯取以居公臣無拒君之義若魯自與之然故書取以見其易穀梁曰以其爲公取之故易言之是也 ○**葬宋元公如先君禮也** 善宋人違命以合禮 ○**三月公至自齊處于鄆言魯地也** 入魯界故書至至自齊不書處外故書地 ○處音處 ○**夏齊侯將納公命無受魯貨** **申豐從女賈** 申豐女賈二人皆季氏家臣 ○女音汝 **以幣錦二兩** 二丈爲一端二端爲一兩所謂匹也二兩二匹 **縛一如瑱** 縛卷也急卷使如瑱易懷也 ○縛直轉反瑱吐殿反 **疏** 注縛卷至懷也 ○正義曰家語云孔子云清則無徒故人君冕而前旒所以蔽明黈纊塞耳所以蔽聰又詩云玉之瑱也禮以一絲縣五采織冕上兩頭下垂繫黈纊縣下又縣玉瑱以塞耳 **適齊師謂子猶之人高齮** 子猶家臣子猶梁丘據 ○齮魚綺反 **能貨子猶爲高氏後粟五千庾** 言若能爲我行貨於子猶當爲請使得爲高氏後又當致粟五千庾庾十六斗凡八萬斛 ○庾羊主反能爲于偽反下當爲下文爲魯君同 ○**疏** 注庾十六斗凡八十斛 ○正義曰聘禮記云十六斗曰籔十籔曰秉鄭玄云秉十六斛今江淮之間量名有爲籔者今文籔爲逾杜據彼文故以庾爲十六斗也又引或人云庾實二十斗考工記陶人爲甗實二鬴則庾二斗四升此彼杜以庾爲十六斗與此異今以量器受米之數乎量與此異

以錦示子猶子猶欲之齮曰魯人買之百兩

一布以道之不通先入幣財 言魯人買此甚多布陳之以百兩爲數 **子猶受之言於齊侯曰羣臣不盡力于魯君者非不能事君也** 然據有異焉 異怪也 ○據如字又紀庶反 **然據有異焉** **宋元公爲魯君如晉卒於曲棘** **叔孫昭子求納其君無疾而死不知天之棄魯耶抑魯君有罪於鬼神故及此也君若待于曲棘使羣臣從魯君以卜焉** 卜伐否 ○**疏** 君若待于曲棘 ○正義曰宋元公至于曲棘卒杜云曲棘宋地陳留外黃縣城中有曲棘里今齊侯欲納魯君當是從齊向魯必不遠涉宋地子猶令齊君待于曲棘令齊國西安縣東有戟里亭此即彼齊也此本無曲字後人誤加曲耳 **若可師有濟也**

君而繼之茲無敵矣若其無成君無辱焉齊侯從之使公子鉏帥師從公 鉏齊大夫 ○鉏仕居反 **成大夫公孫朝謂平子曰有都以衛國也請我受師** 以成邑禦齊師 ○朝如字 **許之請納質** 質音致 **弗許曰信女足矣** 女音汝 **告於齊師曰孟氏魯之敝室也** 欺齊師言 **用成已甚弗能忍也請息肩于齊** 欲使齊求取成 ○[illegible]戶臣反下同 **齊師圍成成人伐齊師之飲馬于淄者** 淄水出泰山梁父縣西北入汶 ○淄側其反飲於鴆反又於禁反汶音問 **曰將以厭眾** 以厭齊師之心不欲使知已降也 **魯成備而後告曰不勝眾** 吉齊言衆不欲降已不能勝 ○勝音升注同又如證反 **師及齊師戰于炊鼻** 季氏

鄅距公於公命則不書。炊鼻，齊地。○炊，昌垂反。齊子淵捷從洩聲子子淵捷，齊大夫。洩聲子，魯大夫。○捷息列反。射之，中楯瓦瓦，楯脊。○射，食亦反，下及注皆同。中，丁仲反，下中手同。楯，常允反，又音允。繇朐汰輈，匕入者三寸繇，過也。汰，矢激。朐，車軛。輈，車轅。匕，矢鏃也。○繇音由。朐，其俱反，本又作軥，同。汰，他達反。輈，竹留反。匕，必履反。軛，於革反。激，古狄反。鏃，子木反，或七木反。【疏】射之至三寸。○正義曰：射之中楯瓦，先言中之，乃更說矢來之狀。繇朐車軛，矢從車軛之上過，其矢之匕鏃入於楯瓦者猶深三寸，言其弓力多而矢入深也。○注入楯至鏃也。○正義曰：此覆說中楯之事，故知入者入楯瓦也。說文云：朐，車軛下曲者。襄十四年傳稱射兩朐而還，此與彼同，盡朐軥字通用耳。繇即由也，訓爲從也。從上而過，故言繇過也。宣四年傳云伯棼射王，汰輈。注云：汰，過也。此云汰，矢激，謂矢激拭其上而過也。傳言匕入，則匕是入楯者也。今人猶謂箭鏃爲箭而長隨者爲匕，是匕爲矢鏃也。聲子射其馬，斬鞅，殪殪，死也。○鞅，於丈反。殪，於計反。改駕，人以爲鬷戾也，而助之以爲魯人也。鬷戾，叔孫氏司馬。子

車曰：「齊人也。」子車，子淵捷。將擊子車，子車射之，殪將，鬷戾。其御曰：「又之。」又欲使射餘人。子車曰：「眾可懼也，而不可怒也。」子囊帶從野洩，叱之子囊帶，齊大夫。野洩，即聲子。○叱，昌實反。洩曰：「軍無私怒，報乃私也，將亢子。」欲以公戰禦之，不欲私報其叱。○亢，苦浪反，下同。又叱之，亦叱之子囊復叱之，洩亦叱。○復，扶又反，下復欲同。冉豎射陳武子，中手，失弓而罵冉豎，季氏臣。武子，陳開也。言窮無以相叱，但相罵。○罵，馬嫁反。以告平子，曰：「有君子白皙，鬒鬚眉，甚口。」皙，星歷反。鬒，真忍反，黑也。鬚，本又作須，相俞反。平子曰：「必子彊也，無乃亢諸？」子彊，武子字。【疏】注皙白至口者。○正義曰：說文云：皙，人色白也。鬒，稠髮也。甚口者，謂大口也。對曰：「謂之君子，何敢亢之？」僞言不敢違季氏。林雍

羞爲顏鳴右，下比魯人羞爲右，下車戰。苑何忌取其耳何忌，齊大夫。不欲殺雍，但截其耳以辱之。○苑，於阮反。顏鳴去之見其右見獲，懼而去之。苑子之御曰：「視下顧！」使苑子視林雍所在。苑子刜林雍，斷其足，鑋而乘於他車以歸鑋，一足行。○刜，芳弗反，又音拂。斷，丁管反。鑋，苦政反，又音磬，又苦頂反。【疏】刜林雍。○正義曰：說文云：刜，擊也。字從刀，謂以刀擊也。今江南猶謂刀擊爲刜。○注鑋一足行。○正義曰：說文云：鑋，金聲也。蓋擊其足而云鑋，知鑋是一足行也。顏鳴三入齊師，呼曰：「林雍乘！」言魯人皆致力於季氏，不以公怒而相棄。○呼，火故反。乘，繩證反。四月，單子如晉告急。五月戊午，劉人敗王城之師于尸氏劉人，劉蚠之屬。王城，子朝。尸氏在鞏縣西南偃師城。戊辰，王城人、劉人戰于施谷，劉師敗績施谷，周地。○

秋，盟于鄟陵，謀納公也齊侯謀。七月己巳，劉子以王出師敗懼而出。【疏】注劉子以王出。○正義曰：二十三年傳云，六月庚寅，單子、劉子以王如劉。蓋從劉而居狄泉，自狄泉又居於劉，今又從劉而出也。服虔云：出成周也。案二十二年云王居于狄泉，狄泉近成周，成周不屬王也。其傳云召伯奐、南宮極以成周人戍尹。二十四年傳云王子朝用成周之寶珪于河，是周常屬子朝之驗也。二十五年黃父之會，令諸侯之大夫明年將納王。納王者，欲納之於成周。若王先在成周，無爲更須納之。知此出者，從劉出耳。王既從劉而去，故王城人焚劉。庚午，次于渠渠，周地。王城人焚劉燒劉子邑。丙子，王宿于褚氏洛陽縣南有褚氏亭。○褚，張呂反。丁丑，王次于萑谷○萑音丸，一音胡官反。庚辰，王入于胥靡辛巳，王次于滑萑谷、胥靡、滑，皆周地。滑，鄭邑。○萑音丸，本又作雚。【疏】注萑谷至鄭邑。○正義曰：王雖未有安居，終亦不出畿內，知此皆周地也。襄十八年楚人伐鄭，傳稱公子

格卒鍛師侵費滑胥靡是本爲鄭邑今爲周邑也晉知躒趙鞅帥師納王使

汝寬守闕塞汝寬晉大夫闕塞洛陽西南伊闕口也守之備子朝○知音智躒音歷汝音汝本亦

作汝寬塞素代反○九月楚平王卒令尹子常欲立子西

子西平王之長庶○長丁丈反下文同曰大子壬弱其母非適也壬昭

王也○適丁歷反下文同王子建實聘之子西長而好善立

長則順建善則治王順國治可不務乎子西

怒曰是亂國而惡君王也言王子建聘之是章君王之惡○好呼報反治直吏

反下同國有外援不可瀆也外援秦也瀆慢也○慢武諫反王有適

嗣不可亂也敗親速讎不立子秦將來討是速讎也亂嗣不祥

我受其名受惡名賂吾以天下吾滋不從也滋益

也○賂音路疏賂吾至從也○正義曰賂吾以天下使吾爲天子吾益不從也楚國何爲

必殺令尹令尹懼乃立昭王○冬十月丙申

王起師于滑起發也滑于八反○辛丑在郊郊周邑遂次于

尸十一月辛酉晉師克鞏知躒趙鞅之師召伯盈逐

王子朝伯盈本黨子朝晉師克鞏知子朝不成更逐之而逆敬王王子朝及召氏

之族毛伯得尹氏固南宮嚚奉周之典籍以

奔楚尹召二族皆奔故稱氏重見尹固名者爲後還見殺○重直用反下賢遍反爲于僞反下且爲同

陰忌奔莒以叛陰忌子朝黨莒周邑召伯逆王于尸及劉

子單子盟召伯新從王故及劉單盟遂軍圉澤次于隄上圉澤隄上皆周

地○圉魚呂反隄丁兮反音帝癸酉王入于成周成周今洛陽甲戌盟于

襄宮襄王之廟晉師成公般戍周而還般晉大夫○般音班十

二月癸未王入于莊宮莊宮在王城王子朝使告于

諸侯曰昔成王克殷成王靖四方康王息民

並建母弟以蕃屏周亦曰吾無專享文武之

功不敢專故建母弟○蕃方元反亦作藩疏昔成王克殷○正義曰諸家本皆然服虔王肅並注云文

王受命武王伐紂故云文武克殷下句云吾無專享文武之功則合文武是也杜無注諸本悉作武王克殷疑誤也今定

本亦作武王克殷且爲後人之迷敗傾覆而溺入于難

則振救之至于夷王王愆于厥身夷王厲王父也愆惡疾也

○覆芳服反溺乃歷反難乃旦反愆起虔反疏夷王○正義曰謚法安民好靜曰夷諸侯莫不

並走其望以祈王身至于厲王王心戾虐萬

民弗忍居王于彘不忍害王也厲王之末周人流王于彘○彘直例反疏注不

忍至于彘○正義曰周語云厲王虐國人謗王召公告曰民不堪命也王怒得衛巫使監謗者以告則殺之國莫敢言道

路以目三年乃流王于彘劉炫案周本紀民相與叛襲厲王厲王出奔于彘周語又曰彘之亂宣王在召公之宮國人圍

之召公知之乃以其子代宣王言代王則國人謂是宣王國語雖不言殺必殺之矣周人相與襲王王既奔免得王子而

殺之若得厲王亦應不舍而杜云不忍害王未必然也當謂不忍者不能忍王之虐也今知不然者下云居王于彘是以

卑居處厲王于彘又云諸侯釋位以間王政是憂念王政則不忍者是不忍害王也若其必欲殺王應云王奔于彘劉炫以

爲周語云周人欲殺王子召公以子代之則周人欲殺王子何肯不忍害不以爲不忍者不堪忍王惡案周語但云求王

子不云求殺之是益橫周語之文而規杜過非也諸侯釋位以間王政間猶與也

去其位與治王之政事○間間廁之間注同一音如字與音預下同疏注間猶至政事○正義曰周本紀云彘之

亂宣王在召公之宮國人圍之召公以其子代大子大子竟得脫周召二公二相行政號曰共和元年是其釋位與治王

秋疏五十二　七　傑吉劉校　江盛刊

政之事也。宣王有志而後效官。宣王，厲王子。彘之亂，宣王尚少，召公取而長之。效，授也。○效，戶教反，少，詩照反，下文同。長，丁丈反，下文同。[疏]注宣王至授也○正義曰：周語云召公以其子代宣王，宣王長而立之。周本紀云共和十四年厲王死于彘，太子靖長于召公家，二相乃共立之為王，是為宣王。是召公長之也。共和之年，官之政事皆決於二相，宣王長而有志，欲為人主，二相乃致其官政於王也。效者，致與之義，故注云效，授也。○

至于幽王，天不弔周，王昏不若，用愆厥位。幽王，宣王子。若，順也。愆，失也。攜王奸命，諸侯替之，而建王嗣，用遷郟鄏。攜王，幽王少子伯服也。王嗣，宜臼也。幽王后申姜生大子宜臼，王幸褒姒生伯服，欲立之而殺大子。太子奔申，申伯與鄫及西戎伐周，戮于戲，幽王死。諸侯廢伯服而立宜臼，是為平王，東遷郟鄏。○攜，戶圭反。奸音干，下同。替，他計反。郟，古洽反。鄏音辱。鄫，才陵反。戲，許宜反。[疏]注攜王至郟鄏○正義曰：鄭語稱夏之衰也，褒人之神化為二龍，以同於王庭，而言曰：余褒之二君也。夏后卜殺之與去之與止之，莫吉。卜請其漦而藏之，吉。乃布幣焉而策告之，

侯官劉校　春秋疏五十二　八　吳琳

龍亡而漦在，櫝而藏之。及歷殷周，莫之發也。及厲王之末，發而觀之，漦流於庭，不可除也。王使婦人不幃而譟之，化為玄黿，以入於王府。府之童妾未既齔而遭之，既笄而孕，當宣王而生。不夫而育，故懼而棄之。時有童謠曰：檿弧箕服，實亡周國。於是宣王聞之，乃有夫婦鬻是器者，王使執而戮之。夫婦方逃在路，哀其夜號也，而取之以逃於褒。褒人有獄，而以入於王。王遂置之而嬖是女，使至於后而生伯服。周語云：幽王伐有褒，褒人以褒姒女焉。褒姒有寵，生伯服。於是乎與虢石父比，逐太子宜臼而立伯服。太子出奔申，申人、繒人召西戎以伐周，周於是亡。書傳多說其事，此其本也。詩序云：幽王取申女以為后，後得褒姒而黜申后。周本紀云：幽王太子母申侯女也，而為后。王廢后，并去太子，用褒姒為后，以其子伯服為太子。申侯怒，乃與繒、西戎共殺幽王于驪山之下，虜褒姒，盡取周賂而去。於是諸侯乃即申侯共立故幽王太子宜臼，是為平王。東遷徙於洛邑，辟戎寇也。魯語云：幽王滅于戲。戲，驪山之北水名也。皇甫謐云：今京兆新豐東二十里戲亭是也。劉炫云：如國語、史記之文，幽王止立伯服為太子耳。既殺褒姒，必廢其子，未立為王，而得呼為攜王者，或幽王死後，褒姒之黨立之為王也。汲冢書紀年云：平王奔西申，而立伯盤以為太子，與幽王俱死于戲。先是，申侯、魯侯及許文公

立平王於申，以本太子，故稱天王。幽王既死，而虢公翰又立王子余臣於攜。周二十一年，攜王為晉文公所殺。以本非適，故稱攜王。束皙云：攜，地名，未詳。服虔云：攜伯服。伯服古文作伯盤，非攜王。伯服立為王積年，諸侯始廢之而立平王。其事或當然。則是兄弟之能用力於王室也。至于惠王，天不靖周，生頹禍心，施于叔帶。惠、襄辟難，越去王都。惠王，平王六世孫。頹，惠王叔父也。十九年作亂，惠王適鄭。襄王，惠王子。叔帶，襄王弟。二十四年叔帶作難，襄王適氾。○施，以豉反。難，乃旦反，注同。氾音凡。[疏]注惠王至王子○正義曰：世本平王生桓王，桓王生莊王，莊王生僖王，僖王生惠王，是六代也。惠王生襄王，襄王生頃王，頃王生匡王，匡王之弟定王，定王生簡王，簡王生靈王。則有晉、鄭，咸黜不端，以[疏]黜，去也。不端，謂子頹、叔帶。○黜，敕律反。去，起呂反，下同。為，于偽反。正義曰：謂本成或作咸。王肅云：咸，皆也。傳咸其何，詩有此何，王肅之書亦作咸，杜本當然。

綏定王家，則是兄弟之能率先王之命也。在定王六年，秦人降妖，定王，襄王孫。定王六年，魯宣八年。○妖，本又作祅，於驕反。說文云：衣服歌謠草木之怪謂之祅。曰：周其有頾王，亦克能脩其職，諸侯服享，二世共職。二世謂靈、景。○頾，子斯反。共音恭。王室其有間王位，諸侯不圖，而受其亂災。間王位，謂子朝以為王猛也。○間，如字。今子朝以為晉○間[疏]注間王至亂災○正義曰：降，下也。注及下以間先王并注同。○正義曰：降者，自上而下之言。當時秦人有此妖言，謂子猛當間王位，以下神所為，然故云：自受其亂災。以上皆是秦人妖言也。至于靈王，生而有頾。王甚神聖，無惡於諸侯。靈王、景王克終其世。景王，靈王子。今王室亂，單旗、劉狄剝亂

昭二十六

天下壹行不若（若〔順〕也[illegible]　若意專也○刺邪角反）謂先王何常之有（言[illegible]先王[illegible]常法）唯余心所命其誰敢請之帥羣不弔之人（弔至也○弔如字舊丁歷反至也注同）以行亂于王室侵欲無厭規求無度貫瀆鬼神（貫習也瀆易也○厭於鹽反貫古亂反易以豉反）〔疏〕（規求無度○正義曰俗本作規求無度言規求於[illegible]云規貪也元年傳曰[illegible]同下云[illegible]昭公貪也則此言貪求無限度不或作規謀也）慢棄刑法倍奸齊盟傲很威儀矯誣先王（倍奸齊盟謂結盟而復背之○倍音佩奸音干很戶懇反矯居表反）〔疏〕（倍奸齊盟○正義曰倍即背也謂諸侯不有同盟許立子朝單劉未嘗與朝結盟而復背之言單劉倍奸齊盟誣之○注攝持至景王○正義曰是攝言攝持之使不頓危也是贊謂贊佐也杜以先王為景王則矯誣先王者當謂矯景之命立猛耳命先王非先世之王者以言矯誣是矯誣同攝其人有語矯誣之辭令矯誣若先世之王去此久遠不得有立猛之事子朝何得矯誣之乎又傳云干景之命故以先王謂景王劉炫以為先世之王而規杜氏非也）晉為不道是攝是贊（攝持也贊佐也）思肆其罔極（肆放也）茲不穀震盪播越竄在荊蠻未有攸底（底至也攸所也○底音旨此也此不穀子朝自謂○盪本又作蕩徒黨反竄七亂反字林七外反）若我一二兄弟甥舅獎順天法無助狡猾以從先王之命毋速天罰赦圖不穀（赦其罪而圖謀之○獎將丈反狡古卯反猾于八反毋音無此乃旦反）〔疏〕（毋速天罰○正義曰毋速召也子朝以單劉為亂從之必有天殃故勸諸侯無召天罰）則所願也敢盡布其腹心及先王之經而諸侯實深圖之昔先王之命曰王后無適則擇立長年鈞以德德鈞以卜（此所）

〔先王之〕經（適丁歷反）〔疏〕（昔先至以卜○正義曰先王先世之王也襄三十一年傳曰公薨立胡女敬歸之子子野卒立敬歸之娣齊歸之子稠穆叔曰大子死有母弟則立之無則立長年鈞擇賢義鈞則卜古之道也非適嗣何必娣之子彼言大子死立母弟則此言擇立長謂無母弟者也彼又云公子野非適嗣何必娣之子然則適死立姪娣之子也姪娣與娣同蓋王后夫人無子姪娣之子乃於諸妾之子擇立長耳年鈞以德此年鈞以德詩謂冊之貴賤等者公羊傳曰立嫡以長不以賢立子以貴不以長明母貴則先立也此子朝之母以賤故言母故事言立長之義不言母之貴賤何休雖年鈞以德之言○人君所賢下必從之爲能使下不立愛也鄭玄云周禮小司寇掌外朝之政以致萬民而詢焉其三曰詢立君其位王南鄉三公及州長百姓北面羣臣西面羣吏東面小司寇以敘進而問焉如此則大眾之口非君所能獨是王不得立愛之法也）王不立愛公卿無私古之制也（公卿至制也○正義曰三公六卿無得私附王之庶子而害立之其意言單劉有私舊古制也何休難云氏大不出功而為公卿之世則左氏為短鄭玄云公卿之世立大功德元王命所不絕者何得難之非鄭者亦謬）穆后及大子壽早夭即世（在十五年）單劉贊私立少以閒先王（閒犯先王之制）亦唯伯仲叔季圖之（伯仲叔季謂諸侯）閔馬父聞子朝之辭曰文辭以行禮也子朝干景之命遠晉之大以專其志無禮甚矣文辭何為（傳終王室事○遠于萬反）齊有彗星（齊之分野不書魯不見○彗似歲反又息遂反囚醉反）〔疏〕（注出齊至不見○正義曰傳言齊有此星而齊侯使禳之明出齊之分野出於玄枵之次也彗即孛也文十四年有星孛入于北斗十七年有星孛于大辰彼皆書此不書者魯不見）齊侯使禳之（祭以禳除之○禳如羊反）晏子曰無益也祇取誣焉（誣欺也○祇音支）天道不謟（謟疑也○謟他刀反本又作慆他）不貳其命若之何禳之且天之有彗也以

昭二十六

除穢也。君無穢德，又何禳焉？若德之穢，禳之何損？詩曰：惟此文王，小心翼翼，昭事上帝，聿懷多福，厥德不回，以受方國。（詩大雅。翼翼，共也。聿，惟也。回，違也。言文王德不違天人，故四方之國歸往之。○聿，戶橘反。）【疏】詩曰至方國。○正義曰：詩大雅大明之篇也。惟此文王，小心翼翼然共順也，又能明事上天，惟行上天之道，思使自得多福，其德不有回邪，以受四方之國，言四方皆歸之。君無違德，方國將至，何患於彗？詩曰：我無所監，夏后及商，用亂之故，民卒流亡。（逸詩也。言追監夏商之亡，皆以亂故。○夏，戶雅反，注同。）若德回亂，民將流亡，祝史之為，無能補也。公說，乃止。齊侯與晏子坐于路寢。公歎曰：美哉室！其誰有此乎？（景公自知德不能久有國，故歎也。○說音悅，下注喜說同。）晏子曰：敢問何謂也？公曰：吾以為在德。對曰：如君之言，其陳氏乎！陳氏雖無大德，而有施於民。豆區釜鍾之數，其取之公也薄，（謂以公量收。）其施之民也厚。（謂以私量貸。○施，如字，又始豉反，下出者皆同。區，烏侯反。量，音亮，下同。）公厚斂焉，陳氏厚施焉，民歸之矣。詩曰：雖無德與女，式歌且舞。（詩小雅。義取雖無大德，要有喜說之心，欲歌舞之。式，用也。○斂，力驗反。女，音汝。）【疏】詩曰至且舞。○正義曰：詩小雅車舝之篇，刺幽王也。陳氏之施，民歌舞之矣。後世若少惰，陳氏而不亡，則國其國也已。公曰：善哉！是可若何？對曰：唯禮可以已之。在禮，家施不及國，民不遷，農不移，工賈不

變，（守常業。○賈音古，本亦作價。）【疏】家施不及國。○正義曰：大夫稱家，家之施惠不得施及國人。言國人是國君之所有，大夫不得妄施遺之以樹己私恩。陳氏施及國人，是違禮也。士不濫，（不失職。）官不滔，（滔，慢也。○滔，他刀反。慢，武半反，本又作謾。）大夫不收公利。（不作福。）【疏】大夫不收公利。○正義曰：尚書洪範曰：惟辟作福，惟辟作威，臣無有作福作威。臣之有作福作威，其害于而家，凶于而國。是言作福作威，君之利也。大夫不得聚收公利以作福也。陳氏作福以招國人之心，施民作福，身收公利也。公曰：善哉！我不能矣。吾今而後知禮之可以為國也。對曰：禮之可以為國也久矣，與天地並。（有天地則禮義興。）【疏】禮之至地並。○正義曰：人倫莫知其始，但人稟陰陽之氣生於天地之間，天地既形，人民必育。易序卦曰：有天地然後有萬物，有萬物然後有男女，有男女然後有夫婦，有夫婦然後有父子，有父子然後有君臣，有君臣然後有上下，有上下然後禮義有所錯。是言有天地即有人民，有人民即有父子君臣，父子相愛，君臣相敬，敬愛為禮之本，是與天地並興。君令臣共，父慈子孝，兄愛弟敬，夫和妻柔，姑慈婦聽，禮也。君令而不違，臣共而不貳，父慈而教，子孝而箴，（箴，諫也。○箴，之林反。）兄愛而友，弟敬而順，夫和而義，妻柔而正，姑慈而從，（從，不自專。）婦聽而婉，（婉，順也。○婉，紆阮反。）禮之善物也。公曰：善哉！寡人今而後聞此禮之上也。對曰：先王所稟於天地，以為其民也，是以先王上之。（稟，受也。）【疏】先王上之。○正義曰：先古聖王所治理人民者，為受陰陽之氣生於天地之中，以有上下之禮乃可治其天下，又禮與天地同興，是以先王上之。

經二十有七年春，公如齊。（自鄆行。○鄆音運。）公至自齊，

居于鄆。夏四月，吳弑其君僚。僚亟戰民罷，又敗楚喪，故光乘間而動。稱國以弑，罪在僚。○弑申志反。注同。僚力彫反。亟欺冀反。罷音皮。疏注僚亟至在僚。○正義曰：杜數僚之罪，以示無罪之驗。僚以十六年即位，十七年與楚戰于長岸，二十三年伐州來，敗楚于雞父。其年又使大子諸樊入郢，二十四年滅巢及鍾離，此年又因楚喪而伐之，是其亟戰民罷，又伐楚喪，故光得乘間而動。稱國以弑，罪在僚也。言舉國皆欲弑之，非獨光之罪，故不書光弑。○楚殺其大夫郤宛。無極，楚之讒人，宛所明知而信近之，以取敗亡，故書名罪宛。○殺始察反。郤去逆反。宛於阮反，又於元反。近附近之近。疏宛無極至罪宛。○正義曰：文七年宋殺其大夫，傳曰不稱名，非其罪也。然者無罪則不稱其名，是稱名者皆爲有罪矣。此郤宛書名，故杜跡其爲罪之狀書名，所以罪宛也。○秋，晉士鞅、宋樂祁犂、衛北宮喜、曹人、邾人、滕人會于扈。犂力兮反，又力之反。扈音戶。○冬十月，曹伯午卒。無傳。未同盟而赴以名。午音五。○邾快來奔。無傳。快，邾命卿也，故書。快苦夬反。疏注快邾至故書。○正義曰：邾是小國，其臣見於經者唯少，唯此與襄二十三年邾畀我來奔書名。二命曰卿，魯之叔孫父兄再命而書於經，晉之司空亞旅一命而經不書。推此知諸侯大夫再命以上皆書於經，一命以下大夫及士經皆稱人，名氏不得見，此皆典策之正文。此小國之卿，或命而禮儀不備，或未加命數，故不書之。邾畀我之等，其奔亡亦多，所書唯數人而已，知其合制者少。杜言數人，謂此快與畀我及曹公孫會也。是言快是邾之命卿，備於禮，成爲卿，故書也。然快不書氏者，未賜族，無可稱也。○公如齊。自鄆行。公至自齊，居于鄆。無傳。

傳二十七年春，公如齊。公至自齊，處于鄆，言在外也。在外邑，故書地。○吳子欲因楚喪而伐之，前年楚平王卒。使公子掩餘、公子燭庸帥師圍潛。二子皆王僚母弟。潛，楚邑，在廬江六縣西南。○掩於檢反。疏注二子至母弟。○正義曰：賈逵云然，當是相傳說耳，未必有正文也。三十年傳此二公子奔楚，楚子大封而定其徙。子西諫曰：吾光新得國，若好吾邊疆，使柔服焉，猶懼其至。吾又疆其讎以重怒之，無乃不可乎。謂此二子爲光之讎，或當是僚母弟也。使延州來季子聘于上國，季子本封延陵，後復封州來，故曰延州來。○復扶又反。疏聘于上國。○正義曰：服虔云：上國，中國也。蓋以吳辟在東南，地勢卑下，中國在其上流，故謂中國爲上國也。下云遂聘于晉，則上國之言不包晉矣。當總謂宋衛陳鄭之等爲上國耳。亦不知其時聘幾國也。經不書，未必不至魯。禮檀弓云：延陵季子適齊，於其反也，其長子死，葬於嬴博之間。鄭玄云：魯昭二十七年，吳公子札聘於上國是也。如鄭之言，此時或聘齊也。○注季子至州來。○正義曰：襄三十一年注云：延州來，季札邑。此又分析之言，本封延陵，後復封州來，故曰延州來。成七年吳入州來，注云：楚邑，淮南下蔡縣是也。十三年吳滅州來。二十三年傳云吳伐州來，楚薳越救之，則州來未爲吳有，不可以封札也。釋例土地名，延州來闕，則延陵、州來並闕，不知其處。杜意當謂吳地別有州來，非楚邑也。鄭玄云：季子讓國，居延陵，因號焉。襄二十九年公羊傳曰：季子去之延陵，終身不入吳國。然則季子雖則讓國，猶尚仕爲吳卿，非自竄於彼地。吳世家云：季札封于延陵，故號曰延陵季子。杜言假言以校，封是也。封謂賜之爲采邑耳。遂聘于晉，以觀諸侯。觀強弱。楚莠尹然、王尹麇帥師救潛。二尹，楚官。然、麇其名。○莠由九反。麇九倫反。疏注二尹楚官。○正義曰：楚官多以尹爲名，知二尹是官名耳。其莠王之義不可知也。服虔云：王尹主宮內之政，莠尹不可解。王尹以然，定本王作工。左司馬沈尹戌帥都君子與王馬之屬以濟師。都君子，在都邑之士有復除者。王馬之屬，王之養馬官屬校人也。濟，益也。○戌音恤。復音福。校胡孝反。疏注都君至校人。○正義曰：都謂國都，在都君子明是在都邑之士也。都邑之士以君子爲號，故知是有復除者，謂優復其身，除其繇役。賈逵云然。今之律令猶名放課役者爲復除，是漢世以來有此言也。此人或別有功勞，或曲蒙恩澤，平常免其繇役，事急乃使之。周禮校人掌養馬，知王馬之屬是王之養馬之官屬也。校人職云：凡頒良馬而養乘之，乘馬一師四圉，三乘爲皁，皁一趣馬，三皁爲繫，繫一馭夫，六繫爲廄，廄一僕夫，六廄成校，校有左右。駑馬四良馬之數，麗馬一圉，八麗一師，八師一趣馬，八趣馬一馭八。諸侯六閑，養馬之人多矣。此皆養馬不給繇役，今亦事急而徼之與吳師遇于窮令尹子常以舟師及沙汭而還 沙水名。汭如銳反 【疏】遇于窮。正義曰上也名窮弱也本或窮下有谷字者為定七年傳敗尹氏于窮谷涉彼而誤耳 左尹郤宛工尹壽帥師至于潛吳師不能退 掩師還故吳不得退去 吳公子光曰此時也弗可失也 欲因其師徒在外國不堪役以弒王。弒申志反下文同 告鱄設諸曰上國有言曰不索何獲我王嗣也吾欲求之 光吳王諸樊子也故曰我王嗣。鱄音專上國賈云上國與中國同服云上古國也索所白反 【疏】上國有言。正義曰賈逵云上國中國也服虔云上古之國賢士所言也此猶如上文聘于上國則賈言是也。注光吳至王嗣。正義曰吳世家云吳王壽夢有子四人長曰諸樊次曰餘祭次曰餘昧次曰季札季札賢而壽夢欲立之季札讓不可乃立諸樊諸樊卒有命授弟餘祭欲傳以次必致國於札兄弟皆欲致國令以漸至焉餘祭卒弟餘昧立餘昧卒欲授季札季札讓逃去於是吳人曰先王有命必致季子今季子逃位則餘昧後立今卒其子當代乃立餘昧之子僚為王公子光者王諸樊之子也常以為吾父兄弟四人當傳至季子季子不受光父先立若既不傳季子光當立乃陰襲王僚光代立為王是史記以光為諸樊之子僚為夷昧之子也襄二十九年公羊傳曰謁也餘祭也夷昧也與季子同母者四季子弱而才兄弟皆愛之同欲立之以為君弟兄迭為君而致國乎季子故謁也死餘祭也立餘祭也死夷昧也立夷昧也死則國宜之季子者也季子使而亡焉僚者長庶也即之闔閭曰將從先君之命與則國宜之季子者也如不從先君之命與則我宜立者也僚惡得為君乎於是使專諸刺僚世本云夷昧及僚夷昧生光服虔云夷昧生光而廢之僚者夷昧之庶兄夷昧卒僚代立故光曰我王嗣也是用公羊為說也杜言光吳王諸樊子用史記為說也班固云司馬遷采世本為史記而今之世本與遷言不同世本多誤不足依憑故杜以史記為正也不言王嗣者言已之世適之長孫也 事若克季子雖至不吾廢也 至謂還 鱄設諸曰王可弒也母老子弱是無若我何 猶言我無若是何欲以老弱託光 【疏】注猶言至託光。正義曰古人言有顛倒故杜以為是無若我何猶言我無若是何恐已逃之後不能存立欲以老弱託光也彭仲博云當言是無我若何我母無我當如何我字當在若上 光曰我爾身也 言我身猶爾身 夏四月光伏甲於堀室而享王 堀地為室。堀本又作窟同苦忽反掘其勿反又其月反 王使甲坐於道及其門 門光門 門階戶席皆王親也夾之以鈹羞者獻體改服於門外 羞進食也獻體解衣。夾古洽反又古協反下同鈹普皮反說文云劍也 【疏】門階至親也。正義曰言從門至階從階至戶從戶至席皆是王之親兵也。鈹。正義曰說文云鈹劍也則鈹是劍之別名 執羞者坐行而入 膝行 執鈹者夾承之 承執羞者 及體以相授也 以鈹及進羞者體以所食授王 【疏】及體以相授。正義曰鈹之鋒刃及進羞者體也王之左右必更有人受羞以進王故言相授也雖則相授進羞者得至王所 光偽足疾入于堀室 恐難作王黨覺之。難乃旦反 鱄設諸置劍於魚中以進 全魚炙。置之豉反炙章夜反 【疏】鱄設諸置劍於魚中以進。正義曰吳世家云鱄諸置匕首於炙魚之中以進食手匕首刺王僚匕首者劍首如匕也 抽劍刺王鈹交於胸 鱄諸胸。胸許恭反刺七亦反 遂弒王闔廬以其子為卿 闔廬光也以鱄諸子為卿。闔戶臘反 季子至曰苟先君無廢祀民人無廢主社稷有奉國家無傾乃吾君也吾誰敢怨哀死事生以待天命非我生亂立者從之先人之道也 吳自諸樊以下兄弟相傳而不立適是亂由先人起也季子自知力不能討光故云爾。傳直專反適丁歷反 復命哭墓 復使命於僚墓。復扶又反 復位而待 復本位待光命 吳公子掩餘奔徐公子燭庸奔鍾吾 鍾吾小國楚師聞吳亂而還（言聞吳亂明郤宛不取賂而還）。○郤宛直而和，國人說之（以直事君以和接類。○說音悅）。鄢將師爲右領（右領官名），與費無極比而惡之（惡郤宛。○費扶味反，比毗志反，惡烏路反，鄢於晚反，又烏乃反）。令尹子常賄而信讒，無極譖郤宛焉，謂子常曰：子惡欲飲子酒（子惡，郤宛。○賄呼罪反，譖側鴆反，飲於鴆反）。又謂子惡：令尹欲飲酒於子氏。子惡曰：我賤人也，不足以辱令尹。令尹將必來辱，爲惠已甚，吾無以酬之，若何（酬，報也）？無極曰：令尹好甲兵，子出之，吾擇焉（擇取以獻子常。○好呼報反）。取五甲五兵，曰：寘諸門（寘，置也），令尹至，必觀之，而從以酬之。

〔疏〕取五甲五兵。○正義曰：周禮司右云：凡國之勇力之士能用五兵者屬焉。鄭玄云：司馬法曰：弓矢圍，殳矛守，戈戟助，凡五兵，長以衛短，短以救長。然則弓矢殳矛戈戟，五者皆名爲兵。此云五兵，當是一種器耳，不知取何兵也。服虔云五兵……

及饗日，帷諸門左（張帷陳甲兵其中）。無極謂令尹曰：吾幾禍子。子惡將爲子不利，甲在門矣，子必無往。且此役也（此春救潛之役。○幾音祈），吳可以得志，子惡取賂焉而還，又誤羣帥，使退其師，曰：乘亂不祥。吳乘我喪，我乘其亂，不亦可乎？令尹使視郤氏，則有甲焉。不往，召鄢將師而告之（告子惡有甲兵將害）。將師退，遂令攻郤氏，且爇之（爇，燒也。○爇如悅反）。子惡聞之，遂自殺也。國人弗爇，令曰：不爇郤氏，與

昭二十七

之同罪。或取一編菅焉，或取一秉秆焉（編菅也，秉把也。秆，稾也。○編必然反，又必千反；菅古顏反；秆古但反，說文云：禾莖也。或古旦反；苫式占反，李巡云：編菅茅以覆屋曰苫；稾古老反）。

〔疏〕注編菅至稾也。○正義曰：釋草云：白華野菅。郭璞云：菅，茅屬。釋器云：白蓋謂之苫。李巡曰：編菅以覆屋曰苫。郭璞曰：白茅苫也。是編菅爲苫也。秉把，詩毛傳文也。說文云：秆，禾莖也。是爲稾也。或取一片苫，或取一把稾，言民不肯燒之。

國人投之，遂弗爇也。令尹炮之，盡滅郤氏之族黨（燒郤宛。○炮步交反，又彭交反，燔音煩）。

〔疏〕國人至炮之。○正義曰：國人投之，謂投於地，故遂不燒也。令尹炮之一句，是鄢將師令衆之辭。服虔云：民皆不肯爇也，鄢將師稱令尹使燔炮之。燔炮之爇皆是燒也。

殺陽令終與其弟完及佗（令終，陽匄子。○佗徒何反），與晉陳及其子弟（晉陳，楚大夫，皆郤氏之黨。○匄古害反）。晉陳之族呼於國曰：鄢氏、費氏自以爲王，專禍楚國，弱寡王室，蒙王與令尹以自利也（蒙，欺也。○呼火故反）。令尹盡信之矣，國將如何？令尹病之（爲下殺無極張本）。○秋，會于扈，令戍周，且謀納公也。宋、衛皆利納公，固請之。范獻子取貨於季孫，謂司城子梁與北宮貞子（子梁，宋樂祁也。貞子，衛北宮喜）曰：季孫未知其罪，而君伐之，請囚、請亡，於是乎不獲。君又弗克，而自出也。夫豈無備而能出君乎？季氏之復，天救之也（復猶安也）。休公徒之怒（休，息也），而啓叔孫氏之心。不然，豈其伐人而說甲執冰以游？叔孫氏懼禍之濫，而自同於季氏，天之道也。魯君守

齊三年而無成季氏甚得其民淮夷與之淮夷魯東夷。說他活反【疏】懼禍至道也。正義曰言季氏無罪而公濫討之叔孫氏亦懼禍之濫及於己而自同心於季氏俱叛公此乃天之常道也。有十年之備有齊楚之援公雖在齊言齊不致力。有天之贊有民之助有堅守之心有列國之權而弗敢宣也宣用也。守手又反事君如在國書公行告公至是也故鞅以為難二子皆圖國者也而欲納魯君鞅之願也請從二子以圍魯無成死之二子懼皆辭乃辭小國而以難復以難納白晉君孟懿子陽虎伐鄆陽虎季氏家臣【疏】孟懿至伐鄆。正義曰伐鄆欲奪公鄆使公不得居也不書者伐公逆命不可以告鄰國史無由得書鄆人將戰子家子曰天命不慆久矣慆疑也。慆他刀反使君亡者必此衆也言君與鄆衆以魯戰必敗亡天既禍之而自福也不亦難乎猶有鬼神此必敗也【疏】猶有至敗也。正義曰言尚有鬼神以助我此戰必當敗也況無鬼神乎嗚呼為無望也夫其死於此乎公使子家子如晉公徒敗于且知且知近鄆地也。夫音扶且子餘反近附近之近楚郤宛之難國言未已進胙者莫不謗令尹進胙國中祭祀也謗詛也。難乃旦反胙才故反詛側慮反沈尹戌言於子常曰夫左尹與中廄尹莫知其罪而子殺之以興謗讟至于今不已左尹郤宛也中廄尹陽令終。廄九又反讟音獨戌也惑之仁者殺人以掩謗猶弗為也今吾子殺人以興謗而弗圖不亦異乎夫無極楚之讒人也民莫不知去朝吳在十五年。去起呂反朝如字下朝夕同出蔡侯朱在二十一年喪太子建殺連尹奢在二十年。喪息浪反屏王之耳目使不聰明不然平王之溫惠共儉有過成莊無不及焉所以不獲諸侯邇無極也邇近也。近附近之近今又殺三不辜以興大謗三不辜郤氏陽氏晉陳氏幾及子矣子而不圖將焉用之夫鄢將師矯子之命以滅三族國之良也而不愆位在位無愆過。幾音祈又音機焉於虔反矯居表反愆起虔反【疏】鄢將師矯子之命。正義曰令尹召鄢將師告之以郤宛門有甲耳不令攻郤宛也鄢將師退而令衆使攻之是矯令尹命也吳新有君光新立也疆埸日駭楚國若有大事子其危哉知者除讒以自安也今子愛讒以自危也甚矣其惑也子常曰是瓦之罪敢不良圖九月己未子常殺費無極與鄢將師盡滅其族以說于國謗言乃止。冬公如齊齊侯請饗之設饗禮。疆居良反埸音亦知音智子家子曰朝夕立於其朝又何饗焉其飲酒也乃飲酒使宰獻而請安比公於大夫也禮君不敵臣宰大夫使宰為主獻爵也請安齊侯請自安不在坐也。坐才卧反【疏】朝夕至飲酒。正義曰禮為諸侯相為賓主國待之有享食燕三禮享為大鄭玄云享謂享大牢以飲賓是為禮之大者子家以公雖居鄆以齊為主此年已再如齊數相見不為賓客故言朝夕立於其朝又何須設饗禮焉其飲酒也勸其用宴禮而飲酒耳○注此公至坐也正義曰燕禮者公燕大夫之禮也公雖親在而別有主人獻賓云主人宰夫也宰夫大宰之屬掌賓客之獻飲食者也君於其臣雖為賓不親言以其尊莫敢伉禮也今齊侯與公飲酒而使宰獻是比公於大夫也。獻酬者禮有三爵獻也酬也酢也獻酬是主人獻賓唯酢是賓荅主人耳礼君不敵臣宴大夫使宰為主即燕禮是其事也杜以宰獻而請安謂齊侯請自安於別室不在坐也劉炫云案燕禮司正洗角觶南面坐奠于中庭升東楹之東受命西階上北面命卿大夫君曰以我安卿大夫皆對曰諾敢不安彼是請客使自安當如彼使宰請魯侯自安耳主人請安謂主人請司主請安于賓禮賓主相敵主人亦請安于賓然則齊侯與公敵禮安賓乃是常事何須傳載其文以見卑公之義明是齊侯請欲自安服虔亦然杜今云齊侯請自安非也今知不然者案卿飲酒不在其坐明據公之甚劉不審思此理用燕礼請安之義而規杜非也

子仲之子曰重為齊侯夫人曰請使重見子仲魯公慭也十二年謀逐季氏不能而奔齊今行飲酒禮而欲使重見從宴媟也○重直用反又且恭反見賢遍反注同慭魚覲反媟息列反子家子乃以君出辟齊夫人十二月晉籍秦致諸侯之戍于周魯人辭以難經所以不書成周籍秦籍談子

經二十有八年春王三月葬曹悼公無傳六月而葬緩○公如晉次于乾侯乾侯在魏郡斥丘縣晉竟內邑○斥音尺一音昌夜反竟音境

傳同○夏四月丙戌鄭伯寧卒無傳未同盟而赴以名○六月葬鄭定公無傳三月而葬速○秋七月癸巳滕子寧卒無傳未同盟而赴以名冬葬滕悼公無傳

傳二十八年春公如晉將如乾侯齊侯卑公故適晉子家子曰有求於人而即其安人孰矜之其造於竟欲使次於竟以待命○造七報反弗聽使請逆於晉晉人曰天禍魯國君淹恤在外君亦不使一个辱在寡人一个單使○个古賀反注同單使所吏反而即安於甥舅其亦使逆君言自使齊逆君使公復于竟而後逆之逆者乾侯也言公不能用子家所以見辱○著中略反一音直略反

晉祁勝與鄔臧通室二子祁盈家臣也通室易妻○祁巨支反字林云大原縣上尸反鄔烏戶反又音偃案此名在周者烏戶反昭十一年王取鄔留是也在鄭者音偃成十六年戰于鄢陵是也在楚者於建反音偃昭十三年三公夏將入鄢是也在晉者於乾反字林云於乾反郭璞三倉解詁音烏於乾反闕翺音厭飫之飫重言之太原有鄔縣唯周地者從烏餘皆從馬字林亦作鄢因同傳云分祁氏之田以為七縣司馬彌牟為鄔大夫即太原縣也鄢宜以邑為氏於乾反舊音誤祁盈將執之盈祁午之子訪於司馬叔游叔游司馬叔侯之子叔游曰鄭書有之惡直醜正實蕃有徒鄭書古書名也言害正直者實多徒衆○惡如字又烏路反蕃音煩（疏）惡直至有徒○正義曰以直為惡以正為醜惡直事醜正道如此人者實蕃多有徒衆言時世衰善者多從惡者少無道立矣子懼不免言世亂讒說詩曰民之多辟無自立辟詩大雅○多辟本又作僻匹亦反立辟婢亦反（疏）詩曰至立辟○正義曰詩大雅板之篇刺厲王之詩辟邪也辟法也民之多有邪辟者於此之時無自謂所立者為法是言無道之世法不可為古辟辟字同音異耳姑已若何姑且也已止也盈曰祁氏私有討國何有焉言討家臣無與國事○與音預遂執之祁勝賂荀躒荀躒為之言於晉侯晉侯執祁盈以其傳戮為于偽反祁盈之臣曰鈞將皆死鈞同也（疏）鈞將皆死正義曰鈞同也殺勝與臧盈亦死不殺盈亦死同將皆死不如殺之使盈聞而快意慭使吾君聞勝與臧之死也以為快慭發語之音○慭魚覲反乃殺之夏

六月晉殺祁盈及楊食我食我叔向子伯石也○食音嗣向許丈反食我祁盈之黨也而助亂故殺之遂滅祁氏羊舌氏初叔向欲娶於申公巫臣氏夏姬女也○娶七住反夏戶雅反注同其母欲娶其黨叔向曰吾母多而庶鮮吾懲舅氏矣言父多妾媵而庶子鮮少嫌母氏不廣○鮮息淺反注皆同懲直升反媵繩證反又時證反〔疏〕吾母多○正義曰言父多妾媵而謂之母者意言庶弟少嫌其母氏不能容故謂父妾為母其母曰子靈之妻殺三夫子靈巫臣也夏姬三夫陳御叔楚襄老及巫臣也時巫臣尸死〔疏〕殺三夫○正義曰三夫皆自命盡而死其死不由夏姬而云殺三夫者婦之亂夫欲其偕老其夫數死是妻之咎遵相放以為夏姬之咎一君陳靈君一子夏徵舒而亡一國陳也兩卿矣孔寧儀行父○〔疏〕一君至兩卿○正義曰一君一子家亡殺文兩卿亦喪亡文也以兩卿棄位出奔身不死故為亡也此事皆宣十年十一年傳可無懲乎吾聞之甚美必有甚惡是鄭穆少妃姚子之子子貉之妹也子貉鄭靈公夷○少詩照反貉亡白反〔疏〕甚美必有甚惡○正義曰物忌大盛盛者不可常者姓寒來晝明夜暗孰能為此者天地天地尚不能常況人乎故甚美必有甚惡也其美謂夏姬之身甚惡當在其後言其禍微當惡於禁其子取之子貉早死無後而天鍾美於是此夏姬也鍾聚也子貉舒陀在宣四年〔疏〕子貉至於是○正義曰此因鄭靈早夭而夏姬美惟之為此言耳不是凡早死而妹必美也猶今俗語云寡家文未必甚惡將必以是大有敗也〔疏〕將必至敗也○正義曰夏姬淫亂家國並喪故叔向之母猶謂未是大敗故言將必以是大有敗也十四年傳稱祁侯者或是夏姬之男亦殺楊食我又是夏姬之外孫其禍亦甚矣昔有仍氏生女黰黑有仍古諸侯也美髮為黰○黰之忍反說文作今又作鬒云稠髮也〔疏〕生女黰黑○正義曰黰即鬒也詩云鬒髮如雲毛傳云鬒黑髮也如雲言美長也說文云鬒稠髮也然則鬒者髮多長而黑美之貌也此傳黰下有黑則黰不兼於黑故賈杜皆云美髮為黰而甚美光可以鑑髮膚光色可以照人○鑑古暫反鏡也〔疏〕注髮膚至照人○正義曰傳於黰黑甚美之下乃云光可以鑑知髮與肌膚一者皆光色皆可以照人名曰玄妻以髮黑故樂正后夔取之夔舜典樂之君長○夔求龜反取如字又古住反〔疏〕注夔舜至君長○正義曰尚書舜典云帝曰夔命汝典樂教胄子是夔為舜之典樂官也正長也后君也故云典樂之君長王肅公卿故以后言之猶謂為后稷生伯封實有豕心貪惏無饜忿纇無期謂之封豕纇戾也封大也○長丁文反惏力耽反方言云楚人謂貪為惏饜亦作厭於鹽反纇又作類立對反服作類○〔疏〕謂之封豕○正義曰豕心言其心似豬貪而無恥也方言云晉魏河內之北謂惏為殘楚謂之貪則惏亦貪也賈逵云惏者食也其人貪嗜財利飲食無知厭足忿怒狠戾無有期度時人謂之大豬○注纇戾也封大也○正義曰以纇忿共文則纇亦忿怒故以為戾言狠戾也定四年傳封豕長蛇相對加封為大也服云云忿怒其類以忿其私無期度也有窮后羿滅之夔是以不祀羿窮夏后相者○羿音羿窮初患反且三代之亡共子之廢皆是物也夏以妹喜殷以妲己周以褒姒三代所由亡也共子晉申生以驪姬廢○共音恭本亦作恭妹喜本或作嬉音同國語云桀代有施有施氏以末喜女焉韋昭注漢書云嬉姓也妲丁達反下音紀國語云有蘇氏之女也韋昭云己姓也褒姒音似龍漦所生褒人所養者也毛詩云姒姓也鄭箋云姒字也驪姬本又作麗同力知反獻公代驪戎所得而以為夫人殺傳云滅號所得莊子云艾封人之子〔疏〕注夏以至姬廢○正義曰晉語云史蘇曰昔夏桀伐有施有施氏以妹嬉女焉妹嬉有寵於是與伊尹比而亡夏殷辛伐有蘇有蘇氏以妲己女焉妲己有寵於是與膠鬲比而亡殷周幽王伐有褒褒人以褒姒女焉褒姒有寵生伯服於是與虢石甫比逐太子宜臼而立伯服太子奔申申人鄫人召西戎以伐周周於是乎亡是三代所由亡之事也共子之事具見於傳女何以為哉夫有尤物足以移人苟非德義則必有

禍尤異也。女如音汝【疏】苟非至有禍○正義曰苟誠也誠不以德義自持則必有禍也叔向懼不敢取平公強使取之生伯石伯石始生子容之母走謁諸姑子容母叔向嫂伯華妻也姑叔向母○取七住反又如字強其丈反嫂素早反兄妻也依字宜如此曰長叔姒生男兄弟之妻相謂姒○長丁丈反【疏】注兄弟至謂姒○正義曰相謂者幼者謂長為姒也子容是伯華之子其兄弟伯華最長叔向次之其餘諸弟皆小於叔向也故謂叔向為長叔叔向之妻其年長於子容母故稱長叔姒也釋親云女子同出謂先生為姒後生為娣孫炎曰同出俱嫁事一夫也公羊傳曰娣者何弟也此其義也是言共事一夫者長為姒幼為娣自以身之長幼生娣姒之名其娣姒之名不由夫之長幼也釋親又云長婦謂稚婦為娣婦娣婦謂長婦為姒婦自以身之長幼相謂也喪服小功章云娣姒婦報傳曰娣姒婦者弟長也傳言弟長者雙訓娣姒言娣是弟姒是長也鄭玄云娣姒者兄弟之妻相名也長婦謂稚婦為娣婦娣婦謂長婦為姒婦亦取爾雅之文以辦弟長之義是以身之長幼明矣姑視之及

侯吉劉校　秋疏五十二　林重校　二十六　張堯卿

堂聞其聲而還曰是豺狼之聲也狼子野心非是莫喪羊舌氏矣遂弗視○秋晉韓宣子卒魏獻子為政獻子魏舒○豺本又作犲同仕皆反喪息浪反分祁氏之田以為七縣七縣鄔祁平陵梗陽塗水馬首盂也○梗古杏反盂音于下文同公羊舌氏之田以為三縣○銅鞮平陽楊氏○鞮丁兮反司馬彌牟為鄔大夫太原鄔縣賈辛為祁大夫太原祁縣司馬烏為平陵大夫魏戊為梗陽大夫戊魏舒庶子梗陽在太原晉陽縣南○戊音茂知徐吾為塗水大夫徐吾知盈孫塗水太原榆次縣○知音智次資利反又如字韓固為馬首大夫固韓起孫孟丙為盂大夫太原盂縣樂霄為銅鞮大夫上黨銅鞮縣○霄音消趙朝為梗陽大夫趙朝趙勝曾孫平陽平陽縣○朝如字僚安為楊氏大夫平陽楊氏縣○【疏】分祁至氏大夫○正義曰此祁氏與羊舌氏之田舊是私家采邑二族既滅其田歸公分為十縣為公邑故選賢大夫也傳文先祁後羊舌故依下文選置大夫之次上七縣為祁氏之田下三縣為羊舌氏之田且五年傳謂伯石為楊石明楊氏是羊舌之田也家語與史記皆謂羊舌赤為銅鞮伯華是銅鞮亦羊舌邑也平陽之次在銅鞮楊氏之間知亦羊舌邑也謂賈辛司馬烏為有力於王室二十二年辛烏帥師納敬王○帥所類反【疏】注二十至敬王○正義曰二十二年傳曰晉籍談荀躒賈辛司馬督帥師軍于陰于侯氏于谿泉次于社賈辛軍谿泉司馬督次于社督即烏也此衆軍並為伐子朝欲納敬王故舉之謂知徐吾趙朝韓固魏戊餘子之不失職能守業者也卿之庶子為餘子○【疏】注卿之至餘子○正義曰宣二年傳云宦卿之適以為公族又宦其餘子亦為餘子其庶子為公行注云餘子適子之母弟也庶子妾子也彼適庶分為三等故餘子與庶子為異此無所對

侯吉刻校　秋疏五十二　二十七　葉有友

故總謂庶子為餘子也此四人之內當有妾生者也知徐吳韓固是卿之孫也趙朝卿之曾孫也而並稱餘子者言其父祖是餘子子孫之內擬其賢者而用之此四人不失常職能守其父祖之業者也其四人者皆受縣而後見於魏子以賢舉也四人司馬彌牟孟丙樂霄僚安也受縣而後見言采衆而舉不以私也○見賢遍反注及下見魏子並同魏子謂成鱄鱄晉大夫○鱄音專又市轉反又音附吾與戊也縣人其以我為黨乎對曰何也戊之為人也遠不忘君疏遠也近不偪同不偪同位○偪彼力反居利思義不苟得在約思純無濫心有守心而無淫行雖與之縣不亦可乎【疏】對曰至可乎○正義曰遠不忘君言職雖疏遠而心在公室常忠敬也近不偪同言親近有寵不偪迫同位常謙共也居利思義臨財不苟得思義可取乃取之也在約思純貧賤而思純固無叨濫之心也有守善之心而無淫邪之行雖則親子

□與之賜不亦可乎昔武王克商光有天下光大也○行下孟反其兄弟之國者十有五人姬姓之國者四十人皆舉親也夫舉無他唯善所在親疏一也疏昔武至親也○正義曰由武王克商得封建諸國歸功於武王耳此十五國或有在後封者非武王之時盡得封也尚書康誥之篇周公營洛之年始封康叔于衛洛誥之篇周公致政之年始封伯禽于魯唯知武王之府兄弟未盡封也僖二十四年傳稱周公弔二叔之不咸故封建親戚以藩屏周亦以周公爲制禮之主故歸功於周公耳非盡周公封也九年傳曰文武成康之封建母弟則康王之世尚有封國宣王方始封鄭非獨武王周公封諸國也僖二十四年傳數文之昭也有十六國此言武王兄弟之國十五人者人異故說異耳非武王封十五周公始加一也以魯衛驗之知周公所加非唯一耳詩曰唯此文王帝度其心莫其德音其德克明克明克類克長克君王此大國克順克

比比于文王其德靡悔既受帝祉施于孫子詩大雅美文王能王大國受天福祿及子孫○唯此文王詩作唯此王季度待洛反下及注同莫亡白反又如字爾雅云貊莫安定也下及注同長丁丈反下及注同王此于況反注能王同祉音恥施以豉反注同○疏詩曰至孫子○正義曰詩大雅皇矣之篇美文王之德也唯此文王之身爲天帝所祐天帝開度其心令其有揆度之惠所度前事莫不皆得其中也又使之莫然安靜其德教之善音施之於人則皆應和之也又能有監照在下之明又能有勤施無私之善又能教誨不倦有爲人師長之德又能賞善刑惡有爲人君上之度既有人君之德故爲人君王此周之大邦也其施教令能使國人徧服而順之既爲國人順服又能擇人之善者比方其善乃從而用之以此文王之德比于上世有能經緯天地文德之王如堯舜之輩其比詩人指比校于文王之九德其德皆是無爲人所悔吝者言文王之德堪比或以爲比于前世文德之王義亦通也以此之故既受天之祉福施及于後世之子孫得使長王天下也此章文次如此者德皆天之所授故先言帝度其心明以下皆蒙帝文也德由心起故先言心能度物也心既能度然後能施爲政教故次莫其德音言發政教清靜也爲君所以施政故先言政教清靜乃論身內之德故次能明能善其明與善還是德音之事施之於人有照臨之明勤心之善耳心能施而無私乃可爲人君長故次克長克君長即師也學記曰能爲師然後能爲長能爲長然後能爲君故先長後君也既言堪爲人君即說爲君之事故言王此大邦也既爲大邦之君能使國人順服故次克順也民既順服又須擇善用之故次克比也比于文王其德無所可恨故言受天之福澤流後世以結之此傳言唯此文王毛詩作維此王季經涉亂離師有異讀後人因而存不敢追改今王肅注毛詩及韓詩亦作唯此文王鄭注毛詩作維此王季故解比于文王言王季之德可以比于文王也劉炫云此作唯此文王不可以文王之德還自比文王故知比于文王可以比于上代文德之王也心能制義曰度帝度其心疏心能制義曰度○正義曰心能制斷時事使合於義是爲善謀度也言預度未來之事皆得中也德正應和曰莫莫然清靜○應應對之應下如字又胡卧反疏德正應和曰莫○正義曰毛詩莫作貊樂記引此詩亦作莫釋詁云貊嗼安定也郭璞云皆靜定毛傳云貊靜也其德既正爲政清靜故有所施爲民皆應和易繫辭曰君子居其室出

其言善則千里之外應之即此義也莫是清靜之意故杜云莫然清靜照臨四方曰明勤施無私曰類施而無私物得其所無失類也○施式豉反注及下同疏注施而無私至類也○正義曰勤行施惠情無偏私物皆得所是無失類也鄭玄云類善也無失類者不失善之類也教誨不倦曰長教誨長人之道賞慶刑威曰君作威作福君之職也疏賞慶刑威曰君○正義曰人君執賞罰之柄以賞慶人以刑威物是爲君之道慈和徧服曰順唯順故天下徧服○徧音遍注同疏慈和徧服曰順○正義曰人君執慈心以惠下用和善以接物則天下徧服而順從之故爲順也易繫辭云天之所助者順故杜云唯順故天下徧服擇善而從之曰比比方善事使相從也經緯天地曰文經緯相錯故織成文疏經緯天地曰文○正義曰易稱聖人先天而天弗違後天而奉天時言聖能順天天所爲如經緯相錯織成文章故爲文也九德不愆作事無悔九德上九曰也皆無愆過則動無悔吝○吝力刃反故

襲天禄子孫賴之 襲受也 主之舉也近文德矣所及其遠哉 舉魏戊等勤施無私也其四人者擇善而從故曰近文德所及遠也 【疏】注近文德所及遠○正義曰成鱄引此詩者唯欲取克勤克比二事同於文王故云近文德矣文王以有此德故得施于子孫魏子既近文德亦將所及遠也 賈辛將適其縣見於魏子魏子曰辛來昔叔向適鄭鬷蔑惡 惡貌醜○鬷子工反 欲觀叔向從使之收器者 從隨也隨使人徹飲俎豆者 【疏】從使之收器者○正義曰下云叔向將飲酒將欲舉爵而飲此則飲猶未畢使者撤收器耳孝即收也 而往立於堂下一言而善叔向將飲酒聞之曰必鬷明也 素聞其賢故聞其言而知之 【疏】一言而善○正義曰舊說云一言者謂設由上欲由下 下執其手以上曰昔賈大夫惡 賈國之大夫惡亦醜也○上時掌反下并注同

侯吉劉校 秋疏五十二 林重校 三十 徐添進刊

娶妻而美三年不言不笑御以如皋 為妻御之皋澤○娶七住反為于僞反 【疏】御以如皋○正義曰詩云鶴鳴于九皋是皋為澤也如往也為妻御車以往澤也 射雉獲之其妻始笑而言賈大夫曰才之不可以已我不能射女遂不言不笑夫今子少不颺 顏貌不揚顯○射食亦反女音汝下同夫音扶颺音揚 子若無言吾幾失子矣言不可以已也如是遂如故知今女有力於王室吾是以舉女 因賈辛有功而後舉之言人不可無能○幾音祈 【疏】遂如故知○正義曰遂如故舊相知也○毋音無墮許規切 行乎敬之哉毋墮乃力 墮損 仲尼聞魏子之舉也以為義曰近不失親 謂舉魏戊 遠不失舉 舉以賢 可謂義矣又聞其命賈辛也以為忠 [illegible] 詩曰永言配命自求多福忠也 詩大雅永長也言能長配天命致多福者唯忠 【疏】詩曰至忠也○正義曰詩大雅文王之篇也言王者長自言我之所為配上天之命而行之則可以致多福歸之此詩之意言忠則然也言魏子能忠必有多福歸之 魏子之舉也義其命也忠其長有後於晉國乎○冬梗陽人有獄魏戊不能斷以獄上 上魏子○斷丁亂反 其大宗賂以女樂 訟者之大宗 魏子將受之魏戊謂閻沒女寬 二人魏子之屬大夫○閻以占反 曰主以不賄聞於諸侯若受梗陽人賂莫甚焉吾子必諫皆許諾退朝待於庭 魏子朝君退而待於魏子之庭○朝如字又音潮 饋入召之 召二人夫食○饋求位反 比置三歎

既食使坐 更命之令坐○比必利反令力呈反 魏子曰吾聞諸伯叔諺曰唯食忘憂吾子置食之間三歎何也同辭而對曰或賜二小人酒不夕食 或他人也言飢甚 饋之始至恐其不足是以歎中置自咎曰豈將軍食之而有不足是以再歎 魏子中軍帥故謂之將軍○咎其九反食之音嗣飤所反本又作食同 【疏】注魏子至將軍○正義曰晉使卿為軍將謂之將中軍將上軍此以魏子將中軍故呼為將軍以來遂以將軍為官名蓋亦起於此 及饋之畢願以小人之腹為君子之心屬厭而已 屬足也言小人之腹飽猶知厭足君子之心亦宜然○屬之玉反注同厭於鹽反又於艷反注同 獻子辭梗陽人 傳言魏氏所以興

春秋左傳註疏卷第五十二

附釋音春秋左傳註疏卷第五十三 昭二十九年盡三十二年

杜氏註　孔穎達疏

經二十有九年春公至自乾侯居于鄆（以乾侯至不得見晉侯故）【疏】注以乾至侯故○正義曰二十五年公孫于齊二十六年雖書公至自齊居于鄆公雖不至齊都自入齊竟與齊侯相見故書公至自齊二十八年公如晉次于乾侯雖入晉竟不得與晉侯相見故書至自乾侯以乾侯致告於廟爲不得見晉侯故

齊侯使高張來唁公（唁公晉不見受）高張高偃子○唁音彥【疏】注唁公至晉不見受○正義曰詩毛傳曰弔失國曰唁二十五年公孫于齊齊侯唁公於[illegible]公可矣於此復唁公者公以齊不[illegible]而[illegible]適晉晉侯不肯見公齊侯心復恨公嫌公此[illegible]故遣唁公欲以嗤笑公也故云唁公至晉不見受又以更復失國故唁之

○公如晉次于乾侯（復不見受往乾侯）○復扶又反

○夏四月庚子叔詣卒（無傳）○秋七月○冬十月鄆潰（民逃其上曰潰）【疏】注民逃至上曰潰○正義曰民逃其上曰潰文三年傳例也公自二十六年以來常居于鄆此時公既如晉必留人守鄆鄆人潰散而叛公○潰戶對反叛公使公不得更來當是季氏道之使然

傳二十九年春公至自乾侯處于鄆齊侯使高張來唁公稱主君（比公於大夫）【疏】注比公於大夫○正義曰傳稱記宣子撫荀偃云事吳敢不如事主趙文子曰主之謂矣如此之類大夫稱主傳文多矣今高張以齊侯之命稱公爲主君以晉不受公故譏

子家子曰齊卑君矣君祇辱焉（言公事齊猶[illegible]）祇音支○公如乾侯（爲齊所卑故復適晉）○復扶又反

○三月己卯京師殺召伯盈尹氏固及原伯魯之子（皆子朝黨也召伯盈[illegible]）說音悅　尹固之復也（十二

八年尹固與子朝奔楚而道還）【疏】注二十[illegible]至道還○正義曰尹固復之年傳雖不載以婦人言三歲乎知以二十六年在道而還至此爲三歲也　有婦人遇之周郊尤之曰處則勸人爲禍行則數日而反是夫也其過三歲乎夏五月庚寅王子趙車入于鄻以叛陰不佞敗之（趙車子朝之餘也見王殺伯盈等故叛○鄻所[illegible]）

平子每歲賈馬（賈買也）○賈音古具從者之衣屨而歸之于乾侯公執歸馬者賣之乃不歸馬衛侯來獻其乘馬曰啟服（啟服馬名○乘繩證反）【疏】注啟服馬名○正義曰詩云兩服上襄鄭玄云兩服中央夾轅者也此馬左名爲啟服右名爲驂[illegible]公用以夾轅故以啟服爲名也

塹而死（隋塹死也○塹七豔反）○公將爲之櫝（櫝棺也○櫝音獨○爲于僞反下同）

子家子曰從者病矣請以食之乃以幃裹之（禮曰敝幃不棄爲埋馬也○食音嗣裹音古火反）【疏】注禮曰至埋馬也○正義曰檀弓文也禮有埋馬之法子家子請以馬肉食從者以公將爲之櫝所以深抑之公感子家子之言乃始依禮以帷裹之史記滑稽傳云楚莊王有所愛馬衣以文繡置之華屋之下席之以露牀啗之以棗脯馬病肥死欲以棺槨大夫禮葬之優孟者故楚之樂人也多辯常以談笑諷諫於是入門大哭王驚而問其故優孟曰馬者王之所愛也以楚國之大何求不得而以大夫禮葬之薄請以人君禮葬之王曰何如對曰臣請以雕玉爲棺文梓爲槨楩楓豫章爲題湊發甲卒爲穿壙老弱負土齊趙陪位於前韓魏翼衞其後廟食太牢奉以萬戶之邑諸侯聞之皆知大王賤人而貴馬也王曰寡人之過一至於此乎爲之奈何優孟曰請爲大王以六畜葬之以壟竈爲槨銅歷爲棺齎以薑棗薦以木蘭祭以糧稻衣以火光葬之人腸於是王乃使以馬屬太官無令天下久聞之[illegible]

公賜公衍羔裘使獻龍輔於齊侯（龍輔玉名）○正義曰周禮典瑞云[illegible]【疏】注龍輔玉名○正義曰周禮典瑞云[illegible]以龍輔之杜子春云[illegible]

爲龍以玉爲函輔盛龍飾謂之龍輔此獻函不獻飾故直云獻龍輔玄說云盛龍飾之玉函用說文云龍禱旱玉也爲龍文又玉人云上公用龍今輔與龍連文故云龍輔玉名蓋用此意遂入羔裘齊侯喜與之陽穀陽穀齊邑公衍公爲之生也其母偕出出之產舍〔疏〕注出之產舍○正義曰內則云妻將生子及月辰居側室夫使人日再問之作而自問之妻不敢見使姆衣服而對至于子生夫復使人日再問之夫齊則不入側室之門子生男子設弧於門左女子設帨於門右三日始負子男射女否然則產舍謂側室也公衍先生公爲之母曰相與偕出請相與偕告留公衍母使待己共白公三日公爲生其母先以告公爲爲兄公私喜於陽穀而思於魯曰務人爲此禍也務人公爲也始與公若謀逐季氏且後生而爲兄其誣也久矣乃黜之而以公衍爲大子

○秋龍見于絳郊絳晉國都○見賢遍反下見龍朝夕見皆同魏獻子問於蔡墨曰蔡墨晉太史吾聞之蟲莫知於龍以其不生得也謂之知信乎對曰人實不知非龍實知言龍無知乃人不知之耳○莫知音智下謂之知實知注無知同〔疏〕人實至實知○正義曰人以龍不生得而謂之爲知者此是人實不知非是龍實能知言龍可生得非是不生得也此說古有畜龍之事以證龍可生得也以人不知有此事故今說之古者畜龍故國有豢龍氏有御龍氏豢養也○豢音患〔疏〕注豢養也○正義曰服虔云豢養犬豕曰豢知此以穀養畜龍亦食穀也御與圉同言養龍猶養馬故稱御獻子曰是二氏者吾亦聞之而知其故是何謂也對曰昔有飂叔安飂古國也叔安其君名○飂力彫反有裔子曰董父裔遠也玄孫之後

爲裔○裔以制反實甚好龍能求其耆欲以飲食之耆市志反飲於鴆反下同食音嗣下不能食飲食之食夏后同〔疏〕龍多歸之乃擾畜龍以服事帝舜帝賜之姓曰董擾順也○擾如字又而小反又音饒〔疏〕乃擾畜龍○正義曰擾訓順也順龍之所欲而畜養之氏曰豢龍豢龍官名官有世功則以官爲氏封諸鬷川鬷水上夷皆董姓○鬷子工反〔疏〕注鬷水至董姓○正義曰鄭語云祝融高辛氏火正命之曰祝融其後八姓董姓鬷夷豢龍則夏滅之在此鬷夷氏其後也故帝舜氏世有畜龍及有夏孔甲擾于有帝孔甲少康之後九世君也其德能順於天○夏戶雅反下皆同少詩照反下少皞同〔疏〕注孔甲至九世○正義曰帝王世紀云少康子帝杼杼子帝芬芬子帝芒芒子帝泄泄子帝不降不降弟帝扃扃子帝廑廑從子孔甲孔甲不降之子帝賜之乘龍河漢各二合爲四○乘繩證反河漢各二乘〔疏〕注合爲四○正義曰服虔云四頭爲乘四乘十六頭也傳言乘龍之一乘之龍也即云河漢各二是河漢共一乘也又云各有雌雄是河漢之二皆有一雌一雄也故杜以爲合爲四各有雌雄孔甲不能食而未獲豢龍氏有陶唐氏既衰其後有劉累陶唐堯所治地○治直吏反學擾龍于豢龍氏以事孔甲能飲食之夏后嘉之賜氏曰御龍夏后孔甲以更豕韋之後更代也以劉累代彭姓之豕韋累尋遷魯縣豕韋復國至商而滅累之後世復承其國爲豕韋氏○更音庚注同復扶又反〔疏〕注更代至四年○正義曰[illegible]更代至商○正義曰傳言以更豕韋之後則豕韋先有國矣[illegible]鄭語云祝融之後彭姓豕韋則商滅之[illegible]君以劉累代之鄭語云彭姓豕韋則商滅之又云彭姓豕韋[illegible]滅於夏王孔甲之時[illegible]遷于魯縣則是累遷之後豕韋復國至商乃滅耳襄二十四年傳范宣子自言其祖在夏爲御龍氏在商爲豕韋氏則劉累子孫復封豕韋亦其事知累之後世更復其國爲豕韋

氏也。舊無此辭，杜自爲證，故云在襄二十四年。龍一雌死，潛醢以食夏后，也。藏以爲醢，明龍不知。○醢音海，知音智。夏后饗之，既而使求之。求致龍也。懼而遷于魯縣。不能致龍，故懼遷魯縣。今魯陽也。范氏其後也。晉范氏也。獻子曰：今何故無之？對曰：夫物物有其官，官脩其方，方，法術。朝夕思之，一日失職，則死及之。失職有罪。○朝如字，下朝夕見同。失官不食。不食祿。官宿其業，宿猶安也。其物乃至。設水官脩，則龍至。若泯棄之，物乃坻伏，泯，滅也。坻，止也。○泯，彌忍反。坻音旨，又丁禮反。鬱湮不育。鬱，滯也。湮，塞也。育，生也。○湮音因。

疏注夫物至不育○正義曰：此論致龍之事，物謂龍也。夫物物各有其官，當謂如龍之輩，言鳳皇麒麟白虎玄龜之屬，每物各有其官主掌之也。其人居此官者，脩其爲官方術，從朝至夕，終日脩之。若一日失其所掌之職，令其官方不理，則有死罪及之。居官者當死矣。失其官方，則不得食祿，得死罪，是不食祿也。居官者安其爲官之業，使職事脩理，則其所掌之物乃自生至。水官脩則龍至，其餘亦當然也。若滅棄所掌之事，令職事不脩，則其物乃止息而潛伏，沉滯壅塞，不復生育。以此故不可生而得也。○注宿猶安○正義曰：夜宿所以安身，故云宿猶安也，謂安心思念職業。服虔云：宿，思也。今日當預思明日之事，如家人宿火矣。玄以服義大迂曲。○注泯滅也坻止也○正義曰：釋詁文也。上言官宿其業，其物乃至，職業不脩則物不至。物雖不至，尚有物在。若滅棄所掌職事不理，則其物止而潛伏，不復生育，乃令雖有此物，[illegible]不至而已。○注鬱滯也湮塞也○正義曰：賈逵云然，杜用之也。鬱積是沉滯之義，故爲滯也。[illegible]塞井[illegible]是[illegible]塞不[illegible]生也。言此[illegible]也。

假言劉校　秋疏五十三　五　林重校　余滋準刊

故有五行之官，是謂五官，實列受氏姓，封爲上公，爵上公。

疏注實列受氏姓○正義曰：列謂五官皆然也。人臣有大功者，天子封爲國君，又以國爲氏，言其得封又得姓，氏受之也。

祀爲貴神。社稷五祀，是尊是奉。五官之君長能脩其業者，死皆配食於五行之神，爲王者所尊奉。○長，丁丈反，下文同。

疏注五官至尊奉○正義曰：五官之君長死，則皆爲貴神。王者社稷五祀則尊奉之，如祭木火金水土是也。王若祭木火金之神，而以此人之神配之。此是五行之神，即下重該脩熙犂是也。祭此人也，分五行以配四時，故五行之神句芒祝融之徒，皆以時物之狀而爲之名。此五者本爲五行之神作名耳，非與重該之徒爲名也。晉語云：虢公夢在廟，有神人面白毛虎爪，執鉞立西阿。公懼而走。神曰：無走。帝命曰：使晉襲于爾門。公拜稽首。覺，召史嚚占之。對曰：如君之言，則蓐收也，天之刑神也。如彼文，虢公所夢之狀，必非該之貌，自是金神之形耳。由此言之，知句芒祝融玄冥后土之徒，皆是木火水土之神名，非所配人之神名也。雖本非配人之名，而配者與之同食，亦得稱之。若后土后稷，本土神穀神之名，配者亦得稱社稷也。此五行之官，配食五行之神，天子制禮使祀焉，是爲王者所尊奉也。

木正曰句芒，正，官長也。取木生句曲而有芒角也。其祀重焉。○句，古侯反，注及下皆同。重，直龍反，下文同。

疏注正官至重焉○正義曰：正訓爲長，故爲官長，木官之最長也。其火金水土正亦然。賈逵云：歲言萬物句芒，非專木生，如句杜謂耳。木正順春，萬物始生，句而有芒角。杜獨言木者，以木爲其主，故經云木。丁曰：木比萬物皆句角，爲其有，以舉木而言。劉炫以杜不取賈義而獨舉於木，而規杜，非也。

火正曰祝融，祝融，明貌。其祀犂焉。○犂，力兮反。

疏注祝融至犂焉○正義曰：杜不解祝，則謂祝融二字共爲明貌也。賈逵云：夏陽氣明朗。祝，甚也。融，明也。亦以夏氣爲之名耳。鄭語云：黎爲高辛氏火正，以淳燿敦大，光明四海，故命之曰祝融。如彼文，又似由人生名者，彼以其官掌夏德，又稱之，故以夏氣昭明命之耳。

金正曰蓐收，秋物摧蓐而可收也。其祀該焉。○蓐音辱，本又作辱。摧，祖回反。水正曰玄冥，水陰而幽冥。其祀脩及熙焉。○冥，亡丁反。土正曰后土。土爲群物主，故稱后也。其祀句龍焉。在家則祀中霤，在野則爲社。○霤，力救反。

疏注土爲至爲社○正義曰：后者，君也。群物皆土所載，故土爲群物之主，以君言之，故云后土也。賈逵云：句芒祀於戶，祝融祀於竈，蓐收祀於門，玄冥祀於井，后土祀於中霤。今杜云在家則祀中霤，是同賈說也。家謂宮室之內，對野爲文，故稱家，非卿大夫之家也。言在野者，對家爲文，雖在庫門之內，尚無宮室，故稱野。且卿大夫以下社在野田，故周禮大司徒云：設其社稷之壝而樹之田主，各以其野之所宜木。又曰：辨其邦國都鄙之數，制其畿疆而溝封之，設其社稷之壝……

昭二十九

草木遂以名其社鄭玄云社祭后土及田正之神田主田神后土田正之所依也詩人謂之田祖所宜木謂若松栢栗也
是在野則祭爲社也此野田之社民所共祭即月令仲春之月擇元日命人社是也劉炫云天子以下俱荷地德皆當祭
地但名位有高下祭之有等級天子祭地祭大地之神也諸侯不得祭地使之祭社也家又不得祭社使祭中霤也霤亦
地神所祭小故變其名賈逵以句芒祀於戶云云言排天子之祭五神亦如此耳社以別祭五行神以五官配之非祀此
五神於門戶井竈中霤也門戶井竈直祭門戶等神不祭句芒等也唯有祭后土者亦是土神故特辨之云在家則祀中
霤在野則爲社言彼與中霤亦是土神但祭有大小郊特牲云社所以神地之道也地載萬物取財於地教民美報焉家
主中霤而國主社示本也是在家則祀中霤也大同徒以下同此禮也**龍水物也水官**
奔矣故龍不生得也奔發【疏】龍水至生得○正義曰漢氏先儒說左氏者皆
以爲五靈配五方龍屬水鳳屬火麟屬土白虎屬金神龜屬水其五行之次木生火火生土土生金金生水水生木王者
脩其母則致其子水官脩則龍至木官脩則鳳至火官脩則麟至土官脩則白虎至金官脩則神龜至故爲其說云視明
張言劉校　秋踩五十三　鄉林重校　七　余孫進刊
禮脩而麟至思睿信立而白虎擾言從文成而神龜在沼聽聰知正而名川出龍貌恭體仁則鳳皇來儀皆脩其母而致
其子也解此龍水物者言龍爲東方之獸是此方水官之物也水官廢矣故龍不生得言母不脩故子不至也杜氏既無
其說未知與舊同否此下不注似與舊說異成當以爲龍是水內生長故爲水官之物水官廢矣故龍不生得言水官不
脩故無水內之靈獸也若如此解則上云物有其官當謂五靈之物各各自有其官官能脩理各自致物龍是水內之物
可令水官致龍其鳳皇麟虎之輩共在天地之間不是稼金食火木生土出未知何官致鳳何官致虎未測杜旨不可強
言是用闕疑以俟來哲**不然周易有之**言若不爾周易無緣有龍**在乾**䷀
乾下乾上乾○乾其連反本亦作乾**之姤**䷫巽下乾上姤乾初九變○姤古豆反**曰潛龍**
勿用乾初九爻辭○爻户交反**其同人**䷌離下乾上同人乾九二變**曰見龍**
在田乾九二爻辭**其大有**䷍乾下離上大有乾九二變**曰飛龍在**
天乾九五爻辭**其夬**䷪乾下兌上夬乾上九變○夬古快反兌徒外反**曰亢龍**

有悔○乾上九爻辭亢苦浪反**其坤**䷁坤上坤下坤乾六爻皆變○坤本又作巛空門反
曰見羣龍無首吉乾用九爻辭**坤之剝**䷖坤下艮上剝坤上六
變○剝邦角反艮古恨反**曰龍戰于野**坤上六爻辭【疏】在乾至于野○正義曰傳例上下雖
不用筮但指此卦其爻之義者即以其爻之變更別爲卦卻云此卦之某卦則此乾之姤宣十二年師之臨是也劉炫云
杜以之爲適啓謂易之爻變則成一卦遂以彼卦名爻乾之初九姤卦爻九二同人爻九五大有爻上九夬卦爻用九全
變則成坤卦故謂用九爲坤蔡墨此意取易文耳非探著求卦安有之適之義若以之爲之適則其非之適之意何以言
其同人其大有此本當言初九九二但以爻變成卦即以彼卦名爻其意不取於之適所言其同人其大有猶引詩言其
二章其三章先引初九故言乾卦之姤爻初九言乾以下不復須云乾故言其同人其大有說乾卦而其之其此同人爻
其此大有爻以下文勢柔皆若是也○之姤○正義曰巽下乾上姤乾之初九爻變而成姤卦也其彖曰姤遇也柔遇剛
也乾爲天爲剛巽爲風爲柔風行必有所遇猶女行而遇男故名此卦爲姤也○注乾初九爻辭○正義曰蔡墨此言取
張言刻校　秋踩五十三　林重校　八　葉居發
易有龍字而已無取於易之義理故杜注唯指其辭之所在不解其辭之意其說易者自具於此不復煩言也○同人○
正義曰離下乾上同人乾之九二爻變而成同人之卦也其彖曰天與火同人天體在上火性炎上同于天也猶君設政
教而臣民從之和同之義故名此卦爲同人也嘏要云天在上火炎上同于天天不可同故曰同人○大有○正義曰乾
下離上大有乾之九五爻變而成大有之卦也其彖曰大有柔得尊位大中而上下應之曰大有柔得尊位謂六五也五
位尊而柔居之處尊以柔居中以大體無二陰以分其應上下應之無所不納大有之義故名此卦爲大有○夬○正義
曰乾下兌上夬乾之上九爻變而成夬卦也其彖曰夬決也剛決柔也此卦五陽而決一陰乾爲天爲剛爲健兌爲澤爲
柔劉說以剛正決柔邪故名此卦爲夬○注乾用九爻辭○正義曰乾之六爻皆陽坤之六爻皆陰以二卦其爻既純故
別總其用而爲之辭故乾有用九坤有用六餘卦其爻不純無總用也六爻皆變乃得總用乾之六爻皆變則成坤卦故
謂用九之辭爲其坤也六爻既變而不用卦下之辭皆周易用變卦下之辭非變爻無龍又安墨指說於龍故以用爲語
○坤之剝○正義曰坤下艮上剝坤之上六爻變而成剝卦也其彖曰剝剝也柔變剛也剝卦五陰而一陽陰漸長而滅

陽消剥長而剥損正道故名此卦爲剥也若不朝夕見誰能物之物謂所稱龍名不同也今說易者皆以龍喻陽氣如蔡墨之言則爲皆是眞龍【疏】若不至物之。正義曰蔡墨言古者能可生得人皆見之故周易之辭以龍爲物若使龍不朝夕出見誰能知其動靜而得以物名之易言潛龍飛龍及龍戰之等明是見其飛潛見其戰鬭而得以物名之是知龍可生得古人見龍形也獻子曰社稷五祀誰氏之五官也問五官之長皆是誰對曰少皞氏有四叔少皞金天氏。皞戶老反【疏】少皞氏有四叔。正義曰少皞氏有四叔四叔是少皞之子孫非一時也未知於少皞遠近也四叔出於少皞耳其使重爲句芒非少皞使之世族譜云少皞氏其官以鳥爲名然則此五官皆在高陽之世也楚語云少皞氏之衰也九黎亂德民神雜擾不可方物顓頊受之乃命南正重司天以屬神命火正黎司地以屬民是則重黎居官在高陽之世也又鄭語云黎爲高辛氏火正命之曰祝融則黎爲祝融又在高辛氏之世案世本及楚世家云高陽生稱稱生卷章卷章生黎如彼文黎是顓頊之曾孫也楚語云少皞之衰顓頊受之即命重黎似是即

位之初不應即得命曾孫爲火正也少皞世代不知長短顓頊初已命黎至高辛又加命不應一人之身緜歷兩代事既久遠書復散亡如此參差雖可考校世家云共工作亂帝嚳使黎誅之而不盡帝誅黎而以其弟吳回爲黎復居火正爲祝融即如此言黎或是國名官號不是人之名字顓頊命黎高辛命黎未必共是一人傳言世不失職二者或是父子或是祖孫其事不可知也由此言之少皞四叔未必不有在高辛世者也此五祀者死官有功以功見祀不是一時之人脩熙相代爲水正即非一時也且傳言世不失職使是積世能官其功益大非是暫時有功遂得萬世承祀明是歷選上代取其中最有功者使之配食亦不知初以此人配食何代聖王爲之蓋在高辛唐虞之世耳曰重曰該曰脩曰熙實能金木及水能治其官。重直龍反該古咳反使重爲句芒木正該爲蓐收金正脩及熙爲玄冥二子相代爲水正世不失職遂濟窮桑此其三祀也窮桑少皞之號也四子能治其官使不失職濟成少皞之功死皆爲民所祀窮桑地在魯北【疏】注窮桑至魯北。正義曰

窮桑少皞之號帝王世紀亦然賈逵云處窮桑以登爲帝故天下號之曰窮桑帝賈以濟爲渡也言四叔子孫世不失職遂渡少皞之世杜以少皞之世以鳥名官不得有木正火正故以濟爲成四子能治其官使不失職濟成少皞之功言少皞有五功子孫能成之故死皆爲民所祀也少皞居窮桑定四年傳稱封伯禽於少皞之虛故云窮桑地在魯北土地名窮桑闕言在魯北相傳云耳顓頊氏有子曰犂爲祝融犂爲火正。顓音專頊許玉反共工氏有子曰句龍爲后土共工在大皞後神農前以水名官其子句龍能平水土故死而見祀。共音恭【疏】注共工至見祀。正義曰十七年傳郯子言前世名官從下而上充言炎帝以火名次言共工以水名次言大皞以龍名是共工在大皞後神農前以水名官者也諡法曰共工氏之霸九州也其子曰后土能平九州故祀以爲社能平九州是能平水土也言共工有子謂後世子耳亦不知句龍之爲后土在於何代少皞氏既以鳥名官此當在顓頊以來耳此其二祀也后土爲社方荅社稷故明言爲社【疏】注方荅至爲社。正義曰獻子問社稷五祀既荅五祀當更荅社稷但句龍既爲后

土又亦配社蔡墨既荅五祀方荅社稷故明言后土爲社也稷田正也掌播殖也【疏】稷田正也。正義曰月令云孟春行冬令則首種不入鄭玄云首種謂稷也周語云宣王不藉千畝虢文公諫曰民之大事在農是故稷爲大官然則百穀稷爲其長遂以稷名爲農官之長正長也稷是田官之長有烈山氏之子曰柱爲稷烈山氏神農世諸侯。烈如字禮記作厲山【疏】烈山至諸侯。正義曰魯語及祭法皆云烈山氏之有天下也其子能殖百穀故祀以爲稷言有天下則是天子矣杜注不得爲諸侯也賈逵鄭玄皆云烈山炎帝之號杜言神農世諸侯者案帝王世紀神農本起烈山然則初封烈山爲諸侯後爲天子猶帝堯初爲唐侯然也若然烈山即神農而云神農世爲諸侯者案世紀神農爲君總有八世至榆罔而滅亦稱神農氏是總號神農也故烈山氏得於神農之世爲諸侯後爲神農也劉炫以爲烈山氏即神農非諸侯而規杜非也此及魯語皆云其子鄭注祭法云農者劉炫云蓋柱也名其官曰農猶呼周棄爲稷自夏以上祀之祀柱。上時掌反周棄亦爲稷棄周之始祖能播百穀湯既勝夏廢柱而以棄代之【疏】注棄周至

代之○正義曰棄為周之始祖能播百穀經傳皆有其事以其後世有天下號國曰周故以周棄謂之時未稱周也書序云湯既勝夏欲遷其社不可作夏社孔安國云湯承堯舜禪代之後順天應人逆取順守而有慚德故革命創制改正易服變置社稷而後世無及句龍者故不可而止是言成湯變置社稷之由也湯於帝世年代尚近功之多少傳習可知故得量其優劣考於祀典意欲遷之以無及句龍乃追於柱廢社以棄為稷也其五祀之神皆不遷之者其更有賢能亦應遷改但其功莫之能先帝王不改易故歷世不遷萬代常祀由後世之臣弱故以下之臣不能及也　自

商以來祀之　傳言以來稷祀物○冬晉趙鞅荀寅帥師城汝濱　趙鞅趙武孫也荀寅中行荀吳之子汝濱晉所取陸渾地也濱音賓行戶郎反　遂賦晉國一鼓鐵以鑄刑鼎　令晉國各出功力共鼓石為鐵計令一鼓而足因軍役而為之故言遂○鑄之樹反（疏）注令晉至言遂○正義曰服虔云賦量名也曲禮曰獻米者操量鼓是晉國一鼓鐵以鑄之但禮之將命置重而執輕鼓可操之以將命豆區之類亦大器也雖用一鼓則不足以成鼎家滅一鼓而鐵則大矣且金鐵之物當稱之以權衡數之以鈞石寧用量米之器量之哉故杜以為賦晉國者令民各出功力均賦其功也冶石為鐵用橐扇火動橐謂之鼓今時俗語猶然令衆人鼓石為鐵計令一鼓使足故云一鼓而足賦晉國一鼓鐵也遂者因上之辭因城汝濱遂鑄刑鼎故言遂也　著范宣子所為刑書焉仲尼曰晉其亡乎失其度矣夫晉國將守唐叔之所受法度以經緯其民卿大夫以序守之　序位也（疏）晉國至刑書○正義曰宣子制作刑書施於晉國自使朝廷承用未嘗宣示下民今謂晉國所以尚此等宣子之書可以長為國法故鑄鼎而銘之以示百姓猶鄭鑄刑書叔向非之此亦其類故孔子譏之與叔向同　民是以能尊其貴貴是以能守其業貴賤不愆所謂度也（疏）民是至不愆○正義曰守其法民不敢犯是時制宜輕重難測民是以能尊其貴畏其威刑也官有正法民常畏威貴是以能守其業保祿位也貴者執其權柄賤者畏其威嚴貴賤尊卑不越此乃所謂度也

言所謂法度正如此是也　文公是以作執秩之官為被廬之法　僖二十七年文公蒐被廬脩唐叔之法○被皮義反廬力居反蒐本又作搜所求反　以為盟主今棄是度也而為刑鼎民在鼎矣何以尊貴　民知爭端不務禮徵於書故不尊貴　貴何業之守　則上失其業　貴賤無序何以為國（疏）今棄至為國○正義曰今棄是度而為刑鼎民知罪之輕重在於鼎民皆以為貴賤不殊尊卑無序何以尊貴貴何業之守也貴無可守則賤不畏貴何以將國　且夫宣子之刑夷之蒐也晉國之亂制也　范宣子所用刑乃夷蒐之法也夷蒐在文六年一蒐而三易中軍賈季箕鄭之徒遂作亂故曰亂制○蒐所求反（疏）注范宣至亂制○正義曰文六年蒐於夷舍二軍使狐射姑將中軍趙盾佐之陽處父至自溫改蒐於董易中軍以趙盾將中軍狐射姑佐之是一蒐而三易中軍也杜以射姑將中軍趙盾佐之為一易也改蒐於董易中軍以趙盾將中軍是二易也致使賈季箕鄭之徒怨恨而作亂亂作起自此蒐而有此亂故曰晉國之亂制　若之何以為法蔡史墨曰　蔡史墨即蔡墨　范氏中行氏其亡乎中行寅為下卿而干上令擅作刑器以為國法是法姦也又加范氏焉易之亡也　范宣子刑書中既廢矣今復興之是成其咎○擅市戰反復扶又反（疏）又加至亡也○正義曰宣子之書已廢矣今復興之是成其咎之易也今范氏之惡焉范氏已欲免禍今復為之刑鼎則為范氏之禍也　其及趙氏趙孟與焉然不得已若德可以免　鑄刑鼎本非趙鞅意不得已而從之若能脩德可以免禍為定十三年荀寅士吉射入朝歌以叛○朝如字

經三十年春王正月公在乾侯。釋不朝正于廟。夏六月庚辰，晉侯去疾卒。未同盟而赴以名。○去疾起呂反。秋八月葬晉頃公。三月而葬速。○頃音傾。疏頃公○正義曰：謚法慈仁和民曰頃。○冬十有二月，吳滅徐，徐子章羽奔楚。徐子稱名，以名告也。

傳三十年春王正月，公在乾侯，不先書鄆與乾侯，非公且徵過也。徵，明也。二十七年、二十八年公在鄆，二十九年公在乾侯，而經不顯書其所在，使若在國然，自是鄆人潰，叛齊晉，卑公子家忠謀，終不能用，內外弃之，非復過誤所當掩塞，故每歲書公所在。○徵直升反，或作懲，誤。復扶又反。疏至過也○正義曰：經書公在乾侯者，季氏以告廟，釋不得朝正故，國史書之于策也。釋例曰：昭公之孫，每正月必書者，以孫告廟也。公二十五年始出居鄆，及乾侯，累歲在外，而仲尼不書于經，故傳曰不先書鄆與乾侯，非公且徵過也。既以非責公之妄，且明過謬之可掩，故不顯書其在外，使若在國然也。自三十年至於終沒，則皆顯書其所在之地。傳皆稱年而互言其事，明罪之在公，非復過謬也。三代封建，自上及下，降殺以兩，君不亢高，臣不極卑，遞弱相參，衆力相須，賢愚相厠，故雖有昏亂之君，亦有忠賢之輔。我周東遷，晉鄭是依，無知之亂，齊獲小白，驪姬之妖，重耳以興，天下雖亂而不土崩，海內雖鼎沸而不盆溢。天生季氏，以二魯侯，季氏未有篡奪之心，昭公雖失志，亦無抽筋倒懸之急，聽用隸豎侘傺之私，既不能強，又不能弱，所以自死於外，見貶於春秋也。是言罪在公，書公在之意也。杜言見貶於春秋者，公當在國治民，每歲書公在外，是其貶責公也。劉炫云：序云諸言不書，皆仲尼所意。然則前三年魯史皆書公在，仲尼去之。仲尼所以不於此先書公在鄆與乾侯者，所以非公之妄，妄伐季氏，且明過謬猶可掩。此年書者，自是鄆人潰叛云云。此年云非公且徵過，三十一年云言不能外內，三十二年云言不能外內，又不能用其人，每歲發傳言公之罪也。○正義曰：不先書鄆與乾侯，一事之中有兩意，一者非責公之妄，一者明公過謬猶可掩也。非責公之妄者，以君舉必書，書公在乾侯與鄆，臣子當委曲詳錄，今輒略不記，以若不足可錄然，所以非責公之妄也。明公過謬猶可掩者，彼臣所逐，出居於外，若顯然書之，則恥惡尤甚，故隱而不書，猶若在國，欲明公過謬之失尚可容掩也。此以徵為明，明公過可掩也。襄二十八年傳云：王人來告喪，問崩日，以甲寅告，故書之以徵過。徵亦為明，明告喪者之過也。彼言徵審也，審其事知無他故，以明其過失也。服虔云：非公且徵過，昭公無道，久在外，季氏非公，不肯釋言公在某地。春秋之義，亦以不書徵季氏之過。此年書者，公不得入晉，外內有困辱，季氏因而釋之，所謂事君如在國。案明年傳云言不能外內，又不能用其人，皆是傳說經意非責昭公，不是季氏非公也。即如服言，往前季氏非公，不肯釋公所在，此年以後，方始閔而釋之，所謂事君如在國，則往前未釋之時，不如在國矣。二十七年扈之會，范獻子何以已言季氏事君如在國也。季氏奪公鄆邑，與公交戰，行貨齊晉，使不納公，僑于陽宮，求君不入，及其死也，猶欲絕其兆域，加之惡謚，閔公之事，復安在乎。

侯吉劉校　秋疏五十三　十三

○夏六月，晉頃公卒。秋八月葬。鄭游吉弔，且送葬。魏獻子使士景伯詰之，曰：悼公之喪，子西弔，子蟜送葬。在襄十五年。○詰起吉反，蟜居表反。今吾子無貳，何故？弔、送共使。○使所吏反。對曰：諸侯所以歸晉君，禮也。禮也者，小事大，大字小之謂。事大在共其時命，隨時共所求。○共音恭，注及下同。字小在恤其所無。以敝邑居大國之間，共其職貢，與其備御不虞之患，豈忘共命？言不敢忘共命，以新備御者多，不及。○御魚呂反，注同。辦皮莧反。先王之制，諸侯之喪，士弔，大夫送葬；唯嘉好、聘享、三軍之事於是乎使卿。晉之喪事，敝邑之間，先君有所助執紼矣。紼，輓索也。禮，送葬必執紼。○紼音弗，輓音晚，本又作挽，音同，索悉各反。疏注紼輓至執紼○正義曰：紼，禮或作綍。禮記緇衣云：王言如絲，其出如綸；王言如綸，其出如綍。綍是大繩也。周禮：天子葬用六綍，喪大記：君葬用四綍，大夫葬用二綍。紼為葬之所用，是輓索也。案禮雜記：諸

侯吉劉校　秋疏五十三　林重校　十四

侯孰侍九百人大夫三百人鄭玄云天子蓋千人也天子諸侯之喪殯于西序而為椁以帷覆之[illegible]王制云天子七日而殯…[illegible]

若其不閒雖士大夫有所不獲數矣(王禮數)大國之惠亦慶其加(慶善也謂善其君自行)而不討其乏明厎其情(厎致也○厎音旨)取備而已以為禮也靈王之喪(在襄二十九年)【疏】慶其至而已○正義曰善其有加不討其乏明知鄭國致其情意取充備而已我先君簡公在楚我先大夫印段實往敝邑之少卿也(少年少也○卿…反少詩照反注同)【疏】我先君簡公在楚○正義曰由簡公在楚上卿守國故少卿行耳鄭玄以為…簡公若在君當自行其言非傳旨也王吏不討恤所無也今大夫曰女盍從舊(女音汝下同…)舊有豐有省不知所從從其豐則寡君幼弱是以不能詰(詰…所景反下同)其從其省則吉在此矣唯大夫圖之晉人不詰(傳言大叔之敏)○吳子使徐人執掩餘使鍾吾人執燭庸(二十七年奔楚)二公子奔楚楚子大封而定其徙(大封與土田定其所徙之居)使監馬尹大心逆吳公子使居養(二子奔楚…養所封之邑…)莠尹然左司馬沈尹戌城之(城養○…)取於城父與胡田以與之(…)將以害吳也子西諫

昭二十

曰吳光新得國而親其民視民如子辛苦同之將用之也若好吳邊疆使柔服焉猶懼其至(柔服謂不與吳構怨○…)吾又疆其讎以重怒之無乃不可乎(讎謂二公子…)吳周之胄裔也而棄在海濱不與姬通今而始大比于諸華光又甚文將自同於先王(先王謂大王王季…西戎始比諸華○…)不知天將以為虐乎使翦喪吳國而封大異姓乎(又反大王音泰)其抑亦將卒以祚吳乎其終不遠矣(言其事行可知不久○…)我盍姑億吾鬼神(億安也○…)而寧吾族姓以待其歸(待吉凶之歸)將焉用自播揚焉(播揚猶勞動也○焉於虔反播波我反又波賀反注同)王弗聽吳子怒冬十二月吳子執鍾吾子遂伐徐防山以水之(防壅山水以灌徐○…)己卯滅徐徐子章禹斷其髮(斷髮自刑示服○斷丁管反注同)攜其夫人以逆吳子吳子唁而送之使其邇臣從之遂奔楚(邇近也)楚沈尹戌帥師救徐弗及遂城夷使徐子處之(夷城父也)吳子問於伍員曰初而言伐楚(在二十年○員音云)余知其可也而恐其使余往也又惡人之有余之功也今余將自有之矣伐楚何如對曰楚執政眾而乖莫適任患若為三師以肆焉(肆猶勞也○惡烏路…)

昭二十

反適丁歷反任音壬肄本又作肄以制反下同一師至彼必皆出彼出則歸彼歸則出楚必道敝罷敝於道○罷音皮下文同亟肄以罷之亟數也○亟去冀反數所角反多方以誤之既罷而後以三軍繼之必大克之闔廬從之楚於是乎始病爲定四年吳入郢傳

經三十有一年春王正月公在乾侯○季孫意如會晉荀躒于適歷適歷晉地○躒力狄反適丁歷反○夏四月丁巳薛伯穀卒襄二十五年盟重丘○重直龍反（疏）注襄二十五至重丘○正義曰傳言同盟故書此薛與魯同盟唯重丘以前薛入春秋以來卒者不見經傳未知此穀以何年即位故舉今近者言之○晉侯使荀躒唁公于乾侯唁公故荀躒來唁○秋葬薛獻公無傳○冬黑肱以濫來奔黑肱邾大夫濫東海昌慮縣不書邾史闕文○濫力甘反或力暫反慮音閭又如字（疏）注不書邾史闕文○正義曰公羊穀梁亦以濫爲邾邑而傳解其无邾之意言邾人以濫封此黑肱使爲別國故不繫於邾以非天子所封故无子男爵說其言不可通於左氏左氏无傳明是闕文二傳見其文闕而妄爲說耳○十有二月辛亥朔日有食之

傳三十一年春王正月公在乾侯言不能外內也公內不容於臣子外不容於晉所以久在乾侯○晉侯將以師納公范獻子曰若召季孫而不來則信不臣矣然後伐之若何晉人召季孫獻子使私焉曰子必來我受其無咎言我爲子受其咎○咎其九反下同（疏）

我受其無咎○正義曰言我爲子受其咎任其役子必无咎受其咎故保任之季孫意如會晉荀躒于適歷荀躒曰寡君使躒謂吾子何故出君有君不事周有常刑子其圖之季孫練冠麻衣跣行示憂戚○跣蘇典反（疏）今練至跣行○正義曰練冠蓋亦喪服斬衰既練之後亦冠也麻衣當是布深衣也跣行不履以其不得事君示己憂戚之深也伏而對曰事君臣之所不得也敢逃刑命言事君君不肯還不敢辭罪君若以臣爲有罪請囚于費以待君之察也亦唯君若以先臣之故不絕季氏而賜之死若賜以死不絕其後○費音祕（疏）不絕至之死○正義曰不絕季氏之祀或更立其子弟直賜其身死而已服虔云言賜不使死是爲以死賜之若賜死即是不殺下句何須更言若弗殺弗亡君之惠也死且不朽若得從君而歸則固臣之願也敢有異心君皆謂晉侯也蓋季孫辭言○夏四月季孫從知伯如乾侯知伯荀躒○知音智子家子曰君與之歸一慙之不忍而終身慙乎公曰諾衆曰在一言矣君必逐之言晉既一言使晉必逐之荀躒以晉侯之命唁公且曰寡君使躒以君命討於意如意如不敢逃死君其入也公曰君惠顧先君之好施及亡人將使歸糞除宗祧以事君則不能見夫人己所能見夫人者有如河夫人謂季孫也言若見季孫己當受禍明如河以自誓○好呼報反施以

□反□他弔反夫音扶下及注同荀躒掩耳而走揜公所言示不忍聽曰寡君其罪之恐敢與知魯國之難言恐獲不納君之罪今納而不入何敢與知○與音預難乃旦反臣請復於寡君復扶又反退而謂季孫君怒未怠子姑歸祭猶攝君事子家子曰君以一乘入于魯師季孫必與君歸公欲從之眾從者脅公不得歸傳言君弱不得復自在○乘繩證反眾從才用反○薛伯穀卒同盟故書謂書名也入春秋來薛始書名故發傳經在荀躒唁公上傳在下者從魯事相大夫○秋吳人侵楚伐夷侵潛六皆楚邑楚沈尹戌帥師救潛吳師還楚師遷潛於南岡而還吳師圍弦左司馬戌右司馬稽帥師救弦及豫章左司馬沈尹戌○稽音雞又古兮反吳師還始用子胥之謀也謀在三十年○冬邾黑肱以濫來奔賤而書名重地故也黑肱非命卿故曰賤君子曰名之不可不慎也如是是黑謂此也夫有所有名而不如其已有所謂有地也言有名不如無名已止以地叛雖賤必書地以名其人終為不義弗可滅已是故君子動則思禮行則思義不為利回回邪也○不為于偽反下不為同不為義疚疚病也見義則為之○疚久又反或求名而不得或欲蓋而名章懲不義也齊豹為衛司寇守嗣大夫守先人之嗣言其尊○守手又反下同作而不義其書為盜求名而不得在二十年豹殺衛侯兄欲求不畏強禦之名邾

庶其在二十一年莒牟夷在五年邾黑肱以土地出求食而已不求其名賤而必書春秋叛者多唯取三人來適魯者三人皆小國大夫故曰賤此二物者所以懲肆而去貪也二物謂書盜與書叛者也肆放也齊豹書盜懲肆也三叛人名去貪也○去起呂反若艱難其身以險危大人大人在位者而有名章徹謂齊豹身為勇名攻難之士將奔走之攻猶作也奔走猶趣也○難乃旦反若竊邑叛君以徼大利而無名謂不書其人名○徼古堯反貪冒之民將寘力焉盡力為之不顧於見書○冒莫北反又亡報反寘之豉反是以春秋書齊豹曰盜三叛人名以懲不義數惡無禮其善志也志記也言其善記事○數所主反注同故曰春秋之稱微而顯文微而義著○稱尺證反婉而辨辭婉而旨別○婉紆阮反別彼列反【疏】婉而辨○正義曰此婉而辨與微而顯其意一也故杜云辭婉而旨別辭婉則文微也言別則義顯也上句微而顯者據文雖微而義理顯著句婉而辨者辭雖婉順而旨意有殊故重起其文也此與成十四年婉而成章其事異也彼謂諱君惡與此不同也上之人能使昭明上之人謂在位者能行其法非賤人所能善人勸焉淫人懼焉是以君子貴之○十二月辛亥朔日有食之是夜也趙簡子夢童子臝而轉以歌轉婉轉也○臝本又作裸力果反旦占諸史墨曰吾夢如是今而日食何也簡子夢適與日食會謂咎在己故問之對曰六年及此月也吳其入郢乎終亦弗克史墨知夢非日食之應故釋日食之咎而不釋其夢○郢以井反又以政反應應對之應入郢必以庚辰庚辰有變日在

辰尾故曰以庚辰定四年十一月庚辰吳入郢【疏】注庚日至入郢○正義曰於天文房心尾為大辰尾是辰後之星也日在辰尾自謂在辰星庚辰入郢乃謂日是辰日二辰不同而以日在辰尾配庚為辰者二辰實非不同而同而同名曰辰以其名同故取以為占此則史墨能知非是人情所測定四年十一月庚辰吳入郢是其言之驗也此十二月日食彼十一月入郢則是未復其月而云及此月者長歷定四年閏十月庚辰吳入郢是十一月二十九日杜云昭二十一年傳曰六年十二月庚辰吳入郢今十一月若并閏數也然則彼是新閏之後且十一月二十九日又其月盡故得為及此月也

日月在辰尾辰尾龍尾也周十二月今之十月日月合朔於辰尾而食【疏】注辰尾至而食○正義曰東方七宿角亢氐房心尾箕共為蒼龍之躰南首北尾角即龍角尾即龍尾釋天云大辰房心尾也是房心與尾共為大辰故言辰尾龍尾也周十二月今之十月月令孟冬之月日在尾是此時日月合朔於辰尾而日食也

庚午之日日始有謫火勝金故弗克謫變氣也庚午十月十九日去辛亥朔四十一日雖食在辛亥更以始變為占也午南方楚之位也午火庚金也日以庚午有變故災在楚楚之仇敵唯吳故知入郢必吳火勝金者金為火妃食在辛亥亥水也水數六故六年也○謫直革反【疏】注謫變至年也○正義曰昔義云陽事不得適見於天日為之食謫譴責也人有咎責氣見於天故謫為變氣也長歷此年十月壬子朔故庚午是十月十九日也從庚午下去十二月辛亥朔為四十一日雖食在辛亥之日而更以庚午為占舍近而取遠自是史墨所見其意不可知也午為南方之辰楚是南方之國故午為楚之位也午是南方之辰火也庚是西方之日金也日以庚午有變午在南方必南方之國當其咎故災在楚楚之仇敵唯有吳耳故知入郢必是吳也其日與午庚金午火五行相刻火勝金金以畏火之故金為火妃夫妻相得而釁是楚釁盛之非雖被吳入必不亡國故知吳入郢終亦弗克言其不能滅楚也食在辛亥之日亥在北方水位也北方水數六故曰六年吳入郢也

經三十有二年春王正月公在乾侯取闞無傳公別居乾侯遣人誘闞而取之不用師徒○闞口暫反【疏】公別至師徒○正義曰公羊傳曰闞者何邾婁之邑也案傳定元年將葬昭公季孫使役如闞公氏將溝焉則闞是魯公葬地非是邾邑公羊不可通於左氏也土地名東平須昌縣東南有闞城是也賈逵云昭公得闞季氏奪之不因師徒謂此取闞為季氏取於公也案檢經傳公自出奔以來往齊侯取鄆以居公耳未有公取闞之處安得取於公也且君是季氏奪公無由得告魯書經故杜以為公取之也四年傳例曰凡克邑不用師徒曰取知公遣人誘而取之不用師徒也

夏吳伐越○秋七月○冬仲孫何忌會晉韓不信齊高張宋仲幾衛世叔申鄭國參曹人莒人薛人杞人小邾人城成周世叔申世叔儀孫也國參子產之子不書盟府公在外未及告公公已薨○參七南反【疏】注世叔至已薨○正義曰傳稱晉魏舒合諸侯之大夫于狄泉尋盟令城成周則此時為盟矣而不書盟者晉述云魯有昭公雖敘會而不盟案傳文無魯人辭盟之事且城成周又魯人共城之矣何以言會而不盟也若以難辭當辭不會身既在會何故辭若以昭公在外而欲背盟乎故杜以為不書盟者時公在外未及告公而公已薨既不得告公故不書於經也案傳尋盟令城成周則盟在城前猶得書城而盟不書者晉合諸侯大夫本以城事召之孟懿子將從晉命即以告公雖會還乃書而已告公訖故得書之其尋盟之事晉不豫令諸侯大夫既集晉始發意尋盟之事未嘗告公故行還不得書也此云城成周者實未城也晉人始計功庸賦文數以令諸侯耳明年傳稱正月庚寅栽三旬而畢是明年始城也此未城而已書城知本以城事召集因集而書城耳

十有二月己未公薨于乾侯十五日【疏】注十五日○正義曰傳言十一月令城成周盟無其日明年乃始城之當在月之將末杜顯言此未五日者言盟去公薨日近以明未及告意也

傳三十二年春王正月公在乾侯言不能外內又不能用其人也其人謂子家羈也言公不能用其人故於今猶在乾侯○

夏吳伐越始用師於越也自此之前雖疆事小爭未嘗用大兵○疆居良反爭爭鬬之爭史墨曰不及四十年越其有吳乎存亡之數不過三紀歲星三周三十六歲故曰不及四十年哀二十二年越滅吳至此三十八歲越得歲而

吳伐之必受其凶此年歲在星紀星紀吳越之分也歲星所在其國有福吳先用兵故反受其殃○分扶問反殃於良反疏注此年至其殃○正義曰十一年傳稱萇弘對景王云歲在豕韋言十一年歲星在豕韋也又曰歲在大梁蔡復楚凶謂十三年歲星在大梁也十三年距此十九年耳歲星歲行一次十二年而行天一周則二十五年復在大梁從彼而數之則此年當至析木之津而此年歲在星紀者歲行一次舉大數耳其實一歲之行有餘一次故劉歆三統之術以為歲星一百四十四年行天一百四十五次計一千七百二十八年爲歲星歲數言數滿此年剩得行天一周三統之歷以庚戌爲上元從上元至襄二十八年積十四萬二千六百八十六歲置此歲數以歲星歲數一千七百二十八除之得積終八十二去之歲餘九百九十以一百四十五乘歲餘得十四萬三千五百五十以一百四十四除之得九百九十六爲積次不盡一百二十六爲次餘從襄二十八年至昭十五年合有一十八年歲星一年行一次年有一餘以次加次得一千一十四以餘加餘得一百四十四餘數滿法又成一次以從積次得一千一十五也以十二次之餘餘次一百四十四周七个一百四十四年還得剩行天一周也餘七命起星紀筭外得鶉火是昭十五年歲星在鶉火也計十三年在大梁十五年當在鶉首而在鶉火者由其餘分數滿剩得一次猶如閏餘滿而成月也以十五年歲在鶉火歷而數之則二十七年復在鶉火故此年在星紀也於十二次分野星紀是吳越之分也歲星是天之貴神所在之次其國有福今越得歲星故吳伐之則凶也吳越同分而得越福吳凶者以吳先用兵故反受其殃賈逵云然社從之也鄭玄云天文分野斗主吳牽牛主越此是歲星在牽牛故吳伐之凶案史傳所云吳越同分不言於次之內更復分星姜氏任氏共守玄枵後以何星主齊何星主薛也且據三統之術星紀之初斗十二度至於牽牛初度乃爲中耳十五年餘分始滿則此年之初歲星初入此次戉越在吳未得已至牽牛鄭之此說爲妄之甚也○秋八月王使富辛與石張如晉請城成周子朝之亂其餘黨多在王城敬王畏之徙都成周成周狹小故請城之○狹音洽天子曰天降禍于周俾我兄弟並有亂心以爲伯父憂俾使也兄弟謂子朝也伯父謂晉侯○俾本又作卑同必爾反注同我一二親暱甥舅不皇啓處

於今十年謂二十三年二師圍郊至于今○暱女乙反疏注謂二至于今○正義曰案二十七年十二月晉籍秦致諸侯之戍于周而此杜云二十八年者以二十月垂盡去在十二月至周則在二十八年故云五年也勤戍五年謂二十八年晉籍秦致諸侯之戍至于今余一人無日忘之念諸侯勞閔閔焉如農夫之望歲懼以待時閔閔憂貌王憂亂常閔閔冀望安定如農夫之憂飢冀望來歲之將熟伯父若肆大惠復二文之業弛周室之憂肆展放也二人謂文侯仇文公重耳弛猶解也○弛式氏反注同重直龍反徼文武之福以固盟主宣昭令名則余一人有大願矣昔成王合諸侯城成周以爲東都崇文德焉作成周遷殷民以爲京師之東都所以崇文王之德○徼古堯反下同疏注作成至之德○正義曰杜知作成周爲崇文德者以上傳云徼文武之福即云成王合諸侯城成周以崇文德故以爲崇文王之德劉炫以爲崇文德之教而規杜非也今我欲徼福假靈于成王脩成周之城俾戍人無勤諸侯用寧蝥賊遠屏晉之力也蝥賊謂災害○蝥亡侯反疏注蝥賊喻災害○正義曰蝥賊食苗之蟲釋蟲云食根蝥食節賊故以蝥賊喻災害也其委諸伯父使伯父實重圖之俾我一人無徵怨于百姓徵召也○徵張升反而伯父有榮施先王庸之庸功也先王之靈以爲大功○施式豉反范獻子謂魏獻子曰與其戍周不如城之天子實云云欲城戍而城雖有後事晉勿與知可也從王命以紓諸侯晉國無憂是之不務而又焉從事魏獻子曰善使伯音對伯音韓不信○勿與音預紓音舒焉於虔反

曰天子有命敢不奉承以奔告於諸侯遲速衰序（衰差也序次也○衰初危反注同）於是焉在（在周所命）冬十一月晉魏舒韓不信如京師合諸侯之大夫于狄泉尋盟且令城成周（尋平丘盟）魏子南面（居君位）衛彪傒曰魏子必有大咎干位以令大事非其任也（彪傒衛大夫○彪彼虯反傒音兮咎其九反）詩曰敬天之怒不敢戲豫敬天之渝不敢馳驅（詩大雅戒王者言當敬畏天之譴怒不可遊戲逸豫驅馳自恣渝變也○渝羊朱反豫本或作戲反）疏注詩大至譴怒○正義曰此詩大雅板之篇刺厲王之詩也詩注以天謂厲王此據上天斷章取意　况敢干位以作大事乎己丑士彌牟營成周計丈數（計所當城之丈數也）疏注計所至丈數○正義曰謂周廻遠近之丈數也知者下別云揣高卑度厚薄攷也　揣高卑（度高曰揣○揣丁果反又初委反度待洛反下文及注同）度厚薄仞溝洫（度深曰仞○仞本又作刃而慎反洫況域反）物土方議遠邇（物相也相取土之方面遠近之宜○相息亮反下同）量事期（知事幾時畢○幾居豈反下皆同）計徒庸（知用幾人功）慮財用（知費幾材用○費芳貴反）書餱糧（知用幾糧食○餱音侯本亦作糇糧音良）以令役於諸侯屬役賦丈（付所當城尺丈○屬之欲反）疏屬役賦丈○正義曰屬役謂屬聚下役之事以告諸侯令諸國國各出若干之役衆若干之丈故云屬役賦丈　書以授帥（帥諸侯之大夫○帥所類反注同）而效諸劉子（效致也○效戶教反）韓簡子臨之以為成命（監臨其事以命諸侯經所以不書城許）○十二月公疾徧賜大夫（從公者○徧音遍從才用反下同）大夫不受賜子家子雙琥（琥玉器○琥音虎）疏注琥玉器○正義曰周禮大宗伯云以玉作六器以禮天地四方白琥禮西方鄭玄云琥猛象秋嚴禮器及記言琥多矣都不說其狀蓋刻玉為虎形也　一環一璧輕服（細好之服）疏一環一璧○正義曰釋器云肉倍好謂之璧好倍肉謂之瑗肉好若一謂之環其孔小也肉好若一其孔及邊肉大小適等曰環也　受之大夫皆受其賜己未公薨子家子反賜於府人曰吾不敢逆君命也大夫皆反其賜書曰公薨于乾侯言失其所也（不薨路寢為失所）趙簡子問於史墨曰季氏出其君而民服焉諸侯與之君死於外而莫之或罪也對曰物生有兩有三有五有陪貳故天有三辰（謂有三○陪蒲回反）地有五行（謂有五）體有左右（謂有兩）各有妃耦（謂陪貳○妃音配）王有公諸侯有卿皆有貳也天生季氏以貳魯侯為日久矣民之服焉不亦宜乎魯君世從其失季氏世脩其勤民忘君矣雖死於外其誰矜之社稷無常奉（奉之无常人言唯德也○從子用反本亦作縱）君臣無常位自古以然（史墨證古今以實言）故詩曰高岸為谷深谷為陵（詩小雅言高下有變易）疏故詩至為陵○正義曰詩小雅十月之交大夫刺幽王也　三后之姓於今為庶王所知也（三后虞夏商）疏注三后虞夏商○正義曰從周而上故數此三代三代子孫自有為國君者言其賤者為庶人也　在易卦雷乘乾曰大壯☳☰（乾下震上大壯）疏雷乘至大壯○正義曰乾下震上大壯震在乾上故曰雷乘乾乾為天為剛震為雷為動天以剛而動動則為偏壯之大

若故曰大壯天之道也乾爲天子震爲諸侯而在上君臣易位猶臣大強壯若天上有雷【疏】注乾爲至有雷○正義曰說卦乾爲天爲君君之極尊者是天子也震爲長子其卦云震驚百里將遂百里之內而有震驪之威是諸侯而在天子之上象如君臣易位是天之道也昔成季友桓之季也文姜之愛子也始震而卜卜人謁之曰生有嘉聞嘉名聞於世○始震如字一音身開音問【疏】始震而卜○正義曰震動也懷妊始動知有震娠而即卜也其名曰友爲公室輔及生如卜人之言有文在其手曰友遂以名之既而有大功於魯立僖公○名之音武攺支受費以爲上卿至於文子武子文子行父武子宿○費音祕世增其業不費舊績魯文公薨而東門遂殺適立庶魯君於是乎失國失國權○適丁歷反政在季氏於此君也四公矣民不知君何以得國是以爲君愼器與名不可以假人器車服名爵號【疏】是以至假人○正義曰器謂車服也名謂爵號也借人名器則君失位矣故不可以假人也言魯君失民是借季氏以權柄故令昭公至此出外因以戒人君使懲創也

侯嘉劉校　秋疏五十三　二十七　王良富

附釋音春秋左傳註疏卷第五十三

附釋音春秋左傳註疏卷第五十四 定元年盡四年

杜氏註　孔穎達疏

定公○陸曰定公名宋襄公之子昭公之弟諡法安民大慮曰定【疏】正義曰魯世家定公名宋襄公之子昭公之弟史傳不言其母不知誰所生也以敬王十一年即位諡法安民大慮曰定

經元年春王公之始年而不書正月公即位在六月故【疏】注公之至月故○正義曰凡新君初立必於歲首元日朝正於廟因即改元正位百官以序國史因書於策云元年春王正月公即位也其或國有事故不得行即位之禮國史亦書元年春王正月見此月公應即位而有故不得隱莊閔僖四公元年無事而空書春王正月其義也此年不書正月者公即位在六月故也傳稱昭公喪及壞隤公子宋先入則正月之時定公猶從昭公之喪在於乾侯未入魯竟國內無君不是即位之期故不須書正月也釋例曰癸亥公之喪至自乾侯戊辰公即位喪在外踰年乃入故因五日改殯之節國史用元年即位之禮因以元年爲此年也然則正月之將未有公矣公未即位元必不改而於春夏即稱元年者公未即位必未改元未改之日必乘前君之年於時春夏當名此年爲昭公三十三年及六月既改之後方以元年紀事及史官定策須有一統不可半年從前半年從後雖則年初亦統此歲故入年即稱元年也漢魏以來雖於秋冬改元史於春夏即以元年冠之是有因於古也三月晉人執宋仲幾于京師晉執人于天子之側而不以歸京師故但書其執不書所歸○幾音機【疏】注晉執至所歸○正義曰晉執仲幾傳無日月據經所書是三月始執案傳則不然也傳稱辛巳合諸侯之大夫于狄泉長歷辛巳是正月七日也既會而魏舒始卒庚寅我是正月十六日也宋仲幾不受功當於城將不肯役耳士彌牟云晉之從政者新是士鞅巳代魏舒矣乃執仲幾以歸三月歸諸京師必是既栽之後三月以前執以歸晉至三月乃歸於京師耳經書三月始執者晉人初執不告後知以歸不可至三月復歸於京師諱其以歸乃歸王故以三月執告也經晉執人諸侯不得擅治事當使歸伏於天子況在天子之側不以歸於京師晉人自知不可不以歸晉告魯故經但書其執不書所歸既不言歸王亦不言歸晉是不以所歸告也○夏六月癸亥公之喪至自乾

侯吉劉校　秋疏五十四　一　余添進刊

侯〔注〕故書至。○戊辰，公即位。〔注〕

〔疏〕

○秋七月癸巳，葬我君昭公。

九月，大雩。〔注〕○立煬宮。〔注〕〔疏〕

冬十月，隕霜殺菽。〔注〕〔疏〕

傳元年春王正月辛巳，晉魏舒合諸侯之大夫于狄泉，將以城成周。魏子涖政。〔注〕衛彪傒曰：將建天子，〔注〕而易位以令，非義也。大事奸義，必有大咎。晉不失諸侯，魏子其不免乎！是行也，魏獻子屬役於韓簡子及原壽過，〔注〕〔疏〕

而田於大陸，焚焉，〔注〕〔疏〕還，卒於甯。〔注〕范獻子去其柏椁，以其未復命而田也。〔注〕〔疏〕

孟懿子會城成周，〔注〕〔疏〕庚寅，栽。〔注〕宋仲幾不受功，曰：滕、薛、郳，吾役也。〔注〕薛宰曰：宋為無道，絕我小國於周，以我適楚，故我常從宋。晉文公為踐土之盟，曰：凡我同盟，各復舊職。若從踐土，若從宋，亦唯命。〔注〕仲幾曰：踐土固然。〔注〕薛宰曰：薛之皇祖奚仲居薛，以為夏車正。〔注〕奚仲遷于邳，〔注〕仲虺居薛，以為湯左相。〔注〕

若復舊職將承王官何故以役諸侯 承奉也 仲幾曰三代各異物薛焉得有舊 言居周世不得以夏殷爲舊。 爲宋役亦其職也 爲於僞反 士彌牟曰晉之從政者新 言范獻子新爲政未習故事 疏 注言范至故事。正義曰魏舒以辛巳會諸侯至庚寅相去十日耳魏舒卒已得死數代者范獻子是中軍之佐於次當代魏舒蓋晉人聞舒卒而即使代之 子姑受功歸吾視諸故府 求故事 仲幾曰縱子忘之山川鬼神其忘諸乎 盟所告山川鬼神 士伯怒謂韓簡子曰薛徵於人 典籍故事人所知也 宋徵於鬼 求諸於鬼神 宋罪大矣且已無辭而抑我以神誣我也啓寵納侮其此之謂矣 開寵過分見納受侮也 ○侮亡甫反分扶問反 疏 啓寵至謂矣。正義曰尚書說命傳說諫戒於王云無啓寵納侮古有此言故云其此之謂矣開彼寵人過其本分其人不知止足乃至侵侮在上據在上受之故云納侮 必以仲幾爲戮乃執仲幾以歸三月歸諸京師 知以歸不可改復歸之京師。復扶又反 城三旬而畢乃歸諸侯之戍齊高張後不從諸侯 後諸侯不及諸侯之役 晉女叔寬曰周萇弘齊高張皆將不免 叔寬女寬也 ○萇直良反 萇叔違天高子違人 天既厭周德萇弘欲遷都以延其祚故曰違天諸侯相帥以崇天子而高張後期故曰違人○祚於故反 天之所壞不可支也衆之所爲不可奸也 奸犯也 爲哀三年周人殺萇弘六年高張來奔張本 ○夏叔孫成子逆公之喪于乾侯 成子叔孫婼之子 季孫曰子家子亟言於我未嘗不中吾志也吾欲與之從政子必止之且聽命焉 [illegible]子家子數於公[illegible]○亟欺冀反中丁仲反 疏 [illegible]正義曰言子家子數言於我未嘗不中吾志吾欲與之從政欲用爲大夫也公喪既歸則從者[illegible]令止之且聽命者一聽子家之所爲子家欲將歸者即與之歸 子家子不見叔孫易幾而哭 不欲見叔孫故朝夕哭不同會○朝如字 叔孫請見子家子子家子辭曰羈未得見而從君以出 出時成子未爲卿○羈居宜反子家子名見賢遍反下同從才用反併君從公並如字下從君從公同 君不命而薨羈不敢見 言未受周公之命託辭以距叔孫 叔孫使告之曰公衍公爲實使羣臣不得事君 二子從謀逐季氏 疏 注二子至季氏。正義曰謀逐季氏公爲爲之實文不言公衍但以公衍見後爲入子季氏故言欲[illegible] 若公子宋主社稷則羣臣之願也 宋昭公子定公 凡從君出而可以入者將唯子是聽子家氏未有後季孫願與子從政此皆季孫之願也使不敢以告 不敢叔孫成子名 對曰若立君則有卿士大夫與守龜在羈弗敢知若從君者則貌而出者入可也 貌敬也謂公從而出與季氏不爲讎者○守手又反 寇而出者行可也 與季氏爲寇讎者自可亡 若羈也則君知其出也而未知其入也羈將逃也喪及壞隤公子宋先入從公者皆自壞隤反 出奔○壞徐音懷又戶怪反隤徒回反 六月癸亥公之喪至自乾侯戊辰公即位 諸侯薨五日而殯。殯則嗣子即位。癸亥，昭公喪至，五日殯於宮，定公乃即位。【疏】注諸侯至即位。○正義曰：王制云天子七日而殯，諸侯五日而殯。自癸亥至戊辰五日殯訖，則嗣子即位，故定公以此日即位也。公羊、穀梁皆云正棺於兩楹之間然後即位。穀梁正棺兩楹之間，即禮所謂殯也。殯於堂者也。喪大記君葬之禮云：既小斂，男女奉尸夷于堂。鄭玄云：諸侯之小斂於阼者與？三日也。戊辰去癸亥五日，非正棺之日，不得爲正棺即位也。雜記云：諸侯行而死於館，至於廟門，遂入適所殯。鄭玄云：適所殯，謂兩楹之間。自外來者正棺於兩楹之間，尸亦夷之於此，因殯焉。殯於兩楹之間者，以其死不於室而自外來，留之於中，不忍遠也。鄭取二傳之說，言死從外來者殯於兩楹之間，若謂殯爲正棺，則與杜言合矣。

季孫使役如闞公氏，將溝焉。闞，魯群公墓所在也。季孫惡昭公，欲溝絕其兆域，不使與先君同。○闞，口暫反。惡，烏路反，又如字。【疏】闞公氏。○正義曰：闞是先公葬地，秋言氏猶如言家，故謂公之墓地爲公氏，言是公死之家宅也。玄謂以爲闞爲上句，公氏言將溝公氏焉，古人多倒語，公氏則昭公之墓地。榮駕鵞榮駕鵞，魯大夫榮成伯。曰：生不能事，死又離之，以自旌也。旌，章也。○駕音加。鵞，五何反。旌音精。縱子忍之，後必或恥之。乃止。季孫問於榮駕鵞曰：吾欲爲君謚，使子孫知之。爲惡謚。【疏】注爲惡謚。○正義曰：知爲惡謚者，下云死又惡之，所以知也。對曰：生弗能事，死又惡之，以自信也。將焉用之？乃止。秋七月癸巳，葬昭公於墓道南。孔子之爲司寇也，溝而合諸墓。明臣死毀君之義。○惡之，烏路反。焉，於虔反。【疏】以自信也。○正義曰：信，明也，以自明己之不臣也。○溝而反。正義曰：孔子之爲司寇在定公十年以後，未知何年溝之。昭公出故，季平子禱于煬公。九月，立煬宮。平子逐君，懼而請禱於煬公。昭公死於外，自以爲獲福，故立其宮。【疏】注禱于煬公。○正義曰：既毀其廟而得禱者，蓋就祧而禱之。○周鞏簡公棄其子弟而好用遠人。簡公，周卿士。遠人，異族也。爲明年鞏氏殺簡公張本。○好，呼報反。【疏】注簡公。○正義曰：謚法，平易不從曰簡。

經二年春王正月。○夏五月壬辰，雉門及兩觀災。無傳。雉門，公宮之南門。兩觀，闕也。天火曰災。○觀，古亂反，注及下同。【疏】注雉門至曰災。○正義曰：明堂位云：庫門，天子皋門；雉門，天子應門。是魯之雉門，公宮南門之中門也。釋宮云：觀謂之闕。郭璞曰：宮門雙闕。周禮大宰：正月之吉，縣治象之法于象魏，使萬民觀治象。鄭衆云：象魏，闕也。劉熙釋名云：闕在門兩旁，中央闕然爲道也。然則其上縣法象，其狀魏魏然高大，謂之象魏；使人觀之，謂之觀也。是觀與象魏、闕一物而三名也。觀與雉門俱災，則兩觀在雉門之兩旁矣。公羊傳曰：其言雉門及兩觀災何？兩觀微也。然則曷爲不言雉門災及兩觀？主災者兩觀也。主災者兩觀，則曷爲後言之？不以微及大也。穀梁亦云：災自兩觀始，先言雉門，尊尊也。公羊稱子家駒云：設兩觀，諸侯僭天子。其意以其奢僭，故天災之。左氏無此義。案禮器云：天子諸侯臺門，此以高爲貴也。郊特牲云：臺門，大夫之僭禮也。唯言大夫僭於諸侯，不言諸侯僭於天子。兩觀爲僭禮，無其文。天之所災，不可意卜。言主災兩觀，以門尊先門，若災先從門起，又將何以爲異？丘明無文，或是災起雉門而延及兩觀也。天火曰災，宣十六年傳例。○秋，楚人伐吳。囊瓦衛人見誘以敗軍。○囊，乃郎反。○冬十月，新作雉門及兩觀。無傳。

傳二年夏四月辛酉，鞏氏之羣子弟賊簡公。傳言棄親用疎，所以致敗也。○桐叛楚。桐，小國，廬江舒縣西南有桐鄉。吳子使舒鳩氏誘楚人，舒鳩，楚屬國。曰：以師臨我，欲舒鳩誘楚使以師臨吳。我伐桐，爲我使之無忌。吳伐桐也，爲若畏楚師之臨己而爲伐其叛國以取媚者也，欲使楚不忌吳，所請多方以誤之。○爲我，于僞反，注及下同。【疏】注桐叛至無忌。○正義曰：桐是小國，世屬於楚，桐今叛楚，楚之閒隙，故吳子因是而謀之。舒鳩自是楚之屬國，居吳楚之閒，亦兩屬其間，故意吳得使之也。吳子使舒鳩誘楚人，又教舒鳩爲辭曰：今楚以師臨我，我吳自辭，我令楚臨吳也。我當爲若伐桐，吳爲楚伐桐，以舒鳩當爲我誘楚，我寧楚師，或曰：囊瓦本出師伐吳，見吳欲伐桐而不設備，遂敗吳。又敗之，又楚巢邑滑師，圍而克之，獲其守邑大夫，爲我使之無忌，謂為我之畏楚形狀使楚人無復防忌於我也若楚不忌吳則師文設備欲因其無備而掩襲取之耳下云吳人見舟于豫章爲欲伐桐也吳軍楚師于豫章掩其不備也潛師于巢吳人詐巢邑人云此師將伐桐也其實本擬取巢故下遂圍巢克之言潛者對豫章之師稱潛○秋楚囊瓦伐吳師于豫章吳人見舟于豫章爲將爲楚伐桐○見賢遍反而潛師于巢實欲以繫楚冬十月吳軍楚師于豫章敗之楚不忌故遂圍巢克之獲楚公子繁繁楚守巢大夫○邾莊公與夷射姑飲酒私出射姑邾大夫出○射音亦一音夜閽乞肉焉奪之杖以敲之奪閽杖以敲閽頭也爲明年邾子卒傳○閽音昏守門人也敲苦孝反又若孝反說文作毃云擊頭也字林同又一曰擊聲也口交反又口卓反訓從敲云橫摘也又或作拿或作剝口交反

經三年春王正月公如晉至河乃復無傳疏公如

至乃復○正義曰三傳皆無其說不知何故乃復賈逵云剌緩朝見辭失所不諱罪己賈雖爲此解於傳無文不可從故杜不言剌故謂公以六月即位此年便即往朝於事未爲緩也晉人何以辭之若以緩見遣當退謝罪何由此後更無謝愆空言罪己經無其事自罪之狀復安在乎晉若以緩致辭必當要有譴責何由明年曾欢復將依常班序乃復之意不可驗○二月辛卯邾子穿卒穿音川再同盟○疏註再同盟○正義曰穿以昭二年即位十一年盟于祲祥二十六年于鄟陵皆魯邾俱在是再同盟也○夏四月○秋葬邾莊公六月乃葬緩○冬仲孫何忌及邾子盟于拔拔地闕○拔皮八反

傳三年春二月辛卯邾子在門臺臨廷門上有臺閽以缾水沃廷邾子望見之怒閽曰夷射姑旋焉旋小便○廷音庭下並同缾步丁反本又作瓶命執之見其不絜執射姑弗得

滋怒自投于牀廢于鑪炭爛遂卒鑪力吳反炭他旦反爛力旦反○□發隋也○先葬以車五乘殉五人欲藏中之絜故先內車及殉別爲從旁盡其遺命○乘繩證反殉辭俊反藏才浪反□馬反又如字疏註欲藏至遺命○正義曰以人從葬謂之殉邾子好絜以人爲殉欲備地下埽除若今與柩同入壙其埋棺藏內欲拒藏中之絜故先內車以殉別爲從傍之事而於人言此事意在非責邾子君是葬者自爲則非莊公之罪苑是莊臣解說此事故云盡其遺命也邾子將死之時欲令如此釋其遺命者礼國君位而爲邾初立即營爲其身後之事當是平素之時先有此命葬者奉行之莊公卞急而好絜故及是卞躁疾也○卞皮彥反好呼報反下文及註同躁早報反秋九月鮮虞人敗晉師于平中平中晉地獲晉觀虎恃其勇也爲五年士鞅圍鮮虞張本○冬盟于郯郯即拔也○郯音好也公即位故脩好○蔡昭侯爲兩佩與兩裘以如楚獻一佩一裘於昭王昭王服之以享蔡侯蔡侯亦服其一子常欲之弗與三年止之唐成公如楚有兩肅爽馬子常欲之成公唐惠侯之後也肅爽駿馬名○肅如字又所六反爽音霜駿音俊疏註成公至馬名○正義曰宣十二年傳有唐惠侯故云唐惠侯之後也釋畜於馬無肅爽之名爽或作霜賈逵云色如霜紈馬融說肅爽鴈也其羽如練高首而脩頸馬似之天下稀有故子常欲之杜以馬名臨時所作本意不可得知故直云駿馬名弗與亦三年止之唐人或相與謀請代先從者許之飲先從者酒醉之竊馬而獻之子常子常歸唐侯自拘於司敗竊馬者自拘○從才用反下同飲於鴆反拘九于反疏註請代至許之○正義曰謂請楚王許之此非請唐侯者若唐侯許之自合何須言飲先從者竊馬以獻乎曰君以弄馬之

以隱君身。隱憂約也。○辟音避，償市亮反。棄國家，羣臣請相夫人以償馬，必如之。相助也。夫人謂養馬者。○相息亮反，夫音扶，注同，償市亮反。唐侯曰：寡人之過也。二三子無辱。皆賞之。蔡人聞之，固請而獻佩于子常。子常朝見蔡侯之徒，命有司曰：蔡君之久也，官不共也。言共其所以禮遣蔡侯之物不共備故。○共音恭，注同。明日禮不畢，將死。遣蔡侯之禮。蔡侯歸，及漢，執玉而沈，曰：余所有濟漢而南者，有若大川。自誓言若復度漢當受禍，明如大川。○沈音鴆，復扶又反。蔡侯如晉，以其子元與其大夫之子為質焉，而請伐楚。為明年會召陵張本。○質音致。

經四年春王二月癸巳，陳侯吳卒。無傳。未同盟而赴以名。疏 注癸巳至從赴。○正義曰：杜以長曆校之，癸巳是正月七日，故云書二月從赴也。知非日誤者，以崩薨之事皆以赴為文，故平王崩赴以庚戌，陳侯卒赴以甲戌己丑，杜依大例而言，故云從赴。劉炫以為日誤而規杜氏。今知非者，但諸侯雖五月而葬，下云六月葬陳惠公，則陳侯卒在二月，以為緩或速，無復常準，此陳侯之葬事既無傳，何知必以五月而葬，妄以杜為失其義，非也。○三月，公會劉子、晉侯、宋公、蔡侯、衛侯、陳子、鄭伯、許男、曹伯、莒子、邾子、頓子、胡子、滕子、薛伯、杞伯、小邾子、齊國夏于召陵，侵楚。於召陵先行會禮，入楚竟乃侵楚。○召上照反，竟音境。疏 注於召至侵楚。○正義曰：先言于召陵，後言侵楚，是於召陵先行會禮，而入楚竟乃侵之也。經書先會後侵，侵楚乃侵也。○夏四月庚辰，蔡公孫

姓帥師滅沈，以沈子嘉歸，殺之。五月，公及諸侯盟于皋鼬。皋鼬，繁昌縣東南有城皋亭。復相公者，會盟異處故。○公孫姓音生，又作生。鼬由又反，復扶又反，處昌慮反。疏 注召陵至如此。○正義曰：諸侯先會而後盟，皆前會之諸侯也。凡此共盟者，是前會之諸侯，前已歷序，故於此總言之，文可以兼劉子也。劉子蓋在朝之臣，而亦有封爵，故諸侯之文可以兼劉子也。依二十九年翟泉之盟，劉子既與諸侯盟于翟泉，貶之稱人，此劉子得與諸侯盟者，楚僭號稱王，不事天子，諸侯會而伐楚，將以尊崇王室，傳言劉文公合諸侯，是天子勅之使盟也。下文書劉卷卒，葬劉文公，會依同盟之禮，知劉子亦與盟也。此復稱公者，由其會盟異處故也。劉炫規杜云會盟異處，何以不言公。今刪公案襄二十五年盟重丘，亦是會盟異處，何以不言公。是知非者，但會盟異處，理合稱公，重丘不書公，史官自略耳，以此規杜，非也。○杞伯成卒于會。無傳。○成或音城。疏 注杞伯成以昭二十五年即位，二十六年盟于鄟陵，三十二年于翟泉，此年于皋鼬，與杞俱在，計杜當云三同盟，無者，脫耳。諸侯薨于朝會，如一等，此既薨于會，其禮亦當然。

六月，葬陳惠公。無傳。○許遷于容城。無傳。○秋七月，公至自會。無傳。○劉卷卒。無傳。即劉盆也。劉子奉命此盟召陵，死則天王為告，同盟故不具爵。○卷音權，一音眷，盆扶粉反，為于偽反，下吳為蔡同。疏 注即劉至具爵。○正義曰：昭二十二年傳曰單子立劉盆，即此是也。世族譜伯盆、劉盆、劉文公、劉卷為一人。王朝公卿卒不赴魯，魯不會葬。文三年書王子虎卒，傳曰來赴弔如同盟，禮也。彼為同盟于翟泉故也。此亦書卒，明為同盟故也。畿內之國不得外交諸侯，以其劉邑之臣來赴，如是天子為告也。天子告臣略言名封而已，不言劉子，故書不具爵。○葬杞悼公。無傳。○楚人圍蔡。不廢故也。○晉士鞅、衛孔圉帥師伐鮮虞。無傳。孔圉，孔羈孫。即范鞅。○圉魚呂反。○葬劉文公。無傳。○冬十一月庚午，蔡侯以吳子及楚人戰于柏舉，楚師敗績。為蔡討楚故以蔡侯為主，書蔡侯以吳子言能

左右之也。襄瓦稱人，貪以致敗，不能死難，罪賤之，神樂范也。昭三十一年傳曰六年十二月庚辰吳入郢，今以十一月者，并數閏。○陳直覲反。難乃旦反。數所主反。【疏】注師能至數閏。○正義曰：師能左右之曰以，僖二十六年傳例也。背陳曰戰，大崩曰敗績，莊十一年傳例也。吳大蔡小，而蔡能以吳者，吳子為蔡討楚，言蔡能左右之也。釋例曰：吳雖大國，順蔡侯之請，自將其衆，唯蔡侯之命，故亦言以吳子也。囊瓦，楚之上卿，當稱名氏，今稱人，首貪以致敗，又不能死難，罪賤之也。釋例曰：楚之囊瓦貪而爲以致討，稱人罪賤之也。昭三十一年傳言六年十二月庚辰吳入郢，今以十一月者，彼期有差，殊者長歷推此年閏十月，庚辰又是十一月二十九日，其月無盡并數閏得為十二月也。楚囊瓦出奔鄭。書名惡之。○惡烏路反。【疏】注書名惡之。○正義曰：文八年宋司城來奔，十四年宋子哀來奔，傳皆云貴之也，不稱名為貴之，是稱名為惡之。庚辰，吳入郢。弗地曰入。吳不稱子，史略文。【疏】注弗地至略文。○正義曰：弗地曰入，襄十三年傳例也。上文戰稱吳子，此言吳入，楚不稱子，猶成二年鄭伐許，昭十二年晉伐鮮虞，史略文，無義例。公羊穀梁以為吳於戰稱子，為其憂中國，故進而稱爵；及其入郢，君舍于君室，大夫舍于大夫室，反為夷狄之行，故貶而稱吳。左氏無此義，故杜異而顯之。

傳四年春三月，劉文公合諸侯于召陵，謀伐楚也。文公，王官伯也。晉人假王命以討楚之久留蔡侯，故曰文公合諸侯。【疏】注文公至諸侯。○正義曰：劉子是天子大臣，故言王官伯也。往年蔡侯如晉，請晉耳，不請天子，今稱劉文公合諸侯，知是晉人告王，假王命以討楚。王使劉子會之，故言劉文公合諸侯，以示禀於王命，假王威也。晉荀寅求貨於蔡侯，弗得，言於范獻子曰：國家方危，諸侯方貳，將以襲敵，不亦難乎？水潦方降，疾瘧方起，中山不服，中山，鮮虞。○潦音老。瘧魚略反。棄盟取怨，無損於楚，晉楚同盟，伐之為怨。而失中山，不如辭蔡侯。吾自方城以來，晉敗楚侵方城，在襄十六年。楚未可以得志，祇取勤焉。乃辭

蔡侯。晉人假羽旄於鄭，鄭人與之。析羽為旌，王者游車之所建。鄭私有之，因請之羽旄，借觀之。○旄音毛。析星歷反，下放此。【疏】注析羽至觀之。○正義曰：周禮司常掌九旗之名物，全羽為旞，析羽為旌，道車載旞，斿車載旌。鄭玄云：全羽析羽皆五采，繫之於旞旌之上，所謂注旄於干首也。凡九旗之帛皆用絳。道車，象路也，王以朝夕燕出入；斿車，木路也，王以田以鄙。是其析羽為旌，王者游車之所建也。釋天云：注旄首曰旌。李巡曰：以旄牛尾著竿首。孫炎曰：析五采羽注旄上，亦有旒縿。據彼文言之，則羽毛者有五色羽，又有旄牛尾也。言全羽析羽者，羽有全取其羽，或析取其羽，故有全析二名也。繫此羽牛尾於干首，猶自別有縿旒，繫縿之於干，今之旗猶然。此傳直言羽耳，注不引全羽而以析羽解之者，以全羽尊於析羽，鄭人所有未必尊貴，故以析羽解之。計羽旄所用，其費不多，晉人自應有之，而襄十四年范宣子假羽毛於齊，此又假羽旄於鄭者，或當制作巧異，故聞而借觀之。明日或旆以會。或，賤者也。繼旐曰旆。令賤人建其旆，以從會，示卑鄭。○旆步貝反。旐音兆。【疏】注或賤至卑鄭。○正義曰：鄭玄論語云：或之言有人，不顯其名而略稱為或，是或為賤者也。繼旐曰旆，釋天文也。郭璞曰：帛續旐末為燕尾者，然則旒謂旐身，旆謂旒尾。晉令賤人建此羽旄，旆其旒於下，執之以從其會，本謂其美而借觀之，既得其物，令賤人服用之，是示其卑侮鄭也。鄭是列國，而晉卑侮之，諸侯於是知晉輕慢，心皆怨恨，故晉於是乎失諸侯。晉於是乎失諸侯。將會，衛子行敬子言於靈公曰：子行敬子，衛大夫。會同難，嘖有煩言，莫之治也。嘖，至也。煩言，忿爭。○嘖仕責反，一音責。爭，爭鬪之爭。【疏】注嘖至忿爭。○正義曰：嘖，至也。易繫辭云：聖人有以見天下之嘖，謂見其深隱之處，嘖亦深之義也，謂至於會時有煩亂忿爭之言，無才能則莫之能治也。其使祝佗從！祝佗，大祝子魚。○佗徒何反。從才用反，下皆同。大音泰，下大祝、大卜、大史、大宰同。公曰：善。乃使子魚。子魚辭曰：臣展四體以率舊職，猶懼不給而煩刑書，若又共二，共二職。○共音恭，注同。

同徼大罪也且夫祝社稷之常隸也隸臣也○徼古堯反夫音扶社稷不動祝不出竟官之制也社稷動謂國遷○竟音境下同疏注社社稷動謂國遷○正義曰周禮大祝云大師宜于社造于祖設軍社及軍歸獻于社則前祝天子之祝如此則諸侯之祝官亦然也然則從軍行者有社稷今社稷俱動故知謂國遷也國遷唯在竟內得云祝不出竟者詩稱公劉遷豳大王來岐及春秋杞都陳留而遷緣陵及許遷于析之屬皆是棄本國遠適它土故有出竟之事劉以社稷動謂軍行而規杜非也君以軍行祓社釁鼓師出先事祓禱於社謂之宜社於是殺牲以血塗鼓鼙為釁鼓○祓音弗徐音廢釁許靳反鼙步西反本又作鞞疏注師出至釁鼓○正義曰釋天云起大事動大衆必先有事乎社而後出謂之宜是軍師將出必有祭社之事也周禮女巫掌祓除釁浴則祓亦祭名故知祓社即宜社是也說文云釁血祭也是殺牲以血塗鼓鼙為釁鼓此皆祝官掌之祝奉以從奉社主也○從如字又才用反疏注社主從軍而行○正義曰禮軍行必以廟主尚書甘誓云用命賞于祖弗用命戮于社孔安國云天子親征必載遷廟之祖主及社主行有功則賞祖主前示不專也不用命則戮之於社主前社主陰陰主殺親祖嚴社之義也是軍行必載社主行故祝官奉主以從於是乎出竟若嘉好之事謂朝會○好呼報反君行師從二千五百人卿行旅從五百人臣無事焉公曰行也及皐鼬將盟疏注將盟至事焉○正義曰此會因而侵楚衛侯當以軍行而云臣無事焉者晉本以會召諸侯傳言將會是赴會之時未知將侵伐也但諸國既集師衆自多故因得行侵耳將長蔡於衛長丁丈反令力呈反先悉薦反下文先衛同徼所洽反又所甲反衛侯使祝佗私於萇弘曰聞諸道路不知信否若聞蔡將先衛信乎萇弘曰信蔡叔康叔之兄也蔡叔周公兄康叔周公弟疏注蔡叔至公弟○正義曰史記管蔡世家云武王同母兄弟十人母曰大姒文王正妃也其長子曰伯邑考次曰武王發次曰管叔

定四

鮮次曰周公旦次曰蔡叔度次曰曹叔振鐸次曰郕叔武次曰霍叔處次曰康叔封次曰冉季載如彼文則蔡叔周公弟也今以蔡叔為周公兄者以僖二十四年傳富辰言文之昭十六國蔡在郕上明以長幼為次賈逵等皆言蔡叔周公兄故杜從之馬遷之言多舛謬故不用史記為說先衛不亦可乎子魚曰以先王觀之則尚德也昔武王克商成王定之選建明德以蕃屏周故周公相王室以尹天下尹正也○蕃方元反相息亮反於周為睦睦親厚也以周德見親厚分魯公以大路大旂魯公伯禽也大路金路錫同姓諸侯車也交龍為旂周禮同姓以封○分扶問反下並同路本亦作輅音路下皆同旂其依反錫星歷反疏注魯公至以封○正義曰周禮巾車云金路以封同姓諸侯建大旂以賓同姓以封鄭玄云金路以金飾諸末大旂九旗之畫交龍者以賓以會賓客同姓以封謂王子母弟以功德出封若魯衛也交龍為旂司常文也夏后氏之璜璜美玉名○璜音黃夏戶雅反下皆同疏注璜美玉名○正義曰夏后氏所寶歷代傳之知美玉名也哀十四年傳云向魋出於衛地公文氏攻之求夏后氏之璜焉則璜非一也尚書顧命及魯語皆云古者分同姓以珍玉展親則先王不以玉賜向魋向魋自規求得之也鄭玄注周禮云半璧曰璜封父之繁弱封父古諸侯也繁弱大弓名○父音甫下武父同封父國名繁扶元反疏注封父至弓名○正義曰鄭玄云古者伐國遷其重器以與同姓此繁弱封父之國為之不知何時滅其國而得之也孔叢云楚王張繁弱之弓載忘歸之矢以射蛟兕於雲夢是繁弱為弓名也殷民六族條氏徐氏蕭氏索氏長勺氏尾勺氏使帥其宗氏輯其分族將其類醜醜衆也○索素各反下同勺市灼反下同輯音集又七入反以法則周公用即命于周即就也使六族就周受周公之法制是使之職事于魯使之共魯公之職事○共音恭下文以共王職同以昭周公之明德[illegible]疏注使帥至明德○正義曰殷民六族之長各自帥其當宗同氏輯合也合

定四

其所分設爲族爲也將其族類人衆以法則周公令其稽居魯用就受周公之命是以使之共職事于魯以昭周公之明德也下賜殷民七族亦是使之法則康叔令共職事于衛也賜唐叔及懷姓九宗亦然 分之土田陪敦 陪增也敦厚也○陪本亦作倍同步回反 【疏】陪敦○正義曰陪是加增之義敦厚釋詁文也言既封爲大國地方五百里又分以土田更增彼寛厚爲七百里也明堂位云封周公于曲阜地方七百里鄭玄云公之地方五百里加魯以四等之附庸方百里者二十四并五五二十五積四十九開方之得七百里鄭玄周礼大司徒注云凡諸侯爲牧正帥長及有德者乃有附庸公無附庸侯附庸九同伯附庸七同子附庸五同男附庸三同進則取焉退則歸焉魯於周法不得有附庸故言錫之也地方七百里者包附庸以大言之附庸二十四言德兼此四等矣是增厚魯国之事也 祝宗卜史 大祝宗人大卜大史凡四官 備物典策 典策春秋之制○策本又作冊亦作筴 官司彝器 官司百官也彝器常用器○彝羊之反 【疏】祝宗至彝器○正義曰祝宗接神之官大卜主卜大史主書與此四等官人使之將歸於魯也服虔云備物国之職物之精也當謂国君威儀之物若今鹵簿之屬備賜魯也杜不解備物則與典策爲一也備物典策謂史官書策之典若傳之所云祭凡之類賜之以法使依法書時事也官司彝器謂百官常用之器彝器罍爼豆之屬具賜魯也 因商奄之民 商奄国名也與四国流言或逆殺在魯境今即屬魯懷柔之○逆彼諍反令徐力呈反 【疏】注商奄至柔之○正義曰書傳云武王殺紂以継公子禄父及管蔡流言奄君謂禄父曰武王死成王幼周公疑此百世之時請舉事然後禄父及三監叛是奄與四国流言也昭九年傳云蒲姑商奄吾東土也此後云因商奄之民則商奄是東方之国近魯之竟也昭元年傳云周有徐奄杜以彼奄與此商奄爲一故注竝名奄商奄二名共爲一国此注言商奄国名以商奄二字爲国名也詩称四国流言毛傳以四国爲管蔡商奄則商奄各自爲国奄則此奄是也商謂紂子禄父下云管蔡啓商是名禄父爲商也然則毛言商奄爲二杜言商奄爲一杜言四国流言亦謂管蔡禄父與商奄爲四也商奄與四国之一言與共舉也商与四国之君流言故言與也或者謂奄君及三監爲亂者言皆稱四国非爲商奄外別有四国也言封魯於少皞之虚則商奄非魯地也非魯地而言因其民附魯商奄之民或逆散在魯竟命使即屬於魯今奄

定四

懷柔之○以爲三監與商爲四國奄在其外故言與四國 命以伯禽 伯禽周公之子時周公唯遣伯禽封魯大國故皆以付伯禽 【疏】注伯禽至伯禽○正義曰詩魯頌説封魯之事云王曰叔父建爾元子俾侯于魯是伯禽爲周公之子也魯世家云周公旦成王使其子伯禽代就封于魯文十三年公羊傳曰周公何以稱大廟于魯封魯公以爲周公也周公拜乎前魯公拜乎後曰生以養周公死以爲周公主然則周公之魯乎曰不之魯也封魯公以爲周公則周公曷爲不之魯欲天下之一乎周也其意言周公聖人若使之魯則恐天下廻心尚之故不使之魯也以周公身不適魯唯遣伯禽之國故傳皆言分魯公不言分周公也傳言命以伯禽於體例命以康誥命以唐誥則伯禽亦必策命誥命之今杜云唯遣伯禽之國故皆以付伯禽則伯禽非是誥辭篇名皆以是誥其書當云命以魯誥既爲國君不得與君牙伯冏同類也劉炫云伯禽猶下命以康誥是伯禽爲命書之書亦猶士命君牙爲周大司徒作君牙即以君牙爲篇與此同也 而封於少皞之虚 少皞虚曲阜也在魯城内○少詩照反注及下同皞胡老反虚起居反注及下皆同 【疏】注少皞至城内○正義曰此注少皞之虚即曲阜是也曲阜在魯城内則魯之所都正在少皞虚矣昭二十九年注窮桑少皞之號窮桑地在魯北與此異者賈逵云少皞居窮桑登爲帝蓋未爲帝居魯北既爲帝乃居魯也 分康叔 康叔衛之祖 以大路少帛綪茷旃旌 少帛雜帛也綪茷大赤取染草名也通帛爲旃析羽為旌○綪七見反茷步具反又音伐旃之然反 【疏】注少帛至爲旌○正義曰周礼司常云通帛爲旜雜帛爲物鄭玄云通帛謂大赤從周正色無飾雜帛者以帛素飾其側白殷之正色大赤是通帛知少帛是雜帛也釋草云茹藘茅蒐郭璞曰今之蒨也可以染絳則綪是染赤之草茷即旆也爾雅説旌旗曰繼旐曰旆旆是旐身旆是旐尾旌用赤則通身皆赤知綪茷是大赤大赤即今之紅旗取染赤之草爲名也蓋正以通帛爲旜是雜帛之物也然則大赤即是旆也於綪茷之下更言旃者茷言旐尾旃言旐身圓其文故具言耳若具不然旌是干之所建旆之所有旌少帛旃旆之後何須更復言旌明是圓其文故重言之 大呂 鐘名 【疏】鐘名○正義曰周語無射鑄鐘皆以律名名鐘知此大呂亦是鐘名也其言施也律相應故以律名焉 殷民七族 陶氏施氏繁氏錡氏樊氏饑氏終葵氏封畛

定四

土略自武父以南及圃田之北竟略界也武父衛北界圃田鄭藪名○陸徒刀反向反鮒魚綺反畛之忍反一音真圃布五反本亦作甫同陰從經藪素口反〔疏〕注略界至藪名○正義曰周禮遂人云夫間有遂遂上有徑深各二尺遂上有徑容車馬也十夫有溝廣深四尺溝上有畛畛容大車百夫有洫廣深八尺洫上有塗容乘車一軌千夫有澮廣二尋深二仞澮上有道容二軌萬夫有川川上有路容三軌畛略是疆界故爲界也所經也盟于武父杜云陳留濟陽縣東北有武父城彼是鄭地與此武父非一也土地名云衛曰封略上略自武父以南則武父衛之北竟也非河南武父其地闕無處故直云衛北界也釋地十藪鄭有圃田郭璞曰今滎陽中牟縣西圃田澤是也衛之南竟至此澤

取於有閻之土以共王職有閻衛所受朝宿邑蓋近京畿○近附近之近下近戎同取於相土之東都以會王之東蒐相土契孫商之祖也爲湯沐邑王東巡守以助祭泰山○相息亮反蒐所求反〔疏〕取於至東蒐○正義曰土地名有閻之土與相土之東都其地皆闕無其處言共王職者蓋近京畿也會王東蒐則爲從王巡守助祭泰山爲湯沐之邑者若鄭之祊田蓋近泰山也下巡守者諸侯爲王守土故天子以時出巡行之今言蒐則千

聃季授土聃季周公弟司空○聃乃甘反〔疏〕注聃季至司空○正義曰富辰言文之昭聃季在焉魯下史記大數十子聃季載最少是周公弟也周禮司空主土司徒主民知聃季授土爲司空也下陶叔授民爲司徒也陶叔授民陶叔司徒命以康誥而封於殷虛康誥周書殷虛朝歌也皆啓以商政皆啓開也居殷故地因其風俗開用其政疆以周索疆理土地以周法索法也○疆居良反〔疏〕注皆啓至法也○正義曰王制云凡居民材必因天地寒暖燥濕廣谷大川異制民生其間者異俗其政不易其宜齊其政不易其俗是王者布政當順民俗而施之此地民習殷之政故因其風俗開道以舊政也衛居殷墟開以商政可知魯亦開以商政者二者所法不過二代夏在衛西魯在衛東夏政將及魯以殷之餘民有六族將其醜類以即事于魯故與衛皆啓以商政也疆理土地以周法則三代經界法皆有異其異未盡

聞也索之爲法相傳訓耳考工記量器銘曰時文思索允臻其極鄭亦以索爲法分唐叔唐叔晉之祖以大路密須之鼓密須國名闕鞏甲名○鞏九勇反沽洗鐘名○沽音姑洗息典反懷姓九宗職官五正懷姓唐之餘民九宗一姓爲九族職官五正五官之長○長丁丈反下文乃長衛同〔疏〕注懷姓至之長○正義曰懷姓者唐之餘民也言懷姓九宗則皆姓懷矣知一姓而有九族也曲禮云天子之五官曰司徒司馬司空司士司寇鄭玄云此殷時制也然則殷時五官居在唐地世爲貴族以賜唐叔使主領之所以榮寵唐叔也殷之五官不必皆在唐地但有三官四官亦得總五官之名劉炫云職官五正職主也正長也主官事者有五長分立官并之爲五使五官領此九宗或以爲於懷姓之內立五正使分主九宗未知誰是故備言之或以爲五官之長謂如昭二十九年蔡墨所云五行之官長也是天子之大臣非唐之遺民然姓而有五也并賜唐叔豈天子得以五行官長賜諸侯哉命以康誥而封於

夏虛康誥命篇名也夏虛大夏今大原晉陽也啓以夏政亦因夏風俗開用其政疆以戎索大原近戎而寒不與中國同故自以戎法三者皆叔也而有令德故昭之以分物不然文武成康之伯猶多而不獲是分也唯不尚年也管蔡啓商惎間王室惎毒也周公攝政管叔蔡叔開道紂子祿父以毒亂王室○惎音忌間間廁之間道音導王於是乎殺管叔而蔡蔡叔周公攝王命以討二叔蔡放也○蔡蔡叔上素達反注同下如字以車七乘徒七十人與蔡叔車徒而放之○乘繩證反其子蔡仲改行帥德周公舉之以爲己卿士爲周公臣○行下孟反見諸王而命之以蔡命爲蔡侯○見賢遍反其命書云王曰胡無若爾考之違王命也胡蔡仲名

【疏】文武至尚年○正義曰文武成康皆以勳長而立未得以親而得分多明其長者無所得伯是兄弟之長故舉伯以爲言所云猶多者甚言之耳歷檢書傳文武成康未有兄爲諸侯者分物多長者無所得也但爲不尚年故也○管蔡至命也○正義曰書序云蔡叔既沒王命蔡仲踐諸侯位作蔡仲之命其經云惟周公位冢宰正百工群叔流言乃致辟管叔于商囚蔡叔于郭鄰以車七乘降霍叔于庶人三年不齒蔡仲克庸祗德周公以爲卿士叔卒乃命諸王邦之蔡王若曰小子胡惟爾率德改行克慎厥猷肆予命爾侯于東土往即乃封敬哉爾尚蓋前人之愆惟忠惟孝乃祖文王之彝訓無若爾考之違王命傳之此言皆述書意而爲之辭唯增言徙七十人耳孔安國云郭鄰中國之外地名亦不知何方地名也○註甚毒也○正義曰甚毒蓋亂賈逵云然是相傳訓也道祿父作亂將以害周若毒螫然故云毒亂王室也○註周公至放也○正義曰蔡仲之命篇云周公乃致辟管叔于商囚蔡叔于郭鄰則是周公誅之矣而此言王者周公將王命以討之書序云成王既伐管叔蔡叔是稱王命之文也說文云𣪌散之也從米殺聲然則𣪌字殺下米也𣪌爲放散之義故訓爲放也隸書改作已失字體𣪌字不復可識

傑吉劉校

爲者全類蔡字至有爲一蔡字重點以讀之者今定本作蔡非也○註爲周公臣○正義曰孔安國云明王之法誅父用子言至公尚公圻內諸侯二卿治事是爲周公圻內采邑之卿也 若之何其使蔡先衛也武王之母弟八人周公爲太宰康叔爲司寇聃季爲司空五叔無官豈尚年哉 五叔管叔鮮蔡叔度成叔武霍叔處毛叔聃也【疏】母弟八人○正義曰上言十八而此云八者伯邑考已死不數武王故八人○康叔爲司寇○正義曰尚書蘇公爲司寇此言康叔者爲蘇公出封爲周康叔替之○注五叔○正義曰史記云聃季載杜云毛叔聃又不數叔振鐸者杜以振鐸非周公同母故不數之或杜別有所見不以管蔡世家爲說 曹文之昭也 文王子與周公異母○昭上饒反說文作佋 晉武之穆也 武王子 曹爲伯甸非尚年也 以伯爵居甸服言小○甸徒練反【疏】曹文至尚年○正義曰於昭穆曹是晉之叔父也晉爲大國多受分物曹爲伯爵而在甸服非是尊尚年長也桓二年傳云晉甸侯也晉亦在甸服侯伯之爵其耳言爲伯甸連言之耳於彼并降也鄭玄云曹今濟陰定陶也去王城八百里東都之畿方六百里半之三百里侯服五百里定陶在畿外故爲在甸服言其小也 今將尚之是反先王也晉文公爲踐土之盟衛成公不在夷叔其母弟也猶先蔡 踐土召陵二會經書蔡在衛上霸主以國大小之序也 其載書云王若曰晉重 文公○重直龍反 魯申 僖公 言盟載之次 衛武 武叔 蔡甲午 莊侯 鄭捷 文公○捷在接反 齊潘 昭公○潘普安反 宋王臣 成公○宋王臣本或作壬如林反 莒期 兹丕公也齊序周之宗盟異姓爲後○不音悲反 藏在周府可覆視也吾子欲復文武之略 略音亮○覆芳服反【疏】藏在周府○正義曰言周家府藏之內有此載書在也亦或爲盟府內僖五年傳藏於盟府 而不正其德將如之何萇弘說告

劉子與范獻子謀之乃長衛侯於盟 反自召陵鄭子大叔未至而卒 晉趙簡子爲之臨甚哀曰黃父之會 在昭二十五年○說音悅爲于僞反下楚爲就同臨力鴆反父音甫【疏】不正其德○正義曰正長也謂不長其有德者也○乃長衛侯○正義曰釋例曰周之宗明異姓爲後故踐土之盟載書齊宋雖大降於鄭衛臣周而言指謂王官之宰臨盟者也其餘雖盟未必皆然踐土召陵二會皆蔡在衛上時國次也至盟乃正其高下者敬共明神本其始也是言會以國之大小爲次至盟乃先同姓盟之先同姓者唯謂王官之宰臨盟時耳踐土則王子虎盟諸侯于王庭此盟則劉子在焉故二者先同姓其餘雖盟亦以國之大小爲次故襄二十七年宋之盟晉楚爭先皆先同姓則楚不得歲也以此知餘盟不然 大子語我九言曰無始亂無怙富無恃寵無違同無敖禮無驕能以能驕人○語魚據反又怙音户敖五報反【疏】九言○正義曰古者一字與二字並爲一言易云伏羲作十言之教

白乾坤震巽坎離艮兌消息乾坤雖是一字亦一出口爲一言故謂之一言今則一字且以一言三字以上爲一句無復怨復扶又反注同無謀非德非所謀也無犯非義言傳簡子能用善言所以遂興○沈人不會于召陵晉人使蔡伐之夏蔡滅沈秋楚爲沈故圍蔡伍員爲吳行人以謀楚楚之殺郤宛也在昭二十七年○員音云伯氏之族出郤宛黨伯州犂之孫嚭爲吳大宰以謀楚楚自昭王即位無歲不有吳師蔡侯因之以其子乾與其大夫之子爲質於吳冬蔡侯吳子唐侯伐楚唐侯不書兵屬於吳蔡○犂力兮反嚭普鄙反乾其連反質音致舍舟于淮汭吳乘舟從淮來過蔡而舍之○舍音赦置也又音捨棄也汭同汭人銳反自豫章與楚夾漢豫章漢東江北地名○夾古洽反【疏】註豫章至地名○正義曰漢書地理志豫章郡名在江南此在江北者土地名云定二年楚人伐吳師于豫章吳人見舟于豫章而潛師于巢六年吳軍楚師于豫章又伯舉之役吳人舍舟于淮汭而自豫章與楚夾漢此皆在江北淮南蓋後徙在江南之豫章左司馬戌謂子常曰子沿漢而與之上下沿緣也緣漢上下遮使勿渡○沿悅全反上時掌反遮正奢反我悉方城外以毀其舟以方城外人毀吳所舍舟還塞大隧直轅冥阸三者漢東之隘道○隧音遂冥亡丁反本或作寘之豉反阸於懈反本或作隘音同子濟漢而伐之我自後擊之必大敗之既謀而行武城黑謂子常黑楚武城大夫曰吳用木也我用革也用車器不可久也不如速戰史皇謂子常楚人惡子而好司馬史皇楚大夫司馬沈尹戌○惡烏路反好呼報反若司馬毀吳舟于淮塞城口而入城口三隘道之總名是獨克吳也子必速戰不然不免乃濟漢而陳自小別至于大別禹貢漢水至大別南入江然則此二別在江夏界○陳直覲反下文及注同夏戶雅反【疏】註禹貢至夏界○正義曰禹貢云嶓冢導漾東流爲漢又東爲滄浪之水過三澨至于大別南入于江孔安國云三澨水名入漢大別山名漢出嶓冢南入江如彼文大別在江北小別當近之小別亦在大別之東也何則子常從小別而至大別明其自東而漸西也土地名小別大別皆闕不知所在或曰大別在安豐縣西南傳曰吳既與楚夾漢然後楚乃濟漢而陳自小別至于大別然則二別近漢之名無緣乃在安豐也三戰子常知不可欲奔知吾不可史皇曰安求其事求知政事難而逃之將何所入子必死之初罪必盡說言致死以免罪可以免郤宛之罪○難乃旦反十一月庚午二師陳于柏舉柏舉楚地二師吳楚師闔廬之弟夫槩王晨請於闔廬曰楚瓦不仁瓦子常名其臣莫有死志先伐之其卒必奔而後大師繼之必克弗許夫槩王曰所謂臣義而行不待命者其此之謂也今日我死楚可入也以其屬五千先擊子常之卒子常之卒奔楚師亂吳師大敗之子常奔鄭史皇以其乘廣死以戰死○卒子忽反下同乘繩證反廣古曠反【疏】所謂至入也○正義曰此言臣見事可則行不待君命古有此言故云其此之謂也今日我致死而戰楚可入也吳從楚師及清發清發水名將擊之夫槩王曰困獸猶鬬況人乎若知不免而致死必敗我若

使先濟者知免後者慕之蔑有鬭心矣半濟而後可擊也從之又敗之楚人為食吳人及之奔食而從之敗諸雍澨五戰及郢 奔食食者走不陳故不但戰數○（疏）註奔食至戰數○正義曰五戰謂柏舉而澨市制反也此已五矣若後數雍澨則為六也傳例皆陳曰戰奔食而從之則食者走不暇為陳故不數也 己卯楚子取其妹季芈畀我以出涉睢 睢水出新城昌魏縣東南至枝江縣入江是楚王西走○芈亡爾反楚姓畀必利反世族譜季芈畀我皆平王女也服云畀我季芈之字睢音七餘反下同（疏）季芈畀我○正義曰世族譜季芈與畀我二人皆平王女也服虔云季芈許嫁而字畀我季芈弟也禮婦人許嫁笄而稱字季芈稱字是許嫁也蓋遭亂失所而改適鍾建耳○注睢水至西走○正義曰壬地名睢水出新城昌魏縣南發何山東南經襄陽至南郡枝江縣入江此水在郢都之西楚王辟吳而西走 鍼尹固與王

五四　廿四

同舟王使執燧象以奔吳師 燒火燧繫象尾使赴吳師驚却之○鍼之林反燧音遂（疏）註燒火至却之○正義曰賈逵云燧火燧也象獸也以火繫其尾使奔吳師驚却其衆使王得免杜用其說也禮有金燧木燧皆取火之物故以燧名火也說文云象長鼻牙南越之大獸也南州異物志云象身倍數牛而目則如豕目鼻長七八尺其所食物皆鼻取之性訓良為人所養使人服乘之史記大宛傳曰身毒國其民皆乘象以戰是象可訓制楚近南邊故有此象王將涉睢吳師來偪故使以火繫象尾令奔吳師使馬却之言執燧象者既繫火於尾執而牽向吳師乃放之 庚辰吳入郢以班處宮 以尊卑班次處楚王宮室 子山處令尹之宮 子山吳王子 夫槩王欲攻之懼而去之夫槩王入之 令尹宮也言吳無禮所以不能遂克 左司馬戌及息而還 息汝南新息也聞楚敗故還 敗吳師于雍澨傷初司馬臣闔廬故恥為禽焉 司馬先敗吳師而身被創○創初良反

司馬嘗在吳為闔廬臣是以今恥於見禽 謂其臣曰誰能免吾首吳句卑曰臣賤可乎司馬曰我實失子可哉 失不知子賢 句古侯反（疏）我實失子可哉○正義曰言我比來失子不知子有賢行臨難能免吾首汝今可許此言哉 三戰皆傷曰吾不用也已句卑布裳剄而裹之 司馬已死剄取其首○剄古頂反裹音果（疏）註司馬已死○正義曰言布裳剄之是司馬傷而自殺故云已死 藏其身而以其首免 傳言司馬之忠壯（疏）註忠壯○正義曰謀毀舟敗吳是忠也雖傷猶戰不止是壯也 楚子涉睢濟江入于雲中 入雲夢澤中所謂江南之夢○夢如字又音蒙（疏）註入雲至之夢○正義曰土地名云南郡枝江縣西有雲夢城江夏安陸縣東南亦有夢城或曰南郡華容縣東南有巴丘湖江南之夢也郢都在江北雖東王于所涉睢又南濟江乃入于雲中知此在江南昭三年王與鄭伯田于江南之夢謂此也言江南之夢則江北亦有夢矣司馬相如子虛賦云雲夢者方九百里則此澤跨江南北

秋　五四　廿五

王寢盜攻之以戈擊王王孫由于以背受之中肩王奔鄖鍾建負季芈以從 鍾建楚大夫○中丁仲反鄖音云徐才用反下同一音如字 由于徐蘇而從 當時悶絕 鄖公辛之弟懷將弒王曰平王殺吾父我殺其子不亦可乎 辛蔓成然之子鬭辛也昭十四年楚平王殺成然○殺如字又申志反下我殺同蔓音萬 辛曰君討臣誰敢讎之君命天也若死天命將誰讎詩曰柔亦不茹剛亦不吐不侮矜寡不畏彊禦唯仁者能之 詩大雅言仲山甫不辟彊陵弱○茹音汝矜古頑反（疏）柔亦至彊禦○正義曰詩大雅烝民美宣王之詩其篇內言仲山甫不茹柔不吐剛也釋言云茹度也舍人曰茹啖食也樊光云啜菽飲水啜菽謂食菜也然則茹者噉食之名 違彊陵弱非勇

定四

也。乘人之約，非仁也；滅宗廢祀，非孝也；欲殺君罪應滅宗。動無令名，非知也。必犯是，余將殺女。」鬭辛與其弟巢以王奔隨。吳人從之，謂隨人曰：「周之子孫在漢川者，楚實盡之。天誘其衷，致罰於楚，而君又竄之，竄，匿也。○竄，七亂反。匿，女力反。疏注「竄匿」至「漢東」。○正義曰：桓六年傳曰「漢東之國隨為大」，是隨在漢東也。土地名：郢在夏雲杜縣，則是楚之西南。吳師猶尚在郢，更東求楚，奔隨國者，蓋為楚與隨有恩，謂可保守故也。周室何罪？君若顧報周室，施及寡人，以獎天衷，獎，成也。○獎，將丈反。君之惠也。漢陽之田，君實有之。」楚子在公宮之北，隨公宮。吳人在其南。子期似王，子期，昭王兄公子結也。逃王，而己為王，曰：「以我與之，王必免。」隨人卜與之，不吉，乃辭吳曰：「以隨之辟小，而密邇於楚，楚實存之，世有盟誓，至于今未改。若難而棄之，何以事君？執事之患不唯一人，一人，楚王。○辟，匹亦反。難，乃旦反。若鳩楚竟，敢不聽命？」鳩，安集也。○竟音境。吳人乃退。鑪金初宦於子期氏，○鑪，本又作鑪，金名，音盧是也。實與隨人要言。要言無以楚王與吳，所欲脫子期。○要，於遙反。王使見，王喜其忠，欲引見之，以比王臣，且欲使盟隨人。○見，賢遍反，下注「見皆」同。辭，曰：「不敢以約為利。」此約謂要言也。此一時之事，非為私求利，故辭不敢見，亦不盟。王割子期之心，以與隨人盟。當心前割取血以盟，示其至心。○割，如字，又於劫反。初，伍員與申包胥友。包胥，楚大夫。○包，必交反。其亡也，謂申包胥曰：「我必復楚國。」復，報也。申包胥曰：「勉之！子能復之，我必能興之。」及昭王在隨，申包胥如秦乞師，曰：「吳為封豕、長蛇，以荐食上國，言吳貪害如蛇豕。○荐，在薦反。疏「封豕」。○正義曰：封，大也。言云「荐，再也」，再亦數之義也。虐始於楚。寡君失守社稷，越在草莽，使下臣告急，曰：『夷德無厭，若鄰於君，疆埸之患也。吳有楚，則為秦鄰。○莽，莫黨反，又莫補反，或作莽。厭，於鹽反。疆，居良反。埸音亦。逮吳之未定，君其取分焉。與吳共分其地。○逮，本又作逯。若楚之遂亡，君之土也。若以君靈撫之，世以事君。』」秦伯使辭焉，曰：「寡人聞命矣。子姑就館，將圖而告。」對曰：「寡君越在草莽，未獲所伏，伏猶處也。下臣何敢即安？」立，依於庭牆而哭，日夜不絕聲，勺飲不入口七日。秦哀公為之賦無衣。無衣，詩秦風，取其「王于興師，與子同仇」。○為，于偽反。仇音求。疏「無衣」。○正義曰：無衣，詩秦風刺用兵也。秦人刺其君好攻戰，亟用兵而不與民同欲焉。其詩云：「豈曰無衣？與子同袍。王于興師，脩我戈矛，與子同仇。」言君不與民同欲，而於王興師則云修我戈矛，與子同仇。此哀公之言，也君豈曰女無衣，我與女同袍乎？言不與民同，以此下注云「君不與我同欲，而於王興師則云修我戈矛，與子同仇」。又云「豈曰無衣，與子同澤。王于興師，修我矛戟，與子偕作」。又云「豈曰無衣，與子同裳。王于興師，修我甲兵，與子偕行」。九頓首而坐。三頓首，三章，三頓首。秦師乃出。為明年包胥以秦師至張本。

附釋音春秋左傳註疏卷第五十四

附釋音春秋左傳註疏卷第五十五 起定五年盡九年

杜氏註　孔穎達疏

經五年春王三月辛亥朔日有食之無傳○夏
歸粟于蔡 蔡為楚所圍飢乏故魯歸之粟 疏 註蔡為至之粟○正義曰公羊傳曰孰歸之諸侯歸之曷為不言諸侯歸之離至不可得而序故言我也穀梁傳亦然賈逵取彼為說云不書所會後也杜以傳文唯言周亟矜無資自歸粟之意不言諸侯歸之諸侯或亦歸之要此經所書其意不及諸侯故顯而異之言魯歸之粟
○於越入吳 於發聲也 疏 註於發聲也○正義曰公羊傳云於越者何越者何於越者未能以其名通也越者能以其名通也其言越與於越立文不同事有褒貶左氏無此義越是南夷夷言有此發聲史官或正其名或從其俗越與於越史異辭無義例 六月丙申季孫意如卒○
秋七月壬子叔孫不敢卒無傳○冬晉士鞅帥

春秋五十五　一

僕言劉校

師圍鮮虞
傳五年春王人殺子朝于楚 因楚亂也終閔馬父之言 夏歸
粟于蔡以周亟矜無資 亟急也○亟紀力反注同 越入吳
吳在楚也○六月季平子行東野 東野季氏邑○行下孟反下桓子行同 還未至丙申卒于房陽虎將以璵璠斂 璵璠美玉君所佩○璵本又作與音餘璠音煩又方煩反斂力驗反 疏 註璵璠至所佩○正義曰家語說文云璵璠魯之寶玉璵璠是一玉名說文又云璵美玉璠美玉也王藻云公侯佩山玄玉此璵璠異也昭公出奔之後平子攝行君事入宗廟佩此王是君所佩也君之所佩故為美王也王藻云公侯佩山玄玉此當時所佩未必是山玄也王藻又云古之君子必佩玉右徵角左宮羽鄭玄云徵角在右事也民也可以勞宮羽在左君也物也宜逸
仲梁懷弗與 懷亦季氏家臣 曰改步改王 昭公之出季孫行君事佩璵璠祭宗廟今定公立復臣位改君步則亦當去之○去起呂反 疏 註改步改王○正義曰步謂行也王藻云君與尸行接武大夫繼武士中武鄭玄云尊者尚徐蹈半迹繼武迹相及也中武迹間容迹是君臣步不同也王藻又云公侯佩山玄玉大夫佩水蒼玉是君臣王不同也昭公之出季氏行君事為君行佩君王及定公立季氏復臣位故步王皆改故
陽虎欲逐之告公山不狃不狃曰彼為君
也子何怨焉 不狃季氏臣費宰子洩也為君不欲使僭○狃女九反為子偽反注同洩息列反僭子念反 疏 註彼為君○正義曰家臣謂季氏為君故注云不欲使僭 既葬桓子行東
野 桓子意如子季孫斯 及費子洩為費宰逆勞於郊桓
子敬之勞仲梁懷仲梁懷弗敬 懷時從桓子行輕慢子洩○勞力報反下同從才用反下從父昆弟皆從王並同 子洩怒謂陽虎子行之乎 行逐懷也為下陽虎囚桓子起 申包胥以秦師至秦子蒲子虎

春秋五十五卷　十

帥車五百乘以救楚 五百乘三萬七千五百人○乘繩證反注同 子蒲
曰吾未知吳道 道猶法術 使楚人先與吳人戰而自
稷會之大敗夫槩王于沂 稷沂皆楚地○沂魚依反 吳人獲
薳射於柏舉 薳射楚大夫○射食亦反又食夜反 其子帥奔徒 奔徒楚散卒○卒子忽反 以從子西敗吳師於軍祥 軍祥楚地 秋七月子
期子蒲滅唐 唐從吳伐楚故 九月夫槩王歸自立也以
與王戰而敗 自立為吳王號夫槩 奔楚為堂谿氏 傳終言之○谿苦兮反又下同
吳師敗楚師于雍澨秦師又敗吳師吳
師居麇 麇地名○麇九倫反下同 子期將焚之子西曰父兄
親暴骨焉不能收又焚之不可 前年楚人與吳戰多死麇中言

不可并焚。暴，步卜反。子期曰：國亡矣，死者若有知也，可以歆舊祀，言焚吳復楚，則祭祀不廢。○歆，許金反。豈憚焚之？焚之，而又戰，吳師敗。又戰于公壻之谿，楚地名。吳師大敗，吳子乃歸。因闉輿罷，闉輿罷請先，遂逃歸。闉輿罷，楚大夫。請先至吳，而逃歸。言吳唯得楚一大夫，復失之，所以不克。○闉音因，輿音餘，又作與。罷，乎次反。罷音皮。復，扶又反。葉公諸梁之弟后臧從其母於吳，不待而歸。諸梁，司馬沈尹戌之子葉公子高也。吳入楚，獲后臧之母。楚定，臧棄母而歸。○葉，舒涉反。從，如字，又才用反。葉公終不正視。不義之。○乙亥，陽虎囚季桓子及公父文伯，文伯，季桓子從父昆弟也。陽虎欲爲亂，恐二子不從，故囚之。○公父音甫。而逐仲梁懷。冬十月丁亥，殺公何藐。藐，季氏族。

○藐，亡角反，一音彌小反。己丑，盟桓子于稷門之內。魯南城門。庚寅，大詛，逐公父歜及秦遄，皆奔齊。歜即文伯也。秦遄，平子姑壻也。傳言季氏之亂。○詛，莊慮反。歜，昌欲反。遄，市專反。○楚子入于郢。吳師已歸。初，鬭辛聞吳人之爭宮也，曰：吾聞之，不讓則不和，不和不可以遠征。吳爭於楚，必有亂；有亂則必歸，焉能定楚？王之奔隨也，將涉於成臼，江夏竟陵縣有臼水，出聊屈山，西南入漢。○焉，於虔反。臼，其九反。屈，其勿反，又君勿反。藍尹亹涉其帑，藍尹，楚大夫。○藍，力甘反。亹，亡匪反。帑音奴。不與王舟。及寧，王欲殺之。寧，安定也。子西曰：子常唯思舊怨以敗，君何效焉？王曰：善。使復其所，吾以志前惡。惡過也。王賞

鬭辛、王孫由于、王孫圉、鍾建、鬭巢、申包胥、王孫賈、宋木、鬭懷。九子皆從王，有大功者。子西曰：請舍懷也。以初謀弒王也。○舍音捨，又音赦。弒，申志反。王曰：大德滅小怨，道也。終從其兄，免王大難，是大德。○難，乃旦反。申包胥曰：吾爲君也，非爲身也。君既定矣，又何求？且吾尤子旗，其又爲諸？子旗，蔓成然也。以有德於平王，求欲無厭，平王殺之，在昭十四年。○爲君，于僞反，下爲身同。厭，於鹽反。遂逃賞。王將嫁季羋，季羋辭曰：所以爲女子，遠丈夫也。鍾建負我矣。以妻鍾建，以爲樂尹。司樂大夫。○遠，于萬反。妻，七計反。王之在隨也，子西爲王輿服以保路，國于脾洩。脾洩，楚邑也。失王，恐國人潰散，故爲王車服，立國脾洩，以保安道路人。○脾，婢支反。洩，息列反。

疏

王之至脾洩。○正義曰：王之在隨也，國內無王，子西以民無所依，恐其潰散，故僞爲王之車服，以安道路之人，國于脾洩之地。於時子西蓋假稱王矣。聞王所在，而後從王。王使由于城麇，於麇築城。復命，子西問高厚焉，弗知。子西曰：不能，如辭。言自知不能，當辭勿行。

疏　問高厚焉弗知。○正義曰：子西問由于所築麇城高厚幾何，由于不知。董遇云問城高厚丈尺也。本或有大小者，涉下文而誤耳。○不能如辭。○正義曰：敢爲不敢，如爲不如，古人之語然也。僖二十二年傳云：若愛重傷，則如勿傷；愛其二毛，則如服焉。經傳之文，此類多矣。

城不知高厚，小大何知？對曰：固辭不能，子使余也。人各有能有不能。王遇盜於雲中，余受其戈，其所猶在。袒而視之背，曰：此余所能也。脾洩之事，余亦弗能也。傳言昭王所以復國，有賢臣也。○袒音但。

疏　城不至何知。○正義曰：王肅斷

小大何知爲句注云如是小大何所知也張兗古今人論云子西問城之高厚小大而弗知也子西怒曰不能則如辯能之而不知又何知乎張■引辭爲文小大■覊■雖無注蓋與張同晉士鞅圍鮮虞報觀虎之役也三年鮮虞獲晉觀虎

經六年春王正月癸亥鄭游速帥師滅許以許男斯歸游速大叔子○二月公侵鄭公至自侵鄭無傳○夏季孫斯仲孫何忌如晉○秋晉人執宋行人樂祁犂稱行人言非其罪○犂力兮反又力之反○冬城中城無傳公爲晉侵鄭故懼而城之○爲于爲反○季孫斯仲孫忌帥師圍鄆無傳何忌不言何闕文鄆貳於齊故圍之○鄆音運【疏】季孫至圍鄆○正義曰鄆是魯邑怖曰圍之必是鄆邑叛也三傳並無其事不知何爲而叛明年齊人歸鄆是叛歸齊也

傳六年春鄭滅許因楚敗也○二月公侵鄭取匡爲晉討鄭之伐胥靡也胥靡周地也周儋翩因鄭人以作亂鄭爲之伐胥靡故晉使魯討之匡鄭地取匡不書歸之晉○爲于僞反注同儋丁甘反翩音篇【疏】討鄭之伐胥靡○正義曰下注云鄭伐周六邑在魯伐鄭取匡前而此獨云胥靡者此時須顯侵鄭之意故言討鄭之伐胥靡略言之也但鄭伐周事須從下文戍周發之故傳文乃逆指下事爲次也往不假道於衛及還陽虎使季孟自南門入出自東門陽虎將逐三桓欲使得罪於鄰國舍於豚澤衛侯怒使彌子瑕追之彌子瑕衛嬖大夫○豚徒孫反嬖必計反公叔文子老矣文子公孫發輦而如公曰尤人而效之非禮也昭公之難君將以文之舒鼎衛文公之鼎○難乃旦反成之昭兆宝龜【疏】尤人至非禮○正義曰入其國門非

也追我其師亦非也尤其罪而復效之爲非禮也下云入以棄之即云天將多陽虎之罪則公叔文子知此必入衛門是陽虎之計非魯公使然尤人謂尤陽虎也○文之至昭兆○正義曰賈逵云舒鼎鼎名昭兆宝龜杜依用之蓋衛文公鑄此鼎也其名曰舒不知其故成之昭兆文公新得此龜蓋以灼之出兆兆文分明故名爲昭兆定之鞶鑑鞶帶而以鏡爲飾也今西方羌胡猶然古之遺服○鞶又作盤步丹反又蒲官反鑑古暫反苟可以納之擇用一焉公子與二三臣之子諸侯苟憂之將以爲之質爲質求納昭公○質音致注同此群臣之所聞也今將以小忿蒙舊德蒙覆也無乃不可乎大姒之子大姒文王妃○大音泰姒音似唯周公康叔爲相睦也而效小人以棄之不亦誣乎天將多陽虎之罪以斃之君姑待之若何乃止止不伐魯師○

夏季桓子如晉獻鄭俘也獻此春取匡之俘○俘芳夫反陽虎強使孟懿子往報夫人之幣虎欲因桓子并求媚於晉故強使正卿報晉夫人之聘○強其丈反注同下皆放此【疏】陽虎至之幣○正義曰聘禮者以致君命執圭以致享幣其於夫人則聘用璋享用琮聘君與夫人一使兼致之夫人不別使也傳言報夫人之幣則晉之夫人聘之夫人並有聘魯者矣禮法夫人不別遣使則晉之夫人聘者亦爲晉君來聘也經無其事蓋遣大夫來聘名氏不合見經故略之也不言報晉君惟言報夫人者桓子如晉獻俘即亦報聘晉也桓子報聘卿亦將報夫人但陽虎欲因季三桓又欲求媚於晉故使桓子報聘晉君又別遣正卿報晉夫人所以困季孫三桓而重晉禮也晉人兼享之賤魯故不復兩設禮明經所以不備書○複扶又反【疏】注賤魯至備書○正義曰若桓子特爲獻俘懿子爲報聘則經當兩書如晉日不合其文晉人亦當兩設享禮各特一客今乃桓子聘晉兼以懿子報夫人則似共爲一使君賓與介然後晉人兼享之賤魯故不復兩爲設禮傳言此者明經所以不備書也不備書謂不各自立文兩書如晉也

若然文十八年公子遂叔孫得臣如齊亦是經不備書而經此不備若從傳言惠公立故且拜葬也則是齊並命二卿令行兩事雖各有所主而受命俱行故宜共文書之此則所子獻得并亦報聘一卿足以兼之懿子不須行矣陽虎強使之行乃是從後而去去特不同受命宜當別書如晉上為晉人所賤故經不復備書正以傳言強使懿子報夫人之幣知兩子報晉君矣傳言兼享之知其不煩兼矣以此明二人不同受命宜應別書略而不備書耳 孟孫立于房外謂范獻子曰陽虎若不能居魯而息肩於晉所不以為中軍司馬者有如先君猶先君以徵其言若欲使晉必厚待之[疏]孟孫至先君○正義曰懿子之意不為陽虎求官欲使晉人知陽虎專權為國所患也中軍司馬晉國大夫之最貴者為求此官以若欲使晉厚待之然令晉知其情耳諸言有如皆是誓辭稱先君以徵其言似若欲晉必從之 獻子曰寡君有官將使其人擇得其人 鞅何知焉獻子謂簡子曰魯人患陽虎矣孟孫知其釁以為必適晉故強為之請以取入焉欲令晉人聞虎當逃走故強設請託之辭因此言以入晉令晉素知之○為于偽反令力呈反[疏]註欲令至知之○正義曰本意不為陽虎請官欲令晉人知陽虎終必逃走預設託請之辭因此言辭以取入晉之意欲令晉人素知陽虎之必逃 四月己丑吳大子終纍敗楚舟師終纍闔廬子夫差兄舟師水戰○纍力追反又力軌反 獲潘子臣小惟子二子楚舟師之帥○帥所類反 及大夫七人楚國大惕懼亡子期又以陵師敗于繁揚陵師陸軍○繁步何反[疏]註陵師陸軍○正義曰上云舟師水戰此言陵師陸軍南人謂陸為陵北特須然釋地云高平曰陸大陸曰阜大阜曰陵是陵亦小大之異名耳 令尹子西喜曰乃今可為矣言知懼而後可治 於是乎遷

郢於鄀而改紀其政以定楚國傳言楚賴子西以安○鄀音若 周儋翩率王子朝之徒因鄭人將以作亂于周儋翩子朝餘黨 鄭於是乎伐馮滑胥靡負黍狐人闕外鄭伐周六邑在鄭取周前於此見者為成周起也陽城縣西南有負黍亭○見賢遍反下文見溷并注同為于偽反下同 六月晉閻沒戍周且城胥靡為下天王出居姑蕕起 ○秋八月宋樂祁言於景公曰諸侯唯我事晉今使不往晉其憾矣樂祁告其宰陳寅以公言告之○使所吏反憾戶暗反 陳寅曰必使子往他日公謂樂祁曰唯寡人說子之言子必往陳寅曰子立後而行吾室亦不亡寅知晉多門往必有難故使樂祁立後而行○說音悅難乃旦反下文同 唯君亦以我為知難而行也見溷而行溷樂祁子也見於君立以為後○溷胡困反又侯溫反又侯困反 趙簡子逆而飲之酒於緜上獻楊楯六十於簡子楊木名○飲於鴆反楯食允反又音允 陳寅曰昔吾主范氏今子主趙氏又有納焉以楊楯賈禍弗可為也已知范氏必怒將得禍○賈音古 然子死晉國子孫必得志於宋以其為國死○為于偽反下同 范獻子言於晉侯曰以君命越疆而使未致使而私飲酒不敬二君不可不討也乃執樂祁獻子怒祁比趙氏經所以稱行人○疆居良反使所吏反下同比毗志反 ○陽虎又盟公及三桓於周社盟國人于亳社詛于五父之衢傳言三桓微陪臣專

攻爲八年陽虎作亂起○患步名反訓側慮反父音甫猶其俱反 ○冬十二月天王處

于姑蕕（姑蕕周地○蕕音由一音由稽反）辟儋翩之亂也（爲明年單劉逆王起）

○單音善

經七年春王正月○夏四月○秋齊侯鄭伯

盟于鹹（鹹衛地○鹹音咸）○齊人執衛行人北宮結以侵

衛（稱行人非使人之罪○使所吏反）齊侯衛侯盟于沙（結叛晉也 沙陽平元城縣東南有沙亭○沙如字又星和反）傳 ○齊國夏帥師伐我

西鄙（夏國佐孫）○九月[illegible] 傳 疏 註過也○正義曰案

者杜以春秋[illegible]如實之所言[illegible]言旱以此傳無旱文故謂之過有雩旱可知不須發傳若然昭雩一月兩雩旱亦可知何須發非也蓋時有雩旱故傳不言旱二十五年傳言旱甚也

禾應合雩註杜六過也

傳七年春二月周儋翩入于儀栗以叛（儀栗周邑）○

齊人歸鄆陽關陽虎居之以爲政（鄆陽關皆魯邑中十二於齊）

齊人歸之不書其○中丁仲反○夏四月單武公（穆公子）劉桓公（文公子）

敗尹氏于窮谷（尹氏儋翩黨窮谷共爲亂也○儋扶又反）○秋齊侯鄭

伯盟于鹹徵會于衛（徵召衛侯欲叛晉屬齊鄭也）衛侯欲叛晉諸

大夫不可使北宮結如齊而私於齊侯曰執

結以侵我（欲以齊師脅諸大夫）齊侯從之乃盟于瑣（瑣即沙也）

爲明年涉佗捘衛侯手起○瑣素果反佗徒何反捘子對反　齊國夏伐我（報伐也）陽

虎御季桓子公斂處父御孟懿子（處父孟氏家臣成宰公斂）

討○處昌呂反又音魚其音於反 將宵軍齊師齊師聞之墮伏而

待之（墮毀其軍以誘敵而設伏兵○墮許規反）處父曰虎不圖禍而必

死（而女也○女音汝下文同）疏 處父至必死○正義曰齊人設伏待之欲以陷入其伏為虎禍也虎不

禍而欲攻掩齊師以死處父欲自殺之 苫夷曰虎陷二子於難（苫夷季氏家臣

二子季孟○苫始占反難乃旦反）不待有司余必殺女虎懼乃還

不敗（傳言虎強能自安不敢有心）疏 不待有司○正義曰言不待掌刑戮之有司余必自

殺女也虎見二子欲殺此 此言懼之乃還不敗 ○冬十一月戊午單子劉子

逆王于慶氏（慶氏周大夫姑蕕）晉籍秦送王己巳王入

于王城（己巳十二月五日有日無月）疏 註己巳至無月○正義曰此

杜自以長歷校之己巳爲十二月五日 年經傳日少上下無可考驗

館于公族黨氏（黨氏周大夫）○黨音掌 而

後朝于莊宮（莊王廟也）

經八年春王正月公侵齊（報前年伐我西鄙）公至自侵

齊（無傳）○二月公侵齊（未得志故）三月公至自侵齊（無傳）

○曹伯露卒（無傳四年與盟未同盟而赴以名）○露如字反 疏 註四年至以名○正

義曰譜以昭二十一年即位三十二年諸侯之大夫盟于秋泉曹與在特以昭二十一年即位公而公盟不書於經杜以此故不數之四年盟于

四年二月傳侯與卒其年盟于再與自爾以來唯有此盟耳 ○夏齊國夏帥師伐

我西鄙○公會晉師于瓦（瓦衛地將來救魯公逆會之東郡燕縣東北有瓦亭）

○國夏戶雅反 公至自瓦（無傳）○秋七月戊

辰陳侯柳卒（無傳四年與盟未同而赴以名）○晉士鞅帥師

侵鄭遂侵衛（無傳）○葬曹靖公（無傳）疏 靖公○正義曰

諡法共以解曰諸○九月，葬陳懷公。無傳。三月而速葬。疏「懷公」○正義曰：諡法慈仁短折曰懷。○季孫斯、仲孫何忌帥師侵衛。○冬，衛侯、鄭伯盟于曲濮。曲濮，衛地。○濮音卜。○從祀先公。從，順也。先公，閔公、僖公也。將正二公之位次，所順非一，親盡，故通言先公。疏注「從順」至「先公」。○正義曰：傳言順祀，是從為順也。文二年大事于大廟，躋僖公，升僖於閔上，閔先為君，退在僖下，是逆也。今升閔在僖上，依其先後，是順也。廟主失次，唯此二公，故知從祀先公唯閔、僖耳。躋僖公指僖言之，此不指言升閔者，彼所升者上升僖公之一神，不得不指言僖公也。今從祀之時，閔、僖俱得正位，且以親盡，故通言先公。此言從祀，躋僖公不言逆祀者，此從祀因躋僖公之文，故得略言從祀。至於躋僖公，文無所繫，不知逆祀何公，且見是親廟，不可言先公，故指僖言之，而言躋也。然則此以親盡，故通言先公，下於宮僖宮，從彼亦親盡，言指僖者，彼謀殺之所在，須指言其處，與此躋例不同。○盜竊寶玉、大弓。盜謂陽虎也。家臣賤，名氏不見，故曰盜。寶玉，夏后氏之璜。大弓，封父之繁弱。○見，賢遍反。璜音黃。父音甫。疏注「盜謂」至「繁弱」。○正義曰：傳言陽虎取寶玉、大弓以出，是盜謂陽虎也。公羊傳曰：盜者孰謂？謂陽虎也。陽虎者曷為者也？季氏之宰也。季氏之宰則微者也，惡乎得國寶而竊之？陽虎專季氏，季氏專魯國。其說將殺季孫，亦與左傳大同。春秋之例，再命之卿始得名氏書經，陽虎季氏家臣，以賤，名氏不見，故書曰盜。盜者賤人之稱也。此寶玉、大弓，必是國之重寶，歷世掌之，故自劉歆以來，說左氏者皆以為夏后氏之璜、封父之繁弱，成王所以分魯公也。公羊傳曰：寶者何？璋判白，弓繡質，龜青純。彼不知魯有先王分器，繆為言耳，且所盜無龜，知其並是妄也。

傳八年春王正月，公侵齊，門于陽州。門，攻其門。士皆坐列，言無鬭志。曰：「顏高之弓六鈞。」顏高，魯人。三十斤為鈞，六鈞百八十斤。古稱重，故以為彊。○鈞音均。彊，其丈反。疏注「顏高」至「其強」。○正義曰：漢書律曆志云：量者，龠、合、升、斗、斛也。本起黃鐘之龠，以子穀秬黍中者千有二百實其龠，合龠為合，十合為升，十升為斗，十斗為斛，而五量嘉矣。權者，銖、兩、斤、鈞、石也。本起黃鐘之重，一龠容千二百黍，重十二銖，兩之為兩，十六兩為斤，三十斤為鈞，四鈞為石，而五權謹矣。由

此而言，龠之所容重十二銖，合龠為合，兩之為兩，則合重於兩，斗重十兩，斗重百兩，斛重千兩。計六鈞有一百八十斤，合為二千八百八十兩，於量為重兩斛八斗八升。計今人用弓，此亦未為彊矣，而魯人傳而觀之，故杜以為古稱重，故以為異強。計古稱亦準黃鐘之重為之，而得重於今者，權量之起本自黃鐘，而世俗不同，每有改易。傳稱齊舊四量，陳氏皆加一焉，是其不必常依古也。近世以來，或輕或重，魏齊斗稱於古二而為一，周隋斗稱於古三而為一，則古時亦當然。杜言古者，謂此顏高之時為古耳，非言自古稱皆重也。皆取而傳觀之。陽州人出，顏高奪人弱弓，籍丘子鉏擊之，與一人俱斃。子鉏，齊人。斃，仆也。○傳，直專反。鉏，仕居反。斃，婢世反。顏高與一人俱為子鉏所擊而仆。仆音赴，又蒲北反。孫炎云：前覆曰仆。偃，且射子鉏，中頰，殪。子鉏死。○且，如字。射，食亦反，下同。中，丁仲反，下同。頰，古協反。殪，於計反，死也。言顏高雖為子鉏所擊，偃仆，且射子鉏，中頰而死，言其善射也。一讀且音子餘反，云偃且，人姓名也。檢世族譜無此人，一讀者非也。疏注「斃仆」至「頰殪」。○正義曰：釋言云：斃，仆也。孫炎曰：前覆曰仆。吳越春秋稱要離謂吳王夫差曰：臣迎風則偃，背風則仆。然則仆是前覆，偃是却倒。此顏高被擊而仆，乃轉而仰，且射子鉏，猶死，言其善射之功然也。顏息射人中眉，顏息，魯人。退曰：「我無勇，吾志其目也。」以自矜。師退，冉猛偽傷足而先。猛，魯人。欲先歸。其兄會乃呼曰：「猛也殿。」會見師退而猛不在列，乃大呼，詐言猛在後為殿。傳言魯無軍政。○呼，火故反，注同。殿，丁電反，注同。○二月己丑，單子伐穀城，劉子伐儀栗。討儋翩之黨。穀城在河南縣西。○單音善。儋，丁甘反。翩音篇。辛卯，單子伐簡城，劉子伐盂，以定王室。傳終王室之亂。○盂音于。○趙鞅言於晉侯曰：「諸侯唯宋事晉，好逆其使，猶懼不至，今又執之，是絕諸侯也。」將歸樂祁。士鞅曰：「三年止之，無故而歸之，宋必叛

晉執樂祁在六年○始呼報反傍所吏反獻子私謂子梁獻子范鞅子梁樂祁曰寡君懼不得事宋君是以止子子姑使溷代子溷樂祁子○溷戶溫反又戶困反子梁以告陳寅陳寅曰宋將叛晉是棄溷也不如待之留待勿以子自代樂祁歸卒于大行大行晉東南山○大音泰行戶郎反一音衡士鞅曰宋必叛不如止其尸以求成焉乃止諸州州晉地爲明年宋公使樂大心如晉張本○公侵齊攻廩丘之郛郛郭也○廩力甚反郛芳夫反主人焚衝衝戰車○衝昌容反說文作轊云陷陣車也或濡馬褐以救之馬褐馬衣○濡人于反褐戶葛反遂毀之毀郛主人出師奔攻郛人少故遣後師走往助之【疏】主人出師奔○正義曰賈逵以爲主人出魯師奔走而御退言魯先戰備也劉炫云杜亦不勝舊今

秋疏五十五　十三

杜以異於賈以爲後師奔走往助之者若如賈言魯師奔走則是被敗而還下傳陽虎何得云猛在此必敗明其於時不敗故猛得逐廩丘之人是賈言非也陽虎僞不見冉猛者曰猛在此必敗揚州之役猛先歸之言若在此必復敗○復扶又反猛逐之顧而無繼僞顛逐廩丘人虎曰盡客氣也言皆客氣非勇○客苦百反○苫越生子將待事而名之苫越苫夷○苫式占反陽州之役獲焉名之曰陽州役自比僑如○僑其驕反夏齊國夏高張伐我西鄙報上二侵晉士鞅趙鞅荀寅救我救不書齊師已去未入竟○竟音境【疏】註救不至入竟○正義曰春秋諸侯相救皆書於經此救亦當書之不書者齊師聞晉來已去魯地晉師未入魯竟不成爲救故不書也公會晉師于瓦瓦是衛地公往衛地會晉師是其未入竟也公會晉師于瓦范獻子執羔趙簡子中行文子皆

定八

執鴈魯於是始尚羔獻子士鞅也簡子趙鞅也中行文子荀寅也禮卿執羔大夫執鴈魯則同之今始知執羔之尊也○卿不書禮不敵公史畧之○行戶郎反【疏】註禮卿至畧之○正義曰禮卿執羔大夫執鴈周禮大宗伯文也魯則同之蓋命卿與大夫俱執鴈今見士鞅執羔始知執羔之尊於是方始尚羔今卿執之記禮禁之文也傳言於是始尚羔必往前不執羔矣但往前所執難知先儒各以意說賈逵云周禮公之孤四命執皮帛卿三命執羔大夫再命執鴈魯發其禮三命之卿皆執羔是乃始復禮尚羔案周禮禮記皆言卿執羔大夫執鴈以爵斷不依命數賈何以討命高下妄稱禮乎傳言始尚羔者當謂舊貶羔而今尊之耳若本僭孤禮皆執皮帛當云始復用羔不得云尚也若改僭從禮得名爲尚則初獻六羽何以不言始尚六佾也以尚言之足知魯卿舊執非皮帛矣鄭衆云天子之卿執羔大夫執鴈諸侯之卿當天子之大夫故傳曰唯卿爲大夫當執鴈而執羔僭天子之卿也魯人效之而始尚羔記禮所從壞案禮傳及記天子之臣與諸侯之臣所執無異文也周禮掌客凡諸侯之禮上公及侯伯之下皆云卿相見以羔是諸侯之卿執羔不執鴈又士相見者諸侯之臣相見之禮也經曰下大夫相見以鴈上大夫相見以羔

秋疏五十五　十四

是諸侯之卿必執羔矣安在於諸侯之卿當天子之大夫乎是則皆問文而用肺腸也天子諸侯之臣所異者士相見之禮羔鴈皆云飾之以布而曲禮云飾羔鴈者以繢鄭玄云此爲諸侯之臣與天子之臣異也然則天子之臣衣之以布而又畫之諸侯之臣則用布不畫所異唯此而已其執不異也特文之華於禮者爵是卿也皆當執羔趙鞅荀寅不應執鴈此是當時之失失於偏下以晉卿失於偏下魯卿不應僭上益明賈言魯卿舊執皮帛非其義矣魯人於是始知執羔爲尊或亦效晉准上卿一人獨執羔耳未必即能如禮諸卿皆執羔也此經晉公會晉師不言公會士鞅僖二十九年傳曰在禮卿不會公侯會伯子男可也故杜云卿不書禮不敵公史畧之劉炫云案宣元年會晉師于棐林伐鄭杜云趙盾稱師取於師會故稱師何知此非亦以師會故稱師而云禮伐鄭故言師會此則公之獨會晉師又無征伐之事故以爲卿不書禮不敵公史畧之劉以此與宣元年並取於師會以規杜氏非也○晉師將盟衛侯于鄟澤自瓦還就衛地盟○鄟音專市轉反本亦作鄟音同趙簡子曰羣臣誰敢盟衛君者前年衛叛

言爲齊簡子意欲摧辱之涉佗成何曰我能盟之二子晉大夫○佗徒何反衛人請執牛耳盟禮尊者涖牛耳主次盟者衛侯與晉大夫盟自以當涖牛耳故請（疏）注盟執牛耳至故請○正義曰盟用牛耳卑者執之尊者涖之請執牛耳請使晉大夫執牛耳周禮戎右云盟則贊牛耳鄭玄云謂尸盟者割牛耳取血助爲之尸盟者執之襄二十七年傳曰諸侯盟小國固必有尸盟者是小國主備辦盟具宜執牛耳哀十七年傳曰公會齊侯盟于蒙孟武伯問於高柴曰諸侯盟誰執牛耳季羔曰鄫衍之役吳公子姑曹發陽之役衛石魋武伯曰然則彘也鄫衍之役吳爲盟主不知盟禮當今小國執牛耳而自使其臣執之發陽宋魯衛三國衛爲小蒙則齊魯三國魯爲小皆是以小國執牛耳而尊者涖之以王次同盟諸今衛侯與晉大夫盟自以當爲盟主官位牛耳故請晉大夫使執之成何曰衛吾溫原也焉得視諸侯言衛小可比晉縣不得從諸侯禮○焉於虔反將歃涉佗捘衛侯之手及捥捘擠也血至捥○歃所洽反捘子對反捥烏亂反擠子細反又子禮反說文云排也（疏）注捘擠也○正義曰說文云推排也排擠也捘是推排之意故爲擠也昭十三年傳言擠于溝壑謂被推入坑也

〇秋左疏五五　十五

衛侯怒王孫賈趨進賈衛大夫曰盟以信禮也信猶明也有如衛君其敢不唯禮是事而受此盟也言晉無禮不欲受其盟衛侯欲叛晉而患諸大夫王孫賈使次于郊大夫問故問不入故公以晉詬語之詬恥也○詬呼豆反語魚據反且曰寡人辱社稷其改卜嗣寡人從焉使改卜他公子以嗣先君我從大夫所立大夫曰是衛之禍豈君之過也公曰又有患焉謂寡人必以而子與大夫之子爲質爲質於晉○質音致注及下同大夫曰苟有益也公子則往羣臣之子敢不皆負羈紲以從將行王孫賈曰苟衛國有難工商未嘗不爲患使皆行而後可欲激怒國人○泄息列反從才用反下注從同難乃旦反激古狄反公以告大夫乃皆將行之行有日有期日公朝國人使賈問焉曰若衛叛晉晉五伐我病何如矣皆曰五伐我猶可以能戰賈曰然則如叛之病而後質焉何遲之有乃叛晉晉人請改盟弗許○秋晉士鞅會成桓公侵鄭圍蟲牢報伊闕也桓公周卿士不書監帥不親侵也六年鄭伐周闕外晉爲周報之○監古銜反爲于僞反下同遂侵衛討叛○九月師侵衛晉故也魯爲晉討衛○季寤季桓子之弟○寤五故反公鉏極公彌曾孫桓子族子公山不狃費宰○狃女九反皆不得志於季氏叔孫輒無寵於叔孫氏輒叔孫氏之庶子叔仲志不得志於魯志叔孫帶之孫皆爲國人所薄故五人因陽虎陽虎欲去三桓以季寤更季氏代桓子○去起呂反更音庚舊古孟反下皆同以叔孫輒更叔孫氏代武叔己更孟氏陽虎自代懿子冬十月順祀先公而祈焉將作大事欲以順祀取媚辛卯禘于僖公辛卯十月二日不於太廟者順祀之義當退僖公懼於僖神故於僖廟行順祀○禘大計反（疏）禘于僖公○正義曰釋例曰大祭于太廟以審定昭穆謂之禘禘于太廟禮之常也各於其宮時之爲也雖非三年大祭而書禘用禘禮也然則禘者審定昭穆之祭也今爲順祀而禘于僖公則是并取先公之主盡入僖廟而以昭穆祭之是爲周公禮也計禘傳當于太廟今就僖廟爲禘者順祀之義退僖公懼於僖公之神故於僖廟行禘禮使先公之神徧知之欲於尊可以及卑後世之主宜上從大廟而食今進上之之上下入僖廟祀之當時所爲非正礼也昭二十五年禘

守襄公義亦然也 壬辰將享季氏于蒲圃而殺之戒都車曰癸巳至 都邑之兵車也陽虎欲以壬辰夜殺季孫明日癸巳以都車攻二家○圃布五反 成宰公斂處父告孟孫曰季氏戒都車何故孟孫曰吾弗聞處父曰然則亂也必及於子先備諸與孟孫以壬辰爲期 處父期以兵救孟氏壬辰先癸巳一日○先癸悉薦反 陽虎前驅林楚御桓子虞人以鈹盾夾之陽越殿 越陽虎從弟○鈹普皮反盾食允反又音允夾古洽反殿丁見反 將如蒲圃桓子咋謂林楚 咋暫也○咋仕詐反 曰而先皆季氏之良也爾以是繼之 欲使林楚免己於難以繼其先人之良○難乃旦反下同 疏 而元至繼之○正義曰而女也言女先祖以來皆爲季氏忠良之臣女今不良反以若殺我之事繼續之 對曰

春秋疏五五　十七

臣聞命後 後猶晚 陽虎爲政魯國服焉違之徵死死無益於主桓子曰何後之有而能以我適孟氏乎對曰不敢愛死懼不免主桓子曰往也 言必往 孟氏選圉人之壯者三百人以爲公期築室於門外 實欲以備難不欲使人知故僞築室於門外因得聚衆○公期孟氏支子○圉魚呂反爲于僞反 林楚怒馬及衢而騁 騁馳也○騁勑領反 陽越射之不中築者闔門 季孫既得入乃閉門○射食亦反下同中丁仲反闔戶臘反 有自門間射陽越殺之陽虎劫公與武叔 武叔叔孫不敢之子州仇也○劫居業反仇音求 以伐孟氏公斂處父帥成人自上東門入 魯東城之北門 與陽氏戰于南門之內

弗勝又戰于棘下 城內地名 陽氏敗陽虎說甲如公宮取寶玉大弓以出舍于五父之衢寢而爲食其徒曰追其將至虎曰魯人聞余出喜於徵死何暇追余 徵召也陽虎召季氏於蒲圃將殺之今得脫必喜故言喜於召死○說本又作脫同他活反又他活反 疏 注徵召至召死○正義曰徵召也釋言文陽虎召季孫欲殺之今既得脫魯人歡喜季孫免於召死之事何暇追我劉炫云陽虎召季孫欲殺之則召季孫爲召死季孫得脫必大喜魯人聞我出去喜於召死言人人皆喜於季孫 從者曰嘻速駕公斂陽在 嘻嘆聲○嘻許其反 公斂陽請追之孟孫弗許 畏虎 陽欲殺桓子 欲因亂討季氏以強孟氏 孟孫懼而歸之 不敢殺 子言辨舍爵於季氏之廟而出 子言季寤辨猶周徧也徧告廟飲酒示無懼○言辨音遍注徧

春秋疏五十五　十八

侯吉劉校

同舍如字 陽虎入于讙陽關以叛 叛不書略家臣○讙音歡 ○鄭駟歂嗣子大叔爲政 歂駟乞子子然也爲明年殺鄧析張本○歂市專反析星曆反

經九年春王正月○夏四月戊申鄭伯蠆卒 無傳四年盟皋鼬○蠆勑邁反 疏 注四年盟皋鼬○正義曰蠆以昭二十九年即位三十二年大夫盟于狄泉以未告公而公甍故不數 ○得寶玉大弓 弓玉國之分器得之足以爲榮失之足以爲辱故重而書之○分扶問反○ 六月葬鄭獻公 無傳三月而葬速 疏 獻子○正義曰謚法博聞多能曰獻○秋齊侯衛侯次于五氏 五氏晉地不書伐晉諱伐盟主以次告 疏 注五氏至次告○正義曰傳言齊侯伐晉夷儀乃與衛侯次于五氏次既伐則伐亦應告以杜以爲諱伐盟主直以次告知非不告伐故不書者若全不告魯容可不以伐告今既以次告魯何意告次不告伐明以衛新叛晉又魯與晉親故恥以伐告唯告次耳劉炫以爲不告伐故不書而規杜氏非也 ○秦伯卒 無傳不書名未

同盟。○冬，葬秦哀公。無傳

傳九年春，宋公使樂大心盟于晉，且逆樂祁之尸。辭，僞有疾，乃使向巢如晉盟，且逆子梁之尸。巢，向戌曾孫。○向，舒亮反。子明謂桐門右師出，子明，樂祁之子溷也。右師，樂大心。子明族父也。右師往弔子明，舍子明，遂使出門去。曰：「吾猶衰絰，而子擊鍾，何也？」恩。○責其不逆父喪，而責其無同族之恩。○衰，七雷反。絰，田結反。下同。右師曰：「喪不在此故也。」既而告人曰：「己衰絰而生子，余何故舍鍾？」己，子明也。○舍音捨。子明聞之，怒，言於公曰：「右師將不利戴氏。」樂氏，戴公族。不肯適晉，將作亂也。不然，無疾。乃逐桐門右師。逐之，在明年。終叔孫昭子之言。○鄭駟歂

殺鄧析，而用其竹刑。鄧析，鄭大夫。欲改鄭所鑄舊制，不受君命，而私造刑法，書之於竹簡，故云竹刑。（疏）注鄧析至竹刑。○正義曰：昭六年子產鑄刑書於鼎，今鄧析別造竹刑，明是改鄭所鑄舊制。若用君命遣造，則是國家法制，鄧析不得獨專其名。知其不受君命而私造刑書，書之於竹，謂之竹刑。駟歂用其刑書，則其法可取，殺之不爲作此書也。下云棄其邪可也，則鄧析不當私作刑書，而殺盡別有當死之罪，駟歂不矜免之耳。君子謂子然於是不忠。苟有可以加於國家者，棄其邪可也。加猶益也。棄不責其邪惡也。○邪，似嗟反。注同。（疏）君子至可也。○正義曰：周禮大司寇以八辟麗邦法，附刑罰。三曰議賢之辟，四曰議能之法。鄭玄云：賢謂有德行者，能謂有道藝者。春秋傳曰：夫謀而不過，能訓不倦者，叔向有焉，社稷之固也，猶將十世宥之，以賢能者。今壹不免其身，以棄社稷，不亦惑乎？是賢能之人，當明其罪狀，可赦則赦之。今鄧析制刑，有益於國，即是有能者，殺有能之人，是不忠之臣。君子謂子然於是爲不忠也。明之臣民誠有可以加益於國家者，取其善處，棄其邪惡可也。雖知其邪，當棄而不責，所以勸他人使爲善能也。詩靜

女之三章，取彤管焉。詩邶風也。言靜女三章之詩，雖說美女，義在彤管。彤管，赤管筆，女史記事規誨之所執。○邶，蒲對反。說音悅。（疏）詩邶至所執。○正義曰：邶風靜女之篇也。於時衛君無道，夫人無德，衛人欲得貞靜之女以配國君，易非無德之夫人也。有三章，其一章云：靜女其姝，俟我於城隅。其二章云：靜女其孌，貽我彤管。彤管者，筆赤管也。必用赤者，示其以赤心正人也。古者后夫人必有女史執赤管之筆，記妃妾善惡之法，所以規誨人君也。靜女三章之詩，雖說美女之事，之常耳，無可特善，彤管記事，乃是婦人之大法，本錄靜女者，爲彤管之言可取，故全篇取之，不棄上下之二章也。女史所書之事，毛傳有其畧也。毛傳云：古者后夫人必有女史彤管之法，史不記過，其罪殺之。后妃羣妾以禮御於君所，女史書其日月，授之以環，以進退之。生子月辰，則以金環退之；當御者以銀環進之，著於左手；既御，著於右手。事無大小，記以成法。竿旄何以告之，取其忠也。詩鄘風也。竿旄於詩者，取其中心願告人以善道也。言此二詩皆以一善見采，而鄧析不以一善存身。○竿，音干。旄，音毛。鄘音容。（疏）注詩鄘至有身。○正義曰：詩鄘風干旄之篇也。於是衛文公之臣子多好善，賢

者樂告以善道也。其詩言大夫之好善者，乘駟馬，建于旄，識賢者諮國事焉。云孑孑干旄，在浚之郊，素絲紕之，良馬四之。彼姝者子，何以畀之。孑孑干旟，在浚之都，素絲組之，良馬五之。彼姝者子，何以予之。孑孑干旌，在浚之城，素絲祝之，良馬六之。其末句云：彼姝者子，何以告之。姝，順貌也。賢者見其好善，美其共順，言己寡知，復何以告之？自恨無可告，一明其無所吝惜。本錄于旄之詩者，取其中心願告人以善道。彼二詩皆以一善見采，而鄧析不以一善存身，故君子引二詩以譏子然。故用其道，不棄其人。詩云：「蔽芾甘棠，勿翦勿伐，召伯所茇。」詩召南也。召伯決訟於蔽芾小棠之下，詩人思之，不伐其樹。茇，草舍也。○芾，方味反。召，音邵。注同。茇，蒲末反。（疏）詩云至所茇。○正義曰：詩召南甘棠之篇也。蔽芾，小貌。甘棠，杜也。茇，草舍也。召伯之聽獄訟，不重煩勞百姓，止舍小棠之下而聽斷焉。國人被其德，說其化，故愛其樹。彼蔽芾然小者甘棠之樹也，勿得翦削之，勿得伐擊之，此乃是召伯舍息之處。思其人，猶愛其樹，況用其道而不恤其人乎？子然無以勸能矣。傳言子然罰大

辰爲政卿所以衰弱○夏陽虎歸寶玉大弓 無益近用而祗爲名故歸之○祗音之 書曰得器用也 器用者謂物之成器可爲人用者 凡獲器用曰得 得用焉曰獲 謂用器物以有獲若麟爲田獲俘爲我獲○麟本又作麐呂辛反俘芳夫反也 疏 凡獲至曰獲○正義曰器用者謂物可爲人用凡獲器物之用者謂之爲得也得用者謂將此器用以得於物焉謂之爲獲則以爲得用焉曰獲謂得此可用爲器之物謂之爲獲若麟之與角之屬以社解爲不然若案春秋之獲唯有囚俘可以爲器物除囚俘之外猶不獲麟麟爲靈獸帝王所重不可以鳳凰麟處以爲器物則以麟皮亦用爲器而規杜氏非也 六月伐陽關 討陽虎也 陽虎使焚萊門 萊門陽關邑門 ○萊音來 師驚犯之而出奔齊請師以伐魯曰三加必取之 三加再三加兵於魯 齊侯將許之鮑文子諫曰臣嘗爲隸於施氏矣 施氏魯大夫文子鮑國也成十七年齊人召而立之至今七十四歲於是文子蓋九十餘矣 魯未可取也上下猶和衆庶猶睦能事大國 大國晉也 而無天菑若之何取之陽虎欲勤齊師也齊師罷大臣必多死亡己於是乎奮其詐謀夫陽虎有寵於季氏而將殺季孫以不利魯國而求容焉 求自容○菑音災罷音皮 親富不親仁君焉用之君富於季氏而大於魯國茲陽虎所欲傾覆也魯免其疾而君又收之無乃害乎齊侯執陽虎將東之 陽虎欲西奔晉知齊必反己故詐以東爲願 陽虎願東 乃囚諸西鄙 陽虎欲西奔晉……乃囚諸西鄙 盡借邑人之車鍥其軸麻約而歸之 鍥刻

載葱靈寢於其中而逃 葱靈輜車名○鍥苦結反輶音涿○葱初江反或音怱輜側其反說文云衣車也 疏 注葱靈輜車名○正義曰云葱靈輜車名者以輜車有蔽其內容人此車前後有蔽兩旁開葱可以觀望葱中豎木謂之靈今人猶名葱木爲靈子其內容人所故得寢於其中而逃 追而得之囚於齊又以葱靈逃奔晉適趙氏仲尼曰趙氏其世有亂乎 受亂人故 疏 注爲備討也○正義曰○秋齊侯伐晉夷儀 爲衛討也○爲于僞反 疏 注爲衛討也○正義曰往年衛侯叛晉叛晉必當事齊下文衛侯會之知是爲衛討也 敝無存之父將室之 無存齊人也室之爲取婦 辭以與其弟曰此役也不死反必娶於高國 高氏國氏齊貴族也無存欲必有功還取 先登求自門出死於霤下 既入城夷儀人不服故鬭死於門屋霤下也○霤力又反娶七住反用息亮反 東郭書讓登 登城非人所樂故讓登○樂五孝反 犁彌從之曰子讓而左我讓而右使登者絕而後下 疏 ○正義曰言使登城人皆上訖絕後乃下 書左彌先下 書從彌言左行亦讓後下彌自下亦讓書而先下 書與王猛息 戰訖共止息 猛曰我先登書斂甲曰曩者之難今又難焉 斂甲起欲擊猛○曩乃黨反 猛笑曰吾從子如驂之靳 靳車中馬也猛不欲與書爭言故從書如驂馬之隨靳也傳言齊師和所以能克○驂七南反靳居觀反本或作如驂之靳 疏 注驂之靳○正義曰詩云兩服齊首兩驂鴈行鄭云兩服中央夾轅者然則古人車馬四馬夾轅二馬謂之服兩首齊其外二馬謂之驂首差退說文云靳當膺也則靳是當膺之皮也驂馬之首當服馬之胷胷上有靳故

定九

云發之從子如驂馬當服馬之靳杜言靳車中馬也言歎息
中馬之靳其頭以靳衷中馬詩云騏騮是中騧驪是驂是名
服馬爲中馬也 晉車千乘在中牟 救夷儀也今熒陽有中牟縣迴遠疑非也○乘繩證
反 （疏）注今熒至非也○正義曰此中牟在晉竟内也趙世
家云獻侯即位治中牟漢書地理志云河南郡有中
牟縣趙獻侯自耿徙此又云三家分晉河南之中牟魏分也
杜言今熒陽有中牟縣謂此河南之中牟也晉世分河南爲
熒陽郡中牟爲熒陽之地乃在河南計非晉竟所及故云迴遠
疑非也又三家分晉中牟爲魏則非趙得都之趙獻侯治中
牟亦非河南之中牟也此言晉車在中牟哀五年趙鞅伐衛
圍中牟論語佛肸爲中牟宰與趙獻侯所都中牟或當是一
必非河南中牟當於河北別有中牟但不復知其處耳有臣
瓚者不知其姓或云姓傅作漢書音義云臣瓚案河南中牟
春秋之時在鄭之疆內及三卿分晉則爲魏之邦土趙界自
漳水以北不及此也春秋衛侯如晉過中牟案此之中牟非
衛適晉之次也汲郡古文曰齊師伐趙東鄙圍中牟此中牟
不在趙之東也案中牟當在溫水之上瓚言河南中牟非此
中牟如其所謂此中牟當在溫水之上不知其所案據也 衛侯將如五氏 齊侯在五氏衛將往助
之 卜過之龜焦 衛至五氏道過中牟畏晉故卜龜焦兆不成不可以行事也 衛
侯曰可也衛車當其半寡人當其半敵矣 衛
當五百乘○復扶又反 恕晉甚不復顧卜欲以身 乃過中牟中牟人欲伐
之衛褚師圃亡在中牟曰衛雖小其君在焉
未可勝也齊師克城而驕其帥又賤 城謂夷儀也帥謂東
郭書○褚中呂反注同 （疏）注城謂至郭書○正義曰杜見傳言
帥所賤則云是東郭書劉炫云案上伐
夷儀乃齊侯親與所陳東郭書之事非是將帥杜何知帥謂
東郭書若東郭書爲帥則人無不識何故云皙幘而衣貍製
齊侯使視之乃知夫子也凡言君爲帥被晉之敗何故君以
爲少而更受賞乎今知劉雖非者以傳云克城而驕其帥又
賤文武相連止足一事克城謂克夷儀其帥則克城之帥上
克城之事郭書先登故知郭書爲帥身先士卒也僖二十三
年晉侯親自收秋而郤縠將將成十六年楚子親戰鄢陵而
子反爲主今齊侯雖伐夷儀郭書何妨別爲元帥戎事上衣

同服故逢丑父得與齊侯易位郭書雖爲元帥取衆之內
僕容或不辨齊侯賞其先登之功了責其後收之罪故以稱
帥謂東郭書劉據此諸事以爲更有別帥而規杜非也 遇必敗之不如從齊乃
伐齊師敗之 十五年傳見衛車五百乘事見哀 齊侯致禚媚
杏於衛 禚等三邑皆齊西界以答謝衛意○禚諸若反媚武悲反杏戶猛反 齊侯賞犂彌
犂彌辭曰有先登者臣從之皙幘而衣貍製
皙白也齒上下相值也○皙星歷反幘助革反說文作𪘾音義同衣於既反貍力之反製音義 （疏）注皙
白至裘也○正義曰詩君子偕老之篇說夫人之美云揚且
之皙皙是面白之名故爲白也說文云𪘾齒相值也言齒長
而白上下之齒相當也說文云製裁也衣貍製謂著貍皮也
厥皮著之則是裘矣故以製爲裘也月令孟冬天子始裘傳
言秋齊侯伐夷儀則之秋末寒亦衣裘者哀二十七年傳云
陳成子衣製杖戈又在秋上製亦裘也然則在軍之服或裘
或所須不可以常節約之 公使視東郭書曰乃夫子也吾
貺子 貺賜也○ 公賞東郭書辭曰彼賓旅也 言彼
與我若賓主相讓猶進退 乃賞犂彌齊師之在夷儀也齊
侯謂夷儀人曰得敝無存者以五家免 給其五家
令不共役事○共音恭 （疏）注給其至役事○正義曰一人得之
令力呈反 則以五家給所得者令常不共國家
役事服虔云是時齊克夷儀而有之既爲齊有故齊得優其
偽役也然夷儀故邢都也邢滅入衛後乃屬晉自齊而伐晉
戰其入晉竟深矣不必求 乃得其尸公三襚之
爲齊有當時暫得之耳
○襚音遂以衣服曰襚 （疏）注襚衣至厚之○正義曰送死之
衣也然有襲之則明三時與衣自死至殯有襲與小斂大斂此襚三加
之乎軒是卿車 與之犀軒與直蓋 犀軒卿車也直蓋高蓋 （疏）
明二據然以卿服
註犀軒至高蓋○正義曰說文云軒曲輈藩車也謂軒車有藩蔽
也下云齊侯斂諸大夫之軒郤意欲乘軒意欲非卿也傳稱

曹朝乘軒者三百人詩毛傳云大夫以上赤芾乘軒大夫亦乘軒矣指言卿車者言以貴者賞之也魚軒以魚皮爲飾華軒當以羊皮爲飾也考工記車人爲蓋不言有曲此云直蓋或時有曲直故云直蓋高蓋亦謂車蓋也**而先歸之坐引者以師哭之**齊侯卑以盡哀也君方爲位而哭故挽喪者不敢立○挽音晩**親推之三**齊侯自推喪車輪三轉○推如字又他回反

附釋音春秋左傳註疏卷第五十五

附釋音春秋左傳註疏卷第五十六　定公十年盡十五年

杜氏註　孔頴達疏

經十年春王三月及齊平平前八年再侵齊之怨○**夏公會齊侯于夾谷**平故○夾古治反又古恊反二傳作頰谷古木反**公至自夾谷**無傳○**晉趙鞅帥師圍衛○齊人來歸鄆讙龜陰田**三邑皆汶陽田也泰山博縣北有龜山陰田在其北也魯夾谷孔子相齊人服義而歸魯田○鄆音運讙火官反汶音問相息亮反 疏 註三邑至魯田○正義曰傳言孔丘使茲無還揖對齊要令反汶陽之田乃與之盟齊人爲是歸此三邑知三邑皆汶陽田也土地名汶水出泰山萊蕪縣西南經濟北至東平須昌縣入濟則汶水發源東北而西南流也水北曰陽此三邑皆在汶水北近齊齊因陽虎出奔取爲己有今服義而歸魯也僖元年公賜季友汶陽之田季氏世脩其德不應失其采邑則此汶陽之田當爲季氏采地今復有此三邑者汶水之北皆名汶陽其地多矣蓋季氏私邑之外別有此田也龜山名也山北曰陰田在龜山北其邑即以龜陰爲名故云三邑○**叔孫州仇仲孫何忌帥師圍郈**郈叔孫氏邑○郈音后字林下溝反○**秋叔孫州仇仲孫何忌帥師圍郈○宋樂大心出奔曹**傳在前年春書名罪其稱疾不適晉**宋公子地出奔陳**貪弄馬以距君命書名罪之也○弄魯貢反○**冬齊侯衛侯鄭游速會于安甫**無傳安甫地闕○**叔孫州仇如齊○宋公之弟辰暨仲佗石彄出奔陳**暨與也宋公寵向魋不聽辰請辰忿而將大臣出奔彄諸自恣欲示首惡也仲佗石彄皆爲國卿不能匡君靜難而爲辰所牽帥出奔稱名亦罪之也○暨其器反佗徒何反彄苦侯反魋大回反難乃旦反 疏 註暨與至之也○正義曰暨與也釋詁文凡大夫出奔書名皆是罪惡故在迹其爲罪之狀解其書名之由地既出奔辰爲之請請而不許是罪其請也公雖不許而已未嘗責其安請不被迫逐

侯吉刻校　秋疏五十六　張倍郎

自怨出□是辰之罪也。釋例曰：宋辰率群卿以背宗國，據邑以成叛，而以首惡歸弟，是言辭弟不書惡也。杜知見辰惡者，以其特文為公之弟。辰暨仲佗、石彄，故云首惡也。若不為首惡，當如昭二十一年宋華亥、向寧、華定出奔楚，頻舉字以間之。

傳十年春，及齊平。夏，公會齊侯于祝其，實夾谷。夾谷即祝其也。孔丘相。相會儀也。○相，息亮反，注同。犁彌言於齊侯曰：「孔丘知禮而無勇，若使萊人以兵劫魯侯，必得志焉。」萊人，齊所滅萊夷也。○劫，居業反。疏注萊人至夷也。○正義曰：襄六年齊侯滅萊，萊是東夷，萊國在東邊，去京師大遠，孔丘謂之裔夷之俘，是遠夷囚俘，非齊之舊民，故以兵劫魯侯者。若使萊人以兵劫魯侯，齊之遠夷，萊人不率，魯人不責其不意也。齊侯從之。孔丘以公退，曰：「士，兵之！以兵擊萊人。兩君合好，而裔夷之俘以兵亂之，裔，遠也。○好，呼報反，下同。非齊君所以命諸侯也。裔不謀夏，夷不亂華，俘不干盟，兵不偪好。裔以制夏，俘方夫反。於神為不祥，盟將告神，犯之為不善。○偪，彼力反。疏裔不至亂華。○正義曰：夏，大也。中國有禮儀之大，故稱夏；有服章之美，謂之華。華、夏一也。萊是東夷，其地又遠，裔不謀夏，言諸夏近戎狄而遠夷不亂華，言萊是夷而魯是華，二句其旨大同，各令文相對耳。於德為愆義，於人為失禮，君必不然。」齊侯聞之，遽辟之。辟去萊兵也。○愆，去連反。遽，其據反。辟，婢亦反，又音避，注同。去，起呂反。將盟，齊人加於載書曰：「齊師出竟而不以甲車三百乘從我者，有如此盟！」如此盟詛之禍。○竟音境。乘，繩證反。詛，側慮反。孔丘使茲無還揖對，無還，魯大夫。○還音旋。曰：「而不反我汶陽之田，吾以共命者，亦如之！」須齊歸汶陽之田，乃當共齊命也。於是孔子以公退，賤者終其事，要盟不書。○共音恭，注同。要，一遥反。疏注須齊至不書。○正義曰：齊魯既平，當相從意。齊人既令魯以三百乘從齊，須齊歸汶陽之田，乃當以三百乘之命則得汶陽之田足當三百乘也。賈逵云：不書盟，諱以三百乘從齊師。其意公不以官七年盟于黑壤而不書，經傳言晉侯之立也，公不與盟，不書盟，諱之也，彼使大夫聘晉人止公，于會公不與盟，不書盟，諱之也。彼有諱，謂此亦諱。案此會孔丘相，反汶陽之田以共齊命，孔丘意也。何其諱之？且三邑而以三百乘從之，為相當矣。於魯不為負，何以諱其盟？即以三邑田少，不足以當三百乘，孔丘不應唯令反此而已，令反此其命，必其足以當三百乘從齊，必是可諱，孔丘為相義，不能拒，則孔丘為有非矣，何責乎聖人也！故杜以為終是孔子以公退，賤者終其事，要盟不絜，故略不書。釋例曰：夾谷之會，齊侯欲以兵威之，將陷君於不義。此之以兵威之，將陷之，又使兹無還責侵田。齊之亘邑，國正其宗，此聖人之大司寇也，故以二君雖會而兵刃相要二國，違以兵威，終無事，故賤而不書，非所諱也。書公至自夾谷，同以盟黑壤之會，為賈氏所唱也。齊侯將享公。孔丘謂梁丘據曰：「齊、魯之故，吾子何不聞焉？據，齊大夫。○故，舊典。事既成矣，會事成。而又享之，是勤執事也。且犧象不出門，嘉樂不野合。犧象，酒器，犧尊、象尊也。嘉樂，鐘磬也。○犧，許宜反，又素何反，注同。疏注犧象至磬也。○正義曰：周禮司尊彝云：春祠夏禴，祼用雞彝、鳥彝，其朝踐用兩獻尊，其再獻用兩象尊。鄭衆云：獻尊，飾以翡翠；象尊，以象鳳皇。或曰以象骨飾尊。阮諶三禮圖：犧尊畫牛以飾尊，象尊畫象以飾尊。王肅以為犧尊、象尊為牛、象之形，背上負尊。魏太和中，青州掘得齊大夫子尾送女器，為牛形而背上負尊，古器或當然也。周禮大司樂云：六變而致象物，及天神皆降，可得而禮矣。冬日至於地上之圜丘奏之，若樂八變則地祇皆出，可得而禮矣。夏日至於澤中之方丘奏之，若樂八變則人鬼可得而禮矣。以其祭祀之樂，必於圜丘方丘、宗廟，二者之樂亦當然也。嘉樂不野合，言不出門，不野合者，謂享宴之正禮當設於宮內，不得出門，行於野。此經言樂，皆謂正禮，不得出門，不得野合者，記之大禮也。諸侯相見之禮，享在廟，燕在寢，不得行於野。僖二十八年晉侯朝玉帛之……宋公享齊侯……以祭祀……享晉六卿于蒲圃……十七年鄭伯享趙孟于垂隴……如此之類……春秋多矣……或時……特……以……恐和平未有……之歡……無假非常之事……孔子知齊……詐……非……故言不野合 饗而既具，是棄禮也；若其不具，用秕稗也。秕穀不成者，稗草之似穀者。言享不具禮穢薄。若……秕音……稗……反 用秕稗，君辱；棄禮，名惡。子盍圖之？夫享所以昭德也，不昭，不如其已也。乃不果享。孔子知齊侯之詐，故以禮距之。○盍，戶臘反，下同。 齊人來歸鄆、讙、龜陰之田。陽虎九年以此奔齊。【疏】注陽虎至歸之。正義曰：八年陽虎入于讙陽關以叛，九年伐陽關，陽虎奔齊。其時陽虎以讙去，鄆與龜陰亦從之，皆為齊所取。至今始歸之。經在圍衛之後，傳文倒者，傳次魯事，雖此歸田於上，今與盟事相接故也。 晉趙鞅圍衛，報夷儀也。前年齊為衛伐晉夷儀，故伐衛以為報。○為衛，于偽反。 初，衛侯伐邯鄲午於寒氏，即五氏也。前年衛人助齊伐五氏。○邯鄲午，晉邯鄲大夫。寒氏即邯鄲廣平縣也。邯音寒，鄲音丹。 城其西北而守之，宵熸。【疏】城其西北而守之。○正義曰：築城於其西北隅以守之也。本或作其西北隅，或作西北下有隅。昭二十五年傳……服以為……涉佗……今定本……隅。 及晉圍衛，午以徒七十人門於衛西門，殺人於門中，曰：請報寒氏之役。衛開門與午鬭。涉佗曰：夫子則勇矣，然我往，必不敢啟門。亦以徒七十人旦門焉，步左右，皆至而立，如植。至其門下，步行門左右，然後立，如植木不動，以示整。○佗，徒何反。植，市力反。一音值。【疏】注以示整。正義曰：涉佗以徒七十人至門，步行門之左右，然後其徒皆至而立，如植木然。

日中不啟門，乃退。反役，晉人討衛之叛故，曰：由涉佗、成何。捘衛侯手故。於是執涉佗以求成於衛。衛人不許。晉人遂殺涉佗。成何奔燕。君子曰：此之謂棄禮，必不鈞。言以見殺不得與人等。詩曰：人而無禮，胡不遄死。詩鄘風。遄，速也。涉佗亦遄矣哉。○遄，市專反。 初，叔孫成子欲立武叔，公若藐固諫曰：不可。藐，叔孫氏之族。○藐，音邈，又亡小反。 成子立之而卒。公南使賊射之，不能殺。公南，叔孫家臣，武叔之黨。○射，食亦反，下及注同。 公南為馬正，使公若為郈宰。武叔既定，使郈馬正侯犯殺公若，弗能。其圉人曰：武叔之圉人。吾以劍過朝，公若必曰誰之劍也，吾稱子以告，必觀之。吾偽固而授之末，則可殺也。偽為固陋不知禮者，以劍末授之。○鋒，芳逢反。【疏】注偽為至授之。○正義曰：少儀說以器物授人之禮云：刀卻刃授穎，削授拊。凡有刺刃者，以授人則辟刃。鄭玄云：穎，鐶也；拊，謂把也；辟刃不以正鄉人也。是禮授刀劍當以鋒刃自鄉，而授其鐶，今圉人為為固陋不知禮者，以劍鋒末授之，欲因推而殺之。 使如之。公若曰：爾欲吳王我乎？見劍向己，逆呵之，將諸刺吳王亦如此。○向，許亮反。【疏】注吳王。正義曰：言使我如吳王，欲殺之。 遂殺公若。侯犯以郈叛。以不能殺公若，懼而以郈叛。○郈音后。【疏】注以郈叛。正義曰：昭二十一年傳云：書叛，賤而書，……不書……以告……此侯犯以郈叛不書者，此不告也……書圍……以閈……九年伐陽關討陽虎，陽虎亦叛，書而不書者……蓋……不告……不書。 武叔懿子圍郈，弗克。秋，二子及齊師復圍郈，弗克。叔孫謂郈工師駟赤工師掌工匠之官。○復扶又反曰：「郈非唯叔孫氏之憂，社稷之患也，將若之何？」對曰：「臣之業在揚水卒章之四言矣。」揚水詩唐風卒章四言曰我聞有命。〔疏〕注揚水至有命。正在揚水卒章本或作揚之水卒章。義曰詩揚之水刺晉昭公也昭公分國以封沃沃盛強昭公微弱國人將叛而歸沃焉其二章云揚之水白石粼粼我聞有命不敢以告人註云聞曲沃有善政命不敢以告人鄭箋云不敢以告人而去者畏昭公謂已動民心叔孫稽首。謝其受已命駟赤謂侯犯曰：「居齊、魯之際而無事，必不可矣。无所服事子盍求事於齊以臨民？不然，將叛。」侯犯從之。齊使至，駟赤與郈人爲之宣言於郈中欲爲齊使言也。○使所吏反注同爲之于僞反下注爲齊同曰：「侯犯將以郈易于齊，齊人將遷郈民。」謂易其民人衆兇懼。不欲遷。○兇音凶一音凶勇反駟赤謂侯犯曰：「衆言異矣。不與始同子不如易於齊，與其死也。猶是郈也，而得紓焉，何必此？言以郈民易取齊人與郈无異於守郈爲叛人所殺。○紓音舒齊人欲以此偪魯，必倍與子地。言非徒得民又將得齊地。○偪彼力反倍步罪反且盍多舍甲於子之門，以備不虞。」侯犯曰：「諾。」乃多舍甲焉。侯犯請易於齊，齊有司觀郈。將至，駟赤使周走呼曰：「齊師至矣！」郈人大駭，介侯犯之門甲，以圍侯犯。駟赤將射之。僞爲侯犯射郈人。○呼火故反介音界侯犯止之，曰：「謀免我。」侯犯請行，許之。郈人許之駟

赤先如宿，宿東平無鹽縣故宿國侯犯殿。每出一門，郈人閉之。閉其後門。○殿丁見反及郭門，止之，曰：「子以叔孫氏之甲出，有司若誅之，誅責也羣臣懼死。」駟赤曰：「叔孫氏之甲有物，吾未敢以出。」物識也亦謂殺侯犯也○識申志反又如字犯謂駟赤曰：「子止而與之數。」數甲以相付○數色主反注同駟赤止，而納魯人。侯犯奔齊，齊人乃致郈。致其名籍也爲下武叔聘齊傳○籍在亦反○宋公子地嬖蘧富獵，如宋景公弟辰之兄也○嬖必計反蘧其居反獵力輒反十一分其室，而以其五與之。地富獵也公子地有白馬四。公嬖向魋，魋欲之。向魋司馬桓魋也公取而朱其尾鬣以與之。與魋也○鬣力輒反魋徒雷反[illegible]舍人注云馬[illegible]注受于丁反〔疏〕注朱其尾鬣○正義曰爾[illegible]舍人注云鬣髯也地怒，使其徒抶魋而奪之。魋懼，將走。公閉門而泣之，目盡腫。母弟辰曰：「子分室以與獵也，而獨卑魋，亦有頗焉。子爲君禮，禮所以敬君也○抶敕乙反腫章勇反頗普多反不過出竟，君必止子。」公子地出奔陳，公弗止。辰爲之請，弗聽。辰曰：「是我迋吾兄也。迋欺也○竟音境[illegible]爲于僞反[illegible]迋求往反又古況反吾以國人出，君誰與處？」冬，母弟辰暨仲佗、石彄出奔陳。佗仲幾子彄褚師段子皆宋卿衆之所望故言國人○佗徒多反○武叔聘于齊，謝致郈也經書辰在聘齊後者從告齊侯享之，曰：「子叔孫！若使郈在君之他竟，寡人何知焉？屬[illegible]

與敝邑際，故敢助君憂之。以孜納德叔○屬音燭對曰：非寡君之望也。所以事君，封疆社稷是以。以猶爲也○疆居良反敢以家隸勤君之執事？夫不令之臣，天下之所惡也，君豈以爲寡君賜？言我在討惡，非所以賜寡君○惡烏路反十一年傳皆同一音注字

經十有一年，春，宋公之弟辰及仲佗、石彄、公子地自陳入于蕭以叛。蕭宋邑輒地例在前年疏注蕭宋邑○正義曰：莊十二年宋萬弒閔公，蕭叔大心者，宋蕭邑大夫也。平宋亂，立桓公。宋人嘉之，以蕭邑封叔爲附庸。宣十二年楚子滅之，後爲宋邑。拒辰等，今入之以叛也。○夏四月。○秋，宋樂大心自曹入于蕭。入蕭從叛人，叛可知，故不言叛○冬，及鄭平，平六年侵鄭取匡之怨叔還如鄭涖盟。還叔詣曾孫○還音旋還叔詣曾孫案世族譜叔還是叔弓曾孫此云叔詣誤也疏注還叔詣曾孫○正義曰：世族譜云：叔還，叔弓曾孫也。又世本云：叔弓生定伯閱，閱生西巷敬叔，敬叔生成子還，還爲叔弓曾孫。杜云叔詣曾孫，寫誤耳。

傳十一年春，宋公母弟辰暨仲佗、石彄、公子地入于蕭以叛。秋，樂大心從之，大爲宋患，寵向魋故也。惡宋公寵不義以致國患○冬，及鄭平，始叛晉也。魯自僖公以來世服於晉，至今而叛，故曰始

經十有二年，春，薛伯定卒。無傳。四年盟皐鼬疏注四年盟皐鼬○正義曰：定以昭三十二年即位，其年大夫盟于狄泉，以未告公，而公見經無明文，故不數。○夏，葬薛襄公。無傳○叔孫州仇帥師墮郈。墮，毀也。患其險固，故毀壞其城○墮許規反，上同，又下傳同。壞音怪，又戶怪反疏注墮毀至其城○正義曰：昭十二年，南蒯以費叛；定十年，侯犯以郈叛，而不克。良由其城險固，家臣數以背叛，以是故毀壞其城。公羊傳曰：孔子行乎季孫，三月不違，曰：家無藏甲，邑無百雉之城。於是帥師墮郈，帥師墮費。左氏不言孔子之計，當是仲由自立此謀，但轉有賞人龍習而仲尼在焉，是仲尼知其事，習隨之爲耳，故不禁也。釋例曰：三都彊盛，以奪三家之權，陪臣執政，下陵上替，故仲由請墮之，而仲尼不禁。師師登臺，僅不能克，直隨事而書，以示二家之彊無義。○衛公孟彄帥師伐曹。彄，孟縶子○彄苦侯反，縶陟立反疏注彄孟縶子○正義曰：世族譜云：孟縶無子，蓋公以其子彄爲之後也。爲後則爲其子，故云孟縶子。此實公孫，而不稱公孫者，縶字公孟，故即以公孟爲氏。劉炫謂公孟生得賜族，故彄即以族告。○季孫斯、仲孫何忌帥師墮費。費音祕○秋，大雩。無傳。書過○雩音于○冬，十月癸亥，公會齊侯盟于黃。無傳。結叛晉○十有一月丙寅朔，日有食之。無傳○公至自黃。無傳○十有二月，公圍成。公至自圍成。無傳。國內而書至者，成遂若列國，興動大衆，故出入皆告廟疏注國內至告廟○正義曰：成，魯邑，國內用兵，計不應書至，而出入皆書者，爲興動大衆，故釋例曰：陪臣執命，大都耦國，仲由建墮三都之計，而成人不從，故公親圍之，雖不越竟，動衆興兵，大其事，故出入皆告於廟。

傳十二年夏，衛公孟彄伐曹，克郊。郊，曹邑還，滑羅殿。滑羅，衛大夫○滑于八反，殿丁見反，下同未出，不退於列。未出曹竟，行在列之後○竟音境，行戶郎反其御曰：殿而在列，其爲無勇乎？羅曰：與其素厲，寧爲無勇。素，空也。厲，猛也。言伐小國，當如畏者以誘致之疏素厲至無勇○正義曰：雖以曹國小弱，不敢來追，衛師一而在後爲殿，是空設嚴猛，與其空爲嚴猛，寧爲無勇，示弱誘之，使曹人不御，以爲後圖。○仲由爲季氏宰，仲由，子路將墮三都。三都，費、郈、成

費郈成也彊盛將爲國害故仲由欲毁之於是叔孫氏墮郈季氏將墮費公山不狃叔孫輒帥費人以襲魯不狃費宰也輒不得志於叔孫氏公與三子入于季氏之宮登武子之臺費人攻之弗克入及公側至臺下仲尼命申句須樂頎下伐之二子魯大夫仲尼時爲司寇○句音劬頎音祈【疏】注仲尼時爲司寇○正義曰史記孔子世家云定公以孔子爲中都宰一年四方皆則之由中都宰爲司空由司空爲大司寇十年會于夾谷時已爲司寇矣十四年孔子由大司寇攝行相事是此時仲尼爲司寇費人北國人追之敗諸姑蔑二子奔齊二子不狃叔孫輒遂墮費將墮成公斂處父謂孟孫墮成齊人必至于北門成在魯北竟故且成孟氏之保障也無成是無孟氏也子僞不知佯不知○障之尚反又音章子僞不知並如字一本僞作爲佯本亦作陽音同我將不墮冬十二月公圍成弗克

〈秋疏五十六〉　十　侯官刻校　張雇刻

經十有三年春齊侯衛侯次于垂葭二君將使師伐晉次垂葭以爲之援○葭音加○夏築蛇淵囿無傳書不時也○囿音又○大蒐于比蒲無傳夏蒐非時○蒐所求反比音毗○衛公孟彄帥師伐曹無傳○晉趙鞅入于晉陽以叛書叛惡可知○冬晉荀寅士吉射入于朝歌以叛吉射士鞅子○射食亦反又食夜反朝如字晉趙鞅歸于晉韓魏請而復之故以歸言韓魏之彊脩列國【疏】注韓魏至列國○正義曰成十八年傳例曰凡去其國諸侯納之曰歸此傳稱韓魏以趙氏爲請故趙鞅得稱歸韓魏非諸侯亦從諸侯納之例者韓魏之彊脩列國也釋例曰韓魏有耦國之彊陳蔡有復國之端故晉趙鞅楚公子比皆稱歸從諸侯納之例言非晉楚之所能制也○薛弒其君比無傳稱君君無道

傳十三年春齊侯衛侯次于垂葭實郥氏垂葭郥氏河內山陽縣西北有郥亭○郥古闃反【疏】注垂葭至郥亭○正義曰經書所次之名則傳以實明之許迂于夷實城父則是也此則是彼名郥氏後名垂葭而此云垂葭改名郥氏者杜意以爲垂葭是新改之名本是郥氏也故以郥氏釋之與釋例不違劉炫以杜注自違釋例以爲地無新舊之異也是一地二名若劉言案許迂于夷實城父經書夷實城父經書夷齊侯次于垂葭實郥氏經書垂葭實白羽以此準之經應書析不應書白羽公會齊侯于祝其實夾谷經應書夾谷杜以文同事異故以新舊明之劉不細尋而過非也使師伐晉將濟河諸大夫皆曰不可邴意茲曰可意茲齊大夫○邴彼命反又音丙銳師伐河內河內晉地傳必數日而後及絳絳晉國都○傳張戀反又直專反注同數所主反絳不

〈秋疏五十六〉　十一

三月不能出河則我既濟水矣乃伐河內齊侯皆斂諸大夫之軒唯邴意茲乘軒以其言當○當丁浪反齊侯欲與衛侯乘共載○乘繩證反下同與之宴而駕乘廣載甲焉使告曰晉師至矣齊侯曰比君之駕也寡人請攝以己車攝代衛車○廣古曠反比必利反乃介而與之乘驅之或告曰無晉師乃止傳言齊侯輕所以不能成功○介音界驅起遇反【疏】齊侯至乃止○正義曰齊侯輕脫欲得與衛侯同乘先與之宴欲而迫脅使人告曰晉師至矣齊侯謂衛侯曰比及君之駕以來君既未有兵車寡人請以己車攝代衛車與君同乘齊侯乃著甲而與衛侯共乘驅之而行或告無晉師乃止傳載此者言齊侯之輕所以不能成功也晉趙鞅謂邯鄲午曰歸我衛貢五百家吾舍

定十三

諸晉陽午許諾（午許歸衛衛人懼貢五百家鞅置之邯鄲午欲徙著晉陽晉陽趙鞅邑○著丁略反）歸告其父兄父兄皆曰不可衛是以為邯鄲（言衛以五百家在邯鄲常為晉故與邯鄲親○為于偽反注同一音如字）而寘諸晉陽絕衛之道也不如侵齊而謀之（侵齊則齊當來報欲因齊報而徙則衛與邯鄲好不絕○寘之豉反好呼報反）乃如之而歸之于晉陽（欲如是謀而後歸衛責）趙孟怒召午而囚諸晉陽（趙鞅不察其謀謂午不用命故囚之）使其從者說劒而入涉賓不可（涉賓午家臣不肯說劒入欲謀叛○從才用反說他活反注同）乃使告邯鄲人曰吾私有討於午也二三子唯所欲立（午趙鞅同族別封邯鄲故使邯鄲人更立午宗親）【疏】（註午趙至宗親○正義曰世族譜趙夙之弟也衰生盾盾生朔朔生武武生成成生鞅其家為趙氏夙孫穿穿生旃旃生勝勝生午其家為邯鄲氏計衰至鞅夙至午皆六代今俗所謂五從兄弟是同族也別封邯鄲世不絕祀故使邯鄲人更立午之宗親）遂殺午趙稷涉賓以邯鄲叛（稷午子）夏六月上軍司馬籍秦圍邯鄲邯鄲午荀寅之甥也荀寅范吉射之姻也（壻父曰姻荀寅子娶吉射女）【疏】（註壻父至射女○正義曰釋親云女子子之夫為壻壻之父為姻荀寅子娶吉射女也）而相與睦故不與圍邯鄲將作亂（作亂攻趙鞅○與音預又如字）董安于聞之（安于趙氏臣）【疏】（董安于○正義曰史記云安于姓董常與鞅以自為忠即此是也）告趙孟曰先備諸（言先備）趙孟曰晉國有命始禍者死為後可也安于曰與其害於民寧我獨死（懼見攻必傷害民）請以我說趙孟不可（晉國君討可以我自解說）秋七月范

氏中行氏伐趙氏之宮趙鞅奔晉陽晉人圍之范皐夷無寵於范吉射而欲為亂於范氏（皐夷范氏側室子○行戶郎反）梁嬰父嬖於知文子（文子荀躒○知音智）文子欲以為卿韓簡子與中行文子相惡（簡子韓起孫不信也中行文子荀寅也○惡如字又烏路反下同）【疏】（文子欲以為卿○正義曰既欲以為卿則當去范中行二此乃始得立言此者明文子欲為亂以去之）魏襄子亦與范昭子相惡（襄子魏舒孫曼多也昭子士吉射○曼音萬）故五子謀（五子范皐夷梁嬰父知文子韓簡子魏襄子）將逐荀寅而以梁嬰父代之逐范吉射而以范皐夷代之荀躒言於晉侯曰君命大臣始禍者死載書在河（為盟書沈之河○躒力狄反沈如字又音鴆）今三臣始禍而獨逐鞅刑已不鈞矣請皆逐之冬十一月荀躒韓不信魏曼多奉公以伐范氏中行氏弗克二子將伐公齊高彊曰三折肱知為良醫（高彊齊子尾之子昭十年奔魯遂適晉○三如字又息暫反折之設反肱古弘反）唯伐君為不可民弗與也我以伐君在此矣三家未睦（三家知韓魏）可盡克也克之君將誰與若先伐君是使睦也弗聽遂伐公國人助公二子敗從而伐之丁未荀寅士吉射奔朝歌韓魏以趙氏為請（經所以書趙鞅歸）十二月辛未趙鞅入于絳盟于公宮（傳錄晉亂）○初衛公叔文子朝而請

享靈公欲令公陰其家○令力呈反退見史鰌而告之史鰌史魚○鰌音秋史鰌曰子必禍矣子富而君貪其及子乎文子曰然吾不先告子是吾罪也君旣許我矣其若之何史鰌曰無害子臣可以免言能執臣禮富而能臣必免於難上下同之言尊卑皆然○難乃旦反下注同戌也驕其亡乎戌文子之子富而不驕者鮮吾唯子之見驕而不亡者未之有也戌必與焉與禍難○鮮息淺反與音預注同及文子卒衛侯始惡於公叔戌以其富也公叔戌又將去夫人之黨夫人南子黨宋朝之徒○惡烏路反去起呂反朝如字【疏】註靈公至之徒○正義曰傳於明年始云衛侯爲夫人南子召宋朝此年言夫人之黨杜已云宋朝之徒者靈公之召宋朝又在前矣明年爲宋人歌而發端非明年始召之夫人愬之曰戌將爲亂爲明年戌來奔傳○愬音素

經十有四年春衛公叔戌來奔衛趙陽出奔宋陽趙黶孫書名者親富不親仁○黶於減反【疏】註陽趙黶孫○正義曰案世本懿子兼生昭子舉舉生趙陽兼即黶也○二月辛巳楚公子結陳公孫佗人帥師滅頓以頓子牂歸○夏衛北宮結來奔亦黨公叔戌○佗徒河反牂子郎反惡烏路反○五月於越敗吳于檇李於越越國也使罪人詐吳亂吳故從未陳之例書敗也檇李吳郡嘉興縣南醉李城○檇音醉說文從木陳直覲反下同【疏】註於越至書敗○正義曰於越即越也夷言發聲謂之於越從俗而名之也傳稱陳于檇李則是行陳而從未陳之例云敗吳者越使非人詐吳亂吳之陳使不得用力故從未陳之例書敗也釋例云長勺之役雖俱陳而敵有不齊檇李之役勾踐患吳之整以死士亂吳雖皆已陳猶以獨其權詐也○吳子光卒未同盟而赴以名○公會齊侯衛侯于牽魏郡黎陽縣東北有牽城○黎力兮反○公至自會無傳○秋齊侯宋公會于洮○洮吐刀反○天王使石尚來歸脤石尚天子之士石氏尚名脤祭社之肉盛以脤器以賜同姓諸侯親兄弟之國與之共福○脤市軫反盛音成【疏】註石尚至共福○正義曰杜以天子上士中士俱稱名氏石尚必是士矣但不知爲是上士爲是中士故注直云士耳必非下士釋例曰王之公卿皆書爵大夫書字元士中士稱名劉夏石尚是也下士稱人王人子突是也杜知然者周禮典命云王之三公八命其卿六命大夫四命大夫既四命則士三命也故鄭玄云王之上士三命中士再命下士一命曲禮云列國之大夫入天子之國曰某士得不以命數當天子之士也襄二十六年晉韓起聘于周自稱曰晉士起是諸侯之卿與天子之士命數同也以諸侯之卿三命再命皆書名氏大夫一命則稱人知天子上士中士稱名氏下士則稱人也成十三年傳曰國之大事在祀與戎祀有執膰戎有受脤先儒及杜緣彼傳文知是定例故解此云祭社之肉盛以脤器以賜同姓諸侯周禮大宗伯云以脤膰之禮親兄弟之國大行人云歸脤以交諸侯之福是以祭肉賜諸侯與之共福也○衛世子蒯聵出奔宋○蒯苦怪反聵五怪反○衛公孟彄出奔鄭彄蒯聵黨○彄苦侯反○宋公之弟辰自蕭來奔無傳稱弟例在廿年○大蒐于比蒲○比音毗○邾子來會公無傳會公于比蒲來【疏】註會公至曰會○正義曰莊二十三年公及齊侯遇于穀蕭叔朝公就遇處行朝禮故曰朝此就蒐處行會禮而不用朝禮故曰會也言不用朝禮嫌其與蕭叔文異○城莒父及霄無傳公叛晉助范氏故懼而城二邑○父音甫【疏】註公叛至闕文○正義曰城邑之由曲無其說以傳稱公會齊侯衛侯謀救范中行氏知爲叛晉之故懼而城此二邑也無冬闕文自是常事待辯此者說公羊者以此城在冬故去冬字何休云是歲孔子由大司寇攝行事齊人饋女樂孔子去言去冬者惡之也

戒誠無冬有失受女樂今聖人去冬隱臣之象言去冬孔無臣胞壯以北爲妄詣且明城賓在秋非時而城故猶非之驗

傳十四年春衛侯逐公叔戌與其黨故趙陽奔宋戌來奔終史魚之言○梁嬰父惡董安于謂知文子曰不殺安于使終爲政於趙氏趙氏必得晉國盍以其先發難也討於趙氏文子使告於趙孟曰范中行氏雖信爲亂安于則發之是安于與謀亂也晉國有命始禍者死二子既伏其罪矣敢以告告使討安于○惡烏路反知音智難乃旦反與音預趙孟患之安于曰我死而晉國寧趙氏定將焉用生人誰不死吾死莫矣乃縊而死趙孟尸諸市而告於知氏曰主命戮罪人安于既伏其罪矣敢以告知伯從趙孟盟知伯荀躒○焉於虔反莫音暮縊一四反【疏】安于……而後趙氏定祀安于於廟趙氏廟【疏】祀安于於廟○正義曰禮臣有大功配食於廟周禮司勳云凡有功名者銘書於王之大常祭於大烝司勳詔之尚書盤庚告其卿大夫云茲予大享于先王爾祖其從與享之孔安國云古者天子錄功臣配食於朝大享烝嘗也天子既有此禮諸侯亦有之今趙氏祀安于於廟安氏之廟其意亦如此也○頓子牂欲事晉背楚而絕陳好二月楚滅頓傳言頓所以亡○好呼報反○夏衛北宮結來奔公叔戌之故也○吳伐越越子句

踐禦之陳于檇李句踐越王允常子句古侯反陳直覲反句踐患吳之整也使死士再禽焉不動使敢死之士往犯吳師欲使吳師亂取之而吳不動使罪人三行屬劍於頸以劍注頸○行戶郎反下同屬之欲反而辭曰二君有治治軍旅臣奸旗鼓犯軍令不敏於君之行前不敢逃刑敢歸死遂自剄也師屬之目越子因而伐之大敗之靈姑浮以戈擊闔廬靈姑浮越大夫○剄古頂反本又作刎闔戶臘反闔廬傷將指取其一屨其足大指見斬遂失屨姑浮取之○將子匠反屨九具反還卒於陘去檇李七里釋經所以不書滅○陘音刑夫差使人立於庭夫差闔廬嗣子苟出入必謂己曰夫差而忘越王○夫音扶庭本又作廷之殺而父乎則對曰唯不敢忘三年乃報越後三年哀元年○唯唯癸反舊以水反○晉人圍朝歌公會齊侯衛侯于脾上梁之閒脾上梁閒即牽○脾婢支反謀救范中行氏齊魯叛晉故助范中行也析成鮒小王桃甲率狄師以襲晉二子晉大夫范中行氏之黨○鮒音附桃如字本又作姚戰于絳中不克而還士鮒奔周小王桃甲入于朝歌秋齊侯宋公會于洮范氏故也謀救范氏衛侯爲夫人南子召宋朝南子宋女也朝宋公子舊通南子在宋○爲于僞反會于洮太子蒯聵獻盂于齊過宋野蒯聵衛靈公太子盂邑名也就會獻之故自衛行而過宋野○盂音于下同野人歌之曰既定爾婁豬盍歸吾艾豭

婁豬求子豬以喻南子艾豭喻宋朝艾老也○婁力侯反字林作𤜣力付反豬張魚反盍戶臘反艾五蓋反老也字林作豭音加……也(疏)注是上文會于至艾豭○正義曰此會于洮若豭音……人文會于洮也傳為野人之歌則本故追言衛人南子召宋朝召在遠年非今始召欲說過宋野已聞此語故又本之云齊宋會于洮時大子蒯聵獻盂于齊過宋野而被識也服虔以會于洮上為蒯聵言衛侯為夫人南子召宋朝故與宋公會于洮言為召宋朝為此令也然則宋朝是宋之公子衛侯欲召則召何須與宋為會方始召之直言會于洮會上無目名文與何用會而言宋錯乎服不然此非也其甚也○注婁豬至老也○正義曰釋獸云豭子豬牝豝牡者謂之豝則豭是豬之牡故以喻宋朝也以婁豬為求子之豬相傳為說耳曲禮人年五十曰艾是艾為老也

大子羞之謂戲陽速曰從我而朝少君 速太子家臣○戲許宜反少詩照反本亦作少君 (疏)少君○正義曰少君猶小君也君為大君夫人為小君

少君見我我顧乃殺之速曰諾乃朝夫人夫人見大子大子三顧速不進夫人見其色啼而走 見大子色變知其欲殺己 曰蒯聵將殺余公執其手以登臺大子奔宋盡逐其黨故公孟彄出奔鄭自鄭奔齊大子告人曰戲陽速禍余戲陽速告人曰大子則禍余大子無道使余殺其母余不許將戕於余 戕殘殺也○戕在良反 若殺夫人將以余說余是故許而弗為以紓余死諺曰民保於信吾以信義也 使義可信不必信言○紓音舒諺音彥

○冬十二月晉人敗范中行氏之師于潞獲籍秦高彊 二子黨范氏者終宗王言籍父死後○潞音路父音甫 又敗鄭師及范氏之師于百泉 鄭助范氏故并敗

經十有五年春王正月邾子來朝○鼷鼠食郊牛牛死改卜牛 無傳不言所食處舉死重也改卜禮也○鼷音兮 (疏)鼷鼠食郊牛○正義曰爾雅云色黑而小有毒公羊以為不言其所食漫也謂所食非一處穀梁注意亦然非杜意也

○二月辛丑楚子滅胡以胡子豹歸○夏五月辛亥郊 無傳書過 ○壬申公薨于高寢 高寢宮名不於路寢失其所 ○鄭罕達帥師伐宋○齊侯衞侯次于渠蒢 不果救故書次○蒢直居反 ○邾子來奔喪 無傳諸侯奔喪非禮 (疏)注諸侯奔喪非禮○正義曰昭三十年傳曰諸侯之喪士弔大夫送葬諸侯親自奔喪會葬皆非禮公羊亦云奔喪非禮也

○秋七月壬申姒氏卒 定公夫人 ○八月庚辰朔日有食之 無傳 ○九月滕子來會葬 無傳諸侯會葬非禮也 ○丁巳葬我君定公雨不克葬戊午日下昃乃克葬辛巳葬定姒 辛巳十月三日有日無月○昃音側 (疏)雨不克葬○正義曰穀梁以為葬不為雨止禮也雨不克葬喪不以制也非左氏意○辛巳葬定姒○正義曰公羊傳云定姒何以書葬未踰年之君也有子則廟廟則書葬公羊此意以為定姒是妾哀公之母以哀公為君未踰年故書其卒葬耳左氏以定姒實是夫人但禮不備不成喪是哀母以否傳無明說○注辛巳至無月○正義曰此年八月庚辰朔二日則辛巳九月不得有辛巳也更盈一周則六十二日八月有一大一小十月巳卯朔三日得辛巳是有日無月也

○冬城漆 漆邾庶其邑○漆音七 (疏)注漆邾庶其邑○正義曰襄二十一年邾庶其以漆閭丘來奔二十八年傳曰凡邑有宗廟先君之主曰都無曰邑邑曰築都曰城此稱城漆本是邾邑不得有先君宗廟而稱城者傳例曰凡邑有宗廟則雖小曰都尊其所居以大之也然則都無宗廟而稱城必漆是也而顧氏雖繫於先君之廟未知本非魯邑因說曰漆有邾之舊廟是使魯人尊邾之舊廟與先君同非經傳意也是言漆是大都自懸稱城言無其邑者意在明舊說

傳十五年春邾隱公來朝（邾子益）子貢觀焉（子貢，孔子弟子）邾子執玉高其容仰公受玉卑其容俯（玉，朝者之贄。○贄音至）【疏】注玉朝者之贄○正義曰：曲禮云凡摯天子鬯……周禮典瑞云公執桓圭，侯執信圭，伯執躬圭，子執穀璧，男執蒲璧，以朝覲宗遇會同于王，諸侯相見亦如之。是朝必執玉也。子貢曰以禮觀之二君者皆有死亡焉夫禮死生存亡之體也將左右周旋進退俯仰於是乎取之朝祀喪戎於是乎觀之今正月相朝而皆不度（不合法度）心已亡矣嘉事不體何以能久（嘉事，朝禮）高仰驕也卑俯替也驕近亂替近疾君為主其先亡乎（為此年公薨、哀七年以邾子益歸傳。○替他計反，近附近之近，下皆同）○吳之入楚也（在四年）胡子盡俘楚邑之近胡者（俘取）楚既定胡子豹又不事楚曰存亡有命事楚何為多取費焉二月楚滅胡（傳言小不事大所以亡。○費芳味反）○夏五月壬申公薨仲尼曰賜不幸言而中是使賜多言者也（以識知著知之難者，子貢言語之士，今言而中……）○鄭罕達敗宋師于老丘（老丘宋地。罕達，子齹之孫……見哀十二年。○齹才何反。見賢遍反）○齊侯衛侯次于蘧挐謀救宋也（蘧，其居反；挐，女加反）○秋七月壬申姒氏卒不稱夫人不赴且不祔也（赴同祔姑夫人之禮，二者皆闕，故不言夫人。○祔音附）○【疏】注赴同至夫人○正義曰：夫人初薨，祔於同盟之國，其祔云夫人某氏薨，是赴則成夫人也。禮，適妻祔於適祖姑，妾祔於妾祖姑，若得祔祖姑，則亦成夫人矣。此赴同祔姑，皆是夫人之禮，二者皆闕，故不曰夫人薨。二者課行一事，則得稱夫人，故此以不赴兼又不祔，辭不稱夫人也。

葬定公雨不克襄事禮也（襄，成也。雨而成事，若汲汲於欲葬。○葬息羊反）葬定姒不稱小君不成喪也（公未葬而夫人薨，煩於喪禮，不赴不祔，故不稱小君，臣子怠慢也。反哭於寢，故書葬）【疏】公未至書葬○正義曰：傳直言不成喪也，不知闕少何事，但小君者夫人之號，不稱小君，與不稱夫人其事同矣。故知不成喪者，即不赴不祔是也。由不赴不祔，夫人之喪禮不成，故不稱小君也。此定姒實是夫人，臣子怠慢，不成其禮，故書卒不稱薨，書葬而不稱小君，所以罪臣子也。哀十二年孟子卒，傳曰不反哭，故不言葬小君，是由反哭於寢，故書葬也。○冬城漆書不時告也（實以秋城，冬乃告廟，嫌知其不時，故緣告從而書之，以示譏）【疏】冬城至告也○正義曰：書城漆者，書其城，不以時所書在冬，依其文則得時矣，故傳辯之，云不時告也。城實非時，知其不可而以時告廟。

○左傳五十六　廿一

附釋音春秋左傳註疏卷第五十六

附釋音春秋左傳註疏卷第五十七 哀元年盡五年

杜氏註 孔穎達疏

哀公 ○陸曰：哀公名蔣，定公之子，蓋夫人定姒所生。敬王二十八年即位。謚法：恭仁短折曰哀。 疏 同上

經元年春王正月，公即位。 無傳。 ○楚子、陳侯、隨侯、許男圍蔡。 隨世服於楚，不通中國。吳之入楚，昭王奔隨，隨人免之，卒復楚國。楚人德之，使列於諸侯，故得見經。定六年鄭滅許，此復見者，蓋楚封之。○見，賢遍反，下同。此復，扶又反。 疏 註隨世至封之。○正義曰：僖二十年楚人伐隨，自爾以來，隨不復見，以隨世服於楚，爲楚私屬，不通於諸侯，征伐盟會不敢於列，故史不得書之。猶如邾滕爲人私屬，不序於宋盟也。定四年保護昭王，楚得復國，楚人感其恩德，使隨列於諸侯，令楚帥諸侯圍蔡，令隨在其班次，以之告魯，故得見經。定六年鄭滅許，以許男斯歸。殺之此時，許復見者，以許屬楚，故疑蓋楚封之，當如蔡侯廬、陳侯吳受封於楚也。世族譜：許男斯之後有元公成，悼公孫，則是楚封近公爲許男也。○

鼷鼠食郊牛，改卜牛。○夏四月辛巳，郊。 無傳。書過也。不言所食，非一處。○鼷音兮。 疏 註書過至一處。○正義曰：桓五年傳例云：凡祀，啓蟄而郊，過則書。今公四月始郊，已入春分之氣，故書過也。宣三年郊牛之口傷，成七年鼷鼠食郊牛角，言其傷食之處。此不言所食處者，所食非一處也。 ○秋，齊侯、衛侯伐晉。○冬，仲孫何忌帥師伐邾。 無傳。

傳元年春，楚子圍蔡，報柏舉也。 在定四年。 里而栽， 栽，設板築爲圍壘，周匝去蔡城一里。○栽，才代反，又音再，註同。說文云：築牆長版。壘，力軌反。匝，子合反。 疏 註栽設至一里。○正義曰：築牆立板謂之栽，栽者，豎木以約板也。楚慮外人救蔡，則於表裏受敵，故築壘周匝，去蔡城一里，以圍之，欲置兵其內，以攻蔡，使外人不得救之。 廣丈，高倍。 壘厚一丈，高二丈。○廣，古曠反，註同。厚，戶豆反。高，古報反，又如字。 夫屯晝夜九日， 夫猶兵也。屯，守也。令人在壘守之。○屯，徒門反。夫，夫兵也。令，力呈反。 疏 註夫猶至守也。○正義曰：劉炫云：杜言夫猶兵也，以壘未成，故令人在壘守也。然則未築壘前，兵豈廢城乎？壘成之後，兵復出壘乎？以圍人役守常事，何言晝夜九日？以後兵豈撤乎？炫以夫謂夫役也。衆晝夜不止，九日而築壘成耳。夫者，別有城夫，非戰士。劉炫以爲九日者以也，是成守之名，故詩云：屯戍於母家。又寧傳晉有輓車者，是兵之從守，經籍未有作役之人而爲屯守之號者，故杜爲此解。劉規杜失，非也。 如子西之素。 子西本計爲壘，當用九日而成。 蔡人男女以辨， 辨，別也。男女各別，係纍而出降。○辨，扶免反，又方免反。別，彼列反，下同。纍，力追反。降，戶江反。 使疆于江汝之間而還。 楚欲使蔡徙國在江水之北，汝水之南，求田以自安也。蔡權聽命，故楚師還。○疆，居良反。 疏 註楚欲至師還。○正義曰：服虔云：蔡言割地以賂楚也。杜以不然者，以昭十一年傳申無宇云：先君文王作僕區之法，所以封汝也。文王以爲令尹，實縣申息，朝陳蔡，封畛於汝，則楚於文王之時，其竟已至汝水，今蔡始欲以地賂楚。且汝水，江國之所在，其文故知楚使蔡徙其國都於江北汝水之南，自相疆理，欲令遷都近楚，爲楚屬國。蔡人畏楚，去心離楚，不肯權宜許之。楚還之後，蔡更自請遷于吳，以吳爲援。 蔡於是乎請遷于吳。 楚既還，蔡人更叛楚就吳，爲明年蔡遷州來傳。 ○吳王夫差敗越于夫椒，報檇李也。 檇李在定十四年。夫椒，吳郡吳縣西南太湖中椒山。○夫音扶。椒，子消反。又作攜，子兮反。 疏 註夫椒至椒山。○正義曰：杜以夫椒爲山名，土地名以夫椒爲地名，以山表地耳。 遂入越。越子以甲楯五千保于會稽， 上會稽，山也，在會稽山陰縣南。○楯，食允反，又音允。會，古外反。稽，古兮反。上，時掌反。 使大夫種因吳大宰嚭以行成。吳子將許之。伍員曰：不可。臣聞之：樹德莫如滋，去疾莫如盡。昔有過澆殺斟灌以伐斟鄩， 過，國名。澆，寒浞子。處於過者。二斟，夏同姓諸侯。仲康之子后相依之。○員音云。嚭，普鄙反。種，章勇反。滋音茲。去，起呂反。過，古禾反，國名，註及下同。澆，五弔反。鄩音尋。

夏后相
滅
后緡方娠逃出自竇
歸于有仍生少康焉為仍牧正
惎澆能戒之
澆使椒求之
逃奔有虞為之庖正以除其害
虞思於是妻之以二姚
而邑諸綸
有田一成有衆一旅

能布其德而兆其謀以收夏衆撫其官職
使女艾諜澆使季杼誘豷遂滅過戈復禹之績祀夏配天不失舊物
今吳不如過而越大於少康或將豐之不亦難乎
句踐能親而務施施不失人親不棄勞
與我同壤而世為仇讎於是乎克而弗取將又存之違天而長寇讎
後雖悔之不可食已
姬之衰也日可俟也
介在蠻夷而長寇讎以是求伯必不行

矣弗聽退而告人曰越十年生聚而十年教訓生民聚財富而後教之○介音界伯如字又音霸聚才喻反又如字【疏】註生民至教之○正義曰服虔云令少者無娶老婦老者無娶少婦女十七不嫁男二十不娶父母有罪也將生子以告與之醫備之餼也死者釋其征必哭泣葬埋如其子也孺子游者必餔歠之也非年所種夫人所織不用十年不收於國二十年之外吳其為沼乎謂吳宮室廢壞當為污池為二十二年越入吳起本○沼之兆反汙音烏三月越及吳平吳入越不書吳不告慶越不告敗也嬴秉決不與華同故復發傳○復扶又反○夏四月齊侯衛侯救邯鄲圍五鹿趙稷以邯鄲叛范中行氏之黨也五鹿晉邑○邯音寒鄲音丹○吳之入楚也在定四年使召陳懷公懷公朝國人而問焉曰欲與楚者右欲與吳者左陳人從田無田從黨鄉邑之人無田者隨黨而立不知所與故直從所居田在西者居右在東者居左逢滑當公而進當陳公不左不右○滑于八反曰臣聞國之興也以福其亡也以禍今吳未有福楚未有禍楚未可棄吳未可從而晉盟主也若以晉辭吳若何公曰國勝君亡非禍而何楚為吳所勝對曰國之有是多矣何必不復小國猶復況大國乎臣聞國之興也視民如傷是其福也如傷恐驚動其亡也以民為土芥是其禍也芥草也○芥古邁反楚雖無德亦不艾殺其民吳日敝於兵暴骨如莽草之生於廣野莽莽然故曰草莽○艾魚廢反暴步卜反莽亡黨反而未見德焉天其或

者正訓楚也使懼而改過禍之適吳其何日之有言今至陳侯從之及夫差克越乃脩先君之怨秋八月吳侵陳脩舊怨也傳言吳不脩德而脩怨所以亡○齊侯衛侯會于乾侯救范氏也師及齊師衛孔圉鮮虞人伐晉取棘蒲魯師不書非公命也孔圉孔烝鉏曾孫鮮虞狄師賤故不書○圉魚呂反烝之承反鉏仕居反【疏】註魯師至不書○正義曰杜以經書齊衛伐晉傳言四國伐晉故唯解魯與鮮虞不書意也劉炫以齊衛會乾侯救范氏者師相會因而行伐二君親行告伐不告會也行伐之後魯與鮮虞會之齊衛更遣師與同伐也但齊將卑師衆故稱師衛將尊師少故云孔圉後伐四國並皆不書非獨魯與鮮虞不書也當謂魯師不書非公命餘者不告故出百途並得通也今知劉非者杜以傳齊侯衛侯止云會乾侯不言伐晉明云師及齊師衛孔圉鮮虞人伐晉與經齊侯衛侯伐晉文相次當以為一鮮虞狄師賤故略而不書猶邲之戰唐侯從楚師不書平丘之會狄人從晉而不書之類是也劉以為孔圉等更別伐晉魯師不書非公命餘者不告故不書而規杜過非也○吳師在陳楚大夫皆懼曰闔廬惟能用其民以敗我於柏舉今聞其嗣又甚焉將若之何子西曰二三子恤不相睦無患吳矣昔闔廬食不二味居不重席室不崇壇平地作室不起壇也○重直龍反壇徒丹反【疏】食不二味○正義曰謂與在下同其好惡不別二為美味也器不彤鏤彤丹也鏤刻也○彤徒冬反鏤徐盧豆反宮室不觀觀臺榭○觀古亂反注同榭音謝舟車不飾衣服財用擇不取費選取堅厚不尚細靡○費芳味反在國天有菑癘癘疾疫也○菑音災癘本或作厲同音例疫音役【疏】在國天有菑癘○正義曰在國與在軍相對天有菑癘謂下句相連言有菑癘之時親自巡孤寡共其乏困也本或天作無誤耳親

巡其孤寡而共其乏困在軍熟食者分而後敢食（必須軍士皆分熟食不敢先食分猶徧也○共音恭熟食者分如字一讀以分字連下句徧音遍）【疏】註必須至徧也○正義曰孫武兵書云軍井未達將不言渴軍竈未炊將不言飢故闔閭在軍如良將之法以須軍士皆分熟食然後敢食王不先自食也服虔云以其半分軍士而後自食其餘若單醪注流也杜以分王半餘不得徧及軍人且所嘗珍異乃得卒乘與焉王所自食不得分軍士也故顯而異之分猶徧也待徧熟食王乃自食也其所嘗者卒乘與焉（所嘗甘珍非常食○卒子忽反乘繩證反與音預）勤恤其民而與之勞逸是以民不罷勞死不知曠（知身死不見曠棄○罷音皮）吾先大夫子常易之所以敗我也（易猶反也）今聞夫差次有臺榭陂池焉（積土爲高曰臺有木曰榭過再至曰次○陂彼宜反）【疏】註積土至曰次○正義曰釋宮云闍謂之臺郭璞云積土四方也又云有木者謂之榭李巡云臺上有屋謂之榭又曰無室曰榭四方而高曰臺莊三年傳例曰凡師一宿爲舍再宿爲信過信爲次孔安國尚書傳云澤障曰陂停水曰池言夫差所停三日則役民爲此也宿有妃嬙嬪御焉（妃嬙貴者嬪御賤者皆內官○嬙本又作墻或作牆在羊反嬪毗人反）【疏】註妃嬙至內官○正義曰曲禮云天子之妃曰后則妃上下通名也釋詁云妃合也對也妃媲也是匹對於夫婦官之最貴者也嬙在妃下次於妃也周禮有九嬪女御以有四名分爲三等故言妃嬙貴者嬪御賤者皆婦官之名周禮無嬙蓋後世爲之名漢有掖庭王嬙是因於古也一日之行所欲必成玩好必從珍異是聚觀樂是務視民如讎而用之日新夫先自敗也已安能敗我（爲二十二年越滅吳起本○好呼報反夫音扶本或作夫差先自敗者非）○冬十一月晉趙鞅伐朝歌（討范中行氏）

經二年春王二月季孫斯叔孫州仇仲孫何忌帥師伐邾取漷東田及沂西田（邾人以賂取之易也○漷郭火號反又音郭沂魚依反易以豉反）癸巳叔孫州仇仲孫何忌及邾子盟于句繹（句繹邾地取邑盟以要之○句古侯反繹音亦要以遙反）【疏】註句繹至要之○正義曰既取其田懼後悔競故共盟以要之伐則三卿盟唯二卿者服虔云季孫尊卿敵服先歸使二子與之盟穀梁傳曰三人伐而二人盟何各盟其得也其意言季孫不得田故不與盟也案十四年小邾射以句繹來奔則句繹小邾地也注言邾地者以傳云伐邾邾人愛其土賂以漷沂之田而受盟被伐受盟則盟在邾地猶若成二年楚人伐我師于蜀公及楚公子嬰齊盟于蜀之類是也邾與小邾國竟相近句繹所屬亦無定準猶齊魯汶陽之田莒魯爭鄆之事一彼一此豈有常乎而劉炫以句繹爲小邾地而規杜非也○夏四月丙子衛侯元卒（定四年盟臯鼬）【疏】註定四年盟臯鼬○正義曰元以昭八年即位三十二年大夫盟于狄泉以未告公而公薨故不數○滕子來朝（無傳）○晉趙鞅帥師納衛世子蒯聵于戚【疏】衛世子○正義曰世子者父在之名蒯聵父既死矣而稱世子者晉人納之以世子告言是正世子以示宜爲君也春秋以其本是世子未得衛國無可褒貶故因而書世子耳○秋八月甲戌晉趙鞅帥師及鄭罕達帥師戰于鐵鄭師敗績（皆陳曰戰大崩曰敗績鐵在戚城南○罕達子皮孫○鐵天結反陳直覲反）○冬十月葬衛靈公（無傳七月而葬緩）○十有一月蔡遷于州來（畏楚而請遷故以自遷爲文）蔡殺其大夫公子駟（四懷土而欺大國故罪而書名）

傳二年春伐邾將伐絞（絞邾邑○絞古卯反）邾人愛其土故賂以漷沂之田而受盟○初衛侯遊于郊子南僕（子南靈公子郢也僕御也○郢以井反）公曰余無子將立女（蒯聵奔無大子○汝音汝）不對他日又謂之對曰郢不足以

辱社稷君其改圖君夫人在堂三揖在下 三揖卿大夫士○揖一入反 疏 註三揖卿大夫士○正義曰周禮司士云孤卿特揖大夫以其等旅揖士旁三揖鄭玄云特揖一一揖之旅衆也大夫爵同者衆揖之三揖者士有上中下鄭衆云卿大夫士皆君之所揖禮春秋傳所謂三揖在下服虔云三揖卿大夫士土揖庶姓時揖異姓天揖同姓 君命祇辱 言立適當以禮與內外同之今君私命事以不從適為辱○祇音支適丁歷反下適孫同 夏衛靈公卒夫人曰命公子郢為大子君命也對曰郢異於他子 言用意不同 且君沒於吾手若有之郢必聞之 言當以臨沒為正 且亡人之子輒在 輒蒯聵之子出公也靈公適孫 乃立輒六月乙酉晉趙鞅納衛太子于戚宵迷陽虎曰右河而南必至焉 是時河北流過元城界戚在河外晉軍已渡河故欲出河右而南 疏 註是時至而南○正義曰土地名云河經河內之南界東北經汲郡魏郡頓丘陽平平原樂陵之東南入海是言晉時河所經也春秋之時河未必然故云是時河北流過元城界與晉時河道異也土地名又云戚頓丘衛縣西戚城在河東與是春秋時戚在河東也從晉而言可西為內東為外故云戚在河外也是時晉軍已渡河矣師人皆迷不知戚處陽虎億其度處在戚之北河既北流據水所向則東為右故欲出河右而南行也 使大子絻 絻者始發喪之服○絻音免 疏 註絻者始發喪之服○正義曰士喪禮既小斂主人括髮袒衆主人免于房鄭玄云括髮者去笄纚而紒也衆主人免者齊衰將袒以免代冠冠服之尤尊不以袒也又齊衰之袒至於家入門哭盡哀括髮袒自齊衰以下入門哭盡哀免于序東如彼禮文則主人當括髮齊衰以下乃免此大子絻者禮不至喪所不括髮故以絻代之耳靈公以四月卒今以六月而大子免故云絻始發喪之服也遠道不臨喪者不得括髮故始發喪服絻也鄭玄注士喪禮云免之制未聞舊說以為如冠狀廣一寸喪服小記曰斬衰括髮以麻免而以布此用麻布為之狀如今之著幓頭矣自項中而前交於額上卻繞紒也 八人衰絰僞自衛逆者 欲為衛人逆故

衰絰成服○衰七雷反絰田結反 告於門哭而入遂居之○秋八月齊人輸范氏粟鄭子姚子般送之 子姚罕達子般駟弘 士吉射逆之趙鞅禦之遇於戚陽虎曰 ○般音班 吾車少以兵車之旆與罕駟兵車先陳 旆先驅車也以先驅車從以兵車以示衆○陳直覲反下先同 罕駟自後隨而從之彼見吾貌必有懼心 晉人先陳鄭人隨之不知其虛實見車多必懼 於是乎會之 會合戰 必大敗之從之卜戰龜焦 兆不成 樂丁曰詩曰爰始爰謀爰契我龜 樂丁晉大夫詩大雅言先人事後卜筮○契苦計反又苦結反 疏 詩曰至我龜○正義曰詩大雅綿之篇美太王遷岐之事爰於也既見周原之地肥美呼居於是始集國人從己者於是與謀議人謀既從於是契灼我龜而卜之言先人謀後卜筮也 謀協以故兆詢可也 詢謀詢也故兆始納衛大子卜得吉兆言今既謀同可不須更卜○謀協以故兆絕句詢可也恩適反 簡子誓曰范氏中行氏反易天明 疏 反易天明○正義曰天有尊卑人有上下下事上臣事君法則天之明道臣不事君是反易天之明道也 斬艾百姓欲擅晉國而滅其君寡君恃鄭而保焉今鄭為不道棄君助臣二三子順天明從君命經德義除詬恥在此行也克敵者上大夫受縣下大夫受郡 周書作雒篇千里百縣縣有四郡○艾魚廢反詬呼豆反又音苟恥市戰反而成其若成或作我音成雒音洛十里百縣縣方百里縣有四郡郡方五十里 疏 經德義○正義曰此經德義與傳經國家詩序經夫婦皆意同也經謂經紀營理之不除君惡則德義廢矣宜經紀德義使不壞也○克敵至受郡○正義曰上大夫下大夫謂於大夫之內分為上下其上大夫非卿也此言先無田祿者若能

克敵得此賞也。○註周書至四郡 正義曰周禮小司徒云九夫爲井四井爲邑四邑爲丘四丘爲甸四甸爲縣四縣爲都鄭玄云邑方二里丘方四里甸方八里旁加一里則方十里爲一成縣方二十里都方四十里四都方八十里旁加十里乃得方百里爲一同也此彼文則縣方二十里耳周禮又無郡不可用以解此故引周書解之或曰周書者孔子刪尚書之餘今其存者其文非尚書之類其作雒篇有此言方千里者爲方百里者百千里百縣則縣方百里計成方十里出車一乘縣乃百里則出車百乘也昭五年傳云晉有四十縣遺守四千其見縣別有百乘與作雒之言合也上大夫受縣縣則爲卿之家言得進爲卿也縣有四郡則郡方五十里下大夫得此方五十里之采邑

士田十萬 十萬畝 疏註十萬畝 正義曰王制云方一里者爲田九百畝地方十里者爲方一里者百爲田九萬畝則士田十萬畝方十里有餘

庶人工商遂 得遂進仕 **人臣隸圉免** 去厮役。○厮如字字又作斯音同何休注公羊云艾草爲防者曰厮汲水漿者曰役蘇林注漢書云厮取薪者韋昭云析薪曰厮

志父無罪君實圖之 志父趙簡子之一名也言已事濟君當圖其賞。○志父音甫服云趙

鞅入晉陽以叛後得歸改名志父春秋仍舊猶書爲鞅 疏註志父至其賞 正義曰此誓武王誓衆尚自稱名況以人臣誓衆固當自稱名矣知志父是簡子名也簡子名鞅又名志父者服虔云趙鞅入于晉陽以叛諸侯之策書曰晉趙鞅以叛既復更名志父或當然也楚公子圍殺君而取國改名曰虔經即書虔公子棄疾殺君取國改名曰居經即書居今趙鞅改名志父經書猶云趙鞅者彼楚子既爲國君臣下以所改之名告於鄰國故得書所改之名趙鞅人臣家國不爲之諱仍以趙鞅名告故書鞅也鞅言君實圖之言已事濟君當謀其賞也簡子言此者謂賞者言君當賞其在下詞上所誓之言欲使在下信之示欲自求賞也

若其有罪絞縊以戮 絞所以縊人物。○縊一賜反戮音六

桐棺三寸不設屬辟 屬辟棺之重數王棺四重君再重大夫一重。○桐棺三寸禮記云大夫之制於山都四寸之棺五寸之傳以此知不然也桐棺之謂也鄭玄注云此庶人之制也案禮上大夫棺八寸屬六寸下大夫棺六寸屬四寸無三寸之制也棺用難朽之木桐木易壞不堪爲棺故以爲罰墨子尚儉有桐棺三寸不設屬辟與此注同以大棺也辟步歷反註同親身棺也檀大夫無所重直龍反下同正棺四重禮記云水兕革棺被之其厚三寸杝棺一梓棺二杝棺辟也梓棺二屬與大棺也被水牛兕之革爲一重辟爲二重屬爲三重大棺爲四重君再重謂侯伯子男侯伯已下無革棺屬與辟爲一重大棺爲再重上公則唯無水革耳兕革與辟爲一重屬爲再重大棺爲三重大夫一重大夫唯屬與大棺爲一重今云不設辟者皆僭耳非正禮也 疏註屬辟至一重 正義曰檀弓喪大記云君大棺八寸屬六寸椑四寸上大夫大棺八寸屬六寸下大夫大棺六寸屬四寸是屬辟爲棺之重數也大記之文從外向內大棺之內有屬屬之內有椑椑親身之棺鄭玄云椑堅著之言也如記文大夫無椑今簡子自言有罪始不設辟者鄭玄云趙簡子云不設屬椑時僭也爲時僭日久自言無罪則僭設有罪乃不設耳記言士棺六寸檀弓又云夫子爲中都宰制四寸之棺五寸之椁鄭玄云爲民作制民循四寸簡子言三寸者亦示其罰之重令制度卑於民也記有杝棺梓棺杝謂椴也不以桐爲棺簡子言桐棺者鄭玄云凡棺用能溼之物梓椴能溼故禮法尚之桐易腐壞亦以桐爲罰也檀弓又云天子之棺四重鄭玄云尚深邃也諸公三重諸侯再重大夫一重士不重又云水兕革棺被之其厚三寸杝棺一梓棺二四者皆周鄭玄云以水牛兕牛之革以爲棺被革各厚三寸合六寸也此爲一重杝棺一所

謂椑棺也梓棺二所謂屬與大棺也檀弓之文自內向外水牛之革一也兕牛之革二也二者相襲乃得爲重故以此二者爲一重也人有椑也屬也大棺也此是天子四重爲數五棺爲四重也喪大記之文君有大棺也椑也屬也大夫有大棺也屬也鄭玄注檀弓天子之棺四重以是差之上公革棺不被三重也諸侯無革棺再重也大夫無椑一重也士無屬不重也是上公數四棺爲三重諸侯數三棺爲再重大夫數二棺爲一重士以一棺爲不重也杜之此注唯無上公士耳其言重數與鄭同也若然禮器云天子葬五重諸侯葬三重大夫葬再重以多爲貴也彼重亦當謂棺而與數皆較一者鄭玄云天子葬五重者謂抗木與茵也葬者抗木在上茵在下然則茵以藉棺抗爲覆士天子及諸侯大夫皆數彼以增棺數故皆多較一也杜言此棺之重數者以明不設屬辟爲罰也

素車樸馬 以載柩。○樸普卜反柩其又反 疏素車樸馬 ○正義曰素車無飾謂不以翣柳飾車也曲禮云大夫去國爲位而哭乘髦馬鄭玄云髦馬不鬄落也則此樸馬亦謂不鬄落用此以載柩也雜記稱比喪有與天子同者三其終夜燎及乘人專道而行然則柩將入說用此車馬載者禮言乘人說法許之耳道遠者當用牛馬且此言亦爲罰也

無入于兆 兆葬

無入于兆【疏】無入于兆　正義曰周禮冢人云凡死于兵者不入兆域鄭玄云戰敗無勇投諸塋外以罰之此言不入兆域亦罰也　下卿之罰也　爲衆設賞自設罰所以能克敵○爲于僞反　甲戌將戰郵無恤御簡子衛大子爲右　郵無恤王良也○郵音尤【疏】正義曰下云子良授大子綏是也服虔云王良也孟子說王良善御之事孟子謂之王良以馬御之爲難故爲六藝之一王良之善御最有名於書傳多稱之楚辭云當世豈無騏驥兮誠無王良之善御見執轡者非其人兮故駒跳而遠去　登鐵上　鐵丘名　望見鄭師衆大子懼自投于車下子良授大子綏而乘之曰婦人也　言其怯○怯去業反【疏】授大子綏　正義曰曲禮云凡僕人之禮必授人綏論語稱孔子上車必正立執綏升車綏者挽以上車之索故授之使之升也少儀云僕者右帶劍負良綏申之面拖諸幦鄭玄云面前也幦覆笭也良綏君綏也負之由左肩上入右腋下申之於前覆笭上也　簡子巡列曰畢萬匹夫也七戰皆獲有馬百乘死於牖下　畢萬晉獻公卿也皆獲有功死於牖下言得壽終○乘繩證反牖羊九反【疏】有馬至牖下　正義曰襄二十七年傳曰唯卿備百邑注云一乘之邑也坊記云家富不過百乘百乘是卿之極制也檀弓云飯於牖下小斂於戶內大斂於阼殯於客位祖於庭葬於墓所以即遠也則禮之正法死於牖下　羣子勉之死不在寇　言有命　繁羽御趙羅　繁羽晉大夫　宋勇爲右　三子晉大夫　羅無勇麇之　麇束縛也○麇丘隕反注同　吏詰之御對曰痁作而伏　痁瘧疾也○詰起吉反痁詩占反瘧魚略反　衛大子禱曰曾孫蒯聵敢昭告皇祖文王　周文王衛大祖也○禱丁老反一音丁報反【疏】衛大至襄公　正義曰禮於曾祖以上稱曾孫也晉語說此事於襄公之下又有昭考靈公國語虞傳異者多矣此下云無作三祖羞是無昭考也　烈祖康叔　康叔衛之始封　文祖襄公　襄公蒯聵祖父故曰文　鄭勝亂從　從猶順也○勝謂鄭爲亂從　晉午在難　午晉定公名○難乃旦反下注爲難同　不能治亂使鞅討之　鞅趙簡子名　蒯聵不敢自佚備持矛焉　戎右持矛○佚音逸矛亡侯反　敢告無絕筋無折骨無面傷以集大事無作三祖羞　集成也○筋居銀反　大命不敢請佩玉不敢愛　不敢愛故以祈禱【疏】大命至敢愛　正義曰上言無絕筋無折骨是請軍之士衆無令傷損以成大事此云大命不敢請者謂己之身命不敢私請苟以求生佩玉不敢愛尚書金縢稱周公植璧秉珪以告大王王季文王是禱請用玉也在軍無珪璧故以佩　鄭人擊簡子中肩斃于車中　斃踣也○中丁仲反斃婢世反本亦作獘踣蒲北反　獲其蠭旗　蠭旗旗名○蠭芳恭反　大子救之以戈鄭師北獲溫大夫趙羅　羅無勇故鄭師獲之（北猶敗也）　大子復伐之鄭師大敗獲齊粟千車趙孟喜曰可矣　趙孟簡子也喜大子蒯聵今更勇○復扶又反　傅傁曰雖克鄭猶有知在憂未艾也　傅傁簡子屬也言知氏將爲難後竟有晉陽之患○傁素口反又作叜音同艾五蓋反又魚廢反　初周人與范氏田公孫尨稅焉　尨范氏臣爲范氏收周人所與田之稅○尨武江反稅始銳反爲于僞反下文爲其皆同　趙氏得而獻之　得尨以獻簡子　吏請殺之趙孟曰爲其主也何罪止而與之田　還其所稅　及鐵之戰以徒五百人宵攻鄭師取蠭旗於子姚之幕下獻曰請報主德追鄭師姚般公孫林殿而射　子姚子般　前列多死　晉前列○殿丁練反射食亦反　趙孟曰國無小　言鄭小國猶有善射者　既戰簡子曰吾伏弢嘔血　弢弓衣○嘔

叩也。○殺叶力反。惜本又作害。烏口反。吐他路反。故吾不衰，今日我上也。為上。大子曰：吾救主於車，退敵於下，我右之上也。郵良曰：我兩靷將絶，吾能止之。止使不絶。○靷以刃反。我御之上也。駕而乘材，兩靷皆絶。材，細小也。傳言簡子不讓下，自伐。

疏 注靷以刃反。正義曰：古之駕四馬者，服馬夾轅，其頸負軛，兩驂在旁，挽靷助之。詩所謂陰靷鋈續是也。說文云：靷，引軸也。僖二十八年傳云：在晉曰靷然。此說靷驂馬之韅，其御之和也。駕而乘材，謂細小之木也。乘小材而靷絶，不以其將絶之驗也。

○吳洩庸如蔡納聘，而稍納師。師畢入，衆知之。元年蔡請遷于吳，中悔，故因聘襲之。○洩息列反。蔡侯告大夫，殺公子駟以說。說，吳言不時。○駟音四。說音悅。哭而遷墓。將遷，與先君辭，故哭。冬，蔡遷于州來。

經 三年春，齊國夏、衞石曼姑帥師圍戚。曼姑為子圍父，知其不義，故推齊使為兵首。戚不稱衞，非叛人。○爲子于僞反。

疏 注曼姑至叛人。正義曰：春秋之世，征伐自相霸主之命，諸國共行，皆以主兵為首。此圍戚實曼姑為主，而序在齊下者，曼姑知其不義，推齊使為兵首，故先書齊也。穀梁傳曰：此衞事也，其先國夏何也？子不圍父也。是先儒以杜皆同穀梁之說也。宋魚石去而復入，據宋之彭城。襄元年經書圍宋彭城。傳曰：非宋地，追書也。於是為宋討魚石，故稱宋，且不登叛人也。此蒯聵在戚，齊衞圍之，與圍宋彭城事頗同矣。彭城繫宋，此不繫衞者，蒯聵據戚與衞爭國，非是叛人，故不須繫之衞也。公羊傳曰：齊國夏曷為與衞石曼姑帥師圍戚？伯討也。此其為伯討奈何？曼姑受命乎靈公而立輒，以曼姑之義為固可以距之也。輒者曷為者也？蒯聵之子也。然則曷為不立蒯聵而立輒？蒯聵為無道，靈公逐蒯聵而立輒。然則輒之義可以立乎？曰：可。其可奈何？不以父命辭王父命，以王父命辭父命，是父之行乎子也。不以家事辭王事，以王事辭家事，是上之行乎下也。[illegible]意言靈公逐蒯聵，不用使之得國，輒不以蒯聵為國君，是王事也。以[illegible]私事也，不以國與父，是天子之命行於諸侯也。公羊之言，則輒義可以距父，固不為不義，而杜言曼姑知其不義者，據左傳公子郢讓國不受，故後立輒。然則輒之立也，以嫡孫繼立，有靈公之命，又是衞國之義，自可讓而不受。以己是嫡孫，有可立之勢，且其父以[illegible]，是以得立耳，非有靈公之命使立之也。為輒之義，自可讓而[illegible]之命、天子之敕，使之距蒯聵也。論語說此事云：冉有曰：夫子為衞君乎？子貢曰：諾，吾將問之。入曰：伯夷叔齊何人也？曰：古之賢人也。曰：怨乎？曰：求仁而得仁，又何怨。出曰：夫子不為也。孔子意不助輒，明是輒為不義，故曼姑自知不義，推齊為主。

○夏四月甲午，地震。無傳。○五月辛卯，桓宮、僖宮災。言災，天火。○季孫斯、叔孫州仇帥師城啓陽。無傳。啓陽[illegible]，今琅邪開陽縣。○宋樂髡帥師伐曹。無傳。○髡，苦門反。○秋七月丙子，季孫斯卒。○蔡人放其大夫公孫獵于吳。無傳。駟之黨。○冬十月癸卯，秦伯卒。無傳。不書名，未同盟。○叔孫州仇、仲孫何忌帥師圍邾。無傳。

傳 三年春，齊衞圍戚，求援于中山。中山，鮮虞。○夏五月辛卯，司鐸火。司鐸，宮名。○鐸，待洛反。

疏 注司鐸宮名。正義曰：僖二十年西宮災，書之。此不書者，西宮，公之西宮，近君所居，故書。此司鐸雖是公之小宮，在公宮之後，非君所常居，故不書災。[illegible]

火踰公宮，桓僖災。公，謂公宮。

疏 注桓僖災。正義曰：傳言火踰公宮而至桓僖，經書災者，司鐸初火，以火踰宮，故以災言之。

救火者皆曰顧府。府，言寶人。南宮敬叔至，命周人出御書，俟於宮。敬叔，孔子弟子南宮閱。周人，司周書典籍之官。御書，進於君者也。使待命於宮。○閱音悅。曰：庀女而不在，死。庀，具也。○庀，匹[illegible]反。女音汝。子服景伯至

命宰人出禮書 宰人冢宰之屬 以待命命不共有常刑 待求之命○共音恭 校人乘馬巾車脂轄 校人掌馬巾車掌車 乘馬使四四相從爲駕之易○共戶教反以下同乘繩證反注及下皆同轄戶瞎反本又作牽同易以豉反 百官官備府庫慎守官人肅給 國有火災恐有變難故慎爲備○難乃旦反 濟濡帷幕鬱攸從之 鬱攸火氣也濡物於水以[illegible]○濟子細反[illegible]音[illegible] 蒙葺公屋 以濡物冒覆公屋○葺七入反 自大廟始外內以悛 悛次也先尊後卑以次救之○悛七全反 助所不給有不用命則有常刑無赦公父文伯至命校人駕乘車 乘車公車 季桓子至御公立于象魏之外 象魏門闕 命救火者傷人則止財可爲也命藏象魏 周禮正月縣教令之法于象魏使萬民觀之故謂其書爲象魏○縣音玄

疏注周禮至象魏○正義曰周禮大宰云正月之吉始和布治于邦國都鄙乃縣治象之法于象魏使萬民觀治象挾日而斂之鄭玄云正月周之正月吉謂朔日大宰以正月朔日布王治之事於天下至正歲又書而縣于象魏使萬民觀焉凡治有故言始和者[illegible]告[illegible]鄭衆云從甲至甲謂之挾日凡十日其地官夏官秋官皆有此言也地官云布教于邦國都鄙乃縣教象夏官云布政縣政象秋官云布刑縣刑象各縣所掌之事爲異其文悉同唯春官不縣者以禮法一頒百事皆足不可又縣故不縣之杜總言縣教令之法彼所縣者皆是教令之[illegible]故也[illegible]其縣象魏謂其書爲象魏縣命於[illegible]日縣之十日即斂之則救火之時其書久已藏矣而此云象魏之法方始命藏此書者象魏是縣書之處見其處而念及其書非始藏之

曰舊章不可亡也富父槐至曰無備而官辦者猶拾瀋也 槐富父終生之後瀋汁也言不備而責辦不可得○父音甫槐音懷辦皮莧反注同拾音十瀋尺審反北土呼汁爲瀋 於是乎去表之槀 表火道

所向者去其槀積○去起呂反注同槀古老反注同向許亮反積子賜反 道還公宮 開除火道周匝公宮使火無相連○還本又作環戶關反又音患汁同 孔子在陳聞火曰其桓僖乎 言桓僖親盡而廟不毀宜爲天所災

疏注言桓至所災○正義曰社[illegible]諸侯親廟四爲高祖之父卽[illegible]之[illegible]哀公八世祖也僖六世祖也親盡而廟不毀言其宜爲天所災也所以不毀者服虔云季氏出桓公又爲僖公所立故不毀其廟其意或然公羊傳曰此皆毀廟也其言災何復立也曷爲不言其復立春秋見者不復見也何以不言及敬也其意言哀公而立之不可通於左氏故以爲元不毀耳服虔又云俱在與[illegible]故不言及先後無[illegible]當同時

劉氏范氏世爲婚姻 劉氏周卿士范氏晉大夫 萇弘事劉文公 萇弘劉文公之屬大夫 故周與范氏趙鞅以爲討 責周與范氏 六月癸卯周人殺萇弘

疏萇弘○正義曰文公以定四年卒此時劉文公已死萇弘知政以巳先事劉子劉氏又與范氏親[illegible]國[illegible]故周人殺之以說於晉

秋季孫有疾命正常 正常桓子之寵臣欲以從死故勑令勿從己死○令力呈反 曰無死南孺子之子 南孺子季桓子之妻 男也則以告而立之 言若生男告公而立之○孺如住反 女也則肥也可 肥康子 季孫卒康子卽位既葬康子在朝 在公朝 南氏生男正常載以如朝告曰夫子有遺言命其圉臣曰南氏生男則以告於君與大夫而立之今生矣男也敢告遂奔衞 畏康子 康子請退 退避位也 公使共劉視之 共劉魯大夫○共音恭 則或殺之矣乃討之 討殺者 召正常正常不反 畏康子

疏召正常正常不反○正義曰服虔云召而問死意然則問正常去後始死死非[illegible]

正常得知召之復何所問也當欲問不立康子之意故正常畏康子不反○冬十月晉趙鞅
圍朝歌師于其南范中行所在荀寅伐其郭伐其北郭圖○
郛芳夫反使其徒自北門入已犯師而出荀寅使徒從外救已之徒擊
趙氏圍之北門因外內攻得出【疏】荀寅至而出○正義曰荀寅從內伐其北郭之郛又使其救已之徒自外伐圍
郛之北門而入因外內攻故得出也癸丑奔邯鄲十一月趙鞅殺士
皐夷惡范氏也惡范氏而殺其族言惡怒○惡烏路反注同
經四年春王二月庚戌盜殺蔡侯申賤者故稱盜不言弒
其君賊盜也○盜殺申志反蔡侯申今本有如此案宣十七
年蔡侯申卒是文侯也今昭侯是其玄孫不容與高祖同名
未詳何者誤也【疏】蔡侯申○正義曰宣十七年蔡侯申卒是文侯也蔡世家云文侯申生景侯固固生靈侯般般
生隱大子今昭侯申是隱大子之子社世族譜亦然計昭侯
是文侯玄孫乃與高祖同名鬭人以諱事神二申必有誤者
與是經文未知孰誤○註賤者至盜也○正義曰公孫辰公孫姓公孫霍雖並是弒君之黨而非弒君之首首是公孫翩
翩賤故稱盜不言弒其君者賤此盜也盜賤不得有其君故以盜爲文不得言弒其君蔡公孫辰
出奔吳弒君賊之黨故書名○葬秦惠公無傳○宋人執小
邾子無傳邾子無道於其民故稱人以執○夏蔡殺其大夫公孫姓
公孫霍皆弒君黨○姓音生又作生或一音性○晉人執戎蠻子赤
歸于楚晉恥爲楚執諸侯故稱人以告若蠻子不道於其民也亦本爲楚故言歸○恥爲于僞反○城
西郛無傳魯西郭備晉也○六月辛丑亳社災無傳天火也亳社殷社諸
侯有之所以戒亡國○亳步名反【疏】註天火至亡國○正義曰傳例曰天火曰災知天火也殷有天下作都于
亳故知亳社殷社也蓋武王伐紂以其社班賜諸侯使各各
立之所以戒亡國也其社有屋故火得災之公羊傳曰蒲社
者何亡國之社也社者封也其言災何亡國之社蓋揜之揜
其上而柴其下穀梁傳曰亳社者亳之社也亳亡國也亡國

之社以爲廟屏戒也其屋亡國之社不得達上也說者以爲
立亳社於廟門之外以爲廟屏蔽使人君視之而以戒也左傳
稱間于兩社爲公室輔然郊特牲亦云喪國之社屋之不受天陽故災其屋也○秋八月甲寅
滕子結卒無傳同盟於皐鼬○冬十有二月葬蔡昭公
無傳亂故是以緩○葬滕頃公無傳
傳四年春蔡昭侯將如吳諸大夫恐其又遷
也承承音懲蓋楚言○懲直升反【疏】註承音懲蓋楚言○正義曰懲創往年之遷恐其更復遷徙承
懲音相近蓋是楚人之言聲轉而字異耳公孫翩逐而射之入於家人
而卒翩蔡大夫○翩音篇射食亦反下同【疏】入於家人而卒○正義曰言將如吳已適吳矣翩在路逐
而殺之遂入于凡人之家言此者說其非理之意以兩矢門之衆莫敢進以翩
矢自守其門文之鍇後至文之鍇蔡大夫○鍇音楷又音皆又客駭反曰如牆而
進多而殺二人併行如牆俱進○併步頂反鍇執弓而先翩
射之中肘鍇遂殺之故逐公孫辰而殺公孫
姓公孫盱盱即霍也○中丁仲反肘竹九反盱況于反○夏楚人既克
夷虎夷虎蠻夷叛楚者乃謀北方左司馬眅申公壽餘
葉公諸梁致蔡於負函三子楚大夫也此蔡之故地人民楚因以爲邑致之
者會其衆也○眅普版反字林匹姦反葉始涉反函音咸致方城之外於繒關負函
繒關皆楚地○繒才陵反曰吳將泝江入郢逆流曰泝○泝音素郢以井反又以政反將
奔命焉爲一昔之期襲梁及霍爲辭當備吳夜結期明日便襲梁霍
使不知之梁河南梁縣西南故城也梁南有霍陽山皆蠻子之邑也單浮餘圍蠻氏蠻
氏潰浮餘楚大夫○單音善潰戶內反蠻子赤奔晉陰地陰地晉河南山北

自上雒以東至陸渾。渾戶門反司馬起豐析與狄戎楚司馬販也。析縣屬南鄉郡。析南有豐鄉，皆楚邑。發此二邑人及戎狄。析星歷反，注同。以臨上雒。左師軍于菟和，菟和山在上雒東也。菟音徒。右師軍于倉野。倉野在上雒。使謂陰地之命大夫士蔑命大夫，別縣監尹。監古銜反。【疏】注命大夫至監尹。正義曰：陰地者，河南山北，東西橫長，其間非一邑也。若是一邑，則當以邑冠之，乃言陰地之命大夫，則是特命大夫使總監陰地，故以為別縣監尹也。以其去國遙遠，別為置監，楚官稱尹，故以尹言之。曰：晉楚有盟，好惡同之。若將不廢，寡君之願也。不然，將通於少習以聽命。少習，商縣武關也。將大開武關道以伐晉。少詩照反，又如字。士蔑請諸趙孟，趙孟曰：晉國未寧，安能惡於楚？必速與之。未寧，時有范、中行之難。難乃旦反。士蔑乃致九州之戎，九州戎在晉陰地陸渾者。將裂田以與蠻子而城之，蠻子少許。且將為之卜。卜城。為于偽反，下注同。蠻子聽卜，遂執之與其五大夫，以畀楚師于三戶。今丹水縣北三戶亭。畀必利反，與也。司馬致邑立宗焉，以誘其遺民，詐為蠻子作邑，立其宗主。誘音酉，又羊久反。而盡俘以歸。○秋七月，齊陳乞、弦施、衛甯跪救范氏。陳乞，僖子。弦施，弦多。跪其委反。庚午，圍五鹿。五鹿，晉邑。九月，趙鞅圍邯鄲。冬十一月，邯鄲降。荀寅奔鮮虞，趙稷奔臨。臨，晉邑。降戶江反。十二月，弦施逆之，遂墮臨。墮許規反。國夏伐晉，取邢、任、欒、鄗、逆畤、陰人、盂、壺口，八邑，晉地也。邢在襄國縣西北。鄗即高邑縣也。[illegible]邢音刑。任音壬。欒力官反。鄗呼洛反。[illegible]

晉邑也。今趙國柏人縣。【疏】注柏人至柏人。[illegible]會鮮虞，納荀寅于柏人。

經五年春，城毗。無傳。備晉也。毗頻夷反。○夏，齊侯伐宋。無傳。○晉趙鞅帥師伐衛。○秋九月癸酉，齊侯杵臼卒。再同盟。杵昌呂反。臼求九反。【疏】注再同盟。正義曰：襄二十五年崔杼弒莊公而立杵臼。二十六年盟于重丘，定四年盟于皋鼬。杵臼再同盟也。○冬，叔還如齊。○閏月，葬齊景公。無傳。

傳五年春，晉圍柏人，荀寅、士吉射奔齊。初，范氏之臣王生惡張柳朔，言諸昭子，使為柏人。昭子，范吉射也。為柏人宰。惡烏路反，下同。昭子曰：夫非而讎乎？對曰：私讎不及公，好不廢過，惡不去善，義之經也。臣敢違之？及范氏出，張柳朔謂其子：爾從主，勉之。我將止死，王生授我矣。吾不可以僭之。遂死於柏人。夏，趙鞅伐衛，范氏之故也。遂圍中牟。○齊燕姬生子，不成而死。諸子鬻姒之子荼嬖。諸大夫恐其為大子也，言於公曰：君之齒長矣，未有大子，若之何公曰二三子間於憂虞則有疾疢亦姑謀樂何憂於無君（[illegible]）（疏）[illegible]公疾使國惠子高昭子立荼（惠子國夏昭子高張）寘羣公子於萊（萊齊東鄙邑○寘之豉反羣或作[illegible]）秋齊景公卒冬十月公子嘉公子駒公子黔奔衛公子鉏公子陽生來奔（皆景公子○黔其廉反又音琴鉏仕居反）萊人歌之曰景公死乎不與埋三軍之事乎不與謀師乎師乎何黨之乎（[illegible]○與音預下同埋亡皆反）（疏）[illegible]

鄭駟秦富而侈嬖大夫也而常陳卿之車服於其庭鄭人惡而殺之子思曰詩曰不解于位民之攸塈（疏）[illegible]不守其位而能久者鮮矣商頌曰不僭不濫不敢怠皇命以多福（疏）[illegible]

正義曰商頌殷武之篇也[illegible]成湯之德不僭差不濫溢不敢怠[illegible]命于下國封建厥福傳言命以多福也[illegible]以詩文[illegible]其意而言之也杜云逸詩商頌以上言詩下言頌以鄭秦於此二詩皆違故言逸詩與商頌

附釋音春秋左傳註疏卷第五十七

附釋音春秋左傳注疏卷第五十八　哀公六年盡十一年

杜氏註　孔穎達疏

經六年春城邾瑕無傳備晉也任城亢父縣北有邾婁城○瑕音遐任音壬亢苦浪反又音剛父音甫○晉趙鞅帥師伐鮮虞○吳伐陳○夏齊國夏及高張來奔二子阿君廢長立少既受命又不能全書名罪之也○長丁丈反少詩照反○叔還會吳于柤無傳○柤莊加反○秋七月庚寅楚子軫卒未同盟而赴以名○軫之忍反史記作珍字○齊陽生入于齊為陳乞所逆故書入疏注為陳乞所逆故書入○正義曰成十八年傳例曰凡去其國國逆而立之曰入此為陳乞所逆既入而立之故依例書入也齊陳乞弒其君荼弒荼者朱毛與陽生也而書陳乞所以明乞立陽生而荼見弒則禍由乞始也楚比劫立陳乞流涕子家憚老皆疑於免罪故春秋明而書之以為弒主○弒荼音試下皆同疏注弒荼至弒主○正義曰實非陳乞弒荼而書乞弒其君者以荼死由乞故書乞弒也此與楚公子比鄭公子歸生俱非弒君之首春秋顯而書之以為弒君之主所以惡此三人釋例曰諸懷賊亂以為心者故不容於誅也若鄭之歸生齊之陳乞楚公子比雖本無其心春秋之義亦同大罪是以君子慎所以立也是說罪之之意○冬仲孫何忌帥師伐邾無傳○宋向巢帥師伐曹無傳

傳六年春晉伐鮮虞治范氏之亂也四年鮮虞納荀寅于柏人○吳伐陳復修舊怨也元年未得志故也○復扶又反楚子曰吾先君與陳有盟不可以不救乃救陳師于城父陳盟在昭十三年○父音甫疏註陳盟在昭十三年○正義曰昭十三年無楚與陳盟之事於時楚既滅蔡使棄疾為蔡公子干子皙之入也傳稱朝吳奉蔡公召二子而盟于鄧依陳蔡人以國是與陳人盟更許復其國其年平王即位更封陳是與盟也○齊陳乞偽事高國者高張國夏受命立荼陳乞欲害之故先偽事焉每朝必驂乘焉所從必言諸大夫言其罪過○乘繩證反○曰彼皆偃蹇將棄子之命偃蹇驕敖○偃約免反蹇紀輦反敖五報反皆曰高國得君得君寵也必偪我盍去諸固將謀子子早圖之圖之莫如盡滅之需事之下也需疑也○偪音逼盍戶臘反去起呂反下同需音須一音懦弱持疑也疏需事之下也○正義曰需是懦弱之意懦弱持疑不能決斷是為事之下者勸其決斷而盡殺之及朝則曰彼虎狼也見我在子之側殺我無日矣請就之位欲與諸大夫謀高國故求就之又謂諸大夫曰二子者禍矣恃得君而欲謀二三子曰國之多難貴寵之由盡去之而後君定既成謀矣盍及其未作也先諸作而後悔亦無及也大夫從之夏六月戊辰陳乞鮑牧牧鮑國孫○難乃旦反鮑牧州牧之牧及諸大夫以甲入于公宮昭子聞之與惠子乘如公戰于莊敗高國敗也莊六軌之道○乘繩證反國人追之國夏奔莒遂及高張晏圉弦施來奔晏圉晏嬰之子圉施不書非卿○圉魚呂反○秋七月楚子在城父將救陳卜戰不吉卜退不吉王曰然則死也再敗楚師不如死前已敗於柏舉今若退還亦是敗疏註前已至是敗○正義曰劉炫云卜不吉謂戰當敗退當罰今伐更敗也杜言退還亦是敗非也以規杜氏今知劉非者杜言退還亦是敗者以傳卜退不吉是不得好退是雖欲退還亦必敗也故

正德十二年　欠疏五十八卷　乙　黃仲

正德十二年　欠疏五十八卷　十二　黃仲

云退還亦是但文不可悉刻以爲退還謂先歸退而還以規杜非也 棄盟逃讎亦不如死死一也其死讎乎命公子申爲王不可則命公子結亦不可則命公子啓申子西結子期啓子閭皆昭王兄五辭而後許將戰王有疾庚寅昭王攻大冥卒于城父大冥陳地楚師所在○辭本又作辤說文云辭不受也受辛宜辤也辭籀文辤 [illegible]反子閭退曰君王舍其子而讓群臣敢忘君乎從君之命順也從命許立○舍音捨立君之子亦順也二順不可失也與子西子期謀潛師閉塗潛師密發也閉塗不通外使也逆越女之子章立之而後還越女昭王妾章惠王是歲也有雲如衆赤鳥夾日以飛三日

秋左傳卷二十八　三十　六

楚子使問諸周大史周大史曰其當王身乎日爲人君妖氣守之故以爲當王身雲在楚上唯楚見之故禍不及他國○夾古洽反大音泰下同疏問諸周大史○正義曰服虔云諸侯皆有太史主周所賜典籍故曰周大史一曰是時往問周大史杜以問周大史於文自明故不須釋若禜之可移於令尹司馬禜禳祭○禜音詠禳如羊反王曰除腹心之疾而寘諸股肱何益不穀不有大過天其夭諸有罪受罰又焉移之遂弗禜夭於表反焉於虔反崇息遂反竟音境疏不穀至移之○正義曰言己若無大過天其安夭之乎必是身有大罪天乃下罰有罪受罰又焉移之初昭王有疾卜曰河爲祟王弗祭大夫請祭諸郊王曰三代命祀祭不越望諸侯望祀竟內山川星辰○竟音境江漢雎漳楚之望也四水在楚界○雎七餘反

漳音章疏江漢雎漳○正義曰土地名江經南郡江夏弋陽安豐漢經襄陽至江夏安陸縣入江雎經襄陽至南郡枝江縣入江漳經襄陽至南郡當陽入江是四水皆在楚界也禍福之至不是過也不穀雖不德河非所獲罪也遂弗祭孔子曰楚昭王知大道矣其不失國也宜哉夏書曰惟彼陶唐帥彼天常逸書言堯循天之常道○共昭王知大道矣本或作天道非夏户雅反下注同此語在尚書五子之歌書無帥彼天常一句下亦微異有此冀方唐虞及夏同都冀州今失其行亂其紀綱乃滅而亡滅亡謂夏桀也不易也而亡由於不知大道故○行下孟反疏夏書至而亡○正義曰此夏書五子之歌第三章也彼云惟彼陶唐有此冀方今失厥道亂其紀綱乃底滅亡此多帥彼天常一句又古文小異者文經焚燒師讀不同故兩存之賈服孫杜皆不見古文以爲逸書謂爲夏桀之時唯王肅云太康時也案王肅注尚書其言多是孔傳疑肅見古文匿之而不言也堯治平陽舜治蒲坂禹治安邑三都相去各二百餘里俱在冀州統天下四方故云有此冀方也又曰允出茲在茲由己率常可矣逸書言信出己則福亦在己八月齊邴意茲來奔高國黨陳僖子使召公子陽生陽生齊悼公○召在七月下記事之次疏注召在至之次○正義曰經書陽生入齊文在七月之下知其召在七月也今傳在八月下者欲令下接十月立之是記事之次也邴意茲來奔者自以高國之黨八月來奔耳僖子使召陽生自以七月之時別使人召之非逆意茲召也賈逵以傳文相連謂逆意茲召以[illegible]其此故爲注云高國黨以陽之陽生駕而見南郭且于且于齊公子鉏在魯南郭○且子餘反曰嘗獻馬於季孫不入於上乘故又獻此請與子乘之畏在家人聞其言故欲一人共載以說爲辭○乘繩證反出萊門而告之故魯郭門也闞止知之先待

哀六

諸外外，闞止，陽生家臣子我也。待，胡俟反。闞，苦暫反。公子曰：事未可知，反與壬也處。壬，陽生子簡公。戒之，遂行。言成備。戒，絕句。逮夜至於齊，國人知之。欲以陽生入不欲令人知也。國人知而不言，陳氏得眾。○令，力呈反，下同。僖子使子士之母養之，子士，僖子妾。陽生匿於僖子家，內之。與饋者皆入。陳僖子又令陽生隨饋者入公宮。○饋，其媿反。冬十月丁卯，立之。將盟，盟諸大夫。鮑子醉而往。其臣差車鮑點曰：點，鮑牧臣也。差車，主車之官。○點，丁簟反，又丁念反。差，初宜反，又初佳反。此誰之命也？陳子曰：受命于鮑子。遂誣鮑子曰：子之命也。自欺其辭。鮑子曰：女忘君之為孺子牛而折其齒乎？孺子，荼也。景公嘗銜繩為牛，使荼牽之，頓地，故折其齒。○女音汝。折，之舌反，又市列反。而背之也！悼公稽首，悼公，陽生。曰：吾子奉義而行者也。若我可，不必亡一大夫；言己可為君，必不殺鮑子。若我不可，不必亡一公子。公子自謂也。必不殺己，要之。○要，一遙反。義則進，否則退，敢不唯子是從？廢興無以亂，則所願也。鮑子曰：誰非君之子？乃受盟。言陽生亦君之子，固可立。使胡姬以安孺子如賴。胡姬，景公妾。安孺子，荼也。賴，齊邑也。去鬻姒，鬻姒，荼之母。○去，起呂反。殺王甲，拘江說，囚王豹于句竇之丘。三子，景公嬖臣也。○說音悅。句，古侯反。竇音豆。公使朱毛告於陳子，朱毛，齊大夫。曰：微子則不及此。然君異於器，不可以二。器二不匱，君二多難，敢布諸大夫。僖子不對而泣曰：君舉不信群臣乎？舉，皆也。○匱，其位反。難，乃旦反。以齊國之困，困又有憂，內有飢饉之困，又有兵革之憂。少君不可以訪，是以求長君，庶亦能容群臣乎！不然，夫孺子何罪？少，詩照反。長，丁丈反。毛復命，公悔之。悔失言。毛曰：君大訪於陳子，而圖其小可也。大，謂國政；小，謂殺荼。○夫音扶。孺，或作孺同。使毛遷孺子於駘，不至，殺諸野幕之下，葬諸殳冒淳。恐駘人不從，故毛殺於野張帳而殺之。駘，齊邑。殳冒淳，地名。實以冬殺，經書秋者，史官以冬告魯。○駘，他才反，又徒來反。殳音殊。冒，亡報反。淳音純，又之閏反。【疏】注「殺諸」至「告魯」。正義曰：傳言十月立陽生，陽生既立之後，方遣朱毛殺荼，則荼死在冬。經書為秋殺者，記陽生初事入齊之始，遂連荼死二事，通以冬始來告，言陽生秋入，荼以秋死，故並書於秋也。

經七年春，宋皇瑗帥師侵鄭。○晉魏曼多帥師侵衛。○夏，公會吳于鄫。鄫，今琅邪鄫縣。○瑗，于眷反。鄫本又作繒，才陵反。○秋，公伐邾。八月己酉，入邾，以邾子益來。他國言歸，於魯言來，內外之辭。○宋人圍曹。○冬，鄭駟弘帥師救曹。

傳七年春，宋師侵鄭，鄭叛晉故也。定八年鄭始叛晉。晉師侵衛，衛不服也。五年晉伐衛，至今未服。○夏，公會吳于鄫。吳來徵百牢。吳欲霸中國。子服景伯對曰：先王未之有也。吳人曰：宋百牢我，是時吳過宋，宋餉百牢。○牢，力刀反。過，古禾反。魯不可以後宋。且魯牢晉大夫過十，晉大夫范鞅也，在昭二十一年。○後如字，又戶豆反。吳王百牢，不亦可乎？景伯曰晉范鞅貪而棄禮以大國懼敝邑故敝邑十一牢之君若以禮命於諸侯則有數矣有常數【疏】吳王百牢○正義曰王制云君十卿祿卿祿三大夫十故吳王自謂合得百牢○注有常數○正義曰周禮大行人云上公九牢侯伯七牢子男五牢是常數也若亦棄禮則有淫者矣淫過也周之王也制禮上物不過十二上物天子之牢○數守一音時掌反【疏】注上物天子之牢○正義曰周禮掌客云王合諸侯而饗禮則具十有二牢鄭玄云饗諸侯而用王禮之數者以公侯伯子男盡在是饗之莫適用也以莫適用故用王禮是天子之禮十二牢也郊特牲云天子適諸侯諸侯膳用犢諸侯適天子天子賜之禮大牢貴誠之義也加彼記文諸侯共天子之膳唯一犢耳而得有十二牢者若是天子大禮必以十二爲數其餘共王之庶食自用犢爲食耳非謂獻大禮者唯一犢也以爲天之大數也天有十二次故制禮象之今棄周禮而曰必百牢亦唯執事吳人弗聽景伯曰吳將亡矣棄天而背本違周禮爲背本【疏】棄天而背本○正義曰棄十二之數爲棄天違周禮是背本不與必棄疾於我必以棄凶疾來伐擊我乃與之大宰嚭召季康子嚭吳大夫康子使子貢辭大宰嚭曰國君道長蓋言君長大於道路○長丁丈反注及下注同而大夫不出門此何禮也譏大國不敢對曰豈以爲禮畏大國也大國不以禮命於諸侯苟不以禮豈可量也寡君既共命焉其老豈敢棄其國大伯端委以治周禮仲雍嗣之斷髮文身臝以爲飾豈禮也哉有由然也大伯周大王之長子仲雍大伯弟也大伯仲雍讓其弟季歷俱適荊蠻遂有民衆大伯卒無子仲雍嗣立不能行禮致化故效吳俗言其權時制宜以辟災害非以爲禮也端委禮衣也○共音恭大伯音泰注同斷丁管反臝本又作倮力果反激戶降反【疏】注大伯至衣也○正義曰吳世家云吳大伯及仲雍皆周大王之子而王季歷之兄也季歷賢而有聖子昌大王欲立季歷以及昌於是大伯仲雍二人乃奔荊蠻文身斷髮示不可用以避季歷大伯之奔荊蠻自號句吳荊蠻義之從而歸之千餘家立爲吳大伯大伯卒無子弟仲雍立是說大伯仲雍適吳之由也魯人不知吳之上世以詐之二人同時適吳而大伯端委仲雍斷髮者大伯初往未爲彼君故服其本服自治周禮及仲雍民歸者多爲彼君宜從彼俗曲禮云君子行禮不求變俗仲雍爲彼人主不能行周人之禮致中國之化故文身斷髮效吳俗言其權時制宜以辟災害非以爲禮也漢書地理志云越人文身斷髮以辟蛟龍之害應劭曰常在水中故斷其髮文其身以象龍子故不見傷害是言辟害辟此蛟龍之害大伯之時未有周禮言以治周禮者謂治其本國以周之禮非周公所制禮也臝以爲飾者臝其身體以文身爲飾也端委禮衣者王肅云委貌之冠玄端之衣也此傳言大伯端委仲雍斷髮史記云二人皆文身斷髮然則文身斷髮自辟害耳史記以爲示不可用二人亡去遠適荊蠻則周人不知其處何以須示不可用也皆馬遷妄耳反自鄫以吳爲無能爲也棄禮知其不能霸也○季康子欲伐邾乃饗大夫以謀之子服景伯曰小所以事大信也大所以保小仁也背大國不信大國吳也伐小國不仁民保於城城保於德失二德者危將焉保二德信與仁也○焉於虔反孟孫曰二三子以爲何如言己指問之惡賢而逆之孟孫謂景伯欲使大夫不逆其言惡猶安也○惡音烏注同對曰禹合諸侯於塗山執玉帛者萬國諸侯執玉附庸執帛塗山在壽春東北【疏】禹合諸侯○正義曰周禮大宗伯云以玉作六瑞以等邦國公執桓圭侯執信圭伯執躬圭子執穀璧男執蒲璧是謂諸侯執玉也典命云諸侯之適子未誓於天子以皮帛繼子男是世子執帛也知附庸執帛者以世子既繼子

男附庸君亦繼子男公之孤四命以皮帛視小國之君附庸無爵雖不得同於子男其位不甲於世子與公之孤也諸侯世子各稱朝附庸君亦稱朝是與世子相似故知執帛也且附庸是國此言執玉帛者萬國國而執帛惟附庸耳知附庸執帛也案尚書有三帛公之孤諸侯世子附庸君此惟言附庸者以傳云禹合諸侯又云執玉皆據君身言之故不數世子及孤也下云萬國唯附庸言之王制云不能五十里者不合於天子附於諸侯曰附庸鄭玄云不合謂不朝會也小城曰附庸附庸者以國事附於大國未能以其名通也如彼云附庸不得朝會而禹會萬國有附庸者附庸不得特達天子耳禹會諸侯諸國盡至附庸從其所附之國共見天子故有執帛者言萬國者舉盈數耳鄭玄注尚書以爲數正滿萬國案益稷州十有二師鄭以爲每一師領百國州十有二師則每州千二百國畿外八州摠九千六百國其餘四百國在畿內州得有千二百國者以唐虞上方萬里九州之內地方七千里七七四十九爲方千里者四十九其一爲畿內餘四十八八州分之州各有千里之方六以千里之方二爲方百里之國二百又以千里之方二爲七十里之國四百又以千里之方二爲五十里之國八百摠爲一千四百國去其方五十里之國一百是州別千二百國也鄭玄云畿內四百國

候吉刻校　春秋疏五十八　九　王進富

者皆謂五十里國也杜云諸侯執玉附庸執帛是與鄭異也尚書傳云百里之方三爲國七有奇以百里之方一爲百里之國一又以百里之方一爲七十里之國二有奇知者但方百里者爲方十里者百若方七十里之國雖有七七四十九是爲七十里之國二仍有十里之方二在又以百里之方一爲五十里之國四是百里之方三爲國七有奇則千里之方三爲國七百有奇有百里之方二在 今其存者無數十焉唯大不字小小不事大也 言諸侯相伐古來以然○數所主反 知必危何故不言 知伐邾必危自當言今不言者不危故也大夫以答孟孫所怪且何附季孫 魯德如邾而以衆加之可乎 孟孫答諸大夫今魯德無以勝邾但欲恃衆可乎言不可

疏 注孟孫至不可○正義曰傳於異人之言更無曰字今無曰者作傳略之論語之文此類多矣雖魯無曰要言與大夫對反不得爲大夫之辭故以爲孟孫答諸大夫也服虔以上二句亦爲孟孫之言謂諸大夫誠知伐邾必危何故不早言也杜以上獨爲使佳以此句爲孟孫言耳 不樂而出 季孫意異故不同罷饗○樂音岳一音洛

秋伐邾及范門 范門邾郭門也 猶聞鍾聲 邾不設備○禦魚呂反 大夫諫不聽茅成子請告於吳 成子邾大夫茅夷鴻 不許曰魯擊柝聞於邾 言以近○柝音託以兩木相擊以行夜也字又作欜同聞音問又如字

疏 注魯擊至於邾○正義曰易繫辭云重門擊柝以待暴客鄭玄云手持兩木以相敲是爲擊柝守備警戒也

吳二千里不三月不至何及於我且國內豈不足 言足以距魯 成子以茅叛 茅邾邑高平西南有茅鄉亭 師遂入邾處其公宮衆師晝掠 虜掠取財物也○晝音中救反掠音亮 邾衆保于繹 繹邾山也在魯國鄒縣北○繹音亦鄒側留反 師宵掠以邾子益來 益邾隱公也書以歸傳言諫子無法 獻于亳社 以其亡國與殷同 囚諸負瑕負瑕故有繹 負瑕魯邑高平南平陽縣西北有瑕丘城邾衆保繹者皆得邾之辭民使在負瑕故使相就以辱之

春秋疏五十八　十

邾茅夷鴻以束帛乘韋自請救於吳 [illegible]君命故言自○乘繩證反下及注同 曰魯弱晉而遠吳馮恃其衆 馮依也○馮皮冰反注同 而背君之盟辟君之執事 辟陋○辟匹亦反注同 以陵我小國邾非敢自愛也懼君威之不立君威之不立小國之憂也若夏盟於鄫衍 鄫衍即鄫也 秋而背之成求而不違 言會鄫不書吳行夷禮不[?]我非所以結信義諸侯不信成其所求無違逆也 四方諸侯其何以事君且魯賦八百乘君之貳也 言魯伐邾以八百乘之賦貳於吳言其國大 邾賦六百乘君之私也 私屬 以私奉貳唯君圖之吳子從之 爲明年吳伐我傳 ○宋人圍曹鄭桓子思曰宋人有

哀七

曹鄭之患也不可以不救柏謚冬鄭師救曹侵宋初曹人或夢衆君子立于社宮社宮社也【疏】或夢衆君子○正義曰曹人夢見多人不識姓名故唯云衆君子也服虔云衆君子諸國君也而謀亡曹曹叔振鐸請待公孫彊許之振鐸曹始封君○彊其良反旦而求之曹無之戒其子曰我死爾聞公孫彊爲政必去之及曹伯陽即位好田弋曹鄙人公孫彊好弋獲白鴈獻之且言田弋之說說之因訪政事大說之有寵使爲司城以聽政夢者之子乃行彊言霸說於曹伯曹伯從之乃背晉而奸宋宋人伐之晉人不救築五邑於其郊曰黍丘揖丘大城鍾邘爲明年入曹傳○鍾邘梁國下邑縣西南有黍丘亭○好呼報反下同弋以職反繳射也之說如字說之音悅下大說同霸說如字一音始銳反好音干揖音集一音於入反邘音于【疏】繳射○正義曰周禮司弓矢云矰矢用諸弋射鄭玄云結繳於矢謂之矰矰高也可以弋飛鳥說文云繳生絲縷也謂用生絲爲繩繫矢以射鳥也

經八年春王正月宋公入曹以曹伯陽歸曹人背晉而奸宋以致討宋公能還而不忍棄師故滅曹六一乘滅曹滅非本志故以入告○背音佩奸音干呼一旦反【疏】註曹人至入告○正義曰傳例曰不其有地曰入傳宋實滅曹而有之經書爲入故推原其事而解之○吳伐我○夏齊人取讙及闡不書伐兵未加而魯與之邑闡在東平剛縣北○讙音歡闡昌善反【疏】取讙及闡○正義曰公羊穀梁以爲賂齊謂前年魯伐邾取邾子益故賂之非也左氏違也○歸邾子益于邾○秋七月○冬十有二月癸亥杞伯過卒無傳未同盟而赴以名○過古禾反【疏】杞伯過卒○正義曰世族譜云僖公過悼公之子以昭六年卒立十九年卒公以昭二十四年卒平公以下世家不書然則杞之國也杞世家僖公過是悼公之子是杞誤○齊人歸讙及闡不言來公歸之無所使也○使疏註不言至使也○正義曰齊人來歸鄆讙龜陰田此不言來故解之所吏反

傳八年春宋公伐曹將還褚師子肥殿子肥宋大夫○殿丁練反下同曹人詬之不行詬詈辱也不行殿不上也○詬本又作詢呼豆反詈力智反師待之公聞之怒命反之遂滅曹執曹伯及司城彊以歸殺之終曹人之夢○吳爲邾故將伐魯問於叔孫輒問可伐否輒故魯人○【疏】問於叔孫輒○正義曰定十二年叔孫輒奔齊後自齊奔吳吳子今問之叔孫輒對曰魯有名而無情有大國名無情實伐之必得志焉退而告公山不狃公山不狃曰非禮也君子違不適讎國違奔亡也○狃女九反【疏】君子至讎國○正義曰謂有故而亡者也本國於己無大讎怨已無怨之心則違而不適讎國武王數紂之罪以告衆云撫我則后虐我則讎若父本無罪而被誅殺如伍員之徒志在復讎適國亦可矣不得以此言拯之也其父以罪而受誅者亦闘辛之徒本自不合怨君故辛亦不敢怨也未臣而有伐之奔命焉死之可也未臣所適之國若有伐本國者則可還奔命死其難○難乃旦反【疏】註未臣至其難○正義曰既臣之後則身是所君之臣非復己有故不復得爲舊君死節也若未有臣服則舊君之恩亦深故可還奔舊君之命死其難也言奔命則有命乃奔亦若命不及亦不當還所託也則隱則爲之隱○惡烏路反且夫人之行也不以所惡廢鄉不以其私怨惡廢舊

其鄉黨之好。○夫音符。行，下孟反，又如字。惡，烏路反，又如字，注同。好，呼報反，下文好焉同。今子以小惡而欲覆宗國，不亦難乎！魯公族，故謂之宗國。○覆，芳服反。若使子率，子必辭，王將使我。子張病之。子張[illegible]也。疏 若使子率○正義曰：率謂在軍前引道，率領先行，非爲軍之將帥也。故不知云子辭王將使我，以其知魯道者唯此二人故也。王問於子洩，子洩，不狃。○洩，息列反，又作泄。對曰：「魯雖無與立，緩時若無能自立。必有與斃，急則人人知懼，皆將同死戰。○斃，婢世反。諸侯將救之，未可以得志焉。晉與齊、楚輔之，是四讎也。與晉而四。夫魯，齊、晉之脣，脣亡齒寒，君所知也，不救何爲？」三月，吳伐我，子洩率，故道險，從武城。故由險道，欲使魯成備。○子洩率絕句，故道險絕句。初，武城人或有因於吳竟

侯亶劉校　秋疏五十八　十三　張裕卿

田焉，僑田吳界。○竟音境。僑，其驕反。拘鄫人之漚菅者，曰：「何故使吾水滋？」鄫人亦僑田吳。滋，濁也。○拘音俱，下同。漚，烏豆反。菅，古顏反。滋音玄，本亦作玆，子絲反，字林云黑也。及吳師至，拘者道之以伐武城，克之。鄫人教吳，必克。○道音導。王犯嘗爲之宰，澹臺子羽之父好焉，國人懼。王犯，吳大夫，故嘗奔魯爲武城宰。澹臺子羽，武城人，孔子弟子也。其父與王犯相善，國人懼其爲內應。○澹，待甘反。應，應對之應。疏 及吳至人懼○正義曰：杜意拘者道之以伐武城克之，謂語吳人云若伐武城，必可克之。吳人王犯嘗爲武城之宰，與澹臺子羽之父相善，國人懼者，謂武城邑懼子羽爲吳內應。劉炫以爲實克武城。今知非者，以下傳始云王犯嘗爲之宰，國人懼，是未得武城，故知此克之是鄫人教吳之語。劉以爲伐武城克之者，實克武城。國人懼者，懼其害魯。若然，吳師既來伐魯，是顯然行兵，不須云王犯與子羽之父相善，魯已受害，何須云國人始懼？傳既云王犯嘗爲之宰，又繼武城之下，是爲武城之宰；澹臺子羽又是武城之人，皆據武城而言，故知恐爲武城內應。傳載漚

管事者，說來伐武城之由。劉炫是異見而規杜，非也。懿子謂景伯：「若之何？」對曰：「吳師來，斯與之戰，何患焉？且召之而至，又何求焉？」言犯溫伐我，所以召吳。吳師克東陽而進，舍於五梧，明日，舍於蠶室。三邑皆魯地。公賓庚、公甲叔子與戰于夷，獲叔子與析朱鉏，公賓庚、公甲叔子、析朱鉏爲三人，皆同車，將死言之。○析，星歷反，注及下同。獻於王。王曰：「此同車，必使能，國未可望也。」同車能俱死，是國能使人，故不可望得。明日，舍于庚宗，遂次於泗上。微虎欲宵攻王舍，微虎，魯大夫。○泗音四。私屬徒七百人，三踊於幕庭，於帳前設格，令士試躍之。○屬音燭。踊音勇。格，古百反。令，力呈反。躍，羊灼反。卒三百人，有若與焉，行有若，孔子弟子，與在三百人中。○與音預。孫[illegible]任音壬。及稷門之內，三百人行至稷門。或謂季孫曰：「不足以害吳，而多殺國士，不如已也。」乃止。吳子聞之，一夕三遷。畏微虎。○三，息暫反。吳人行成，求與魯成。將盟，景伯曰：「楚人圍宋，易子而食，析骸而爨，在宣十五年。○骸，戶皆反，本又作骨。爨，七亂反。猶無城下之盟。我未及虧，而有城下之盟，是棄國也。吳輕而遠，不能久，將歸矣，請少待之。」弗從。景伯負載，造於萊門。以言不見從，故負載書，將欲出盟。○將[illegible]反。輕，遣政反。載如字，或音再。造，七報反。萊音來。疏 注以言至出盟○正義曰：劉炫云：載書皆盟主所制，自當吳人爲之，何由傷出魯國？又載書者，將盟之文耳，何須負之？且謀言載書，未有單稱載者。以爲負載器物，欲往賂吳，以規杜。今知負載是負載書者，以周禮司盟掌盟載之事，故傳云士莊子

爲載書也上有將盟之文下即云負載之事故知是載書也劉以負載謂背負器物然則景伯魯之大夫賓自有負物不近人情而規杜過非也乃請釋子服何於吳吳人許之以王
子姑曹當之而後止釋舍也魯人不以盟爲了欲因留景伯爲質於吳吳許之許復來吳王之子以六人質吳人不欲留王子故遂而止○背音佩下同負扶又反吳人盟而還不書
盟恥之○齊悼公之來也在五年季康子以其妹妻
之即位而逆之季魴侯通焉魴侯康子叔父○魴音房女
言其情弗敢與也齊侯怒夏五月齊鮑牧帥
師伐我取讙及闡或譖胡姬於齊侯胡姬景公妾○曰
安孺子之黨也六月齊侯殺胡姬傳言齊侯無道所以不終
齊侯使如吳請師將以伐我乃歸邾子齊未得季姬故

請師也吳前爲邾討魯懼二國同心故歸邾子○爲于僞反邾子又無道吳子使
大宰子餘討之子餘大宰嚭○囚諸樓臺栫之以棘
栫擁也○栫本又作荐在薦反擁於勇反使諸大夫奉大子革以爲政
革邾大子桓公也爲十年邾子來奔傳○秋及齊平九月臧賓如如
齊涖盟賓如臧會子○齊閭丘明來涖盟明閭丘嬰之子也盟不書諱畧
之疏注明閭至畧之○正義曰[illegible]以淫女見伐邑又盟服虔云盟是可畧之事二盟皆不書者諱其不公而畧之
且逆季姬以歸嬖季姬魴侯所通者○鮑牧又謂羣公子
曰使女有馬千乘乎有馬千乘使爲君也欲以立陽生故諷動羣公子○女音汝乘繩證反注及下同諷方鳳反公子愬之公謂鮑子或譖子
子姑居於潞以察之潞齊邑○愬音素潞音路若有之

則分室以行若無之則反子之所出門使以
三分之一行半道使以二乘及潞麇之以入
遂殺之麇束縛○麇九倫反○冬十二月齊人歸讙及闡
季姬嬖故也

經九年春王二月葬杞僖公無傳三月而葬速○宋皇
瑗帥師取鄭師于雍丘書取擾而敗之稱雍丘宋地○瑗于眷反疏
注書取至勇反○正義曰十一年傳例曰覆而敗之曰取某師釋例曰覆者謂威力兼備若羅網之所掩覆一軍皆見禽制故以取爲文宋皇瑗圍鄭師雍丘宋軍圍鄭師之外築壘[illegible]公來救鄭救之又大敗而宋師乃遷使有能者無死是其合書取也○夏楚人
伐陳○秋宋公伐鄭○冬十月

傳九年春齊侯使公孟綽辭師于吳辭前年請伐魯之師○吳子曰昔歲寡人聞命今又革吳師○綽昌灼反本又作卓同
之不知所從將進受命於君爲十年吳伐齊傳○鄭武
子賸之嬖許瑕求邑無以與之子賸罕達也○賸以證反
請外取許之瑕請取邑於他國故圍宋雍丘宋皇瑗圍
鄭師許瑕師每日遷舍作壘相連○遷力[illegible]反壘力軌反壘
合鄭師哭子姚救之大敗子姚武子○二月甲戌
宋取鄭師于雍丘使有能者無死備其能也以郟
張與鄭羅歸郟張鄭羅皆鄭之有能者○郟古洽反○夏楚人伐陳陳
即吳故也○宋公伐鄭報雍丘疏宋公伐鄭○正義曰[illegible]經文若爲

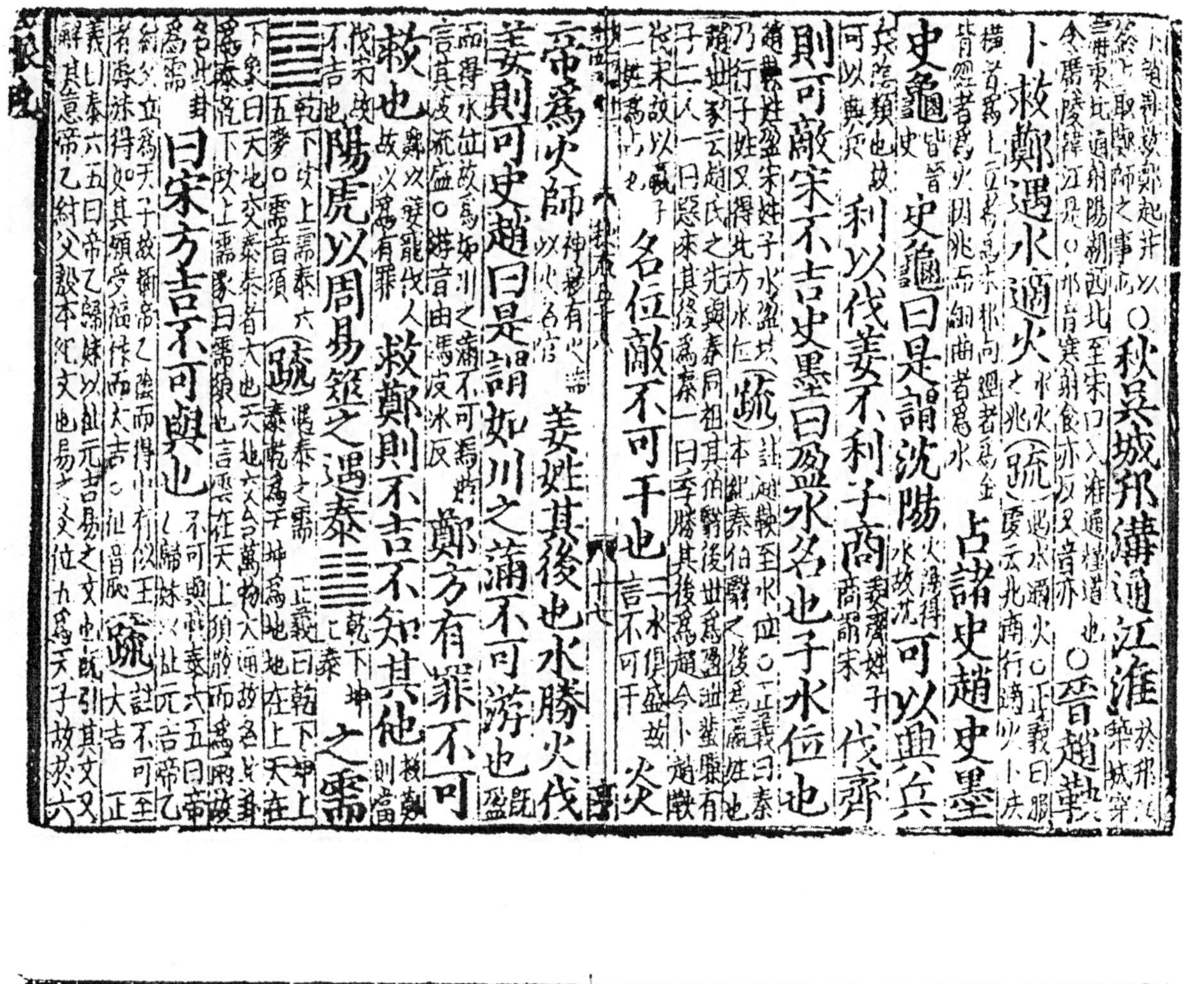

○秋吳城邗溝通江淮

○晉趙鞅卜救鄭遇水適火

占諸史趙史墨史龜

史龜曰是謂沈陽可以興兵利以伐姜不利子商伐齊則可敵宋不吉

史墨曰盈水名也子水位也名位敵不可干也

炎帝為火師姜姓其後也水勝火伐姜則可

史趙曰是謂如川之滿不可游也鄭方有罪不可救也救鄭則不吉不知其他

陽虎以周易筮之遇泰䷊之需䷄

曰宋方吉不可與也

微子啓帝乙之元子也宋鄭甥舅也

祉祿也若帝乙之元子歸妹而有吉祿我安得吉焉乃止

○冬吳子使來儆師伐齊

經十年春王二月邾子益來奔

○公會吳伐齊

○三月戊戌齊侯陽生卒

○夏宋人伐鄭

○晉趙鞅

帥師侵齊。五月公至自伐齊無傳。葬齊悼公無傳。衛公孟彄自齊歸于衛無傳書歸齊納之。彄苦侯反【疏】註書歸齊納之。正義曰定十四年衛公孟彄出奔鄭自鄭奔齊故今自齊歸衛也成十八年傳例曰凡去其國諸侯納之曰歸此書自齊歸知是齊納之。薛伯夷卒無傳赴以名故書【疏】註赴以名故書。正義曰定十三年薛弒其君比此夷蓋比之代爲君爾來未同盟而赴以名故書。秋葬薛惠公無傳

○冬楚公子結帥師伐陳。吳救陳季子不書陳人來告不以名【疏】註李子至以名。正義曰傳稱延州來季子救陳即是季札也札以襄二十九年來聘書名則此亦宜書名今不書者陳人來告不以名也

傳十年春邾隱公來奔齊甥也故遂奔齊終子貢之言公會吳子邾子郯子伐齊南鄙師于鄎鄎齊地邾郯不書兵非歸吳不列於諸侯。郯音談鄎音息齊公政反

○齊人弒悼公赴于師以說吳說申志反。吳子三日哭于軍門之外徐承帥舟師將自海入齊齊人敗之吳師乃還承吳大夫

○夏趙鞅帥師伐齊經書侵以侵告大夫請卜之趙孟曰吾卜於此起兵謂往歲卜伐宋不吉利以伐姜故令興兵事不再令再令瀆也卜不襲吉襲重也。重直用反行也於是乎取犁及轅犁一名隰濟南有隰縣祝阿縣西有轅城。犁力兮反又力之反轅音袁一音于眷反隰音習本或作隰音同【疏】註犁一名隰。正義曰犁即犁丘也二十三年傳稱齊晉戰于犁丘知伯親禽顏庚東郭即涿聚也二十七年陳成子召顏涿聚之子晉曰隰之役而父死焉此犁一名隰毀高唐之郭侵及賴而還。秋吳子使來復儆師伐齊未得志故爲明年吳伐齊傳。

復扶又反。冬楚子期伐陳陳即吳故吳延州來季子救陳謂子期曰二君不務德二君吳楚而力爭諸侯民何罪焉我請退以爲子名務德而安民乃還季子吳王壽夢少子也壽夢以襄十二年卒至今七十七歲壽夢卒季子已能讓國年當十五六至今蓋九十餘。夢莫公反少詩照反【疏】注季子至十餘。正義曰襄昭之傳稱延州來季子者皆是季札也此說務德安民是大賢之事亦當是札故計其年言雖老猶能將兵也蔣鯀以爲季子食邑於州來世稱延州來季子猶趙氏世稱知伯延州來季子或是札之子孫也

經十有一年春齊國書帥師伐我。夏陳轅頗出奔鄭書名貪也。頗破可反又普多反。五月公會吳伐齊

○甲戌齊國書帥師及吳戰于艾陵齊師敗

績獲齊國書公與伐而不與戰艾陵齊地。艾五蓋反與伐音預下同。秋七月辛酉滕子虞母卒無傳赴以名故書之【疏】注赴以名故書之。正義曰四年滕子結卒虞母代結爲君爾來未同盟來赴故書也。冬十有一月葬滕隱公無傳

○衛世叔齊出奔宋書名淫也

傳十一年春齊爲鄎故鄎在前年。爲于僞反國書高無丕帥師伐我及清清齊地濟北盧縣東有清亭。丕音普悲反季孫謂其宰冉求冉求魯人孔子弟子曰齊師在清必魯故也若之何求曰一子守二子從公禦諸竟季孫曰不能自度力不能使二子禦諸竟。守手又反從才用反禦魚呂反亦作御竟音境度待洛反求曰居封疆之間封疆竟內近郊地。疆居良反季孫告二子二子叔孫

孟孫也二子不可求曰若不可則君無出一子帥師背城而戰不屬者非魯人也屬臣屬也言不戰爲不臣魯之群室衆於齊之兵車群室都邑居家一室敵車優矣子何患焉二子之不欲戰也宜政在季氏言二子恨季氏專政故不盡力○二子之不欲戰也宜絕句當子之身齊人伐魯而不能戰子之恥也大不列於諸侯矣季孫使從於朝使冉求隨己之公朝俟於黨氏之溝黨氏溝朝中地名○黨音掌武叔呼而問戰焉問冉求對曰君子有遠慮小人何知懿子強問之對曰小人慮材而言量力而共者也言子所問非己材力所及故不能言○強其丈反共音恭武叔曰

春秋疏卷五十八　二十一

是我謂不成丈夫也知冉求非己不欲戰故不對○不成丈夫也本或作大夫非是退而蒐乘蒐閱○蒐所求反乘繩證反閱音悅孟孺子洩帥右師孺子孟懿子之子武伯彘○孺而注反彘直例反顏羽御邴洩爲右二子孟氏臣○邴音丙又彼命反冉求帥左師管周父御樊遲爲右樊遲魯人孔子弟子樊須○父音甫季孫曰須也弱有子曰就用命焉雖年少能用命有子冉求也○少詩照反季氏之甲七千冉有以武城人三百爲己徒卒步卒精兵○卒子忽反注同老幼守宮次于雩門之外南城門也○雩音于五日右師從之五日乃從言不欲戰公叔務人務人公爲昭公子見保者而泣保守城者曰事充繇役煩○繇本或作徭同音遙政重調稅多○上不能謀士不能死何

以治民吾既言之矣敢不勉乎既言人不能死已不敢不死師及齊師戰于郊齊師自稷曲稷曲郊地名師不踰溝樊遲曰非不能也不信子也請三刻而踰之與衆一刻約信如之衆從之如樊遲言乃踰溝師入齊軍右師奔齊人從之冉求之師遂右陳瓘陳莊涉泗二陳齊大夫○瓘古亂反泗音四孟之側後入以爲殿之側孟氏族○殿丁練反抽矢策其馬曰馬不進也不欲伐善○抽敕留反策初革反本或作筴林不狃之伍曰走乎不狃魯士五人爲伍欲走不狃曰誰不如我不如誰而欲走○誰不如如字一音而庶反注同曰然則止乎不狃曰惡賢言皆不足爲賢皆無戰心○惡音烏注同徐步而死徐行而死言皆非無

春秋疏卷五十八　二十二

壯士但季孫不能使師師獲甲首八十冉求所得齊人不能師不能整其師宵諜曰齊人遁諜問也○諜音牒遁徒困反間間廁之間冉有請從之三季孫弗許孟孺子語人曰我不如顏羽而賢於邴洩二子與孟孺子同車○語魚據反子羽銳敏子羽顏羽銳精也敏疾也言欲戰我不欲戰而能默心雖不欲口不言奔○默本亦作嘿亡北反洩曰驅之欲奔言寧走公爲與其嬖僮汪錡乘皆死皆殯同日爲殯皆俱也○嬖必計反錡魚綺反本亦作齮同音孔子曰能執干戈以衛社稷可無殤也時人疑童子當殤○殤音傷八歲至十九歲爲殤

【疏】注時人至當殤○正義曰喪服大功章云子女子之長殤中殤傳曰何以大功未成人也年十九至十六爲長殤十五至十二爲中殤十一至八歲爲下殤不滿八歲以下皆爲無服之殤其於服也長殤中殤降成人一

等下殤降二等此所言蓋長殤也時人疑其當服喪服又葬殤之禮亦與成人禮異云周人以殷人之棺槨葬長殤以夏后氏之塈周葬中殤下殤以有虞氏之瓦棺葬無服之殤是其異於成人也冄有用矛於齊

師故能入其軍孔子曰義也言能以義勇不書戰不皆陳也不書敗齊陳

頗不殊。○初轅頗為司徒賦封田以嫁公女封內之田悉賦稅之有餘以為己大

器長器鍾鼎之屬國人逐之故出道渴其族轅咺進

稻醴粱糗腶脯焉稻醴以稻米為醴粱糗以粱米為糗腶脯腶脩也（疏）正義曰周禮酒正辨五齊之名三曰盎齊鄭玄云盎猶翁也成而翁翁然葱白色如今酇白矣則醴是濁酒也月令仲冬乃命大酋秫稻必齊是以稻米為醴也

喜曰何其給也對曰器成而具言器成而具備故能供給曰何不吾諫對

曰懼先行恐言不從先見逐○為郊戰故公會吳子伐

齊。五月克博壬申至于嬴博嬴齊邑也

中軍從王吳中軍胥門巢將上軍王子

姑曹將下軍展如將右軍三將皆吳大夫齊國書將

中軍高無丕將上軍宗樓將下軍陳僖子謂

其弟書爾死我必得志書子占也欲使死事宗子陽與

閭丘明相厲也宗子陽宗樓也相厲勸也桑掩胥御國子國子國書

公孫夏曰二子必死將戰公孫夏

命其徒歌虞殯虞殯送葬歌曲示必死。○殯必刃反（疏）正義曰義門虞殯云

哀十一

虞殯送葬歌曲並不解虞殯之名禮啓殯而葬虞殯之歌謂之虞殯歌者樂也喪者哀也送葬得有歌者蓋挽引之人為歌聲以助哀今之挽歌是也舊說挽歌漢初田橫之臣為之據此挽歌之有久矣晉初尚書議以為不宜有歌去之摯虞駁之云詩云君子作歌惟以告哀禮云陳子行命其徒具含玉示必死。○行如字又戶郎反含戶暗反本又作唅

公孫揮命其徒曰人尋約吳髮短約繩也八尺為尋吳髮短欲以繩貫其首。○揮許韋反東郭書曰三戰必死於

此三矣三戰皆必死今又與吳戰使問弦多以琴弦多齊人也六年奔魯問遺也。○遺唯季反（疏）正義曰人以物遺人謂之問禮云問人於他邦

曰吾不復見子矣陳書曰此行也吾

聞鼓而已不聞金矣鼓以進軍金以退軍不聞金言將死也

（疏）正義曰周禮大司馬教大閱之法鼓人皆三鼓車徒皆作鼓行鳴鐲車徒皆行及表乃止鳴鐃且卻是鼓以進軍金以退軍云鼓以進軍金以退軍者周禮是教戰之法其臨敵之時必欲戰則先擊鼓以動之欲退則先擊金以靜之故云聞鼓而已不聞金矣言必欲進不退也甲戌戰于艾陵

展如敗高子國子敗胥門巢吳上軍敗王卒

助之大敗齊師獲國書公孫夏閭丘明陳書

東郭書革車八百乘甲首三千以獻于公以公

與從故以獻公○乘繩證反從才用反又如字將戰吳子呼叔孫

曰而事何也對曰從司馬王

賜之甲劍鈹曰奉爾君事敬無廢命叔孫未

哀十一

哀十一

能對。衛賜進，曰：賜，子貢，孔子弟子。○[illegible]，音悲反。疏 衛賜。○正義曰：子貢衛人，故稱衛賜。州仇奉甲從君而拜。拜受之。公使大史固歸國子之元，元，首也。歸於齊也。吳以獻齊。寘之新篋，褽之以玄纁，褽，藉也。○寘，之豉反。篋，苦協反。褽，音尉。纁，許云反，本亦作勳。加組帶焉。寘書于其上，曰：「天若不識不衷，何以使下國？」言天識不善，故殺國子。○組，音祖。衷，音忠。○吳將伐齊，越子率其衆以朝焉，王及列士皆有饋賂。吳人皆喜，唯子胥懼，曰：「是豢吳也夫！」豢，養也。若人養犧牲，非愛之，將殺之。○饋，其位反，或作餽。賂，音路。豢，音患。夫，音扶。諫曰：「越在我，心腹之疾也。壤地同，而有欲於我。欲得吳。夫其柔服，求濟其欲也，不如早從事焉。從事，謂伐越。得志於齊，猶獲石田也，無所用之。石田不可耕。越不為沼，吳其泯矣。沼，池也。○泯，亡忍反。使醫除疾，而曰必遺類焉者，未之有也。盤庚之誥曰：『其有顛越不共，則劓殄無遺育，無俾易種于茲邑。』盤庚，商書也。顛越不共，從戮不共命者也。劓，割也。殄，絕也。育，長也。俾，使也。易種，轉生種類。○劓，魚器反。殄，大典反。俾，必耳反。種，章勇反，注同。從，子容反。長，丁丈反。疏 注盤庚至種類。○正義曰：彼文云：顛越不恭，暫遇姦宄，我乃劓殄滅之，無遺育，無俾易種于茲新邑。此傳字少於彼，引之略也。孔安國云：顛，隕；越，墜也。不恭，不承命者。言隕墜失命，不奉上命，謂顛越從戮，不肯承命，謂小罪也。劓者，截鼻之刑，刑之小者，劓是割也。殄，絕。育，長。俾，使。種謂轉生種類，不令更有繼嗣之孫也。是商所以興也。今君易之，將以求大，不亦難乎！」弗聽。使於齊，

屬其子於鮑氏，為王孫氏。私使人至齊屬其子，改姓為王孫，欲以辟吳禍。○使，所吏反，下同。屬，音燭，注及下同。反役，王聞之，使賜之屬鏤以死。役，伐齊也。屬鏤，劍名。○鏤，力俱反，又力侯反。將死，曰：「樹吾墓檟，檟可材也。檟，梓也。○檟，古雅反，木名。吳其亡乎！三年，其始弱矣。盈必毀，天之道也。」越人朝之，伐齊勝之，盈之極也。為十三年越伐吳起。疏 將死。○正義曰：吳語云：子胥將死，曰：「而縣吾目於吳門，以見越人之入，吳國之亡也。」遂自殺。王投曰：「孤不使大夫得有見也。」乃使取申胥之尸，盛之以鴟夷，而投之於江。賈逵云：鴟夷，革囊也。○秋，季孫命脩守備，曰：「小勝大，禍也，齊至無日矣。」畏有備。○守，手又反。○冬，衛大叔疾出奔宋。疾即齊也。初，疾娶于宋子朝，子朝，宋人，仕衛為大夫。○朝，如字。其娣嬖。娣，所娶女之娣。子朝出。出奔。孔文子使疾出其妻而妻之。妻之，七計反。疾使侍人誘其初妻之娣，寘於犂，犂，衛邑。○犂，力兮反。而為之一宮，如二妻。文子怒，欲攻之，仲尼止之。遂奪其妻。或淫于外州，外州人奪之軒以獻。外州，衛邑。軒，車也。以獻於君。恥是二者，故出。衛人立遺，遺，疾之弟。使室孔姞。孔姞，孔文子之女，疾之妻。○姞，其乙反，又其吉反。疾臣向魋納美珠焉，與之城鉏。向魋，宋司馬。城鉏，宋邑。○魋，徒回反。宋公求珠，魋不與，由是得罪。及桓氏出，出在十四年。城鉏人攻大叔疾，衛莊公復之。復，還。使處巢，死焉。殯於鄖，葬於少禘。終言疾之失所也。巢、鄖、少禘，皆衛地。○鄖，音云。禘，大計反。初，晉悼公子憖亡在衛，使其女僕而田。僕，御。田，獵。

○懟魚觀反一作整征領反 大叔懿子止而飲之酒 懿子大叔疾之孫○飲於鴆反 遂聘之生悼子 悼子大叔疾○聘匹政反 悼子即位故夏戊爲大夫 夏戊悼子之甥○夏戶雅反下同戊音戊 悼子亡衛人翦夏戊 翦削其爵邑 孔文子之將攻大叔也訪於仲尼仲尼曰胡簋之事則嘗學之矣 胡簋禮器名夏曰胡周曰簋○簋音軌 疏 注胡簋至曰簋○正義曰胡簋行禮所用之器故以胡簋言禮事論語衛靈公問曰俎豆之事吾亦同也明堂位說四代之器云有虞氏之兩敦夏后氏之四璉殷之六瑚周之八簋姑記文則夏器名璉殷器名瑚而包咸鄭玄等注論語賈服等注此傳皆云夏曰胡杜亦同之或別有所據或相從而誤 甲兵之事未之聞也退命駕而行曰鳥則擇木木豈能擇鳥 以鳥自喻 疏 注甲兵至聞也○正義曰對哀公軍旅之事未之學也其意亦與此同軍旅甲兵以治國之具也此以文子非孔欲國內用兵違公丈問軍陳故正不答外嫌 文子遽止之曰圉豈敢度其私訪衛國之難也 圉文子名度謀也○遽其據反度待洛反注及下同難乃旦反 將止 仲尼止 魯人以幣召之乃歸 於是自衛反魯樂正雅頌各得其所 疏 魯人至乃歸○正義曰孔子世家云季康子使公華公賓公林以幣迎孔子孔子歸是也○季孫欲以田賦 丘賦之法因其田財通出馬一匹牛三頭今欲別其田及家財各爲一賦故言田賦○別如字一宿彼列反 疏 注丘賦至田賦○正義曰司馬法方里爲井四井爲邑四邑爲丘丘出馬一匹牛三頭四丘爲甸甸有戎馬四匹牛十二頭是爲革車一乘今用田賦必改其舊但不知若爲用之謂違以爲欲令一井之間出一丘之稅井別出馬一匹牛三頭若其如此則一丘之內有一十六井其出馬牛乃多於常一十六倍且直云用田賦何知使井爲丘也杜以如此則賦稅大多非民所能給故改之舊制丘賦之法田之所收及家內資財井共一馬三牛今欲別其田及家資各爲一賦計一丘民之家資令出一馬三牛又計田之所收更出一馬三牛是爲所出倍於常也舊田與家資共爲一賦今欲別賦其田故言欲以田賦也 使冉有訪諸仲尼仲尼曰丘不識也三發 三發問 卒曰 卒終也 子爲國老待子而行若之何子之不言也仲尼不對 不公答 而私於冉有曰君子之行也 行政事 度於禮施取其厚事舉其中斂從其薄如是則以丘亦足矣 丘十六井出戎馬一匹牛三頭是賦之常法○斂力豔反 若不度於禮而貪冒無厭則雖以田賦將又不足且子季孫若欲行而法則周公之典在若欲苟而行又何訪焉弗聽 爲明年用田賦傳○冒莫報反厭於鹽反

附釋音春秋左傳註疏卷第五十八

附釋音春秋左傳註疏卷第五十九 哀十二年盡十五年

孔頴達疏

經十有二年春用田賦 直書之者以示改法重賦 (疏)註直書至重賦 正義曰用田賦者用田之所收以為賦令之出牛馬也依賦成元年作丘甲甲是造作之物故言作馬牛賦稅以充之非造作之物且譏其賦不譏其作故書用言舊不用而今用之 ○夏五月甲辰孟子卒 魯人諱娶同姓謂之孟子春秋不改所以順時○娶本或作取七喻反又如字 (疏)註魯人至順時○正義曰論語云昭公娶於吳為同姓謂之吳孟子是魯人常言稱孟子也坊記云魯春秋去夫人之姓曰吳其死曰孟子卒是舊史書為孟子卒又仲尼修春秋以魯人已知其非諱而不稱姬氏諱國惡禮也因而不改所以順時世也魯春秋去夫人之姓曰吳春秋無此文坊記云然者禮夫人初至必書於策若娶齊女則云夫人姜氏至自齊此孟子初至之時亦當書曰夫人姬氏至自吳同姓不得稱姬舊史所書蓋直云夫人至自吳是去夫人之姓直書曰吳而已仲尼修春秋以犯禮明著全去其文故今經無其事 ○公會吳于橐皋 橐皋在淮南逡道縣東南○橐章夜反一音託逡音七倫反道音因又音巡 ○秋公會衛侯宋皇瑗于鄖 鄖發陽也廣陵海陵縣東南有發繇亭○繇音遥 (疏)註鄖發陽也○正義曰十七年傳云孟武伯問於高柴曰諸侯盟誰執牛耳季羔曰鄫衍之役吳公子姑曹發陽之役衛石魋指此會也知鄖即發陽一也二名也 ○宋向巢帥師伐鄭○冬十有二月螽 周十二月今十月是歲置閏而失不置雖書十二月實今之九月司歷誤一月九月之初尚溫故得有螽○螽音終

傳十二年春王正月用田賦 終前年事 ○夏五月昭夫人孟子卒昭公娶于吳故不書姓 諱娶同姓故謂之孟子若宋女 (疏)註諱娶至宋女○正義曰諱娶同姓不得謂之吳女宋是子姓長女字孟故惠公元妃謂之孟子今亦稱孟子者欲改其本若言此夫人是宋國之長女也釋例曰經書孟子卒傳言昭公娶于吳故不書姓此為昭公加諱

亦不復繫吳改其姓號傳曰而弗葬也論語謂之吳孟子若然以常言非經傳正文也而賈氏以為言孟子若言吳之長女也稱吳長女既不與於同姓且娶同姓長之與火宋聞其異無所為別也 死不赴故不稱夫人 不稱夫人故不言薨 不反哭故不言葬小君 反哭者夫人禮也以同姓故不成其夫人喪 (疏)註反哭至人喪○正義曰禮既葬日中自墓反虞於正寢所謂反哭於寢反哭者是夫人之正禮也季氏以同姓之故不成其夫人之喪不為反哭故不書葬所以縱臣子之過也釋例曰若昭之孟子者以同姓為闕生華其姓過而知悔也然吳之太伯下及魯昭於親遠矣所諱在於名義而已居夫人之位稱小君之尊已三世矣季氏當同而不為之服至令仲尼釋已之經國朝不成其喪以世適夫人不書於策此季氏之咎也杜言不書於策謂不書於經也 孔子與弔適季氏季氏不絻放經而拜 以夫人之禮 孔子始老故與弔也絻喪冠也孔子以小君禮往弔季孫不服喪故去経從主節制○與弔音預注同絻音問絰大結反去其呂反 (疏)註孔子至節制○正義曰杜以孔子與弔明其已去臣位若在臣位則服小君之喪不得云與弔而已故云孔子始老始老者謂始致事也劉炫云按十六年仲尼卒哀公誄之子貢譏云生不能用則是哀公不用仲尼為臣也又世家又諸書無云仲尼仕於哀公杜焉得云孔子始老乎今知不然者以上十一年傳稱仲尼在衛魯人以幣召之是召之而來當以任用故冉有云子為國老待子而行後乃致事故孟子之喪而來與弔若哀公全不能用何須以幣召之但哀公不用其言故云生不能用於傳文上下理共符同劉以為不仕哀朝以規杜過非也喪服齊衰三月章曰為舊君君之母妻傳曰為舊君者孰謂也仕焉而已者也何以服齊衰三月言與民同也君之母妻則小君也鄭玄云仕焉而已者謂老若有廢疾而致仕者也為小君服者恩深於民也是其服與民同不服臣為小君之服故與當弔也禮檀弓喪之衰始死而絻以至於成服絻以代古冠故以絻為喪冠也孔子以季孫當服臣為小君之禮故以小君禮往弔季氏傳言適季氏謂適季氏哭位故杜言往弔謂就其哭位也季孫既不服喪孔子不得服弔服故去経從主節制也大夫之弔服弁經鄭玄云弁経者如爵弁而素加環經大如緦之経纏而不糾也而禮云凡非弔喪非見國君無不荅拜者鄭玄云喪賓不荅拜不自賓客也禮弔無拜法而此言孔子放經而拜者記言喪賓不荅拜謂喪主既拜賓賓

不合拜耳其初見主人成禮者先拜稽此傳文必有所決記無其事記不具耳○公會吳于槖皋吳子使大宰嚭請尋盟尋鄫盟公不欲使子貢對曰盟所以周信也周固故心以制之制其義玉帛以奉之奉贄明神○贄音至言以結之結其信明神以要之要以禍福○要一遙反注同寡君以為苟有盟焉弗可改也已若猶可改日盟何益今吾子曰必尋盟若可尋也亦可寒也尋重也寒歇也○重直龍反歇許謁反疏注尋重也寒歇也○正義曰少牢有司徹云乃燅尸俎鄭玄云燅溫也引此若可燅也亦可寒也則諸言尋盟者皆以前盟已寒更溫之使熱溫舊即是重義故以尋為重傳意言若可重溫使熱亦可歇之使寒故言寒歇不訓寒為歇也乃不尋盟○吳徵會于衛初衛人殺吳行人且姚

侯臣劉校　秋疏五十九　三

而懼謀於行人子羽子羽衛大夫○羽于餘反子羽曰吳方無道無乃辱吾君不如止也子木曰吳方無道子木衛大夫國無道必棄疾於人吳雖無道猶足以患衛為衛患也往也長木之斃無不摽也摽擊○斃婢世反摽普交反又普交反國狗之瘈無不噬也瘈狂也噬齧也○狗音苟瘈古世反噬市制反瘈本或作猘齧五結反疏長木至噬也○正義曰長木喻吳國大也狗喻吳失道也國狗猶家狗言家畜狂狗以齧人也而況大國乎秋衛侯會吳于鄖公及衛侯宋皇瑗盟盟不書畏吳竊盟疏注盟不至竊盟○正義曰畏吳竊盟恐吳知之故不敢告於策也成二年公及楚人秦人云云盟於蜀傳曰卿不書匱盟也於是乎畏晉而竊與楚盟故曰匱盟彼以畏晉竊盟故諸侯之卿皆貶而稱人此亦畏吳竊盟宜亦貶此三國經遂沒而不書者彼以晉是盟主諸侯不德

晉故貶諸侯之卿以成晉為霸王此吳以夷禮自殺不合主諸侯之盟故與吳盟者悉皆不書是不與吳為盟主也既不與吳則三國私盟於義可許不合貶責但魯自不書仲尼因從而不書之耳釋例曰諸侯畏晉而竊與楚盟而貶其卿所以成晉為盟主也吳之強大始於會鄫終於黃池凡三會一伐三盟唯書會伐而不書盟者吳以盟主自居而行其夷禮禮儀不典則盟神不蠲非所以結信義昭明德故不録其盟不與其成為盟主也既不與吳之為盟主則宋魯衛三國私盟可許故無貶文是其從也杜言三會三伐三盟者七年會于鄫十二年會于槖皋十三年會于黃池是三會也八年吳伐我十年公會吳伐齊十一年齊國書及吳戰于艾陵是三伐也七年傳云夏盟于鄫衍八年傳云吳人盟而還十二年傳云秋七月辛丑盟吳晉爭先是三盟也而卒辭吳盟吳人藩衛侯之舍藩籬○藩方元反注及下同籬力知反子服景伯謂子貢曰夫諸侯之會事既畢矣侯伯致禮地主歸餼侯伯致禮以禮賓也地主所會主人也餼生物○餼許氣反疏注侯伯至生物○正義曰侯伯諸侯之長謂盟主也

正德六年刊　春秋疏五十九卷　李紅校　四　黃□□刊

侯伯為主則諸侯之從己者皆為賓致禮禮賓當謂有以禮之或設飲食與之宴也地主所會之地主人也當歸生物於賓禮牲生曰餼服虔云致賓禮於地主傳言吳不行禮於衛衛非地主以相辭也各以禮相辭讓今吳不行禮於衛而藩其君舍以難之難苦困也○難乃旦反子盍見大宰乃請束錦以行以賂吳○盍戶臘反語及衛故若本不為衛者○為于偽反大宰嚭曰寡君願事衛君衛君之來也緩寡君懼故將止之止執子貢曰衛君之來必謀於其衆其衆或欲或否是以緩來其欲來者子之黨也其不欲來者子之讎也若執衛君是墮黨而崇讎也墮毀也○墮許規反注及下皆同夫墮子者得其志矣且合諸侯而

哀十二

執衛君誰敢不懼墮黨崇讎而懼諸侯或者難以霸乎大宰嚭說乃舍衛侯衛侯歸效夷言子之尚幼子之公孫彌牟○說音悅下同舍音捨釋也又音赦效戶教反曰君必不免其死於夷乎執焉而又說其言從之固矣出公輒後卒死於越○冬十二月螽季孫問諸仲尼仲尼曰丘聞之火伏而後蟄者畢火心星也火伏在今十月○蟄直切反今火猶西流司曆過也猶西流言未盡沒知是九月曆官失一閏釋例論之

疏注猶西至之備○正義曰月令季夏之月昏火星中詩云七月流火毛傳云流下也謂昏而見於西南漸下流也周禮司爟云季秋內火是九月之昏火始入十月之昏則伏■猶西流者言其未盡沒是夏之九月也經書十二月則是夏九月歷官失一閏故以九月為十月釋例長歷言諸儒皆以為■周之九月而書十二月謂之再失閏若如其言乃成三失非但再也今以長歷推春秋此十二月乃夏之九月實周之十一月也此年當有閏而今不置閏此為失一閏月耳十二月不應螽故季孫怪之仲尼以斗建在戌火星尚未盡沒據今猶見故言猶西流明夏之九月尚可有螽也季孫雖聞仲尼此言猶不即改明年十二月復螽於是始悟十四年春乃置閏欲以補正時歷也傳於十五年書閏月蓋置閏正之欲明十四年之閏於去當在十二年也

○宋鄭之間有隙地焉隙地閒田○隙去逆反閒音閑又一本作閒地一音如字曰彌作頃丘玉暢嵒戈錫凡六邑○彌亡支反又亡爾反頃苦穎反又音傾暢勑亮反一本作玉暢嵒五咸反戈古禾反錫星歷反子產與宋人為成曰勿有是棄之及宋平元之族自蕭奔鄭在定十五年鄭人為之城嵒戈錫平元之族○為之于偽反九月宋向巢伐鄭取錫殺元公之孫遂圍嵒十二月鄭罕達救嵒丙申圍宋師此事經在十二月螽上今倒在下更具列其月以為別若丘明本不以為義例故不皆齊同○倒丁老反別如字又彼列反

疏注此事至齊同○正義曰杜以此與經別以為丘明不以為義例故使文不齊同劉炫以為傳說當時之事於中倒本於後之事載其日月使與明年相接今知不然者案宣二年十月鄭伯朝于武宮於十月五日下乃云冬趙盾為旄車之族彼注云壬申是十月五日也既有日而無月冬又在壬申下明傳文無較例彼既無倒本其事迹後年相接所以此亦不為倒本其事使九月在十二月之下明傳因循舊文或日月前後不以為例若以倒敘其事為後年張本案傳之上下凡倒敘事為後年張本者唯道事之所由不具載其日月劉以此而規杜過非也

經十有三年春鄭罕達帥師取宋師于嵒書取覆而敗之○夏許男成卒無傳○成本或作戌○公會晉侯及吳子于黃池陳留封丘縣南有黃亭近濟水吳夫差欲霸中國尊天子自去其僭號而稱子以告令諸侯故史承而書之○近附近之近去起呂反僭子念反

疏注吳夫至書之○正義曰七年會吳于鄫十二年會吳于橐皐皆不稱子此稱吳子故解之夫差欲霸中國尊天子而自號為王則諸侯不服故夫差自去僭號自稱吳子以告令諸侯故諸侯之策承而書曰吳子吳語說此事云晉侯命董褐告吳王曰今君掩王東海以淫名聞於天下君有短垣而自踰之況蠻荊則何有於周室夫命圭有命固曰吳伯不曰吳王諸侯是以敢辭夫諸侯無二君而周無二王君若無卑天子而曰吳公孤敢不順從君命吳王許諾是其去僭號也於此會去王號自其於吳國猶稱王不改也

○楚公子申帥師伐陳無傳○於越入吳○秋公至自會無傳○晉魏曼多帥師侵衛無傳○葬許元公無傳○九月螽無傳書災○冬十有一月有星孛于東方平旦眾星皆沒而孛乃見故不言所在之次○孛步內反見賢遍反

疏注平旦至之次○正義曰公羊傳曰孛者何彗星也其言于東方何見于旦也然則旦時眾星皆沒故不言所在之次

○盜殺陳夏區夫無傳稱盜非大夫○區烏侯反○十有二月螽無傳前年季孫

譬聞仲尼之言而不正歷失閏至此年故復十二月螽實十一月。復扶又反

傳十三年春宋向魋救其師救別年鄭師圍宋師鄭子賸使徇曰得桓魋者有賞魋也逃歸遂取宋師于嵒獲成讙郜延二子宋大夫。徇似俊反讙火官反郜古報反又古毒反以六邑為虛空虛之名不有。虛如字或音墟非○夏公會單平公晉定公吳夫差于黃池平公周卿士也不書尊之與會。單音善不與音預○六月丙子越子伐吳為二隧隧道也。隧音遂注同疇無餘謳陽自南方二子越大夫。謳烏侯反先及郊吳大子友王子地王孫彌庸壽於姚自泓上觀之觀越師泓水名○泓烏宏反彌庸見姑蔑之旗姑蔑越地今東陽大末縣○蔑亡結反旗音其大音泰孟康云大音闥曰吾父之旗也彌庸父為越所獲故姑蔑人得其旌旗不可以見讎而弗殺也大子曰戰而不克將亡國請待之彌庸不可屬徒五千屬會也。屬音燭注同王子地助之乙酉戰彌庸獲疇無餘地獲謳陽越子至王子地守丙戌復戰大敗吳師獲大子友王孫彌庸壽於姚地守故不獲○守手又反下注同獲狀又反丁亥入吳吳人告敗于王王惡其聞也惡諸侯聞之。○惡烏路反注同自剄七人於幕下以絕口。○剄古頂反秋七月辛丑盟吳晉爭先爭歃血先後。○歃所洽反又所甲反吳人曰於周室我為長吳為大伯後故為長。○長丁丈反注同大音泰晉人曰於姬

哀十三

姓我為伯為侯伯趙鞅呼司馬寅寅晉大夫曰日旰矣旰晚也。○旰古旦反大事未成二臣之罪也大事盟也二臣鞅與寅建鼓整列二臣死之長幼必可知也疏趙鞅至知也○正義曰如此傳文則趙鞅欲與吳戰也吳語云吳晉爭長未成邊遽乃至以越亂告吳王懼乃合大夫而謀曰無會而歸與會而先晉孰利王孫雒曰二者莫利必會而先之乃為吳王設計布陣雞鳴乃定去晉軍一里昧明王乃秉枹親鳴鼓三軍皆譁聲動天地於是晉軍大駭乃令董褐請事賈逵等皆云董褐司馬寅也然彼文則吳請先戰國語各記其國之事言有此此故其文不同○註二臣至鞅寅○正義曰杜以鞅呼寅與語明其何憂國事故以二臣為鞅與寅也劉炫以為吳晉二臣今知不然者以趙鞅呼司馬寅自相與語云建鼓整列二臣死之皆是鞅寅自謂故知二臣鞅與寅也鞅既不共吳臣對論曲直何得以二臣為吳晉之臣劉以為吳晉之臣而規杜氏非也○建鼓○正義曰建立也立鼓擊之與戰也大射禮云建鼓在阼階西鄭玄云建猶樹也以木貫而載之樹之對也彼謂立之於地所謂植人擊鼓與此別也對曰請姑視之反曰肉食者無墨墨氣色下今吳王有墨國勝乎國為敵所勝大子死乎且夷德輕不忍久請少待之少待無與爭○輕遣政反疏反曰至死乎○正義曰吳語說此事云董褐既致命乃告趙鞅曰臣觀吳王之色類有大憂小則嬖妾適子死不然則國有難大則越入吳將毒不可與戰主其許之說與此傳小異乃先晉人盟不書諸侯恥之故不錄疏乃先晉人○正義曰吳語說此事云吳公先歃晉侯亞之與此異者經書公會晉侯及吳子傳稱公會單平公晉定公吳夫差吳皆在下晉實先矣劉炫魯史策書傳采魯之簡牘魯之所書必是依實國語之書當國所記或可曲筆直已辭有抑揚故與左傳異者多矣鄭玄云不可以國語亂周公所定法傅玄云國語非丘明所作凡有共說一事而二文不同必國語虛而左傳實其言相反不可強合也吳人將以公見晉侯子服景伯對使者曰王合諸侯則伯帥侯牧以見於王伯王官伯侯牧

哀十三

方伯○見晉如字又賢遍反使所吏反以見賢遍反伯合諸侯則侯帥子男以見於伯伯諸侯長疏王合至於伯○正義曰曲禮云五官之長曰伯是職方也九州之長入天子之國曰牧於外曰侯職方者二伯各主一方州長者州牧各主一州周禮所謂八命作牧九命作伯是也王合諸侯則伯帥侯牧當如康王之誥太保帥西方諸侯畢公帥東方諸侯以見於王也計當盡帥諸侯獨言帥侯牧者舉尊而言其實盡帥之也伯合諸侯則侯帥子男是謂故也牧帥諸國之君見於伯也亦當盡帥作會諸侯獨云子男舉小為言其實亦見在會者盡帥以見伯也自王以下朝聘玉帛不同故敝邑之職貢於吳有豐於晉無不及焉以為伯也今諸侯會而君將以寡君見晉君則晉成為伯矣敝邑將改職貢魯賦於吳八百乘若為子男則將半邾以屬於吳半邾三百乘○豐芳中反乘繩證反下及注同而如邾以事晉如邾六百乘疏故敝至伯也○正義曰言其職貢於吳有豐於晉無有不及晉時以吳為伯故也○魯賦至事晉○正義曰七年傳茅夷鴻請救於吳云魯賦八百乘君之貳也邾賦六百乘君之私也今魯賦八百乘以貢於吳以吳為伯故也吳今帥魯以見於晉則吳為州牧魯為子男晉成伯矣邾是子爵以六百乘貢吳邾以吳為伯故也魯既以晉為伯吳為牧男於伯則將半邾三百乘以屬於吳而如邾六百乘以事於晉也且執事以伯召諸侯而以侯終之何利之有焉吳人乃止既而悔之謂景伯欺之將因景伯景伯曰何也立後於魯矣何景伯名將以二乘與六人從遲速唯命遂因以還及戶牖戶牖陳留外黃縣西北東昏城是○從才用反牖音酉謂太宰曰魯將以十月上辛有事於上帝先王季辛而畢何世有職焉有職於祭事

疏魯將至而畢○正義曰七月辛丑盟因景伯以還令景伯稱十月當謂周之十月周之十月非祭上帝先公之時且祭禮終朝而畢無上辛盡於季辛之事景伯以吳信鬼皆虛言以恐吳耳自襄以來未之改也魯襄公若不會祝宗將曰吳實然言魯祝宗將告神云景伯不會坐為吳所囚吳人信鬼故以是恐之○坐才卧反恐丘勇反且謂魯不共而執其賤者七人何損焉大宰嚭言於王曰無損於魯而秖為名適為惡名○共音恭秖音支不如歸之乃歸景伯吳申叔儀乞糧於公孫有山氏申叔儀吳大夫公孫有山魯大夫舊相識曰佩玉繠兮余無所繫之繠然服飾備也已獨無以繫佩言吳士不恤下○繠而捶反又而水反旨酒一盛兮余與褐之父睨之一盛一器也睨視也褐寒賤之人言但得視不得飲○盛音成又市政反注同褐戶葛反父如字又音甫睨五計反疏注一盛至得飲○正義曰酒盛於器故謂一器為一盛說文云睨邪視也詩云無衣無褐何以卒歲鄭玄云褐毛布也人之貴者無衣賤者無褐是褐者寒賤人之衣服也言我與彼褐之父但得共耶視之不得飲之告已之乏飲也對曰梁則無矣麤則有之若登首山以呼曰庚癸乎則諾軍中不得出粮故為私隱庚西方主穀癸北方主水傳言吳子不與士共飢渴所以亡○麤本又作麄七奴反呼火故反疏對曰至則諾○正義曰食以稻粱為貴故以粱表精若求粱米之飯則無矣麤者則有之若我登首山以叫呼庚癸乎女則諾軍中不得出粮與人故作隱語為私期也庚在西方穀以秋熟故以庚主穀癸在北方位水之位故以癸主水言飲欲致餅并致飲也上池名首山闕不知其處當在吳所營軍之旁王欲伐宋殺其大夫而囚其婦人以宋不會黃池故言吳子悖惑○殺其大夫音試反又作大夫誤悖補內反大宰嚭曰可勝也而弗能居也乃歸冬吳及越平終伍員之言疏吳及越平正義曰言

吳不能報越求與之平終伍員所謂二十年外爲沼也

經十有四年春西狩獲麟麟者仁獸聖王之嘉瑞也時無明王出而遇獲仲尼傷周道之不興感嘉瑞之無應故因魯春秋而脩中興之教絕筆於獲麟之一句所感而作固所以爲終也冬獵曰狩蓋虞人脩常職故不書狩者大野在魯西故言西狩得用曰獲○狩手又反麟呂辛反又力珍反瑞獸也解見詩音瑞常恚反應應對之應中丁仲反疏註麟者至曰獲正義曰公羊傳曰麟者仁獸也何休云一角而戴肉設武備而不爲害所以爲仁也鄭玄詩箋云麟角之末有肉示有武而不用釋獸云麐麕身牛尾一角李巡曰麟瑞應獸名孫炎曰靈獸也京房易傳曰麟麕身牛尾狼額馬蹄有五采腹下黃高丈二廣雅云麒麟狼頭肉角含仁懷義音中鍾呂行步中規折旋中矩遊必擇土翔必有處不履生蟲不折生草不羣不旅不入陷阱不入羅網文章斌斌說文云麒仁獸麋身牛尾一角其聲牡麟大牝鹿也從鹿吝聲公羊傳曰麟有王者則至無王者則不至孝經援神契云德至鳥獸則麒麟臻是言麟爲聖王之嘉瑞也此時無明王麟出無所應也出而遇獲失其所以歸也夫以靈瑞之物輒若是聖人見此能無感乎所以感者以聖人之生非其時道無所施言無所用與麟相類故爲感也仲尼見此獲麟於是傷周道之不興感嘉瑞之無應故因魯春秋文加褒貶而脩中興之教若能用此道則周室中興故謂春秋爲中興之教也春秋編年之書不待三時而絕筆於獲麟之一句者本以所感而作故所以用此爲終也冬獵曰狩釋天文冬獵爲狩周之春夏之冬也故稱狩也桓四年公狩于郎莊四年公及齊人狩于禚禚郎二者公親行皆書公此狩不書公卿者蓋是虞人賤官脩常職公不親行故不書狩者名此狩常事本不合書書之爲獲麟故也傳稱狩于大野大野之澤在魯國之西故言西狩得用曰獲定九年傳例也杜以獲麟之義惟此而已先儒穿鑿妄生異端公羊傳曰有以告者曰有麕而角者孔子曰孰爲來哉孰爲來哉反袂拭面涕沾袍曰吾道窮矣公羊說云麟是漢將受命之瑞周亡天下之異夫子知其將有六國爭強秦項交戰然後劉氏乃興夫子深閔民之離害故爲之隕涕麟者大平之符聖人之類又云麟得而死此亦天告夫子將殁之徵也案此時去漢二百七十有餘年矣漢氏起於匹夫先無王迹前期三百許歲天已豫見徵兆其爲靈命何太遼乎言既不經事無所據苟佞時世妄爲虛誕故杜氏序云至於反袂拭面稱吾道窮亦無取焉然則其虛誕鄙妖妄故無所取之也說左氏者云麟生於火而遊於土中央軒轅大角之獸孔子作春秋春秋者禮也脩火德以致其子故麟來而爲孔子瑞也奉德侯陳欽說麟西方毛蟲金精也孔子作春秋有立言西方兌爲口故麟來許慎稱劉向尹更始等皆以爲吉凶不並瑞災不兼今麟爲周異不得復爲漢瑞知麟應孔子而至鄭玄以爲脩母致子不如立言之說密也賈逵服虔潁容等皆以爲孔子自衛反魯考正禮樂脩春秋約以周禮三年文成致麟麟感而至取龍爲水物故以爲脩母致子之應若然龍爲水物以其育於水耳麟生於火豈其產於火乎孔子之作春秋門徒盛矣丘明親承聖旨目見獲麟丘明何以不言弟子何以不說子思孟軻去聖尤近爲書著述章言孔聖麟若應孔子而來者書無容不述何乃經傳羣籍了爾不言以其既妖且妄故杜悉無所取

哀十四

○小邾射以句繹來奔射小邾大夫句繹地名春秋止於獲麟故射不在三叛人之數自此以下至十六年皆魯史記之文弟子欲存孔子卒故并錄以續孔子所脩之經○射音亦句古侯反繹音亦疏註射小至之經正義曰此文與邾庶其黑肱莒牟夷文同知射是小邾大夫以句繹之地來奔魯也其事既同其罪亦等便得稱其爲三叛人不兼數此爲四叛人者以春秋之經止於獲麟以上爲數是仲尼之意此雖文與彼同而要非孔意故不數也若然魯史書此舊與彼同則竊地顯名史先然矣而昭三十一年傳盛論書三叛人名惡不義也其善志也杜言書曰故書皆是仲尼新意案此顯彼則彼是舊文言新意者仲尼所脩有因有革因者雖是仲尼因舊舊合仲尼之心因而不改則是新意所以彼傳每功皆謂之善志焉傳所以脩之既定乃成爲善也故釋例終篇杜自問而釋之云丘明之爲傳所以釋仲尼春秋仲尼春秋皆因舊史策書義之所在則時加增損或仍舊史之無或改舊史之有雖因舊文固是仲尼之書也丘明所發固是仲尼之意也是其說也公羊穀梁之經皆至獲麟而盡左氏之經更有此下事者自此已下至十六年皆是魯史記事之正文也仲尼所脩此記也此上仲尼脩記此下是其本文弟子欲存孔子卒故因經之未并錄魯之舊史以續孔子所脩之經訖仲尼卒之月日下後人使分之耳賈逵亦云此下弟子所記但不言是魯之舊史耳○夏四月齊陳恒執其君寘于舒州○寘之豉反疏陳恒執其君正義曰成十七年晉欒書執晉厲公亦先執後弒與此事同彼不書執者或此告彼不告且此非孔子所脩不可以爲例也○庚戌叔還

哀十四

卒無傳○五月庚申朔日有食之無傳○陳宗豎出奔楚無傳○豎上主反○宋向魋入于曹以叛曹宋邑○向舒亮反魋徒回反○莒子狂卒無傳○狂其廷反○六月宋向魋自出奔衛宋向巢來奔○齊人弒其君壬于舒州【疏】齊人弑其君壬○正義曰宣四年傳例曰凡弑君稱君君無道也稱臣臣之罪也然凡言例是周公典此魯史不書陳恒之名蓋依凡例以齊君無道故○秋晉趙鞅帥師伐衛無傳○鞅於文反○八月辛丑仲孫何忌卒○冬陳宗豎自楚復入于陳陳人殺之無傳○復扶又反○陳轅買出奔楚無傳○有星孛無傳不言所在史失之○孛步內反○饑無傳

經十四年春西狩於大野叔孫氏之車子鉏商獲麟大野在高平鉅野縣東北大澤是也車子微者鉏商名○鉏仕居反【疏】注大野至商名○正義曰鉅訓大也由其旁有大澤故縣以鉅野為名其澤在曲阜之西故稱西狩不書地者得常不書也賈逵云周在西明夫子道繫周服虔云言西者有意於西西明夫子有立言立言之位在西方故著於西也按此經實在魯西舊史因書西耳仲尼不改舊史何以得示己意若其本實東狩仲尼不得輒改為西以己意之所示妄改魯之狩處雖則下愚知其不可豈有斯人而為斯事以此立說何妄之甚杜以車子連文為將車之子故為微者鉏商是其名也家語說此事云叔孫氏之車士曰子鉏商王肅云車士將車者也子姓鉏商名今傳無士字服虔云車車士微者也子姓鉏商名以子為姓與杜異○以為不祥以賜虞人將所未嘗見故怪之虞人掌山澤之官【疏】以為至虞人○正義曰家語云子鉏商採薪於大野獲麟焉折其前左足載而歸叔孫以為不祥棄之於郭外使人告於孔子孔子曰麟也然後取之王肅云傳曰狩此曰采薪時實狩獵鉏商非狩者采薪而獲麟也傳曰以賜虞人此云棄之於郭外棄之於郭外所以賜虞人也然肅意欲成彼家語令與經傳狩同故強為之辭冀合其說要其文正乖不可合也今傳言狩而獲麟非采薪者也鉏商不是狩者若薪非狩之所獲何以書為狩乎以賜虞人虞人當受之矣棄郭外非賜人之辭下得棄之以為賜人也公羊傳曰西狩獲麟何以書記異也何異爾非中國之獸也然則孰狩之薪采者也薪采者則微者也曷為以狩言之大之也曷為大之為獲麟大之也公羊之意當時實無狩者為大麟而稱狩也家語說出孔家乃是後世所錄取公羊之說飾之以成文耳不可與左氏合也○仲尼觀之曰麟也然後取之言魯史所以得書獲麟○【疏】注言魯至獲麟○正義曰若棄國不識則無由得書傳說仲尼觀之言魯史所以得書獲麟由仲尼辨之故也服虔云仲尼名之曰麟明麟為仲尼至也然則麟非常見者人所疑仲尼聖者所言必信故魯從而取之此則愚民之信聖也服虔以仲尼名之即云為仲尼至然則防風之骨肅慎之矢季氏之羵羊楚王之萍實皆問仲尼而後知豈為仲尼至也○小邾射以句繹來奔曰使季路要我吾無盟矣子路信誠故欲得與相要誓而不須盟孔子弟子既續書魯策以繫於經丘明亦隨而傳之終於哀公以卒前事其異事則皆略而不傳故此經無傳者多○要於妙反又一遙反注同使子路子路辭季康子使冉有謂之曰千乘之國不信其盟而信子之言子何辱焉對曰魯有事于小邾不敢問故死其城下可也彼不臣而濟其言是義之也由弗能濟成也○乘繩證反年內同○【疏】使子至弗能○正義曰季孫之意以小邾射不信千乘之國而信子路之言是其重子路過於一國子路當以為榮不宜恥與言約子路之意當伐小邾非己祗禁將令己言不信不可與射約也又射是竊地叛臣臣之罪惡者也而子路與之相要便是以射為義恥與不義交好故辭而不能也○齊簡公之在魯也闞止有寵焉簡公悼公陽生子壬也闞止子我也事在六年○闞苦暫反○及即位使為政陳成子憚之驟顧諸朝成子陳常心不安故數顧之○憚大旦反驟仕救反數所角反諸御鞅言於公鞅齊大夫曰陳

鬭不可並也君其擇焉擇用一人弗聽子我夕夕俱事陳逆殺人逢之陳逆子行陳氏宗也子我逢之遂執以入執逆至朝陳氏方睦欲謀齊國故宗族和使疾而遺之潘沐備酒肉焉使詐病因內潘沐并得內酒肉潘米汁可以沐頭○遺惟季反潘芳袁反注皆同沐音木汁之十反饗守囚者醉而殺之而逃子我盟諸陳於陳宗失陳逆懼其反為患故盟之【疏】盟諸陳於陳宗○正義曰陳宗陳氏宗主謂陳成子也盡集陳氏宗族就成子家盟也初陳豹欲為子我臣豹亦陳氏族使公孫言巳言巳介達之○介音界媒介也亦因也巳有喪而止既而言之既終喪也曰有陳豹者長而上僂有背疾○長如字又丁丈反僂力主反望視目望陽事君子必得志得君子意欲為子臣吾憚其為人

春秋疏五十九　十五

也恐多詐故緩以告子我曰何害是其在我也使為臣他日與之言政說遂有寵謂之曰我盡逐陳氏而立女若何對曰我遠於陳氏矣言巳疏遠○說音悅女音汝遠如字又于萬反且其違者不過數人言不從也○數所注反何盡逐焉遂告陳氏子行曰彼得君弗先必禍子子行舍於公宮子行逃而為於陳氏今又隱於公宮夏五月壬申成子兄弟四乘如公成子之兄弟昭子莊簡子齒宣子夷穆子安廩丘子意茲子芒盈惠子得凡八人二人共一乘○廩力甚反芒音亡【疏】註成子至一乘○正義曰系世本莊子生昭子莊簡子齒宣子其夷穆子安廩丘子鑿茲芒子盈惠子得子我在幄幄帳也聽政之處○幄於角反啟呂慮反出逆之遂入閉門成子入反閉門不納子我侍人

禦之子我侍人○禦本亦作御魚呂反子行殺侍人恐在內故得殺之公與婦人飲酒于檀臺成子遷諸寢欲使公居正寢○檀大丹反公執戈將擊之疑其欲作亂大史子餘曰非不利也將除害也言將為公除害○大音泰將為于偽反下文逆為余請下注為公同成子出舍于庫以公怒故聞公猶怒將出曰何所無君子行抽劍曰需事之賊也言需疑則害事○需音須誰非陳宗言陳氏宗族衆多【疏】誰非陳宗○正義曰子行稱國內之人誰非陳宗言陳氏宗族衆多力足成事何為畏子我欲出奔所不殺子者有如陳宗言子若欲出我必殺子明如陳宗【疏】所不至陳宗○正義曰子行慮其必出故以殺子懼之陳宗謂陳之先人此稱有如陳宗也定六年孟懿子謂范獻子曰所不以陽虎為中軍司馬者有如先君彼注云稱先君以要言此亦然也服虔云陳宗先祖鬼神也○

春秋疏五十九　十六

乃止子我歸屬徒攻闈與大門闈宮中小門大門公門也○屬之欲反闈音韋【疏】註闈宮至門也○正義曰釋宮云宮中之門謂之闈孫炎曰宮中相通小門也成子在公宮內知大門公門也計闈在宮內必是得入大門乃得至闈今言攻闈與大門皆不勝者公宮非止一門蓋從別門而入得至闈故與大門並攻也皆不勝乃出陳氏追之失道於弇中適豐丘弇中狹路豐丘陳氏邑○弇於檢反又音淹狹音洽豐丘人執之以告殺諸郭關齊關名成子將殺大陸子方子方子我臣陳逆請而免之以公命取車於道子方取道中行人車及耏衆知而東之知其詐命奪車逐使東○耏音而嶠本又作橋居表反出雍門齊城門也○雍於用反陳豹與之車弗受曰逆為余請豹與余車余有私焉事子我而有私於其

魋何以見魯衛之士。傳言陳氏務施。○施，式豉反 東郭賈奔衛。賈即子方 庚辰，陳恒執公于舒州。公曰：吾早從鞅之言，不及此。悔不誅 ○宋桓魋之寵害於公，公使夫人驟請享焉，而將討之。夫人，景公母也。數請享魋，欲因請討之。○驟，仕救反。數，所角反 未及，魋先謀公，請以鞌易薄。鞌，向魋邑。薄，公邑。欲因易邑為公享，宴而作亂。○鞌音安 公曰：不可。薄，宗邑也。宗廟所在 乃益鞌七邑，而請享公焉。為魋享公。○為，于偽反 以日中為期，家備盡往。甲兵之備 公知之，告皇野曰：余長魋也，少長育之 今將禍余，請即救。司馬子仲曰：皇野，司馬子仲。○長，丁丈反，注同。少，詩照反 有臣不順，神之所惡也，而況人乎？敢不承命。不得左師不可，左師，向巢，魋兄。○惡，烏路反 請以君命召之。左師每食擊鍾。聞鍾聲，公曰：夫子將食。既食，又奏。奏樂 公曰：可矣。以乘車往，曰：迹人來告，迹人，主迹禽獸者。○迹，子亦反【疏】注迹人至獸者。○正義曰：周禮地官迹人掌邦田之政，凡田獵者受令焉。鄭玄云：迹之言跡，知禽獸之處也。 曰：逢澤有介麇焉。地理志言逢澤在熒陽開封縣東北，遠，疑也。介，大也。○介音界。麇，九倫反，獐也。本又作麏，亦作麕，同。【疏】注逢澤至大也。○正義曰：漢書地理志云：河南郡開封縣東北有逢池，或曰宋之逢澤也。[illegible] 公曰：雖魋未來，得左師，吾與之田，若何？皇野稱公命

君憚告子。難以遊戲煩大臣。○難，乃旦反，下文及注同 野曰：嘗私焉。嘗，試也 君欲速，故以乘車逆子。與之乘，至，公告之故，拜不能起。司馬曰：君與之言。使公與要誓 公曰：所難子者，上有天，下有先君。言雖誅魋，要不召難及子 對曰：魋之不共，宋之禍也，敢不唯命是聽。司馬請瑞焉，瑞，符節，以發兵【疏】注瑞符節以發兵。○正義曰：周禮典瑞牙璋以起軍旅，以治兵守。鄭眾云：牙璋，瑑以為牙。牙齒，兵象，故以牙璋發兵，若今時以銅虎符發兵也。彼用天子之法，諸侯於其封內亦自以當發兵，其物無文，以言之。 以命其徒攻桓氏。桓氏，向魋 其父兄故臣曰：不可。司馬故臣與桓魋無怨者 其新臣曰：從吾君之命。遂攻之。子頎騁而告桓司馬。子頎，桓魋弟。桓司馬即魋也。○頎音祈。騁，勑領反 司馬欲入，入攻君 子車止之，子車亦魋弟 曰：不能事君，而又伐國，民不與也，祇取死焉。向魋遂入于曹以叛。哀八年宋滅曹以為邑。○祇音支 六月，使左師巢伐之。欲質大夫以入焉，巢不能克魋，懼公殺己，欲得國內大夫為質，還入國。○質音致，注及下同 不能，不能得大夫故 亦入于曹，取質。入曹，劫曹人子弟而質之，欲以自固 魋曰：不可。既不能事君，又得罪于民，將若之何？乃舍之。舍曹子弟。○舍音赦，又音捨，注同 民遂叛之。向魋奔衛。向巢來奔，宋公使止之，曰：寡人與子有言矣，不可以絕向氏之祀。辭曰：臣之罪大，盡滅桓氏可也。若以先臣之故，而使有後，君之惠也。

也君臣則不可以入矣司馬牛致其邑焉而適齊（牛桓魋弟也往守邑符信）向魋出於衛地公文氏攻之（公文氏衛大夫）求夏后氏之璜焉與之他玉而奔齊陳成子使爲次卿司馬牛又致其邑焉而適吳（亦不與魋同○夏戶雅反璜音黃）吳人惡之而反趙簡子召之陳成子亦召之卒於魯郭門之外阬氏葬諸丘輿（阬氏魯人也泰山南城縣西北有輿城卒葬所在愍賢者失所○惡烏路反阬苦[illegible]）其反或音問輿音余○甲午齊陳恒弒其君壬于舒州（壬簡公也）孔丘三日齊而請伐齊三公曰魯爲齊弱久矣子之伐之將若之何對曰陳恒弒其君民

之不與者半以魯之衆加齊之半可克也公曰子告季孫孔子辭（辭不告○三日齊側皆反本又作齋伐齊三如字又息暫反）退而告人曰吾以從大夫之後也故不敢不言（嘗爲大夫而去故言後）【疏】孔丘至告人○正義曰論語錄此事與此小異彼云沐浴而朝此云齋而請彼云公曰告夫三子此云公曰子告季孫孔齋必沐浴三子季孫爲長名託其一故不同耳從於退而告人之下又云之三子告此無文者傳是史官所錄記其與君言耳退後別告三子非弟子於之史官不見其告故傳無文也○初孟孺子洩將圉馬於成（洩孟懿子之子孟武伯也圉畜養也成孟氏邑○洩息列反圉魚呂反）成宰公孫宿不受曰孟孫爲成之病不圉馬焉（病謂民貧困○爲于僞反）孺子怒襲成從者不得入乃反成有司使孺子鞭之（恨恚故鞭成有司之使人○從者才用反）

所衷反注閭志二瑞反秋八月辛丑孟懿子卒成人奔喪弗內袒免哭于衢聽共弗許（請聽命共使○內如字又音納袒音但免音問衢其俱反共音恭注同）懼不歸（不敢歸成人明年成叛傳）

經十有五年春王正月成叛○夏五月齊高無丕出奔北燕（無傳○丕普悲反）○鄭伯伐宋（無傳）○秋八月大雩（無傳○雩音于）○晉趙鞅帥師伐衛（無傳）○冬晉侯伐鄭（無傳）○及齊平（魯與齊平）○衛公孟彄出奔齊（無傳○彄苦侯反）

傳十五年春成叛于齊武伯伐成不克遂城輸（以偪成）○夏楚子西子期伐吳及桐汭（宣城德縣西

南有桐水出白石山西北入丹陽湖○汭如銳反）陳侯使公孫貞子弔焉（弔爲楚所伐）及良而卒（良吳地）將以尸入（聘禮若賓死未將命則既斂于棺造於朝介將命○斂力驗反下同造七報反下文同介音界下文注皆倣此）【疏】註聘禮至將命○正義曰聘禮也服虔云在牀曰尸在棺曰柩禮稱既斂於棺傳言將以尸入者記言對文耳散則可以通隱元年傳曰贈死不及尸註云尸未葬之通稱也案聘禮賓入竟而死遂也主人爲之具而殯介攝其命君弔介爲主人主人歸禮幣必以用介受賓禮無辭也不饗食此謂入竟未至國都賓死此禮知此聘禮又云若賓死未將命則既斂于棺造於朝介將命鄭注云未將命謂俟間之後也此謂賓已至朝主人將欲行禮賓請間之後賓死以柩造朝以尸將事今公孫貞子未至於竟內依禮非可以尸而入殯於賓館不合以柩造朝以尸將事入上介子尸云以尸將事者以吳人不納故芋尸引禮深以之非以傳有以尸將事故引聘禮故于棺造于朝介將命以辯之其實貞子當殯於館不得以尸將事也吳子使大宰嚭勞且辭曰以水潦之不時無乃廩然

隕大夫之尸，嫌於勞動。○勞，力報反。隕，于敏反，下同。以重寡君之憂，寡君敢辭。上介芋尹蓋對，蓋，陳大夫。○重，直用反，下注同。[illegible] 曰：寡君聞楚為不道，荐伐吳國，荐，重也。○荐，在薦反。滅厥民人，寡君使蓋備使，弔君之下吏。備，猶副也。○備使，所吏反。無祿，使人逢天之慼，大命隕隊，絕世于良，絕世猶言棄世。良，吳地。廢日共積，一日遷次。[illegible] 今君命逆使人曰無以尸造于門，是我寡君之命委于草莽也。且臣聞之曰：事死如事生，禮也。於是乎有朝聘而終，以尸將事之禮，朝聘道死，以尸行事。○將，子匠反。

疏 [illegible]

又有朝聘而遭喪之禮，遭所聘國喪。若不以尸將命，是遭喪而還也，無乃不可乎！以禮防民，猶或踰之。今大夫曰死而棄之，是棄禮也，其何以為諸侯主？先民有言曰：無穢虐士。虐士，死者。備使奉尸將命，苟我寡君之命達于君所，雖隕于深淵，則天命也，非君與涉人之過也。吳人內之。[illegible] ○秋，齊陳瓘如楚，瓘，陳恒之兄子昭子。○瓘，古喚反。過衛，仲由見之，仲由，子路。○過，古禾反。曰：天或者以陳氏為斧斤，既斲喪公室，而他人有之，不可知也；其使終饗之，亦不可知也。饗，受也。○斲，陟角反。喪，息浪反，下注皆同。若善魯以待時，不亦可乎？何必惡焉？仲由，孔子弟子，故為魯言。○惡，烏路反。子玉曰：然，吾受命矣，子使告我弟。弟，成子也。○冬，及齊平。子服景伯如齊，子贛為介，見公孫成，公孫成，成宰公孫宿也。曰：人皆臣人，而有背人之心，況齊人雖為子役，其有不貳乎？言子叛魯，齊人亦將叛子。

疏 [illegible]

子，周公之孫也，多饗大利，猶思不義。利不可得，而喪宗國，將焉用之？喪宗國，謂以邑入齊。成曰：善哉！吾不早聞命。傳言孔子之徒。陳成子館客，使景伯、子贛就館。曰：寡君使恒告曰：寡人願事君如事衛君。言衛與齊同好，而魯未肯。○好，呼報反。景伯揖子贛而進之，對曰：寡君之願也。昔晉人伐衛，齊為衛故伐晉冠氏，在定九年。冠氏，陽平館陶縣。○冠，如字，又古亂反。喪車五百，因與衛地，自濟以西，禚、媚、杏以南，書社五百。二十五家為一社，籍書而致之。○濟，子禮反。禚，諸若反。吳人加敝邑以亂，在八年。齊因其病，取讙與闡，亦在八年。寡君是以寒心若得視衛君之事君也則固所願也成子病之乃歸成病其言也公孫宿以其兵甲入于嬴嬴齊邑。○嬴音盈。○衛孔圉取大子蒯聵之姊生悝孔圉孔文子也。蒯聵之姊孔伯姬。○圉魚呂反。蒯苦怪反。聵五怪反。悝苦回反孔氏之豎渾良夫長而美孔文子卒通於內通伯姬。○渾户門反。長丁丈反又如字大子在戚孔姬使之焉使良夫詣大子所。○使之所吏反又如字大子與之言曰苟使我入獲國服冕乘軒三死無與冕大夫服。軒大夫車。三死，死罪三。○無與音預與之盟為請於伯姬良夫為大子請閏月良夫與大子入舍於孔氏之外圃圃園。○圃布五反昏二人蒙衣而乘二人大子與良夫。蒙衣為婦人服也。○乘繩證反下及注同寺人羅御如孔氏孔氏之老欒寧問之稱姻妾以告自稱昏姻家妾。○欒力丸反。姻音因遂入適伯姬氏既食孔伯姬杖戈而先大子與五人介輿豭從之介被甲。輿豭欲以盟。○杖直亮反又音丈。豭音加。被皮寄反疏輿豭。正義曰：豭是豕之牡者。傳稱諸侯盟誰執牛耳，則盟當用牛。此用豭者，鄭玄云人君用牛，伯姬迫孔悝以盟，下人君耳。然則蒯聵自謂取國，宜須降下人君，於時迫促，謀得豭耳，牲不備牛。如孟任割臂以盟莊公，楚昭王割子期之心以盟隨人，此又明年大子更以豭。為盟皆臨時偏用，故不得以文論也迫孔悝於廁強盟之孔悝本又作俚。廁初吏反。強其丈反遂劫以登臺孔氏專政，劫孔悝欲令逐輒。○劫居業反。令力呈反欒寧將飲酒炙未熟聞亂使告季子季子子路，為孔氏邑宰。○炙章夜反，下同疏註季子至邑宰。○正義曰：論語稱子路為季路，則子路字季，故呼為季子也。使告季子，則季子在外

倭吉劉校　疏五十九　三十三　江盛刊

下云食焉不辟其難，是食孔氏之祿，故知為孔氏邑宰召獲駕乘車召獲，衛大夫。言不欲戰。○召上照反，注同行爵食炙奉衛侯輒來奔疏召獲至食炙。○正義曰：丘明為傳，雖詳於當時，而此大煩辭，計欒寧欲酒無可記錄，又此句顛倒，辭義不允，若倒此一句，則上下各自相連，當是後來誤耳季子將入遇子羔將出子羔，衛大夫高柴，孔子弟子。將出奔曰門已閉矣季子曰吾姑至焉且欲至門子羔曰弗及不踐其難言政不及己，可不須踐其難。○難乃旦反，注及下皆同季子曰食焉不辟其難謂食孔氏祿疏子羔至辟其難。○正義曰：子羔謂季子欲救君，故言政不及己，不當踐其難。季子欲救孔悝，故言食其祿焉，不辟其難子羔遂出子路入及門公孫敢門焉守門曰無入為也言輒已出，無為復入。○復扶又反季子曰是公孫求利焉而逃其難由不然利其祿必救其患有使者出乃入因門開而入。○使所吏反曰大子焉用孔悝雖殺之必或繼之言己必繼且曰大子無勇若燔臺半必舍孔叔孔叔，孔悝。○焉於虔反。燔音煩。舍音捨，又如字。盂音于。黶於減反大子聞之懼下石乞盂黶敵子路二子，蒯聵黨以戈擊之斷纓○斷丁管反子路曰君子死冠不免不使冠在地結纓而死孔子聞衛亂曰柴也其來由也死矣孔悝立莊公莊公，蒯聵也莊公害故政欲盡去之故政，輒之臣。○去起呂反先謂司徒瞞成曰寡人離病於外久矣子請亦嘗之歸告褚師比欲與之伐公不果比，褚師聲子。為明年瞞成

王德士八年刊　春秋正義五十九卷　李紅德　四十一

哀十五

奔起○瞞莫干反褚中呂反

附釋音春秋左傳註疏卷第五十九

附釋音春秋左傳註疏卷第六十 哀十六年盡二十七年

杜氏註　孔穎達疏

經十有六年春王正月己卯衛世子蒯聵自戚入于衛衛侯輒來奔 書此春皆從告○二月衛子還成出奔宋 即瞞成○還音旋○夏四月己丑孔丘卒 仲尼既告老去位猶書卒者魯之君臣宗其聖德殊而異之魯襄二十二年生至今七十三也四月十八日乙丑無己丑己丑五月十二日日月必有誤○孔子卒孔子作春秋終於獲麟之一句公羊穀梁經是也弟子欲記聖師之卒故採魯史記以續夫子之經而終於此丘明因隨而作傳終於哀公從此已下無復經矣魯襄二十二年生至今七十三也本或作魯襄二十三年生至今七十一則非也[疏]註仲尼至有誤○正義曰魯臣見爲卿乃書其卒致事而卒猶尚不書仲尼書卒者魯之君臣宗其聖德殊而異之故特命史官使書其卒耳孔子世家云魯襄公二十二年而孔子生孔子年七十三以魯哀公十六年四月己丑卒杜自以長歷校之四月十八日有乙丑無己丑己丑乃是五月十二日也日月必有誤者劉炫云春秋之例卿乃書卒今仲尼不告老例不合書而杜云告老去位猶書卒非也今知不然者案周禮典命云公侯伯之卿三命大夫再命仲尼爲魯大夫夾谷之會攝相事十一年傳云子爲國老是大夫尊者則二命以上準例合書故杜爲此注或可杜爲抑揚之辭以爲仲尼雖未去位例不合書告老去位猶書卒者欲明魯之君臣宗其聖德之甚劉不尋杜旨以爲例不合書而規杜過非也

傳十六年春瞞成褚師比出奔宋 欲伐莊公不果而奔 衛侯使鄢武子告于周 武子衛大夫肸也○鄢於晏反肸許乙反 曰蒯聵得罪于君父君母逋竄于晉晉以王室之故不棄兄弟寘諸河上 河上戚也○逋布吳反竄七亂反寘之豉反 天誘其衷獲嗣守封焉使下臣肸敢告執事王使

單平公對曰肸以嘉命來告余一人往謂叔父余嘉乃成世復爾祿次敬之哉纘乃之世還居君之祿次○衷音忠單音善余嘉乃成世絶句方天之休言天方授爾以休○休許虯反注及下同美也弗敬弗休悔其可追將有禍難之事夏四月己丑孔丘卒公誄之曰旻天不弔不憖遺一老俾屏余一人以在位弔至也憖且也俾使也屏蔽也○誄力軌反說文云謚也旻亡巾反弔如字又音的憖魚覲反俾必爾反屏必領反煢煢余在疚嗚呼哀哉尼父無自律疚病也律法也言喪尼父無以自爲法○煢求營反疚久又反父音甫喪息浪反

疏 公誄至自律。○正義曰周禮大祝掌作六辭以通上下親疏遠近六曰誄鄭衆曰誄謂積累生時德行以賜之命主爲其辭也鄭玄禮記注云誄累也累列生時行迹讀之以作謚此傳唯說誄辭不言作謚傳記羣書皆不載孔子之謚蓋唯累其美行示己傷悼之情而賜之命耳不爲之謚故書傳無稱焉至漢王莽輔政尚褒崇大聖封孔子後爲褒成侯追謚孔子爲褒成宣尼君明已前無謚也鄭玄禮記注云尼父因且字以爲之謚謂謚孔子爲尼父鄭玄錯讀左傳云以字爲謚遂復妄爲此解

子贛曰君其不沒於魯乎夫子之言曰禮失則昏名失則愆失志爲昏失所爲愆生不能用死而誄之非禮也稱一人非名也天子稱一人非諸侯之名○愆起虔反君兩失之○六月衛侯飲孔悝酒於平陽平陽衛邑東郡燕縣東北有平陽亭○飲於鴆反重酬之大夫皆有納焉納財賄也醉而送之夜半而遣之夜遣出懼孔悝不欲去令人見○令力呈反載伯姬於平陽而行載其母俱去及西門平陽門使貳車反祏於西圃使副車還取廟主西圃孔氏廟所在祏藏主石函○祏音石圃布五反函音咸

疏 注使副至石函。○正義曰祭法注云唯天子諸侯有主禘祫大夫不禘祫無主耳今孔悝得有主者當特爲之非禮也鄭玄駁異義云大夫無主孔悝之反祏所出公之主耳案孔氏姞姓春秋時國唯南燕爲姞姓耳孔氏仕於衛朝已歷多世不知本出何國安得有所出公之主也知是僭爲之耳

子伯季子初爲孔氏臣新登于公升爲大夫請追之遇載祏者殺而乘其車子伯殺載祏者許公爲反祏孔悝之臣載祏者久不來使公爲反逆之○許公爲如字人姓名反本亦作返音同遇之曰與不仁人爭明無不勝不仁人謂子伯季子也明猶爭也言必勝○爭爭鬭之爭必使先射射三發皆遠許爲許爲射之殪傳言子伯不仁所以死也○射食亦反下同發如字一音廢遠于萬反殪於計反或以其車從從公爲○從才用反又如字注同得祏於櫜中孔悝出奔宋○櫜音託

楚大子建之遇讒也在昭十九年自城父奔宋○城父音甫又辟華氏之亂於鄭在昭二十年○華戶化反鄭人甚善之又適晉與晉人謀襲鄭乃求復焉鄭人復之如初晉人使諜於子木請行而期焉請行襲鄭之期子木即建也○諜徒協反子木暴虐於其私邑邑人訴之鄭人省之得晉諜焉遂殺子木其子曰勝在吳子西欲召之葉公曰吾聞勝也詐而亂無乃害乎葉公子高沈諸梁也○葉始涉反子西曰吾聞勝也信而勇不爲不利舍諸邊竟使衛藩焉使爲藩屏之衛○竟音境藩方元反注同葉公曰周仁之謂信周親也率

侯書刻校

義之謂勇也率行　吾聞勝也好復言言之所許必欲復行之不顧道理。○好呼報反而求死士殆有私乎私謀復言非信也期死非勇也期必也子必悔之弗從召之使處吳竟爲白公白楚邑也汝陰褒信縣西南有白亭請伐鄭子西曰楚未節也言楚國新復政令猶未得節制不然吾不忘也他日又請許之未起師晉人伐鄭楚救之與之盟勝怒曰鄭人在此讎不遠矣比子西於鄭人勝自厲劍子期之子平見之曰王孫何自厲也曰勝以直聞不告女庸爲直乎將以殺爾父平以告子西子西曰勝如卵余翼而長之以鳥爲喻。○女音汝卵來管反長丁丈反楚國第用士之次第。○第大細反我死令尹司馬非勝而誰勝聞之曰令尹之狂也得死乃非我言我必殺之若得自死我乃不復成人。○復扶又反子西不悛悛七全反勝謂石乞石乞勝之徒。○曰王與二卿士二卿士子西子期皆五百人當之則可矣乞曰不可得也五百人不可得曰市南有熊宜僚者若得之可以當五百人矣乃從白公而見之與之言說告之故辭告欲作亂宜僚辭距之。○熊音雄宜僚者本或作熊相宜僚相息亮反說音悅承之以劍不動以劍指其喉。○喉音侯勝曰不爲利諂不爲威惕不洩人言以求媚者去之吳人伐慎白公敗之汝陰慎縣也。○不爲于僞反下同諂勑檢反惕他歷反洩息列反。

以制反。

疏勝曰至去之○正義曰白公告之知必許其辭僚而宜僚辭是不爲利而諂也承之以劍欲刺殺之而宜僚不動是不爲威而懼也如此之人必不是漏泄人言以求媚者也言其必不泄己謀故舍而去之

請以戰備獻與吳戰之所得鎧仗兵器皆備而獻之勝欲因以爲亂。○鎧苦代反仗直亮反

疏與吳至爲亂○正義曰服虔云欲東上卒甲介以戰特所入獻捷杜以陳列以上卒以入王宮人情所不許豈當時肯請之故以爲戰時所得鎧仗器甲備具獻之所得既多欲因獻用之以作亂

許之遂作亂秋七月殺子西子期于朝而劫惠王子西以袂掩面而死慙於葉公。○劫居業反袂彌世反子期曰昔者吾以力事君不可以弗終抉豫章以殺人而後死以示其多力豫章大木。○抉烏穴反石乞曰焚庫弒王不然不濟白公曰不可弒王不祥焚庫無聚將何以守矣乞曰有楚國而治其民以敬事神可以得祥且有聚矣何患弗從葉公在蔡蔡邑州來楚并其地。○葉舒涉反下同方城之外皆曰可以入矣子高曰吾聞之以險徼幸者其求無饜偏重必離險猶惡也所求無饜則不安譬如物偏重則離散欲須其驕而討之。○徼古堯反饜於鹽反聞其殺齊管脩也而後入管脩楚賢大夫管仲之後聞其殺賢然後可討白公欲以子閭爲王子閭平王子啓五辭王者子閭不可遂劫以兵子閭曰王孫若安靖楚國匡正王室而後庇焉啓之願也敢不聽從若將專利以傾王室不顧楚國有死不能不能從。○庇必利反又音秘遂殺之而以王如

高府(高府楚別府)石乞尹門(為門尹)圉公陽穴宮負王以如昭夫人之宮(公陽楚大夫昭夫人王母越女○圉魚呂反)葉公亦至及北門或遇之曰君胡不冑國人望君如望慈父母焉盜賊之矢若傷君是絕民望也若之何不冑乃冑而進又遇一人曰君胡冑國人望君如望歲焉(歲年穀也○冑直又反)日日以幾(幾冀也○幾音冀本或作冀)若見君面是得艾也(艾安也○艾魚廢反又五蓋反)民知不死其亦夫有奮心猶將旌君以徇於國(旌表也○夫音扶奮方問反旌音精徇似俊反)而又掩面以絕民望不亦甚乎乃免冑而進(言葉公得民心)遇箴尹固帥其屬將與白公(欲與白公○與如字又音預)子高曰微二子者楚不國矣(二子子西子期也自庸之敗二子功多)棄德從賊其可保乎乃從葉公使與國人以攻白公白公奔山而縊其徒微之(微匿也○與國人如字一本作使與國人)【疏】注微匿也○正義曰釋詁云匿微也舍人曰匿藏之微也郭璞曰微謂逃藏也(匿女力反)生拘石乞而問白公之死焉對曰余知其死所而長者使余勿言(長者謂白公也○長丁丈反)不言將烹乞曰此事克則為卿不克則烹固其所也何害乃烹石乞王孫燕奔頯黃氏(烹普庚反燕烏賢反頯求龜反又求悲反)諸梁兼二事(二事令尹司馬)

春秋疏六十　七

國寧(寧安也)乃使寧為令尹(寧子西之子子國也)使寬為司馬(寬子期之子)而老於葉(傳終言之○葉始涉反)○衛侯占夢嬖人(以能占夢見嬖○嬖必計反)求酒於大叔僖子(僖子大叔遺○大叔音泰)不得與卜人比而告公曰君有大臣在西南隅弗去懼害(託占卜夢而言○比毗志反去起呂反)乃逐大叔遺遺奔晉○衛侯謂渾良夫曰吾繼先君而不得其器若之何(國之寶器輒皆將去)良夫代執火者而言(將密謀辟左右)曰疾與亡君皆君之子也召之而擇材焉(召輒)可也若不材器可得也(輒若不材可廢其身而得其器)豎告大子(大子疾)大子使五人輿豭從己劫公而強盟之(盟求必立己○豭音加強其丈反)且請殺良夫公曰其盟免三死(盟在十五年)曰請三之後有罪殺之公曰諾哉

傳十七年春衛侯為虎幄於籍圃(於田圃之新造幄幕皆以虎獸為飾○幄於角反幕武博反)成求令名者而與之始食焉大子請使良夫(以良夫應為令名○成絕句求令名者絕句應應對之應)良夫乘衷甸兩牡(衷甸一轅卿車○衷甸特證反說文作佃云中也春秋乘中佃一轅車也牡茂后反)【疏】注衷甸一轅卿車○正義曰甸即乘也四丘為甸出車一乘故以甸為名是古者乘甸同也衛侯本許良夫服冕乘軒則衛侯既入良夫為大夫矣傳特言乘衷甸兩牡則良夫不合乘之故知為卿車也兵車一轅而二馬夾之其外更有二驂是為四馬今止乘兩牡而謂之衷乘者衷中也蓋以四馬為上乘兩馬為中乘大事駕四小事駕二為等差故也知大事駕四者異義古毛詩說天子至大夫皆駕四故詩云四牡騑騑周道倭遲是也如今乘輿有大駕中駕小駕駕行之等差

也其諸侯大夫上準駕二無四二十七年陳成子以乘車兩馬賜顏涿聚之子士喪禮云賵以兩馬是唯得駕兩無一衰也下文大子數之三罪衷甸不在此數而傳言之者積其奢僭多也**紫衣狐裘**紫衣君服

疏注紫衣君服○正義曰賈逵云然杜從之紫衣爲君服僭無明文要此云紫衣言良夫不合服之玉藻云玄冠紫緌自魯桓公始也鄭玄云蓋僭宋王者之後服也管子稱齊桓好服紫衣齊人尚之五素而易一紫孔子云惡紫之奪朱蓋當時人主好服紫衣君既服紫則臣不得僭今傳言紫衣爲良夫之罪明紫是君服良夫僭之故言紫衣君服也大夫狐裘非僭言之者爲袒裘張本**至袒裘不釋劍而食**食而熱故偏袒亦不敬○袒音但

疏注食而至不敬○正義曰禮裘上有衣謂之裼玉藻云君衣狐白裘錦衣以裼之如此之類皆是裘上之裼衣也裼衣之上乃有朝祭正服裘上有兩衣也如此兩衣襲則二衣皆重之裼則袒正服露裼衣玉藻云裘之裼也見美也君在則裼盡飾也服之襲也充美也然則在君之所於法唯有露裼衣耳無露裘之理今良夫爲食熱之故偏袒其裘則并裘亦袒是不敬也劍是害物之器不得近至尊故近君則解劍良夫與君食而不釋劍亦不敬也**大子使**

侯官刻校　春秋疏六十　六

牽以退數之以三罪而殺之三罪紫衣袒裘帶劍

疏三罪至帶劍○正義曰三者皆僭於君故以此爲三罪衷甸僭卿耳比此爲輕知衷甸非也○**三月越子伐吳吳子禦之笠澤夾水而陳越子爲左右句卒**句卒鉤伍相著別爲左右屯○禦魚呂反下同笠音立夾居洽反陳直覲反句古侯反注同卒子忽反注及下注同著直略反**使夜或左或右鼓譟而進吳師分以御之越子以三軍潛涉當吳中軍而鼓之吳師大亂遂敗之**左右句卒爲聲勢以分吳軍而三軍精卒并力擊其中軍故得勝也○譟素報反并如字又必政反○**晉趙鞅使告于衛曰君之在晉也志父爲主請君若大子來以免志父不然寡君其曰志父之爲也**恐晉君爲志父數使不一**衛侯辭以難**

大子又使椓之椓訴父欲速得其處○難乃旦反椓中角反[illegible]呂慮反**夏六月趙鞅圍衛齊國觀陳瓘救衛**國觀國書之子○觀古亂反下陳瓘音同**得晉人之致師者子玉使服而見之**釋囚服服其本服**曰國子實執齊柄而命瓘曰無辟晉師豈敢廢命**欲必敵晉○辟彼命反**子又何辱**言不須求致師自將往戰**簡子曰我卜伐衛未卜與齊戰乃還**畏子玉○**楚白公之亂陳人恃其聚而侵楚**聚積聚也○聚才住反注及下注邑聚同積子賜反**楚既寧將取陳麥楚子問帥於大師子穀與葉公諸梁子穀曰右領差車與左史老皆相令尹司馬以伐陳其可使也**言此二人皆嘗輔相子西子期伐陳今復可使○帥所類反相息亮反注及下而相國并注同復扶又反

侯官刻校　春秋疏六十　九

子高曰率賤民慢之懼不用命焉右領左史皆楚賤官○率所類反本又作帥下同**子穀曰觀丁父鄀俘也武王以爲軍率**楚武王○鄀音若俘芳夫反**是以克州蓼服隨唐大啟群蠻彭仲爽申俘也文王以爲令尹實縣申息**楚文王滅申息以爲縣○蓼本又作鄝音了**朝陳蔡封畛於汝**開封畛北至汝水○畛之忍反一音眞**唯其任也何賤之有子高曰天命不謟**謟疑也○謟本又作慆他刀反**令尹有憾於陳**十五年子西伐吳陳使貞子弔吳以此爲恨○憾本又作感戶暗反**天若亡之其必令尹之子是與君盍舍焉**舍右領與左史○盍戶臘反舍音捨又音赦注同**臣懼右領與左史有二俘之賤而**

無其令德也王卜之武城尹吉 武城尹子西子公孫朝○朝如字 使師師取陳麥陳人御之敗遂圍陳秋七月己卯楚公孫朝帥師滅陳 終鄭裨竈言五及鶉火陳卒亡○鶉音純 王與葉公枚卜子良以爲令尹 枚卜不斥言所卜以令龜子良惠王弟○枚亡杯反 沈尹朱曰言過於其志 志望也 葉公曰王子而相國過將何爲 過相將爲王也 他日改卜子國而使爲令尹 子國寧也 ○衛侯夢于北宮見人登昆吾之觀 衛有觀在■昆吾氏之虛今濮陽城中○觀音工奐反注同虛去魚反下文同濮音卜 被髮北面而譟曰登此昆吾之虛緜緜生之瓜 緜緜瓜初生也良夫言己有以卜成大之功若瓜之初生謂使衛侯得國○被皮義反瓜古華反

十

衛侯至而譟○正義曰北宮衛侯之別宮於是衛侯在南宮夢衷身在北宮見人登昆吾之觀被髮北面而譟北宮在昆吾觀北故此人北面向君而叫譟也 余爲渾良夫叫天無辜 本盟當免三死而并數一特之事爲三罪殺之故自謂無辜○并必政反數所主反 公親筮之胥彌赦占之 赦衛筮史 曰不害與之邑寘之而逃奔宋 言衛侯無道卜人不敢以實對懼難而逃也○難乃旦反下文而難作同 衛侯貞卜 正卜夢之吉凶 其繇曰如魚竀尾 竀赤色魚勞則尾赤○繇直又反竀勑呈反 衡流而方羊裔焉 橫流方羊不能自安裔水邊言衛侯將若此魚也○衡華肯反又如字方蒲郎反注同裔以制反 大國滅之將亡闔門塞竇乃自後踰 踰者踰垣此皆繇辭○竇音豆

疏 其繇至後踰○正義曰杜以魚勞則尾赤方羊不能自安裔焉謂魚至水邊以喻衛侯將如此是訓逆之說札用之也鄭衆以爲魚勞則尾赤方羊游戲喻衛侯淫縱杜不然者以此魚喻衛侯詩云魴魚頳尾王室如燬魚勞則尾赤以勞苦之魚比喻衛侯則方羊爲勞苦之狀若其方羊是縱恣之狀何得比勞苦之魚也劉炫以爲卜繇之辭文句相韻以裔焉二字宜向下讀之知不然者詩之爲辭文皆韻句其語助之辭皆在韻句之下即齊詩云俟我於著乎而充耳以素乎而其王詩云君子陽陽左執簧其樂只且之類是也此之方羊與下句將亡自相爲韻裔焉二字爲助句之辭上繇辭之例未必皆韻此云闔門塞竇乃自後踰不與將亡爲韻又一薰一蕕十年尚猶有臭不與攘公之喻爲韻是或韻或不韻理無定準劉以爲裔焉大國謂卜也遠焉之大國近不辨矣又以方羊爲縱恣之狀而規杜過非也 冬十月晉復伐衛 春伐未得志故 入其郛將入城簡子曰止叔向有言曰怙亂滅國者無後 不欲乘人之衰○向許丈反怙音户 衛人出莊公而與晉平 晉立襄公之孫般師而還十一月衛侯自鄄入般師出 辟莊公○般音班鄄音絹下同 初公登城以望見戎州 戎州戎邑 問

十一

之以告公曰我姬姓也何戎之有焉 言戎迸國何故有戎 翦之 削壞其邑聚 公使匠久 久不休息 公欲逐石圃 石圃衛卿石惡從子○從才用反 未及而難作辛巳石圃因匠氏攻公公闔門而請弗許踰于北方而隊折股 終如卜言乃自後踰○隊直類反折之設反股音古 戎州人攻之大子疾公子青踰從公 青疾弟 戎州人殺之公入于戎州己氏 己氏戎人姓○己音紀又音杞 初公自城上見己氏之妻髮美使髡之以爲呂姜髢 呂姜莊公夫人髢髲也○髡苦門反髢大計反髲皮義反 既入焉而示之璧曰活我吾與女璧己氏曰殺女璧其焉往遂殺之而取其璧衛人

哀十七

後公孫般師而立之十二月齊人伐衛衛人請平立公子起起靈公子○女音汝下同焉於虔反執般師以歸舍諸潞潞齊邑○潞音路○公會齊侯盟于蒙蒙齊地○侯潞則公第平公敎也蒙在東莞蒙陰縣西故蒙陰城也○平公敖孫字一本作敖五羔反又五刀反莞音官孟武伯相齊侯稽首公拜齊人怒武伯曰非天子寡君無所稽首武伯問於高柴曰諸侯盟誰執牛耳執牛耳尸盟者○耳息亮反季羔曰鄫衍之役吳公子姑曹季羔高柴也鄫衍在七年○衍以善反發陽之役衛石魋發陽鄖也在十二年石魋石曼姑之子○魋大回反鄖音云曼音万武伯曰然則彘也彘武伯名也鄫衍則大國執發陽則小國執時執者無常故武伯自以為可執○彘直例反疏注彘武至可執○正義曰依此小國執牛耳武伯得季羔之言以鄫衍則大國執發陽則小國執之既合古典武伯自以為從小國故云然則非也以為小國何執牛耳何得云執者無常劉炫以發陽何須云鄫衍之役吳公子姑曹樹杜非也○宋皇瑗之子麇瑗于眷反麇九倫反有友曰田丙而奪其兄酁般邑以與之酁般麇兄○酁仕咸反酁般慍而行告桓司馬之臣子儀克子儀克桓魋臣慍紆問反怒也不與雅亂故弄○酁仕咸反子儀克適宋告夫人曰麇將納桓氏公問諸子仲子仲皇野初子仲將以杞姒之子非我為子為適子杞姒子仲妻○姒音似適丁歷反麇曰必立伯也伯非我兄是良材子仲怒弗從故對曰右師則老矣不識麇也言右師老不能為亂麇則不可知公執之執麇皇

緩奔晉召之召令還○令力呈反

傳十八年春宋殺皇瑗公聞其情復皇氏之族使皇緩為右師言宋景公無常也緩瑗從子○緩戶管反從才用反疏注言緩充石十世孫則為從孫非從子二者必有一誤○巴人伐楚圍鄾鄾楚邑○鄾音憂初右司馬子國之卜也觀瞻曰如志子國寧也為令尹時卜為右司馬得吉兆觀瞻楚開卜大夫觀從之後故命之命以為右司馬及巴師至將卜帥王曰寧如志何卜焉寧子國也○帥所類反使帥師而行請承承佐王曰寢尹工尹勤先君者也柏舉之役寢尹吳由于以背受戈工尹固執燧象奔吳師皆為先君勤勞○遂為于偽反三月楚公孫寧吳由于薳固敗巴師于鄾故封子國於析君子曰惠王知志知用其意○薳于委反析星歷反夏書曰官占唯能蔽志昆命于元龜逸書也官占卜筮之官蔽斷也昆後也言當先斷意後用龜也○蔽必世反斷丁亂反下同疏注逸書至元龜○正義曰夏書大禹謨之篇也唯彼能作先耳唯先蔽志昆命于元龜孔安國云帝王立卜筮之官故曰官占蔽斷志昆後也官占之法先斷人志後命於元龜言志定然後卜筮杜雖不見古文其解亦與孔合周禮謂斷獄為蔽獄是蔽為斷也昆後也釋言文其是之謂乎志曰聖人不煩卜筮惠王其有焉不疑故不卜也○夏衛石圃逐其君起起奔齊起立故也衛侯輒自齊復歸逐石圃而復石魋與大叔遺皆前所逐

傳十九年春越人侵楚以誤吳也誤吳使不為備○夏

楚公子慶公孫寬追越師至冥不及乃還冥越地○冥亡丁反○秋楚沈諸梁伐東夷報越三夷男女及
楚師盟于敖三夷越之與國○敖五刀反徐草勞反○冬叔青如
京師敬王崩故也言敬王能終其世終萇弘言東王必大克叔青叔還子○敬王崩故
也案傳敬王崩在此年世本亦爾世族譜云敬王四十二年
崩敬王子元王十年春秋之傳終矣然此則敬王崩當在哀
公十七年史記周本紀及十二諸侯年表敬王四十二年崩
子元王仁立則敬王是魯哀十八年崩也六國年表起自元
王乃本紀皆云元王八年崩子定王介立定王元年是魯哀
公之二十七年錄杜預世族譜爲異又世本云魯哀公二十
年是定王介崩子元王赤立則定王之崩年
足魯哀二十七年也衆說不同未詳其正也（疏）注言敬至大克○正
義曰自十六年以來經今已終傳無所解當時之事亦不書
記所記者爲終竟前事叔青如周討不應錄爲終長弘之言
故錄之耳長弘言在昭二十三年此叔青如京師自爲敬王
崩未知敬王有年崩也史記十二諸侯年表敬王四十一年
孔子卒四十三年敬王崩則敬王崩在他年也周本紀云敬
王崩子元王立八年崩子定王立六國年表定王元年左傳
盡此則傳以定王元年終矣杜世族譜云敬王三十九年魯
哀公十四年獲麟之歲也四十二年而敬王崩敬王子元王
十年春秋之傳終矣與史記不同若但史記世代年月事多
舛錯故班固以文多牴牾謂此類也案世本敬王崩貞王介
立貞王崩元王赤立宋忠注引太史公書云元王仁生貞王
介與世本不相應不知誰是則宋忠不能定也又帝王世紀
敬王三十九年春秋元終四十四年敬王崩子貞定王立貞
定王崩子元王立是世本與史記參差不同良以書籍久遠
事多紕繆故杜違史記亦何怪焉劉炫以杜
與史記不同而規其過未知劉意能定以否

傳二十年春齊人來徵會夏會于廩丘爲鄭
故謀伐晉十五年晉伐鄭○懍力甚反爲于僞反下爲降同鄭人辭諸侯
秋師還終叔向言晉公室卑○吳公子慶忌驟諫吳子曰
不改必亡弗聽吳子弗聽出居于艾艾吳邑豫章有艾縣○艾五蓋反

遂適楚聞越將伐吳冬請歸平越遂歸欲除
不忠者以說于越吳人殺之言其不量力○說如字又音悅○十
一月越圍吳趙孟降於喪食趙孟襄子無恤時有父簡子之喪楚
隆曰三年之喪親暱之極也主又降之無乃
有故乎楚隆襄子家臣○暱女乙反趙孟曰黃池之役先主
與吳王有質黃池在十二年先主簡子質盟信也○質如字曰好惡同之
今越圍吳嗣子不廢舊業而敵之嗣子襄子自謂欲吳
非晉之所能及也吾是以爲降楚隆曰若
使吳王知之若何趙孟曰可乎隆曰請嘗之嘗試也
乃往先造于越軍曰吳犯間上國多矣聞
君親討焉諸夏之人莫不欣喜唯恐君之志
不從請入視之許之告于吳王曰寡君之老
無恤使陪臣隆敢展謝其不共展陳也○造七到反間間廁之間漢乃雅反共音恭
黃池之役君之先臣志父得承齊盟曰
好惡同之今君在難無恤不敢憚勞非晉國
之所能及也使陪臣敢展布之王拜稽首曰
寡人不佞不能事越以爲大夫憂拜命之辱
與之一簞珠簞小笥○難乃旦反簞音丹笥思嗣反（疏）注簞小笥○正義曰鄭玄曲禮
註云簞笥盛飯食者圓曰簞方曰笥宣二年趙盾見餓人爲之簞食注云簞笥也不言小此言小笥者以盛珠之器不宜與盛飯器同故云小耳
使問趙孟問遺也○遺唯季反曰句踐將生憂

寡人寡人死之不得矣王曰溺人必笑吾將有問也以自喻所問不急猶溺人不知所為而反笑。句古侯反溺乃歷反史黯何以得為君子黯史黯云不及四十年吳當亡吳王感問之也黯於感反對曰黯也進不見惡時行則行退無謗言時止則止。謗博浪反〔疏〕對曰至謗言。正義曰為時於用進在朝廷言行無愆不見惡言人無惡之者時於不用退歸私室則無誹謗之言故得君子之名也杜解進退之由由時可行則行故有進時可止則止故有退時易艮彖曰艮止也時止則止時行則行動靜不失其時其道光明言史黯行如此也王曰宜哉

傳二十一年夏五月越人始來越既勝吳欲霸中國始來通魯。使所吏反。秋八月公及齊侯邾子盟于顧齊人責稽首責十七年齊侯為公稽首不見荅顧齊地。為于偽反年末文注同因歌之曰魯

人之皋數年不覺使我高蹈皋緩也高蹈猶遠行也言魯人皋緩數年不知荅齊稽首故使我高蹈來為此會。皋古刀反數所主反注同覺音角又古孝反蹈徒報反〔疏〕註皋緩至此會。正義曰士喪禮始死復魂之辭云皋某復鄭玄云皋長聲也皋者緩聲而長引之是皋為緩也高蹈高舉足而蹈地故言猶遠行也此盟于顧顧是齊地行不出竟而言遠者止為魯不稽首而為此會雖近猶恨故以遠言之耳唯其儒書以為二國憂二國齊邾也言魯據周禮不肯荅稽首令齊邾遠至。令力呈反是行也公先至于陽穀先齊至也。先悉薦反齊閭丘息曰君辱舉玉趾以在寡君之軍息閭丘明之後羣臣將傳遽以告寡君比其復也君無乃勤為僕人之未次次舍也。傳中戀反遽其據反比必利反請除館於舟道舟道齊地辭曰敢勤僕人不敢勤齊僕為魯除館

傳二十二年夏四月邾隱公自齊奔越曰吳為無道執父立子越人歸之大子革奔越邾隱公八年為吳所執四十年奔齊〔疏〕太子革奔越。正義曰革為邾君十餘年矣乃稱為太子者承其父歸之下故繫故言之。冬十一月丁卯越滅吳請使吳王居甬東甬東越地會稽句章縣東海中洲也。甬音勇會古外反稽古兮反句九具反又如淳音拘韋昭亦音拘洲音州水中可居曰洲辭曰孤老矣焉能事君乃縊越人以歸以其尸歸終史墨子胥之言也。焉於虔反縊一賜反〔疏〕越滅至以歸。正義曰吳語說此事云越師入吳國圍王宮吳王懼使人行成越王曰昔天以越賜吳而吳不受今天以吳賜越孤敢不聽天之命而聽君之命乎乃不許成因使告吳王曰以民生之不長王其無死寡人其達王於甬句東夫婦三百唯王所安以沒王年夫差辭曰孤之身實失宗廟社稷凡吳土地人民越既有之孤何以視於天下夫差將死使人告於子胥曰使死者無知則已矣若有知也吾其何面

目以見員也遂自殺

傳二十三年春宋景曹卒景曹宋元公夫人小邾女季桓子外祖母〔疏〕注景曹至祖母。正義曰宋景曹者宋景公之母姓曹氏也昭二十五年傳云季公若之姊為小邾夫人生宋元夫人生子以妻季平子此曹是平子之妻母故為桓子外祖母也今康子是桓子之子父之外祖母卒故使冉有弔且送葬婦人多以姓繫夫此以景公見在遺弔景公故繫其子小邾姓曹故稱景曹季康子使冉有弔且送葬曰敝邑有社稷之事使肥與有職競焉肥康子名競遽也。與音預是以不得助執紼使求從輿人求冉有名輿眾也。紼音弗輿音餘曰以肥之得備彌甥也彌遠也康子父之舅氏故稱彌甥〔疏〕註彌遠至彌甥。正義曰彌者曾孟之我舅者吾謂之甥季桓子為景公之甥景公為康子父之舅氏也桓子於景公為親甥故康子於景公自以為彌遠

之鄄有不腆先人之産馬使求薦諸夫人之宰薦進也○薦進典反其可以稱旌繁乎稱舉也繁馬飾繁纓也○繁步干反○夏六月晉荀瑶伐齊荀瑶荀躒之孫知伯襄子○知音智反注同高無平帥師御之知伯視齊師馬駭遂驅之曰齊人知余旗其謂余畏而反也及壘而還將戰長武子請卜武子晉大夫○御魚呂反壘力軌反知伯曰君告于天子而卜之以守龜於宗祧吉矣吾又何卜焉且齊人取我英丘君命瑶非敢耀武也治英丘也治齊取英丘○守手又反祧他彫反以辭伐罪足矣何必卜壬辰戰于犂丘犂丘隰也○隰音習本亦作濕齊師敗績知伯親禽顏庚顏庚齊大夫顏涿聚○涿丁角反○秋八月叔青如越始使越也越諸鞅來聘報叔青也始○使所吏反

傳二十四年夏四月晉侯將伐齊使來乞師曰昔臧文仲以楚師伐齊取穀在僖二十六年宣叔以晉師伐齊取汶陽在成二年○汶音問寡君欲徼福於周公願乞靈於臧氏以臧氏世勝齊故欲乞其威靈○徼古堯反臧石帥師會之取廩丘石臧宣叔之子軍吏令繕將進晉軍吏也繕治戰備○繕市戰反萊章曰君卑政暴萊章齊大夫○萊音來往歲克敵禽顏庚也今又勝都取廩丘天奉多矣又焉能

進是徵言也徵驗也○奉扶用反焉於虔反覆芳服反謂道諸之言服云僞不信言也字林作譮云譮言己不慙也音戶刮反 疏 譮過也○正義曰服虔云譮爲不信譮言也由是不實之義各自以意說耳役將班矣晉師乃還餼臧石牛生曰餼○餼許氣反大史謝之晉大史○大音泰注同曰以寡君之在行在軍行○行戶郎反牢禮不度不如禮度敢展謝之○邾子又無道越人執之以歸終乎錯而立公子何何亦無道何大子革也○公子荊之母嬖荊哀公庶子○嬖必計反將以爲夫人使宗人釁夏獻其禮宗人禮官也○釁許靳反夏戶雅反對曰無之公怒曰女爲宗司立夫人國之大禮也何故無之對曰周公及武公娶於薛武公敖也○女音汝娶七住反下同孝惠娶於商孝公稱惠公弗皇商宋也○孝以故釁夏爲辭而稱也○稱尺證反又如字自桓以下娶於齊桓公始娶文姜此禮也則有若以妾爲夫人則固無其禮也公卒立之而以荊爲大子國人始惡之惡公○惡烏路反注同○閏月公如越得大子適郢適郢越王大子得相親說也○郢以井反將妻公而多與之地公孫有山使告于季孫季孫懼使因大宰嚭而納賂焉乃止季孫恐公因越討己故○嚭普鄙反賂音路

傳二十五年夏五月庚辰衛侯出奔宋衛侯輒也 疏 衛侯出奔宋○正義曰服虔云此下但有適城鉏以鉤越無奔宋之事其說未聞也或云城鉏近宋邑蓋衛侯出近宋境

以欲奔宋衛人以奔宋告也 衛侯為靈臺于藉圃與諸大夫飲酒焉褚師聲子韤而登席古者見君解韤 ○韤亡伐反足衣也見賢遍反 公怒辭曰臣有疾異於人足有創疾 ○創初良反 若見之君將㱼之㱼，嘔吐也 ○㱼許角反又火角反嘔烏口反吐他故反 是以不敢不敢解 公愈怒大夫辭之不可共辭謝公不解 褚師出公戟其手戟手手屈肘如戟形 ○戟音紀肘竹九反 曰必斷而足聞之褚師與司寇亥乘曰今日幸而後亡言如此得亡為幸 ○斷丁管反乘繩證反 公之入也奪南氏邑南氏，子南之子公孫彌牟 而奪司寇亥政公使侍人納公文懿子之車于池懿子，公文要 公有怨使人投其車于池中 ○要一遙反 初衛人翦夏丁氏在十一年 ○翦子淺反 以其帑賜彭封彌子彭封彌子，彌子瑕 ○帑音奴 彌子飲公酒納夏戊之女嬖以為夫人其弟期大叔疾之從孫甥也期，夏戊之子，姊妹之孫為從孫甥 ○嬖必計反大音泰從才用反注同 少畜於公以為

疏注期夏至孫甥 ○正義曰期是夏戊之子，戊是大叔疾之甥，期為大叔疾姊妹之孫也。姊妹之子為甥，姊妹之孫與己之孫昔同列，男子謂兄弟之孫為從孫，故謂姊妹之孫為從孫甥。

司徒夫人寵衰期得罪公使三匠久公使優狡盟拳彌優狡，俳優也。拳彌，衛大夫。使俳優盟之欲以媚之 ○狡古卯反拳音權 而甚近信之故褚師比比，褚師聲子名 ○近附近之近下注皆同 公孫彌牟文子 ○牟亡侯反 公文要懿子 司寇亥奪政 司徒期因三匠與拳彌以作亂皆執利兵無者執

斤斤，工匠所執 使拳彌入于公宮信近之，故得入 而自大子疾之宮譟以攻公鄄子士請禦之鄄子士，衛大夫 ○譟素報反鄄音絹禦魚呂反後倣此 彌援其手曰子則勇矣將若君何言不可敵 ○援音袁 不見先君乎先君蒯聵不速奔，故為戎州所殺 君何所不逞欲欲令早去 ○令力呈反 且君嘗在外矣豈必不反當今不可眾怒難犯休而易間也乃出將適蒲蒲，近晉邑 ○易以豉反間間廁之間下注內間為君間皆同 彌曰晉無信不可將適鄄鄄，齊晉界上邑。彌詐不知謀故公信之 彌曰齊晉爭我不可將適泠泠，近魯邑 ○泠力丁反 彌曰魯不足與請適城鉏城鉏，近宋邑 ○鉏仕居反 以鉤越宋南近越，將相鉤牽 ○鉤古侯反本或作拘同注同 越有君乃適城鉏彌曰衛盜不可知也請速自我始乃載寶以歸欺衛君，言君以寶自隨，將致衛盜，請速行，己為先發，而同載寶歸衛也 公為支離之卒支離，陳名 ○卒子忽反陳直覲反 因祝史揮以侵衛揮，衛祝史 ○揮音暉 衛人病之懿子知之知揮為內間 見子之子之，公孫彌牟文子也 請逐揮文子曰無罪懿子曰彼好專利而妄妄不法 ○好呼報反 夫見君之入也將先道焉君若見入，勢必道助之 ○道音導注下同 若逐之必出於南門而適君所許其為君間不當容在，知之 ○評音平又音柄 夫越新得諸侯將必請師焉揮在朝使吏遣諸其室雖西逐之，先遣其家 ○難乃旦反 揮出信弗內再宿為信 ○內如字又音納 五日乃館諸外里

衍字公所存 遂有寵使如越請師 請師伐衛求入 ○六月公至自越 前年行今還 季康子孟武伯逆於五梧 魯南鄙○梧音吾 郭重僕 為公僕○重直龍反又直用反 見二子曰惡言多矣君請盡之 二子不臣之言也多欲使公盡極以懲之 公宴於五梧武伯為祝 祝上壽酒○祝之六反又之又反注同上時掌反壽音授又音受 惡郭重曰何肥也 惡其貌○惡烏路反皆音柴 季孫曰請飲彘也 飲罰也○飲於鴆反注同 以魯國之密邇仇讎臣是以不獲從君克免於大行又謂重也肥 言重隨君遠行勤勞不宜獨肥○從才用反又如字勞力報反 公曰是食言多矣能無肥乎 以譏三桓之數食言○數色角反又所角反 飲酒不樂公與大夫始有惡 為二十七年公孫邾起○樂音洛

音遜本又作遜 傳二十六年夏五月叔孫舒帥師會越皋如后庸宋樂茷納衛侯 舒武叔之子文子也皋如后庸越大夫樂茷宋司城子潞衛侯輒也○茷扶廢反 文子欲納之懿子曰君愎而虐少待之必毒於民 愎很也○愎皮逼反很胡懇反 乃睦於子矣 師侵外州大獲 越納衛之師 出禦之大敗 衛師敗 掘褚師定子之墓焚之于平莊之上 定子褚師比之父也平莊陵名也○掘求勿反又其月反本或作搰胡忽反 文子使王孫齊私於皋如 齊衛大夫 王孫賈之子昭子也 曰子將大滅衛乎抑納君而已乎皋如曰寡君之命無他納衛君而已文子使之

眾而問焉曰君以蠻夷伐國國幾亡矣請納之 欲納之 眾曰勿納曰彌牟亡而有益請自北門出 欲以 ○幾音祈又音機 眾曰勿出重賂越人申開守陴而納公 申重也開重門而嚴設備欲以恐公故不敢入○陴婢支反重直龍反守手又反恐丘勇反 公不敢入師還立悼公 悼公蒯聵庶弟公子黚○黚其廉反 〔疏〕注悼公至黚也○正義曰衛世家謂黚為悼公父黚殺出公子而自立是為悼公 南氏相之以城鉏與越人公曰期則為此 司徒期也相息亮反 〔疏〕以城至為此○正義曰衛侯先所城鉏以兵侵入退還城鉏衛人得以城鉏與越者衛人中開守陴衛侯不敢入越者衛人賂遺於越公所在亦以與之 令苟有怨於夫人者報之 夫人期姊也怒期而不得加戮故勅宮女令苦困期姊○令力呈反注同 司徒期聘於越 為悼公聘○為于偽反 公

攻而奪之幣期告王 越王 王命取之期以眾取之公怒殺期之甥之為大子者 怒期而及其姊為夫人者 遂復及夫人之子○復扶又反 遂卒于越 終言之也終於夷言死于夷 ○宋景公無子取公孫周之子得與啓畜諸公宮 周元公孫子高也得昭公也啓得弟畜養也 〔疏〕注周元至養也○正義曰宋世家云景公卒公子得殺大子而自立是為昭公昭公者元公之曾孫也昭公父公孫糾糾父公子禚秦即元公小子也景公殺昭公父糾故昭公怨殺大子而自立其說殺昭公得立之所由與此不合亦以得為昭公也 未有立焉於是皇緩為右師皇非我為大司馬皇懷為司徒 皇懷非我從昆弟○從才用反 靈不緩為左師 不緩子靈圍龜之後 樂茷為司城 茷樂溷之子○溷戶門反又戶困反 樂朱鉏為大司寇 朱鉏樂輓之子○鉏

從居反輗音晚六卿三族降聽政三族皇靈樂降和同也因大尹以
達大尹近宮有寵者六卿因之以自通達於君大尹常不告而以其欲
稱君命以令不告君也國人惡之司城欲去大尹
左師曰縱之使盈其罪盈滿也。惡烏路反下注惡其同去起呂反重
而無基能無敝乎言[illegible]重而無德必敗[illegible]基以叛也冬十月公游
于空澤空澤宋邑辛巳卒于連中連中館名。連如字又音輦大
尹興空澤之士千甲甲士千人。興如字廢也或作與字非奉公自
空桐入如沃宮奉公尸也梁國虞縣東南有地名空桐。沃宮宋都內宮名。沃烏毒反使
召六子曰聞下有師君請六子畫畫計策。畫音獲六
子至以甲劫之曰君有疾病請二三子盟乃
盟于少寢之庭曰無爲公室不利大尹立啓
奉喪殯于大宮三日而後國人知之司城茷
使宣言于國曰大尹惑蠱其君而專其利令
君無疾而死死又匿之是無他矣大尹之罪
也言大尹所弒。劫居業反少詩照反下注同大宮音泰蠱音古匿女力反弒音申志反得夢啓
北首而寢於盧門之外盧門宋東門北首死象盧門失國也。首手又反注同
（疏）注北首死象。正義曰禮運云死者北首生者南鄉故以北首爲死象已爲鳥而集
於其上咮加於南門尾加於桐門曰余夢美
必立桐門北門。咮張又反鳥口大尹謀曰我不在盟少寢庭但以君
命盟六卿大尹不盟無乃逐我復盟之乎使祝爲載書六

子在唐盂地名。復扶又反盂音于將盟之祝襄以載書告
皇非我襄祝名皇非我因子潞子潞樂茷。潞音路門尹得樂得
左師謀曰民與我逐之乎皆歸授甲使徇于
國曰大尹惑蠱其君以陵虐公室與我者救
君者也衆曰與之大尹徇曰戴氏皇氏將不
利公室戴氏即樂氏。徇似俊反與我者無憂不富衆曰無
別惡其號令與君無別。別彼列反注同戴氏皇氏欲伐公公謂啓樂
得曰不可彼以陵公有罪我伐公則甚焉使
國人施于大尹施罪於大尹大尹奉啓以奔楚乃立
得可城爲上卿盟曰三族共政無相害也○
衛出公自城鉏使以弓問子贛且曰吾其入
乎子贛稽首受弓對曰臣不識也私於使者
曰昔成公孫於陳僖二十八年衛成公奔楚遂適陳。使者所吏反孫音遜本亦作遜注除孫皆同寗
武子孫莊子爲宛濮之盟而君
入在僖二十八年。寗乃定反宛於阮反濮音卜獻公孫於衛齊在襄十四
年子鮮子展爲夷儀之盟而君入在僖二十六年今
君再在孫矣謂十五年孫魯今又孫宋內不聞獻之親外不
聞成之卿則賜不識所由入也詩曰無競惟
民四方其順之詩周頌言無競惟得人也（疏）詩曰至順之。正義曰詩周頌烈文之篇若得其人四方以
[illegible]言也無彊乎惟得賢人也若得其人四方諸國皆順從之矣

為王為王四方而國於何有

傳二十七年春越子使后庸來聘且言邾田封于駘上欲使魯還邾田封竟至駘上○駘他來反又音臺竟音境二月盟于平陽西平陽【疏】注西平陽○正義曰宣八年城平陽盟于平陽土地名云宣八年平陽山有平陽縣此年平陽陽也高平南有平陽縣三子皆從季康子叔孫舒孟武伯皆從盟○從如字注才用反非也康子病之恥從蠻夷盟言及子贛曰若在此吾不及此夫不及與越盟○夫音扶武伯曰然何不召曰固將召之文子曰他日請念言武伯子贛臨難而逃之○難乃旦反○夏四月己亥季康子卒公弔焉降禮禮不備也言公之多妄○妄亡亮反本又作忘下文放此○晉荀瑤帥師伐鄭次于桐丘鄭駟弘請救于齊駟弘駟歂子○歂市專反齊師將興陳成子屬孤子三日朝屬會死事者之子使朝三日以禮之○屬音燭注同設乘車兩馬繫五邑焉乘車兩馬大夫服文始之○乘繩證反注文下皆同召顏涿聚之子晉曰隰之役而父死焉隰役在二十三年○涿中角反隰音習以國之多難未女恤也今君命女以是邑也服車而朝毋廢前勞乃救鄭及留舒違穀七里穀人不知言其整也留舒齊地去也○難乃旦反女音汝下同毋音無及濮雨不涉濮水自陳留酸棗縣受河東北經濟陰至高平○滂浦浪反稽反下同子思曰大國在敝邑之宇下是以告急今師不行恐無及也子思國參○參七南反成子衣製杖戈製雨衣也○衣於旣反製音制杖直亮反又音丈立於阪上馬不出者助之鞭之畏其得衆心○阪音反一音扶版反知伯聞之乃還曰我卜伐鄭不卜敵齊使謂成子曰大夫陳子陳之自出陳之不祀鄭之罪也十七年楚滅陳非鄭之罪蓋知伯誣陳子故陳子怒謂其多陵人故寡君使瑤察陳衷焉衷善也○衷音中謂大夫其恤陳乎若利本之顛瑤何有焉言陳滅於己無傷成子怒曰多陵人者皆不在知伯其能久乎中行文子告成子文子荀寅此時奔在齊○行戶郎反曰有自晉師告寅者將為輕車千乘以厭齊師之門則可盡也成子曰寡君命恆曰無及寡無畏衆雖過千乘敢辟之乎將以子之命告寡君成子疑其有為晉之心也○輕遣政反厭於甲反又音於輒反有為于偽反下為鄭同【疏】無及寡○正義曰無陵侮寡少而橫及之也文子曰吾乃今知所以亡自恨已無知君子之謀也始衷終皆舉之而後入焉謀一事則當慮此三變然後入而行之所謂君子三思○三息暫反又如字【疏】君子至入焉○正義曰君子之為謀也思其始思其中思其終三者盡無情嫌皆可舉而行之然後設言以入前人焉今我三不知而入之不亦難乎悔其言不可復公患三桓之侈也欲以諸侯去之欲求諸侯師以逐三桓○侈昌氏反又尺氏反去起呂反下而去同三桓亦患公之妄也故君臣多閒閒隙也公游于陵阪遇孟武伯於孟武之[illegible]曰請有問於子余及

死乎（問可得壽死否）對曰臣無由知之三問卒辭不對公欲以趙伐魯而去三桓秋八月甲戌公如公孫有陘氏因孫於邾乃遂如越國人施公孫有山氏（以公從其家出故也終子贛之言卒不沒於魯）

悼之四年晉荀瑤帥師圍鄭（疏）注悼公至立〇正義曰魯世家哀公奔越國人迎哀公復歸卒於有山氏子寧立是爲悼公傳稱國人施罪於有山氏不得復請而卒於其家也焉得

未至鄭駟弘曰知伯愎而好勝早下之則可行也（行去声〇好呼報反早一本作下戶嫁反）乃先保南里以待之（保守也南里在城外）知伯入南里門于桔柣之門鄭人俘酅魁壘（酅魁壘晉士〇桔戶結反柣大結反俘芳夫反酅戶圭反魁苦回反壘力軌反）賂之以知政閉其口而死將門（將門守門）知伯謂趙孟入之對曰主在此（主謂知伯也言主在此何不自入）知伯曰惡而無勇何以爲子（惡貌醜也簡子廢適子而立襄子故知伯言其醜且無勇何以立爲子〇敵丁歷反）（疏）注簡子至爲子〇正義曰趙世家云簡子欲見諸子簡子召諸子伯之子卹曰師爲將軍矣簡子曰母卹召諸子與語

對曰以能忍恥庶無害趙宗乎知伯不悛趙襄子由是惎知伯（惎毒也〇惎其安反）遂喪之知伯貪而愎故韓魏反而喪之（史記晉懿公之四年魯悼公之十四年知伯帥韓魏圍趙襄子於晉陽韓魏反與趙氏

（疏）注史記至知伯是〇正義曰晉世家云定公三十三年孔子卒三十七年定公卒子出公鑿立出公之十一年也又云哀公之四年云定公元公之四年魯哀公十四年去知伯帥趙襄子公之不知伯曰吾今乃知之可以

十一　天子

二十三年　又

王之祖

王之十七年

天也竹書紀

以書序考工正

尚書

不可書皆杜以記年記事

爲其有盛於左

附釋音春秋左傳註疏卷第六十

監本附音春秋公羊注疏

提　要

《監本附音春秋公羊注疏》二十八卷，漢何休注，唐徐彦疏、陸德明釋文，日本東京大學東洋文化研究所藏元刊明修本，共八冊，原係豐後左伯藩主毛利高標、昌平坂學問所舊藏。每半葉框高十九點三釐米，寬十二點五釐米，有界欄十行，每行十六字至十八字不等，注文小字雙行，行約二十二字。是書左右雙邊或四周單邊，白口，雙黑魚尾，間有單魚尾，上象鼻處有「佚吉刘校」及大小字數，下象鼻處有刻工姓名，書耳內署國君謚號，并加紀年。卷首附宋真宗景德二年（一〇〇五）六月中書門下省奉敕准予雕印頒行牒文及何休序文，卷中有江戶時代人朱筆點號，間有批注。封面及每冊卷末鈐「昌平坂學問所」印，卷中另有「大學藏書」「佐伯利侯毛利高標字培松藏書畫之印」等印記。何休（一二九—一八二），字邵公，任城樊（今山東省濟寧市）人，精研六經，為東漢今文經學代表人物。徐彦，一說北魏人，即徐遵明，字里不詳，嘗為《公羊傳》疏，多存唐以前舊說。陸德明，名元朗，以字行，蘇州吳（今江蘇吳縣）人，著有《經典釋文》等書。

中書門下

牒奉

勅國家欽崇儒術啓迪化源春六籍之垂文實百王之取法著於緗素皎若丹青乃有前修詮其奥義爲之疏釋播厥方來頗索隱於微言用擊蒙於後學流傳既久譌舛遂多爰命校讎俾從刊正歷歲時而盡瘁探簡策以惟精載嘉稽古之功允助好文之理宜從雕印以廣頒行牒至准

勅故牒

景德二年六月　日牒

工部侍郎叅知政事馮

兵部侍郎叅知政事王

兵部侍郎平章事寇

吏部侍郎平章事畢

監本附音春秋公羊註疏序

漢司空掾任城樊何休序 ○陸氏音義曰掾弋絹反 疏 漢司空掾 解云漢者巴漢之間地名也於秦二世元年諸侯叛秦沛人共立劉季以爲沛公二年八月沛公入秦秦相趙高殺二世立二世兄子子嬰冬十月爲漢元年子嬰降○年春正月項羽尊楚懷王以爲義帝其年二月項羽自立爲西楚霸王分天下爲十八國更立沛公爲漢王王巴漢之間四十一縣都於南鄭至漢王五年冬十二月乃破項羽軍斬之六年正月乃稱皇帝遂取漢爲天下號若夏殷周既克天下乃取本受命之地爲天下號云司空者漢三公官名也掾者即其下屬官也若今之三府掾是也○任城樊何休序○解云任城者郡名樊者縣名姓何名休字邵公其本傳云休爲人質朴訥口而雅有心思精研六經世儒無及者大傅陳蕃辟之與參政事蕃敗休坐廢錮乃作春秋公羊解詁覃思不闚門十有七年是也序者舒也叙也舒展己意以次叙經傳之義述己作注之意故謂之序也

昔者孔子有云 疏 昔者孔子有云○解云昔者古也前也故孝經云昔者明王鄭注云昔古也檀弓上篇云予疇昔夜夢注云昔猶前也然則若對後言之即言前若對今言之即言古何氏言前古孔子有云也

吾志在春秋行在孝經 疏 吾志在至孝經○解云案孝經鉤命決云孔子在庶德無所施功無所就志在春秋行在孝經是也所以春秋言志在孝經言行在者春秋者賞善罰惡之書見善能賞見惡能罰乃是王侯之事非孟子所能行故但言志在而已孝經者尊祖愛親勸子事父勸臣事君理關貴賤臣子所宜行故曰行在孝經也

此二學者聖人之極致 疏 此二至極致○解云二學者春秋孝經也極者盡也致之言至也言聖人作此二經之時盡己至誠而作之故曰聖人之極致也○

治世之要務也 ○治直吏反 疏 治世至務也○解云凡諸經藝等皆治世所須但此經或是懲惡勸善或是尊祖愛親有國家者最所急行故云治世之要務也言治世之精要急務矣祭統云凡治人之道莫急於禮禮者謂三王以來也若大道之時禮於忠信爲薄王以孔子脩春秋祖述堯舜故言矣考諸舊本皆作也字又月於理亦宜然若作[illegible]世字者俗誤已行

春秋者非一 疏 傳春秋者非一○解云孔

子至聖却觀無窮知秦無道將必燔書故春秋之說口授子
夏度秦至漢乃著竹帛故說題辭云傳我書者公羊高也戴
宏序云子夏傳與公羊高高傳與其子平平傳與其子地地
傳與其子敢敢傳與其子壽至漢景帝時壽乃共弟子齊人
胡毋子都著於竹帛與董仲舒皆見於圖讖是也故大史公
云董仲舒廣川人也以治春秋孝景時為博士下帷講誦弟
子傳以久次相受業或莫見其面董生相膠西王疾免歸家
以脩學著書為事終不治產業是也又六藝論云治公羊者
胡毋生董仲舒董仲舒弟子嬴公嬴公弟子眭孟眭孟弟子
莊彭祖及顏安樂安樂弟子陰豐劉向王彦故曰傳春秋者
非一舊云傳春秋者非一者謂本出孔子而傳五家故曰非一
本據亂而作 疏 本據亂而
作○解云孔子本獲麟之後得端門之命乃作春秋公取十
二則天之數是以不得取周公成王之史而取隱公以下故
曰據亂而作謂據亂世之史而為春秋也
其中多非常異義可怪之論
○論盧困反下狩論同 疏 其中至之論○解云由亂世之史故有非常異義可怪之事也非常異義者即莊四
年齊襄復九世之讎而滅紀僖二年實與齊桓專封是也此
即是非常之異義言異於文武時何者若其常義則諸侯不
得擅滅諸侯不得專封故曰非常異義也其可怪之論
者即昭三十一年邾婁叔術妻嫂而春秋善之是也
說者疑惑 疏 說者疑惑○解云此說者謂胡毋子都董仲舒之後莊彭祖顏安樂之徒見經傳與奪異於常聖故致疑惑
至有倍經任意反傳違戾者 疏 至有至戾
者○解云此倍讀如反背之背非倍之倍也言由疑惑之
故雖解經之理而反背於經即成二年逢丑父代齊侯當左
以免其主春秋不非而說者非之是背經也任意者春秋有
三世異辭之言顏安樂以為從襄二十一年之後孔子生訖
即為所見之世是任意任意者凡言見者目覩其事心識其
理乃可為見故演孔圖云文宣成襄所聞之世也而顏氏分
張一公而使兩屬是其任意也反傳違戾者宣十七年六月
癸卯日有食之案彼三年傳云某月某日朔日有食之者食
正朔也其或日或不日者或失之前或失之後失之前者朔
在前也謂二日乃食失正朔於前是以但書其日而已失之
後者朔在後也謂晦日食失正朔於後是以又不書日但書
其月而已即莊十八年三月日有食之是也以此言之則日
食之道不過晦朔與二日即宣十七年言日不言朔者
是二日明矣而顏氏以為十四日日食是反傳違戾也 其

勢雖問不得不廣 疏 其勢至不廣○解云言說者疑惑義雖不是但其形勢已然故
曰其勢雖復致問不得不廣引外文望成其說故曰不得不
廣也一說謂顏莊之徒以說義疑惑未能定其是非致使倍
經任意反傳違戾是以何氏觀其形勢故曰其勢雖適畏人
問難故曰雖問遂恐已說窮短不得不廣引外文望成已說
故曰不得不廣也雖誤為雖耳 是以講誦師言至於百萬猶有
不解 疏 是以至不解○解云此師謂胡董之前公羊氏之屬也言由莊顏之徒解義不是致地問難遂
爾謬說至於百萬言其言雖多猶合解而不解者故曰猶有不解矣 時加釀嘲辭 ○釀嘲陟
交反 疏 時加釀嘲解○解云顏安樂善解此公羊苟取頑曹之語不顧理之是非若世人云雨雪其雱臣助君虐
之類是也 援引他經失其句讀 疏 援引至句讀○解云三傳之理不同多矣
羣經之義隨經自合而顏氏之徒既解公羊乃取他經為義猶賊黨入門主人錯亂故曰失其句讀 以無為
有 疏 以無為有○解云公羊經傳本無以周王為天囚之義而公羊說及莊顏之徒以周王為天囚故曰
以無為有也 甚可閔笑者 疏 甚可閔笑者○解云欲存公羊者閔其愚闇毀公羊者
笑其謬通也 不可勝記也 疏 不可勝記也○解云言其可閔可笑處多不可勝負不言
具記也 是以治古學貴文章者謂之俗儒 疏 是以
至俗儒○解云左氏先著竹帛故漢時謂之古學公羊漢世乃興故謂之今學是以許慎作五經異義云古者春秋左氏
說今者春秋公羊說是也治古學者即鄭眾賈逵之徒貴文章矣謂之俗儒者即繁露云能通一經曰儒生博覽羣書號
曰洪儒則言乖典籍辭理失所名之為俗教授於世謂之儒鄭賈之徒謂公羊雖可教授於世而辭理失所矣 至
使賈逵緣隙奮筆以為公羊可奪左氏可興
疏 至使至可興○解云賈逵者即漢章帝時衞士令也言緣隙奮筆者莊顏之徒說義不足故使賈逵得緣其隙
縱奮筆而奪之遂作長義四十一條云公羊理短左氏理長
意望奪去公羊而興左氏矣鄭眾亦作長義十九條十七事
專論公羊之短左氏之長在賈逵之前何氏所以不言之者
正以鄭眾雖扶左氏而毀公羊但不與讖合帝王不信毀公

其數少興左氏不強故不言之豈如賈逵作長義四十一條奏御于帝帝用嘉之乃布古之爲直也賜布及衣將系存立但未及而崩耳然則賈逵幾廢公羊故特言之　恨先師觀聽不決多隨二創　疏　恨先至二創。解云此先師戴宏等也凡論義之法先觀前人之理聽其辭之曲直然以正義決之今戴宏作解疑論而難左氏不得左氏之理不能以正義之故云觀聽不決多隨二創者上文云至有背經任意反傳違戾者與公羊爲一創又云援引他經失其句讀者又與公羊爲一創今戴宏作解疑論多隨此二事故曰多隨二創決而舊云公羊先師說公羊義不著反與公羊爲一創賈逵緣隙奮筆奪之與公羊爲二創非也　此世之餘事　疏　此世之餘事。解云何氏言先師解義雖曰不是但有已在公羊必存故曰此世之餘事餘未也言戴氏專愚公羊未申此正是世之末事猶天下閑事也舊云何氏云前世之師說此公羊不得聖人之本旨而猶在世之末說故曰世之餘事也　斯豈非守文持論敗績失據之過哉　疏　斯豈至過哉。解云守文者守公羊之文持論者執持公羊之文以論左氏即戴宏解疑論之流矣敗績者爭義似戰陳故以敗績言之失據者凡戰陳之法必須據其險勢以自固若失所据即不免敗績若似公羊先師欲持公羊以論左氏不閑公羊左氏之義反爲所窮已業破散是失所依据故以喻焉　余竊悲之久矣　疏　余竊悲之久矣。解云何邵公精學十五年專以公羊爲已業見公羊先師失据敗績爲他左氏先師所窮但在室悲之而已故謂之竊悲非一朝一夕故謂之久後拜爲議郎一舉而起陵羣儒之上已業得申乃得公然歎息　往者略依胡毋生條例音無多得其正　疏　往者至其正。解云胡毋生本雖以公羊經傳授董氏猶自別作條例故何氏取之以通公羊也雖取以通傳意猶謙未敢言已盡得胡毋之旨故言略依而已何氏本者作墨守以距敵長義以強義爲廢疾以難穀梁造膏肓以斃左氏盡在注傳之前猶鄭君先作六藝論訖然後注書故云往者也何氏謙不言盡得其正故言多爾　故遂隱括使就繩墨焉。隱括古奪反結也　疏　故遂至墨焉。解云隱謂隱審括謂檢括繩墨猶規矩也何氏言已隱審檢括公羊使就規矩也然則何氏最存公羊也而讖記不見者書不盡言故也而舊云公羊射者

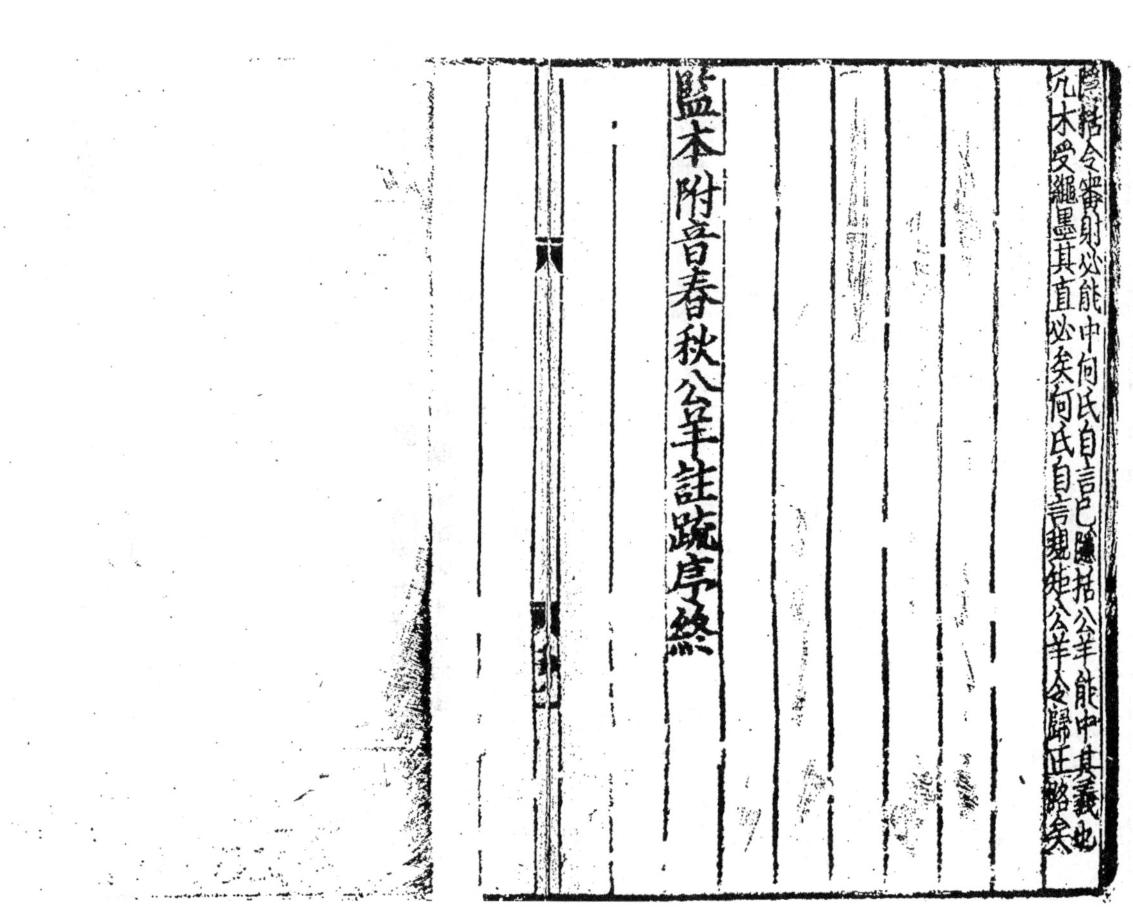
隱括令審射必能中何氏自言已隱括公羊能中其義也亦如木受繩墨其直必矣何氏自言規矩公羊令歸正路矣

監本附音春秋公羊註疏序終

監本附音春秋公羊註疏隱公卷第一 起元年盡元年

春秋公羊經傳解詁隱公第一 ○陸曰解詁佳買反下音古訓也○

[疏]春秋至第一○解云案舊題云春秋隱公經傳解詁第一公羊何氏則云春秋者一部之惣名隱公者魯侯之諡號經傳者雜縛之稱解詁者何所自目第一者無先之辭公羊者傳之別名何氏者邵公之姓也令定本則升公羊字在經傳上退隱公字在解詁之下未知自誰始也又云何休學今案傳物志曰何休注公羊云何休學有不解者或荅曰休謙辭受學於師乃宣此義不出於己此言為允是其義也○問曰左氏以為魯哀十一年夫子自衛反魯十二年告老遂作春秋至十四年經成不審公羊之義孔子早晚作春秋乎○荅曰公羊以為哀公十四年獲麟之後得端門之命乃作春秋至九月而止筆春秋說具有其文○問曰若公羊之義以獲麟之後乃作春秋何故太史公遭李陵之禍幽于縲紲乃喟然而嘆曰是余罪也夫昔西伯拘羑里演易孔子厄陳蔡作春秋屈原放逐著離騷左丘明失明厥有國語孫子臏脚而論兵法此人皆意有所鬱結不得通其道也故自黃帝始作其文也案家語孔子厄於陳蔡之時當哀公六年何

侯吉刻校　公羊一　一　王進福

言十四年乃作乎○荅曰孔子厄陳蔡之時始有作春秋之意未正作其正作猶在獲麟之後也故家語云晉文之有霸心起于曹衛越王句踐之有霸心起于會稽夫陳蔡之間丘之幸也庸知非激憤厲志始於是乎者是其有意矣○問曰若左氏以為夫子魯哀公十一年自衛反魯至十二年告老見周禮盡在魯魯史法最備故依魯史記脩之以為春秋公羊之意據何文作春秋乎○荅曰案閔因叙云昔孔子受端門之命制春秋之義使子夏等十四人求周史記得百二十國寶書九月經立感精符考異郵說題辭具有其文以此言之夫子脩春秋祖述堯舜下包文武又為大漢用之訓世不應專據魯史堪為王者之法也故言據百二十國寶書也周史而言寶書者寶者保也以其可世世傳保以為戒故名寶書也○問曰若然公羊之義據百二十國寶書以作春秋今經止有五十餘國通戎夷宿潞之屬僅有六十何言百二十國乎○荅曰其初求也實得百二十國史但有極美可以訓世有極惡可以戒俗者取之若不可為法者皆棄而不録是以止得六十國也○問曰若言據百二十國寶書以為春秋何故春秋說云據周史立新經乎○荅曰閔因叙云使子夏等十四人求周史記得百二十國寶書以此言之周為天子雖諸侯史記亦得名為周史矣○問曰六藝論云六藝者圖

所生也然則春秋者即是六藝也而言依百二十國史以為春秋何○荅曰元本河出圖洛出書者正欲埀範於世也王者遂依圖書以行其事史官録其行事以為春秋夫子就史所録刊而脩之云此圖書豈相妨奪也○問曰案三統曆云春為陽中萬物以生秋為陰中萬物以成故名春秋賈服依此以解春秋之義不審何氏何名春秋乎○荅曰公羊何氏與賈服不異亦以為欲使人君動作不失中也而春秋說云始於春終於秋故曰春秋者道春為生物之始而秋為成物之終故云始於春終於秋故曰春秋也而舊云春秋說云哀十四年春西狩獲麟作春秋九月書成以其書作秋成故云春秋也者非也何者案莊七年經云星霣如雨傳云不脩春秋曰雨星不及地尺而復君子脩之曰星霣如雨何氏云不脩春秋謂史記也古者謂史記為春秋以此言之則孔子未脩之時已名春秋何言孔子脩之春作秋成乃名春秋乎○問曰春秋據史書而為之史有左右據何史乎○荅曰六藝論云春秋者國史所記人君動作之事左史所記為春秋右史所記為尚書是以玉藻云動則左史書之言則右史書之鄭注云其書春秋尚書其存者記文先言左史鄭注先言春秋朗以左史為春秋矣云云之說左氏首已成解不能○重載夫子所以作春秋者解疑論云聖人不空生受命而制作所

侯吉刻校　公羊一　二　崔頑

以生斯民覺後生也西狩獲麟知天命去周赤帝方起麟為周亡之異漢興之瑞故孔子曰我欲託諸空言不如載諸行事又聞端門之命有制作之狀乃遣子夏等求周史記得百二十國寶書脩為春秋故孟子云世衰道微邪說暴行有作臣弑其君者有之子弑其父者有之孔子懼作春秋故史記云春秋之中弑君三十六亡國五十二諸侯奔走不得保其社稷者不可勝數故有國者不可以不知春秋為人臣者不可以不知春秋為人君父而不通於春秋之義者必蒙首惡之名為人臣子而不通於春秋之義者必陷簒弑之誅以此言之則孔子見時衰政失恐文武道絶又見麟獲劉氏方興故順天命以制春秋以授之必知孔子制春秋以授漢者案春秋說云伏羲作八卦丘合而演其文續而出其神赤春秋以改亂制又云丘攬史記援引古圖推集天變為漢帝制法陳叙圖録又云丘水精治法為赤制功又云黑龍生為赤必告云象使知命又云經十有四年春西狩獲麟赤受命倉天離周滅火起薪采得麟以此數文言之春秋為漢制明矣○問案莊七年星霣如雨傳云不脩春秋曰雨星不及地尺而復君子脩之曰星霣如雨又昭十二年齊高偃帥師納北燕伯于陽傳云伯于陽者何公子陽生也子曰我乃知之矣在側者曰子苟知之何以不革曰如爾所不知何春秋之信史

也其序則齊桓晉文其會則主會者為之其詞則丘有罪焉爾何故孔子脩春秋有改之者何可改而不改者何。答曰其不改者勿欲令人妄億措其改者所以為後法故或改或不改示此二義。問曰公羊以魯隱公為受命王黜周為二王後案長義云名不正則言不順言不順則事不成今隱公人臣而虛稱以王周天子見在上而黜公侯是非正名而言順也如此何以笑子路率爾何以為忠信何以為事上何以誨人何以為法何以全身如此若為通乎。答曰孝經說云孔子曰春秋屬商孝經屬參然則其微似之語獨傳子夏子夏傳與公羊氏五世乃至漢胡毋生董仲舒推演其文然後世人乃聞此言矣孔子卒後三百歲何不全身之有又春秋藉位於魯以託王義隱公之爵不進稱王周王之號不退為公何以為不正名何以為不順言乎又奉天命而制作何不謙讓之有。問曰春秋說云孔子欲作春秋卜得陽豫之卦宋氏云夏殷之卦名也孔子何故不用周易占之乎。答曰蓋孔子見西狩獲麟知周將亡又見天命有改制作之意故用夏殷之易矣或言卜則是龜之辭也不從宋氏之說若然應言陽豫之兆何言卦乎蓋龜著通名故言卜矣。問曰何氏注春秋始乎隱公則天之數不審孔子何以正于獲麟止筆乎。答曰案哀十四年傳云春秋何以始乎隱注云據得

公羊一　三

麟乃作祖之所逮聞也注云託記高祖以來事可及問聞知者猶曰我但記先人所聞辟制作之害所見異辭所聞異辭所傳聞異辭何以終乎哀十四年彼注云據哀公未終也曰備矣彼注云人道浹王道備必止於麟者欲見撥亂功成於麟猶堯舜之隆鳳凰來儀故麟於周為異春秋記以為瑞明大平以瑞應為效也絕筆於春不書下三時者起木絕火王制作道備當授漢也是也。問曰既言始於隱公則天之數復言三世故發隱公何。答曰若論象天數則取十二天緣情制服宜為三世故禮為父三年為祖期為高祖曾祖齊衰三月據哀錄隱兼及昭定已與父時事為所見之世又宣成襄王父時事謂之所聞之世也隱但莊閔僖曾祖高祖時事謂之所傳聞之世也制治亂之法書大夫之卒文有詳略故日月備于隱如是有罪之見錄不日卒于得臣明有過以見罪益師不日著恩遠之辭。問曰鄭氏云九者陽數之極九九八十一是人命終矣故孝經援神契云春秋三世以九九八十一為限然則隱元年盡僖十八年為一世自僖十九年盡襄十二年又為一世自襄十三年盡哀十四年又為一世所以不悉八十一年者見人命參差不可一齊之義又顏安樂以襄二十一年孔子生後即為所見之世顏鄭之說實亦有途而何氏見何文句要以昭定哀為所見之世文宣成襄為

所聞之世隱桓莊閔僖為所傳聞之世乎。答曰顏氏以為襄公二十三年邾婁鼻我來奔傳云邾婁無大夫此何以書以近書也又昭公二十七年邾婁快來奔傳云邾婁無大夫此何以書以近書也二文不異同宜一世若分兩屬理似不便又孔子在襄二十一年生從生以後理不得謂之所聞也顏氏之意盡於此矣何氏所以不從之者以為凡言見者目覩其事心識其理乃可以為見孔子始生未能識知寧得謂之所見乎故春秋說云文宣成襄所聞之世不分疏二十一年已後明為一世矣邾婁快邾婁鼻我雖同有以近書之傳一自是治近升平書一自是治近大平書實不相干涉而漫指此文乎鄭氏雖依孝經說文取襄十二年之後為所見之世爾時孔子未生焉得謂之所見乎故不從之。問曰孝經說文實有九九八十一為限之言公羊信緯可得不從乎。答曰援神契者自是孝經緯橫說義之言更作一理非是正解春秋之物故何氏自依春秋說為正解明矣。問曰左氏出自丘明便題云左氏公羊穀梁出自卜商何故不題曰卜氏傳乎。答曰左氏傳者丘明親自執筆為之以說經意其後學者題曰左氏矣且公羊者子夏口授公羊高高五世相授至漢景帝時公羊壽共弟子胡毋生乃著竹帛胡毋生題親師故曰公羊不曰卜氏矣穀梁者亦是著竹帛者題其親

公羊一　四

師故曰穀梁也。問曰春秋說云春秋設三科九旨其義如何。答曰何氏之意以為三科九旨正是一物若總言之謂之三科科者段也若析而言之謂之九旨旨者意也言三個科段之內有此九種之意故何氏作文謚例云三科九旨者新周故宋以春秋當新王此一科三旨也又云所見異辭所聞異辭所傳聞異辭二科六旨也又內其國而外諸夏內諸夏而外夷狄是三科九旨也。問曰案宋氏之注春秋說三科者一曰張三世二曰存三統三曰異外內是三科也九旨者一曰時二曰月三曰日四曰王五曰天王六曰天子七曰譏八曰貶九曰絕時與日月詳略之旨也王與天王天子是錄遠近親疏之旨也譏與貶絕則輕重之旨也如是三科九旨聊不相干何故然乎。答曰春秋之內具斯二種理故宋氏又有此說賢者擇之。問曰文謚例云此春秋五始三科九旨七等六輔二類之義以矯狂撥亂為受命品道之端正德之紀也然則三科九旨之義已蒙前說未審五始六輔二類七等之義如何。答曰案文謚例下文云五始者元年春王正月公即位是也七等者州國氏人名字子是也六輔者公輔天子卿輔公大夫輔卿士輔大夫京師輔君諸夏輔京師是也二類者人事與災異是也。問曰春秋說云春秋書有七缺七缺之義如何。答曰七缺者惠公妃匹不正隱桓之

衍生是爲夫之道缺也文姜淫而害夫爲婦之道缺也大夫
無罪而致戮爲君之道缺也臣而害上爲臣之道缺也僖五
年晉侯殺其世子申生襄二十六年宋公殺其世子痤殘虐
枉殺其子是爲父之道缺也文元年楚世子商臣弒其君髡
襄三十年蔡世子般弒其君固是爲子之道缺也桓八年正
月己卯烝桓十四年八月乙亥嘗僖三十一年夏四月四十
郊不從乃免牲猶三望郊祀不
脩周公之禮缺是爲七缺也矣

何休學 ○學者言爲此經之學即注述之意

元年春王正月 ○正月音征又音政後放此 疏 元年春王正月。○解云若左氏之義
不問天子諸侯皆得稱元年若公羊之義唯天子乃得稱元
年諸侯不得稱元年此魯隱公諸侯也而得稱元年者春秋
託王於魯以隱公爲受命之王故得稱元年矣 元年者何 諸據疑問所不知故曰者何 疏
元年者何。○解云凡諸侯不得稱元年今隱公爵猶自稱侯
而反稱元年故執不知問。○注諸據至者何。○解云諸據
有疑理而問所不知者曰者何即僖五年秋鄭伯逃歸不盟
之下傳云不盟者何注云據上言諸侯鄭伯在其中弟子疑
故執不知問成十五年仲嬰齊卒之下傳云仲嬰齊者何注
云疑仲遂後故問之是也若據彼難此即或言曷爲或言何
以或單言何即下傳云曷爲先言王而後言正月注云據下
秋七月天王先言月而後言王 公何以不言即位注云據文
公言即位也何成乎公之意注云據剌欲救紀而後不能是
也而舊解云案春秋上下但言曷爲與何皆有所據故何氏
云諸據疑者皆無所據故云
問所不知故曰者何也者非 君之始年也 以常錄即位知君之始年
君魯侯隱公也年者十二月之總號春秋書十二月稱年是
也變一爲元元者氣也無形以起有形以分造起天地天地
之始也故上無所繫而使春繫之也不言公言君之始年者
王者諸侯皆稱君所以通其義於王者惟王者然後改元立
號春秋託新王受命於魯故因以錄 疏 注以常至始年。
即位明王者當繼天奉元養成萬物 ○解云正以桓文宣
成襄昭及哀皆云元年春王正月公即位故曰以常錄即位
知君之始年。○注君魯侯隱公也。○解云案春秋說云周五
等爵法五精公之言公公正無私侯之言候候逆順兼伺候
王命矣伯之言白明白于德子者孳恩宣德男者任功立業
皆上奉王者之政教禮法統理一國脩身潔行矣今此侯爲
魯之正爵公者臣子之私稱故言君魯侯隱公也。○問曰五

隱元年

等之爵既始前釋何名附庸乎。○答曰春秋說下文云庸者
通也官小德微附於大國以名通若畢星之有附耳然故謂
之附庸矣。○注變一爲元。○解云以下有二年三年知上宜
云一年而不言一年變言元年故決之。○注元者至始也。○
解云春秋說云元者端也氣泉注云元爲氣之始如水之有
泉泉流之原無形以起有形以分窺之不見聽之不聞宋氏
無形皆生乎元氣而來故言造起天地天地之始也。○注故
云無形以起在天成象有形以分在地成形也然則有形與
無原故先陳春後言王天不深正其元則不能成其化故先
上不繫之。○解云春秋說云王不上奉天文以立號則道術
起元然後陳春矣是以推元在春上春在王上矣。○注不言
至王者。○解云凡天子諸侯同得稱君但天子不得稱公故
喪服云君鄭云天子諸侯及卿大夫有地者皆曰君是也今
據魯而言不言公之始年而言君之始年者見諸侯不得稱
元會假魯爲王乃得稱元故傳言
君之始年欲通魯于王故也 春者何 據獨在王上故執不知問 疏
注據獨在至知問。○解云春夏秋冬皆是四時之名而夏秋冬
三時常不得醫王言之唯有春字常在王上故怪而問之
歲之始也 以上繫元年在王正月之上知歲之始也春者天地開辟之端養生之首法象所出四時
本名也昏斗指東方曰春指南方曰夏指西方曰秋指北方
曰冬歲者總號其成功之稱尚書以閏月定四時成歲是也
○辟婢亦反本亦作闢闢同 疏 歲之始也。○問曰元年春王
正月公即位實是春秋之五
始而傳直於元年春之下發言始而王正月下不言始何。○
答曰元是天地之始春是四時之始王正月公即位者人事
之始欲見尊重天道略於人事故也。○注春者至之端。○解
云易說云孔子曰易始於太極太極分而爲二故生天地天
地有春夏秋冬之節故生四時也言天地開辟分爲四時春
先爲端始也。○注養生之首。○解云乾鑿度云震生萬物於
東方夫萬物始生於震震東方之卦也陽氣施生愛利之道
故東方爲仁矣故言養生之首言是養生萬物之初首。○注
法象所出。○解云周禮大宰云正月之吉始和布政于邦國
都鄙縣治象之法于象魏使曰而斂之是象魏之法于時出
之故曰法象所出矣。○注四時本名也。○解云凡四時先春
次夏次秋次冬百代所不變故言春者四時本名矣。○注昏
斗至冬也。○解云皆春秋說文也。○注歲者至之稱。○解云
四時皆於萬物有功歲者是兼總其成功之稱也若以當代
相對言之即唐虞曰載夏曰歲殷曰祀周曰年若散文言之
不問何代皆得謂之歲矣等取一名而必取歲者蓋以夏數

隱元年

爲得天之正故也亦有一本云歲者總號成功之稱也○注尚
書至是也○解云此堯典文彼鄭注云以閏月推四時使啓
閉分至不失其常著之用成歲
曆將以授民時且記時事是也
王者孰謂孰誰也欲言時王則無事
欲言先王又無
謚故問誰謂
疏注欲言至無事○解云時王即當時平
王也若是當時平王應如下文秋七月
天王使宰咺來歸惠公仲子之賵是其事也今無此事直言
王故疑非是當時之王矣○注欲言至無謚○解云正以死
謚故也
謂文王也以上繫王於春知謂文王也文王周
始受命之王天之所命故上繫天端
方陳受命制正月故假以爲王法不言謚者
法其生不法其死與後王共之人道之始也
疏注以上至王也○解
云春者天地開闢之端始文王者周之始受命制法之王理宜相繫故見
其繫春知是文王非周之餘王也○問曰春秋之道今有三
王之法所以通天三統是以春秋說云王者孰謂謂文王也
疑三代謂疑文王而傳專云文王不取三代何○答曰大勢
春秋之道實兼三王是以元命包上文總而疑之而此傳專
云謂文王者以見孔子作新王之法當周之世理應權假文
王之法故偏道之矣故彼宋氏注云雖大略據三代其要主
於文王者是也○注文王至之王○解云即我應瑞云季秋
之月甲子赤爵銜丹書入豐止于昌戶昌再拜稽首受之又
禮說云文王得白馬朱鬣大貝玄龜是也○注天之至天端
○解云天端即春也故春秋說云以元之深正天之端以天之
端正王者之政是也○注方陳至王法○解云孔子方陳新
王受命制正月之事故假取文王創始受命制正朔者將來
以爲法其實爲漢矣○注不言至共之○解云死謚周道文
王死來已久而不言謚者正言法其生時政教正朔故曰法
其生不法其死也言與後王共之者不言謚可以通之於後
王後王謂漢帝也○注人道之始也○解云何氏以見上文
亦始尊重天道皆傳自有始文故不須注云天道之始今此
實天下之始但略於人事無文故須注云人道之始也
曷爲先言王而後言正月據下秋七月天王先言月而後言王
王正月也以上繫於王知王者受命布政施教所制
月也王者受命必徙居處改正朔易服色殊徽號變犧牲異
器械明受之於天不受之於人夏以斗建寅之月爲正平旦
爲朔法物見色尚黑殷以斗建丑之月爲正雞鳴爲朔法物
見色尚白周以斗建子之月爲正夜半爲朔法物見色尚赤
○徽許歸反械戶戒反夏戶雅反後
放此以意求之見賢遍反下並同
疏注王者至於人○解云王者受命
必徙居處者則堯居平陽舜居蒲坂文王受命作邑於豐是
其處也其改正朔易服色殊徽號異器械者禮記大傳文鄭
注云服色車馬也徽號旌旗之名也器械禮樂之器及兵甲
也然則改正朔者即下注云三而改下注云是也易服色者即
明堂位云鸞車有虞氏之路也鉤車夏后氏之路也大路殷
路也乘路周路也夏后氏駱馬黑鬣殷人白馬黑首周人黃
馬蕃鬣之屬是也其殊徽號者即明堂位云有虞氏之旂夏
后氏之綏殷之大白周之大赤之屬是也其變犧牲者即明
堂位云夏后氏牲尚黑殷白牡周騂剛之屬是也其異器械
者器即明堂位云泰有虞氏之尊也山罍夏后氏之尊也著
殷尊也犧象周尊也注云泰用瓦著著地無足夏后氏之鼓
足殷楹鼓周縣鼓注云足謂四足也楹謂之柱貫中上出
也周縣鼓注云縣縣之簨簴也其械者即兵甲也何氏注三
十二年注云有攻守之器曰械是一而言異者即器云弓矢
綏者謂之弓無緣者謂之弭蓋以爲異代相變故云異也所
以止變此等者其親親尊尊之屬不可改即大傳云其不可
得變革者則有矣親親也尊尊也長長也男女有別此其不
可得與民變革者也是也○注夏以至尚赤○解云凡草物
皆十一月動萌而赤十二月萌牙始白十三月萌牙始出而
首黑故各法之故書傳略說云周以至動殷以萌夏以牙注
云謂三王之正也至動冬日至物始動也物有三變故正色有
三天有三生三死故士有三王王特一生死是故周人以日
至爲正殷人以日至三十日爲正夏以日至六十日爲正是
故三統三王若循連環周則又始窮則反本是也○問曰若
如此說則三王所尚各自依其時物之色何故禮說云若尚
色天命以赤尚赤以白尚白以黑尚黑宋氏云赤者命以赤
烏故周尚赤湯以白狼故尚白禹以玄珪故尚黑也以此言
之三代所尚者自是依天命之色何言法時物之牙色乎○
答曰凡正朔之法不得相因爲三反本禮則然矣但見其受
命將王者應以十一月爲正則命之以赤瑞應以十二月爲
正則命以白瑞應以十三月爲正則命之以黑
瑞是以禮說有此言豈道不復法其牙色乎
何言乎王正月據定公有
王無正月
疏注據定至正月○解云定公元年春
王三月晉人執宋仲幾於京師是有
王無正月凡十二公即位皆在正月是以不問有事無事皆
書王正月所以重人君即位之年矣若非即位之年正月無
事之時或有二月王或有三月王矣但定公即位在六
月正月復無事故書三月王也其正月時不得書王矣
大一統也統者始也總繫之辭夫王者始受命改制布政施
教於天下自公侯至於庶人自山川至於草木昆

隱元年

蟲莫不一一繫於正月故云政教之始疏大一統也。解云所以書正月者王者受命制正月以統天下令萬物無不一一皆奉之以為始故言大一統也。注總繫之辭。解云凡前代既終後王更起立其正朔之初布象魏於天下自公侯至於庶人自山川至於草木昆蟲莫不繫於正月而得其所故曰總繫之辭。○注故云政教之始。解云亦以傳不言始故足之

公何以不言即位據文公言即位也即位者一國之始政莫大於正始故春秋以元之氣正天之端以天之端正王之政以王之政正諸侯之即位以諸侯之即位正竟內之治諸侯不上奉王之政則不得即位故先言正月而後言即位政不由王出則不得為政故先言王而後言正月也王者不承天以制號令則無法故先言春而後言王天不深正其元則不能成其化故先言元而後言春五者同日並見相須成體乃天人之大本萬物之所繫不可不察也。○治直吏反夫音扶疏注據文公言即位也。解云文元年春王正月公即位是也。○問曰桓公元年春亦書即位傳所以不從始而遠據文公何。答曰正以文公正即位之始故也桓公篡而即位非其正故雖即位在文公前猶不據之。○注即位者一國之始。解云所以傳無始文故言此也。○注政莫大於正始。解云為下作文勢也言凡欲正物之法莫大於正其始時是以春秋作五始令之相正也。○注乃天至不察也。解云元年春者天之本王正月公即位者人之本故曰天人之大本也言萬物之所繫者春秋以之為始令萬物繫之故不可不察其義

成公意也以不有正月而去即位知其成公意。○去起呂反下去同疏注以不至公意。○解云下十一年傳云隱何以無正月隱將讓乎桓故不有其正月也然則正月者是公即位象魏出教令之月今公既有讓意故從二年已後終隱之篇常去正月以見之故曰不有正月也然則今此注云不有正月者謂從二年桓去正月也今元年去即位故知成公意矣今元年言正月者公時實行即位之禮故見之然則公意讓而行即位者厭民臣之心故也。舊云以有正月而去即位云無不字言凡書正月為公即位出也以元年有正月即公實行即位禮而孔子去即位知其成公讓意者非

何成乎公之意據刺欲救紀而後不能。○刺欲七賜反後皆同更不音疏注據刺至不能。○解云莊三年冬公次于郎傳曰其言次于郎何刺欲救紀而後不能也然則欲救紀是善事公不能救紀是不終善事而春秋書次于郎以刺之今隱公有讓心實是善事但終讓不遂為桓所殺亦是善心不遂而春秋善之故以為難也

公將平國而反之桓平治也時廢桓立隱不平故曰平反還之

曷為反之桓據已立也

桓幼而貴隱長而卑長者已冠也禮年二十見正而冠士冠禮曰嫡子冠於阼以著代也醮於客位加有成也三加彌尊諭其志也冠而字之敬其名也公侯之有冠禮夏之末造也天子之元子猶士也天下無生而貴者。○隱長丁丈反注及下皆同已冠工亂反下適子丁歷反下同醮子笑反疏注禮年至而冠。○解云若以襄九年左傳言魯襄公年十二而冠也[illegible]代識即少是亦十二而冠則知天子諸侯幼即位者皆十二而冠矣是以異義古尚書說云武王崩時成王年十三後一年管蔡作亂周公東辟之王與大夫盡弁以開金縢之書時成王年十四言弁明知已冠矣是其證也但隱公冠當惠公之世從士禮故二十而冠是以何氏即引士冠禮以解之所以必二十冠者異義今禮戴說云男子陽也成於陰故二十而冠是矣而言見正者欲道無子不冠於阼階故也。○注士冠至成也。○解云鄭彼注云每加於阼則醮之於客位所以尊敬之成其為人也是矣但此士冠禮及禮記冠義郊特牲亦有此文鄭注冠義云阼謂主人之北也適子冠於阼若不醴則醮用酒於客位敬而成之也戶西為客位庶子冠於房戶外又因醮焉不代父也鄭注昏義云酌而無酬酢曰醮醮之禮如冠醮與。○注三加至志也。○解云此士冠記文三加者先加緇布冠次加皮弁次加爵弁也彼記云始冠緇布之冠也大古冠布齋則緇之鄭注云大古唐虞以上重古始冠冠其齋冠也諭其志者彼鄭注云彌猶益也冠服後加益尊諭其志者欲其德之進也是矣注郊特牲云冠益尊則志益大也。○注冠而字之敬其名也。○解云亦彼記之文鄭注云名者質所受於父母冠成人益文故敬之是也。○注公侯至造也。○解云此亦士冠禮記文彼鄭注云造作也自夏初以上諸侯雖父死子繼年未滿五十者亦服士服行士禮五十乃命也至其衰末上下相亂篡弒所由生故作公侯冠禮以正君臣也引之者見當時公侯有冠之言。○注天子至貴者。解云此亦記文鄭注郊特牲云儲君副主猶云士也明人有賢行著德乃得貴也引之者見隱公冠時年已二十宜從士禮明矣

其為尊卑也微母俱媵也。○媵以證反又繩證反

國人莫知國人謂國中凡人莫知者言惠公不早分別也男子年六十閑房無世子則命貴公子將薨亦如之疏注國人至別也。○解云古者一娶九女一嫡二媵分為左右尊卑權

隱元年

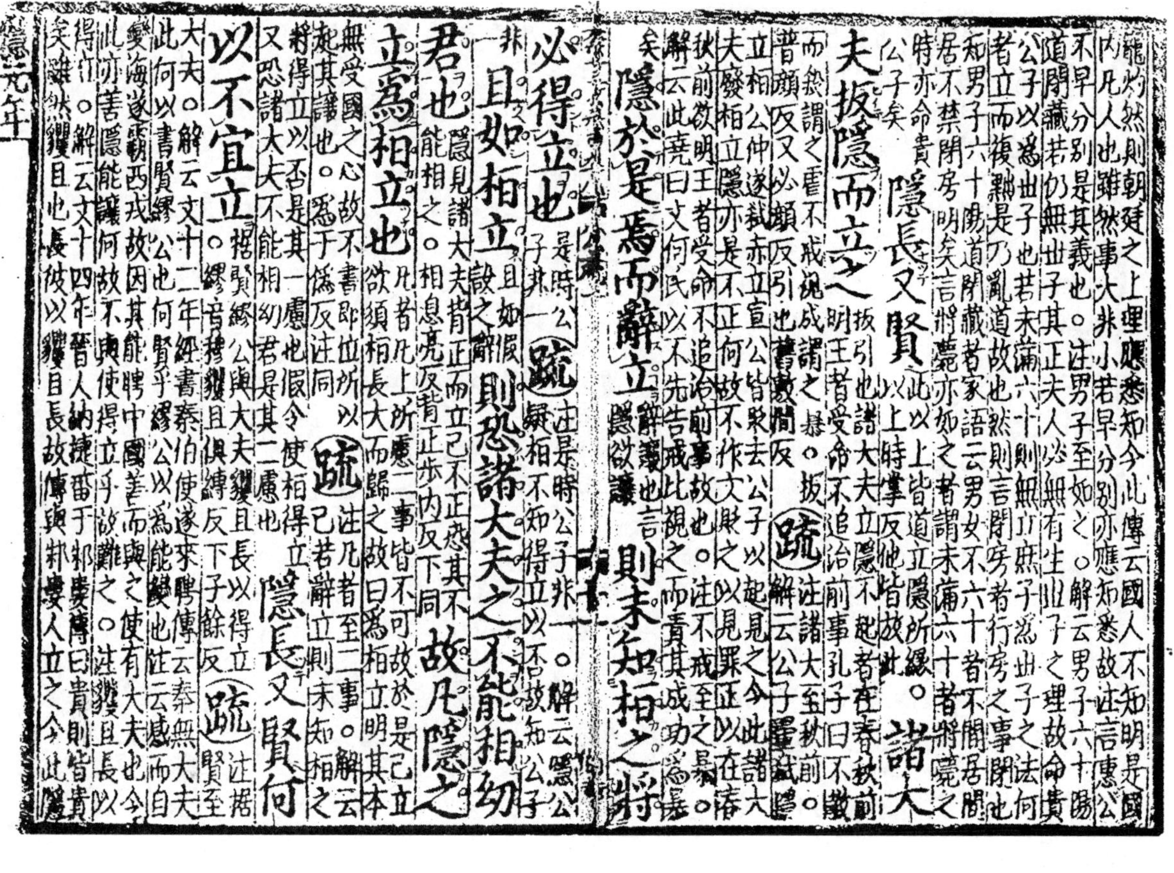
隱元年

龍灼然則朝廷之上理應悉知今此傳云國人不知明是國
內凡人也雖然事大非小若早分別亦應知悉故注言惠公
不早分別是其義也○注男子至知之○解云男子六十閉
道閉藏若仍無世子其正夫人必無有生世子之理故命貴
公子以為世子也若未滿六十則無立庶子為世子之法何
者立而復黜是乃亂道故也然則言閉房者行房之事閉也
知男子六十閉道閉藏者家語云男女不六十者不閒居閒
居不禁閉房明矣言將薨亦知之者謂未滿六十者將薨之
時亦命貴公子矣 隱長又賢此以上皆道立隱所緣○上時掌反他皆放此 諸大
夫扳隱而立之扳引也諸大夫立隱不起者在春秋前明王者受命不追治前事孔子曰不教
而殺謂之虐不戒視成謂之暴○扳普顏反又必顏反引也舊蒲間反 疏 注諸大至秋前○解云公子翬弒隱
立桓公仲遂弒赤立宣公皆殺去公子以起見之今此諸大
夫廢桓立隱亦是不正何故不作文以見罪正以在春
秋前欲明王者受命不追治前事故也○注不戒至之暴○
解云此堯曰文何氏以不先告戒比視之而責其成功為暴
矣 隱於是焉而辭立辭讓也言隱欲讓 則未知桓之將
必得立也是時公子非一 疏 注是時公子非一○解云隱公疑桓不知得立以否故知公子
非一 且如桓立且如假設之辭 則恐諸大夫之不能相幼
君也隱見諸大夫背正而立己不正恐其不能相之○相息亮反背正步內反下同 故凡隱之
立為桓立也凡若凡上所慮二事皆不可故於是已立欲須桓長大而歸之故曰為桓立明其本
無受國之心故不書即位所以起其讓也○為于偽反注同 疏 注凡若至二事○解云已若辭立則未知桓之
將得立以否是其一慮也假令使桓得立
又恐諸大夫不能相幼君是其二慮也 隱長又賢何
以不宜立據賢繆公與大夫獲且長以得立○繆音穆獲且俱縛反下子餘反 疏 注據賢至
大夫○解云文十二年經書秦伯使遂來聘傳云秦無大夫
此何以書賢繆公也何賢乎繆公以為能變也注云感而自
變悔遂霸西戎故因其能聘中國善而與之使有大夫也今
此亦善隱能讓何故不與使得立乎故難之○注獲且長以
得立○解云文十四年晉人納捷菑于邾婁傳曰貴則皆貴
矣雖然獲且也長彼以獲且長故傳與邾婁人立之今此隱

隱元年

亦長何故不宜立乎故難之然則傳言長據獲且傳
言賢據繆公而何氏先解繆公者以其事在前故 立適
以長不以賢立子以貴不以長適謂適夫人之子尊無與敵故以齒
子謂左右媵及姪娣之子位有貴賤又防其同時而生故以
貴也禮適夫人無子立右媵右媵無子立左媵左媵無子立
嫡姪娣嫡姪娣無子立右媵姪娣右媵姪娣無子立左媵姪
娣質家親親先立娣文家尊尊先立姪嫡子有孫而死質家
親親先立弟文家尊尊先立孫其雙生也質家據見立先生
文家據本意立後生皆所以防愛爭○姪大結反娣大計
反爭爭鬭之爭下同 桓何以貴據俱言公子也 母貴也據桓母右媵
則子何以貴據俱言公子 子以母貴以母秩次立也 母以子
貴禮妾子立則母得為夫人夫人成風是也 疏 注夫人成風○解云即文四年冬十有一月壬寅夫人風
氏薨五年三月辛亥葬我小君成風是也 ○三月公及邾婁儀父盟于
眜 及者何 與也若曰公與邾婁盟也○邾音誅婁力俱反邾人語聲後曰婁故曰邾婁禮記同
左氏穀梁無婁字儀父音甫本亦作甫人名字放此眛亡結反穀梁同左氏作蔑 會及暨皆與
也都解經上會及暨也○暨其器反下皆同 曷為或言會或言及或
言暨○曷為如字或于偽反後皆同此 疏 及者何○解云欲言汲汲公仍在會欲言非汲汲及是欲文故執不知問
會猶最也最聚也直自若平時聚會無他深淺意也最之為言聚若今聚民為投最
○云曷為或言會者即下六年公會齊侯盟于艾之徒是也云
或言暨者昭七年春暨齊平定十年宋公之弟辰暨仲佗石
彄出奔陳是也 及猶汲汲也暨猶暨暨也及我欲之暨
不得已也我者謂魯也內魯故言我舉及暨者明當隨意善惡而原之欲之者善重惡深不得已者
善輕惡淺所以原心定罪 疏 注我者謂魯也○解云此傳內外皆然但傳據內言之故言我謂魯也○注欲之至
惡深○解云善重者即此文公及邾婁儀父盟于眜是也以
其汲汲於善事故曰善重也惡深者即哀十三年公會晉侯
及吳子于黃池是也以其汲汲於惡事故曰惡深也○注不
得至惡淺○解云善輕者即暨齊平是也惡淺者宋公之弟辰

仲佗石是也 **儀父者何邾婁之君也** 以言公及不諱知為君也 **疏** 儀父者何○解云欲言其君經不書爵欲言其臣而不沒公故執不知問○注以言公及不至君也○解云凡春秋上下公與外大夫盟皆諱不言公故莊二十二年秋七月丙申及齊高傒盟于防傳云公則曷為不言公諱與大夫盟也之屬也今此不沒公故知是君矣其莊九年公及齊大夫盟于暨之屬不沒公者皆傳注分明不煩逆說 **何以名** 據齊侯以祿父為名 **疏** 注據齊至為名○解云即桓十四年冬齊侯祿父卒是也言齊侯以祿父為名故疑邾婁君亦以儀父為名是以難也 **字也** 以當褒知為字 **疏** 注以當褒知為字○解云即下云褒之故知當褒是以春秋以褒為字 **曷為稱字** 據諸侯當稱爵 **疏** 注據諸侯當稱爵○解云春秋之義褒儀父書字者知與公盟書卒諸侯當稱爵○解云六年夏公會齊侯盟于艾之屬是也 **褒之也** 以宿與微者盟書卒 **疏** 注以宿至書卒○解云下文公及宋人盟于宿宿為地主與在可知以其與內微者盟故至上嘉之曰褒無土建國曰封無土者謂加爵曰封其所褒之國也儀父本在春秋前失爵在名例爵○褒之不卒是也至九月書卒○解云即下書子卒是也隱八年得變例書卒見恩矣云有土嘉之曰褒者謂加爵命是也云無土建國曰封者即封邢衛之屬是也 **曷為褒之** 据功不見○不見其為賢徧反下皆同 **為其與公盟也** 始與公盟盟者殺生歃血詛命相誓以明約束也傳不足言託始者儀父比宿滕薛最在前嫌獨為僖父發始下三國意不見故顯之○為其于偽反注為其獨為皆同歃所洽反又音所甲反詛莊慮反約束並如字一音上於妙反下音戍 **疏** 注傳不至顯之○解云此傳應言為其始與公盟今不具其文句言始者若言始與公盟即恐下二國不是始是以顯之不具其文 **與公盟者眾矣曷為獨褒乎此** 据戎齊侯莒人皆與公盟傳不足託始故復據眾也○復扶又反下復為同 **疏** 注據戎至公盟○解云即二年秋八月公及戎盟于唐六年夏公會齊侯盟于艾八年秋公及莒人盟于包來是也○注傳不足至眾也○解云傳若鄭者足其文句云道為其始與公盟之時義勢已盡矣道不得復言與公盟者眾矣曷為獨褒乎此但上傳既無始與之文而得褒賞嫌自可怪故更據眾難之云託始者言隱公實非受命之王但欲託之以為始而 **因其可褒而** 褒之春秋王魯託隱公以為始受命王因儀父先與隱公盟可假以見褒賞之法故云爾○王魯于況反下同公後王魯皆放此 **此其為可褒奈何漸進也** 漸者物事之端先見之辭去惡就善曰進譬若隱公受命而王諸侯有倡始先歸之者當進而封之以率其後不言先者亦為所褒者法明當積漸深知聖德灼然之後乃往不可造次陷於不義○倡尺亮反造七報反 **疏** 注漸者至之端○解云言物事之首也○注先見之辭者見讀如見其二子焉之見也若公子陽生闞然之類也云去惡就善曰進者言能去惡就善即是行之進也○注不可至不義○解云桓十五年夏邾婁人牟人葛人來朝朝桓惡人而貶稱人者是其造次陷於不義矣 **眜者何地期也** 會盟戰皆錄地其所期處重期也凡書盟者惡之也為其約誓大甚朋黨深背之生患禍重胥命於蒲善近正是也君大夫盟例日惡不信也此月者隱推讓以立邾婁慕義而來相親信故為小信辭也大信者時柯之盟是也鲁稱公者臣子心所欲尊號其君父公者五等之爵最尊王者探臣子心欲尊其君父使得稱公故春秋以臣子書葬者皆稱公于者於也凡以事定地者加于例以地定事者不加于例○惡烏路反下惡不惡其皆同大其音泰或勑賀反近正附近之近柯音歌 **疏** 何○注凡書盟者惡之○解云春秋之始弟子未解地期之義故執不知問○注凡書盟者惡之○解云此言與公盟下所得褒何言惡者直書其盟亦是善其盟乎○注胥命至是也○解云即桓三年夏齊侯衛侯胥命于蒲傳云胥命者何相命也何言爾近正也此其為近正奈何古者不盟結言而退是也○注君大至信也○解云言内君與大夫共他外盟之時其書日皆是惡其不信也即下二年秋八月庚辰公及戎盟于唐文八年冬十月壬午公子遂會晉趙盾盟于衡雍之屬是也○注故為小信辭也○解云邾婁儀父歸于新王而見褒賞不為大信者以下七年秋公伐邾婁是其背信也而不足為大信○注大信至是也○解云謂以信著乎天下即莊十三年冬公會齊侯盟于柯傳曰桓之盟不日其會不致信之也○注故春至稱公○解云謂以其臣子錄但假託以為善故為小信辭也○注大信至是也自柯之盟始焉是也○注故春至稱公○解云之辭書其葬者悉皆稱公即桓十年夏五月葬曹桓公僖四年秋葬許繆公之屬是也若然桓十七年秋八月癸巳葬蔡桓侯不稱公者彼注云稱侯者亦奪臣子辭也有賢弟而不能任用反疾害之而立獻舞國幾并於蠻荊故賢季抑桓稱侯所以起其事是也○注凡以至于例○解云謂先約其事

乃歸于莒。傳作歸會者，加于即僖二十八年夏五月盟于踐土之屬是也。○注以地至于例。○解云：言先在其地，乃定盟會之事者，不加于即莊十九年公子結媵陳人之婦于鄄，遂及齊侯、宋公盟；襄三年夏六月，公會單子、晉侯以下同盟于雞澤，陳侯使袁僑如會，叔孫豹及諸侯之大夫及陳袁僑盟之屬是也。○**夏五月，鄭伯克段于鄢。克之者何？**加之者，問訓詁，并問施于之爲。○段，徒亂反。鄢，音偃。疏 克之者何。○解云：欲言其殺，而經書克；欲言非殺，克者大惡之文，故執不知問。○注加之至之爲。○解云：訓詁者，即不言殺而言克是也。所以不直言克者何，而并言之者，非直問其變殺爲克，并欲問其施于鄢之所爲矣，而不答于鄢之意者，欲下乃解爲當國，故此處未勞解之。弟子以其不答于鄢之意，是以下文復云其地何以辭之。**殺之也。殺之則曷爲謂之克？大鄭伯之惡也。**以弟克，然大鄭鉄之善如加克。○郤，去逆反；下起悅反。疏 注以弟至之善。○解云：文十四年秋，晉人納接菑于邾婁，弗克納。傳云：其言弗克納何？大其弗克納也，是也。**曷爲大鄭伯之惡？**據晉侯殺其世子申生不加克以大之。疏 注據晉至大之。○解云：在僖五年春。**母欲立之，己殺之，如勿與而已矣。**如即不如，齊人語也。加克者，有嫌也。段無弟文，稱君甚之，不明。又段當國，嫌鄭伯殺之無惡，故變殺言克，明鄭伯爲人君，當如傳辭，不當自己行誅殺，使執政大夫當誅之。克者，詁爲殺，亦爲能，惡其能忍戾母而親殺之。禮，公族有罪，有司讞于公，公曰宥之；及三宥不對，走出，公又使人赦之；以不及反命，公素服不舉，而爲之變，如其倫之喪，無服，親哭之。○戾，力計反。讞，魚列反。宥，音又，赦也。疏 注明鄭至之法。○解云：鄭伯爲人君之法，當如傳辭，不與其國而已，不宜忍戾其母而親殺之。其誅之者，自是執政大夫之事。○注禮公至哭之。○解云：皆出文王世子也。其文云：公族有罪，獄成，有司讞于公。其死罪則曰某之罪在大辟，其刑罪則曰某之罪在小辟。彼注云：讞之言白也。公曰宥之，有司又曰在辟；公又曰宥之，有司又曰在辟。及三宥不對，走出，致刑于甸人。注云：對，荅也。先者，君每言宥，則荅之以將更宥之，至于三，罪定，不復荅，走往刑之，爲君之恩無已。公又使人追之，曰：雖然，必赦之。有司對曰：無及也。注云：罪既正，不可宥，乃欲赦之，重刑殺其類也。反命于公。注云：白刑殺。公素服不舉，爲之變，如其倫之喪，無服。注云：素服於凶事爲吉，於吉事爲凶，凶服巾。君雖不服臣，卿大夫死則皮弁錫衰以居，往弔當事則弁絰；於士蓋疑衰，同姓則緦衰以弔之。今無服者，不往弔也。倫謂親疏之比也。素服亦皮弁矣。親哭之。注云：不往弔，爲位哭之而已。君於臣使有司哭之是也。

段者何？鄭伯之弟也。殺母弟，故直稱君。疏 段者何。○解云：欲言世子，母弟無出子母弟之文；欲言大夫，復曰鄭伯以殺，故執不知問。**何以不稱弟？**據天王殺其弟年夫稱弟。疏 注據天至稱弟。○解云：在襄卅年夏。**當國也。**欲當國爲之君，故如其意，使如國君，氏上鄭，所以見段之逆。**其地何？**據齊人殺無知不地。疏 注據齊至不地。○解云：即莊九年春齊人殺無知是也。**當國也。齊人殺無知何以不地？**據俱欲當國也。**在內也。在內雖當國不地也，**其不當國而見殺者，當以殺大夫書，無取於地也。其當國者，殺於國內，禍已絕，故亦不地。**不當國雖在外亦不地也。**明當國者在外，乃地爾，爲其將交連鄰國，復爲內難，故錄其地，明當急誅之。不當國雖在外，禍輕，故不地也。月者，責臣子不以時討，與殺州吁同例。不從討賊辭者，主惡以失親親，故書之。○難，乃旦反；下此難同。吁，況于反。疏 注明當至地爾。○解云：下四年九月，衞人殺州吁于濮，及此皆是也。○注不當至地也。○解云：昭八年夏，楚人執陳行人干徵師殺之；昭四年秋七月，楚子云云伐吳，執齊慶封殺之，皆是也。○注月者至同例。○解云：下四年九月，衞人殺州吁之下，注云：討賊例時，此月者，久之也。○注不從至書之。○解云：若作討賊辭，當稱人以討，如齊人殺無知然。今不如此者，經本主爲惡鄭伯失親親而書，故月，不稱人也。○**秋七月，天王使宰咺來歸惠公仲子之賵。宰者何？官也。**以周公加宰，知爲官也。○咺，況阮反，一音況元。反。賵，芳仲反。疏 宰者何。○解云：以其言宰與周公同，爲宰爲官，故執不知問。○注以周至官也。○解云：僖九年夏，公會宰周公以下于葵丘是也。**咺者何？名也。**別何之者，以有宰周公，本嫌宰爲官。疏 咺者何。○解云：繫宰見官，言名又甲稱，故執不知問。○注別何至爲官。○解云：所以不言宰咺者何，而別何之者，正以周公加宰爲周公自上官，故別何之，令嫌遠。若然，上注云以周公加宰知爲官，而此注又云本嫌宰為官者言宰周公宰為周公身上官今此言宰咺亦嫌宰為咺之身上官也不謂二注異宰即非咺之身上官而繫宰言之者次士以官錄言其是宰下之士故也○**曷為以官氏**據石尚疏注據石尚○解云定十四年秋天王使石尚來歸脤石尚亦是士而不以官錄之故以為難也**宰士也**天子上士以名氏通中士以官錄下士略稱人疏注天子至稱人○解云天子上士以名氏通者即石尚來歸脤是也云中士以官錄者言以所繫之官錄之即此宰也云下士略稱人者即僖八年春公會王人以下盟于洮是也**惠公者何隱之考也**生稱父死稱考入廟稱禰○禰乃禮反疏惠公者何○解云春秋從隱至哀曾無惠公歸賵言來故執不知問○注生稱父○解云即下曲禮云生曰父是也廣雅云父者矩也以法度威嚴於子言能與子作規矩故謂之父○注死稱考○解云即下曲禮曰死曰考是也周書謚法大慮行節曰考爾雅云考成也言有大慮行節之度量堪成以下之法故謂之考鄭注曲禮云考成也言其德之成也義亦通於此○注入廟稱禰○解云即襄十二年左傳曰同族於禰廟是也舊說云禰字示傍爾言雖可入廟是神示猶自最近于己故曰禰

公羊疏一　十七

仲子者何桓之母也以無謚也仲字子姓婦人以姓配字不忘本也因示不適同姓生稱母死稱妣○妣必履反疏仲子者何○解云正以上不見仲子卒文而得歸賵故執不知問○注以無謚也○解云凡春秋之義妾子為君者其母得稱謚即文公九年冬秦人來歸僖公成風之襚是也今桓未為君故其母不得稱謚也是以見其不稱謚即知桓之母也○注仲字至同姓○解云字者本國所加故稱字見其不忘本國也所以稱姓者示不適同姓矣○注生稱至稱妣○解云即下曲禮云生曰父曰母死曰考曰妣是也○問曰考與妣是死稱父與母是生稱惠公仲子之卒俱在春秋前何故此傳惠公言隱之考舉死名仲子言桓之母舉生名乎○荅曰仲子已葬葬訖之後實合舉死稱但禮家本意母死曰妣者比於父之義也故鄭彼云妣之言媲媲于考也但仲子是妾桓未為君其母不得為夫人卑不得比于父故還以母言之○**何以不稱夫人**此難生時之稱據秦人來歸僖公成風之襚成風稱謚今仲子無謚知生時不稱夫人疏注此難至稱也○解云文九年冬秦人來歸僖公成風之襚舉成風之謚案經成風生時傳稱夫人何者孔妾賤不得有謚故也今仲子不舉謚不與成風同明生時不得稱夫人可知故傳家難之**桓未君也賵者何喪事有賵賵者蓋以馬以乘馬束帛**此道周制也以馬者謂士不備四也禮既夕曰公賵玄纁束帛兩馬是也乘馬者謂大夫以上備四也禮大夫以上至天子皆乘四馬所以通四方也天子馬曰龍高七尺以上諸侯曰馬高六尺以上卿大夫士曰駒高五尺以上束帛謂玄三纁二玄三法天纁二法地因取足以共事○乘馬繩證反注乘馬同纁許云反共音恭疏賵者何○解云初入春秋弟子未解賵義故執不知問○注此道周制也○解云知者正以上云以馬與士既夕禮同下言乘馬與士異明知周之禮大夫以上皆有四馬矣○注以馬至四也○解云以下言乘馬明上文直言以馬者士禮兩馬可知故即引禮為證矣○注禮大夫至方也○解云案異義古毛詩說云天子至大夫同駕四皆有四方之事士駕二也詩云四騵彭彭武王所乘龍旂承祀六轡耳耳魯僖所乘四牡騑騑周道倭遲大夫所乘書傳云士乘飾車兩馬庶人單馬木車是也○問曰若然異義公羊說引易經云時乘六龍以馭天下也知天子駕六與此異何○荅曰彼謹案亦從公羊說即引王度記云天子駕六龍諸侯與卿駕四大夫駕三以合之鄭駁云易經時乘

公羊疏一　十八

六龍者謂陰陽六爻上下耳豈故為禮制王度記云今天子駕六者自是漢法與古異大夫駕三者於經無以言之者是也然則彼公羊說者自是章句家意不與何氏合何氏此處不依漢禮者蓋時有損益也○注天子至以上○解云月令天子駕倉龍是其高七尺者漢制也其六尺五尺亦然○注諸侯曰至以上○解云魯頌曰魯侯戾止其馬蹻蹻是也○注卿大夫至以上○解云詩云皎皎白駒食我場苗是也○注束帛至纁二○解云雜記上云甞人之賵三玄二纁是也○注玄三至共事○解云天數不但三地數不但二而取三二者因取足以共事故也**車馬曰賵貨財曰賻衣被曰襚**此者春秋制也賵猶覆也賻猶助也皆助生送死之禮襚猶遺也遺是助死之禮知生者賵賻知死者贈襚○賻音附襚音遂猶遺唯季反疏注此者春秋制也○解云上陳周制說下乃言賵賻襚此三者是春秋之內事故云此者春秋制也○注知生至贈襚○問曰案既夕禮云知死者贈知生者賻鄭注云各主於所知以此言之賵專施于生者何○荅曰賻專施于生襚專施于死賵實生死兩施故何氏注知生知死皆言賵矣而既夕禮專言知生者賻贈言之故也○問曰何知賵生死兩施乎○荅曰案既夕禮云兄弟賵奠可

也。注云凡有服親者可以賵，目其許其厚也。賵與奠於死生兩施。又云所知則賵而不奠。鄭注云：所知，通問相知也。降於兄弟。奠施於死者為多，故不奠。以此言之，明賵與奠皆生死兩施也，言奠於死者為多，故知賵生死等矣。**桓未君，則諸侯曷為來賵之？**據非禮。疏 注據非禮○解云：桓公未為君，則其母猶妾，故諸侯賵之為非禮。**隱為桓立，故以桓母之喪告于諸侯。**經言王者，赗赴告于者可知，故傳但言諸侯。○隱為，于偽反，下注為并年末注同。告，古毒反，一音古報反。疏 注故傳但言諸侯○解云：諸侯之賵及事，則在春秋之前，故不書矣。然則諸侯有相賵之道，隱以桓母成為夫人，告天子諸侯，天子猶來，何況諸侯乎？故傳舉以言焉。**然則何言爾？成公意也。**尊貴桓母，以赴告天子諸侯，彰桓當立，得事之宜，故善而書仲子，所以起其意，成其賢。**其言來何？**據歸含且賵不言來。○歸唅，本又作含，戶暗反，下同。疏 注據歸至言來○解云：文五年春，王使榮叔歸含且賵是。**不及事也。**比於去來為不及事。時以葬事畢，無所復施，故云爾。去來所以為及事者，若已在於內者。疏

注比於至云爾○解云：公羊之例，若其奔喪會葬，不問來之早晚，及事不及事，皆言來矣。故文元年春，天王使叔服來會葬；夏四月，葬我君僖公者，是其及事言來也。文五年三月，葬我小君成風，下乃言王使召伯來會葬，注云：去天者，不及事。是不及事亦言來矣。故元年傳云：其言來會葬何？會葬，禮也。注云：但解會葬者，明言來者常文，不為早晚施也。定十五年夏，邾婁子來奔喪，傳云：其言來奔喪何？奔喪非禮也。彼注云：但解奔喪者，明言來者常文，不為早晚施也。以此言之，則知奔喪會葬之例，不問早晚，悉言來矣。若其含賵襚，及事則不言來，不及事則言來。是以惠公仲子之葬，悉在春秋前，至此乃來歸賵，傳曰：其言來何？不及事也。又注云：比於去來為不及事。時以葬事畢，無所復施，故云爾。去來所以為及事者，若已在於內者是也。若含不及事，亦須言來也。故文四年冬十有一月壬寅，夫人風氏薨；五年春，王使榮叔歸含且賵，彼注云：不從含晚言來者，本不當含也。以此言之，明諸侯含晚須言來矣。何者？諸侯鄰國，禮宜有含故也。若其襚也，文九年秦人來歸僖公成風之襚，亦是不及事言來也。何氏不注者，以其可知，省文故也。所以如此作例者，以奔喪會葬所以通哀序志，必有所費，故其事雖稽留，不必苟責其及時也。其含賵襚之等，皆是死者所須，若其來晚，則無及於事，故須作文見其早晚矣。

其言惠公仲子何？據歸含且賵不言主名。**兼之。兼之，非禮也。**禮不賵妾，既善而賵之，當各使一使，所以異尊卑也。言之賵者，起兩賵也。○使，所吏反。疏 注言之至賵也○解云：以此言之，則文九年秦人來歸僖公成風之襚，言之襚者，亦起兩襚矣。**何以不言及仲子？**據及者別公夫人尊卑文也。仲子，卑稱也。○別，彼列反。疏 注據及至文也○解云：即僖十一年夏，公及夫人姜氏會齊侯于陽穀是也。**仲子微也。**比夫人微，故不得並及公也。月者，為內恩錄之也。諸侯不月，比於王者輕。會葬皆同例。言天王者，時吳楚上僭稱王，王者不能正，而上自繫於天也。春秋不正者，因以廣是非。稱使者，王尊敬諸侯之意也。王者據土，與諸侯分職，俱南面而治，有不純臣之義，故異姓謂之伯舅、叔舅，同姓謂之伯父、叔父。言歸者，與使有之辭也。天子所生，非一家之有，有無當相通。所傳聞之世，內小惡不書，書者，來接內也。春秋王魯，以魯為天下化首，明親來被王化，漸漬禮義者，在可備責之域，故從內小惡舉也。主書者，從不及事也。○僭，子念反。而治，直吏反，下皆同。所傳，直專反，下文所傳并注同。被，皮寄反。疏 注月者為內恩錄○解云：此文及文五年春王正月王使榮叔歸含且賵，皆是內恩錄之也。○注諸侯至者輕○解云：即文九年冬秦人來歸僖公成風之襚是也。○注會葬皆同例○解云：若王使人來，則書月，為內恩錄之；若諸侯使人來，即不月，以為比王者為輕。故文五年春三月，王使召伯來會葬；文元年二月，天王使叔服來會葬，皆是也。其諸侯使人來會葬不月者，春秋之內偶爾無之。其襄三十一年冬十月，滕子來會葬；定十五年九月，滕子來會葬，皆書月者，彼是諸侯身來會葬，非使人，仍自非例也。以此義言之，則昔鄭解王與諸侯者，皆是使人，非身自來也。而舊云襄三十一年月者，為下癸酉葬襄公出之，會葬不蒙月；定十五年月者，為下葬定公出之，會葬亦不蒙上月者，非也。○注春秋至是非○解云：若正之，當直言王，今不正之而亦言天者，所以廣見是非故也。何者？若單言王，是其正稱；今兼亦言天，見其非正矣。○注稱使至意也　解云：成二年傳云：君不行使乎大夫。由尊卑不敵故也。今天子與諸侯小尊卑不敵，所以言使者，天子見諸侯與己分職，俱南面而治，有不純臣之義，故尊敬之而使歸賵，故曰尊敬諸侯之意也。○注有不至之義　解云：喪服斬衰章云：臣為君，諸侯為天子。既言臣為君，而別言諸侯為天子，明其與純臣者異，其異者即不居殯宮是也。○注故異至叔父　解云：下曲禮文。○注言歸者至

之辭也　解云春秋大例出凡是已物乃言歸即歸讙及闡之屬是也今此賵之車馬先非魯物而言歸者與魯有之辭○注所傳至內也　解云春秋之義所傳聞之世外小惡皆不書今此饑賵是外之小惡當所傳聞之世未合書見而書之者由接內故也○**九月及宋人盟于宿孰及之內之微者也**內者謂魯也微者謂士也不名者略微也大者正小者治近者說遠者欲見是以春秋上刺王公下譏卿大夫而逮士庶人宋稱人者亦微者也魯不稱人者自內之辭也宿不出主名者主國主名與可知故省文明宿當自首其榮辱也微者盟例時不能專正故責略之此月者隱公賢君雖使微者有可采取故錄也○于宿音夙國名說音悅逮音代又大計反故省所景反後省文皆同（疏）注微者謂士也　解云正以公羊之例大夫悉見名氏與鄉同今此不見名氏故知士也○注明宿至辱也　解云理是則主人先榮理非則主人先辱故曰首其榮辱也○注微者至故錄也　解云春秋之例若尊者之盟則大信時小信月不信日見其責也若其微者不問信與不信皆書時悉作信文以略之即僖十九年冬會陳人蔡人楚人鄭人盟于齊之屬是今此書月者義如注解○**冬十有二月祭伯來祭伯者何天子之大夫也**以無所繫言來也○祭側界反五年注故此（疏）祭伯者何　解云欲言王臣不言王使欲言諸侯復不言朝欲言失地之君復不言奔故執不知問○注以無至來也　解云外諸侯臣來聘宜繫國稱使即文九年秋衞侯使甯俞來聘之屬是若外諸侯之臣來亦有所繫如閔元年冬齊仲孫來之屬是也若直來奔當繫國言來奔即文十四年秋宋子哀來奔襄二十八年冬齊慶封來奔之屬是也今無所繫直言來故知宜是天子之大夫也**何以不稱使**據凡伯稱使（疏）注據凡伯稱使　解云即下七年天王使凡伯來聘是也**奔也**奔者走也以不其（疏）注以不至其奔　解云下三年武氏子來求賻文九年毛伯來求金是無使文而有事也上文秋七月天王使宰咺文元年天王使叔服之屬是有使文而有事也今此無使復無事故知其正是奔也**奔則曷爲不言奔**據齊慶封來言奔（疏）注據齊至言奔　解云在襄二十八年冬**王者無外言奔則有外之辭也**言奔則與外大夫來奔同文故去奔明王者以天下爲家無絕義主書者以罪舉內外皆書者重乖離之禍也當春秋時廢選舉之務置不肖於位輒退絕之以生過失至於君臣忿爭出奔國家之所以昏亂社稷之所以危亡故皆錄之所奔者爲受義者明當受賢者不當受惡人也祭者采邑也伯者字也天子上大夫字尊尊之義也月者爲下卒也當案下例當蒙上月日不也奔例時一月二事月當在上十言有二者起下復有二非十中之二○選息變反肖音笑乘一代反（疏）注故去至絕義○問曰若故不言奔何故襄三十年夏王子瑕奔晉昭二十六年冬尹氏召伯毛伯以王子朝奔楚成十二年春周公出奔晉皆言奔乎○答曰春秋進退無義若來奔魯者見王者以天下爲家無絕義故不言奔矣若奔別國即見春秋黜周爲諸侯同例故言奔矣既以魯爲王而不專黜周者若專黜周則犯遜順之義故也○注主書者以罪舉○解云一則罪祭伯之去王一則罪魯受叛人故曰以罪舉○注內外皆書者重乖離之禍也○解云內書者閔二年秋公子慶父出奔莒是也又在外奔書者昭二十年冬十月宋華亥向甯華定出奔陳之屬是也○注當春至於位○解云王制云凡官民材必先論之論辨然後使之任事然後爵之位定然後祿之爵人於朝與士共之是擇人之法也當春秋之時不問賢與不肖皆世位故言此○注輒退至過失○解云君若退絕其臣不聽出祿以生過失矣○注至於至出奔○解云由不肖者在位故有忿爭出奔之事矣○注伯者字也○解云知伯非爵者正見桓八年經云冬祭公來遂逆王后于紀公是其爵明伯是其字矣○注當案至不也○解云一月有數事重者皆蒙月也若上事輕下事重輕者不蒙月重者自蒙月若上事重下事輕則亦重者蒙月輕者不蒙月故言當案下例當蒙上月矣日不者謂一日有數事即不得上下相蒙故桓十二年冬十一月丙戌公會鄭伯盟于武父丙戌衞侯晉卒彼下注云不蒙上日者春秋獨晉書立記卒耳當蒙上日與不嫌異於篡例故復出日明同是也○注奔例時○問曰襄三十年夏五月王子瑕奔晉昭二十六年冬十月尹氏召伯毛伯以王子朝奔楚楚書月何言例時乎○答曰案襄三十年五月甲午宋災伯姬卒天王殺其弟年夫王子瑕奔晉昭二十六年冬十月天王入于成周尹氏召伯毛伯以王子朝奔楚以此言之則以月爲上事具二處出奔仍不蒙月是以襄三十年五月甲午之下注云外災例時此日者爲伯姬卒日明二十六年冬十月之下注云月者爲天下喜錄王者反正位是其所爲上事之明文不妨此奔仍自時也故此乃注云月者爲下卒奔例時也舊云春秋王魯是以王臣來奔魯者忽

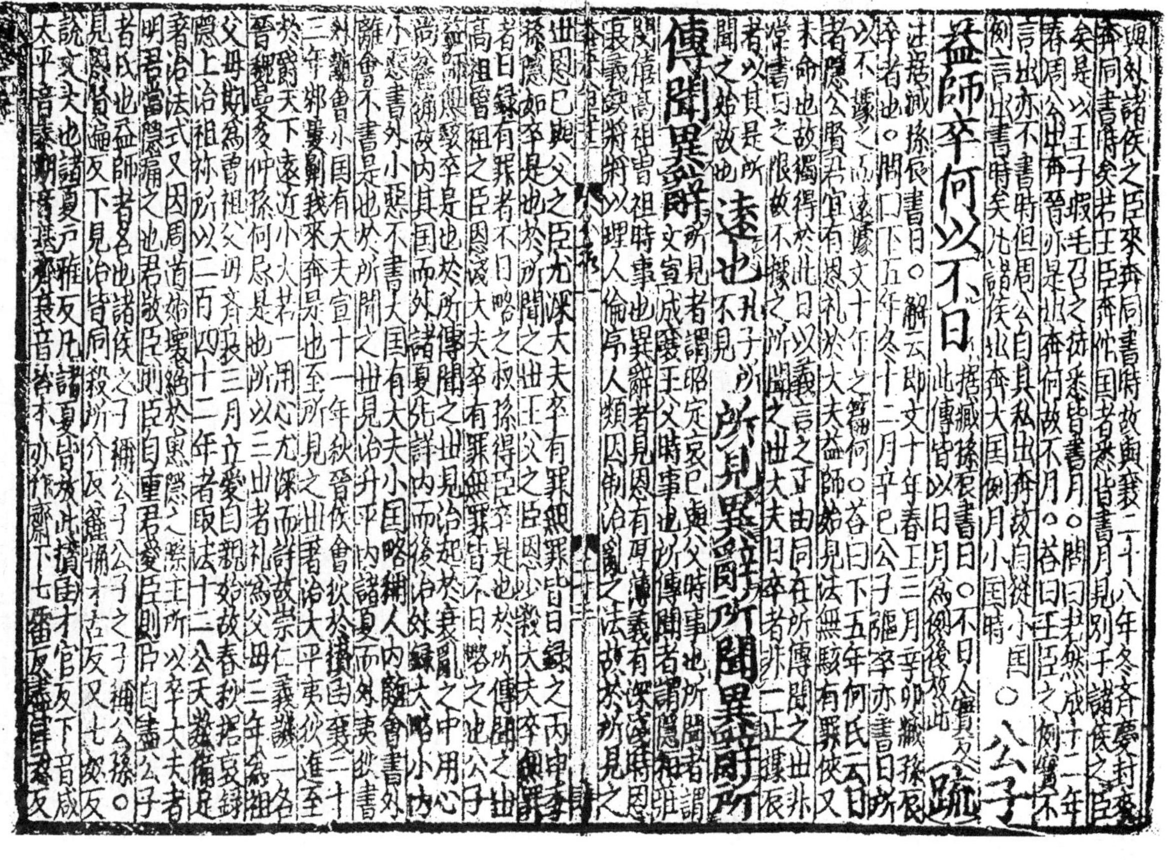

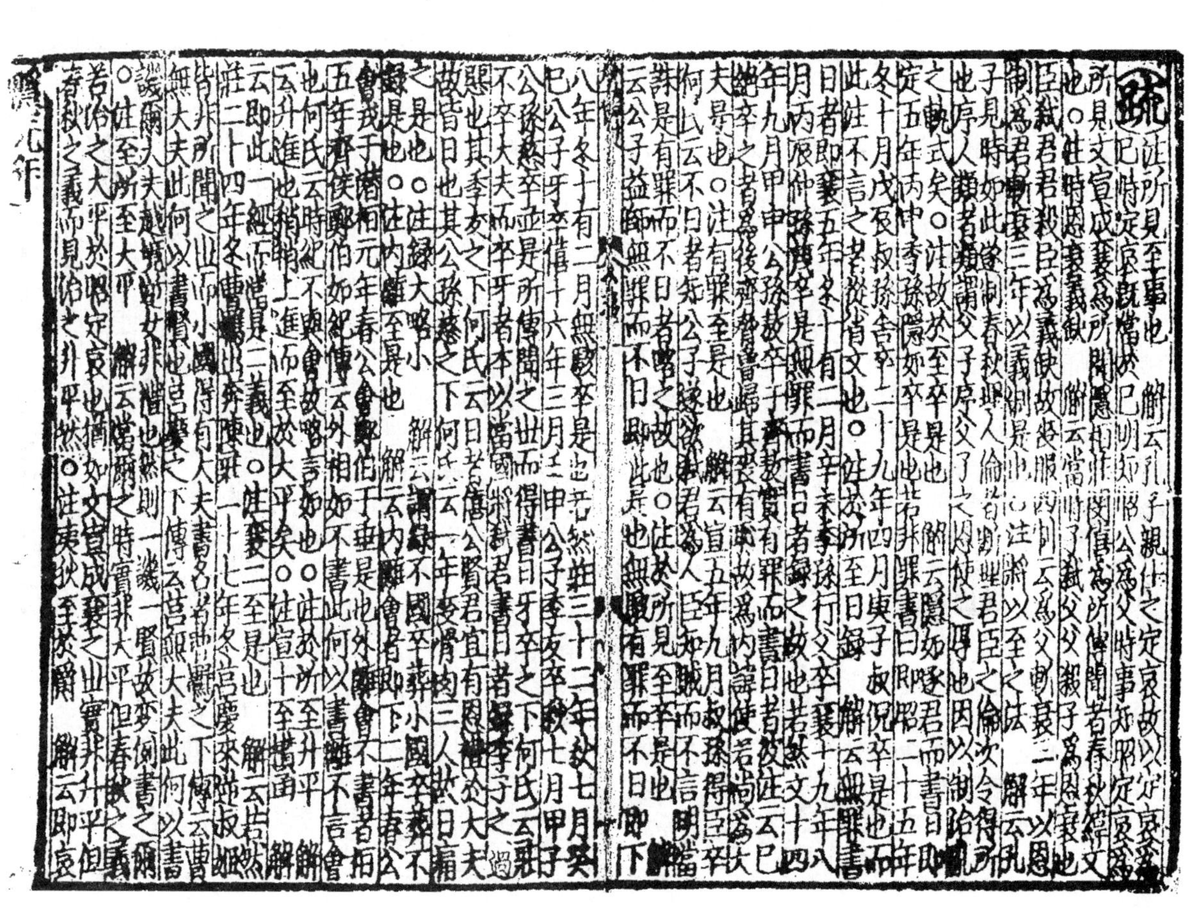

四年夏晉人執戎曼子赤歸于楚十三年夏公會晉侯及吳子于黃池是也○注晉魏曼多仲孫何忌是也　解云哀十三年晉魏多帥師侵衛傳云此晉魏曼多也曷為謂之晉魏多譏二名二名非禮也定六年仲孫忌圍運傳云此仲孫何忌也曷為謂之仲孫忌譏二名二名非禮也何氏云春秋定哀之間文致太平欲見王者治定無所復為譏唯有二名故譏之此春秋之制也○注所以至三年　解云母雖不斷喪稱與斷同故連言之○注為曾至三月　解云不言高祖父母者文不備○注立愛自親始　解云即祭義云子曰立愛自親始教人睦也立敬自長始教人順也鄭注云親父兄也睦厚也是○注故春至祖禰　解云即人傳云上治祖禰尊尊也下治子孫親親也旁治昆弟合族以食序之昭穆別之以仁義人道竭矣鄭注云治猶正也竭盡也○注取法至法式　解云考諸舊本皆作式字言取十二公者法象天數欲著治民之法式也若作戒字言著治亂之法著治國之戒矣○注諸侯至公孫　解云出喪服傳也

監本春秋公羊註疏隱公卷第一

監本春秋公羊註疏隱公卷第二　起二年盡四年

何休學

二年春公會戎于潛　凡書會者惡其虛內務恃外好也古者諸侯非朝時不得踰竟所傳聞之世外離會不書書內離會者春秋王魯明當先自詳正躬自厚而薄責於人故略外也王者不治夷狄錄戎者來者勿拒去者勿追東方曰夷南方曰蠻西方曰戎北方曰狄朝聘會盟例皆時○惡烏路反好呼報反非朝直遙反凡此字不音者皆同踰竟音境令本多即作境字更不音所傳直專反年末相傳同　疏　注凡書會者至外好也○解云以其非自求多福之義故也○注古者諸侯至踰竟○解云案曲禮下云諸侯相見於隙地曰會故定十四年注云古者諸侯將朝天子必先會閒隙之地以此言之則會合於禮言會為惡之非朝時不得踰竟者正以春秋之會非為天子而作之故得然解○注古者不治至勿追○解云言當是所傳聞之世王者草創夷狄有罪不暇治之即先書晉滅下陽未書楚滅穀鄧是也而此經錄戎者來者勿拒故也○注東方曰夷至曰狄○解云下曲禮及王制皆有此文○注朝

候吉刻校

聘至皆時○解云朝書時者即文十五年夏曹伯來朝桓十七年春小邾子來朝之類是也其聘書時者即文四年秋衛侯使甯俞來聘文六年夏季孫行父如陳之屬是也其會書時者即莊十三年春齊侯宋人以下會于北杏十四年冬單伯會齊侯宋公以下于鄄之屬是也盟書時者即莊十三年冬公會齊侯盟于柯之屬是也其有書日月者皆別著義即不信者日小信者月之屬是也○**夏五月莒人入向入者何得而不居也**　入者以兵入也已得其國而不居故云爾凡書兵者正不得也外內深淺皆舉之者因重兵害眾兵動則怨結禍更相報償伏尸流血無已時諸侯擅興兵不為大惡者保伍連帥本有用兵征伐之道魯入杞不諱是也入例時傷害多則月○莒音舉向舒亮反國名更音庚償時亮反擅市戰反　疏　入者何○解云侵伐戰圍入皆是用兵之文而不言帥師故執不知問○注凡書兵至得也○解云言春秋之內凡書兵事者皆欲言正之道其理不合然○注諸侯至是也○解云保伍連帥者即禮記王制云五國為屬屬有長二屬為連連有帥是也言本有用兵征伐之道者謂禮五國為屬屬有長二以為連連有帥三連為卒卒有正七卒為州州有伯若州內有無道者則長帥正伯當征之

苦其不征則與同惡故曰有征伐之道知非大惡者正以春秋之義內大惡皆諱不書而魯入杞者即僖二十七年秋公子遂帥師入杞者是也若然禮法諸侯賜弓矢然後專征伐而保伍連帥得有征伐之道謂隨州伯故也○注入例至則月○解云入例時者即成七年秋吳入州來定五年夏於越入吳之屬是也傷害多則月者此文及僖三十三年春王二月秦人入滑是也若然僖二十七年秋八月乙巳公子遂帥師入杞而書日者彼注云日者杞屬脩禮朝魯雖無禮君子躬自厚而薄責於人不當乃入之故録責之者是其不引者以此求之

○**無駭帥師入極**

無駭者何展無駭也何以不氏據公子遂帥師入杞氏公子也○駭戶楷反【疏】無駭者何○解云欲言其君經不書爵欲言大夫又復無氏故執不知問○注據公子遂帥師至子也○解云在僖二十七年秋**貶**貶猶損也○貶彼檢反損也**曷為貶**據公子遂俱用兵入杞不貶也**疾始滅也**以下終其身不氏知貶疾始滅非但起入為滅【疏】注據公子遂俱用至貶也○解云欲決隱八年庚寅我入邴非用兵故也○注以下終至為滅○解云即下八年無駭卒傳曰何以不氏疾始滅也故終其身不氏然則若直欲起此入為滅止應此經貶之而已不應終身貶之故知并欲起其疾始滅也

始滅昉於此乎昉適也齊人語據傳言撥亂世○昉甫往反適也【疏】注昉適也齊人語○解云胡毋生齊人故知之若鄭譜云然則詩之道放于此乎之類○注據傳言撥亂世○解云哀十四年傳云君子曷為為春秋撥亂世反諸正莫近諸春秋是也既言作春秋治亂世明知注前相滅非一矣而此經為始疾滅是以據而難之

前此矣前此者在春秋前謂宋滅郜是也○郜古報反**前此則曷為始乎此**

託始焉爾焉爾猶於是也【疏】注謂宋滅郜是也○解云桓二年夏四月取郜大鼎于宋傳云此取之宋其謂之郜鼎何器從名彼注云從本主名名之宋始以不義取之故謂之郜鼎是也然則宋滅郜在春秋前故知此辭○**曷為託始焉爾**據戰伐不言託始【疏】注據戰至託始○解云隱二年鄭人伐衛桓十年齊侯衛侯鄭伯來戰于郎傳皆不言託始焉爾故難之而注先言戰者直漫擾春秋上下戰伐之事而已故意及則言不為次第矣

春秋之始也春秋託王者始起所當誅也言疾始滅者諸滅復見不復見皆從此取法所以省文也○復扶又反下不復同見音賢遍反【疏】注言疾滅至省文也○解云諸滅復見不復貶即定四年蔡公孫歸姓帥師滅沈定六年鄭游遬帥師滅許之屬是也

此滅也其言入何據齊師滅譚不言入**內大惡諱也**明魯臣子當為君父諱滅例月下復出月者與上同月常案下例當蒙上月日不○當為于偽反下為後皆隱同【疏】注據齊師滅譚不言入○解云在莊十年○注滅例月至同月○解云莊十年冬十月齊師滅譚莊十三年夏六月齊人滅遂之屬是也○注常案下至日不○解云元年祭伯來之下已有此注而復言之者正以彼月為下公子益師卒其祭伯來奔不蒙月今此夏五月二事皆蒙之嫌且異故重發之

○**秋八月庚辰公及戎盟于唐**後不相犯日者為後背隱而善桓能自復為唐之盟○背音佩【疏】注後不相至之盟○解云春秋之例不信者日故後不相犯日者言為後背隱而善桓能自復為唐之盟者即桓二年秋九月公及戎盟于唐是也言背隱者桓是弒君之賊而與桓盟是背隱之義矣言善桓能自復者戎與相同好相繼其所能故善其得國矣若左氏之義以極是戎國都案此經傳及注以誅一物而舊解曰以為戎能自復者非也

○**九月紀履緰來逆女紀履緰者何紀大夫也**以逆女不稱使知為大夫○履緰音須左氏為裂繻【疏】紀履緰者何○解云不書爵又不言使君臣不明故執不知問○注以逆至大夫○解云正以桓三年秋公子翬如齊逆女之屬皆是大夫為君逆女而文皆不言使今此履緰逆女不言使故知是大夫也或者使為爵字誤也

何以不稱使據宋公使公孫壽來納幣稱使**婚禮不稱主人**為養廉遠恥也【疏】注據宋公至稱使○解云在成八年夏○注為養廉遠恥也者謂養成其廉遠其恥也**然則曷稱稱諸父兄師友宋公使公孫壽來納幣則其稱主人何辭窮也辭窮者何無母也**禮有母母當命諸父兄師友稱諸父兄師友以行宋公無母莫使命之辭窮故自命之自命之則不得不稱使【疏】辭窮者何○解云弟子未解辭窮之義故執不知問○注禮有母至師友○解云即昏禮記云若宗子無父母命之是也○注稱諸父至以行○解云謂使者稱

之。而文不言使者，以其非君故也。注宋公至稱使。解云即昏禮記云親皆沒已躬命之是也。然則紀有母乎。曰有。有則何以不稱母。母不通也。禮婦人無外事，但得命諸父兄師友，稱諸父兄師友以行耳。母命不得達，故不得稱母通使文。疏注據伯至常人。何不稱母。外逆女不書，此何以書。譏。何譏爾。譏始不親迎也。始不親迎昉於此乎。前此矣。前此則曷為始乎此。託始焉爾。曷為託始焉爾。春秋之始也。女曷為或稱女，或稱婦，或稱夫人。女在其國稱女，在塗稱婦，入國稱夫人。

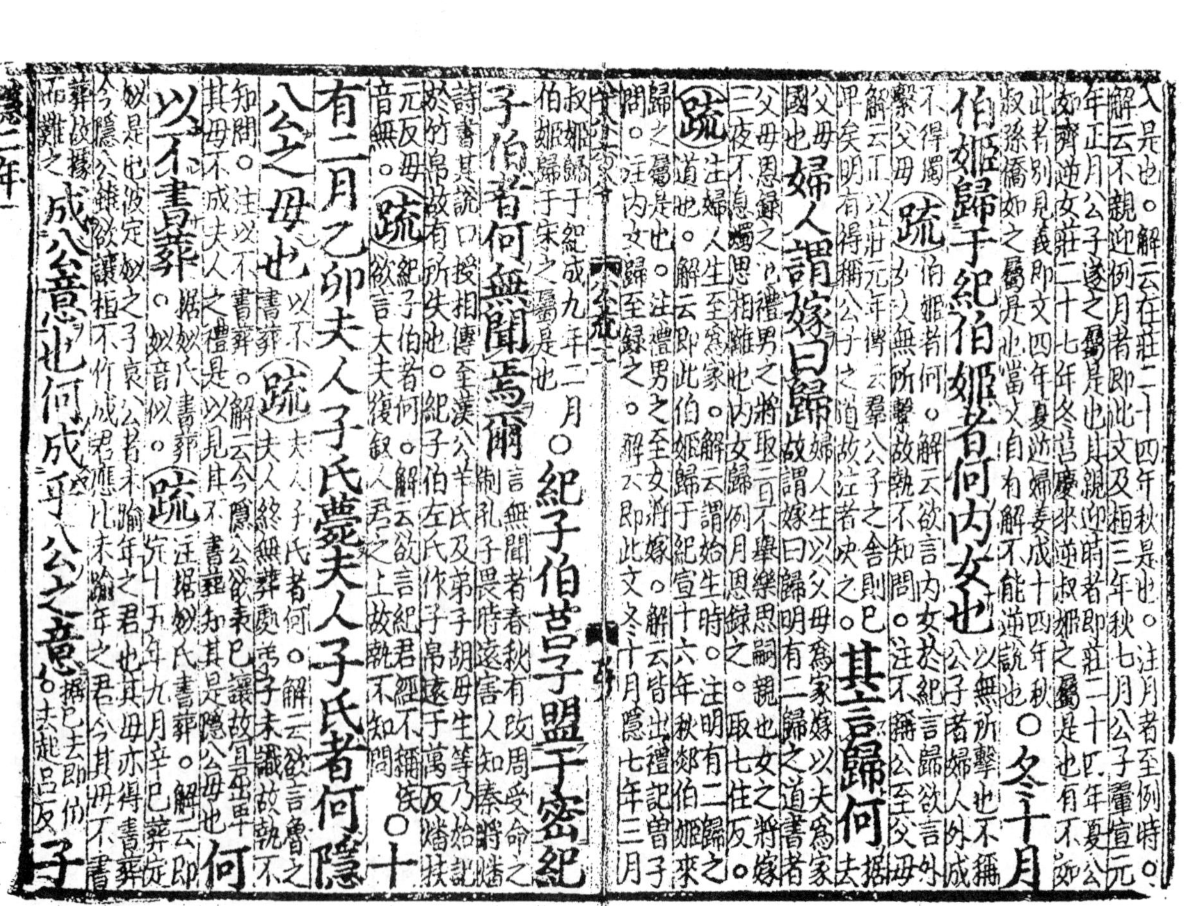

入是也。解云在莊二十四年秋……冬十月，伯姬歸于紀。伯姬者何。內女也。其言歸何。婦人謂嫁曰歸。紀子伯莒子盟于密。紀子伯者何。無聞焉爾。十有二月乙卯，夫人子氏薨。夫人子氏者何。隱公之母也。何以不書葬。成公意也。何成乎公之意。子

將不終爲君故母亦不終爲夫人也 時隱公卑屈其母不得以夫人禮葬之以妾禮葬之以卑下桓母與終爲君之心得事之宜故善而不書葬所以䘏其意而成其賢行者姓也夫人以姓配號義與仲子同書薨者爲隱公恩錄痛之也日者恩錄之公夫人皆同例也○丁遐豫反〔疏〕注子子同○解云上文仲子之下而注云仲字子姓婦人以姓配字不忘本國示不適同姓今此稱姓者亦是示不適同姓之義故云義與仲子同其不稱字之義乃自異故注云以姓配號即夫人是也○

鄭人伐衛 書者與入向同侵伐圍入例皆時○〔疏〕注書者與入向同○解云即上注云凡書兵者正不得也外內深淺皆舉之者因重兵害衆是也○注侵伐圍入例皆時○解云其侵伐書時者即僖二十八年春晉侯侵曹晉侯伐衛之屬是也入例時者已說於上而注言此者正以文承日月之下故須解之

三年春王二月 二月三月皆有王者二月殷之正月也三月夏之正月也王者存二王之後使統其正朔服其服色行其禮樂所以尊先聖通三統師法之義恭讓之禮於是可得而觀之○〔疏〕注二月至王者○解云二月有王即此是三月有王者即定元年王三月之屬是也○注使統其正朔○解云統者始也謂各使以其當代之正朔爲始也○注所以尊至觀之○解云春秋黜杞而言通三統者黜杞爲魯也通三王之正者爲師法之義

己巳日有食之何以書 據諸言何以書者問王書○〔疏〕注諸言至王書○解云至此乃解之者正以有所據下言何以書者還在據彼難此之例故不得然解也即上二年傳云外逆女不書此何以書是也今此直言何以書上無所據則是問主書故如此解○

記異也 異者非常可怪先事而至者是後衛州吁弒其君完諸侯初僭魯隱係獲公子翬進諂謀○弒申志反下弒其君同僭子念反諂勑檢反〔疏〕注是後衛至完○解云在四年春○注諸侯初僭○解云下五年秋初獻六羽傳云何以書譏何譏爾譏始僭諸公也始僭諸公昉於此乎前此矣前此則曷爲始乎此僭諸公猶可言也僭天子不可言也是也○注魯隱係獲○解云即下六年春鄭人來輸平傳云狐壤之戰隱公獲焉是也○注公子至諂謀○解云下四年秋翬帥師及宋公以下伐鄭傳云公子翬諂乎隱公謂隱公曰百姓安子諸侯說子盍終爲君矣是也此等諸事皆是陰陽之象故取之日食

日食則曷爲或日或不日或言朔或不言朔曰某月某日朔日有食之者食正朔也 桓三年秋七月壬辰朔日有食之是也此象君行外彊內虛是故日月之行無遲疾食不失正朔也〔疏〕日食則曷爲或日者○解云即此是也或不日者莊十八年三月日有食之是也或言朔者桓三年秋七月壬辰朔日有食之是也○注此象君至朔也○解云外彊者謂外有威嚴莊民望而畏之內虛者虛心以受物正得爲君之道故食不失正朔也○舊云虛中以給之鄭注云虛中言不兼念餘事是也

其或日或不日或失之前或失之後失之前者朔在前也 謂二日食己巳日有食之是也此象君行暴急外見畏故日行疾月行遲過朔乃食失正朔於前也 失之後者朔在後也 謂晦日食莊公十八年三月日有食之是也此象君行懦弱見陵故日行遲月行疾未至朔而食失正朔於後也不言月食者其形不可得而觀也故疑言日有食之孔子曰多聞闕疑慎言其餘則寡尤不傳天下異者從王錄內可知也○懦乃亂反又乃卧反○〔疏〕注不傳云至可知也○解云正以僖十四年沙鹿崩成五年梁山崩傳皆云何以書記異也外異不書此何以書爲天下記異也今無此傳故須解之也彼不從王內錄者以其皆在晉竟內故也

○三月庚戌天王崩 平王也 何以不書葬 據書葬桓王〔疏〕注平王也○解云知者以本紀當之故也○注據書葬桓王○解云即莊三年五月葬桓王是也○

天子記崩不記葬必其時也 至尊無所屈也 諸侯記卒記葬有天子存不得必其時也 設有王后崩當越紼而奔喪不得必其時故恩錄之○紼音弗〔疏〕注設有至奔喪○解云何氏以意言之不言天子崩者舉輕以明重故也

曷爲或言崩或言薨天子曰崩 大毀壞之辭 諸侯曰薨 小毀壞之辭 大夫曰卒 卒猶終也 士曰不祿 不祿無祿也皆所以別尊卑也葬不別者從恩殺略也書崩者爲天下恩痛王者也記諸侯卒葬者王者亦當加之以恩禮故爲恩錄○以別彼列反下同恩殺所界反爲天下于僞反下故爲士爲傳所

爲周○夏四月辛卯尹氏卒尹氏者何天子之大
夫也以尹氏立王子朝也○尹氏左氏作君氏朝如字 疏 尹氏者何○解云欲言諸侯不言國爵欲
言外臣而書其卒欲言內臣內無尹氏故執不知問
○注以尹氏立王子朝也者○解云在昭二十三年其稱
尹氏何據宰渠氏官劉卷卒名○卷音權 疏 注據宰渠氏官者○解云即桓四年夏天王使宰渠
伯糾來聘是注劉卷卒名者○解云在定四年秋貶曷爲貶據俱卒也 疏 注據俱卒也
解云據劉卷言之○譏世卿世卿者父死子繼也貶去名言氏者起其世也若曰世世尹氏也○去起呂反
世卿非禮也禮公卿大夫士皆選賢而用之卿大夫任重職大不當世爲其秉政久恩德廣大小
人居之必奪君之威權故尹氏世立王子朝齊崔氏世弒其
君光君子疾其末則正其本見譏於卒者亦不可造次無故
驅逐必因其過卒絕之明君案見勞授賞則衆譽不能進無
功案見惡行誅則衆讒不能退無罪○見譏賢遍反下同造
七報反 疏 世卿非禮也○解云詩序云古之仕者世祿也於賢者言之也○注齊崔至君光○解云崔氏世者
即宣十年齊崔氏出奔衛傳云崔氏者何齊大夫也其稱崔
氏何貶曷爲貶譏世卿世卿非禮也者是也言弒其君光者
在襄二十五年夏○注君子疾其末○解云即襄二十五年
與昭二十三年是也○注則正其本者○解云即此及宣十
年是也○注見譏至絕之○解云必因過卒絕之者即崔
氏出奔衛尹氏立王子朝是也卒即此文是也若然尹氏立
王子朝還言尹氏而崔杼弒其君光不復言崔氏者正以大
夫弒君例稱其名故也○注明君至無功○解云衆譽者若
共工驩兜等迭相爲譽之類是也○注案見至無罪○解云
謂君有明德案見惡行誅則刑不濫也故雖衆讒亦不能退
黜無罪之善人也舊云言不能退
無罪者謂不能退使無罪非也○外大夫不卒此何
以卒據原仲不卒○ 疏 注據原仲不卒○解云即莊二十七年秋公子友如陳葬原仲而經不書原仲
之卒是也天王崩諸侯之主也時天王崩魯隱往奔喪尹氏主儐贊諸侯與隱交接
而卒恩隆於王者則加禮錄之故爲隱
恩錄痛之日者恩錄之明當有恩禮○ 疏 解云魯隱奔喪
而不書者蓋以得其常故也若遣大夫往則書之即文九年
二月叔孫得臣如京師辛丑葬襄王是也彼傳云王者不書

隱三年

葬此何以書不及時書過時書彼注云重錄失時我有往者
則書彼注云謂使大夫往也惡文公不自往故書葬以起大
夫之會是也○注恩隆至錄之○解云言隱
公恩隆於王者則加禮錄其儐贊之人也○秋武氏子
來求賻武氏子者何天子之大夫也其稱武
氏子何據宰渠氏官仍叔不稱氏尹氏不稱子 疏 武氏子者何○解云欲言王臣不言王使欲言
諸侯之臣文無繫國故執不知問○注據宰渠氏官者○解
云即桓四年夏天王使宰渠伯糾來聘是也○注仍叔不稱
氏○解云即桓五年天王使仍叔之子來聘是也譏何譏爾父卒子未命
也時雖世大夫緣孝子之心不忍便當父位故順古先試
一年乃命於宗廟武氏子父新死未命而便爲大夫薄
父子之恩故稱氏言子見未命以譏之 疏 注時雖世大夫○解云知者王見
尹氏之蔑故也○注緣孝至宗廟
解云知如此者正以此經譏父
卒子未命而便爲大夫故也何以不稱使據南季稱使 疏
注據南季稱使○解云即下九
年春天王使南季來聘是也當喪未君也當喪謂天子也未君
候音校
者未三年也未可居君位稱使也故絕正其義與毛伯同 疏 注未君至伯同○解云即文九年春毛伯來求
金傳云何以不稱使當喪未君也踰年矣何以謂之未君以
天子三年然後稱王緣民臣之心不可一日無君故踰年即
位緣孝子之心即三年不忍當
是故三年乃稱王命使大夫矣武氏子來求賻何以
書不但言何以書者嫌以主覆問上所以說二事不問求賻○覆芳服反 疏 注不但至求賻○解云此
二事者即父卒子未命當喪未君是也嫌言父卒子未命何
以書當喪未君何以書故須連言之注主爲求賻書也者嫌
爲上二事書故也譏何譏爾喪事無求求賻非禮也主爲
求賻書也禮本爲有財者制有則送之無則
致哀而已不當求求則皇皇傷孝子之心 疏 注求則皇至子之心
解云言制禮本意所以喪事無求者恐傷孝
子之心故也何者正以孝子本意無心求矣蓋通于下
云爾者嫌天子財多不當求下財少可求故明皆不當求之 疏 蓋通于下○解云蓋詁
爲皆若似蓋云聯哉之類或者不受於師故疑之○八月庚辰宋公和卒不言薨者春秋
王魯死當有王

文聖人之為文辭孫順不可言崩故貶外言卒所以褒内也宋稱公者殺後也王者封二王後地方百里爵稱公客待之而不臣也詩云有客宿宿有客信信是也○孫音遜（疏）注故貶至内也○解云曾得尊名不與外諸侯同文即是尊曾為王之義○冬十有二月齊侯鄭伯盟于石門○癸未葬宋繆公葬者曷為或日或不日不及時而日渴葬也不及時不及五月也禮天子七月而葬同軌畢至諸侯五月而葬同盟至大夫三月而葬同位至士踰月外姻至孔子曰葬於北方北首三代之達禮也之幽之故也渴喻急也乙未葬齊孝公是也○宋繆公音穆左氏作穆凡此後倣此首手又反（疏）注禮天子至姻至○解云皆隱元年左傳文○注孔子至故也解云檀弓下篇文云孔子曰之下無禮字○注渴喻至是也解云即僖二十七年六月庚寅齊侯昭卒八月乙未葬齊孝公是也而言渴葬者謂更無他事但孜孜於葬故不待五月矣不及時而不日慢葬也慢薄不能以禮葬也八月葬蔡宣公是也（疏）注慢薄至葬也○解云即下八年夏六月己亥蔡侯考父

卒○注八月至是也○解云言但自慢薄不依礼故不待五月也過時而日隱之也隱痛也痛賢君不得以時葬丁亥葬齊桓公是也○（疏）注隱痛至是也○解云即僖十七年冬十二月乙亥齊侯小白卒十八年秋八月丁亥葬齊桓公是也過時而不日謂之不能葬也解緩不能以時葬夏四月葬衛桓公是也○解古避反又古賣反（疏）注解緩至是也解云即下四年二月戊申衛州吁弒其君完至五年夏四月葬衛桓公是也當時而不日正也六月葬陳惠公是也○當時丁浪反又如字下同（疏）注六月至是也○解云即定四年二月癸巳陳侯吳卒六月葬陳惠公是也當時而日危不得葬也此當時何危爾宣公謂繆公曰以吾愛與夷則不若愛女以爲社稷宗廟主則與夷不若女盍終爲君矣與夷者宣公之子繆公者宣公之弟○與夷如字又音餘及人名字及地名之類皆倣此盍音[illegible]借假字則時復重出愛女音

女下及注同盍終戶臘反四年傳同（疏）當將至葬也○解云即此年八月宋公和卒十二月癸未葬宋繆公是也而注不言之者以下有問不注可知也○以吾至愛女○解云君如也言吾愛於與夷則不如汝而已言其甚也云以爲社稷宗廟主則與夷不若女者言不如女道其不賢云盍終爲君矣者何不遂爲君不聽其反讓宣公死繆公立繆公逐其二子莊公馮與左師勃左師官勃名也○馮皮冰反曰爾為吾子生毋相見死毋相哭所以遠絕之○毋音無下同與夷復曰復報先君之所為不與臣國而納國乎君者以君可以為社稷宗廟主也今君逐君之二子而將致國乎與夷此非先君之意也且使子而可逐則先君其逐臣矣繆公曰先君之不爾逐可知矣爾女也可知者欲使

我反國○吾立乎此攝也暫攝行君事不得傳與子也謙辭○傳與直專反下音與終致國乎與夷莊公馮弒與夷馮與督共弒殤公在桓二年危之於此者死乃及國非至賢之君不能不爭也○馮弒音試注同爭爭鬬之爭（疏）注馮與至二年○解云即桓二年春王正月戊申宋督弒其君與夷及其大夫孔父是也○注死乃至爭也○解云至賢之君謂受國者正以與夷不賢故終見篡矣故君子大居正明修法守正最計之要者（疏）故君子大居正○解云言由是之故君子之人大其適子居正不勞遠礼而讓庶也宋之禍宣公為之也言死而讓開爭原也繆公亦死而讓得為功者反正也外小惡不書錄渴隱者明諸侯卒王者當加恩意憂勞其國所以哀死閔患也○（疏）注言死至原也○解云言後人見其死乃讓之疑非誠心至意是以還讓其子繆公[illegible]故曰開爭原也○注繆公至反正也○解云其繆公之功即經二年馮弒君是也○注所以哀死閔患也○解云哀死者即閔死之屬是也閔患者隱之是也

四年春王二月莒人伐杞取牟婁牟婁者何杞之邑也 以上有伐杞。○牟武侯反 (疏) 牟婁者何。○解云外相取邑例所不書疑非凡取故執不知問 外取邑不書此何以書 據莊十年宋伐宋取彭城不書 (疏) 注據至不書。○解云即襄元年傳曰魚石走之楚楚為之伐宋取彭城以封魚石者是也 疾始取邑也 外小惡不書以外見疾始者取邑以自廣大比於貪利差為重故先治之也內取邑常書外但疾始不常書者義與上逆女同不傳託始者前此有滅不嫌無取邑當託始明故因上文也取邑例時。○見賢遍反下未見猴同差初賣反 (疏) 注內取邑常書者。○解云即下十年取郜防昭三十二年取闞之屬是也。○注義與上逆女同。○解云即上注云內逆女常書外逆女但疾始不常書者明當先自正躬自厚而薄責於人故略外是也。○注傳不託始者。○解云何故不發傳云取邑昉於此乎前此則曷為始於此託始焉爾曷為託始焉爾春秋之始也凡不託始之義有四一則見其經一而不託始即上二年彼注云據戰伐不言託始明不託始之類是也二則其大惡不可託始即五年初獻六羽之下傳云始僭諸公昉於此乎前此矣前此則曷為始於此僭諸公猶可言僭天子不可言彼注云傳云爾者解不託始也三則省文不假託始即此是也四則無可託始即桓七年焚咸丘之下注云傳不託始者前此未有無所託也是也。○注取邑例時。○解云即下六年冬宋人取長葛之屬是然則取牟婁雖在月下不蒙上月也。○戊申衛州吁弒其君完曷為以國氏 據齊公子商人弒其君舍氏公子。○弒申志反弒字從式殺字從殳不同也君父言弒積漸之名也臣子云殺卑賤之意也字多亂故時復音之可知則不重出也完音丸 (疏) 注據齊至公子。○解云在文十四年秋也商人所以得稱公子者正以商人次正當立其罪差輕故也。○以當國也 與段同義曰者從外赴辭以賊聞例 (疏) 注與段同義者。○解云即隱元年注云欲當國為君故如其意使如國君氏上鄭所以見段之逆是也。○注曰者至聞例。○解云公羊之例合書則書不待赴告而言從外赴辭者謂其君被弒此君之臣即以其日赴於天子諸侯望天子諸侯早來救己是以春秋悉皆書日故云日者從外赴辭也言以賊聞例者言以賊弒君聞於天子諸侯例皆如此故下八年傳云卒何以日而葬不日卒赴何氏云赴天子也緣天子閔傷欲其知之義亦通乎此。○夏公及宋公遇于清遇者何不期也一君出一君要之也 古者有遇禮為朝天子若朝罷朝卒相遇於塗近者為主遠者為賓稱先君以相接所以崇禮讓絕慢易也當春秋時出入無度禍亂姦宄多在不虞無故卒然相要小人將以生心故重而書之所以防禍原也言及者起公要之明非常遇也地者重錄之遇例時。○要之一遙反注同易以豉反 (疏) 遇者何。○解云欲言會聚又不言會故執不知問。○注言及者至遇也。○解云正以及者汲汲之文故也其常遇者即朝天子罷朝之時相遇于塗是也。○注遇例時者。○解云即隱八年春宋公衛侯遇于垂莊三十年冬公及齊侯遇于魯濟及此之屬皆是不月者僖十四年夏六月季姬及鄫子遇于防書月者彼注云甚惡內是也。○宋公陳侯蔡人衛人伐鄭。○秋翬帥師會宋公陳侯蔡人衛人伐鄭翬者何公子翬也 以入桓稱公子 (疏) 翬者何。○解云無公子故執不知問。○注以入桓稱公子。○解云即桓三年秋公子翬如齊逆女是也 何以不稱公子貶曷為貶 據叔老會鄭伯伐許不貶 (疏) 注據叔至不貶。○解云在襄十六年夏。○與弒公也 弒者殺也臣弒君之辭以終隱之篇貶知與弒公也。○與音預下及注同。○ (疏) 注以終隱云弒公。○解云即此及十年夏翬帥師會齊人鄭人伐宋傳云此公子翬也何以不稱公子貶曷為貶隱之罪人也故終隱之篇貶也是也 其與弒公奈何公子翬諂乎隱公 諂猶佞也 謂隱公曰百姓安子諸侯說子盍終為君矣隱曰吾否 否不也。○說音悅 吾使脩塗裘吾將老焉 塗裘邑名也將老焉者將辟桓居之以自終也故南面之君勢不可復為臣故云爾不以成公意者隱本為桓守國國邑皆桓之有不當取以自為也。○辟音避今本多即作避字下放此更音庚復扶又反本為于偽反下自為傳吾為皆同。 (疏) 注不以成至為也。○解云上元年傳云公何以不言即位成公意也此傳何以不言營塗裘何以不書成公意也言隱非正君直為他守國而已邑非己有不當擅取之

取之米是以不得作成公意解也 公子翬恐若其言聞乎桓於是

謂桓曰吾為子口隱矣 口猶口語非發動也 疏 注口猶至動也○解云語

讀如子語魯大師之語○ 隱曰吾不反也桓曰然則奈何曰

請作難 難乃旦反注同 ○難乃旦反也 弑隱公 謚者傳家所加 疏 注謚者至所加○解

云死謚周道也公始請弑己言隱公者公羊子從後加之所以至此乃注者據是傳語故明之 於鍾巫

之祭焉弑隱公也 鍾者地名也巫者事鬼神禱解以治病請福者也男曰覡女曰巫 疏 注男曰覡女曰巫○解

道此者以起淫祀之無福○禱丁老反覡戶狄反古賣反又古買反

國語文也○注傳道至無福○解云直言弑隱公義勢已盡而必言於鍾巫之祭焉者以起淫祀之無福故也 ○

九月衛人殺州吁于濮 其稱人何 據晉殺大夫里克俱弑君

賊不稱人○濮音卜一音剝○ 疏 注據晉殺大夫里克○解云在僖十年夏 ○ 討賊之辭也

討者除也明国中人人得討之所以廣忠孝之路書者善之也討賊例時此月者久之也 疏 注討賊例

解云討賊例時者莊九年春齊人殺無知是也桓六年秋八月蔡人殺陳佗亦書月者與此同也 ○冬十

有二月衛人立晉 晉者何 公子晉也 以下有衛侯晉卒

言 疏 晉者何○解云欲言次正而文言立欲言非正而眾

立之故執不知問○注以下至言立○解云以有

衛侯晉卒則知此文衛人立晉者是先君之子公始立之為君矣又言立者篡文知非正公子故知公子矣氏衛侯晉卒

在桓十二年冬 立者何 立者不宜立也 諸侯立不言立此獨言立明不宜立之辭

疏 立者何○解云諸侯之立例所不書今特言立故執不知問○ 其稱人何 據尹氏立王子

朝 疏 注據尹至朝也○解云在昭二十三年秋 眾立之之辭也 晉得眾国中人人欲

立之 然則孰立之 石碏立之 石碏立之則其稱

人何 據尹氏立王子朝不稱人○碏七略反一音七洛反 眾之所欲立也 眾

雖欲立之其立之非也 凡立君為眾眾皆欲立之然得立無惡故但稱人見眾言

立也明下無廢上之義聽眾立之為立也不剌[illegible]子失位者時

未嘗發典主得權重也月首大國篡例月小[illegible]時立納入皆

為篡卒日葬月達於春秋為大國 疏 注不[illegible]至權重也○

例主書從受位也○篡初患反 解云剌桓公嗣子失

位者即不書篡之立矣故襄十四年衛侯衎出奔齊襄二十

六年傳云曷為不言剽之立不言剽之立者以惡衛侯也彼

注云欲起衛侯失眾出奔故不書剽立剽立無惡則衛侯惡

明矣今書晉立則不剌嗣子可知○注月者至國時○解云

大國篡例月者即此文冬十二月衛人立晉莊六年夏六月

衛侯朔入于衛哀六年秋七月齊陽生入于齊之屬是也而

莊九年夏齊小白入于齊不月者彼注云不月者移惡于魯

也其小國時者即僖二十五年秋楚人圍陳納頓子于頓昭

元年秋莒去疾自齊入于莒之屬是也○注立納入皆為篡

解云立為篡者此文衛人立晉昭二十三年尹氏立王子朝

之屬是也其納為篡者納頓子于頓及文十四年晉人納捷

菑之屬是也其入為篡者小白陽生之屬是也○注卒日至

大國例○解云隱八年夏六月己亥蔡侯考父卒秋八月葬

宣公之屬是也○注主書從受位也○解云謂上惡晉之從

立矣

監本附音春秋公羊註疏隱公卷第二

監本附音春秋公羊註疏隱公卷三　起五年盡十一年

何休學

五年春公觀魚于棠何以書譏何譏爾遠也公曷爲遠而觀魚據浚洙也。觀魚左氏作矢魚浚思俊反洙常朱反疏注據浚洙也。解云莊九年冬浚洙傳曰洙者何水也浚之者何深之也曷爲深之畏齊也注云洙在魯北齊所由來然則近國北自有洙水何故遠至棠地而觀魚乎故難之登來之也登讀言得來得來之者齊人語也齊人名求得爲得來作登來者其言大而急由口授也。登來依注登音得疏注登得來至語也解云齊人名求得爲得來而云此者謂齊人急語之時得聲如登矣。注由口授也。解云謂高語之時猶言得來之至著於帛時乃作登字故言由口授矣百金之魚公張之解言登來之意也百金猶百萬也古者以金重一斤若今萬錢矣張謂張罔罟障谷之屬也。罟音古鄣之尚反又音章疏注解言至意也解云正以價直百金故言得來之。注障谷之屬也。解云僖三年傳云桓公曰無障谷云是也登來之者何未解其言大小緩急故復問之。解戶買反或佳買反故復扶又反下不得復同美大之之辭也其言大而急者美大多得利之辭也實譏張魚而言觀譏遠者恥公去南面之位下與百姓爭利匹夫無異故諱使若以遠觀爲譏也諸諱王書者從實也觀例時從行賤略之疏注觀例時。解云莊二十三年夏公如齊觀社及此是也彼此非禮故言從行賤略之棠者何濟上之邑也濟者四瀆之別名江河淮濟爲四瀆。濟上子禮反注同濟水之上疏棠者何。解云正以棠非水名而於之觀魚故執不知問。注江河至四瀆。解云即釋水云江河淮濟爲四瀆四瀆者發源注海者也。夏四月葬衛桓公疏夏四至桓公。解云即上三年傳云過時而不日謂之不能葬也何氏云解緩不能以時葬夏四月葬衛桓公是也然則桓公見弑在去年之春過期乃葬故以解緩言之。秋衛師入盛曷爲或言率師或不言率師將尊師眾稱某率師將尊者謂大夫也師眾者滿二千五百人以上也二千五百人稱師無駭率師入極是也禮天子六師方伯二師諸侯一師。入盛音成左氏作郕疏注將尊至夫也。解云公羊之例大夫見名氏此云此。注二千至稱師解云大司馬序官文。注無駭至是也。解云在上二年夏。注天子至六師。解云天子六師者即周王于邁六師及之是也方伯者九州牧也即王制云千里之外設方伯是也二師者即昭五年春王正月舍中軍舍中軍者何復古也是矣然則魯之初封地方七百里至於僖公復伯禽之宇更爲州牧而以二軍爲復古是爲方伯二師方伯之屬而以二師爲正則知凡平諸侯一師明矣然則論語云子曰三軍可奪帥之屬其指王官之伯乎將尊師少稱將師少者不滿二千五百人也衛孫良夫伐廧咎如是也。咎音羔疏注衛孫至是也。解云成三年晉郤克衛孫良夫伐廧咎如是也不言郤克者舉以言之將卑師眾稱師將卑者謂士也衛師入盛是也將卑師少稱人鄭人伐衛是也疏注鄭人伐衛是也。解云在上二年冬也君將不言率師書其重者也分別之者責元帥因錄功惡有小大救徐從王伐鄭是也。公別彼列反元帥所類反本又作帥疏注分別至小大。解云責元帥者凡書兵者是正不得故責之也因錄功惡有小大者即將尊師眾而有功小將卑師少而有功大將卑師少而無功爲惡小將尊師眾而無功爲惡大是也。注救徐至是也。解云僖十五年春公孫敖率師及諸侯之大夫救徐桓五年秋衛人蔡人陳人從王伐鄭是也公孫敖救徐者將尊師眾無功是其惡大也蔡人等從王伐鄭稱人而行義是其功大也。九月考仲子之宮考宮者何考猶入室也始祭仲子也考成也成仲子之宮廟而祭之所以居其鬼神猶生人入宮室必有飲食之事不就惠公廟者妾毋卑故雖爲夫人猶特廟而祭之禮妾廟子死則廢矣不言立者得變禮也加之者宮廟尊卑共名非配號稱之辭故加之以絕也疏注考宮者何。解云上無立文而經言考春秋之內更無考禮故執不知問。注猶生至之事。解云即下雜記云路寢成則考之而不釁鄭注云言路寢者生人所居不釁者不神之也考之者設盛食以落之檀弓曰晉獻文子成室諸大夫發焉張老曰美哉輪焉美哉奐焉歌於斯哭於斯聚國族於斯文子曰武也得歌於斯哭於斯聚國族於斯是全

隱五年

要絰以從先大夫於九原北面再拜稽首者是也。注禮妾至饗矣　解云即喪服小記云慈母與妾母不世祭鄭注云以其非正即引穀梁傳云於子祭于孫止是也。注不言至禮也　解云欲決成六年立武宮定元年立煬宮皆言立者皆譏亦言宮故武煬是君仲子是妾是尊卑其名號稱者即仲子是也武煬是君配宮言之正是其宜仲子是妾不宜與宮廟連文故加之以絕之矣

桓未君則曷為祭仲子　據無子不廟也　疏　注據無子不廟也　解云即上解於孫止是也其子既訖猶尚不祭其子未君之時不祭明矣故難之然則其母之貴正由其子為君即元年傳云母以子貴是也若子未為君之時義與未踰年之君相似莊三十二年傳云未踰年之君也有子則廟無子不廟義亦通於此

隱為桓立故為桓祭其母也然則何言爾成公意也　尊桓之母為立廟所以彰桓當立得事之宜故善而書之所以起其意成其賢也。隱為于偽反

初獻六羽

初者何始也六羽者何舞也　持羽而舞　疏　初者何　解云獻羽是常而反言初故執不知問。六羽者何　解云諸侯仍用四此反言六羽故執不知問

初獻六羽何以書譏何譏爾譏始僭諸公也　僭齊也下倣上之辭　疏　初獻至以書　解云不但言何以書嫌覆問上文既與舞故復舉句而問之不注之者與三年求賻同故省文

六羽之為僭奈何天子八佾　佾者列也八人為列八八六十四人法八風。八列也　佾音逸

諸公六　六人為列六六三十六人法六律

諸侯四　四人為列四四十六人法四時

諸公者何諸侯者何　疏　諸公者何　解云諸公有二等故執不知問。諸侯者何　解云諸侯明是五等揔名文在公下復嫌偏指七命故執不知問所以不倂發問之者止以上文幷解諸公六諸侯四故也

天子三公稱公王者之後稱公其餘大國稱侯　大國謂百里也　疏　解云正以。注大國謂百里也　解云公侯方百里王制文也侯與公等者據有功者言之矣小國稱伯子男者王以上已有侯故不復言之其實凡平之侯正與伯等

小國稱伯子男　小國謂伯七十里子男五十里　疏　注小國至五十里。解云王者三等之制也春秋變周之文從殷之質合伯子男以為一則殷爵三等者公侯伯也異義內謂之子周武王初定天下更立五等之爵增以子男而猶因殷之地以九州之界尚狹也周公攝政致大平斥大九州之界制禮成武王之意公地方五百里侯四百里伯三百里子二百里男一百里諸侯亦以功黜陟之其不合者皆益之地為百里焉是以周世有爵尊而國小爵卑而國大者唯天子畿內不增

天子三公者何天子之相也　相助也。之相息亮反注及下同　疏　天子三公者何。解云正以春秋上下無三公之文故執不知問

天子之相則何以三　據經但有祭公周公　疏　注據經至周公　解云即桓八年祭公來云云僖九年公會宰周公是也經但有二公而傳言三公故難之

自陝而東者周公主之　陝者蓋今弘農陝縣是也禮司馬主兵司徒主教司空主土春秋出以黜陟為本故舉黜陟以所主者言之。陝失冉反何云

自陝而西者召公主之一相處乎內　弘農陝縣也一云當作郟古治反王城郟鄏邵公上照反又作召音同紲敕律反　疏　注司馬至言之。解云上傳云諸公者何天子之相則何以三云云不道二王之後者何二王之後何以二也者正以天子三公皆黜陟故偏取言之是以注者解其意

始僭諸公昉於此乎前此矣前此則曷為始乎此僭諸公猶可言也僭天子不可言也　傳云爾者解不說始也前僭八佾於惠公廟大惡不可言也還從僭六羽議本所當託者非但六也故不得復傳上也加初者以為常也獻者下奉上之辭不言六佾者言佾則干舞在其中明婦人無武事獨奏文樂羽者鴻羽也所以象文德之風化疾也夫樂本起於和順和順積於中然後榮華發於外是故八音者德之華也歌者德之言也舞者德之容也故聽其音可以知其德察其詩可以達其意論其數可以正其容薦之宗廟足以享鬼神用之朝廷足以序群臣立之學官足以協萬民凡人之從上教也皆始於音音正則行正故聞宮聲則使人溫雅而廣大聞商聲則使人方正而好義聞角聲則使人惻隱而好仁聞徵聲則使人整齊而好禮聞羽聲則使人樂養而好施所以感蕩

隱五年

血脉通流精神存寧正性故樂從中出禮從外作也禮樂接於身望其容而民不敢慢觀其色而民不敢爭故禮樂者君子之深教也不可須臾離也君子須臾離禮則暴慢襲之須臾離樂則姦邪入之是以古者天子諸侯雅樂鐘磬未曾離於庭卿大夫御琴瑟未曾離於前所以養仁義而除淫辟也魯詩傳曰天子食日舉樂諸侯不釋縣大夫士日琴瑟王者治定制禮功成作樂未制作之時取先王之禮樂宜於今者用之堯曰大章舜曰簫韶夏曰大夏殷曰大護周曰大武各取其時民所樂者名之堯時民樂其道章明也舜時民樂其脩紹堯道也夏時民樂大其三聖相承也殷時民樂大其護己也周時民樂其伐討也蓋異號而同意異歌而同歸失禮鬼神例日此不日者嫌獨考宮以非禮書故從未言初可知○夫樂音扶發句之端放此朝廷徒佞反好義呼報反下同徵張里反施式豉反爭爭鬭之爭難也力智反下同邪似嗟反未曾在能反下同淫辟四亦反縣音玄治定直吏反反韶常昭反夏日戶雅反下同護戶故反紂直久反【疏】傳注云至始也○解云其託始者即上二年傳云無駭者何展無駭也何以不氏貶曷為貶疾始滅也始滅昉於此乎前此矣前此則曷為始乎此託始焉爾曷為託始焉爾春秋之始也今傳亦宜云前此則曷為始乎此託始焉爾曷為託始焉爾春秋之始也而○僭諸公猶可言僭天子不可言解不得託始意也○注前僭至公廟○解云謂自此以前不必要指春秋前也而言惠公廟者欲道於周公廟時不為僭故也○注本所至傳上也○解云由非六之故是以不得復祭傳云上古已有六矣○注羽者至化疾○解云知鴻羽者時王之禮且以舉則冲天所以象文德之風化疾故也詩云右手秉翟者其兼用之乎注夫樂本起於和順和順積於中然後榮華發於外者樂記文也○注故聞至性故○解云溫雅而廣大者土之性也方正而好義者金之性也惻隱而好仁者木之性也整齊而好禮者火之性也樂養而好施者水之性也○注樂從至作也○解云樂記文樂由中出和在心是也禮自外作散在貌是也此注皆出樂記○注取先王至用之○解云謂同其文質也王者治定制禮功成作樂功成治定同時爾功主於王業治主於教民故明堂位曰周公治天下六年朝諸侯於明堂制禮作樂○注失禮至可知○解云失禮鬼神例日者成六年二月辛巳立武宮之屬是也言考宮與獻羽實同日若置日於考宮上則嫌獻羽不蒙之爾自考宮以非禮而已故從下事言初初是非禮辭則獻羽非禮亦可知然考宮得變禮而不置於獻羽上者嫌別日故也知初是非禮者正以初稅畝同文矣○邾婁人鄭人伐宋邾婁小國序上者主會也【疏】注邾婁至會也○解云傳云宋言主會者謂相共伐宋時邾婁主首故也○螟何以書記災也災者有害於人物隨事而至者先是隱公張百金之魚設苛令急治以禁民之所致○螟亡丁反蟲食苗心苛音何【疏】注災者有害至者○解云欲對異者先事而至故也○注先是至所致○解云苛令急法者即三年春王二月己巳日有食之注云此象君行暴急外見畏是也○冬十有二月辛巳公子彄卒隱不君宜有恩禮於大夫益師始見法無駭有罪據俠又未命也故獨得於此日○彄苦侯反見賢遍反【疏】注日者隱公賢君宜有恩禮於大夫○解云正以所聞之世例不合日故也○注益師始見法○解云即元年十二月公子益師卒是所傳聞之世初始欲見三世之法故不書日也○注無駭有罪○解云即八年冬十有二月無駭卒傳云何以不氏疾始滅也故終身不氏是也○注俠又未命也○解云即九年三月俠卒傳云俠者何吾大夫之未命者是也○宋人伐鄭圍長葛邑不言圍此其言圍何據伐於餘丘不言圍【疏】注據伐至言圍○解云即莊二年夏公子慶父帥師伐於餘丘是也彊也至邑雖圍當言伐惡其彊而無義也必欲為得邑故如其意言圍也所以不知鄭彊者公以楚師伐宋國猶不言彊也○彊渠羗反下同惡烏路反六年春鄭人來輸平輸平者何輸平猶墮成也何言乎墮成據魯會諸侯伐鄭後未道平也何道墮成○輸平式朱反墮許規反【疏】注據翬至墮成○解云正以言異於常例故執不知問左氏作渝平敗其成也狄外平不書故云爾翬伐鄭後已相與平【疏】注翬伐至云爾○解云上四年秋翬帥師會宋公陳侯蔡人衛人伐鄭是也○解云魯與鄭平而言外平者謂伐鄭之後時公子翬在外與鄭平不得公命是以不書故云爾曰吾成敗矣吾魯也【疏】曰吾成敗矣○解云稱魯人之辭故加曰吾與鄭人未有成也鄭稱人者非直欲鄭人為其國辭【疏】注此傳至國辭○解云傳發此吾與鄭人未有成一段事者非直欲鄭懷諸侯為有罪而魯侯不能死難亦當絕故公子翬鄭稱人言輸平則魯侯亦合稱人矣

一箇人字兩國共有故云稱人為共國辭吾與鄭人則曷為末有成據無
戰伐之文狐壤之戰隱公獲焉時與鄭人戰於狐壤為鄭所獲○壤如丈反然
則何以不言戰戰者內敗文也據宰戰君獲言師敗績疏注戰者內敗文也○解云
即桓十年齊侯衛侯鄭伯來戰于郎傳云何以不言師敗績
內不言戰言戰乃敗矣彼注云春秋託王於魯戰者敵文也
王者兵不與諸侯敵戰乃其已敗之文故不復言師敗績是
也○注據宰至敗績○解云成二年季孫行父以下帥師會
晉郤克云云及齊侯戰于鞌齊師敗績秋七月齊侯使國佐
如師云云傳云君不行使乎大夫此其行使乎大夫何佚獲
也注云佚獲者已獲而逃亡也然則彼獲言
敗績則知此時魯侯被獲亦宜言戰故難之諱獲也君獲不言
師敗績故以輸平諱也與鞌戰辟內敗文是戰例時偏戰日
詐戰月不日者鄭詐之不月者正月也見隱終無奉正月之
意不地者深諱也使若實輸平故不地也稱人共國辭者嫌
來輸平獨惡鄭擅獲諸侯魯不能死難皆當絕之○難乃旦
反疏注君獲至諱也○解云君獲不言師敗績即僖十五
年晉侯及秦伯戰于韓獲晉侯傳云此偏戰也何以

侯官刻校　公羊疏卷三　七　陳建刊

不言師敗績注君舉君獲為重也是也然則此由魯公見獲
是以不得言戰故以輸平諱之○注與鞌至敗文○解云成
二年傳云君不行使乎大夫此其行使乎大夫何佚獲也注
云當絕賤使與大夫敵體以起之君獲不言師敗績等起不
去師敗績者辟內敗文也然則鞌戰之時實齊侯被獲宜去
敗績直言戰而已但時內大夫在焉辟內敗文故不得言戰
矣今此輸平之經自由魯公見獲是以不得言戰故云與鞌
戰辟內敗文異○注戰例時偏戰日○解云即桓十二年丁
未戰于宋傳云此偏戰也何以不言師敗績云云是也○注
詐戰月○解云即莊十年春王正月公敗齊師于長勺之屬
是也○注不地者深諱也○解云若
地宜言輸平于狐壤以若戰于之類夏五月辛酉公
會齊侯盟于艾秋七月此無事何以書春秋
雖無事首時過則書首始也時四時也過歷也春以正月為始夏以四月為始秋以
七月為始冬以十月為始歷一時疏夏五月至則書○解
無事則書其始月也○歷王蓋反云下無相犯之處而
書日者以下八年三月庚寅我入邴傳云其言我何言我者
非獨我也齊亦欲之然則雖不復侵伐亦有爭邑之隙故書

日也首時過則何以書據無事也春秋編年四時具
然後為年明王者當奉順四時之正也尚書曰欽若昊天歷象日月星辰敬授民時是也有事不月
者人道正則天道定矣○編必連反字林㪅類皆布千反一音甫連反昊戶老反○冬宋人取
長葛外取邑不書此何以書久也古者師出不踰時今宋更
年取邑久暴師苦眾居外故書以疾之不繫鄭
舉伐者明因上伐圍取也○更音庚暴步卜反疏外取至以書
解云據與四
年牟婁同
七年春王三月叔姬歸于紀叔姬者伯姬之媵也至是乃歸者待年父
毋國也婦人八歲備數十五從嫡二十承事君子媵賤書者
後為嫡終有賢行紀侯為齊所滅紀季以酅入于齊叔姬歸
之能處隱約全竟婦道故重錄之○從適丁歷反疏注叔
本亦作嫡下同賢行下孟反下異行同酅戶圭反疏姬至
國也○解云知如此注見上二年冬伯姬歸于紀自爾以來
不見紀伯姬卒之文今叔姬又歸之明知是其媵矣注婦人

侯官刻校　公羊疏卷三　八　蔡順

至君子○解云書傳文○注媵賤至賢行○解云春秋之內
例不書媵以其賤故今此書者以其後為姬終有賢行也知
後為嫡者正以莊二十九年冬十二月紀叔姬卒三十年八
月癸亥葬紀叔姬卒葬皆書為嫡明矣而成九年伯姬歸于
宋書二國媵者彼傳云錄伯姬是也○注紀侯為齊所滅
解云即莊四年夏紀侯大去其國是也○注紀季至于齊
解云在莊三年○注叔姬至錄之○解云莊十二年春王三
月紀叔姬歸于酅傳云其言歸于酅何隱之也何隱爾其國
亡矣徙歸于酅爾也是也○滕侯卒何以不名據蔡侯考父卒名疏注據
蔡至卒名○解云在下八年夏微國也小國故畧不名微國則其稱侯何
據大國稱侯小國稱伯子男疏注據大至子男○解云上五年傳文案彼大國非直侯而注特言大國稱侯者
案彼傳之成文故也不嫌也滕侯卒不名下常稱子不嫌稱侯為大國疏注下常稱子○解云桓二年
滕子來朝因該已下常稱子矣春秋貴賤不嫌同號貴賤不嫌者通同號稱也若齊
亦稱侯滕亦稱侯微者亦稱人貶亦稱人皆
有起文貴賤不嫌同號是也○號稱尺證反疏注齊亦稱侯○解云

不云晉者晉爵未大故。○注微者亦稱人。○解云隱元年九月及宋人盟于宿之屬是也。○注皆有起文。○解云滕侯卒不名下恒稱子起其微也齊侯伯以宋公之上起其大也宋人盟于宿不書日亦起微也鄭人來輸平稱人者共國辭起其賤之故曰皆有起文也。○注貴賤至是也。○解云不論貴賤不嫌者通其同號稱由是之故春秋同其號也

美惡不嫌同辭若繼體君亦稱即位繼弒君亦稱即位皆有起文美惡不嫌同辭是也滕微國所傳聞之世未可卒所以稱侯而卒者春秋王魯託隱公以爲始受命王滕子先朝隱公春秋褒之以禮嗣子得以其禮祭故稱侯見其義。○惡烏路反又如字注同傳直專反見賢遍反（疏）注若繼至即位。○解云繼弒即位。○解云桓宣是也。○注皆有起文。○解云前君之薨書地者起其後即位者是繼體之君也若前君薨不地者起其後即位者非是繼體之君也。○注美惡至是也。○解云謂美惡不嫌者通其同辭由是之故春秋同其辭矣。○注滕子至其義。○解云在十一年即此君之子也滕子薛侯俱朝隱公滕并褒其父而薛否者薛侯父卒在春秋之前故無褒之文。

○**夏城中丘**

[illegible]

中丘者何內之邑也城中丘何以書以上問中丘者何指問邑也故因言何以書嫌但問書中丘故復言城中丘何以書也。○復扶又反（疏）直云城文無別故執不知問。中丘者何。○解云莊丘同皆**以重書也**以功重故書也當稍稍補完之至令大崩弛壞敗然後發衆城之役苦百姓空虛國家故言城明其巧重與始作城無異故城邑例時。○令力呈反弛尸爾反又氏反（疏）注城邑例時。○解云即下九年夏城郎襄十三年冬城防之屬是也。

○**齊侯使其弟年來聘其稱弟何**據諸侯之子稱公子**母弟稱弟母兄稱兄**母弟同母弟母兄同母兄不言同母言母弟者若謂不如爲如矣齊人語也公別同母者春秋變周之文從殷之質質家親親明當親厚異於群公子也聘者問也來聘書者皆喜內見聘事也古者諸侯朝罷朝聘爲慕賢孝禮一法度尊天子不言聘公者禮聘受之於大廟孝子謙不敢以己當之歸美於先君且重賓也。○別彼列反大廟音泰下同（疏）母兄稱兄。○解云昭二十年秋盜殺衛侯之兄輒是也

○**秋公伐邾婁。○冬天王使凡伯來聘**書者喜之也古者諸侯有較德殊風異行

天子聘問之當北面稱臣受之於大廟所以尊天子命歸美於先君不敢以己當之

戎伐凡伯于楚丘以歸凡伯者何上言聘此言伐嫌其異故執不知問（疏）注上言聘此言伐。○解云謂聘伐辭異嫌其非一人也

天子之大夫也此聘也其言伐之何據出聘與郊邦異不得言伐也問伐加之者辟問輕重兩舉之（疏）注據出至伐也。○解云昭二十三年晉人圍郊傳云郊者何天子之邑也曷爲不繫于周不與伐天子也宣元年晉趙穿帥師侵柳傳云柳者何天子之邑也曷爲不繫于周不與伐天子也然則郊柳皆是天子之邑猶可言其侵圍今此聘大夫不應得言伐故難之先言郊者文便言之故不次也。○注問伐至舉之。○解云桓十二年及鄭師伐宋丁未戰于宋傳云戰不言伐此其言伐何彼問輕重兩舉不言之故此言之者辟問輕重兩舉之

執之也執之則其言伐之何據執季孫隱如不言伐

大之也尊大王命是也位故使與國同（疏）注據執至言伐。○解云昭十三年平丘之會晉人執季孫隱如以歸

曷爲大之據王子突繫諸人（疏）注據王至諸人。○解云莊六年春王三月王人子突救衛傳云王人者何微者也子突者何貴也貴則其稱人何繫諸人也是也等是王臣

不與夷狄之執中國也因地不接京師故以一伸一屈故難之中國者禮義之國也執者治文也君子不使無禮義制治有禮義故絕不言執正之言伐也執天子大夫而以中國正之者執中國尚不可況執天子之大夫乎所以降夷狄尊天子爲順辭

其地何據執季孫隱如不地

大之也順上伐文使若楚丘爲國者猶慶父伐於餘丘也不地以歸者天子大夫銜王命至尊顧在所諸侯有出入所在赴其難當與國君等也録以歸者惡凡伯不死位以辱王命也。○難乃旦反惡烏路反（疏）注順上至命也。○解云莊二年夏公子慶父帥師伐於餘丘傳云於餘丘者何邾婁之邑也曷爲不繫乎邾婁國之也者是

八年春宋公衛侯遇于垂宋公序上者時衛侯要宋公使不虞者爲主明當戒愼之無王者遇在其間置上則嫌爲事出置下則嫌無天法可以制月文不可施也。○要一遥反爲事于僞反下欲爲會爲小國爲桓（疏）注宋公至其間。○解云何氏以爲會盟則以大小爲序遇則以不虞爲先

皆如此解是以莊三十二年經云夏宋公齊侯遇于梁丘齊在宋下是其一隅耳。○注置上至事出。○解云若言八年春王宋公衛侯遇于垂即嫌衛王亦與之遇故言則嫌為事出尊謂遇事也或者嫌為遇事之故出此王故云則嫌為遇事出也。○注置下至施也。○解云天法即春是也。

○三月，鄭伯使宛來歸邴。宛者何？鄭之微者也。邴者何？鄭湯沐之邑也。天子有事于泰山，諸侯皆從。泰山之下，諸侯皆有湯沐之邑焉。有事者，巡守祭天告至之禮也。當沐浴絜齊以致其敬，故謂之湯沐邑也。所以尊待諸侯而共其費也。禮，四井為邑，邑方二里，東方二州四百二十國，凡為邑廣四十里，袤四十二里，取足舍止共稾而已。歸邴書者，甚惡鄭伯無尊事天子之心，專以湯沐邑歸魯，背叛當誅也。錄使者，重尊湯沐邑也。王者所以必巡守者，天下雖平，自不親見，猶恐遠方獨有不得其所，故三年一使三公絀陟，五年親自巡守。巡猶循也，守猶守也，循行守視之辭。亦不可國至人見為煩擾，故至四嶽足以知四方之政而已。尚書曰：歲二月東巡守，至于岱宗，柴，望秩于山川，遂覲東后，協時月正日，同律度量衡，脩五禮、五玉、三帛、二生、一死贄，如五器，卒乃復。五月南巡守，至于南嶽，如岱禮。八月西巡狩，至于西嶽，如初。十有一月朔巡守，至于北嶽，如西禮。還至嵩，如初禮。歸格于禰祖，用特，是也。宛，於阮反，人名也，一音烏卯反，又烏勉反。邴，彼命反，又音丙，鄭邑，左氏作祊，彼才用反。巡守，手又反，本又作狩，下除猶守守視以外同。絜，本作潔。齊，側皆反，本多即作齊字，後放此，更不音。而共，音恭，下同。費，芳味反。稾，古曠反。袤，音茂。稾，古老反。甚惡，烏路反，下同。背，步內反。使，所吏反。行，下孟反。量，音亮。贄，音至。嵩，息忠反。格，古百反。禰，乃禮反，本又作藝。

○[疏]宛者何。○解云欲言大夫，經不言氏；欲言微者，書名見經，故執不知問。○邴者何。○解云欲言魯物，先無取文；欲言鄭邑，於魯言歸，故執不知問。○注歸邴至誅也。○解云正以將所傳聞之世，外小惡不書故也。○注錄使至其所。○解云正決哀八年齊人歸讙及僤之屬不錄使故也。○注故三至絀陟。○解云書傳文。○注五年至而已。○解云堯典文。○注尚書至是也。○解云惟是一字注者言之，以上皆堯典文也。鄭注歲二月者，正歲建卯之月也；巡守者，行視所守也；岱宗者，東嶽名也；柴者，考績燎也；望秩于山川者，遍以尊卑祭之，五嶽視三公，四瀆視諸侯，其餘小者或視卿大夫，或視伯子男，次秩也；東后，東方之諸侯也；協正四時之月數及日名，備有失誤者；度，丈尺；量，斗斛；衡，斤兩；五禮，公侯伯子男朝聘之禮；五玉，五瑞，節執之曰瑞，陳列曰玉也；三帛，所以薦玉也，受瑞玉者以帛薦之，帛必三者，高陽之後用赤繒，高辛氏之後用黑繒，其餘諸侯皆用白繒，周禮改之為繅也；二生一死贄者，羔鴈生也，卿大夫所執，雉死，士所執也；如者，以物相授與之言，授贄之器有五，卿大夫上士中士下士也，器各異飾，飾未聞所用也，用禮改之節；羔鴈雉執之而已，皆去器；卒，已也；復，歸也；巡守禮畢乃反歸矣。岳歸用特牲告于文祖矣。五月不言於者，以其文相近；八年十一月言初者，文相遠故也。

庚寅，我入邴。其言入何？據上書歸取邑已明，無事復書入也。○復書，扶又反，下故復同。難也。入者非已至之文，難辭也。此魯受邴與鄭同罪，當誅，故書入以為魯見重難辭。○難也，乃旦反，一音如字，注及下同。見重，賢遍反，下同。

○[疏]注入者至之文。○解云直就而入之，非是猶歸之辭也。

其日何？據取邑不日。○[疏]注據取邑不日。○解云即隱四年春王二月莒人伐杞取牟婁之屬也。難也。以歸後乃日也，言時重難，不可即入，至此日乃入。○其言我何？據吳伐我不日伐，故言我。○[疏]注據吳至言我。○解云在哀八年春。言我者，非獨我也，自入邑不得言我，有他人在其中乃得言我，故能起其非獨我。齊亦欲之。時齊欲鄭魯比聘會者，亦欲得之，故以非獨我起齊惡，齊惡起則魯蒙欲邑見於惡愈矣。

○[疏]注時齊至得之。○解云即上三年冬齊侯鄭伯盟于石門，六年夏公會齊侯盟于艾，七年夏齊侯使其弟年來聘，九年冬公會齊侯于邴，十年春王二月公會齊侯鄭伯于中丘之屬是也。

○夏六月己亥，蔡侯考父卒。辛亥，宿男卒。宿本小國，不當卒，所以卒而日之者，春秋王魯，以隱公為始受命王，宿男先與隱公交接，故卒褒之也。不名不書葬者，與微者盟，功薄，當褒之為小國，故從小國例。

○[疏]注宿男至交接。○解云即上元年九月及宋人盟于宿是也。○注為小至國例。○解云即上七年春滕侯卒不書其葬，傳云何以不名，微國也，若是。

○秋七月庚午，宋公、齊侯、衛侯盟于瓦屋。八月，葬蔡宣公。卒何以名而葬不名？卒當赴告天子，君前臣名，故以君臣之正義言也。○而葬從主

邴　一本作祊

人至葬者有常月可知不赴告天子故自微弱臣子辭稱公卒何以日而葬不日卒赴天子也緣天子閔傷欲其知之又臣子疾痛不能不具以告而葬不告不告天子也發傳於葬者從正也疏注發傳至正也○解云言從正者謂卒日葬不日者是卒葬之正法三年經云癸未葬宋繆公而書日即其正也其稱桓公葬不發傳者詞公者初則見弒于州吁終有簡慢之失侵小國之略故發傳於川

○九月辛卯公及莒人盟于包來公曷為與微者盟隱與齊高傒盟諱之○包來左氏作浮來傒音兮疏注據與齊至諱之○解云在十年秋及齊高傒盟于防傳云齊高傒者何貴大夫也邑為諱吾微者而盟公也公則曷為不言公諱與大夫盟也是稱人則從不疑也從者隨從也實莒子也言莒子則嫌公行微不肖諸侯不肯從公盟而公反隨從之故使稱人則隨從公不疑矣隱公立狐壤之戰不能死難又受湯沐邑卒無廉恥令翬有纂弒為桓所疑故著其不肖僅能使微者隨從之耳蓋痛録隱所以失之又見獲受邑皆諱不明因與上相起也○行下孟反難乃旦反令力呈反僅其靳反疏注言莒至相立○解云行微者其行卑微不肖者鄭注昏禮記云不肖者不似是也○注狐壤至廉恥○解云在上六年春○注令翬至失之○解云皆以其行微不肖卒無廉恥故也○注又見至與上也○解云見獲諱不明者即言輸平是也受邑諱不明者即庚寅我入邴是也何者書曰入者見其重辭言我者見其非獨我故也言因與上相起者此經著其不肖起其事實甚惡矣○螟先是有狐壤之戰中丘之役又受邴田之應對之應○應疏注有狐壤之戰○解云在六年○注中丘之役○解云在上七年○冬十有二月無駭卒此展無駭也何以不氏子莊公疾始滅也故終其身不氏嫌上日為疾始滅故復為疾始滅不為疾始滅故復辛氏公子見上貶為疾始滅疏此展無駭也○解云正以上二年挖公子彄卒解云在五年師展無駭故此弟子因難之○注

隱九年

九年春天王使南季來聘○三月癸酉大雨震電何以書記異也何異爾不時也震雷電者陽氣也有聲名曰雷無聲名曰電周之三月夏之正月雨當水雪雜下雷當聞於地中其雉雊電未可見而大雨震電此陽氣大失其節猶隱公久居位不反於桓失其宜也日者一日之中也凡災異一日者日歷日者月歷月者時歷時者加自文為異疏注雷當至中也○解云月令二月雷乃發聲故知正月之時聞於地中矣其雉雊雞乳雉雊者季冬之月此時猶然故得言此也亦有一本云雷當聞於雉雊者誤也○注凡災至所致○解云一日者日即此文是歷日者月即桓八年冬十月雨雪之屬是也歷月者時即桓元年秋大水之屬是也歷時者加自文為異者即文二年自十有二月不雨至于秋七月之屬是也

○庚辰大雨雪何以書記異也何異爾俶甚也俶始怒也始怒甚猶大甚也蓋師說以為平地七尺雪者盛陰之氣也八日之間先示隱公以不宜久居位而繼以盛陰之氣大怒此桓將怒而弒隱公之象○雨于付反俶昌叔反始也大甚音泰○俠卒俠者何吾大夫之未命者也以無氏而卒之也未命所以卒之者賞疑從重無氏者少略也○俠音協穀梁云所俠小詩照反疏注言微者而記其卒故執不知問○注以無至略也○解云無氏降於大夫經不書氏欲書卒略於微者故知其未命耳○夏城郎○秋七月

○冬公會齊侯于邴邴左氏作防

十年春王二月公會齊侯鄭伯于中丘月者隱前為鄭所獲今始與相見故危録內明君子當犯而不校也疏注犯而不校○解云謂校報之交不謂為報也○夏翬帥師會齊人鄭人伐宋此公子翬也何以不稱公子據楚公子嬰齊貶後復稱公子○復扶又反又音服疏解云正以上四年師辭云言公子翬故此弟子因以難之○注據楚至公子○解云成二年公及楚人已下盟于蜀彼傳云此楚公子嬰齊也其稱人何得壹貶焉爾至成六年書楚公子嬰齊帥師伐鄭是也貶曷為貶隱之

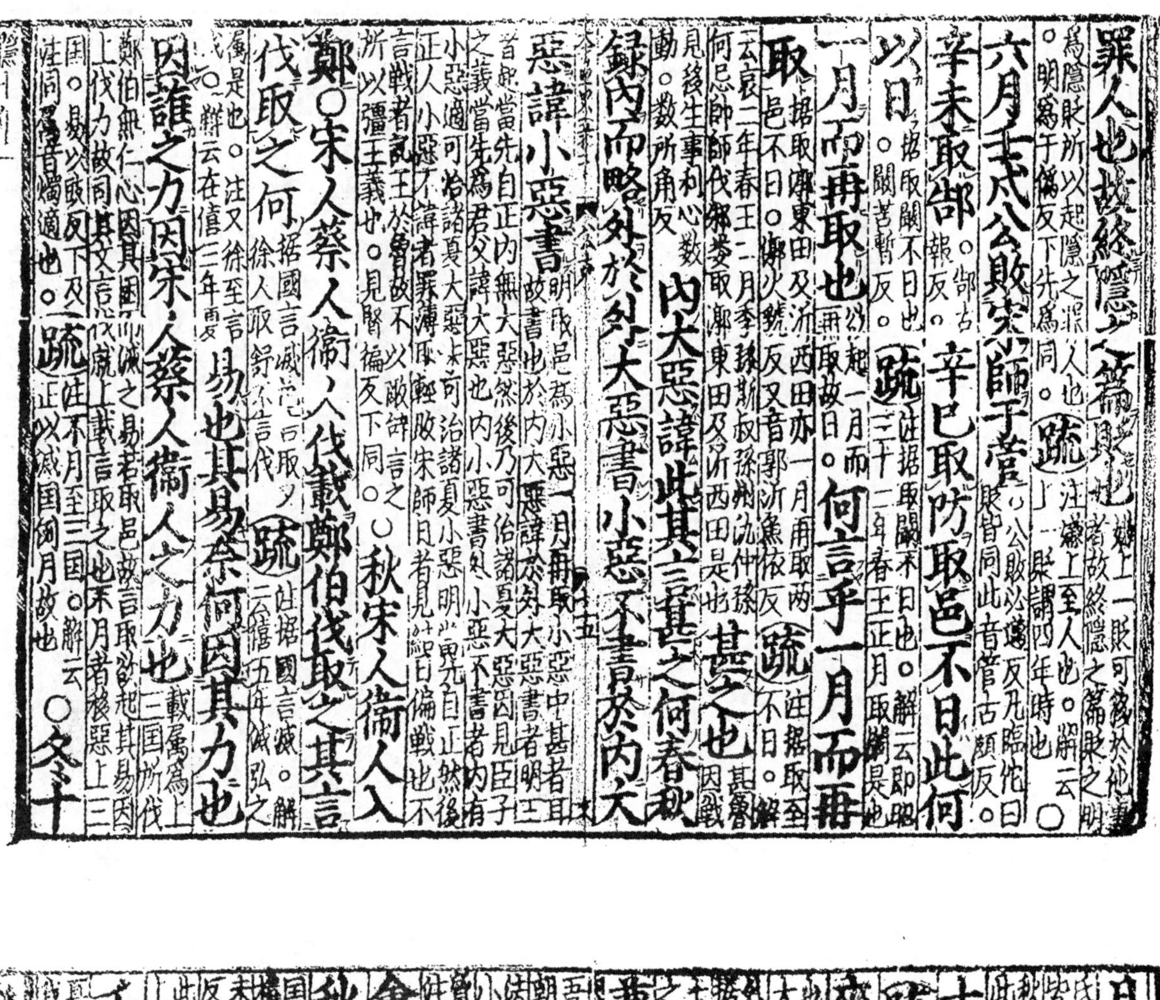

隱十年

罪人也故終隱之篇貶也。據上一貶可移於他者，故終隱之篇貶之，明為隱貶，所以起隱之罪人也。○明為于偽反，下先為同。疏 注據上至人也。解云：上一貶謂四年時也。

六月壬戌，公敗宋師于菅。菅，古顏反。辛未，取郜。郜，古報反。辛巳，取防。取邑不日，此何以日？據取闞不日也。○闞，苦暫反。疏 注據取闞不日也。解云：即昭三十二年春王正月取闞是也。一月而再取也。一月再取，故日。何言乎一月而再取？據取漷東田及沂西田亦一月再取兩邑不日。○漷，火虢反，又音郭；沂，魚依反。疏 注據取至不日。解云：哀二年春王二月，季孫斯、叔孫州仇、仲孫何忌帥師伐邾婁，取漷東田及沂西田是也。甚之也。甚惡。內大惡諱，此其言甚之何？春秋錄內而略外，於外大惡書，小惡不書；於內大惡諱，小惡書。明取邑為小惡，一月再取，小惡中甚者耳，故書也。於內大惡諱，於外大惡書者，明王者起當先自正，內無大惡，然後乃可治諸夏大惡，因見臣子之義當先為君父諱大惡也。內小惡書，外小惡不書者，內有小惡，適可治諸夏大惡，未可治諸夏小惡，明當先自正然後正人。小惡不諱者，罪薄恥輕。見後生事利心數。○數，所角反。敗宋師日者，見結日偏戰也。不言戰者，託王於魯，故不以敵辭言之，所以彊王義也。○見，賢遍反，下同。○秋，宋人、衛人入鄭。○宋人、蔡人、衛人伐載，鄭伯伐取之。其言伐取之何？據國言滅，邑言取。疏 注據國言滅。解云：僖五年滅弘之屬是也。○徐人取舒不言伐。易也。其易奈何？因其力也。因誰之力？因宋人、蔡人、衛人之力也。載屬為上三國所伐，鄭伯無仁心，因其困而滅之，易若取邑，故言取。上伐力故同其文言伐，載言取之也。不月者，略上三國。○易，以豉反，下及注同。疏 注不月至三國。解云：○冬十

隱十一年

月壬午，齊人、鄭人入盛。日者，盛魯同姓，於隱篇再見入者，明當憂錄之。○入盛，上音成，左氏作郕，後皆放此。疏 注日者至錄之。解云：正以入例時，傷害多則月，今此云日，故解也。云再見入者，謂五年秋衛師入盛，及此為再入者也。

十有一年，春，滕侯、薛侯來朝。其言朝何？據內言如。疏 注據內言如。解云：即成十三年春公如京師之屬是也。諸侯來曰朝，大夫來曰聘。傳言來者，解內外也。春秋王魯，王者無朝諸侯之義，故內適外言如，外適內言朝聘，所以別外尊內也。不言朝公者，禮，朝受之於大廟，與聘同義。○別，彼列反。疏 注傳言至外也。解云：謂內鄉外不言來，外鄉內乃言來。今言諸侯來曰朝，大夫來曰聘者，據外鄉內言之，故云所解內外也。○注與聘同義。解云：即上七年夏齊侯使其弟年來聘，注云不言聘公者，禮，聘受之於大廟，孝子謙不敢以已當之，歸美於先君是也。其兼言之何？據鄧穀來朝不兼言朝。疏 注據鄧至言朝。解云：桓七年夏，穀伯綏來朝，鄧侯吾離來朝是也。微國也。略小國也。稱侯者，春秋託隱公以為始受命王，滕、薛先朝隱公，故褒之。已於儀父見法，復出滕、薛者，儀父盟功淺，滕、薛朝功大，宿與微者盟功尤小，起行之當各有差也。滕序上者，春秋變周之文，從殷之質，質家親親，先封同姓。○見法，賢遍反，年末注同。復出，扶又反，下文不復注故復同。○夏，五月，公會鄭伯于祁黎。祁黎，音巨之反，又上之反；黎，力兮反，又力私反。左氏作時來。○秋，七月，壬午，公及齊侯、鄭伯入許。日者，危錄內也。為弟守國，不尚推讓，數行不義，皇天降災，諂臣進謀，終不覺悟，又復構怨入許，危亡之釁外內並生，故危錄之。○為弟，于偽反；守，手又反；數，所角反；釁，許靳反。疏 注日者至降災。解云：上二年夏五月莒人入向，彼注云入例時，傷害多則月，此書日，故決之。○注諂臣進謀。解云：上四年傳云公子翬諂乎隱公，謂諸侯說子是也。○冬，十有一月，壬辰，公薨。何以不書葬？據莊公書葬。疏 注據莊公書葬。解云：即閔元年夏六月辛酉葬我君莊公是也。隱之也。何隱爾？弒也。為桓公所弒。○弒，申志反，注及

下並同弒則何以不書葬據桓公書葬〔疏〕注據桓公書葬 解云桓十八年冬十二月己丑葬我君桓公是也桓亦被弒而書葬故難之春秋君弒賊不討不書葬以爲無臣子也道春秋通例〔疏〕注道春秋至文武異○解云言文武之時周之盛德既無諸侯相征寧有臣子弒君父者是以古典無責臣子討賊之義春秋撥亂而作時則有之因設其法故言與文武異子沈子曰君弒臣不討賊非臣也不復讎非子也葬生者之事也春秋君弒賊不討不書葬以爲不繫乎臣子也子沈子後師明說此意者明臣子不討賊當絕君臣無所繫也沈子稱子冠氏上者著其爲師也不但言子曰者辟孔子也其不冠子者他師也○冠古亂反下同〔疏〕注沈子至師也○解云知子沈子爲己師者正以下文隱五年傳云子公羊子何休言注不但至師也○解云昭十年傳云子司我乃知之矣之屬是也公薨何以不地據莊公薨于路寢不忍言也不忍言其僵尸之處○僵居良反處昌慮反〔疏〕注不忍至之處○解云不然夭年者非人所欲故謂被殺之處爲僵尸之處讀如齊人強之強非強弱之強隱何以無正月據六年輸平不易隱將讓乎桓故不有其正月也嫌上諸成公意適可見始讓不能見終故復爲終篇去正月明隱終無有國之心但桓疑而弒之公薨主書者爲臣子恩痛之他國自從王者恩例錄也○去起呂反〔疏〕傳曰公何以不言即位成公意元年注嫌上至錄也○解云即元年歸賵之下傳云然則何言爾成公意二年子氏薨之下傳云何以不書葬成公意五年考仲子之宮下傳云然則何言爾成公意非止一處故言諸也以

監本附音春秋公羊註疏隱公卷第三

隱十一年

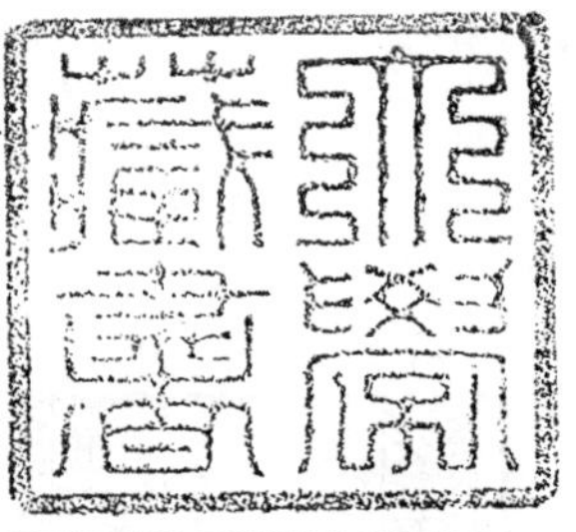

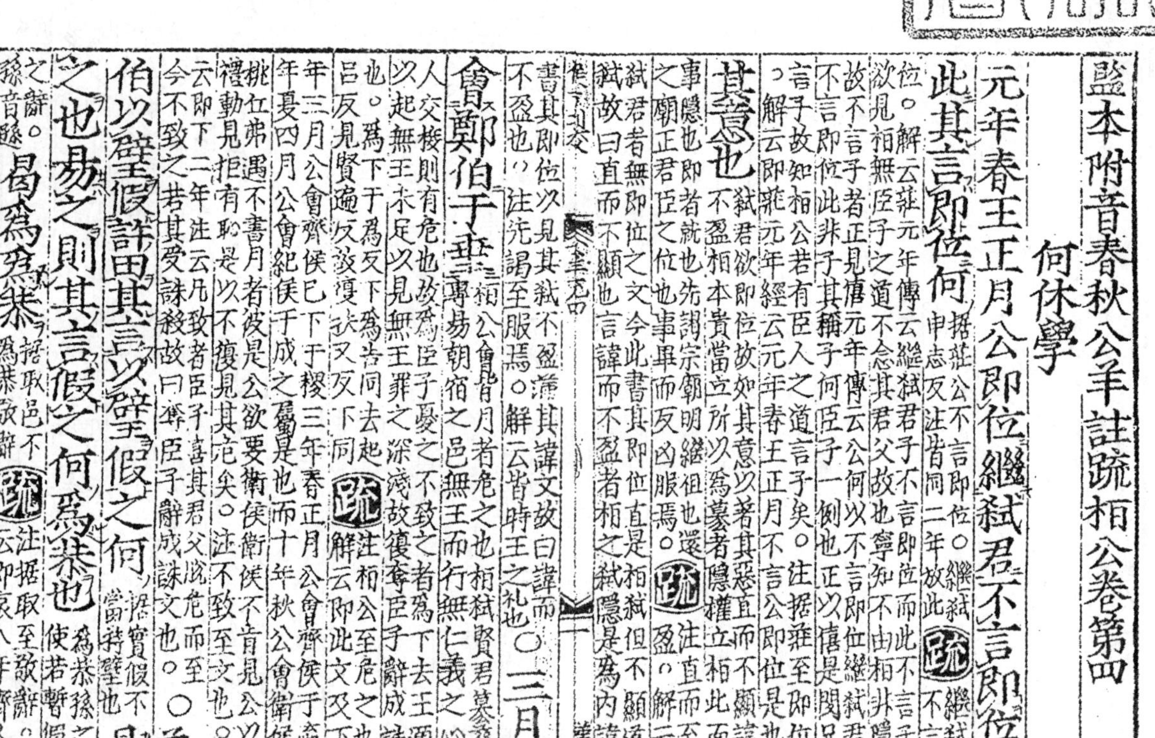

監本附音春秋公羊註疏桓公卷第四

何休學

元年春王正月公即位。繼弒君不言即位

此其言即位何 據莊公不言即位。繼弒申志反注皆同二年放此 疏 繼弒君不言即位。解云莊元年傳云繼弒君子不言即位而此不言子者欲見桓無臣子之道不念其君父故也寧知不由桓非隱子故不言子者正見僖元年傳云公何以不言即位繼弒君子不言即位此非子其稱子何臣子一例也正以僖是閔兄而言子故知桓公君有臣人之道言子矣。注據莊至即位是也。解云即莊元年經云元年春王正月不言公即位是也 如

其意也 弒君欲即位故如其意以著其惡直而不顯諱而不盈桓本貴當立所以爲篡者隱權立桓此面君事隱也即者就也先謁宗廟明繼祖也還之廟正君臣之位也事畢而反凶服焉。疏 注直而至不盈。解云繼弒君者無即位之文今此書其即位直是桓弒但不顯其弒故曰直而不顯也言諱而不盈者桓之弒隱是爲內諱而書其即位以見其弒不盈滿其諱文故曰諱而不盈也。注先謁至服焉。解云皆時王之禮也。 三月公

會鄭伯于垂 桓公會皆月者危之也桓弒賢君篡慈兄專易朝宿之邑無王而行無仁義之心與人交接則有危也故爲臣子憂之不致之者爲下去王適足以起無王未足以見無王罪之深淺故復奪臣子辭成誅文也。爲下于爲反下爲者同去起呂反見賢遍反復扶又反下同 疏 注桓公至危之也。解云即此文及下二年三月公會齊侯于稷三年春正月公會齊侯于嬴六年夏四月公會紀侯于成之屬是也而十年秋公會衛侯于桃丘弗遇不書月者彼是公欲要衛侯衛侯不肯見公以非禮動見拒有恥是以不復見其危矣。注不致至文也。解云即下二年注云凡致者臣子喜其君父脫危而至今不致之若其受誅殺故曰奪臣子辭成誅文也。 ○鄭

伯以璧假許田 其言以璧假之何 據寶假不當言其璧也 易

之也 易之則其言假之何 爲恭也 爲恭孫之辭使若暫假借之辭。孫音遜 曷爲爲恭 據取邑不爲恭敬辭 疏 注據取至敬辭。解云即哀八年齊人取讙及僤之屬是 有天子存則諸侯不得專地也 許田

者何 地皆不得專而此獨爲恭嫌非凡邑故更問之 魯朝宿之邑也 諸

侯時朝乎天子天子之郊諸侯皆有朝宿之

邑焉 所以尊待朝時所朝也緣臣子之心莫不欲朝朝莫夕王者亦貴諸侯別治勢不得自專朝故即位比年使大夫小聘三年使上卿大聘四年又使大夫小聘五年一朝王者亦貴得天下之歡心以事其先王因助祭以述其職故分四方諸侯爲五部部有四輩輩主一時孝經曰四海之內各以其職來助祭尚書曰羣后四朝敷奏以言明試以功車服以庸是也宿者先誠之辭古者天子邦畿千里遠郊五百里諸侯至遠郊不敢便入必先告至由他國至竟而假塗也皆所以防未然謹事上之敬也王者以諸侯遠來朝亦加殷勤之禮以接之爲告至之頃當有所止故賜邑於遠郊其實天子地諸侯不得專也桓公無尊事天子之心專以朝宿之邑與鄭背叛當誅故深諱使若暫假借之者不舉假爲重復舉上會者方諱言許田不舉會無以起從魯假之也。朝朝上如字下直遙反莫音暮治直吏反背音佩凡背叛之類皆放此。疏 注故即位至小聘。解云此孝經說文聘義亦云天子制諸侯比年小聘三年大聘相厲以禮也是其比合。注五年一朝。解云文傳文。注尚書曰至庸是也。解云此逸書也言羣后四朝者謂諸侯順四時而朝也敷奏以言者謂諸侯來朝之時徧奏以言語也言明試以功者國功曰功謂明試以國事之功也言車服以庸者民功曰庸君欲賜車服之時以其治民之功高下矣。注宿者先誠之辭。解云宿可以轉訓爲肅也是以祭統云先期旬有一日宮宰宿夫人夫人亦散齊七日致齊三日鄭注云宮宰守宮官也宿讀爲肅肅猶戒也戒輕肅重是也 此

魯朝宿之邑也則曷爲謂之許田 諱取周田

也 諱取周田則曷爲謂之許田 繫之許也 曷

爲繫之許 近許也 此邑也 其稱田何 田多邑

少稱田 邑多田少稱邑 分別之者古有分土無分民明當察民多少課功德。近附近之近別彼列反 疏 諱取周田也。解云謂魯人諱取周田而專用之。近許也。又云魯頌云居常與許復周公

之字以此言之以魯國界內舊自有許何言近許而繫之許
也彼注云常許魯南鄙西鄙此在王圻之內則非此許也。注
田多至稱邑。解云田多邑少稱田者謂邑外之田多邑內
家數少如此之時則稱田即此是也言邑多田少稱邑者謂
邑內家數多而邑外之田頃畝少如此之時則稱邑即哀八
年齊人取讙及僤是也。注公別至功德。解云知古有公
士無公民者正以詩云誓將去汝適彼樂土論語云四
方之民襁負其子而至矣皆是樂就有德之義故也○夏
四月丁未公及鄭伯盟于越。越本亦作粵音同 疏 夏四月至
于越。解云所以日者正以十年冬齊侯衛侯鄭伯來戰于郎桓負故也。○秋大水何以書
記災也 災傷二穀以上書災也經曰秋大水無麥苗傳曰待無麥然後書無苗是也先是拒篡隱百姓痛傷
悲哀之心既蓄積而復專易朝宿之邑陰逆而與怨氣并之所致。以上時掌反凡言以上皆放此蓄勑六反 疏
注災傷至之邑。解云自經曰以下皆是莊七年傳文也彼傳云曷爲先言無麥而後言無苗一災不書待無麥然後書
無苗彼注明君子云云至麥苗獨書者民食最重是也以此言之則知此經災傷二穀以上故不書穀名直言大水而已

而莊二十八年經云冬築微大無麥禾不兼言大水者傳云
冬既見無麥禾矣曷爲先言築微而後言無麥禾諱以凶年
造邑也彼注云諱使若造邑而後無麥禾者惡愈也此蓋秋
大水所傷就築微下俱舉水則嫌冬水者是也。注陰逆至
所致。解云陰逆者專易朝宿之邑
是怨氣者百姓痛傷悲哀之心是也○冬十月
二年春王正月戊申宋督弒其君與夷及其
大夫孔父 賢者不名故孔父稱字督未命之大夫故國氏之。 疏 及其大夫孔父。解云此
經之下亦有注云賢者不名故孔父稱字督未命之大夫故
國氏之者但考諸舊本悉無此注且與注違則知有者衍文
也○及者何 以公夫人言及仲子微不得及君上下大夫言及知君尊亦不得及臣故問之 疏 注以
公夫人言及。解云即僖十一年夏公及夫人姜氏會齊侯
于陽穀是也。注仲子至及君。解云隱元年秋天王使宰
咺來歸惠公仲子之賵傳云何以不言及仲子仲子微也彼
注云比夫人微故不得並及公是也。注上下至問之。解
云哀六年夏齊國夏及高張來
奔是國夏上大夫高張下大夫累也 累累從君而死齊人語也 弒君

多矣舍此無累者乎曰有仇牧荀息皆累也
舍仇牧荀息無累者乎曰有 叔仲惠伯是也○舍此音捨下同 疏
仇牧至曰有。解云仇牧之事在莊十二年秋荀息之事在
僖十年春。注叔仲惠伯是也。解云應在文十八年但成
十五年傳乃言之。有則此何以書賢也何賢乎孔父 據叔
仲惠伯不賢。疏 注据叔至不賢。解云成十五年傳云叔仲惠
伯曰君幼如之何願與子慮之叔仲惠伯曰吾子相之老夫
抱之何幼君之有公子遂知其不可與謀退而殺叔仲惠伯
弒子赤而立宣公彼注云殺叔仲惠伯不書者舉弒君爲重
叔仲惠伯事與荀息相類不得爲累者有異也叔仲惠伯直
先是殺爾不如荀息死之以此言之則叔仲惠伯不可與謀
而見殺非衛君而死春秋不賢之是以不書故此注云叔仲
惠伯不賢也○孔父可謂義形於色矣 以稱字見先君死○見先賢遍反下
形見目見斤見見恩亟同下悉薦反 疏 孔父至色矣。解云孔父事君之正義形見於顏色矣。其義
形於色柰何督將弒殤公孔父生而存則殤
公不可得而弒也故於是先攻孔父之家 大夫稱家。解
父者字也禮臣死君字之以君得字之知先攻孔父之家。殤式羊反。疏 注大夫稱家。解云即定十二年孔
子行乎季孫三月不違曰家不藏甲邑無百雉之城是也。
注父者字也。解云穀梁傳文。注禮臣至家。解云臣死
君不名之稱謚若字也者出玉藻文 殤公知孔父死己必死趨而救
之皆死焉 趨走也傳道此者明殤公知孔父賢而不能用故致此禍設使殤公不知孔父賢焉知孔
父死已必死設使魯莊公不知季子賢焉知以病召之皆患
安存之時則輕發之急然後思之故常用不免。死焉於虔
反注同。疏 注設使至思之。解云莊公二十二年傳云莊公
病將死以病召季子季子至授之以國政曰寡人
即不起此病吾將焉致乎魯國云云是也。注故常
用不免。解云謂宋殤公不免死魯莊公不免亂。孔父
正色而立於朝則人莫敢過而致難於其君

者孔父可謂義形於色矣內有其義而外形見於顏色孔子曰君子正其衣冠尊其瞻視儼然人望而畏之是也重道義形於色者君子樂道人之善言及者使上及其君若附大國以名通明當封爲附庸不絶其祀所以重社稷之臣也督不氏者起馮當國不舉馮弒爲重皆繆公讓子而反國得正故爲之諱也不得爲讓者死乃反之非所以全其讓意也○難乃旦反嚴魚檢反本又作儼重直用反故爲于僞反傳爲隱諱下注不爲諱爲後同疏注督不至諱也○解云春秋之內當國不氏者無知州吁之屬是也今宋督實弒公之孫而不言公孫者正欲起其取國與馮故也○注不得至意也○解云據二十年傳云何賢乎公子喜時讓國也昭三十一年傳云何賢乎叔術讓國也繆公之傳不言讓國者死乃反之非所以全其讓意也○滕子來朝○三月公會齊侯陳侯鄭伯于稷以成宋亂內大惡諱此其目言之何據目見也所見其惡言成宋亂遠也所見異辭所聞異辭所傳聞異辭所以復發傳者益師以臣見恩此以君見恩嫌義異也所見之世臣子恩其君父尤厚故多微辭是也所聞之世恩王父少殺故立煬宮不日武宮日是也所傳聞之世恩高祖曾祖又少殺故子赤卒不日子般卒日是也○傳聞直專反注傳聞及下注傳之皆同以復扶又反下反復同少殺所介反下同煬餘亮反舊始鄗反般音班疏注所以復發傳者○解云下隱元年公子益師卒之下已有傳故言復矣○注益師至尤厚○解云彼以臣之故欲見臣恩之薄厚故曰以臣見恩也此以君之故欲見君恩之厚薄故曰以君見恩也○注故多微辭○解云定元年傳云定哀多微辭彼注云定公有王無正月不務公室喪失國寶哀公有黃池之會獲麟故總言多是其定公有王無正月得爲微辭者即定公元年傳云定何以無正月正月者正即位也定無正月者即位後也彼注云雖書即位於六月實當如莊公有正月今無正月者昭公出奔國當絶定公不得繼體奉正故諱爲微辭使若即位在正月後故不書正月者是也其不務公室者即定二年冬十月新作雉門及兩觀其言新作之何脩大也脩舊不書此何以書譏何譏爾不務乎公室也彼注云務勉也不務公室亦可[illegible]於不脩亦可施於不務如公室之禮微辭也者是也其喪國寶得爲微辭者定公八年盜竊寶玉大弓傳云寶者何璋判白彼注云不言璋言玉者起珪璧琮璜璋五玉盡亡之也傳獨言璋者所以郊事天尤重書大弓者使若都以國寶書微辭也謂之寶者出[illegible]保用之辭是也其黃池之會得爲微辭者哀十三年公會晉侯及吳子于黃池傳云其言及吳子何會兩伯之辭也不與夷狄之主中國則曷爲以會兩伯之辭言之重吳也曷爲重吳吳在是則天下諸侯莫敢不至也彼注云不書諸侯者爲微辭使若天下盡會之而魯侯蒙俗會之者惡愈是也其獲麟得爲微辭者哀十四年春西狩獲麟不言爲漢之將興不言爲周之將亡故得爲微辭也○注所聞至武宮日是也○解云立煬宮不日者即定元年九月立煬宮是也立武宮日者成十六年二月辛巳立武宮是也○解云子赤卒不日者文十八年冬十月子卒傳云何以不日隱之也何隱爾弒也弒則何以不日不忍言也注云所聞世臣子恩痛王父深厚故不忍言其日與子般異是也其子般卒日者莊三十二年冬十月乙未子般卒彼注云日者爲臣子恩錄之也殺不去日見隱者降子赤也者是隱亦遠矣曷爲爲隱諱據觀魚諱隱賢而桓賤也宋公馮與督共弒君而立諸侯會于稷欲共誅之受賂便還令宋亂遂成桓公本亦弒隱而立君子疾同類相養小人同惡相長故賤不爲諱也古者諸侯五國爲屬屬有長二屬爲連連有帥三連爲卒卒有正七卒爲州州有伯也州中有爲無道者則長帥卒正伯當征之不征則與同惡當春秋時天下散亂保伍壞敗雖不誅不爲成亂今責其成亂者疾其受賂也加以者辟直成亂也○令力呈反相長丁丈反下同帥所類反下同爲卒子忽反下皆同疏注據觀魚諱○解云隱五年春公觀魚于棠彼注云實譏張魚而言觀譏遠者恥公去南面之位下與百姓爭利匹夫無異故諱使若以遠觀爲譏者是也○注古者諸侯至有伯也○解云王制文○注加以至亂也○解云下十四年傳云以者何行其意也彼注云以已從人曰行言四國行宋意也今此言以成宋亂者若言公爲三國所以遂行其意而成宋亂非公本意故云加以者辟直成亂也○夏四月取郜大鼎于宋此取之宋其謂之郜鼎何據莒人伐杞取牟婁以牟婁來奔不繫杞也疏注據莒至杞也○解云隱四年莒人伐杞取牟婁昭五年莒牟夷以牟婁來奔是也器從名從本主名名之地從主人從後所屬主人器何以從名

地何以從主人據錯疏注據錯。○解云二理相違故謂之錯器之與人
非有即爾即就也若曰取彼器與此人異國物凡人取異國物非就有取之者皆持以歸爲有焉後
不可分明故正其本名疏非有即爾。○解云非有就而有之爾宋始以不義取
之故謂之郜鼎宋始以不義取之不應得故王之謂之郜鼎如以義應得當言取宋大鼎郜本
所以有大鼎者周家以世孝天瑞之鼎以助享祭諸侯有世孝者天子亦作鼎以賜之禮祭天子九鼎諸侯七卿大夫五
元士三也疏宋始至取之。○解云謂滅郜取之也。○注如以義應得者解云謂若天賜之也。○注周家至享祭者
解云謂殷衰之時鼎沒于泗水及武王克殷之後鼎乃出見故漢書云鼎於周出是也。○注禮祭至三也。○解云春秋說
文而膳夫云王日一舉鼎十有二物何氏不取也而士冠禮士喪禮皆一鼎者士冠士喪略於正祭故也至乎
地之與人則不然凡取地皆就有之與器異也俄而可以爲其
有矣俄者謂須臾之間制得之頃也諸侯土地各有封疆里數今日取之然後王者起興滅國繼絕世反取邑
不嫌不明故卒可使以爲其有不復追錄繫本主。○疆居良反然則爲取可以爲其有
乎爲取爲意辭也弟子未解故云爾。○解音鑒曰否何者何者將設事類之辭若楚
王之妻娼無時焉可也娼妹也引此爲喻者明其終不可名有也經不正者從可
知省文也。○疏若楚至可也。○解云娼音于貴反以妹爲娼音胃妹也妻終無可時以若器從今主之名地取便
爲己有亦無可時故言此也本更散二難可推據未知此君名號云何。○注明其至有也。○解云若作名字言器不可從
今主之名地不可作後主之有也者諸古本名作多字雖悠意取之亦不得多有也若如此解以覆上爲取之義矣。○注
經不至文也。○解云地不得爲今主之有而經不繫本國以正之者從可知省文戊申納于大
廟何以書譏何譏爾遂亂受賂納于大廟非
禮也納者入辭也周公稱大廟所以有廟者緣生時有宮室也孝子三年喪畢追念其親故爲之立宗廟以
鬼享之廟之爲言貌也思想儀貌而事之故曰齊之日思其居處思其笑語思其志意思其所樂思其所嗜祭之日入室

桓二年

僾然必有見乎其位周旋出入肅然必有聞乎其容聲出戶而聽愾然必有聞乎其歎息之聲孝子之至也質家右宗廟
上親親文家右社稷尚尊尊。○僾於豈反愾苦愛反注同嗜市志反僾音愛又烏段反愾苦愛反疏注納者入辭也
○解云即莊九年傳云納者何入辭也是也。○注故爲之之。○解云孝經文。○注故曰至所嗜。○解云皆祭義文也彼
注云所嗜素所欲飲食是也。○注祭之至之聲。○解云亦祭義文彼注云周還出戶謂薦設時也無尸者闔戶若食間則
有出戶而聽之是也。○注質家至尊尊。○解云春秋說文義篇末云建國之神位文家右社稷而左宗廟所謂一質一
○秋七月紀侯來朝紀稱侯者天子將娶於紀與之奉宗廟傳之無窮重莫大焉故封之百
里月者明當尊而不臣所以廣孝敬蓋以爲天子得娶庶人女以其得專封也疏注紀稱侯至百里。○解云知天子
娶於紀者正以下八年冬遂逆王后于紀九年春紀季姜歸于京師之文也知其元非大國者正以隱二年紀子伯莒子
盟于密伯子爵之故知此侯非本爵也知非暫得實已而知封之百里者正以自今以後恒稱侯故也即下六年
夏公會紀侯于成十三年春公會紀侯鄭伯之屬是也。○注月者至孝敬。○解云凡朝例時以其尊而不臣故書月令
朝異。○注蓋以至封也。○解云出欲道諸侯不得專封是以不取于大夫以下即文四年夏逆婦姜于齊略之也彼注云
賤非所以奉宗廟故略之是也。○蔡侯鄭伯會于鄧離不言會此
其言會何據齊侯鄭伯如紀二國會曰離二人議各是其所是非其所非所道不同不能決事定是
非立善惡不足采取故謂之離會疏注據齊至離會。○解云五年齊侯鄭伯如紀當時紀不與會是以齊侯與鄭
伯爲離會也但離不言會故變言如矣蓋鄧與會爾時因鄧都得與鄭會自三國以上言會者
重其少從多也能決事定是非立善惡尚書曰三人議則從二人之言蓋取諸此。○與會音預疏注至之言
解云洪範文○九月入杞○公及戎盟于唐不日者戎狄隱不及國
相能自復翕然相親信○冬公至自唐致者君子疾賢者失其所不尚者反以相親禁故
隱相違也明前隱與戎盟斷不信猶可安也今相與戎盟信猶可危也所以深抑小人也凡致者臣子喜其君以脫危
而至疏注故與隱相違也。○解云即隱二年秋八月公及戎盟于唐不書致是也。○注明前不致也。○解云隱公

郕

之盟書日故言不信也不書致故言猶可安○注
吟桓至而至○解云不日故爲信書致故言危也
三年春正月公會齊侯于嬴無王者以見桓公無王而行也二年有王
者見始也十年有王者數之終也十八年有王者桓公之終
也明終始有王桓公無之爾不就元年見始者未無王也二
月非周之正月所以復去之者明春秋之道亦通於三王非
主假周以爲漢制而已○嬴音盈以見賢遍反下并年末以
見同復扶又反
下同去起呂反疏注二年至始也○解云即二年春王正
月戊申宋督弒其君與夷是也○注十
年至終也○解云即十年春王正月庚申曹伯終生卒是○
注十八年至終也○解云即十八年春王正月公會齊侯于
濼是也○注不就至始者○解云元年春王正月初即位之
時自知己篡戮懼畏討未敢無王是以春秋於正月之際不
得見始須夾之後還復爲惡遭易天子之田遂然無憚故至
二年正月言王以見始○注二月無王○解云即十年二月
己亥焚咸丘十有三年春二月公會紀侯鄭伯云
云十五年春二月天王使家父來求車之屬是也○夏齊
侯衛侯胥命于蒲胥命者何相命也胥相也時盟不歃血
但以命相誓○歃本又作歃所洽反又所甲反疏胥命者何○解云春秋上下更無胥命之文故執不知問○注
時盟至相誓○解云亦相誓勑但不歃血而已故謂之盟也何言乎相命據盟亦相命不道也
近正也以不言盟也○近正附近之近下及注同疏近正也○解云古者不盟而言近正雖不歃血
口相誓勑不若古者結言而退故言近正而已
此其爲近正奈何古者不盟結言而退善其近正似於古而不相背故書以襃嘉之○背音佩○六月公
會紀侯于盛盛音成○秋七月壬辰朔日有食之既
既者何盡也光明滅盡也是後楚滅鄧穀上僭稱王
故尤甚也楚滅鄧穀不書者後治夷狄
疏既者何○解云與例不同故執不知問○注是後楚滅
鄧穀○解云即下七年夏穀伯綏來朝鄧侯吾離來朝
傳云皆何以名失地之君也是也○注上僭稱王○解云春
秋說云桓三年秋七月壬辰朔日有食之既其後楚僭號稱
王滅穀鄧政教陵遲是也○公子翬如齊逆女○九月齊侯送

姜氏于讙何以書譏何譏爾諸侯越竟送女
非禮也以言姜氏也禮送女父母不下堂姑姊妹不出門○讙呼官反疏注以言姜氏也○解云諸
若齊地宜言齊侯送孟姜于讙今言姜氏故知越竟也○注禮送至出門○解云時王之禮此入國矣
何以不稱夫人據讙魯地自我言齊據己以入也父母之
於子雖爲鄰國夫人猶曰吾姜氏所以崇父子之親從父母
辭不言孟姜言姜者
從魯辭起魯也疏猶曰吾姜氏○解云若有言孟
姜者孟爲行字也○注從父至魯
也○解云孟姜者即詩云彼美孟姜
可謂此也孟字亦有作季字者誤也○公會齊侯于讙
夫人姜氏至自齊翬何以不致據遂以夫人婦姜至自齊致
疏注據遂至齊致○解云在宣元年得見乎公矣本所以致夫人者公不親迎有危也翬當
并致君翬親迎重在翬也上會讙時夫人以得見公得禮失
禮在公不復在翬故不復致不就讙上致者婦人危重故略
鄆城乃致也月者爲夫人至例危重之疏注不致至乃致
○親迎魚敬反下同爲于僞反下同解云若就讙致
即鄆者至讙之時書之宜也公會齊侯于讙上○注月者至
重之○解云即宣元年三月遂以夫人婦姜至自齊成十四
年九月僑如以夫人婦姜氏至自齊是也○冬齊侯使其弟年來聘○有
年有年何以書方分別問大有年故不但言何以書○別彼列反以喜書也
大有年何以書亦以喜書也此其曰有年何
僅有年也僅猶劣也謂五穀多少皆有不能大成熟○僅其靳反劣也疏注謂五至成熟
解云舊本如是其穀下云皆有不能大成熟多少二字或衍
文也若必存字解之多謂麥禾少謂豆之屬是事皆有但不
能大成熟也彼其曰大有年何問宣十六年也大豐年也謂五穀皆大成熟
僅有年亦足以當喜乎恃有年也恃賴也若桓公
之行諸侯所當誅百姓所當叛而又元年大水二年耕減民
人將去國喪無日賴得五穀皆有使百姓安土樂業故喜而

書之所以見不肖之君爲國尤危又明爲國家者不可
不有年○行下孟反耗減呼報反下佳斬反喪息浪反
四年春正月公狩于郎狩者何田狩也 〔疏〕田者蒐狩
之揔名也古者肉食衣皮服捕禽獸者故謂之田取獸于
田故曰狩易曰結繩罔以田魚○狩手又反冬獵也
狩者何○解云正以春而言狩故執不知問○注田者蒐狩
之揔名也○解云即尚書云文王不敢盤于遊田○注古者
肉食衣皮服捕禽獸故謂之田取獸于田故曰狩易曰結繩
罔以田魚○解云此古者謂三皇之時也故禮運云昔
者先王未有火化食草木之實鳥獸之肉飲其血茹其毛未
有麻絲衣其羽皮後聖有作然後脩火之利治其麻絲以爲
布帛以養生送死以事鬼神又易繫辭云黃帝堯舜垂衣裳
而天下治彼注云始去羽毛故鄭注易說云古者田漁而食
之因衣其皮先知蔽前後知蔽後後王易之以布帛而猶存
其蔽前者重古道不忘本以此言之則黃帝以後始有火化
而去毛則此古者三皇時可知 春曰苗 苗毛也明當見物取未懷任者 〔疏〕春曰苗○解云周礼
春田謂之蒐
何氏所不取 秋曰蒐 蒐簡擇也簡擇幼稚取其大者○曰度本又作搜亦作蒐所求反簡擇也
冬曰狩 狩猶獸也冬時禽獸長大遭獸可取不以夏田者春秋制也以爲飛鳥未去於巢走獸未離於穴恐
傷害於幼稚故於苑圃中取之○長大丁反年亦同離力智反圃音又 〔疏〕注不以至制也○解云正以周礼四
時皆田故也 常事不書此何以書譏何譏爾遠也 以其
地遠禮諸侯田狩不過郊 〔疏〕注以其至遠也○解云下年冬齊侯衛侯鄭伯來戰于郎傳云郎者何吾近邑也莊三
十一年春築臺于郎傳云何以書譏何譏爾臨民之漱浣也
以此言之則郎爲近邑言遠也者蓋以郎邑在郊內其屋也
在郊外若據邑言之則爲近若據地言之則爲遠也故哀十
○年左氏郊之戰檀弓謂之戰于郎也者是郎邑在郊內之
論也則此言狩于郎者据郊外屬地言之故言遠是以此注
云以其地遠禮諸侯田狩不過郊下五年大雩之下注云去
國遠狩是也而舊云以其
云大野遠故言遠者非 諸侯曷爲必田狩 〔疏〕
注据有囿也○解云即成
十八年築鹿囿之屬是也 一曰乾豆 一者第一之殺也自左髀射之達於右髆
中心死疾鮮潔故乾而豆之中薦於宗廟豆祭器名狀如鐙
天子二十有六諸公十有六諸侯十有二卿上大夫八下大

夫六士三○左髀步小反又扶了反上倉云小腹兩邊肉說
文云脅後髀前肉射之食亦反下同右髆本又作膊魚俱反
又五荀反說文云肩甲也字林云肩前兩乳骨 〔疏〕注自左
也五口反中心丁仲反下同鐙都鄧反又音登 〔疏〕至如鐙
解云時王之禮古制無文○注天子上士二○解云自下大
夫六以上禮器文也其士三者何氏左之案聘礼致饔餼于
上大夫堂上八豆設于戶西西陳則知此者堂上豆數也公食大
夫禮曰宰夫自東房薦豆六設于醬東則食下大夫之礼而
豆六則知食卿上大夫亦八明矣周禮公之豆四十侯
伯之豆三十有二子男之豆二十有四者皆言之 一一
二曰賓客 二者第二之殺也自左髀射之達於右脾遠心死難故以爲賓客○脾遠于萬反 〔疏〕二曰賓客
解云言以爲賓
姐賓爲滑作也 三曰充君之庖 三者第三之殺也自左髀射之達於右腢中腸污泡死遲故以充君之庖廚已有三牲必
田狩者孝子之意以爲己之所養不如天地自然之牲逸豫
肥美禽獸多則傷五穀因習兵事又不空設故因以捕禽
所以共承宗廟示不忘武備又因以爲田除害狩例時此月
者譏不時也周之正月夏之十一月陽氣始施鳥獸懷任草
木萌牙非所以養微○庖步交反左腢方雨反又步啓反腸
外也本又作髃音偶羊晶反字林丁小反一本作胶音賢泡
普交反又百交反捕音步本又作搏音博又音付共音恭爲
田于僞反
下音同 〔疏〕注狩例時○解云即莊四年冬公及齊人狩
于郜僖二十八年冬天王狩于河陽是也○
注此月者至養微○解云在哀十四
年孔子欲見之孟冬以爲田狩之月 夏天王使宰渠
伯糾來聘宰渠伯糾者何天子之大夫也其
稱宰渠伯糾何 者刘卷氏不名且字○糾居黝反氏采七代反後放此 〔疏〕
宰渠伯糾者何○解云欲言微者而經稱伯欲言尊卿連名
言之故執不知問○注据刘至且字○解云在定四年也刘
是其采卷
是名也 下大夫也 天子下大夫繫官氏名且字稱伯者上敬
老也上敬老則民益孝上尊齒則民益弟是以王者父事
三老兄事五更食之於辟廱天子親袒而割牲執醬而饋執
爵而酳冕而揔干率民之至也先王之所以治天下者有五
貴有德爲其近於道也貴貴爲其近於君也貴老爲其近於
父也敬長爲其近於兄也慈幼爲其近於子弟也礼君於臣
而不名者有五諸父兄不名經曰王札子是也詩曰王謂叔

父是也上大夫不名祭伯是也盛德之士不名叔肸是也其臣不名宰渠伯糾是也下去二時者桓公无王而行天子不能誅反下聘之故爲貶見其罪明不宜。弟大計反又音庚飧音闕辟必亦反但音但饋其媿反酳以刃反又士刃反其近附近之近下同札側八反肸許乙反又去訖呂反見賢編反 疏 注天子至叔肸。解云糾是也守也。注是以至之至也。解云祭義云食三老五更於大學天子袒而割牲執醬而饋執爵而酳冕而摠干所以教諸侯之弟也鄭注云割牲制俎實也冕而摠干親在舞位以樂侑食也敎諸侯之悌次事親是也樂記亦有此文。注先王至弟也。解云皆祭義文也。注禮君至是也。解云皆何氏之意欲皆取經以當之。注諸公至是也。解云宣十五年王札子殺召伯毛伯傳云王札子者何長庶之號也注云天子之庶兄札者冠且字也禮天子庶兄冠而不名所以尊之是也。注上大夫至是也。解云隱元年祭伯來傳云祭伯者何天子之大夫也是也。注盛德至是也。解云宣十七年公弟叔肸卒彼注云稱字者賢之宣公篡立叔肸不仕其朝不食其祿終身於貧賤故孔子曰篤信好學守死善道危邦不入亂邦不居天下有道則見無道則隱此之謂也是。注宰臣至不宜。解云渠是其名而言不名者謂計其官爵之時實合氏官名而且字但以其年老故兼稱伯示有不名之義也知之矣

五年春正月甲戌己丑陳侯鮑卒曷爲以二日卒之怴也 怴者狂也齊人語。怴火乙反狂也齊人語 甲戌之日亡己丑之日死而得君子疑焉故以二日卒之也 君子謂孔子也以二日卒之者闕疑 疏 注君子至闕疑。解云正以哀十四年傳云君子曷爲爲春秋撥也。夏齊侯鄭伯如紀外相如不書此何以書 據蔡侯東國卒于楚不言如也 疏 注據蔡至如也。解云在昭二十三年夏也。案襄二十六年許男甯卒于楚是在蔡侯之前而不據之者科取一以當之不以後見義或者正以蔡是大國齊之類故取之 離不言會也 時紀不與會故略言如也春秋始錄內小惡書內離會略外小惡不書外離會至所聞之世著治升平內諸夏而詳錄之乃書外離會嫌外離會常書故變文見意以別嫌明疑。與音預治直吏反見賢遍反下注並同別彼列反 疏 注書內離會者。解云即隱二年公會戎于潛是也。注不書外離會者。解云即此文變會言如是也。注乃書外離會。解云即宣十一年晉侯會狄于攢函是也。注嫌外至明疑。解云若不載此事以略言如則嫌所傳聞之世合書外離會但偶無之而已故曰嫌外離會常書也故書而變其文見所傳聞之世不書外離會之意故曰變文見意也所以別其嫌而明其疑故曰以別嫌明疑也。天王使仍叔之子來聘。仍叔之子者何天子之大夫也其稱仍叔之子何 據宰渠氏官武氏子不稱子又不加之尹氏不稱子 疏 仍叔之子者何。解云欲言大夫而文言之子欲言未仕而天王使之故執不知問。注據宰渠氏。解云即上四年夏天王使宰渠伯糾來聘是也。注武氏至加之。解云即隱三年秋武氏子來求賻是也。注尹氏不稱子。解云即隱三年夏四月辛卯尹氏卒是也 譏何譏爾譏父老子代從政也 禮七十縣車致仕言氏者起父在也加之者起子辟一人。縣音玄 疏 注禮七十縣輿致仕。解云案春秋說文謂之縣輿者淮南子曰日至於悲谷是謂晡時至於淵隅是謂高春至於連石是謂下春至於悲泉爰止其女爰息其馬是謂縣輿舊說云日在縣輿一日之暮人年七十亦一世之暮而致其政事於君故曰縣輿致仕也亦有作車字者。注不言至在也。解云言仍氏子則與武氏子文同嫌亦無父故曰起父在。注加之至二人。解云若言仍叔子則與僖三十三年百里子與蹇叔子之類是一人故曰加之者起子辟一人。葬陳桓公 不月者責臣子也知君父有疾當營衛不謹而失之也傳曰葬生者之事 疏 注不月至之也。解云正以卒日葬月乃是大國之例今書時故決之。注傳曰至之事。解云隱十一年傳文。城祝丘。秋蔡人衛人陳人從王伐鄭其言從王伐鄭何 據河陽狩王狩別出朝文文不連王王師不道所加。從王如字又才用反下及注同 疏 注據河至連王。解云僖二十八年冬公會晉侯以下于溫天王狩于河陽壬申公朝于王所彼文王狩此不至之彼別出公朝之文其文不連上王今言從王伐鄭經連王言之故難之或者上會于溫諸侯之文連王言之。注王師不道所加。解云成元年秋王師敗績于貿戎不道伐某今言伐鄭故難之 從王

正也

雩。大雩者何。旱祭也。

大旱。

則何以不言旱。

言雩則旱見。言旱則雩不見。

何以書。記災也。

蟓。何以書。記災也。

冬，州公如曹。外相如不書，此何以書。過我也。

六年春正月，寔來。寔來者何。猶曰是人來也。孰謂。謂州公也。曷爲謂之寔來。慢之也。曷爲慢之。化我也。

夏四月，公會紀侯于成。秋八月壬午，大閱。大閱者何。簡車徒也。何以書。蓋以罕書也。

教民戰是謂棄之故比年簡徒謂之蒐三年簡車謂之大閱五年大簡車徒謂之大蒐存不忘亡安不忘危不地者常地也蒐例時此日者桓既無文德又忽忘武備故尤危録 疏 何以至書也○解云大閱之禮三年一爲桓公忽忘武備過於三年是以書之○注孔子至弃之○解云何氏之意與鄭別○注故比至之蒐○解云即昭八年秋蒐于紅之屬是也○注三年至大閱○解云此文是也○注五年至大蒐○解云即定十四年大蒐于比蒲之屬是也○知其年數者漢禮猶然○注不地者常地也○解云蓋在郊内而賈注云簡車馬于廟也者何氏不取○注蒐例時者昭八年秋蒐于紅定十四年夏大蒐于比蒲之屬是也○注此日至危録○解云例合書時而以書日故以爲危録也

蔡人殺陳佗陳佗者何陳君也以躍卒不書葬也○佗大何反 疏 陳佗者何○解云欲言陳君經不書爵欲言大夫又不言氏故執不知問○注以躍至葬也○解云十二年八月壬辰陳侯躍卒注云不書葬者佗子也佗不稱侯者嫌反在名例不當絶故復云躍篡也是以昭十一年楚師滅蔡執世子有以歸用之傳云此未踰年之君也其稱世子何不君靈公不成其子也不君靈公則曷爲不成其子誅君之子不立以此言之正由陳佗不君而見絶故去其子葬是故以躍不書葬矣知佗是陳君君其不然不知陳侯躍何以不書葬矣

陳君則曷爲謂之陳佗據殺蔡侯般不言蔡侯般○般音班 疏 注據至蔡般○解云昭十一年楚子虔誘蔡侯般殺之於申是也 絶也絶者國當絶 曷爲絶之據戕鄫子不絶○戕在良反鄫才陵反 疏 注據戕至不絶○解云宣十八年秋邾人戕鄫子稱子而不名是也 賤也其賤奈何外淫也惡乎淫惡乎猶於何也○惡音烏 淫于蔡蔡人殺之蔡稱人者與使得討之故從討賊辭也賤而去其爵者起其見卑賤猶律文立子姦母見乃得殺之也 疏 注猶律至之也○解云猶言對子不月不書葬者從賤文○去起呂反○解云陳佗是君而見弒例合書日即隱四年戊申衛州吁弒其君完之屬是也君被外國殺者不責臣子不討賊例合書葬即桓十八年葬我君桓公是也今不書日不書葬者從賤文故也

九月丁卯子同生子同生者孰謂謂莊公也以夫人言同非吾子○嚴公音莊本亦作莊案後漢諱莊改爲嚴 疏 子同生者孰謂○解云春秋之內魯侯多矣皆不書生今特書故問爲誰○注以夫至吾子即莊元年傳云夫人譖公于齊侯公曰同非吾子齊侯之子也者是正以道公疑非己子則是其長子同既繫於桓是常故知莊公也 何言乎子同生據君存稱世子子般不言生 疏 注據君至言生○解云莊三十二年冬十月乙未子般卒傳云子卒云子卒此其稱子般卒何君存稱世子君薨稱子某既葬稱子踰年稱公是也 喜有正也喜國有正嗣 未有言喜有正者據莊公生者此其言喜有正何久無正也子公羊子曰其諸以病桓與其諸辭也本所以書莊公生者感隱桓之禍生於無正故喜有正而不以世子正稱書者明欲以正見無正疾惡桓公日者喜録之禮生與來日死與往日各取其所見日也禮世子生三日卜士負之寢門外以桑弧蓬矢射天地四方明當有天地四方之事三月君名之大夫負朝于廟以名徧告之○桓與音餘稱尺證反惡烏路反射食亦反徧音遍 疏 注而不至桓公○解云若以正稱書宜言世子同生也同實世子而以不正稱書之是其以正見無正之義桓由不正而篡弒故曰疾惡桓公也○注日者至日也○解云與由數也由生數來日故書丁卯而録之凡人謂方至爲來已過爲往故云生與來日死與往日也鄭注曲禮上篇云生數來日謂成服杖以死明日數也死數往日謂殯斂以死日數也者與何氏異○注禮世至告之○解云皆出內則文也○冬紀侯來朝朝聘例時

原書有殘損

公羊註疏桓公卷第四

監本附音春秋公羊註疏桓公卷第五起七年盡十八年

何休學

七年春二月己亥焚咸丘焚之者何樵之也樵薪也以樵燒之故因謂之樵之樵之齊人語○樵似遥反薪也疏焚之者何○解云咸丘是邑而反焚之故執不知問樵之者何以火攻也何言乎以火攻據戰伐不道所用兵○攻音貢又如字下同疏樵之者何○解云雖言焚言樵仍非攻邑之義故執不知問疾始以火攻也征伐之道不過用兵服則可以退不服則可以進火之盛炎水之盛衝雖欲服罪不可復禁故疾其暴而不仁也傳不託始者前此未有所託也○復扶又反咸丘者何邾婁之邑也曷為不繫乎邾婁據邾婁部郚繫紀○邾步亍反郚子斯反一音晉郚音吾疏咸丘者何○解云欲言是国經典未有欲言非国文無所繫故執不知問○注據邾婁郚繫紀○解云莊元年冬齊師遷紀郱鄑郚是也國之也欲使如國故無所繫加之者辟實国也曷為國之據邾婁郚不国君存焉爾所以起邾婁君在咸丘邑明臣子當赴其難與在国等也日者重錄以火攻也○難乃旦反疏注日者至攻也○解云正以侵伐例時即隱七年秋公伐邾婁之屬是也故決之○夏穀伯綏來朝鄧侯吾離來朝皆何以名據滕薛不名也疏注據滕薛不名也○解云即隱十一年春滕侯薛侯來朝是也失地之君也其稱侯朝何據以賤也疏失地之君也○解云即曲礼下云諸侯失地名是貴者無後待之以初也穀鄧本與魯同貴為諸侯今失爵亡來朝託寄也義不可卑故明當其待之如初所謂故舊不遺則民不偷無後者施於所奔国也獨妻得配夫託衣食於公家子孫當受田而耕故云亦下去二時者桓公以火攻人君故貶明大惡不月者失地君朝惡人輕也名者見不世也○不偷他侯反字又作偷去起○反見賢徧反疏注無後至大惡○解云知此者正以郊特牲云諸侯不臣寓公故古者

寓公不繼世彼注云寓寄也寄公之子非賢者世不足尊也是其義又云繼世以立諸侯象賢也注云賢者子孫恒能法其先父德行○注不月至輕也○解云朝例時春秋常典即文十五年夏曹伯來朝是也而此責其月者以文十二年春王正月盛伯來奔傳云盛伯者何失地之君彼書月見其奔重宜厚遇之此不月者朝惡人輕故也僖二十年夏郜子來朝僖公非惡人而不月者正以朝輕于奔故也然則此注因悟惡人故言此耳其不然正宜直云失地之君來朝輕矣○注名者見不世也○解云郜子盛伯皆不名者兄弟故也

八年春正月己卯烝烝者何冬祭也春曰祠薦尚韭卵祠猶食也猶繼嗣也春物始生孝子思親繼嗣而食之故曰祠因以別死生○烝之承反冬祭也祠嗣茲反卵力管反徇食許徇下同別彼列反夏曰礿薦尚麥苗麥始熟可礿故曰礿○礿音子若反本又作禴同疏烝者何○解云欲言宗廟之祭而文無所繫欲言祭天天無烝名故執不知問○注薦尚韭卵又注薦尚麥至曰礿○解云王制云春薦韭夏薦麥秋薦黍冬薦稻韭以卵麥以魚黍以豚稻以鴈秋曰嘗薦尚黍豚嘗者先辭也秋穀成者非一黍先熟可得薦故曰嘗冬曰烝薦尚稻鴈烝衆也氣盛貌冬萬物畢成所薦衆多芬芳備具故曰烝無牲而祭謂之薦天子四祭四薦諸侯三祭三薦大夫士再祭再薦祭於室求之於幽祭於堂求之於明祭於祊求之於遠皆孝子博求之意也大夫求諸明士求諸幽尊卑之差也殷人先求諸明周人先求諸幽質文之義也礼天子諸侯卿大夫牛羊豕凡三牲曰大牢天子元士諸侯之卿大夫羊豕凡二牲曰少牢諸侯之士特豕天子之牲角繭栗諸侯角尺卿大夫索牛○祊必庚反少詩照反索所百反疏注無牲至之薦○解云謂無牛羊豕之牲也而中霤礼云祭五祀于廟用牲有尸皆為于奧何以為用牲彼謂正祭之時先薦于奧仍自無牲其正祭五祀乃用牲有尸耳○注天子至差也○解云皆時王之礼中霤礼亦然○注殷人至義也○解云即郊特牲云殷人先求諸陽周人先求諸陰是也○注礼天至大牢○解云皆時王之礼也○注天子至索牛○解云皆指祭宗廟之牲也仍不如王制云祭天地之牛角繭栗宗廟之牛角握之文也常事不書此何以書譏何譏爾譏亟也亟數也屬十二月已烝今復烝也不異烝祭名而言烝者取冬祭所薦衆多可以包四時

之物。亟去冀反數也注及下同數所角反屬十音燭下同今復扶又反下同 疏 注屬十至烝也之名。解云烝者冬祭之名明去年十二月已有烝但得常不書今正月復作烝故譏亟。注不異至。解云烝者冬時祭名前已作訖今宜易名而尤言烝故疏之也

亟則黷黷則不敬 黷嬻也。黷徒木反又作嬻息列反 君子之祭也敬而不黷 君子生則敬養死則敬享故將祭宮室既脩牆屋既繕百物既備夫婦齊戒沐浴盛服君牽牲夫人奠酒君親獻尸夫人薦豆卿大夫相君命婦相夫人洞洞乎屬屬乎如弗勝如將失之其致敬也愉愉乎其忠也勿勿乎其欲饗之也文王之祭事死如事生孝子之至也。養餘亮反散素旦反下同相君息亮反下同洞大董反勝音升齊側皆反愉羊朱反勿勿如字 疏 注君子至敬享。解云祭義文也彼鄭注云散齊七日以定之注云定者定其志意也既其志意者謂齊三日以齊之是致齊者即鄭氏云致之言至致謂深也。注夫婦至奠酒。解云案今祭義酒作盎字鄭注云奠盎設盎齊之奠盡所見異或何休以義引之不取正文。注君親至如事生。解云皆出祭義唯孝子之至一句注者之言也注礼本下爲士制者即士喪礼士虞之屬是也言此者欲道庶人無礼篇故傳家偏言之耳曲礼上篇礼不下庶人鄭注云爲其遽於事且不能備物義亦通 疏則怠怠則忘 怠解。疏音疎下同解古賣反 士不及茲四者則冬不裘夏不葛 礼本下爲士制故此也四者四時祭也疏數之節靡所折中是故君子合諸天道感四時物而思親也祭必於夏之孟月者取其見新物之月也裘葛者禦寒暑之美服士有公事不得及此四時祭者則不敢美其衣服盡思念親之至也故孔子曰吾不與祭如不祭。折中之設反下丁仲反禦魚呂反又如字不與音預 ○天王使家父來聘 家采地父字也采故稱字不 疏 注天子至仲也。解云上大夫稱伯仲者即祭伯南季之屬是也次大夫不稱伯仲者即此是也下大夫稱官氏名且字者即宰渠伯糾是也 ○夏五月丁丑烝何以

書譏亟也 屬與上祠同 疏 注與上至亟也。解云周之三月乃是夏之孟月自當禘之礼今周之五月乃夏之三月也尤與上祠同在一時而復爲烝故曰與上祠同爲亟也 ○秋伐邾 ○冬十月雨雪何以書記異也何異爾不時也 周之十月夏之八月未當雨雪此陰氣大盛兵象也是後有郎師龍門之戰流血尤深。雨雪于付反 疏 注是後至尤深。解云郎師即下十年齊侯衛侯鄭伯來戰于郎是也其龍門之戰者即下十三年公會紀侯鄭伯己巳及齊侯宋公衛侯燕人戰齊師宋師衛師燕師敗績云戰于龍門之戰民死傷者甚衆故此注云流血尤深也 ○祭公來遂逆王后于紀祭公者何天子之三公也 天子置三公九卿二十七大夫八十一元士凡百二十官下應十二子。祭側介反后戶豆反下同應應對之應 疏 注天子至采也。解云春秋說云立三台以爲三公北斗九星爲九卿二十七大夫內宿部衛之列八十一紀以爲元士凡百二十官焉下應十二子宋氏云言一公二卿三大夫四元士一公置三卿三卿九大夫九大夫二十七元士也言屬應十二子者謂上法星下爲山川也此言天子立百二十官者亦下應十二辰故曰下應十二子也。注三公至是也。解云即祭公周公是也上大夫即伯仲稱五十字即家父之屬是也下大夫繫官氏名且字即宰渠伯糾是也上士名氏通即劉夏是也次士以官錄即宰周公是也下士略稱人即王人子突是也。凡諸侯入爲天子大夫者劉子單子之屬不稱字而稱子者謂諸侯入爲天子大夫繫文非王臣之常稱若然祭公周公官稱公公者何天子之爲三公是也宰周公者宰周公也。注云宰猶治也三公之職號尊名也以加宰知其職大尊重當與天子參聽萬機而下爲諸侯所會惡不勝任故加宰以起之 公會宰周公于葵丘是也而僖九年同 何以不稱使 據宰周公稱使 疏 注據宰周至稱使者。解云即僖三十年天王使宰周公來聘是也 婚禮不稱主人 時王者有母也 遂者何生事也 生猶造也專事之辭 大夫無遂事此其言遂何 據將尊者命然 疏 注據將至夫也。解云成十七年冬十一月壬申公孫嬰齊卒于貍脤者宰大夫也

非此月日也曷爲以此月日卒之待君命然後卒大夫曷爲待君命然後卒大夫前此者嬰齊走之晉公會晉侯將執公嬰齊爲公請公許之反爲大夫歸至於貍軫而卒無君命不敢卒大夫公至曰吾固許之反爲大夫然後卒**成使乎我也**以上來無事而遂成使乎我之者是也○成使所吏反注及下成使同**其成使乎我奈何使我爲媒可則因用是往逆矣**婚禮成於五先納采問名納吉納徵請期然後親迎時王者遣祭公來使魯爲媒可則因用魯往迎之○不復成礼疾王者不重妃匹逆天下之母若逆婢妾將謂海內何哉故譏之不言如紀者辟有外文○媒亡盃反請期音情又七井反迎魚敬反妃匹音配絕句（疏）注不言至外文○解云外相如者例所不錄言如紀即外相如故曰辟有外文也**女在其國稱女此其稱王后何王者無外其辭成矣**（疏）女在其國稱女者○解云即隱二年紀履緰來逆女下三年公子翬如齊逆女之屬是也

九年春紀季姜歸于京師其辭成矣則其稱紀季姜何自我言紀父母之於子雖爲天王后猶曰吾季姜明子尊不加於父母**京師者何天子之居也**以季姜言歸（疏）京師者何○解云欲言天子之居而文不言王欲言凡國而爲王后所歸故執不知問**京師者何大也師者何衆也天子之居必以衆大之辭言之**地方千里周城千雉宮室官府制度廣大四方各以其職來貢莫不備具所以必自有此者治自近始故據土與諸侯分職而聽其政焉即春秋所謂內其國也書季姜歸者明王者當有迎之禮○治自直吏反更反（疏）京者至言之○解云京師之名理須訓解故分而問之○注地方千里○解云即詩云邦畿千里是也○注周城千雉○解云在定十二年○注即春至之礼○解云春秋之曾爲王故內魯若周公制礼內京師然也

○夏四月○秋七月○冬曹伯使其世子射姑

一本在齊與在曹與

來朝諸侯來曰朝此世子也其言朝何據臣子一例當言聘（疏）諸侯來曰朝○解云隱十一年傳○射音亦○以弟子難之○注據臣至言聘○解云隱元年傳文**春秋有譏父老子代從政者則未知其在齊與曹與**在齊者世子光也時曹伯年老有疾使世子行聘禮恐卑故使自代朝雖非礼有尊厚魯之心傳見下卒葬詳錄故亭經意依違之也小國無大夫所以書者重惡世子之不孝甚○齊與音餘絕句下同惡烏路反（疏）注在齊至光也○解云即襄九年冬公會晉侯已下齊世子光滕子薛伯小邾婁子伐鄭十一年公會晉侯已下齊世子光莒子邾婁子云云伐鄭是也○注時曹至之心○解云正以十年春卒今又世子代其朝故知其疾也○注傳見至詳錄○解云即十年正月庚申曹伯終生卒夏五月葬曹桓公是也○注故亭至甚○解云出子代朝明亦合譏世子序諸侯之上明亦合譏而傳云未知在齊者曹者正以其卒葬詳錄故依違之不信言耳

十年春王正月庚申曹伯終生卒○夏五月葬曹桓公小國始卒當卒月葬時而卒日葬月者曹伯年老使世子來朝春秋敬老重恩故爲魯恩錄之尤深（疏）注小國至桓公○解云所傳聞之世未錄小國卒葬所聞之世乃始書之其書之也卒月葬時文九年秋八月曹伯襄卒冬葬曹共公者是也今卒日葬月者正以敬老重恩故也云云之說當文皆自有解**○秋公會衞侯于桃丘弗遇會者何期辭也其言弗遇何公不見要也**以非礼動見拒有恥故諱使若會而相過言弗遇者起公要之也弗者不之深也起公見拒深傳言公不要見者順經諱文○見要一遍反注同（疏）會者何○解云經既書會作聚集之名嫌言弗遇是未見之辭故執不知問**○冬十有二月丙午齊侯衞侯鄭伯來戰于郎郎者何吾近邑也**以言來也（疏）郎者何○解云欲言是邑戰於其內欲言非邑經有戚郎之文故執不知問○注以言來也○解云凡言來者鄉內之辭今經言來故知近邑也而隱四年注云來謂于郎是時在己國而言來者據己道

言來，故得吾近邑則其言來戰于郎何。據齊師宋師次于郎不言來。公敗宋師不言戰。疏注據齊師至不言。○解云在莊十年。注公敗至不言戰。○解云隱十年，公敗宋師于菅；莊十一年，公敗宋師于乘丘；莊十年，公敗宋師于鄑，凡有二經，宜隱十年以當之。○注龍門至地也。○解云即下十三年春，公會紀侯、鄭伯，己巳，及齊侯、宋公、衛侯、燕人戰云云，依春秋說云是龍門之戰，而不言戰于龍門是也。近也。惡乎近，近乎圍也。地而言來者，明近都城，幾與圍无異，不解戰者從下說可知。○惡音烏。明。疏近也至圍也。○解云近，讀如附近之近，近國，讀如圍言兵圍都城相似，故言近乎圍也。考諸古本，圍皆作國，守而備以國為圍。此偏戰也，何以不言師敗績。據十三年師敗績。偏，一面也。結日定地，各居一面，鳴鼓而戰，不相詐。疏注據十至相詐。○解云即龍門之戰，齊師、宋師、衛師、燕師敗績是也。內不言戰，言戰乃敗矣。春秋託王於魯，戰者敵文也，王者兵不與諸侯敵，戰乃其已敗之文，故不復言師敗績。不復出主名者，兵近都城，明舉國无大小當戮力拒之。○不復扶又反，下同。戮音六，又力彫反，字亦作勠。

十有一年，春，正月，齊人、衛人、鄭人盟于惡曹。月者，諸侯所當禁屬，上三國來戰于郎，今復使微者盟，欲為魯難，危錄之。○行下孟反。屬音燭。今復扶又反，下故復同。為魯于偽反。疏注月者至錄之。○解云正以微者盟例合時，今而書月，故須解之。夏，五月，癸未，鄭伯寤生卒。○寤，吾故反。秋，七月，葬鄭莊公。莊公殺段，所以書葬者，段當國，本當討賊，辭不得與殺大夫同例。疏注莊公至同例。○解云春秋之例，君殺无罪大夫，皆去其葬，即成十年晉侯獳卒，注云不書葬者，殺大夫趙同等是今段有罪，故莊公書葬也。然則此言不得與殺无罪大夫同例耳。九月，宋人執鄭祭仲。祭者何。鄭相也。不言大夫者，欲見持國重。○相，息亮反，見賢遍反，下同。疏祭仲者何。○解云欲言无罪，聽脅立篡；欲言有罪，賢而稱字，故執不知問。何以不名。賢也。何賢

乎祭仲。據身執君出，不能防難。○防難乃旦反，下同。以為知權也。權者稱也，所以別輕重。喻祭仲知國重君輕。君子以存國除逐君之罪，雖不能防其難，罪不足而功有餘，故得為賢也。○不知，如字，下之量者取其平實以無私。○稱，尺證反。別，彼列反。其為知權奈何。古者鄭國處于留。古者，鄭國本在留，地無別名。先鄭伯有善于鄶公者，通乎夫人，以取其國而遷鄭焉。鄶，鄭都。從鄶也。而野留。野，鄙也。傳今上以事者，欲開土不注以○鄶，古外反。莊公死，已葬，祭仲將往省于留，塗出于宋，宋人執之。宋人，宋莊公也。謂之曰：為我出忽而立突。突，宋外孫。○為于偽反，下注同，為突同。祭仲不從其言，則君必死，國必亡。祭仲死而忽立，於經不書，忽弱見殺，是時宋強而突賢，祭仲探宋莊公本弒君而立，非能為突，將以為賂，動作之所見鄭，經自入見國無非難，若以兵使殺滅鄭，故深慮。從其言，則君可以生易死，國可以存易亡。少遼緩之，則突可故出，而忽可故反。是不可得則病，然後有鄭國。古人之有

（疏）注祭仲死至君者也。○解云下十五年秋九月，鄭伯突入于櫟，傳云櫟者何？鄭之邑。曷為不言入于鄭？末言爾。曷為末言爾？祭仲亡矣。然則曷為不言忽之出奔？言忽為君之微也。祭仲存則存矣，祭仲亡則亡矣。是以注云祭仲探宋莊公本弒君而立者，在桓二年。宋莊公本意欲令突自力自使者，今自力也。○疏君可以生易死。○解云謂易去死亡。○疏云易去。少遼緩之。宋當從突求賂，鄭守正不與，則突外乖於宋，內不行於臣下，遂假緩之。疏則突可故出。○解云突可以此之故出也。○而忽可故反。○解云言忽可以此之故而反之也。是不可得則病。使突有賢才，是計不可得行，則已病，逐君之罪。疏則突可故出之也。○解云言出突而反忽，則為難之成。若不能如是，乃為其病矣。然後有鄭國。已雖病逐君之罪，討出突，然後能保有鄭國，猶愈於國之亡也。○解云言突有賢才，已計不行，雖然必須勠力，故令忽有因，猶貴勠力，猶愈於國亡也。

權者祭仲之權是也 古人謂伊尹也湯孫大甲驕蹇亂德諸侯有叛志伊尹放之桐宮令自思過三年而復成湯之道前雖有逐君之負后有安天下之功况祭仲逐君存鄭之權是也。大音泰 疏 注古人至之道。解云出書序長義云若令臣子得行則閉君臣之道啓纂弑之路解云權之設所以扶危濟溺舍死亡无所設也若使君父臨溺河井寧不執其髮乎是其義也 權者何權者反於經然後有善者也權之所設舍死亡無所設 設施也舍置也如置死亡之事不得施 疏 權者何。解云欲言正逐君立庶欲言不正又言權故執不知問 行權有道自貶損以行權 身蒙逐君之惡以存鄭是也 不害人以行權 害忽是也 納突不 殺人以自生亡人以自存君子不爲也 祭仲死則忽死忽死則鄭亡生者乃所以生忽存鄭非苟殺忽以自生亡鄭以自存反覆道此者皆所以解上死亡不逾於己宋不称公者實鄭之基首惡當誅非伯討也祭仲不称行人者時不銜君命出使但往省留耳 執例時此月者爲突歸鄭奪正伯出奔。覆芳服反使所吏反 疏 注注所至於己。解云言上辟死亡皆爲忽故也。注宋不至執也。解云欲成十五年晉侯執曹伯歸于京師称爵也即僖四年傳云称侯而執者伯討也稱人而執者非伯討是也。注祭仲至留耳。解云定六年秋晉人執宋行人樂祁犂之屬称行人也。注執例時者解云即祁犂言秋是也而僖十九年六月己酉邾婁人執鄫子用之而書日者彼注云日者魯不能防正其女以至於此明當痛其女禍而自責之然則凡執例時而在日月下者皆當文有解 ○突歸于鄭突何以名 據忽復歸于鄭俱祭仲所納繫国称世子不但名也 疏 注據忽至名也。解云即十五年鄭世子忽復歸于鄭是 挈乎祭仲也 挈猶提挈也突當国本當言鄭突故上繫於祭仲不繫国者使與外納同也時祭仲勢可殺突以除忽害而立之者忽内未能懷保其民外未能結款諸侯亦殺之則宋師必乘其弱滅鄭不可殺故少遼緩之。挈苦結反提挈也 疏 注欲明至同也 解云言與外納同者即祭仲言于鄭是也言以僖二十五年楚人圍陳納頓子于頓文十四年晉人納捷菑于邾婁之屬是也 其

桓十一年

言歸何 據小白言入 疏 注據小白言入。解云即莊九年齊小白入于齊是也 順祭仲也 順其計策與使行權故使无惡 疏 注順其至无惡。解云下十五年傳例云歸者出入无惡故信此 ○鄭忽出奔衛忽何以名 據宋子既葬称子 疏 注據宋至称子 解云僖九年三月宋公禦說卒夏公會宰周公齊侯宋子已下盟于葵丘是也若然案彼經文宋公禦說三月卒夏公會宋子于葵丘計應未葬故注云宋未葬不称子某者出會諸侯非居尸柩之前故不名也此注云宋子既葬称子者謂以其非居尸柩之前故猶已葬之称而單言子況此鄭忽之父已葬而反名故難之 春秋伯子男一也辭無所貶 春秋改周之文從殷之質合伯子男爲一一辭无所貶皆從子夷狄進爵称子是也忽称子則與諸侯改伯從子辭同於成君无所貶損故名也名者緣君薨有降既葬名義也此非罪貶也君子不奪人之親故使不離子行也王者起所以必改質文者爲承衰亂救人之失也天道本下親親而質省地道敬上尊尊而文煩故王者始起先本天道以治天下質而親親及其衰敝其失也親親而不尊故後王起法地道以治天下文而尊尊及其衰敝其失也尊尊而不親故復反之於質也質家爵三等者法天之有三光也文家爵五等者法地之有五行也合三從子者相由中也。省所景反 疏 注夷狄至名也。解云襄二十九年吳子使札來聘哀十三年公會晉侯及吳子于黄池之屬是也。注名者至義也。解云言君薨称子某既葬称子者正以既葬名者名者緣君薨而名之義也。注既葬名義故不得名也然則前所以 天道本下親親而質省者已下至反之於質皆出樂說文三光也已下皆春秋說文也 ○柔會宋公陳侯蔡叔盟于折 柔者何吾大夫之未命者也 以不卒也 无氏嫌貶也所以不卒柔者深薄桓公不與有恩禮於大夫也盟不日者未命大夫盟會用兵上不及大夫下重於士罰疑從輕故責之略蔡侯称叔者不能防正其姑姊妹使淫於陳佗故貶在字例。折之設反又時設反一本作析思歷反 疏 柔者何。解云欲言大夫經不言氏欲言微者而書其名故執不知問。注以俠亦也。解云隱九年春俠卒傳云俠者何吾大夫之未命者也彼注云以无氏而卒之也然則此亦无氏而書見故知未命之大夫也。注鄭發至貶

桓十一年

一本童作鍾

也○解云凡內大夫不書氏有二義若未命大夫亦無氏即此與俠是也貶者亦無氏即無駭與翬之屬是也故此注云無氏嫌貶也○注所以至大也○解云欲道俠之卒當隱公之世故得書之○注盟不至之略○解云春秋之例不信者日下十二年及鄭師伐宋丁未戰于宋是其違信矣不日者正以未命大夫故責之略也○注蔡揤至字例○解云正以隱八年蔡侯考父卒故有其姊妹注於陳侯佗之事在上六年○公會宋公于夫童○夫童音扶下音鍾又如字左氏作夫鍾○冬十有二月公會宋公于闞○闞口暫反

十有二年春正月○夏六月壬寅公會紀侯莒子盟于毆蛇○毆蛇丘于反又音曲侯反蛇音移又音地左氏作曲池○秋七月丁亥公會宋公燕人盟于穀丘○穀音斛○八月壬辰陳侯躍卒不書葬者佗子也佗不稱侯者嫌貶在名例不當絕故復去躍葬也○躍予若反佗子大何反故復扶又反下同去起呂反○公會宋公于郯○郯音談二傳作虛○冬十有一月公會宋公于龜○丙戌公會鄭伯盟于武父○父音甫○丙戌衛侯晉卒不蒙上日者春秋獨晉書立記卒耳當蒙上日與不嫌異於篡例故復出日明同（疏）注不蒙至明同○解云春秋之例篡不明者至卒時合去日以略之即僖二十四年冬晉侯夷吾卒襄十八年冬十月曹伯負芻卒于師之屬是也若其篡明有立入之文者不嫌非篡故不勞去日即僖十七年冬十二月乙亥齊侯小白卒莊二十一年夏五月辛酉鄭伯突卒之屬是也今此衞侯晉亦隱四年有立文不嫌非篡當日若不重言丙戌則嫌不蒙上日以其篡故略之是以重言丙戌以明嫌也而言獨晉書立者鄭突齊小白皆上有入文不言立故言獨○十有二月及鄭師伐宋丁未戰于宋戰不言伐此其言伐何辟嫌也惡乎嫌嫌與鄭人戰也時宋主名不出不言伐則嫌內微者與鄭人戰于宋地故

桓十二年

一本鄭作虛

舉伐以明之宋不出主名者兵攻都城與郎同義○惡乎音烏十三年傳同（疏）注宋不至同義○解云上十年來戰于郎注云魯不復出主名者兵近都城明當國無大小當勠力拒之是也此偏戰也何以不言師敗績內不言戰言戰乃敗矣（疏）注此偏云戰矣○解云上十年郎戰之下已有此傳今復發之者上經來戰于郎此則往戰于宋嫌其異故明之

十有三年春二月公會紀侯鄭伯己巳及齊侯宋公衛侯燕人戰齊師宋師衛師燕師敗績曷為後日據鞌之戰先書日○鞌音安（疏）注據鞌至書日○解云成二年六月癸酉云云及齊侯戰于鞌是也恃外也其恃外奈何得紀侯鄭伯然後能為日也得紀侯鄭伯之助然後乃能結日戰以勝君子不掩人之功不蔽人之善故後日以明之○掩詩鹽反蔽必袂反內不言戰此其言戰何據公敗宋師于菅○菅古顏反（疏）注據公至于菅○解云在隱十年從外也從外諸侯相與戰例曷為從外據戰于宋不從外言敗績（疏）注據戰至敗績○解云即上十二年也于時有鄭人不書敗績之文矣恃外故從外也明當歸功於紀鄭故從紀鄭言戰何以不地據在下句（疏）注據在下句○解云郎下云郎亦近矣郎何以地近也惡乎近近乎圍郎亦近矣郎何以地郎猶可以地也郎雖近猶尚可言其處今親戰龍門兵攻城池尤危故耻之績功也非義不戰故以功言之不言功者取其積聚師衆有尊卑上下次第行伍以出萬死而不奔此故以自敗為文明當坐也燕戰稱人敗績稱師者重敗也戰少而敗多言及者明見我者為主故得及以敗勝之文○處昌慮反行戶郎反（疏）郎猶可以地也○解云即上十年齊侯衛侯鄭伯來戰于郎是也○注郎雖至其處○解云謂郎雖在郊內仍非攻城猶可以至其地○注今親至恥之○解云春秋說云龍門之戰民死傷者滿溝也若主說此經故知之○注績功至不戰○解云凡書兵者正得奉王命伐不礼乃有戰事故言非義不戰○注

公以爲死。解云若武王萬民致死而定天下之類。注[illegible]戰至敗也。解云盖師不必戰故言戰少敗時悉走故言敗多而莊二十八年齊人伐衛衛人及齊人戰衛人敗績傳即据此經云敗者称師衛何以不称師未得乎師也彼注云未得成列爲師也彼戰不言戰言戰者衛未有罪力欲使衛主齊見直文也者是○**三月葬衛宣公**注背殯用兵而月不危之者衛弱於齊宋不從亦有危故量力不責也○背殯音佩后背殯皆放此 疏 注背殯至責也。解云隱三年傳云當時而不日正也當時而日危不得葬也然則衛宣公去年十一月卒至今年三月正當五月之際而又背殯用兵宜書日以見危而不日者正以量力不責故也○**夏大水**爲龍門之戰死傷者衆民悲哀之所致○爲于僞反○**秋七月○冬十月**

十有四年春正月公會鄭伯于曹○無冰何以書記異也周之正月夏之十一月法當堅冰无冰者溫也此夫人淫泆陰而陽行之所致○泆音逸行下孟反○**夏五鄭伯使其弟語來盟夏五者何無聞焉爾**來盟者聘而盟也不言聘者舉重也內不出主名者主國也莅盟可知莅盟來盟例皆時時者從內爲王義明王者當以至信先天下○莅盟音利又音類下同 疏 夏五者何。解云執不知問○注莅盟至天下○解云其莅盟書時者僖三年冬公子友如齊莅盟定十一年冬叔還如鄭莅盟之屬是也其來盟書時者宣七年春衛侯使孫良夫來盟之屬是也而文十五年春三月宋司馬華孫來盟書月彼注云月者文公微弱大夫秉政宋亦孤于三世之黨二乱結盟故不與信辭是也然則來盟之例例不言月而此言夏五所不說何以五字或衍文故如此解○**秋八月壬申御廩災御廩者何粢盛委之所藏也**黍稷曰粢在器曰盛委積也御者謂御用于宗廟廩者釋治穀名禮天子親耕東田千畝諸侯百畝后夫人親西郊采桑以共粢盛祭服躬行孝道以先天下○廩力甚反粢音咨盛音成下同委于鬼反注同積子賜反共音恭 疏 御廩者何○解云欲言官室而文言御廩欲言倉廩今被災之故義不強故執不知問○注廩者釋治穀名○解云謂廩之言禀之義故也○注禮天至天下○解云皆出祭義之文御廩災何以

書者[illegible]嘗上粢盛委之所藏故不但言何以書**御廩災何以書記災也**火自出燒之曰災先是龍門之戰死傷者衆桓无惻痛於民之心不重宗廟之尊逆天危先祖鬼神不饗故天應以災御廩○應應對之應 疏 注火自至曰災○解云公羊之例內悉言災而復言火自出燒之者入春秋始有此災欲爾人火不嘗之義也○**乙亥嘗常事不書此何以書譏何譏爾譏**[illegible]**也**譏新有御廩災而嘗之**曰猶嘗乎**難曰四時之祭不可廢闕无尤嘗乎○難乃旦反**御廩災不如勿嘗而已矣**當廢一時祭自責以奉天災也知不以不時者書本不當嘗也 疏 注知不至嘗也○解云周之八月非夏之孟秋而反爲嘗故以不時言○**冬十有二月丁巳齊侯祿父卒○宋人以齊人衛人蔡人陳人伐鄭以者何行其意也**以已從人曰行言四國行宋意也宋前納突求賂突背恩伐宋故宋結四國伐之四國本不起兵當分別之故加以以宋時四國乃伐鄭四國當與宋同罪非爲四国見輕重○背音佩別彼列反見賢遍反 疏 以者何○解云正以宋非強国而以齊衛故執不知問○注宋前納突求賂○解云上十一年宋人執鄭祭仲突歸于鄭是○注突背恩伐宋者解云上十二年及鄭師伐宋丁未戰于宋是也

十有五年春二月天王使家父來求車何以書譏何譏爾王者無求求車非禮也王者千里畿內租稅足以共費四方各以其職來貢足以尊榮當以至廉无爲率先天下不當求求則諸侯貪大夫鄙士庶盗竊求例時此月者桓行惡不能計反從求之故獨月○共費音恭下芳味反行下孟反下行惡同 疏 何以書譏何[illegible]也○解云隱三年武氏子求求賻之下傳云何以書譏何譏爾喪事无求求賻非禮也然則彼已有傳而重發之者正以彼云喪事无求恐此吉時得求故明之○注諸侯至盗竊○解云相對爲優劣之術也○注求例時○解云隱三年秋武氏子求賻文九年春毛伯來求金之屬是也○**三月乙未天王崩**桓王○**夏四**

月已巳葬齊僖公。當時而日者，殯伐鄭危之。【疏】注當時至危之。○解云：上十一年十二月齊侯卒，至今年四月是為當時。隱三年傳云：當時而不日，正也；當時而日，危不得葬也。今此書日，故曰危也。其者殯伐鄭者，即去年冬十二月宋人以齊人已下伐鄭是。○五月，鄭伯突出奔蔡。突何以名？據衛侯出奔楚不名。不連爵問之者，并問上已名，今復名，故使文相顧。○復扶又反，下注并注下不復皆同。【疏】注據衛至不名。○解云：在僖二十八年。○注不連至并問。○解云：正以上十一年已書名，故言并問上。下十六年傳云衛侯朔何以名，哀八年傳云曹伯陽何以名，故決之。○注上已至相顧。○解云：欲言[illegible]故復及傳文復入。奪正也。明祭仲得出之，故須於此名，著其奪正，不以失衆錄也。月者，大國奔例月，重乖離之禍；小國例時。【疏】注明祭仲至衆錄。○解云：決襄十四年夏四月己未衛侯衎出奔齊之屬，書其名者，為失衆錄之故也。○注月者至之禍。○解云：下十六年十一月衛侯朔出奔齊，及此書五月之屬皆是。○注小國至時也。○解云：昭二十三年冬，莒庚（？）出奔齊，[illegible]之屬是也。○鄭世子忽復歸于鄭。其稱世子何？據上出奔不稱世子。【疏】注據上至世子。○解云：上十一年鄭忽出奔衛是也。復正也。忽欲言鄭，不繼世子，嫌與當國同文，及更成上鄭忽為當國，故使世子明復正，以效祭仲之權亦所以解上非當國也。【疏】注忽欲至復正。○解云：莊九年夏，齊小白入于齊，傳云：曷為以國氏？當國也者，是也。○注以效祭仲之權。○解云：即上十一年傳云古人之有權者，祭仲之權是也。曷為或言歸，或言復歸？復歸者，出惡，歸無惡；復入者，出無惡，入有惡；入者，出入惡；歸者，出入無惡。皆於還入，乃別之。若入國犯命，出惡者，不如死之榮也；入無惡者，皆出不避絕則還入，不懸盜國，別彼列反。【疏】曷為或言歸。○解云：僖二十八年衛侯鄭歸于衛之屬是。○或言復歸。○解云：此經是也。○復入者，至有惡。○解云：襄二十三年晉欒盈復入于晉之屬是也。○入者出入惡。○解云：上文鄭伯突入于櫟之屬是也。○歸者出入無惡。稱重也。忽未成君，出奔不懸盜國，猶當稱世子，不書出時。○許叔入于許。【疏】注稱叔至字例。○解云：正以莊二十六[illegible]

年同盟于幽，經書許男故也。○注不書至小國。○解云：正以上十一年忽與突出入並書，故[illegible]。○公會齊侯于鄗。鄗，戶老反，又火各反。二傳作艾。○邾婁人、牟人、葛人來朝。皆何以稱人？據言朝也。【疏】注據言朝也。○解云：正以朝聘之禮，皆言其君，今三國稱人，故難之。夷狄之也。三人為衆，衆足責，故夷狄之。○秋九月，鄭伯突入于櫟。櫟者何？鄭之邑。曷為不言入于鄭？據鄭陽生入于齊。○櫟，力狄反，又音歷。【疏】注據鄭至于齊。○解云：在哀六年，彼傳云：景公死而舍立，陳乞使人迎陽生于諸其家，諸大夫不得已，皆逡巡北面再拜稽首而君之爾，然則陽生實入于陳乞家，而言入于齊；今突入于櫟而不言于鄭，故難之。末言爾。末，無也。言無以言入國，意別為末言爾。曷為末言爾？據與祭仲[illegible]。祭仲亡矣。亡，死亡也。祭仲亡，則鄭國易得，故明入邑則忽危矣，不復以國言之，以效君必死國，以亡矣。○易，以豉反。然則曷為不言忽之出奔？據上言忽出奔也。言忽為君之微也，祭仲存則存矣，祭仲亡則亡矣。言忽為君，微弱，不能自存，其存亡在祭仲之手。【疏】注言忽為君之微也。○解云：言忽為君之微者，解不出奔之意也。○祭仲存則存矣，祭仲亡則亡矣者，解不言入國之意。言則亡者，君以死國為義，今此云祭仲亡則忽亡也，下者可以終十一年君以死國之言，十一年國可以存易亡，此傳云祭仲存則存矣，故知此存亡在祭仲之手。雖不出祭仲之口，但其家為祭仲，而為出奔，故得公祭仲之言也。○注解不至之嫌。○解云：權者，危險之事，祭仲比來欲為君存國，非徒欲然也，但國內凡人嫌其處設故作，經傳以解之，故云解不處設危嫌。○冬十有一月，公會宋公、衛侯、陳侯于袲，伐鄭。月者，善諸侯征突，善錄義兵也。不辛伐者，為重[illegible]。○袲，昌氏反，下同。【疏】注月者至錄會。○解云：正以十四年秋，公代（伐）邾婁之屬，二傳作袲，為侈，于偽反，下同。以隱十年[illegible]則言征伐例時，而此書月，故決之。

十有六年春王正月。公會宋公、蔡侯、衛侯于曹。○夏四月。公會宋公、衛侯、陳侯、蔡侯伐鄭。○秋七月。公至自伐鄭。致者善桓公能疾惡同類比與諸侯行義兵伐鄭。致例時。此月者善其比與善行義故。以致復加月也。○復扶又反。疏注致者至伐鄭。○解云桓公是其蹤動作有危。今能疾惡。危之而至。故致之。○注致例時。解云即上二年冬公至自唐之屬是。○冬城向。○向式亮反。○

十有一月。衛侯朔出奔齊。衛侯朔何以名。據衛侯出奔楚不名。疏衛侯朔何以名。解云欲連句問之。○注據衛至不名。○解云在僖二十八年。絕。曷為絕之。據俱出奔也。得罪于天子也。其得罪于天子奈何。見使守衛朔。朔謂十二月朔政事也。月所以謹告朔是也。而不能使衛小眾。時天子使發小眾不能使行。越在岱陰齊。越猶走也。岱宗泰山也。山北曰陰。先言岱陰後言齊者。明名山大澤不以封諸侯。以為天地自然之利。非人力所能加。故當與百姓共之。傳者朔在岱陰者明天子當反是。時不能反。連古國之。疏注明天子至誅之。○解云其五國者。莊五年冬公會齊人宋人陳人蔡人伐衛是。屬負茲舍不即罪爾。屬託也。天子有疾稱不豫。諸侯稱負茲。大夫稱犬馬。士稱負薪。舍止也。託疾止不就罪。○屬負茲。音燭。注同。屬託也。諸侯有疾稱負茲言。疏注天子至負薪者。○解云皆禮之名。謙辭。負茲者謂負事繁多。故致疾。大夫言犬馬者。代人勞苦。行役遠方。故致疾。士稱負薪者。謂薄不足。代耕。故致疾。

十有七年春正月丙辰。公會齊侯、紀侯盟于黃。○二月丙午。公及邾婁儀父盟于趡。本失爵在名例。小朝陋。公與之盟。不名者。善以為微國。以其先與隱公盟明元功之臣。有故而無絕。○趡翠癸反。疏注本失至名例。○解云言以隱元年得褒。乃書字故也。○注小朝至有名例。○解云即上十五年邾婁人牟人葛人來朝是。○注盖以至之臣。○解云隱元年公及邾婁儀父盟于眛是也。○注有誅而无絕。○解云有誅者十五年稱人是責之。无絕者今復其字。无絕也。○五月丙午。及齊師戰于奚。夏者陽也。月者陰也。去夏者明夫人不繫於公也。此戰蓋由桓與其功故也。疏注此戰至云公。○解云注云亦。○去起呂反。下同。疏注去夏者明夫人不繫於公也。此戰蓋由桓公曰同非吾子云爾。○解云莊元年傳云公曰同非吾子。是然則夫人姜氏三年至六年九月生莊公乃生。桓公何云同非吾子。蓋夫人諱之也。或謂云蓋在齊之日。已共私通會。候知之。謹恨之言耳。○六月丁丑。蔡侯封人卒。○秋八月。蔡季自陳歸于蔡。稱字者。蔡侯封人无子。季次當立。封人欲立其子而疾害季。季辟之陳。封人死。歸反奔喪。思慕三年卒。無怨心。故賢而字之。出奔不書者。乃以賢季奔喪歸。故使若非出奔。歸不稱弟者。見季不受父兄之尊。故宜為天子大夫。不得與諸侯親通。故季子紀季皆去其氏。唯卒以恩錄親。季友卒是也。疏注歸不至氏。○解云莊二年紀季以酅入于齊是也。○注唯卒至是也。○解云即閔元年季子來歸。僖十六年公子季友卒是也。○癸巳。葬蔡桓侯。稱侯者。亦奪臣子辭也。有賢弟而不能任用。反疾害之。而立其子。故奪臣子恩。明當為天下疾。不能以政事任之。疏注稱侯至其事。○解云正以諸侯之葬皆稱公故也。○及宋人、衛人伐邾婁。○冬十月朔。日有食之。是後夫人譖公。齊侯所誘殺。去日者。著由行恐。故不為內懼其將見殺無日。○行下孟反。為于偽反。疏注去日至無日。○解云隱三年傳言之。即某月某日朔日有食之者。謂二日食也。若言某月某日有食之者。謂食在晦日。有食之者。謂二日食也。若言某月某日有食之者。謂食在晦日也。今此言朔而不書日。故此解之。

十有八年春王正月。公會齊侯于濼。○濼郎沃反。又音洛。一云力沃反。公夫人姜氏遂如齊。公何以不言及夫人。據公及夫人會齊侯于陽穀。疏注據公至陽穀。○解云在僖十一年。夫人外也。夫人外者。若言夫人已為公所絕外也。疏注若言至外也。○解云欲言下經言及其列之。

何內辭也。內爲公諱辭。○爲，于僞反。其實夫人外公也。時夫人淫於齊侯而譖公，故云爾。言遂者，起夫人本與公由魯齊侯于濼，故得并言遂。如齊不書夫人會，書夫人遂者，明濼在夫人。齊侯誘公使遂如齊，以夫人譖公故。○譖，側鴆反，下同。夏四月丙子，公薨于齊。不書齊誘殺公者，深諱恥也。地者，在外爲大國所殺，於國此危，國重，故不服隱也。【疏】注不書至恥也。解云：如此注者，正決昭十一年楚子虔誘蔡侯般殺之于申之文也。○注地者至隱也。○解云：魯侯被殺例不卒地，故隱公、閔公直言薨而已，今此言齊，故如此解。丁酉，公之喪至自齊。凡公薨外，致日皆危痛之。外多窮石，伐喪內，久乘便而起，不可不戒，慎加之者，喪者死之遠辭也。本以別生死，不以明貴賤，非配公之稱，故加之以絕。○便，婢面反。別，彼列反。稱，尺證反。【疏】注凡公至痛之。○即此及定元年夏六月癸亥，公之喪至自乾侯之屬是也。○秋七月。○冬十有二月己丑，葬我君桓公。賊未討，何以書葬？据隱公也。讎在外也。讎在外，則何以書葬？君子辭也。時齊強魯弱，不可立得報，故君子量力，且假使書葬，於可復讎而不復，乃責之，諱與齊狩是也。桓者，諡。礼，注有爵，死有諡，所以勸善懲惡也。礼，諸侯薨，天子諡之。卿大夫受諡於君，唯天子稱天以誄之。孟以爲祖祭乃諡。丁酉公之喪至自齊，丁巳葬我君定公，雨不克葬，戊午日下昃乃克葬是也。以公配諡者，終有臣子之辭。上葬日者，起生者之事也。且明王者當遣使者與諸侯共會之。加我君者，緣內也。尤君薨地也。○懲，直升反。使，所吏反。【疏】注諱與齊狩是也。○解云：莊四年冬，公及齊人狩于郜。公曷爲與微者狩？齊侯也。齊侯則其稱人何？諱與讎狩也。○注礼諸解云：即曾子問曰：賤不誄貴，幼不誄長，礼也。鄭注云：誄，累也。累列生時行迹，讀之以作諡。諡當由尊者成。又云：唯天子稱天以誄之。注云：以其無尊焉。又云：諸侯相誄，非礼也是也。○蓋以至是也。○解云：所以知祖祭乃諡者，正以公之喪至自齊未有諡，丁巳葬我君定公，欲葬遇雨，不得葬，經書定公，故知宜是作祖祭時爲之也。礼記檀弓下篇云：公叔文子卒，其子戍請諡於君，云：日月有時，將葬矣，請所以易其名者，義亦通於此。○注上葬至地也。○解云：考諸古本，皆無上字，脫文。隱三年傳：過時而日，隱之。注云：隱痛賢君不得以時葬，丁亥葬

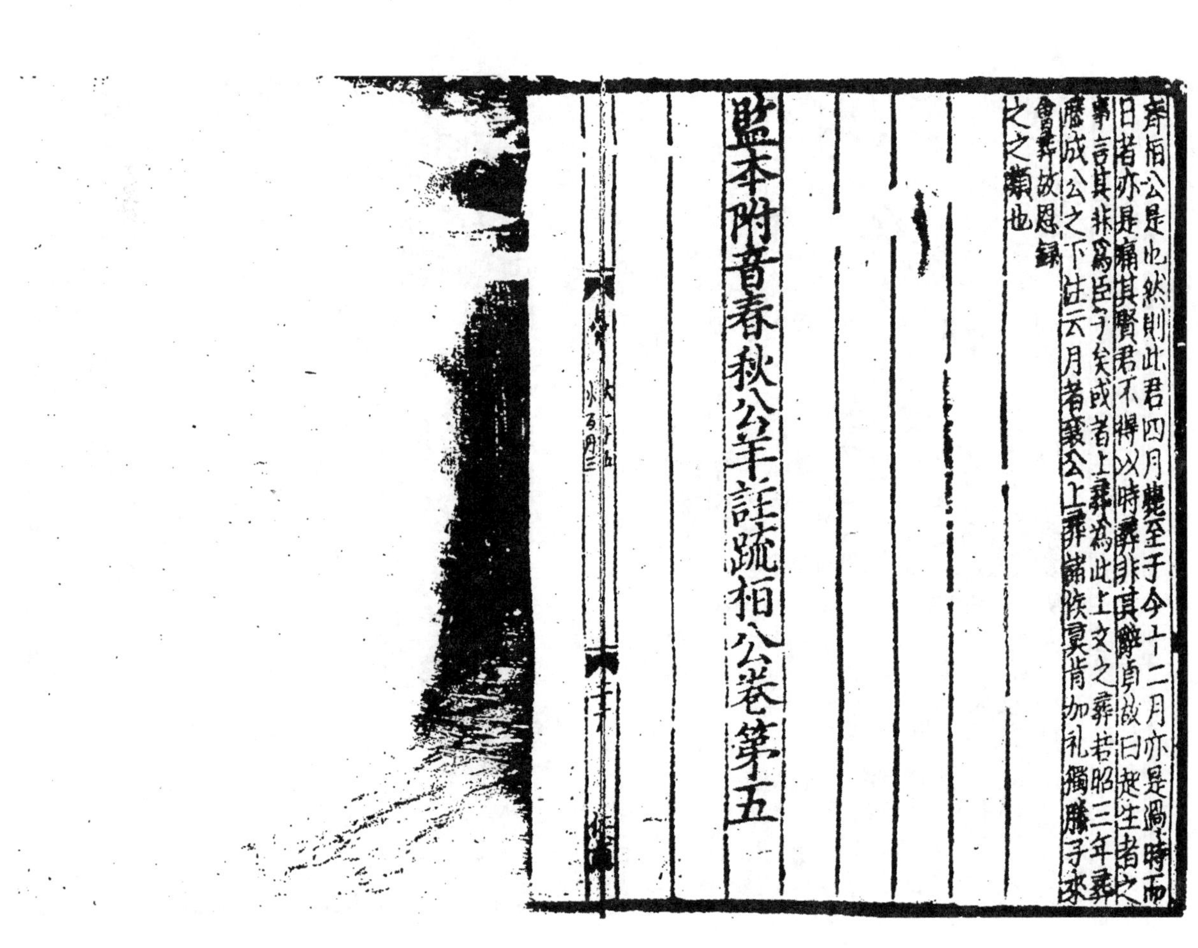

齊桓公是也。然則此君四月薨，至于今十二月，亦是過時而日者，亦是痛其賢君不得以時葬，非其辭直，故曰起生者之事。言其非爲臣子矣。或者上葬爲此上文之葬，若昭三年葬滕成公之下注云：月者，襄公上葬，諸侯莫肯加礼，獨滕子來會葬，故恩錄之之類也。

監本附音春秋公羊註疏桓公卷第五

監本附音春秋公羊註疏莊公卷六 起元年盡七年

何休學

元年春王正月。公何以不言即位。春秋君弒子不言即位。君弒則子何以不言即位。据繼君不絕也○君弒申志反下皆同（疏）公何以不言即位。○解云隱元年傳云公何以不言即位注云据文公言即位然則彼已注解是以此處不復注之。○春秋至即位。○解云而言春秋者欲道孔子意春秋之内皆爾非止此處故舉其大號言之是以僖元年傳云公何以不言即位繼弒君子不言即位此非子也其稱子何臣子一例也然則宣公之傳不言子直以其無臣子之道不念其君父亦不由宣公非子赤之子故不言子隱之也。孰隱。隱子也。隱痛是子之禍不忍言即位（疏）孰隱至子也。○解云莊公既踰年即位之後合稱成君而言子者先諸侯於其封内三年稱子故也若表臣子之心不可曠年無君乃稱公耳。○三月夫人孫于齊。孫猶遁也。○孫音遜下及注皆同孫猶遁也遁徒困反（疏）孫者何。○解云欲言初出實先在齊欲言非初出而與公孫文同故執不知問。○孫猶孫也。○解云凡言孫者孫遁自去之辭今此言孫與尚書序云將孫於位讓於虞舜義同故言孫猶孫也猶彼文也而注云孫猶遁也者欲解彼此之孫皆為孫遁自去之義故曰遁也。内諱奔謂之孫。言于齊者盈諱文（疏）内諱奔謂之孫。○解云据百二十國寶書以為春秋非獨魯也而言内者謂王於魯故言内猶言内其國外諸夏之義也然則内魯為王王者無出奔之義故謂之孫矣而僖二十四年冬天王出居于鄭言出者彼傳云王者無外此其言出何不能於母也注云不能事母罪莫大於不孝故絶之言出也者是。○注言于至諱文。○解云凡言于某者從此往彼之辭今此夫人實非始往而言于齊與昭二十五年公孫于齊文同者盈滿其諱文若今始然故云言于齊者盈諱文耳。夫人固在齊矣其言孫于齊何。据公夫人遂如齊未有來文（疏）注据公至來文。○解云公夫人遂如齊在桓十八年言未有來文者欲決文九年春夫人姜氏如齊夫人姜氏至自齊之

莊元年

文耳若然案下二年注云不致者本無出道有出道乃致奔喪致是也若然則何氏指文九年夫人姜氏如齊亦無出道而責未有來文者夫人如齊之時得公之命非無出道故如此解。念母也。固在齊而書孫者所以起念母也。正月以存君念母以首事。礼練祭取法存君夫人當首祭事時莊公練祭念母而迎之當書迎反書孫者明不宜也（疏）注礼練至宜也。○解云存君者即襄二十九年注云正月歲終而復始臣子喜其君父與歲終而復始執贄存之然則今此練祭者亦是臣子閔君父往年此日沒今年復此日存而礼祭之取法存君矣言夫人當首祭事者謂夫人當為首而當其祭事也言時莊公練祭者謂桓公去年四月薨今年三月方為練祭而欲迎母非謂此時已為練祭矣。夫人何以不稱姜氏。据夫人姜氏孫于邾婁（疏）注据夫至邾婁者。○解云閔二年經文。貶。曷為貶。据俱以孫為文。與弒公也。其與弒公奈何。夫人譖公於齊侯。如其事曰譖。○與音預下同譖側鴆反加誣曰譖。公曰同非吾子齊侯之子也。以淫於齊侯所生（疏）公曰至子也。○解云夫人加誣此言非謂桓公實有此言何者正以夫人之至在桓三年故子同之生乃在六年九月故也。齊侯怒與之飲酒。欲醉而殺之礼飲不過三爵（疏）注礼飲不過三爵。○解云玉藻云君子之飲酒也受一爵而色洒如也注云洒如肅敬貌也二爵而言言斯礼已三爵而油油注云油油悅敬貌以退注云礼飲過三爵則敬殺可以去矣也者是也。於其出焉使公子彭生送之於其乘焉。於其將上車時。○上時掌反下同。搚幹而殺之。搚折聲也扶上車以手搚折其幹。○搚路合反本又作拉亦作拉皆同折聲也幹音古旦反脅也（疏）於其至送之。○解云與下句絶讀。○於其乘焉搚幹而殺之。○解云二句連讀之。○注扶上至幹。○解云折音如字。念母者所善也則曷為於其念母焉貶。据貶必於其重（疏）念母者所善也。○解云謂念母者所善也。○注据貶必於其重。○解云即僖元年傳云夫人何以不稱姜氏貶曷為貶與弒公也然則曷為不於弒焉貶貶必於其重者莫重

莊元年

爭見以喪至也注云刑人于市與衆棄之故必於其臣子集迎之時貶之所以明誅得其罪是也**不與念母也**念母則忘父背本之道也故絕文姜不為不孝距蒯聵不為不順脅靈社不為不敬蓋重本尊統使尊行於卑上行於下貶者見王法所當誅至此乃貶者并不與念母也又欲以孫為內見義明但當推逐去之亦不可加誅誅不加上之義非實孫月者起練祭左右○背音佩蒯苦怪反下五怪反見王賢徧反下同為內于偽反下為早為營同去起呂反

疏　注故絕至不順○解云謂貶氏是也距蒯聵不為不順者哀三年傳云曼姑受命乎靈公而立輒以曼姑之義為固可以距之也注云曼姑無惡文者起曼姑得拒之曼姑臣也拒之者上為靈公命下為輒故者是也○注脅靈至不敬○解云即莊二十五年傳云日食則曷為鼓用牲于社求乎陰之道也注云求責求也以朱絲營社或曰脅之注云脅之與責求同義社者土地之主也月者土地之精也上繫于天而犯日故鳴鼓而攻之脅其本也朱絲營之助陽抑陰也是脅靈社不為不敬之道也○注蓋重至當此○解云此蓋詁為皆也謂脅社以重陽距父以尊祖皆是尊行於卑上行於下之義○注至此至之義○解云注言此者欲道桓十八年公始如齊之時不貶意也言又欲以孫為內見義者正言道愈臣子不合誅夫人之意○注非實至左右○解云閔二年九月夫人姜氏孫于邾婁彼注云凡公夫人奔例日此月者有罪然則此書月者正是其例而言月者起練祭左右者謂此夫人非孫今乃書孫書三月起其練祭在左右故也若直言春無以起其練祭矣

○夏單伯逆王姬單伯者何吾大夫之命乎天子者也以稱字也礼諸侯三年一貢士於天子天子命與諸侯輔助為政所以通賢共治示不獨專重民之至大國舉三人次國舉二人小國舉一人○單伯音善後放此逆王姬左氏作送王姬治直吏反

疏　單伯者何○解云若言內臣而逆王女若言王臣文無王使故執不知問○注以稱字也○解云諸侯之大夫例合稱名若貢于天子理宜尊異是以見其稱字如其貢于天子○注諸至一人○解云皆書傳文射義云古者天子之制諸侯歲獻貢士于天子天子試之於射宮鄭注云歲獻獻國事之書及計偕物也三歲而貢士舊說云大國三人次國二人小國一人者是與此同

何以不稱使據公子遂如京師言如者內稱使之文

疏　注據公子遂如京師言如者內稱使之文○解云公子遂如京師者僖三十年經文也言如者內稱使之文者欲道傳云何以不稱使者問經不道單伯如京師之意

天子召而使之也逆之者何使我主之也嫁者曾自往之文方使魯為父母主嫁之故與魯使自逆之不言于京師者使魯主之故使若自魯女無使受之

疏　逆之者何○解云天子之臣其數非一而魯大夫使逆其女故執不知問

曷為使我主之據諸侯非之**天子嫁女乎諸侯必使諸侯同姓者主之**諸侯與天子同姓者**諸侯嫁女于大夫必使大夫同姓者主之**大夫與諸侯同姓者不自為主者尊卑不敵其行婚姻之禮則傷君臣之義行君臣之礼則廢婚姻之好故必使同姓有血脉之屬宜為父道與所適敵體者主之礼尊者嫁女于卑者必持風旨為卑者不敢先求亦不可斥與之者申陽倡陰和之道天子嫁女於諸侯備姪娣如諸侯之礼義不可以天子之尊絕人繼嗣之路○主書者惡天子也礼齊衰不接弁冕仇讎不交婚姻○好呼報反風如字又方鳳反倡昌亮反和戶臥反惡烏路反齊衰音咨下七雷反

疏　注其行婚姻之礼○解云謂敵偶行事○注行君臣之礼○解云謂君坐于上而臣立于下○注必使至主之○解云謂於女有血脉之親屬○注礼尊至之道○解云風猶放也言使卑者侍已放其命云道有女可嫁然後卑者乃敢求婚也云亦不可斥與之者亦不可斥言嫁於某國所以然者正以申陽倡陰和之道故也○注天子至之礼○解云知者見十九年傳諸侯娶一國則二國往媵之以姪娣從若其礼異當有別文○注義不至之路○解云注知如此者正見十九年傳下文云諸侯壹聘九女諸侯不再娶然則既不得再娶適夫人沒無姪娣即是絕嗣之義故云此○注礼齊至婚姻○解云義取穀梁之文仇讎之人非所以接婚姻衰麻非所以接弁冕之言也所以然者正由吉凶不相求矣今莊公主婚于齊相犯二事是以春秋主書惡天子耳○

秋築王姬之館于外何以書譏何譏爾築之禮也于外非禮也以言外知有築內之道也于外非礼也礼同姓本有主嫁女之道必闕也于夫人之下羣公子之上也時魯以將嫁女于讎國故築于外

疏　注以言至道也○解云正以經言于外以為非礼則知于內是礼明矣○注必闕至上也○解云取下傳文為義

于外何以非禮據非

內也築于外非禮也于遠辟也為營衛不固不以將嫁于讐國除讖者曾本自得以讐為解無為受命而外之故曰非禮○解古賣反其築之何以禮據禮當傢說主王姬者必為之改築主王姬者則曷為必為之改築據諸侯宮非一○必為于偽反下必為為襄公并注同【疏】注據諸至非一○解云即下云路寢小寢之屬是也於路寢則不可者謂外內無別於路寢則不可小寢則嫌皆所以遠別也○別彼列反【疏】小寢則嫌○解云嫌褻瀆注築例時者即此年秋築王姬之館二十八年冬築微三十一年春築臺于郎秋築臺于秦之屬是也羣公子之舍謂女公子也則以卑矣以為大卑○大音泰一音他賀反其道必為之改築者也以上傳言爾知當築夫人之下羣公子之上築例時○冬十月乙亥陳侯林卒

○王使榮叔來錫桓公命錫者何賜也上與下之辭○錫星歷反【疏】錫者何○解云正以变賜言錫與礼九賜之文異故執不知問命者何加我服也增加其衣服令有異於諸侯礼有九錫一曰車馬二曰衣服三曰樂則四曰朱戶五曰納陛六曰虎賁七曰弓矢八曰鈇鉞九曰秬鬯皆所以勸善扶不能言命不言服者重命不重其財物礼百里不過九命七十里不過七命五十里不過五命○令力呈反賁音奔鈇音甫又方于反下音越秬音巨黑黍也鬯勑亮反香酒【疏】命者何○解云正以生時有功而受褒賜今死乃賜命故執不知問○注禮有至不能○解云此禮緯含文嘉文也彼注云諸侯有德當益其地不過百里後有功加以九賜進退有節行步有度賜以車馬以代其步其言成文章行成法則賜以衣服以表其德其長於教誨內懷至仁賜以樂則以化其民其居處脩理房內不泄賜以朱戶以明其別其動作有禮賜以納陛以安其然其勇猛勁疾執義堅強賜以虎賁以備非常其內懷至仁執義不傾賜以弓矢使得專征其亢陽威武志在宿衛賜以斧鉞使得專殺其孝慈父母賜以秬鬯使之祭祀皆如有德則陰陽和風雨時四方所瞻臣子所望則有秬鬯之草景星之應是也○注禮有里至五命○解云案周禮典命云上法九命侯伯七命子男五命者是也其言

桓公何據錫文公命不言謚【疏】注據錫至言謚○解云即文元年夏四月天王使毛伯來錫公命不言謚是也追命也與謚明知追命死者礼生有善行死當加善謚不當復加錫不言天王者桓行實惡而乃追錫之尤悖天道故云爾○善行下孟反下同復扶又反悖補內反【疏】注不言至云爾○解云欲此注者欲決文元年解天王也○王姬歸于齊何以書我主之也魯主女為父母道故恩録而書之內女歸例月外女不月者聖人探人情以制恩實不如魯女【疏】注內女至之也○解云即隱二年冬十月伯姬歸于紀隱七年春王三月叔姬歸于紀成九年二月伯姬歸于宋之屬是也然則此事亦在月下而言不月者何氏以意斟酌故如此解而莊十一年冬王姬歸于齊而不書月者彼則魯不主婚自著天子有恩于王姬故也○齊師遷紀郱鄑郚遷之者何取之也以取之○郱步丁反鄑子斯反又音晉郚音吾【疏】遷之者何○解云欲言實遷不言處所欲言取之而經書遷故執不知問取之則曷為不言取之也據莒人伐杞取牟婁【疏】注據莒至牟婁○解云即隱四年經文為襄公諱也襄公將復讎於紀故先孤弱取其邑本不為利舉故為諱不舉伐順諱文也外取邑不書此何以書大之也何大爾自是始滅也將大滅紀從此始故重而書之

二年春王二月葬陳莊公○夏公子慶父帥師伐餘丘於餘丘者何邾婁之邑也曷為不繫乎邾婁國之也曷為國之君存焉爾慶父幼少將兵不譏者從不言弟意亦起之○少詩照反【疏】於餘丘者何○解云欲言是國天下未聞欲言是邑而不繫國故執不知問○曷為至焉爾○解云桓七年傳云咸丘者何邾婁之邑也曷為不繫乎邾婁國之也君存焉爾然則彼已有傳而復發之者正以邑不繫國凡有二種故須解之即昭三十二年取闞傳云闞者何邾婁之邑也曷為不繫乎邾婁諱亟也注云與受濫為亟是○注慶父至起之○解云正以桓六年九月丁卯子同生則莊公年十五矣慶父

之年官十二三故云幼少將共矣所以不書月以譏之者正以不言弟意亦起之何者文元年注云不稱王子者時天子諸侯不務求賢而專貴親親故尤其在位子弟刺其早任以權也魯得言公子者方錄異辭故獨不言弟也諸侯得言子弟者一國失賢輕然則魯不言在位之弟者刺其專貴親親而早任以權今慶父實是公之母弟若於凡平諸侯之國則合言弟但是魯公之弟故于例不得言之既不言弟刺其專貴親親早任以權則於幼少將共之義亦自見矣故云從不言弟意亦起之也杜氏云慶父者莊公異母兄何氏知其幼者正見稱仲非兄明矣○秋七月齊王姬卒外夫人不卒此何以卒錄焉爾曷爲錄焉爾據王后崩猶不錄我主之也魯主女爲父母道故卒錄之明當有恩礼內女卒例日外女卒不日著賓不如魯女也疏注內女至女也○解云即僖十六年四月丙申鄫季姬卒成八年冬十月癸卯杞叔姬卒襄三十年夏五月甲午宋災伯姬卒之屬是也而莊四年三月紀伯姬卒莊二十九年十二月紀叔姬卒之屬皆不日莊四年下文注云卒不日葬日者魯本宜葬之故移恩錄文於葬是也○冬十有二月夫人姜氏會齊侯于郜書者婦人無外事外則近淫不致者本無出道有出道乃致奔喪致是也○郜古報反二傳作禚四年亦爾近附近之近亦如字疏注不致至是也○解云即文九年春夫人姜氏如齊三月夫人姜氏至自齊注云奔父母之喪也不言奔喪者尊內也出獨致者得礼故與臣子辭是也○乙酉宋公馮卒

三年春王正月溺會齊師伐衛溺者何吾大夫之未命者也所伐大夫不卒者莊公薄於臣子之恩故不卒大夫與桓同義月者衛朔背叛出奔天子新立衛公子留齊魯無憚天子之心而伐之故明惡重於伐故月也○溺乃歷反疏溺者何○解云欲言內臣經不書氏欲言外臣復不繫國故執不知問○吾大至者也○解云隱九年傳云俠者何吾大夫之未命者也桓十一年柔會宋公以下于折傳曰柔者何吾大夫之未命者注云無氏者少略之也然則今復發傳者嫌會讎人而致貶故也○注所伐至大夫○解云偏名爲將大夫不書卒者正以莊公薄於臣子之恩故也知未命大夫得書卒者正見隱九年經書俠卒也彼注云未命所以卒之者賞宜從重無氏者少略也者即其義○注與桓同義○解云桓十一年柔會宋公已下于折傳曰柔者何吾大夫之未命者也彼注云所以不氏者深薄桓公不與有恩礼於大夫也今溺亦然故言與桓同義○注月者至出奔○解云正以侵伐例時即上二年夏公子慶父伐於餘丘之屬是也今此月者背叛出奔罪重故也其背叛出奔之事者即桓十六年衛侯朔出奔齊是也○注天子新立衛公子留○解云世本及史記並有其事○夏四月葬宋莊公莊公馮篡不見書葬者篡以計除非以起他事不見也○不見賢徧反下皆同疏注莊公馮篡不見書葬者篡以計除非以起至見也○解云春秋之例篡不明者皆貶去其葬以見篡即僖二十四年晉侯夷吾卒注云篡故不書葬明當絕也又宣九年秋晉侯黑臀卒于扈彼注云不書葬者篡也之屬是也其篡明者不嫌非篡故不去葬以見篡即隱四年衛人立晉桓十三年冬衛侯晉卒十三年春葬衛宣公又莊九年齊小白入于齊至僖十七年冬齊侯小白卒十八年秋葬齊桓公又哀六年秋齊陽生入于齊至哀十年春齊侯陽生卒夏葬齊悼公此等皆由其初有立入之文不嫌非篡故書其葬今宋公馮初篡不明所以亦書其葬者正以其父繆公有讓國之善故計其父功而除其篡罪故云篡以計除也襄十四年夏衛侯衎出奔齊至二十六年春甯喜弒其君剽衛侯衎復歸于衛傳云然則曷爲不言剽之立不言剽之立者以惡衛侯也注云起衛侯失衆出奔故不書剽立剽立無惡則衛侯惡明矣又宣六年傳言而立成公黑臀彼注云不書者以惡夷獋也然則剽與成公之篡皆不惡者以惡衎與夷獋矣是爲以起他事不見今宋公莊之立不書惡之者自以計除之不見義故云非以起他事不見也既以計除則迥然無罪故得書葬何則晉侯重耳亦篡不明而僖公三十三年得書葬晉文君者春秋爲賢者諱也○五月葬桓王此未有言崩者何以書葬蓋改葬也改更也改葬服輕不當月月者時無非常之變榮奢改葬爾故惡錄之書者諸侯當有恩礼疏此未有言崩者○解云桓十五年經書三月乙未天王崩何言未有言崩者正以此年事不相接故也○蓋改葬也○解云案宣三年郊牛之口傷改卜牛經即書其改卜此若改葬經宜書改而不書改者蓋以天王之崩去此十年是故可知何勞書改乎其改卜牛須書改者若直言卜牛嫌卜前口傷之牛故須言改以明之傳必知改葬者正見春秋說云恒星

不見周人榮奢改葬桓王冢死尸復擾終不忍之文故也○注改葬至録之○解云言改葬服輕者即喪服云改葬緦是也言下當月月者欲決昭二十二年六月叔鞅如京師葬景王之文也言時無非常之變者即決礼有非常之變者將亡失尸柩之時改葬也言榮奢改葬者即春秋說云桓星不見夜明周人榮奢改葬桓王冢死尸復擾終不覺之文也若然案春秋說改葬在桓星不見之後即宜在七年之末而在三年者宋氏云由三年改葬故七年恒星不見夜明者正由今日榮奢改葬故也云故思録之者謂由此之故思而深録之也○注書者至恩礼○解云文九年傳云王者不書葬此何以書不及時書過時書注云重録失時我有往者則書注云謂使大夫往也惡文公不自往故書葬以起大夫會之然則以改葬桓王非彼之類而得書者欲見諸侯當有恩礼故也

○秋紀季以酅入于齊紀季者何紀侯之弟也何以不名賢也何賢乎紀季 据叛也○酅戶圭反 【疏】紀季者何○解云欲言其君經不書爵欲言大夫又不言氏故執不知問 服罪也其服罪奈何魯子曰請後五廟以存姑姊妹 紀與齊為讎不直齊大紀小季知必亡故以酅首服先祖有罪於齊請為五廟後以酅共祭祀存姑姊妹稱字賢之者以存先祖之功則除出奔之罪明其知權言入者難辭賢季有難去兄入齊之心故見之男謂女先生為姊後生為妹父之姊妹為姑○共音恭難乃旦反下皆同 【疏】魯子曰至姊妹○解云傳所以記魯子者欲言孔氏之門徒受春秋非唯子夏故有他師矣其隱十一年傳記子沈子者欲明子夏所傳非獨公羊氏矣故亦記其人以廣義也季為附庸而得有五廟者舊說云此諸侯之礼故也直言以存姑姊妹不言兄弟子姪者諱不敢言之欲言兄弟子姪亦隨國亡但外出之女有所歸而已○注故以至於齊○解云注言首者先服之辭紀國未滅令以往服故謂之首服也先祖有罪於齊者即四年傳云哀公亨乎周紀侯譖之是也○注言入至見之○解云正以襄二十六年二月衛孫林父入于戚定十三年晉荀寅士吉射入于朝歌之屬皆是不獲已故以為難辭也○注男謂至為姑○解云皆釋親文

○冬公次于郎 次者兵舍止之名 【疏】注次者至之名○解云正以僖元年齊師宋師曹師次于聶北救邢之文故也 其言次于郎何 國內兵而當書公敗處父

師師而至雖有事而猶不書是也 【疏】注國內至是也○解云公斂處父帥師而至者定八年傳文案昭十三年春叔弓帥師圍費定十二年冬公圍成之屬是也 刺欲救紀而後不能也 惡公既救人所難道還故書其止次以起之諸侯本有相救之道所以抑強消亂也次例時○惡烏路反 【疏】注諸侯至亂也○解云言此者欲道春秋善齊襄復讎不書其滅而刺魯侯不救紀者以諸侯本有相救之道所以抑強消亂是以刺不相救也而善齊襄復讎者所以申仁孝之恩各自為義豈相妨奪乎○注次例時○解云即此及三十年夏師次于成之屬是也而八年春王正月師次于郎云云書月者自為下文甲午祠兵出之次仍不蒙月也十年夏六月齊師宋師次于郎公敗宋師于乘丘書月者自為下文敗宋師出之次仍不蒙月也

四年春王二月夫人姜氏饗齊侯于祝丘 書者與會郜同義○牛酒曰犒加飯羹曰饗月者與出重也三出不月者省文從可知例○犒苦報反勞也 【疏】注書者至同義○解云即二年冬十有二月夫人姜氏會齊侯于郜彼注云書者婦人無外事外事則近淫今此亦然故云同義○注牛酒至曰饗○解云時王之礼也○注月者至知例○解云案上二年經云冬十有二月夫人姜氏會齊侯于郜一出亦書月而言再出重者正以下文三出四出皆無月故也而上二年月者自為下經乙酉宋公馮卒其會仍自不蒙月矣言三出不月者即下五年夏夫人姜氏如齊師是也

○三月紀伯姬卒 礼天子諸侯絕期大夫絕緦天子唯女之適二王後者諸侯唯女之為諸侯夫人者恩得申故卒之○期音基緦音總 【疏】注礼天至絕期○解云正見不杖期章無天子諸侯服故也○大夫絕緦○解云正見緦麻章無大夫服故也

○夏齊侯陳侯鄭伯遇于垂○紀侯大去其國大去者何滅也孰滅之齊滅之曷為不言齊滅之為襄公諱也春秋為賢者諱何賢乎襄公 据楚莊王亦賢滅蕭不為諱○為襄于偽反下為賢注為諱及下注為諱為襄同 【疏】大去者何○解云經言大去欲言其滅文無滅文故執不知問○為襄公至者諱○解云言所以為襄公諱者正由春秋為賢者諱故也○

注據楚莊王亦賢滅蕭不為諱者即宣十二年冬十有二月戊寅楚子滅蕭彼注云日者屬上有王言今反滅人故深責之是也若然莊十年齊師滅譚莊十三年齊人滅遂之屬不為賢者諱滅而不據之者滅遂之下注云不諱者桓公行霸不任文德而尚武力又功未足以除惡然則桓公是時賢德未著不為諱適是其宜寧得據之乎楚莊是時已有王言賢德已著宜為之諱而書其滅故據之也復讎也何讎爾遠祖也哀公亨乎周亨煮而殺之○亨普庚反注同煮殺也（疏）注哀公亨乎周○解云鄭氏云懿公時受譖而亨齊哀公是也周語亦有其事紀侯譖之以襄公之為於此焉者事祖禰之心盡矣盡者何襄公將復讎乎紀卜之曰師喪分焉龜曰卜蓍曰筮分半也師喪亡其半○禰乃禮反喪息浪反注同蓍音尸筮市制反（疏）注盡者問○解云以襄公淫泆行同鳥獸而言事祖禰之心盡故執不知問○卜之至分焉○解云卜之者謂襄公之辭○注龜曰卜蓍曰筮○解云曲禮文寡人死之襄公云卜者之辭不為不吉也遠祖者幾世乎九世矣九世猶可以復讎乎雖百世可也百世大言之爾猶詩云嵩高維嶽峻極于天君子萬年○幾居豈反嵩息忠反本亦作崧（疏）寡人死之不為不吉也○解云皆君侯之語故注云答卜者之辭所以謂死為吉事者以復讎以死敗為榮故也○注百世至萬年○解云蓋以百千者數之終施之於彼則無罪施之於己則無義故謂之大言耳家亦可乎家謂大夫家曰不可國何以可據家不可國君一體也先君之恥猶今君之恥也今君之恥猶先君之恥也先君謂哀公今君謂襄公言其恥同也國君何以為一體據非世國君以國為體諸侯世故國君為一體也雖百世號稱齊侯今紀無罪此今紀侯也非怒與怒遷怒齊人語也此非怒其先祖遷之于子孫與○怒與音餘曰非也古者有明天子則紀侯必誅必無紀者紀侯之不誅至今有紀者猶無明天子也古者諸侯必有會聚之事相朝聘之道號辭必稱先君以相接然則齊紀無說焉不可以並立乎天下無說無說懌也○無說音悅注同懌音亦（疏）古者至天子也○解云從康王已下暨宣王之前而言無明天子者蓋以宣王之德衰而不然故也○號辭至相接○解云正以號辭必稱先君之故是以齊紀不得並立于天下古者有明天子則須去其不直是以上文云古者有明天子則紀侯必誅也故將去紀侯者不得不去紀也有明天子則襄公得為若行乎若如也猶曰得為如此行乎○將去起呂反下及注同若行下孟反注同（疏）故將至紀也○解云若不去紀則有紀侯故也○襄公至行乎○解云行讀如有子行之之行曰不得也不得則襄公曷為為之上無天子下無方伯有而無益於治曰無猶易曰闃其無人○治直吏反闃苦鶪反（疏）注猶易至無人○解云豐卦上六爻辭也緣恩疾者可也疾痛也賢襄公為諱者以復讎之義除滅人之惡言大去者為襄公明義但當遷徙去之不當取而有明亂義也不為文實者方諱不得貶（疏）緣恩疾者可也○解云時無明王賢伯以誅無道緣其有恩痛於先祖者可以許其復讎矣故曰緣恩疾者可也○注賢襄至之惡○解云齊滅同姓合書而絕之今不書者以復讎除罪故也○注不當至義也○解云謂但當推逐而已不當取而有之明其亂正義矣然則襄公亂義而不惡者王以復讎除之○注不為至得貶○解云凡為文實者皆初以常事為罪而貶之然後討功除過是以僖元年經云齊師宋師曹師次于聶北救邢傳云曷為先言次後言救君也君則其稱師何不與諸侯專封也曷為不與實與而文不與文曷為不與諸侯之義不得專封也諸侯之義不得專封則其曰實與之何上無天子下無方伯天下諸侯有相滅亡者力能救之則救之可也若是文實之義耳今此若作文實經宜言齊師滅紀或言齊人滅紀傳曰孰滅之襄公滅之曷為不言襄公滅之不與諸侯擅滅曷為不與

實與而文不與文曷爲不與諸侯之義不得擅滅諸侯之義不得擅滅則其曰實與之何上無天子下無方伯緣恩疾者可若其如此即經不免貶惡襄公若貶惡襄公則不名爲之諱是以不得作文實之義矣而後爾公得作文實者桓公非滅人且罪惡輕也

○六月乙丑齊侯葬紀伯姬外夫人不書葬此何以書據鄫季姬也 疏 注據鄫季姬也○解云即僖公十六年鄫季姬卒卒無葬文是

隱之也何隱爾其國亡矣徒葬於齊爾 徒者無臣子辭也國滅無臣子徒爲齊侯所殺故痛而書之明魯宜當閔傷臨之卒不日葬日者魯本宜葬之故移恩錄文於葬 疏 注徒者至臨之○解云正以徒訓爲空○注卒不至於葬○解云卒不日者即上經書三月紀伯姬卒是也春秋之義內女卒例日而紀伯姬卒不日故如此解其隱三年傳云不及時而日者渴葬也不及時而不日慢葬也者自施於諸侯非夫人之例故此文雖不及五月不得以渴隱解之

此復讎也曷爲葬之據恩怨不兩行 滅其可滅葬其可葬此其爲可葬奈何復讎者非將殺之逐之也以爲雖遇紀侯之殯亦將葬之也 以爲者設事辭而言之以大斂而徙殯曰殯夏后氏殯於阼階之上若存殷人殯於兩楹之間賓主夾之周人殯於西階之上賓之也稱齊侯者善葬伯姬得其宜也○斂力驗反夾古洽反 疏 注夏后至賓之也○解云檀弓上篇文

○秋七月○冬公及齊人狩于郜公曷爲與微者狩 據與高傒盟諱此競逐恥同 疏 注據與高傒盟諱○解云即莊二十二年秋及齊高傒盟于防○傳云公則曷爲不言公諱與大夫盟也是也○注此競逐恥同○解云謂與微者競逐禽獸與大夫盟不異矣

齊侯也 以不沒公知爲齊侯也 疏 注以不至侯也○解云正以大夫盟沒公此不沒公者齊侯故也

齊侯則其稱人何諱與讎狩也 禮父母之讎不同戴天兄弟之讎不同國九族之讎不同鄉黨朋友之讎不同市朝稱人者使若微者不沒公言齊人者公可以見齊微者至於魯人皆當復讎義不可以見齊侯也○以見賢遍反下同

疏 注禮父至市朝○解云皆出曲禮上篇與檀弓上篇何氏以九族言之曲禮云交遊之讎故此何氏以朋友言之定四年傳云朋友相衞古之道也義亦通於此鄭氏云交遊或爲朋友是也

前此者有事矣 溺會齊師伐衞是也 疏 注溺會至是也○解云在上三年春

後此者有事矣 師及齊師圍盛是也 疏 注師及至是也○解云在莊八年夏

則曷爲獨於此焉譏於讎者將壹譏而已故擇其重者而譏焉莫重乎其與讎狩也 狩者上所以共承宗廟下所以教習兵行義○共音恭

於讎者則曷爲將壹譏而已讎者無時焉可與通通則爲大譏不可勝譏故將壹譏而已其餘從同同 其餘輕者從義與重者同不復譏都與無讎同文論之所以省文達其異義矣凡二同故言同同○勝音升復扶又反

疏 解云謂皆是與讎交接矣○注不復至論之○解云謂更無貶文矣○注所以至義矣○解云一則省文二則達其異義者圍盛不稱公者諱其滅同姓溺會齊師伐衞不稱氏者見未命大夫故也若不省文無以見此義故曰所以省文達其異義矣○注凡二同故言同同○解云輕者不譏見與重者同一也都與無讎同文論之一同也故曰凡二同矣考諸古本傳及此注同字之下皆無重語有者衍文且理亦宜然

五年春王正月○夏夫人姜氏如齊師○秋倪黎來來朝倪者何小邾婁也 小邾婁國○倪五兮反二傳皆作郳黎來力兮反小邾婁力居反二傳亦無婁字 疏 郳者何○解云欲言是國而言名欲言非國經言來朝故執不知問

小邾婁則曷爲謂之倪未能以其名通也 倪者小邾婁之邑也時未能爲附庸不足以小邾婁名通故略謂之倪

黎來者何名也其名何 據僖七年稱子 疏 注據僖七年稱子○解云即僖七年夏小邾婁子來朝是也

微國

也此最微得見者其後附從齊桓爲僖七年張本文。見賢徧反爲僖于僞反下文注同 疏 注此最至本文。解云時未能爲附庸故謂之最微矣言爲僖七年張本文者即彼云至是所以稱爵者時附從霸者朝天子旁朝罷行進齊桓公白天子進之固因其得禮者其能以爵通是也 ○冬公會齊人宋人陳人蔡人伐衛此伐衛何納朔也曷爲不言納衛侯朔 據納頓子于頓言納。下朔入公入致伐齊人來歸衛寶知爲納朔伐之 疏 注據納頓子于頓言納。解云即僖二十五年秋楚人圍陳納頓子于頓是也。注下朔入公入致伐。解云即下六年衛侯朔入于衛公至自伐衛是也然則衛侯朔入于衛之下即言公至自伐衛亦一隅也。注齊人來歸衛寶。解云即下六年冬齊人來歸衛寶是也 辟王也 辟王者兵也王人子突是也使若伐而去不留納朔者所以正其義因爲內諱

六年春王三月王人子突救衛王人者何微者也子突者何 別何之者稱人序上又僖八年王人不稱字嫌二人 疏 王人者何。解云王言微者書其美字欲言其貴連人言之故執不知問。子突者何。解云稱字尊卑未分故執不知問。注別何至二人。解云所以不言王人子突者何而別何之者正以稱人序在子突之上又僖八年公會王人以下于洮單稱王人不稱字問者之意嫌此王人與子突別人故別何之然則言嫌二人者猶言疑二人矣 貴也 貴子之稱 貴則其稱人何 據王子瑕不稱人本當言王子突示諸侯親親以責之也 疏 注據王子瑕不稱人。解云即襄三十年夏王子瑕奔晉是也。注本當至之也。解云言王子則是王之親親所以責諸侯違王命之深 繫諸人也曷爲繫諸人 據不以微及大 疏 注據不以微及大。解云即定二年傳云然則曷爲不言雉門災及兩觀主災者兩觀也注侯者兩觀則曷爲後言之不以微及大也是也然則彼不以微及大而此以子突繫諸人故難之 王人耳 時一使可致一夫可誅而緩令交連五國之兵伐天子所立還以自納王遣貴子突卒不能救遂爲天下笑故爲王者諱使若遣微者弱愈因爲內殺惡救例時此月者嫌實微者故加錄之以起實貴子突。使所吏反令力陳反爲王于僞反下因爲不爲危錄皆同 疏 王人耳。解云欲道子突但是微者矣。注剌王至可誅。解云即桓十六年冬衛侯朔出奔齊傳曰衛侯朔何以名絕曷爲絕之得罪于天子也其得罪于天子奈何見使守衛朔而不能使衛小衆越在岱陰齊屬負茲舍不即罪爾者是其朔在岱陰齊時之事也言當爾之時微弱至甚一使可攝取一夫可就誅故曰一使可致一夫可誅耳。注而緩至自納。解云即上五年冬公會齊人宋人陳人蔡人伐衛者是其交通五國之兵矣言伐天子所立者在上三年耳彼注云天子新立衛公子留是也。注王遣至能救。解云王遣貴子突者此文是也卒不能救者下文朔入衛是也。注因爲內殺惡。解云謂犯微人之命惡淺犯貴者之命惡深故也。注救例時。解云即僖六年秋諸侯遂救許僖十八年夏師救齊之屬是 ○夏六月衛侯朔入于衛衛侯朔何以名 據衛侯入于陳儀不名 疏 注據衛至不名。解云在襄二十五年秋 絕曷爲絕之 據俱入也 犯命也 犯天子命尤重 其言入何 據頓子不復書入。不復挾又反下皆同 疏 注據頓至書入。解云即僖二十五年秋楚人圍陳納頓子于頓是而言不復書入者謂彼經直連圍陳而言納不復別書入也今此衛朔之事去年已書伐衛訖今復別言入故如此注 篡辭也 辟上王不得言納故復從篡辭書入也不直言篡者事各有本也殺而立者不以當國之辭言之非殺而立者以當國之辭言之國人立之曰立他國立之曰納從外曰入諸侯有屬託力加自文也不書公子留出奔者天子本當絕衛不當復立公子留因爲天子諱微弱以殺而申志反下皆同屬音燭 疏 注上辟至言納。解云即上五年傳云此伐衛納朔也曷爲不言納衛侯朔辟王也者是。注故從至入也。解云正以公羊之例立納入皆爲篡辭故也。注不直至本也。解云欲道春秋上下所以不直言衛朔篡小白篡衛世子篡而書其立入納者事各有本故也。注殺至言之。解云即文十四年秋齊公子商人弒其君舍不去公子是也所以然者正以其弒君取國不嫌非篡故也。注非殺至言之。解云衛晉言立蒯聵言納小白言入是也所以然者以其非殺而立恐不成篡故也。注國人立之曰立。解云隱四年衛人立晉是也。注他國立之曰納。解云即哀二年夏晉趙鞅納衛世子于戚是也。注從外曰入。解云即莊九年

之屬是也○注諸侯至之文也○解云即昭元年秋莒去疾自齊入于莒昭十三年夏楚公子比自晉歸于楚之屬是也○注因爲至微弱○解云公子谿亦大○秋公子所立故也其以公子谿之事諸本作二三年也

至自伐衛曷爲或言致會或言致伐得意致會所伐國服兵解國安故不復錄兵所從來獨重其本會之時 疏 注所至致會○解云即襄十一年公至自會是也○注所伐至之時○解云即襄十一年秋公會晉侯宋公衛侯曹伯齊世子光以下伐鄭會于蕭魚公至自會是 不得意致伐 重錄所從來者所伐國不服兵將復用國家有危故也 公與一國及獨出用兵得意不致不得意致伐公與二國以上也上出會盟得意致會不得意不致公與一國出會盟得意致地不得意不致皆例時 疏 注所伐至從來○解云即襄十一年夏公鄭秋七月己未同盟于京城北公至自伐鄭是也又僖四年春公會齊侯宋公以下侵蔡蔡潰遂伐楚次于陘秋八月公至自伐楚傳云楚已服矣何以致伐楚叛盟之屬是也若然成十六年秋公會尹子晉侯齊國佐邾婁人伐鄭冬十二月公至自會又成十七年夏公會尹子單子晉侯齊侯宋公衛侯曹伯邾婁人伐鄭六月乙酉同盟于柯陵秋公至自會又成十七年冬公會單子晉侯宋公衛侯曹伯齊人邾婁人伐鄭十一月公至自伐鄭以此言之則十六年秋伐鄭十七年夏伐鄭皆是鄭人不服而致會者正以十六年時鄭人叛晉師諸侯伐而討之當是時宜服明年乃叛是以致會起其十七年夏公會單子已下伐鄭者正以比年用兵不能服故以得意爲文其十七年冬公會單子已下伐鄭以伐致者至於三伐事宜當見故言公至自伐鄭矣若然桓十六年夏四月公會宋公衛侯陳侯蔡侯伐鄭秋七月公至自伐鄭彼此之後鄭不背叛何故不致而致伐者桓元年三月公會鄭伯于垂彼注云不致之者桓弑賢君篡慈兄與人交接則有危故尊臣子辭成誅文然則桓是惡人本不合致而桓十六年注云致者善桓公能疾惡同類比與諸侯行義兵伐鄭也者是其得致之由而致伐者諸侯本意正欲助忽以誅突突終得國忽死不還以其不得伐力故致伐○注公與至致伐解云其獨出用兵得意不致者即隱七年秋公伐邾婁僖三十三年夏公伐邾婁哀七年秋公伐邾婁之屬皆不致是也其與一國用兵不得意致伐者即僖二十六年冬公以楚師伐齊取穀公至自伐齊傳云此已取穀矣何以致伐未得乎取穀也曰患之起必自此始也是也其公獨出用兵不得意致伐者即下二十六年春公伐戎夏公至自伐戎是也其公與一國用兵得意不致者春秋之內偶爾無之春秋說無所知然者正以用兵得意兵不復用何勞致伐乎不致會者辭不成會故也其不得意所以致伐者兵將復用重錄兵所從來故也○注公與二國至不致○解云其二國以上出會盟得意致會者即哀十三年夏公會晉侯及吳子于黃池秋公至自會是也其不得意不致者即宣七年冬公會晉侯宋公衛侯鄭伯曹伯于黑壤之屬是也其得意致會者以其成會也其不得意不致者無功可言故也○注公與一國至不致○解云其得意致地者即桓二年秋公及戎盟于唐冬公至自唐之屬是也其不得意不致之者即隱二年秋八月庚辰公及戎盟于唐之屬是也其得意所以致地者離不成會故也其不得意所以不致者無功可致矣○注皆例時○解云謂歟來諸例皆書時即桓二年冬公至自唐僖二十六年冬公至自伐齊哀十三年秋公至自會之屬是也其僖四年八月公至自伐楚彼注云月者凡公出滿二時月危公之久然則彼以公正月出會齊侯伐楚至八月乃反故云滿二時矣成六年春王正月公至自會何氏云月者前魯大夫獲齊侯今親相見故危之是也而襄十一年公至自伐鄭公至自會不滿二時而皆在日月下何氏不注蓋以爲不蒙月故也成十六年公至自會亦不滿二時而在日月下是不蒙月明矣成十七年十一月公至自伐鄭彼注云月者方正下壬申故月之外則公至亦不蒙月矣

衛侯朔入 與上辭王同 于衛何以致伐 據得意 不敢勝天子也 義又不月者不與伐天子也 疏 注與上辭王同義○解云上五年五國伐衛之時實納衛侯朔所以不言納衛侯朔者辟王者兵也若伐而去不留納朔者所以正其義因爲內諱也今此實得意所以不致會而致伐者不敢勝天子使若更以他事伐衛不爲納朔然所以正其義因爲內諱故曰同義○注不月至錄之○解云僖四年八月公至自伐楚彼注云月者凡公出滿二時月危公之久然則今出兵歷四時而不月者不與伐天子故不爲危錄故也 ○螟 先是伐衛納朔兵歷四時及反民煩擾之所生 疏 注先是至及反○解云謂五年冬訖于此年之秋故也

○冬齊人來歸衛寶 此衛寶也則齊人曷爲來歸之衛人歸之也 以稱人其國辭○衛賓下伐經存歸傳 疏

注以衛人共國辭。解云注言此者欲決二十一年齊侯來獻戎捷不言人也。言以衛人共國辭者謂稱衛人可以兼得兩國人之辭也 衛人歸之則其稱齊人何讓乎我也其讓乎我奈何齊侯曰此非寡人之力魯侯之力也 時朔得國後遣人賂齊齊侯推功歸魯使衛人持寶來雖本非義賂齊當以讓除惡故善起其事正書者極惡魯犯命復貪利也不爲大惡者納朔本不以賂行事畢而見賂賄寶者玉物之凡名。惡烏路反 疏注善起其事。解云言春秋善齊侯之讓是以不言衛人而稱齊人所以起其讓事矣。注不爲至賂爾。解云所傳聞之世內大惡諱之今此書見故知不爲大惡矣。注寶者至凡名。解云猶言玉物之總名耳定八年傳云寶者何璋判白弓繡質龜青純是也

七年春夫人姜氏會齊侯于防。夏四月辛卯夜恆星不見夜中星霣如雨恆星者何列星也 恆常也常以時列見。辛卯夜一本無夜字穀梁作昔不見賢遍反注及傳皆同 疏恆者何。解云欲道星稱恆無恆星欲言非星而連星言之故執不知問。注恆常也至列見。解云恆者常也天之常宿故經謂之恆星矣言以時列見于天故傳謂之列星矣 列星不見何以知夜之中星反也 反者星復其位 疏注列星至之中。解云謂然所復其位反附在半夜之後則知鄉者不見之時是夜中矣 如雨者何如雨者非雨也非雨則曷爲謂之如雨不脩春秋曰雨星不及地尺而復 不脩春秋謂史記也古者謂史記爲春秋。雨星于付反一音如字下注雨星同 疏如雨者何。解云欲言是雨不應言如其實非雨而文言雨故執不知問。注不脩春秋。解云據此傳及注言則孔子未脩之時已謂之春秋矣而舊解云孔子脩之春作秋成謂之春秋者失之遠矣云云之說在自卷 君子脩之曰星霣如雨 明其狀似雨爾不當言雨星不言尺者霣則爲異不以尺寸錄之

何以書記異也 列星者天之常宿分守度諸侯之象周之四月夏之二月昏參伐狼注之宿當見參伐主斬艾立義狼注主持衡平也皆滅者法度廢絕威信陵遲之象時天子微弱不能誅衛侯朔是後遂失其正諸侯背叛王室日卑星霣未墜而夜中星反者房心見其虛危斗房心天子明堂布政之宮也虛危齊分其後齊桓行霸陽穀之會有王事。常宿音秀下同參所林反下同狼注張又反與咮同朱鳥口星也一音之仕反艾魚廢反墜直類反分扶問反 疏注分守至之象。解云言分者謂十二之分野矣言守度者守二十八度爲一次矣言諸侯之象者謂星度有多少若諸侯之國有大小耳。注昏參至當見。解云正以參伐狼注爲西南之維故也。注參伐至立義。解云以其在西方金王斷割之義故也。注狼注至平也。解云正以其在南方主禮故也。注而夜至危斗。解云火見於周爲五月者謂昏時今在周之四月是以半夜之後乃房星見其虛危斗者謂在夜半時明矣。注房心至宮也。解云即上備云房爲天子明堂文耀鉤云房心爲中央火星天王位若相對言之則房爲明堂心爲天王矣既有天王復有明堂布政之象也。注其後至王事。解云齊桓行霸者虛危斗也有王事者房心見也 ○秋大水。無麥苗無苗則曷爲先言無麥而後言無苗 苗者禾也生曰苗秀曰禾據是時苗微麥彊俱遇水災苗當先亡 一災不書待無麥然後書無苗 明君子不以一過責人水旱螟螽皆以傷二穀乃書然不書穀名至麥苗獨書者民食最重螟螽音終 疏一災不書。解云謂災傷一穀者皆人行致之故也。注水旱至穀名。解云大水傷二穀書於經者即桓元年秋大水傳云何以書記災也彼注云災傷二穀以上書災也其旱傷二穀以上書者即僖二十一年夏大旱是也其螟螽書者即隱五年經書螟傳云何以書記災也文八作經書螽之類是也。注至麥至最重。解云災傷麥苗常書即此及莊二十八年大無麥禾之屬皆是也麥禾比於餘穀最重故言民食最重矣 何以書記災也 先是莊公伐衛納朔用兵踰年夫人數出淫泆民怨之所生。數所角反泆音逸 疏注先是至踰年。解云即五年冬公會齊人宋人陳人蔡人伐衛六年秋公至自伐衛是也。注夫人數出淫泆。解云即五年夏夫人姜氏如齊師七年春夫人姜氏會齊侯於

防冬夫人姜氏會齊侯于穀之屬故言數出耳○冬夫人姜氏會齊侯于穀

監本附音春秋公羊註疏莊公卷第六

監本春秋公羊註疏莊公卷第七 起八年 盡十七年

何休學

八年春王正月師次于郎以俟陳人蔡人次不言俟此其言俟何據以于陘俟屈完不書俟○屈居勿反(疏)注據次陘書俟○解云即僖四年經云遂伐楚次于陘傳云其言次于陘何有俟也孰俟俟屈完也是也然則彼但錄其次而不書俟與此異故諱之託不得已也師出本為下滅盛與陳蔡屬與魯伐衛同心人國遠故因假以諱滅同姓託待二國為留辭主所以辟下言及也加以者辟實俟陳蔡猶人者略以外國辭稱人微之○本為于偽反傳及注為久皆同屬與音燭(疏)注陳蔡至伐衛○解云即其經云公會齊人宋人陳人蔡人伐衛是也○注同心又國遠○解云欲對齊宋雖亦同心而近魯是以不得託待齊宋○注所以辟下言及也○解云即經下云夏師及齊師圍成是也凡言及者汲汲之辭若此時已出師其間更無所待即下文言及乃至汲汲之甚者便是魯人欲得滅同姓故致之深是以託待陳蔡以辟之○注加以者辟實俟○解云若其實俟但云師次于郎俟陳人蔡人而已何須言以乎今言以俟陳人蔡人明更有由以乃始俟之故言加以者辟實俟也甲午祠兵祠兵者何出曰祠兵禮兵不徒使故將出兵必祠於近郊陳兵習戰殺牲饗士卒○祠兵音嗣祭也左氏作治兵下文注同卒子忽反(疏)祠兵者何○解云凡出師之禮皆有祠兵之事而此特書故執不知問○出曰祠兵○解云何氏之意以為祠兵有一義也一則祠其兵器二則殺牲享士卒故曰祠兵矣○注禮兵至近郊○解云時王之禮也入曰振旅五百人曰旅(疏)注五百人曰旅○解云大司馬敘官文其禮一也皆習戰也言與祠兵禮如一將出不嫌不習故以祠兵言之將入嫌於廢之故以振訊士衆言之互相見也祠兵壯者在前難在前振旅壯者在後復長幼且衛後也○訊音信又音峻本亦作迅相見賢偏反下同難乃旦反長丁丈反何言乎祠兵據不書(疏)注據不書○解云今此書之而言據不書者正謂他處皆不書即閑不書矣而此書之者是以致難為久也為久稽留之辭(疏)

注爲久稽留之辭。○解云爲稽作言作久稽留之辭矣曷爲爲久據取長葛爲久之疏注據取長葛爲久之。○解云隱五年冬宋人伐鄭圍長葛六年冬宋人取長葛傳云外取邑不書此何以書久也是然則彼所以書者義其久今以祠兵者爲久稽留之辭似於義反故難之吾將以甲午之日然後祠兵於是諱爲久稽留辭使若無欲滅同姓之意因見出竟明盛非內邑也疏注因見至邑也。○解云出曰祠兵即爾雅出曰治兵之文也今書祠兵即是出竟之義則知下言圍成者非內邑明矣夏師及齊師圍成成降于齊師成者何盛也以上有祠兵下有盛伯來奔。成如字二傳作郕降于戶江反傳及下注皆同疏成者何。○解云成爲內邑盛氏所有而與齊圍之故執不知問。○注以上至來奔。○解云文十二年春王正月盛伯來奔傳云盛伯者何失地之君也何以不名兄弟辭也是也盛則曷爲謂之成諱滅同姓也因魯有成邑同聲相似故云爾疏注因魯至云爾。○解云莊十二年十有二月公圍成者是魯有成邑之文曷爲不言降吾師據戰於宋不言歸衛疏注據戰至歸鄭。○解云桓十二年十有二月及鄭師伐宋丁未戰于宋是也彼則不言宋歸于鄭此言成降于齊師故難之其歸字有作販字者誤也辟之也辟滅同姓言圍者使若魯圍之而去成自從後降於齊師也降者自伏之文所以辟歸於齊言及者起魯實欲滅之不月者順諱文不書盛伯出奔深諱之疏注言及者至滅之。○解云以及者汲汲之文故也。○注不月者順諱文。○解云凡滅例月即莊十年冬十月齊師滅譚莊十三年夏六月齊人滅遂之屬是也今此亦滅而不書月者順諱文使若不滅矣。○注不書至諱之。○解云如此注者正欲決莊十年冬十月齊師滅譚譚子奔莒之屬書其出奔也今成被滅至文十二年春乃書盛伯來奔於所傳聞世不言所奔者深諱故也。秋師還還者何善辭也此滅同姓何善爾病之也慰勞其罷病○慰勞力報反下同其罷音皮下同疏還者何。○解云欲言其惡還是善辭欲言其善實滅同姓故執不知問曰師病矣曷爲病之據師出皆能病曷爲獨勞此病也非師之罪

莊八年

也明君之使重在君因解非師自汲汲疏注明君至在君。○解云所以慰勞師之罷病者明君之滅同姓非師之罪其重在于君也。○注因解非師自汲汲。○解云正以及者汲汲之辭故也。○冬十有一月癸未齊無知弑其君諸兒諸兒襄公也無知公子夷仲年之子襄公從弟○兒如字一音五兮反從才用反

九年春齊人殺無知。公及齊大夫盟于暨公曷爲與大夫盟據與高傒盟諱不言公○暨其器反左氏作蔇疏注據與高至言公。○解云莊二十二年秋七月丙申及齊高傒盟于防傳云齊高傒者何貴大夫也曷爲就吾微者而盟公也公則曷爲不言公諱與大夫盟也者是齊無君也然則何以不名據高傒名爲其諱與大夫盟也使若衆然鄰國之臣猶吾臣也君之於臣當告從命行而反歃血約誓故諱使若衆得齊諸大夫約束之者愈也不月者是時齊以無知之難小白奔莒子糾奔魯齊迎子糾欲立之魯不與而與之盟齊爲是更迎小白然後乃伐齊欲納子糾不能納故深諱使若信者也不致者魯地也子糾出奔不書者本未命爲嗣賤故不錄之。○爲其于僞反注爲是及下注實爲魯爲同歃所洽反又所甲反難乃旦反疏注不月至信者也。○解云公羊之例大信時小信月不信日經今不月使若信者謂若大信也不謂月爲信辭也。○注不致者魯地也。○解云正決桓二年秋公及戎盟于唐冬公至自唐之文也若然定十二年十有二月公至自圍成然則成是內邑而書致者彼注云成仲孫氏邑圍成月又致者天子不親征下土諸侯不親征叛邑公親圍成不能服不能以一國爲家甚危若從他國來故危錄之是也。○注子糾至錄之。○解云如此注者正決桓十一年鄭忽出奔衛書之故也子糾出奔魯宜言來奔而言出奔者據齊言之亦無傷矣。○夏公伐齊納糾納者何入辭也其言伐之何據晉人納捷菑于邾婁下言伐○納糾左氏經亦作納子糾疏夏公伐齊納糾。○解云無子字者與左氏經異。○納者何。○解云欲言得國下有齊人取殺之文欲言不得國納者入辭故執不知問。○其言伐之何。○解云案隱七年冬戎伐凡伯于楚丘以歸傳云此聘也其言伐之何彼注云加

莊九年

之者辭問輕重兩舉之然則此傳非問輕重兩牽而亦言之下十一年傳云觕者曰侵精者曰伐戰不言伐圍不言戰入不言圍滅不言入書其重者也然則侵伐戰圍入滅數者相對是其輕重之名今以納問伐直據納接菑不言伐而已實非輕重兩舉故得言之矣。注據晉至言伐。解云即文十四年經云晉人納接菑于邾婁是也**伐而言納者猶不能納也**伐者非入國辭故云尔（疏）注伐者至云尔。解云下十年傳云觕者曰侵精者曰伐然則伐者雖重於侵仍非入國之義是以此經兼舉其伐見不能納矣**糾者何公子糾也何以不稱公子**据下言子糾知非當國本當去國見挈言公子糾。去國刺呂反下故去同（疏）糾者何。解云欲言已臣納於他國欲言齊臣以不繼齊故孰不知問。注据下至子糾。解云下經云九月齊人取子糾殺之傳云其稱子糾何貴也其貴奈何宜爲君者也彼注云故以君薨稱子其言之者著其宜爲君則下經言子見其貴則知此經單言糾者非當國之辭既不作當國之辭故今宜但去國言公子糾見挈於魯侯而已是以問其名不稱公子**君前臣名也**春秋别嫌明疑嫌當爲齊君在魯君前不爲臣禮公子無去國道臣異國義故云公子見臣於魯也。納不致者言伐得意不得意可知猶遇弗遇例也不月者非納篡辭。別彼列反見賢徧反（疏）注禮公至國義。解云然則禮有三諫不從待放去者其異姓之臣乎公子者同姓之臣本無去國之義矣。注納不至可知。解云上六年注云公與一國及獨出用兵得意不致不得意致伐今此納糾而不齊入亦是不得意而不言公至自伐齊者謂此經既言公伐納糾言伐者不得意明矣何勞致伐見不得意乎故云納不致者言伐得意不得意可知矣。注猶遇弗遇例也。解云上六年注云公與一國出會盟得意致地不得意不致然則春秋之內亦有遇禮所以不致地以見得意者正以經書亦有遇弗遇之文則知書遇得意明矣何勞致地以見之乎則知隱四年夏公及宋公遇於清言遇得意可知桓十年秋公會衛侯于桃丘不遇不得意明矣故云猶遇弗遇例也。注不月至篡辭。解云隱四年冬十有二月衛人立晉注云月者大國篡例月小國時立納入皆爲篡然則莊六年夏六月衛侯朔入于衛哀六年秋七月齊陽生入于齊之屬皆是也今此亦書納而不月者子糾次正宜立非篡故也非篡而言納者入辭子糾不得國魯公之由是以書伐納見其伐而不能納以刺魯侯矣**齊小白入于**

莊九年

齊曷爲以國氏据宋公子池自陳入于蕭氏公子也（疏）注据公至子也。解云即定十一年宋公之弟辰及仲佗石彄公子池自陳入于蕭以叛是也**當國也**當國故先氏國也不月者移惡于魯也（疏）注不月至魯也。解云正以大國篡例月故言此矣而言移惡于魯者正以小白成篡實由魯人不早送子糾故也**其言入何篡辭也。秋七月丁酉葬齊襄公。八月庚申及齊師戰于乾時我師敗績內不言敗此其言敗何**据郎之戰（疏）其言入何。解云据桓十七年秋八月蔡季自陳歸于蔡不言入今言入故難之不注言者文不悉也。秋七月至襄公。解云隱三年傳曰過時而日隱之也彼注云隱痛也痛賢君不得以時葬則襄公去年十一月見殺至今年秋七月整九月也而書日葬之明是痛賢君不得以時葬故也而注不言之者從可知省文也其襄公之賢見於上四年。注据郎之戰。解云桓十年冬十有二月丙午齊侯衛侯鄭伯來戰于郎傳云此偏戰也何以不言師敗績內不言戰言戰乃敗矣然則彼文師有成辭故此弟子据而難之**伐敗也**自誇大其伐而取敗。自誇苦瓜反本又作夸下同**曷爲伐敗**据內不言敗績曷爲自誇大其伐而取敗**復讎也**復讎以死敗爲榮故錄之萬齊襄賢仇牧是也（疏）注高齊襄。解云即上四年夏紀侯大去其國傳云曷爲不言齊滅之爲襄公諱也春秋爲賢者諱何賢乎襄公復讎也襄公將復讎乎紀卜之曰師喪分焉寡人死之不爲不吉也者是高齊侯復讎以死敗爲榮之事矣注賢仇牧是也者即下十二年秋宋萬弑其君接及其大夫仇牧傳云何以書賢也何賢乎仇牧仇牧可謂不畏強禦矣其不畏彊禦奈何云云萬怒搏閔公絕其脰仇牧聞君弑趨而至遇之於門手劍而叱之萬臂摋仇牧碎其首齒著乎門闔仇牧可謂不畏彊禦矣是賢仇牧復讎以死敗爲榮之義**此復讎乎大國曷爲使微者**据納子糾公猶自行即大夫當有名氏（疏）注即大夫當有名氏。解云公羊之義以大夫得見名氏謂士爲微故言此**公也**如上据知爲公**公則曷爲不言公不與公復讎也曷爲不與公復讎**据諱與讎狩（疏）注据諱與讎狩。解云即上四年

莊九年

冬，公及齊人狩于郜，傳云公曷為與微者狩？齊侯也。齊侯則其稱人何？諱與讎狩也。然則公與讎人狩則以為不書而諱之，今乃復讎于齊，宜以為善，而反不與，故難之。**復讎者在下也。**時實為不能納子糾伐齊，諸大夫以為不如以復讎伐之，於是以復讎伐之，非誠心至意，故不與也。書敗者，起託義戰，不殺者有敗文，得意不得意可知例。（疏）注書敗者起託義。○解云：春秋之例，內不言戰，言戰乃敗，今乃經上文云戰于乾時，即內敗明矣，而又言我師敗績者，起託以敗為榮故也。○注戰不至知例。○解云：六年不得意致伐之下注云：公與一國及獨出用兵，得意不致，不得意致伐。今此亦不得意，合致伐，而不致伐者，既有我師敗績之文，不得意明矣，故言可知例。○**九月，齊人取子糾殺之。其取之何？**據楚人殺陳夏徵舒不言取，執齊慶封殺之言執也。○夏，戶雅反。（疏）注據楚至言取。○解云：宣十一年冬十月楚人殺陳夏徵舒是也。○注執齊至執也。○解云：即昭四年秋七月楚子蔡侯陳侯以下伐吳，執齊慶封殺之是也。**內辭也。脅我使我殺之也。**以下陵洙知其脅也。以稱人共國辭，知使魯殺之。時小白得國，與鮑叔牙圖國政，故鮑叔謂管仲召忽曰：使彼國得賢，己國之患也。乃脅魯使殺子糾，求管仲召忽。魯皇恐，殺子糾，歸管仲，召忽死之，故深諱，使若齊自取殺之。○卲忽，本又作召，上照反；恐，丘勇反。（疏）注以稱至殺之。○解云：謂不言齊鮑叔取子糾殺之，而言齊人，則知一人之號；二國共有一人之號，既二國共有，則知齊魯皆有殺子糾之懸明矣，是以注者約之。○注時小白至取殺之。○解云：皆世家及齊語之事。**其稱子糾何？**據不立也。（疏）注據不立也。○解云：正以下三十二年冬十月乙未子般卒，傳云君存稱世子，君薨稱子某，然則子糾者嗣君之稱，今竟不立，得言子糾，故難之。**貴也。其貴奈何？宜為君者也。**故以君薨稱子某言之者，言其宜為君，明魯為齊殺之，皆當坐弒君，因解上納言糾皆不為篡，所以理嫌疑也。月者，從未踰年君例，主書者，從齊取也。○當坐，才臥反，後皆放此。（疏）注故以君至言之。○解云：莊三十二年傳文當坐之類。（疏）注明魯至弒君。○解云：魯所以當坐弒君，即穀梁傳云：十室之邑可以逃難，百室之邑可以隱死，以千乘之魯而不能存子糾，以公為病矣是。○注因解至嫌疑。○解云：此經若不言子糾，上納言糾有當國之嫌，後人疑其篡矣，今作嗣君之稱，則知上經單言糾作君前臣名之故也，故言所以理嫌疑也。○注月者從未踰年君例。○解云：隱公四年春二月戊申，衛州吁弒其君完，注云日者，從外赴辭，以賊聞例，然則弒成君者例皆書日，即宣二年秋九月乙丑晉趙盾弒其君夷獋，宣四年夏六月乙酉鄭公子歸生弒其君夷之屬是也。今此子糾見殺而書月，故知從未踰年君例。若然，僖九年冬晉里克弒其君之子奚齊，傳云其言弒其君之子奚齊何？弒未踰年君之號也。所以不月者，彼注云弒未踰年君例當月，不月者，不正遇禍，終始惡明，故略之是也。若然，僖十年春正月晉里克弒其君卓子及其大夫荀息，其踰年而不日者，彼注云不日者，不正遇禍，終始惡明，故略之是也。鄉來所述，皆是外諸侯之例，若其內則異于此，是以莊三十二年冬十月乙未子般卒，文十八年十月子卒，皆是未踰年之君，而曰或月者，彼自作三世之義，云云之說，已畢于上。○注主書者從齊取也。○解云：言主書此事者，正欲從而罪齊，但因見魯之惡耳。○**冬，浚洙。洙者何？水也。**以言浚也。○浚，思俊反，深也。洙音殊，水名。（疏）洙者何。○解云：欲言城邑，而無營築之文，欲言小水，更無此例，故執不知問。○注以言浚也。○解云：正以與尚書浚畎澮之文同，故知水名。**浚之者何？深之也。曷為深之？**據本非人功所為。（疏）浚之者何。○解云：正以洙是舊水，今始言浚，故執不知問。○注據本非人功所為。○解云：正言畎澮之屬是人功為之故也。**畏齊也。**洙在魯北，齊所由來。**曷為畏齊也？**據伐敗也。（疏）注據伐敗也。○解云：即上傳云內不言敗，此其言敗何？伐敗也。注云自誇大其伐而取敗是也。**辭殺子糾也。**時魯新見脅，畏齊浚之，微弱恥甚，故諱使若辭不肯殺子糾，齊自取殺之，畏齊恐為所以起上脅也。（疏）注亦所以起上脅也。○解云：言今此畏齊者，由前被脅而殺子糾，因茲失操，益深洙水矣。

十年春王正月，公敗齊師于長勺。勺，時灼反。○**二月，公侵宋。曷為或言侵，或言伐？觕者曰侵，**觕，麤也。將兵至竟，以過侵責之，服則引兵而去，用意尚麤。○觕，七奴反，又才古反。（疏）曷為或言侵或言伐。○解云：即此文公侵宋，及上九年夏公伐齊納糾之屬是也。○注以過侵責之。○解云：以其犯過而侵責之。**精者曰伐。**精猶精密也。侵責之不服，推兵入竟，伐擊之益深，用意稍精密。（疏）注侵責至益深。○解云：推猶擊也，言既侵不服

則更舉兵深入其竟，而伐擊之益深於前。戰不言伐，與戰爲重。敵戰是也，合兵血刃曰戰。圍
不言戰，辛圍爲重。楚子圍鄭是也。以兵守城曰圍。入不言圍，與入爲重。晉侯入曹，執曹
伯是也。得而不居曰入。滅不言入，與滅爲重。齊滅萊是也。取其國曰滅。書其重者
也。明當以重者罪之，猶律一人有數罪，以重者論之。月者，爲此敗，彊齊之兵南侵彊宋，南北有難，復連禍於大國，
故危之。○數，所主反。屬音燭。疏注月者至危之。○解云：正以侵伐例時，即上九年夏公伐齊之屬是也。今書月，
故如此解。是以穀梁傳曰：侵例時，此其月，何也？乃深其怨於齊，又退侵宋以衆其敵，惡之，故謹而月之，是也。
三月，宋人遷宿。遷之者何？不通也。以其不道所遷之地。疏○遷之
者何。○解云：欲言其遷，不言于某；欲言不遷，經書遷宿，故執不知問。○注以其不道所遷之地。○解云：正以不言于某，不知宿之所遷，故如此解。
非實近矣。以地還之也。還，繞也。解上不通也。不通反爲遷者，宋本欲遷宿君取其國，不知宿之不
背邪，宋逆詐邪，先繞取其地，使不得通四方，宿窮從宋求遷，故得言遷。疏注宋逆詐邪。○解云：謂宋人逆憶其
不服，須詐而遷之。○宿弱從宋求遷。○解云：謂宿君服去矣。子沈子曰：不通者，蓋
因而臣之也。以宋稱人也。宿不得通四方，宿君遷宋，因以兵攻取，故從國辭稱人也。臣有之，不復以兵攻取。
月者，遷取王者當與滅人同罪。書者，宋當坐滅人。宿不能死社稷，當絕也。主書者，從宋也。○不復，扶又反。疏注
從國辭稱人也。○解云：端拱取宿，不煩兵武，人人皆欲，故以國辭稱人矣。○注月者至絕也。○解云：春秋之例，大國之遷
例月，即僖三十一年十有二月衛遷于帝丘；小國時者，即昭九年春許遷于夷之屬是也。今此宿是小國，宋人遷之而反
書月，故云月者遷取王封，當與滅人同罪也。其滅國書月者，即下冬十月齊師滅譚，十三年夏六月齊人滅遂之屬是也。若
然，案僖元年夏六月邢遷于陳儀，邢是小國而書月者，彼注云：遷例大國月，重繁勞也；小國時。此小國月者，霸者所助城，
故與大國同是也。○注主書者從宋也。○解云：言主書此事者，正欲從而罪宋遷取王封，但因見宿君不死社稷之惡耳。
○夏六月，齊師、宋師次于郎。公敗宋師于乘
丘。其言次于郎何？據齊國書伐我，不言次。敗不言乘丘。○乘，繩證反。疏注據

齊至言次。○解云：即哀十一年春齊國書帥師伐我是也。○注敗言乘丘。○解云：正以敗言乘丘，次在郎，於義似乖，故
難之。伐也。時伐魯，故書。次，郎魯地。伐則其言次何？據齊國書伐我，不言次。
齊與伐而不與戰，故言伐也。此道本所以當言伐意也。齊與伐而不與戰，
齊與，音預。下及注同。在得成敗，當言伐也。疏齊與伐至言伐也。○解云：若齊本與宋共伐，而但不與戰，故有
書其伐耳。我能敗之，故言次也。此解本所以不言伐、言次意也。二國既止次，未成
伐，魯即能敗宋師，齊師罷去，故不言伐，言次也。明國君當彊，折衝當遠，魯微弱，深見犯至於近邑，賴能速勝之，故云爾，所
以彊內也。且明臣子當辭順其美，匿其惡。○折衝，之設反。下邑容反。疏注謂折衝至當遠。○解
遠也。○注至於近邑。○解云：即莊十年傳云：郎者何？吾近邑是也。○注且明至其惡。○解云：孝經文，襄十四年左氏傳文也。言
臣子之法，宜行君父之義，順君父之美，即此上注云魯微弱勝之是也。君見君父之惡，當正而救之，即上注云賴能速
見犯至於近邑是也。○秋九月，荊敗蔡師于莘，以蔡侯獻
舞歸。荊者何？州名也。州謂九州：冀、兗、青、徐、揚、荊、豫、梁、雍。○莘，所巾反。雍，於用反。疏
荊者何。○解云：欲言是國，由來未有；欲言非國，而敗蔡師，故執不知問。○注州謂至梁雍。○解云：案禹貢冀州既載，鄭
云：載之言事，事謂作徙設也。兩河間曰冀州，不書其界者，時帝都之，使若廣大然。濟河惟兗州，鄭注云：兗州之界，在此兩
河間。海岱惟青州，鄭注云：今青州界自海至岱。東岳曰岱山。海岱及淮惟徐州，鄭注云：徐州界又南至淮水。淮海惟揚州，
鄭注云：揚州界自淮而南至海以東也。荊及衡陽惟荊州，鄭注云：荊州界自荊山南至衡山之南。荊河惟豫州，鄭注云：
豫州界自荊山而北至河。華陽黑水惟梁州，鄭注云：梁州界自華山之南至于黑水也。黑水西河惟雍州，鄭注云：雍州界
自黑水而東至西河也。然則何氏此注九州之名及次第，皆依禹貢之州界，不敢依職方與爾雅，何者？正以禹貢爲正典故
也。案爾雅釋地云：兩河間曰冀州，李巡云：兩河間其氣性相近，故曰冀州。冀，近也。河南曰豫州，孫氏、郭氏皆云：自東河至
西河之南曰豫州。李巡云：河南其氣著密，厥性安舒，故曰豫。豫，舒也。河西曰雍州，李氏云：其氣蔽壅，受性急凶，故曰雍。
雍，塞也。漢南曰荊州，其氣燥剛，稟性強梁，故曰荊。荊，強也。江南曰揚州，李氏云：江南其氣躁勁，厥性輕揚，故曰揚。揚，州也。

莊十年

氏郭氏曰自江至南海也濟河間曰兗州李氏云濟河間其氣纍質厲性信謹故曰兗兗信也燕曰幽州李氏云燕其意氣惡厲性慓疾故曰幽幽惡也孫氏郭氏曰自易水至北狄也齊曰營州李氏曰齊其氣清舒受性平均故曰營營平也今為青州孫氏郭氏曰自岱東至海濟東曰徐州李氏曰濟東至海其氣寬舒稟性安徐徐舒也孫氏郭氏曰濟東至海也然則爾雅九州有幽營無梁青蓋是殷制故與禹貢不同案今禹貢則有梁青無幽營蓋是夏之法矣其舜改九州而置十二者則幽并及益是案周禮職方氏云東南曰揚州正南曰荊州河南曰豫州正東曰青州河東曰兗州正西曰雍州東北曰幽州河內曰冀州正北曰并州然則周禮有青幽并也若對爾雅則長青并無徐營若對禹貢則長幽并無徐梁矣但職方周法何氏不取故此注不依之耳

州不若國國不若氏氏不若人人不若名名不若字 皆取精詳錄也 疏 州不若國○解云言荊不如言楚○國不若氏○解云言楚不如言潞氏甲氏○氏不若人○解云言潞氏不如言楚人○人不若名○解云言楚人不如言介葛盧○名不若字○解云言介葛盧不如言邾婁儀父○注皆取精詳錄也○解云正以責重為詳錄輕賤為略之也

字不若子 爵最尊春秋假行事以見王法聖人為文辭孫順善善惡惡不可正言其罪因周本有奪爵稱國氏人名字之科故加州文備七等以進退之若自記事者書人姓名主人習其讀而問其傳則未知己之有罪焉爾猶此類也○見賢徧反孫音遜惡惡並如字一讀上烏路反傳直專反 疏 字不若子○解云言邾婁儀父不如言楚子吳子○注春秋至王法○解云即孔子曰我欲託諸空言不如載諸行事是也○注善善至其罪○解云若其善善可正言其美但以惡惡不可正言其罪若正言其罪則非孫順之義故此何氏偏以其罪言之若其備文宜云不可正言其善惡矣○注因周至之科○解云即隱元年注邾婁儀父云稱字所以得為褒者春秋前失爵在名例之屬是也○注故加州至姓名○解云所以必備七等之法者正以北斗七星主賞罰示法春秋者賞罰之書故則之故說題辭曰北斗七星有政春秋亦以七等宣化運斗樞曰春秋設七等之文以貶絕錄行應斗屈伸是也○注主人至焉爾○解云定元年傳文彼注云此假設而言之主人謂定哀也習其經而讀之問其傳解詁則未知己之有罪於是甚也

蔡侯獻舞何以名 據獲晉侯不名 疏 注據獲晉侯不名○解云僖十五年晉侯及秦伯戰于韓獲晉侯是也

絕曷為絕之 據晉侯不名絕 疏 絕○解云禮諸侯不生名則書名者絕之不以為諸侯也

獲也 獲得也戰而為敵所得獻舞不言獲故名以起之

曷為不言其獲 據晉侯言獲也

不與夷狄之獲中國也 與凡伯同義夷狄謂楚不言楚言荊者楚彊而近中國卒暴責之則恐為害深故進之以漸從此七等之極始也○近附近之近卒七忽反 疏 不與至中國也○解云秦亦夷狄而得獲晉侯者非真故也是以爵得稱伯客舊土耳○注與凡伯同義○解云即隱七年注云中國者禮義之國也執者治文也君子不使無禮義制治有禮義故絕不言執正之言伐也所以降夷狄尊天子為順辭然則此亦獲者治文君子不使無禮義制治有禮義故絕不言獲正之所以降夷狄尊中國為順辭矣故云與凡伯同義然則彼已有傳此復發之者彼是天子大夫此則諸侯嫌其異故同之○注夷狄至極始也○解云注言此者欲道楚屬荊州吳屬揚州所以抑楚言荊不抑吳言揚者正以楚近中國恐為中國之害故欲進之以漸先從卑稱進之若先得貴名而後退之則恐害於諸夏故也運斗樞曰抑楚言荊不使夷狄主中國者義亦通於此戴氏云荊楚一物嫌能相發吳揚異訓故不得州名也若與何氏異穀梁傳曰荊者楚也何為謂之荊狄之也何為狄之聖人立必後至天子弱必先叛故曰荊狄之也與此異不得合也

○冬十月齊師滅譚譚子奔莒何以不言出 據衛侯出奔也○譚徒南反 疏 注據衛侯出奔也○解云即僖二十八年衛侯出奔楚襄十四年衛侯衎出奔齊之屬是也注者欲據二人故不道所奔國也

國已滅矣無所出也 別於有國出奔者孔子曰君子於其言無所苟而已矣月者惡不死位也○別彼列反惡烏路反

十有一年春王正月○夏五月戊寅公敗宋師于鄑 ○鄑子斯反 ○秋宋大水何以書記災也外災不書此何以書 據漷移不書○漷火虢反又音郭 疏 注據漷移不書○解云即襄十九年取邾婁田自漷水傳云其言自漷水何以為竟也何言乎以漷為竟漷移也注云漷本與邾婁以漷為竟

竟所移入郭婁所衛隨而有之者是也。**及我也**時魯亦有水災，書魯則宋災不見，兩舉則煩文不省，故別書外以見內也。先是二國比興兵相敗，百姓同怨而俱受災，故明天人相與報應之際甚可畏之。○不見賢遍反，下同。省所景反。應應對之應。疏 注時魯至見內也○解云案襄九年春宋火，傳云外災不書，此何以書？為王者之後記災。與此異者，正以比言大水，水者流通之道，可以及兩國，故得書外以明內矣。彼是火災，無及內之理，而得書見，明為王者之後記災故也。若然，襄十九年傳云郭移也，亦是水災，何不書郭婁大水以見及內者？彼直移入郭婁竟內，故魯隨而侵之，實不及魯竟，得頻此。○注先是二國比興兵相敗○解云即上所云公敗宋師于鄑，十年夏公敗宋師于乘丘之屬是也。

○冬王姬歸于齊。何以書？過我也。時王者嫁女於齊，塗過魯，明當有送迎之禮。在塗不稱歸者，王者無外，故從在國辭。○過古禾反。疏 注在塗不稱至在國辭○解云正以隱二年傳云女在其國稱女，在塗稱婦，入國稱夫人。今此在塗而不稱婦，故如此注也。云王者無外者，桓八年傳云女在其國稱女，此其稱王后何？王者無外，其辭成矣是也。

十有二年春王三月，紀叔姬歸于酅。其言歸于酅何？據國滅來歸不書。酅非紀國而言歸。疏 注據國至不書○解云即上四年紀侯大去其國，不書叔姬來歸是也。叔姬來歸所以不書者，江熙云叔姬來歸不書，非歸寧且非大歸是也。然則紀國之滅在莊四年，至此乃歸酅者，江熙云叔姬守節積有年矣，季雖有酅入于齊，不敢懷二，然襄公殘狠，未可闇信，桓公既立，德行方宣於天下，是以叔姬歸于酅，魯喜其得中其志也。○注酅非紀國而言歸○解云謂非國都，今又屬齊，如此注者，意決隱七年叔姬歸于紀之經矣。

隱之也。何隱爾？其國亡矣，徒歸于叔爾也。叔者紀季也。婦人謂夫之弟為叔。來歸不書，書歸酅者，痛其國滅無所歸也。酅不繫齊者，時齊所後五廟，故國之紀有五廟存也。月者恩錄之。疏 注婦人至為叔○解云爾雅文，即曲禮上篇云嫂叔不通問是也。○注酅不至廟存也○解云如此注者，正欲決昭二十一年宋華亥等自陳入于宋南里以畔之文矣。○注月者恩錄之○解云即上元年注云內女歸例月，外女不月者，聖人探人情以制恩，實不如魯女，然則內女之歸皆書月，皆為恩錄故也。是以此注云月者因錄之。

莊十二年

接一本作捷

○夏四月。○秋八月甲午，宋萬弒其君接及其大夫仇牧。及者何？累也。弒君多矣，舍此無累者乎？孔父、荀息皆累也。舍孔父、荀息無累者乎？曰有。復反覆發傳者，樂道人之善也。孔子曰：益者三樂，損者三樂。樂節禮樂，樂道人之善，樂多賢友，益矣。樂驕樂，樂佚遊，樂宴樂，損矣。○接左氏作捷。仇牧音求，下音木。舍音赦，下舍孔父同。復扶又反，年末同。覆芳服反。驕樂音洛，下宴樂同。疏 宋萬弒其君接○解云正本皆作接字，故賈氏云公羊穀梁曰接是也。○及者何○解云尊卑灼然而言及，以殊之，故執不知問。○孔父荀息皆累也○解云孔父之累在桓二年，荀息之累在僖十年。○曰有○解云欲指文公十八年叔仲惠伯被殺之事。○注復反至之善也○解云謂桓二年已有此傳矣。○注孔子曰至損矣○解云樂皆是發心之樂，宜有偕下一樂是禮樂之樂耳。言樂節禮樂者，言樂得禮樂之節。言樂道人之善者，謂口道之道。言樂佚遊者，樂欲佚遊。言樂宴樂者，樂欲宴樂而好內矣。

有則此何以書？賢也。何賢乎仇牧？據與孔父同也。疏 注據與孔父同○解云案桓二年傳云何賢乎孔父，彼注云據叔仲惠伯不賢。今此傳云何賢乎仇牧者，亦與孔父同，故言據與孔父同。

仇牧可謂不畏彊禦矣。以下錄萬出奔月也。彊禦言力彊不可禁也。○禦魚呂反。疏 注以下至月也○解云即下文冬十月宋萬出奔陳，注云月者，使與大國君奔同例，明彊禦也是。

其不畏彊禦奈何？萬嘗與莊公戰，莊公即魯莊公。戰者乘丘時。疏 注戰者乘丘時○解云即上十年公敗宋師于乘丘是也。

獲乎莊公。莊公歸，散舍諸宮中，散放也，舍止也。獲不書者，士也。疏 注獲不書者士也者○解云公羊之例，大夫見經故也。

數月然後歸之。歸反為大夫於宋。與閔公博，傳本道此者，極其禍生於專戲相慢易也。○數所主反。公博如字，戲名也，字書作簙。易以豉反。疏 歸反至於宋○解云歸而反國，乃為大夫於宋矣。

婦人皆在側。萬曰：甚矣，魯侯之

莊十二年

淑 善 淑 魯侯之美也 美好 天下諸侯宜為君者唯魯侯爾 萬見婦人皆在側故訏閔公以此言言閔公不如魯侯美好○訏九列反九渴反一音九刈反又一本作揭其劍去列二反 閔公矜此婦人 色自美大於此婦人 妬其言顧曰此虜也 虜謂側婦人曰此萬也 虜執虜也○妬丁故反 爾虜焉故 爾女也謂萬也更向萬曰女當執虜於魯侯故稱譽爾○爾女音汝下同稱譽音餘又音預 魯侯之美惡乎至 惡乎至猶何所至○惡音烏下同 萬怒搏閔公絕其脰 脰頸也齊人語○搏音博脰音豆脛也 仇牧聞君弒趨而至遇之于門手劍而叱之 手劍持拔劍叱罵之○叱昌實反 萬臂摋仇牧碎其首 側手曰摋首頭○萬臂必賜反本又作辟摋素葛反又素結反側手擊也 齒著乎門闔 闔扇○著直略反門闔戶臘反門扇也 仇牧可謂不畏彊禦矣 猶乳犬攫虎伏雞搏貍精誠之至也爭搏弒君而以當國言之者重錄彊禦之賊過不同則明當防其重者急誅之○乳如住反攫俱縛反又九碧反一本作搏又音付伏扶又反貍力之反 疏 注猶乳至之至也○解云言仇牧知力不敵而有討心亦有精誠之至也似若産乳之犬不憚猛虎伏雞愛子投命敵貍之類故比之○注爭搏弒至急誅之○解云當國者即言宋萬是也故隱四年衛州吁弒其君完傳云曷為以國氏當國也者是也○冬十月宋萬出奔陳 萬弒君所以復見者重錄彊禦之賊明當急誅之也月者使與大國君奔同例明彊禦也○見賢徧反 疏 注萬弒君至誅之也○解云欲道春秋上下皆之屬是也而宋萬之徒屬之屬復見者當文皆有注更不勞重說○注月者至禦也○解云春秋之例云大國君奔皆悉書月即桓十六年十有一月衛侯朔出奔齊之屬是也今此大夫而書月者明彊禦之甚故也若然昭二十年冬十月宋華亥向甯華定出奔陳亦是大夫而書月彼注云月者危三大夫同時出奔將為國家患明當防之是也而范氏此處注云[illegible]又不討賊致令得奔[illegible]而月之也若然何氏[illegible]

莊十二年

十有三年春齊侯宋人陳人蔡人邾婁人會于北杏 齊桓行霸約束諸侯尊天子故為此會也桓公時未為諸侯所信鄉故使微者會也桓公不辭微者欲以卑下諸侯遂成霸功也○鄉許亮反下遐嫁反 疏 注桓公時至會也○解云言未為諸侯所信任而歸鄉之是以諸侯皆使微者會即宋人陳人之屬是也○夏六月齊人滅遂 不會北杏故也不諱者桓公行霸不任文德而尚武力故功未足以除惡 疏 注不諱者至武力○解云春秋為賢者諱而不諱者正以不任文德而尚武力故也其武力者即此滅遂是也繁露云論功則桓況文兄論德則文況桓弟是也而論語云齊桓公九合諸侯不以兵車之力謂自此以後○注又功未足以除惡○解云春秋褒貶皆以功過相除計桓公之立雖有北杏之會前有篡逆滅譚之非論其功不足而惡有餘故不為諱也而言未者欲道其九合之後功足以除惡也○秋七月○冬公會齊侯盟于柯何以不日 據唐之盟日○柯音歌 疏 注據唐之盟日○解云即隱二年秋八月庚辰公及戎盟于唐是也 易也 易猶佼易也相親信無後患之辭○易也以豉反注及下同佼古卯反 其易奈何桓之盟不日其會不致信之也其不日何以始乎此莊公將會乎桓曹子進曰君之意何如 進前也曹子見莊公將會有慙色故問之 疏 注桓之至信之也○解云謂桓公諸會皆如是也以不日為信者公羊之例不信者日故也以不致為信者凡致者臣子喜其君父脫危而至其會無危故以不致為信也○注曹子至慙色○解云注者之意也 莊公曰寡人之生則不若死矣 自傷與齊為讎不能復也伐齊納糾不能納反復為齊所脅而殺之○能復扶又反下同 疏 注自傷至復也○解云八年公甍于齊莊九年及齊師戰于乾時我師敗績是也○注伐齊納糾不能納○解云即上九年夏公伐齊納糾傳曰伐而言納者猶不能納也是也○注反復至殺之○解云即上九年齊人取子糾殺之是也 曹子曰然則君請當其君臣請當其臣 當猶敵也將劫之辭 莊公曰諾於是會

莊十三年

爭桓莊公升壇上基三尺土階三等曰壇會必有壇者爲升降揖讓稱先君以相接所以長其敬○壇大丹反以長丁丈反疏注土基至曰壇○解云時王之禮也必爲三等者正以公爲上等侯爲次等伯子男爲下等故也○注稱先君以相接○解云即四年傳云古者諸侯必有會聚之事相朝聘之道號辭必稱先君以相接是也

曹子手劍而從之從隨也隨莊公升壇造桓公○上時掌反造七報反下同疏注曹子至之色○解云曹子本譏當其臣更當其君者見莊有不能之色

管子進曰君何求乎管子管仲也君謂莊公也桓公卒愕不能應故管子進爲對之應爲此言丁爲反下爲殺同應應對之應疏注桓公至此言○解云正以切桓公而管子對故言此疏注莊公至曹子○解云正以問莊公而曹子對故也

曹子曰莊公亦造次不知所言故任曹子城壞壓竟齊數侵魯取邑以喻侵深也○壓於甲反又於輒反數所角反○解云謂齊比來攻魯城令至壞敗抑壓魯竟以爲己物也

君不圖與君謂齊桓公圖計也猶曰君不當計侵魯大甚○與音餘疏

管子曰然則君將何求所侵邑非一欲求何者疏管子曰至何求○解

曹子曰願請汶陽之田欲復魯竟疏曹子曰至之田○解云舉其大畔言之欲盡取之故注云欲復魯竟矣

管子顧曰君許諾邑故可許諸侯死國不死邑疏注諸侯至許諾○解云即曲禮下篇云國君去其國止之曰奈何去社稷也何去宗廟故知不死邑也

桓公曰諾

曹子請盟桓公下與之盟下壇與曹子定約盟誓莊公也必下壇者爲殺牲不褻又盟本非禮故不于壇上也疏注東其盟誓莊公也○注又盟本非禮○解云即桓三年傳云古者不盟結言而退是也亦作清字者

已盟曹子摽劍而去之摽辟也時曹子端劍守桓公已盟乃摽劍置地與桓公相去離故云爾○摽辟也辟劍置地劉兆云辟捐也反下同去離力智反疏注摽辟至云爾○解云摽猶始也

莊十三年

書曹子從始搏劍而守桓公矣及其盟訖乃摽劍而置于地乃與桓公相去離者釋傳云而去之之文

要盟可犯臣約其君曰要彊見要脅而盟爾故云可犯○要一遙反而桓公不欺曹子可讎以臣劫君罪可讎而桓公不怨桓公之信著乎天下自柯之盟始焉諸侯信是翁然信鄉服從卒成霸功故云爾疏注同盟于幽○解云即下十五年春此會于鄄是也十六年冬同盟于幽是也○注劫桓公取汶陽田不書者諱行詐劫人也○解云正以成二年書取汶陽之田故也

十有四年春齊人陳人曹人伐宋。夏單伯會伐宋。其言會伐宋何據伐國不殊會疏注據伐國○解云與上諸侯俱是伐宋事不殊異何勞別生會文後會也本期而後故但書會書者刺其不信因以分別功惡有深淺也疏注從義兵而後者功薄從不義兵而後者惡淺○別彼列反疏注本期至惡淺○解云若陳人曹人伐宋如下文單伯會齊侯宋公衛侯鄭伯于鄄之文○注從義兵至惡淺○解云無經可據但言理當然也

秋七月荊入蔡。冬單伯會齊侯宋公衛侯鄭伯于鄄。鄄本亦作甄音絹

十有五年春齊侯宋公陳侯衛侯鄭伯會于鄄。夏夫人姜氏如齊。秋宋人齊人邾婁人伐兒兒音倪疏注夫人姜氏如齊○解云復與桓通也○秋宋人至伐兒○解云先書宋主兵以國大小爲次故亭上下以主兵爲先春秋之常也○鄭人侵宋。冬十月

十有六年春王正月。夏宋人齊人衛人伐

鄭。秋荆伐鄭。冬十有二月公會齊侯宋公陳侯衛侯鄭伯許男曹伯滑伯滕子同盟于幽。同盟者何。同欲也。同心欲盟也。同心爲善善必成，同心爲惡惡必成，故重而言同心也。滑于八反。[疏]同盟者何。解云欲言同善不見褒賞之文，欲言同惡復無刺譏之處，故執不知問。○邾婁子克卒。小國未嘗卒而卒者，爲慕霸者有尊天子之心，行進也。不日，始與霸者，未如瑣。瑣卒在二十八年。爲慕于僞反。瑣息果反。[疏]注小國至進也。解云正以所傳云之世未錄小國卒葬故也。○注不日者至二十八年。解云即二十八年經云夏四月丁未邾婁子瑣卒，注云日者附從霸者朝天子，行進是也。然則此亦行進而不日者，但始與霸者有尊天子之心，未朝天子故也。其始與霸者之事，即上十三年春齊侯宋人陳人邾婁人會于北杏是也。

十有七年春齊人執鄭瞻。鄭瞻者何。鄭之微者也。以無氏也。[疏]鄭瞻者何。解云欲言尊卿名氏不具，欲言微者書名見經，故執不知問。此鄭之微者，何言乎齊人執之。據獲宋萬不書者，不坐獲微者。今書齊稱人坐執文。鄭瞻二傳作詹。[疏]注據獲至執文。解云上十二年傳云萬嘗與莊公戰獲乎莊公，注云獲不書者士也。然則以獲微者不罪坐故不書，今書齊稱人作坐執之文，故難之。書甚佞也。爲甚佞，故書惡之，所以輕坐執人也。然不得爲伯討者，事未得行，罪未成也。孔子曰放鄭聲，遠佞人。罪未成者，伯當遠之而已。○爲其于爲反。惡之烏路反，下惡之皆同。遠佞于萬反，下同。[疏]注不得爲至未成。解云僖四年傳云執者曷爲或稱侯或稱人，稱侯而執者伯討也，稱人而執者非伯討也。今稱人而執，故云不得爲伯討矣。○注孔子曰至佞人。解云論語文。案樂記魏文侯問子夏曰：敢問溺音何從出也？子夏對曰：鄭音好濫淫志，宋音燕女溺志，衛音趨數煩志，齊音敖辟喬志。此四者皆淫於色而害於德，是以祭祀弗用也。然則四國皆有淫聲，蓋遂其甚者言之。故許氏云鄭詩二十一篇，說婦人者十九，此之謂也。或何氏云鄭聲淫，與服君同，皆謂鄭重其手而音淫過，非鄭國之鄭也。○夏齊人

殲于遂。殲者何。殲積也。衆殺戍者也。殲者死文。殲之爲死，積死非一之辭，故曰殲。積，衆多也。以兵守之曰戍。齊人滅遂，遂民不安，欲去齊，強戍之，遂人共以藥投其所飲食水中，多殺之。古者有分土無分民，齊戍之非也。遂不當坐也。故使齊爲自積死文也。稱人者，衆辭也。不書戍將帥者，封內之兵故不書。○殲子廉反，二傳作瀸。積本又作漬。強其丈反。將帥子匠反，下所類反。[疏]殲者何。解云正以異於常例，故執不知問。○注殲者至衆多也。解云即曲禮下篇云羽鳥曰降，四足曰漬。鄭注云異於人也。降，落也。漬謂相瀸汙而死是也。○注齊人滅遂。解云在上十三年。○古者有分土無分民。解云說在桓元年注文也。○秋鄭瞻自齊逃來。何以書。書甚佞也。曰佞人來矣，佞人來矣。重言來者，道經主書者若魯云爾，蓋痛魯知而受之，信其計策以取齊淫女[illegible]卒爲後敗也。加逃者，抑之也。所以抑之者，上就稱人，嫌惡未明，繫鄭者，明行當本於鄉里也。子貢問曰：鄉人皆好之，何如？子曰：未可。鄉人皆惡之，何如？子曰：未可。不若鄉人之善者善之，鄉人之惡者惡之。○重直用反。明下孟反。[疏]注重言至云爾。解云經所以主書此事者，正惡佞人之來，恐其作禍安。○注蓋痛魯知而受之。解云春秋痛傷魯人知其佞人惡而受之。○注信其計至淫女。解云即下二十四年夏公如齊逆女，秋夫人姜氏入是也。亦取齊淫女，是鄭瞻之計者，春秋說文云。○注丹楹刻桷。○即下二十三年秋丹桓宮楹，二十四年春刻桓宮桷是也。○注卒爲後敗也。解云即注二叔殺二嗣子是也。○注加逃者抑之也。解云謂逃是卒事，不應見經而見逃于經者，抑之故也。或者子哀慶封之屬，皆言奔，今此加逃，故決之。○注上執至未明。解云謂一稱人爲坐執文，非伯討之義故也。○注子貢至惡之。解云一鄉之人皆好此人，此人何如？子曰未可即以爲善，何者？此人或者行與衆同，或朋黨矣。子貢又曰：皆一鄉之人皆惡此人，此人何如？子曰未可即以爲惡也，何者？此人或者行與衆異，或孤特矣。不若鄉人之善行者善之，惡行者惡之，與善人同，復與惡人異，道理勝于前，故知是賢善，云云之說備于鄭注。冬多麋。何以書。記異也。麋之爲言猶迷也，象魯爲鄭瞻所迷惑也。言多者，以多爲異也。○麋亡悲反。[疏]注象魯至惑也。解云感精符文。○注言多至異也。解云欲言舊有麋，但今乃多耳。○春秋公羊註疏卷第七

監本春秋公羊註疏莊公卷第八 起十八年盡二十七年

何休學

十有八年春王三月日有食之 是後戎犯中國魯蔽鄭瞻夫人如莒淫泆不制所致 疏 注是後戎犯中國○解云即下文夏公追戎于濟西是也○注魯蔽鄭瞻○解云下文秋有蜮是○注夫人如莒所致○解云即下十九年秋夫人姜氏如莒之屬是也其陰勝陽之象是以日爲之食 ○夏公追戎于濟西 以兵逐之曰追○濟子礼反 此未有言伐者其言追何 據公追齊師至巂 疏 注據公至巂也○解云即僖二十六年齊人侵我西鄙公追齊師至巂弗及是也 大其爲中國追也 以其不限所至知爲中國追也○爲中于僞反注及下皆同 疏 注以其至追也○解云公追齊師至巂限其所至乃是自爲已追故知如此 此未有伐中國者則其言爲中國追何大其未至而豫禦之也其言于濟西何 據公追齊師至巂弗及不言于也 大之也 大公除害恩及濟西也言大者當有功賞也追例時 疏 注言大者至賞也○解云公追齊師至巂弗及不言于今言于者謂公有大功於王法當賞矣○注追例時○解云即此文是而僖二十六年公追齊師雖在正月已未下不嘗日月 ○秋有蜮何以書記異也 蜮之猶言惑也其毒害傷人形體不可見象魯爲鄭瞻所惑其毒害傷人將以大亂而不能見也言有者以有爲異也○蜮音惑短狐也或謂之射工音食 疏 注蜮之猶言惑也○解云即五行志云蜮猶惑也者是○注其毒害傷人○解云即五行志云能射人甚者至死是也○注形躰不可見○解云即草木志云在水中射人影即死是也○注言有者以有爲異也○解云謂魯先無蜮今乃有之案昭二十五年經書有鸜鵒來巢今此不書來者亂氣所生不從外來故也 ○冬十月

十有九年春王正月○夏四月○秋公子結媵陳人之婦于鄄遂及齊侯宋公盟媵者何

莊十八年

諸侯娶一國則二國往媵之以姪娣從 言往媵之者礼君不求媵二国自往媵夫人所以一夫人之尊○媵陳以證反又繩證反娣從才細反下注同 疏 媵者何○解云媵是碎事例不見經今而書之故執不知問 姪者何兄之子也娣者何弟也諸侯壹聘九女諸侯不再娶 必以姪娣從之者欲使一人有子二人喜也所以防嫉妬令重繼嗣也因以備尊尊親親也九者極陽數也不再娶者所以節人情開媵路○嫉音疾又音自 疏 姪者何○解云昭穆異等而與娣俱行故執不知問○諸娣者何○解云與姪同倫而在姪下故執不知問○注諸侯至再娶○解云傳言此者解所以有媵之意言諸侯娶女共一者正由不得再娶故也○注必以至人喜也○解云即穀梁傳云一人有子三人緩帶弟氏云許其享其祿是也○注所以防嫉妬○解云謂三人不相嫉也○注令重繼嗣也○解云謂三人不相嫉共保其子○注因以備至親也○解云謂備姪所以尊尊備娣所以親親其上尊下親皆指姪也○注九者極陽數也○解云謂對一三五七以爲極也○矣也○注開媵路○解云謂亦有爲媵之望也 媵不書此何以書 據伯姬歸于紀不書媵也 疏 注據伯姬歸于杞者○解云在隱二年冬 爲其有遂事書 爲下有遂事書也故書所以起將有所詳錄猶伯姬書媵也不媵則當取得書者張本又言公子結如陳遂及齊侯宋公盟于鄄○爲其于僞反注及下注同 疏 注爲下有遂事善也○解云即遂及齊侯宋公盟是也○注故書所至不當書○解云謂書媵是也○注以起將有所詳錄○解云正欲見盟事之善合詳而錄之○注猶伯姬書媵也○解云即成八年衛人來媵傳曰媵不書此何以書錄伯姬也九年晉人來媵傳曰媵不書此何以書錄伯姬也十年齊人來媵傳云媵不書此何以書錄伯姬也三国來媵非礼也曷爲皆以錄伯姬之辭言之婦人以衆多爲侈也者是也○注言公至盟于鄄○解云是其得書之文也 大夫無遂事此其言遂何聘禮大夫受命不受辭 以外事不素制不豫設故云爾 出竟有可以安社稷利國家者則專之可也 先是鄄幽之會公比不至公子結出竟遭齊宋欲深謀伐魯故專矯君命而與之盟除国家之難全百姓之命

莊十九年

故善而詳錄之先書地後書盟者明出竟乃得專之也盟不
地者方使上爲出竟地即更出地嫌上地自爲媵出地也媵
稱人者爲內書故略以外国辭言之此陳侯夫人言婦者在
塗也加之者礼未成也冬齊人宋人陳人伐我西鄙而盟不
日者起国家後背結之約非結不信　疏　注先是至不至○
也○媵居表反離乃旦反背音佩　解云即上十五年
春齊侯宋公陳侯衛侯鄭伯會于鄄十六年冬會齊侯宋公
以下同盟于幽是也正以彼二經皆不言公會故知魯侯不
至矣○注約而謀伐魯○解云正以善而詳錄之故知欲伐
矣○注先書地○解云謂書鄄是也○注明出竟乃得專之
也○解云正以鄄爲衛地故也○注此陳至在塗也○解云
即隱二年傳云在塗稱婦是○注加之者禮未成也○解云
正以此婦未成爲夫人故加之絕之若其已配礼宜言媵陳
夫人不假言之以絕也○注冬齊至西鄙○解云即下經也
○注而盟不至不信也○解云以
公羊之例不信者書日故如此解　○夫人姜氏如莒
○冬齊人宋人陳人伐我西鄙　鄙者邊垂之辭蔡見遠也
二十年春王二月夫人姜氏如莒　月者再出也不從四年已
月者異国　疏　注月者再出也○解云欲對上十九年秋夫人姜
氏如莒之文也○注不從至異国○解云即上四
年經云春王二月夫人姜氏饗齊侯于祝丘彼注云月者再
出重也三出不月者省文從可知例然則此經不從四年之
例而復出月者正爲齊
莒異国不得相因故也　○夏齊大災大災者何大
瘠也　瘠病也齊人語也以加大知非火災也○大瘠在亦反病也本或作瘠才細反一本作漬才賜反鄭注曲
礼引此同　疏　大災者何○解云欲言大疾疫而經書災故執不
知問○注以加大知非火災也○解云正以襄三
十年宋災昭九年陳火之屬皆不言大故也案襄九年傳云
大者曰災小者曰火注云大者謂正寢社稷宗廟朝廷也下
此則小矣然彼是兩火自對故以
災火別之此則非火故更言大耳　大瘠者何痢也　痢者民疾
瘦也○痢力二反疾疫也瘦音役　何以書記災也外災不書此何
以書及我也　與宋大水同義痢者邪亂之氣所生是時魯任鄭瞻夫人如莒淫泆齊侯亦淫諸姑
姊妹不嫁者七人○邪似嗟反　疏　注與宋大水同義○解云即上十一年
宋大水傳云何以書記災也外災不書

莊二十年

此何以書及我也注云時魯亦有水災書魯則宋災不見書
魯則煩文不省故詭例書外以見內也是也○注齊侯至七
人○解云晏子春秋文案彼齊景公問於晏子曰吾先君桓
公淫女公子不嫁者九人而得爲賢君何又此解言七人者
彼此其有誤矣然則襄公霸諸侯唯淫妹而已齊人猶作南
山崔崔以刺之桓公以白相淫九人而齊人不刺之者蓋以
功多足以除惡故也或者遏所不作或采之不得事可問乎　○秋七月○冬齊人伐戎
二十有一年春王正月○夏五月辛酉鄭伯
突卒　○鄭伯突徒沒反厲公也　○秋七月戊戌夫人姜氏薨
○冬十有二月葬鄭厲公　春秋葬明者書葬　疏　注春秋至書葬○解
云言春秋者欲見通例如此矣葬明者謂有立入之文即隱
四年冬衛人立晉桓十三年春葬衛宣公上九年夏齊小白
入于齊僖十八年秋葬齊桓公之屬是也今此鄭突入于鄭
桓十五年秋亦有入櫟之文即是葬明書其葬耳若葬不明
者則去其葬以見其葬不合爲諸侯是以僖十年里克弒卓
子之時惠公未入文至僖二十四年晉侯夷吾卒下不書葬
惡惠公實若有立入之文者不嫌非葬何勞去葬以見葬若
然案文公重耳亦無葬文而僖三十年經書葬晉文公者正
以文公功蓋天下春秋爲賢者諱故書其葬若其不葬然也
若然齊侯小白是賢者而書其入又書其葬見其葬明不爲
之諱者僖十年傳云桓公之享国也長美見乎天下故不爲
之諱本惡也文公之享国也短美未見乎天下故爲之諱本
惡也是也
二十有二年春王正月肆大省肆者何跌也
跌過度○肆音四本或作佚大省所景反除自省皆同二傳作眚跌大結反過度也　疏　肆大省○解云肆讀如自
放肆也省讀如減省之省也○肆者何大省
者何○解云皆以異於常例故執不知問　大省者何
災省也　謂子卯日也夏以卯日亡殷以子日亡先王常以此日省吉事不忍辛又大自省勑得無獨有此行
乎常若聞災自省故曰災省也○行下孟反　疏　注先王至忍辛○解云此先王
謂夏殷之後成礼者以是夏殷
亡日故省吉事而已不忍辛而行之○注又大至此行乎
○解云又若似見不賢而內自省之義矣○注常若至災省也

莊二十一年

者穀梁傳云災省之文也言聞有災而自省察若爲行而致之乎肆大省何以書譏何譏爾譏始忌省也時魯有夫人喪忌省日不哭省日本以忌吉事不以忌凶事故礼哭不哭子卯日所以尊孝子之思也不與念母而譏忌省者本不事母則已不當忌省猶爲商人責不討賊○忌息嗣反爲于偽反疏肆大省何以書○解云不但言何以書者恐人爲但問大省云大自省勑何以書故復舉句而問之○注故礼至卯日○解云案士喪礼既殯之後云朝夕哭不辟子卯是也引之者證不以忌凶事也○注不與至忌省解云不與念母者即上元年三月夫人孫于齊傳曰夫人固在齊矣其言孫于齊何念母也念母者所善也則曷爲於其念母焉貶不與念母也彼注云念母則忘父背本之道也是也○注猶爲至討賊○解云文十四年九月齊公子商人弑其君舍然則商人者是篡弑之賊也齊之臣子理宜討之而反臣事失其所也及文十八年夏齊人弑其君商人而不書其葬者以責臣子不討賊也似文姜罪實宜絕之公既不絕宜盡子道而反忌省故得責之○癸丑葬我小君文姜文姜者何莊公之母也轉發傳者定就母錄子恩凡母在子年無適庶皆繫子也不在子年適母繫夫庶母繫子言小君者比於君爲小俱臣子辭也文者謚也夫人以姓配謚欲使終不忘本也○謚適亦歷反下同疏葬我小君文姜○解云穀梁傳曰小君非君也曰君何也以其爲公配可以言小君也者是○文姜者何○解云欲言莊母謚異其父欲言非母備礼葬之故執不知問○注轉發至子恩○解云隱元年傳云仲子者何桓之母也今假令不發亦是桓之夫人莊公之母何知而云文姜者何莊公之母故言輒矣今此經云葬我小君文姜傳云文姜者何莊公之母也者正欲録子之恩故備礼而葬之○注凡母至繫子也解云即此傳云文姜者何莊公之母是適母繫子也宣八年傳云頃熊者何宣公之母也襄四年傳云定弋者何襄公之母也皆是庶母繫子也而僖二年傳云哀姜者何莊公之夫人也在子年而繫夫者蓋以僖公非所生爲其非子故也○注不在至繫夫○解云即僖二年哀姜是也○注庶母繫子也○解云即文五年傳云成風者何僖公之母也是也定十五年秋姒氏卒傳曰姒氏者何哀公之母也者亦是庶母不在子年而繫于子然則鄉者所言傳皆葬上乃言其公之母而姒氏特于卒上發傳者正以姒氏之葬直云葬定姒不得稱小君是以傳家亦於葬上言之矣定姒所以葬不得稱小君

公羊之義母以子貴哀公爾時未得爲君是以定姒未得○全同夫人矣○注欲使終不忘本也○解云本即姓是也陳人殺其公子禦寇書者殺君之子重也疏注書者殺君之子重也○解云正以不言大夫而得書殺則知由其是君之子故也○夏五月以五月首時者譏莊公取仇国女不可以事先祖奉四時祭祀猶五月不宜以首時○秋七月丙申及齊高傒盟于防防魯地○傒音兮齊高傒者何貴大夫也曷爲就吾微者而盟據暨與公盟也疏齊高傒者何○解云欲言其貴魯侯恥之欲言微者名氏見經故執不知問○注據暨與公盟也○解云即上九年春公及齊大夫盟于暨是也公也以其日微者不得日大夫盟當書名氏疏注以其日至得日○解云即隱元年九月及宋人盟于宿傳曰孰及之内之微者也彼注云宋稱人者亦微者也微者盟例時不能專正故責略之此月者隱公賢君雖使微者有可采取故録也是其微者不得日矣其微者盟例時者即僖十九年冬會陳人蔡人楚人鄭人盟于齊之屬是也○注大夫至名氏○解云即成元年臧孫許及晉侯盟于赤棘之屬是也公則曷爲不言公諱與大夫盟也○冬公如齊納幣納幣即納徵納徵礼曰主人受幣士受儷皮是也礼言納徵春秋言納幣者春秋質也凡婚礼皆用鴈取其知時候唯納徵用玄纁束帛儷皮玄纁取其順天地也儷皮者鹿皮所以重古也○纁許云反儷力計反本又作麗疏注納徵至天地也○解云即隱元年注云束帛謂玄三纁二玄三法天纁二法地是也何者玄纁者是天地之色故也○注儷皮者鹿皮所以重古也○解云正以古者食肉衣皮服捕禽獸故也儷者兩也兩皮者二儀之數納幣不書此何以書據桓三年公子翬如齊逆女不書納幣譏何譏爾親納幣非禮也時莊公實以淫泆大惡不可言故因其有事於納幣以無廉恥爲譏不譏喪娶者本淫爲重也凡公之齊所以起淫者皆以危致也疏注凡公至致也○解云即下二十三年春公至自齊夏公如齊觀社公至自齊二十四年夏公如齊逆女秋公至自齊之屬是也凡書至者臣子喜其君父脱危而至故小

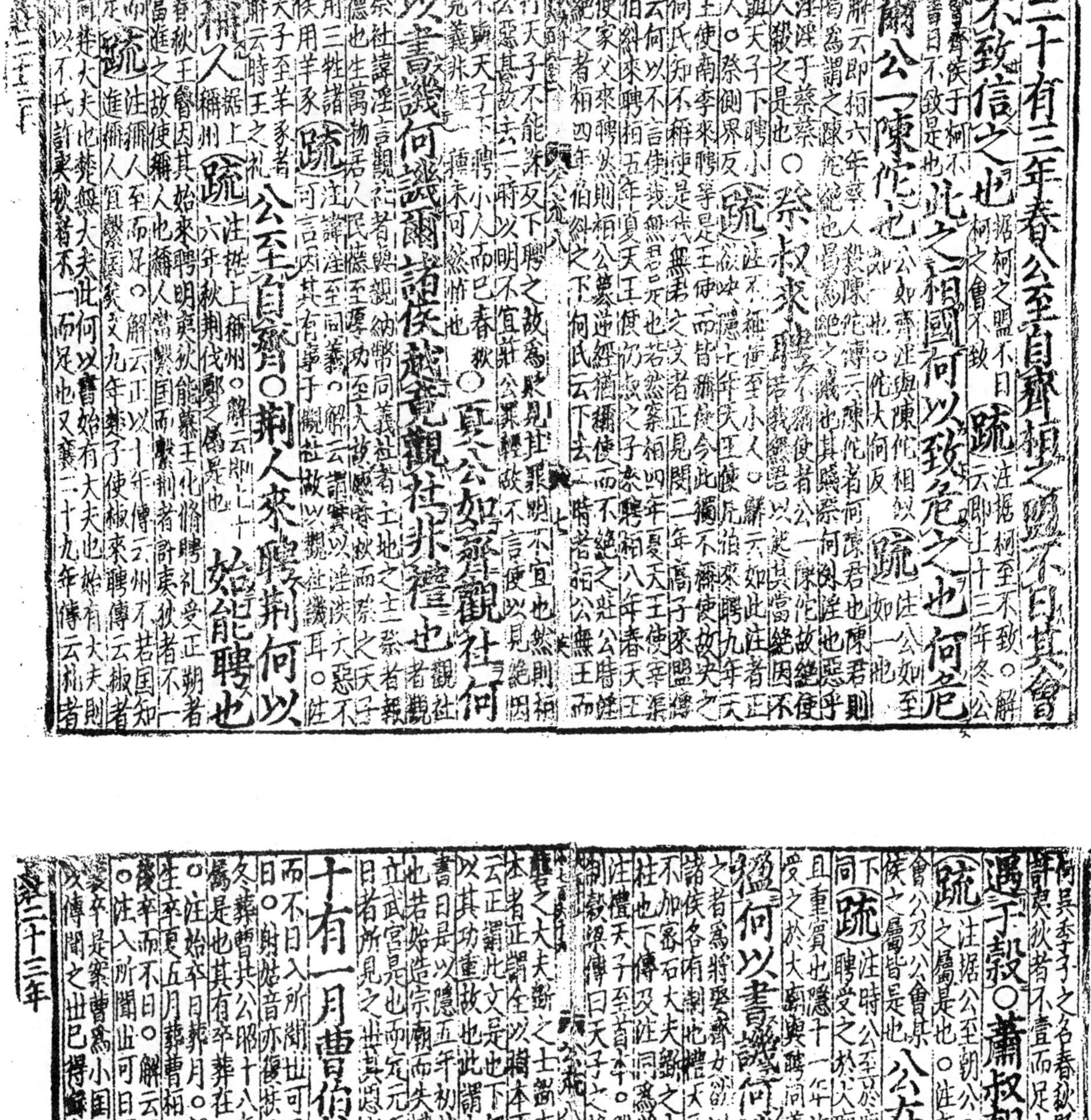

二十有三年春公至自齊

不致信之也

此之桓國何以致危之也何危

爾公一陳佗也

祭叔來聘

夏公如齊觀社何以書譏何譏爾諸侯越竟觀社非禮也

公至自齊

荊人來聘荊何以稱人始能聘也

公及齊侯遇于穀

蕭叔朝公其言朝公何公在外也

秋丹桓宮楹何以書譏何譏爾丹桓宮楹非禮也

冬十有一月曹伯射姑卒

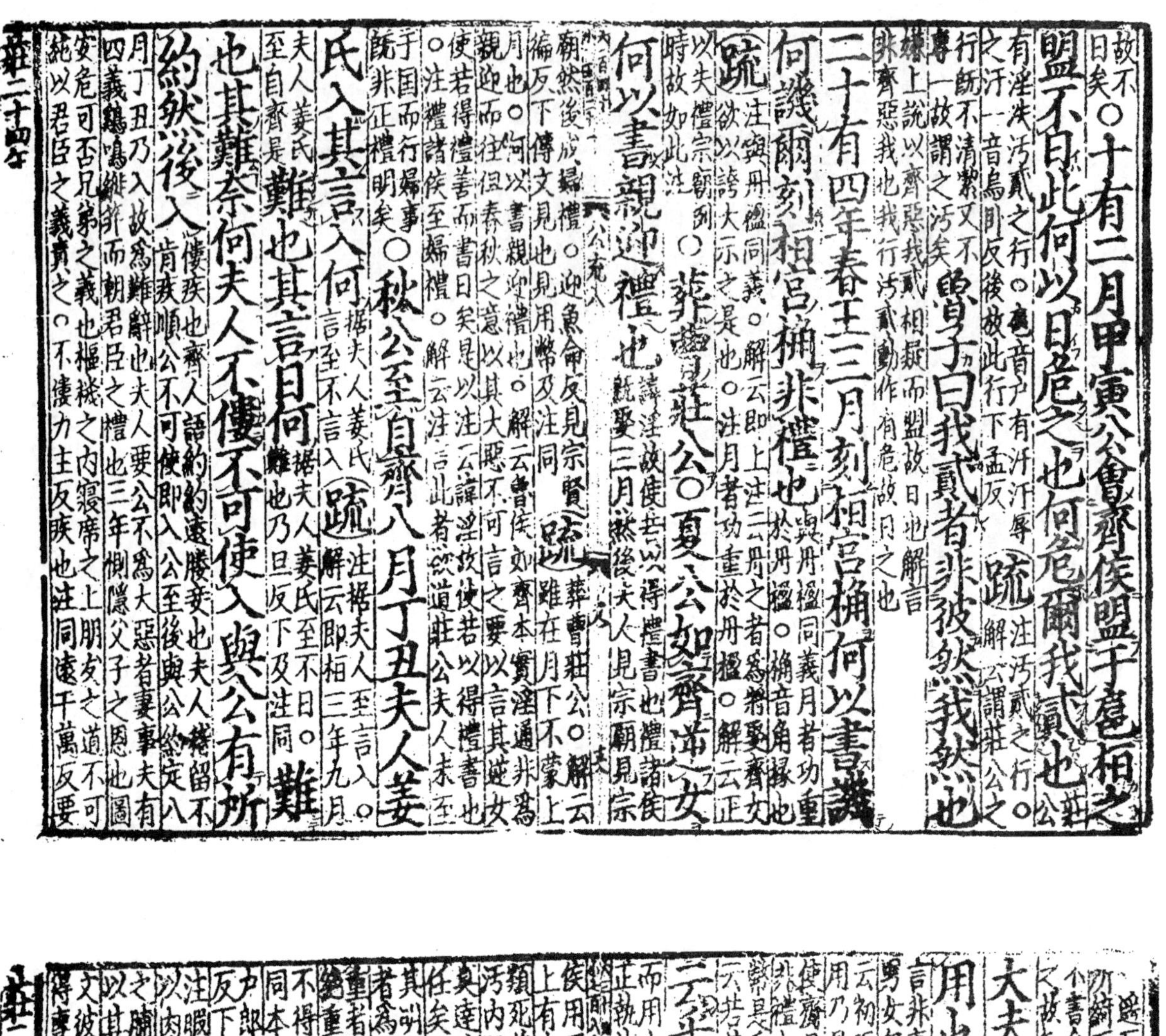

故不日矣○十有二月甲寅公會齊侯盟于扈 桓之盟不日此何以日危之也何危爾我貳也 莊公有淫泆汚貳之行○汚音戶有汙汙辱之汙一音烏前反後放此行下孟反 疏 注汚貳之行○解云謂莊公之行斷不清絜又不專一故謂之汚矣 魯子曰我貳者非彼然我然也 嫌上說以齊惡我貳相疑而盟故曰也解言非齊惡我也我行汚貳動作有危故日之也

二十有四年春王三月刻桓宮桷何以書譏何譏爾刻桓宮桷非禮也 與丹楹同義月者功重於丹楹○桷音角椽也 疏 注與丹楹同義○解云即上注云丹之者爲將娶齊女欲以誇大示之是也○注月者功重於丹楹○解云正以失禮宗廟例時故如此注

○葬曹莊公○夏公如齊逆女何以書親迎禮也 譏淫故使若以得禮書也禮諸侯既娶三月然後夫人見宗廟見宗廟然後成婦禮○迎魚命反見宗賢遍反下傳文見也見用幣及注同 疏 葬曹莊公○解云月也○何以書親迎禮也○解云書侯如齊本實淫通非爲親迎而往但春秋之意以其大惡不可言之要以言其逆女使若得禮善而書曰矣是以注云譏淫故使若以得禮書也○注禮諸侯至婦禮○解云注言此者欲道莊公夫人未至于国而行婦事既非正禮明矣○秋公至自齊八月丁丑夫人姜氏入 其言入何 據夫人姜氏至言入○ 疏 注據夫人至言入○解云即桓三年九月夫人姜氏至自齊是 難也其言日何 據夫人姜氏至不日○難也乃旦反下及注同 難也其難奈何夫人不僂不可使入與公有所約然後入 僂疾也齊人語約約遠媵妾也夫人稽留不肯疾順公不可使即入公至後與公約定八月丁丑乃入故爲難辭也夫人要公不爲大惡者妻事夫有四義雞鳴縰笄而朝君臣之禮也三年惻隱父子之恩也圖安危可否兄弟之義也樞機之內寢席之上朋友之道不可純以君臣之義責之○不僂力主反疾也注同遠于萬反要

遙反縰所買反又所綺反惻隱初力反 疏 注夫人要公至責之○解云正以所傳聞之世內之大惡皆諱不書今而書之故知然也 戊寅大夫宗婦覿用幣宗婦者何大夫之妻也覿者何見也用者何用者不宜用也 不宜用幣爲贄也○覿大歷反見也贄音至 疏 宗婦者何○解云欲言大夫之妻文不言及欲言非妻祖與俱見故執不知問○覿者何○解云欲言是礼男女無別欲言非礼而存用上故執不知問○用者何○解云初至之覿禮則有之而經書用乃是不宜之辭故執不知問 見用幣非禮也 使齊見知 疏 見用幣非礼也○解云言其見夫人之法非禮也○注以至非禮也○解云其是禮宜言大夫宗婦用幣覿也 以文在覿下不辭是爲非禮也 然則曷用棗栗云乎腶脩云乎 腶脩者脯也礼婦人見舅姑以棗栗爲贄見姑以腶脩爲贄見夫人至尊兼而用之云乎辭也棗栗取其早自謹敬腶脩取其斷斷自脩正執此者若其辭云爾所以敘情配志也凡贄天子用鬯諸侯用玉卿用羔大夫用鴈士用雉雉取其耿介鴈取其在人上有先後行列羔取其執之不鳴殺之不號乳必跪而受之類死義知礼者也玉取其至清而不自蔽其惡絜白而不受汚內堅剛而外溫潤有似乎備德之君子鬯取其芬芳在上臭達於天而醇粹無擇有似乎聖人故稅其所執而知其所任矣日者礼夫人至大夫皆郊迎明日大夫宗婦皆見故著其別日也大夫妻言宗婦者大夫爲宗子者也族所以有宗者爲調族理親疏令昭穆親疏各得其序也故始統世世繼重者爲大宗旁統者爲小宗小宗無子則絕大宗無子則不絕重本也天子諸侯世以三牲養禮有代宗之義大夫不世不得專宗者言宗婦者重教化自本始也○斷脩丁亂反注同本又作腶音同鍛脯加薑桂曰脩耿介古幸反下音界行戶郎反號戶刀反跪其委反醇音純粹雖遂反爲調于僞反下仕爲同令力呈反昭穆上遙反凡昭穆之例皆同 疏 注腶脩者脯也○解云正以穀梁傳云東脩之肉不行竟內以肉言之故知脩爲脯矣又下曲禮婦人之贄腶脩棗栗謂之腶脩其義益顯○注礼婦人至志也○解云時王之礼且以其文先言棗栗故也○注凡贄至用雉○解云皆下曲礼文彼言諸侯用圭此言玉者蓋所見異也○注大夫不世不得專宗○解云欲道大夫之妻所以謂之婦人之義○注盡

教化自本始也○解云正以宗子者宗族之本故也○大水夫人不制遂淫二叔陰氣盛故明年復水也○復扶又反疏注夫人至二叔○解云即下二十七年傳云公子慶父公子牙通乎夫人以脅公是也○注明年復水也○解云即二十五年秋大水云云是也○冬戎侵曹曹羈出奔陳

曹羈者何曹大夫也以小国知無氏爲大夫○曹羈居宜反下同疏曹羈者何○解云欲言曹君經不稱伯欲言大夫單名無氏故執不知問○注以小至大夫○解云即襄二十三年邾婁鼻我來奔昭二十七年邾婁快來奔之屬是也若其大国大夫不書名氏者或有未命或有罪見貶矣曹無大夫此何以書據羈無氏疏注據羈無氏○解云曹無大夫之文也言問者見羈無氏知曹無大夫既無大夫何以特書曹羈故難之賢也何賢乎曹羈據国見侵出奔以辟難戎將侵曹曹羈諫曰戎衆以無義戎師多又常以無義爲事君請勿自敵也禮兵敵則戰不敵則守君師少不如守且使臣下往○則守手又反又如字下同曹伯曰不可臣下不可獨往三諫不從遂去之故君子以爲得君臣之義也孔子曰所謂大臣者以道事君不可則止此之謂也諫必三者取月生三日而成魄臣道就也不從得去者仕爲行道道不行義不可以素餐所以申賢者之志孤惡君也諫有五一曰諷諫孔子曰家不藏甲邑無百雉之城季氏自墮之是也二曰順諫曹羈是也三曰直諫子家駒是也四曰爭諫子反請歸是也五曰戇諫百里子蹇叔子是也○魄普白反餐七干反諷方鳳反墮許規反爭爭鬭之爭戇諫陟降反又呼弄反又丑用反疏三諫不從至義也○解云然則下二十七年傳云君子辟内難而不辟外難者謂三諫不從之屬是也而曲礼下篇云三諫不聽則逃之蓋士不待放故言逃之○注諫必三者至君也○解云即此及鄉飲酒義云讓之三也象月之三日而成魄是也○注諫有五至墮之是也○解云即定十二年傳云孔子行乎季孫三月不違曰家不藏甲邑無百雉之城於是帥師墮費是也○注二曰順諫○解云即此文是也○注三曰至駒是也○解云昭二十五年傳云昭公將弒季氏告子家駒曰季氏爲無道僭於公室久矣吾欲弒之何如子家駒曰諸侯僭於天子大夫僭於諸侯久矣昭公曰吾何僭矣哉子家駒曰設兩觀乘大路朱干玉戚以舞大武八佾以舞大夏皆天子之禮也是也○注四曰至歸是也○解云即宣十五年傳云外平不書此何以書大其平乎已也何大其平乎已莊王圍宋軍有七日之糧爾盡此不勝將去而歸爾於是使司馬子反乘堙而闚宋城宋華元亦乘堙而出見之司馬子反曰子之國何如華元曰憊矣曰何如曰易子而食之析骸而炊之司馬子反曰嘻甚矣憊雖然吾聞之也圍者柑馬而秣之使肥者應客是何子之情也華元曰吾聞之君子見人之厄則矜之小人見人之厄則幸之吾見子之君子也是以告情於子也司馬子反曰諾勉之矣吾軍亦有七日之糧爾盡此不勝將去而歸爾揖而去之反于莊王莊王曰何如司馬子反曰憊矣曰何如曰易子而食之析骸而炊之莊王曰嘻甚矣憊雖然吾今取此然後而歸爾司馬子反曰不可臣已告之矣軍有七日之糧爾莊王怒曰吾使子往視之子曷爲告之司馬子反曰以區區之宋猶有不欺人之臣可以楚而無乎是以告之也莊王曰諾舍而止雖然吾猶取此然後歸爾司馬子反曰然則君請處于此臣請歸爾莊王曰子去我而歸吾孰與處于此吾亦從子而歸爾引師而去之故君子大其平乎已也者是也○注五曰至子是也○解云僖三十三年傳云秦伯將襲鄭百里子與蹇叔子諫曰千里而襲人未有不亡者也秦伯怒曰若爾之年者宰上之木拱矣爾曷知師出百里子與蹇叔子送其子而戒之曰爾即死必於殽之嶔巖是文王之所辟風雨者也吾將尸爾焉子揖師而行百里子與蹇叔子從其子而哭之秦伯怒曰爾曷爲哭吾師對曰臣非敢哭君師哭臣之子也若是也○赤歸于曹郭公赤者何曹無赤者蓋郭公也以郭公在赤下○赤歸于曹郭公此連爲向郭音號亦如字連讀郭公爲一句疏赤者何○解云欲言曹伯經不書爵欲言微者復有郭公之號故執不知問○注曹無至公也○解云謂此郭公實非曹人故也言蓋郭公者蓋郭之公矣郭公者何失地之君也失地者出奔也名言歸曹郭公置赤下者欲起曹伯爲戎所殺故使若曹伯死謚之爲郭公而赤微者自歸曹也不言赤奔者從微者例不得録出奔疏郭公者何○解云欲言郭君經無其事欲言曹伯而文言郭公故執不知問○注不言至出奔○解云謂不言郭公赤奔曹者假作微人之文即從微者例寧得録其奔正得言道赤歸于曹

二十有五年春陳侯使女叔來聘稱字者敬老也禮七十雖庶人主孝而禮之孝經曰昔者明王之以孝治天下也不敢遺小國之臣是也○疏注稱字敬老也○解云注言此者欲道春秋假魯以為明王謂女叔為是也○解云注孝經至臣矣○注云正以稱字異於諸侯大夫之例故知其老也小國之○夏五月癸丑衛侯朔卒春秋葬明者當書葬朔不書葬嫌與篡同例身絕國不絕故去葬明犯天子命重○疏注春秋至同○解云葬明者謂經有立入之文也不嫌非篡則書其葬不得書葬與盜國同○故去也占反年未同云篡明者謂經有立入之文也不嫌非篡則書其葬冬衛人立晉桓十三年春葬衛宣公莊九年夏齊小白入于齊僖十八年秋葬齊桓公之屬是也若篡不明者則去其葬以見其篡不合為諸侯即晉惠公之屬是也今此衛朔於上六年經云夏六月衛侯朔入于衛既有入文即是篡明當合書葬而不書葬者若其書葬則嫌與篡明者同例但身合絕而已其國不合絕故亦去其葬明其犯天子之命罪重不得書葬與盜國同盜國即篡是也朔犯天子命在上六年○

六月辛未朔日有食之鼓用牲于社日食則曷為鼓用牲于社據日食在天○疏注據日食在天○解云謂日食在天上何由于地而鼓用牲乎求乎陰之道也求責也以朱絲營社或曰脅之或曰為闇恐人犯之故營之或曰者或人辭其義各異也或曰脅之與責求同義社者土地之主也月者土地之精也上繫于天而犯日故鳴鼓而攻之脅其本也朱絲營之助陽抑陰也或曰為闇者社者土地之主尊也為日光盡天闇冥恐人犯歷之故營之然此說非也記或傳者示不欲絕異說爾先言鼓後言用牲者明先以尊命責之後以臣子禮接之所以為順也不言鼓于社用牲者與禘于大廟用致夫人同嫌起用牲為非禮禮者善內感天災應變得禮也是後夫人遂不制通於二叔殺二嗣子也○營社一頃反又如字本亦作縈同為闇于偽反注為闇同大廟音泰惡烏路反應對之應○疏注或曰至說非也○解云知其非者正以日食者陰氣侵陽社者五土之神理宜抑之而反營衛失抑陰之義故也○注不言至非禮○解云公羊之義致日食而有社者以臣子之道接之故也與左氏天災有幣無牲異矣僖八年秋七月禘于大廟用致夫人彼注云以致

文在廟下不使入廟知非禮也然則此經若鼓用牲之文在于社之下不使在社上則用牲為非禮若然上二十四年傳云用者不宜用也而此注復以用牲為得禮者公羊之義以用為時事不必著不宜也○注書者至嗣子也○解云謂經書日食善內之得禮矣夫人遂不制以下是其日食之義言通於二叔者下二十七年傳云公子慶父公子牙通乎夫人以脅公是也言殺二嗣子者子般閔公是也伯姬歸于杞○秋大水鼓用牲于社于門其言于社于門何據一鼓用牲于社禮也于門非禮也于門非禮故從不復舉鼓用牲嫌去于社不舉非禮為重者如于上乃雨歸功于天猶臣歸美于君○復扶又反○疏注大水至于君○解云地而施于上乃雨歸功于天猶臣歸美于君○復扶又反○疏注大水至于君○解云水與日食同禮者水亦土地所為云云同禮謂同鼓用牲矣○冬公子友如陳如陳者聘也內朝聘言如者尊內也書者錄內所交接也朝京師大國善有加錄文如楚有危文聘無月者此於朝輕也○疏注朝京至錄文○解云凡朝聘例時加錄謂書月是也即成十三年三月公如京師彼注云月者善公尊天子者若是其朝京師有加錄之文矣襄二十一年春王正月公如晉彼注云月者溴梁之盟後中國方乖離善公獨能與大國者是朝大國有加錄之文矣○注如楚有危文○解云即襄二十八年冬十有一月公如楚彼注云如楚皆月者危公朝夷狄也是也○注聘無月至輕也○解云即春秋上下內聘京師及大國悉書時是也而襄三十年春王正月楚子使薳頗來聘書月者彼注云月者公數如晉希見答今見聘故喜錄之是也然則此云聘無月者據內言之矣

二十有六年公伐戎○夏公至自伐戎○曹殺其大夫何以不名據莒小於曹殺公子意恢名○疏注據莒至恢名○解云即上六年注云公獨出用兵不得意致伐者即此是也○注據莒至恢名○解云知莒小於曹者正以春秋上下曹伯恒敘於莒上故也其莒殺公子意恢者即昭十四年冬莒殺其公子意恢是也眾也曷為眾殺之據殺三郤名○疏注據殺三郤名○解云即成十七年晉殺其大夫郤錡郤州郤至是也言晉殺三郤亦是眾殺之而皆書名此曷為眾殺而復不稱其名乎不死于曹君者也

曹諸大夫與君俱敵戎戰曹伯爲戎所殺諸大夫不伏節死義獨退求生後嗣子立而誅之春秋以爲得其罪故衆略之不名凡書君殺大夫大夫有非以專殺書他皆以罪辜 疏 注凡書至罪辜○解云春秋之義諸侯之君不得專殺大夫若殺有罪大夫春秋書之者責君專殺矣其他無罪君枉殺之而書之者欲以罪君之故而舉之其罪君者即去其君之葬是也 君死乎位曰滅曷爲不言其滅 据胡子髡滅○髡苦門反 疏 注据胡子髡滅○解云即昭二十三年云胡子髡沈子楹滅云云是也此注不言沈子楹者省文故也 爲曹羈諱也此蓋戰也何以不言戰 如上語知爲戰○爲曹于爲反下同 疏 注如上語知爲戰○解云即上謂不死于曹君是也 爲曹羈諱也 諱者上出奔辟難欲起其賢又所諫者戰也故爲去戰滅之文所以致其意也曹無大夫書殺大夫者起當誅也○辟難乃旦反爲去于僞反下起呂反 疏 注故爲至意也○解云謂曹羈之意唯恐其滅欲其不戰是故諱其戰滅之文所以使若諱得其君然也○注曹無大夫○解云上二十四年傳文○注起當誅也○解云言大夫之義理合死於君今不死君當合誅討是以經書殺其大夫欲起其合誅矣 ○秋公會宋人齊人伐徐○冬十有二月癸亥朔日有食之 異與上日食略同 疏 注異與上日食略同○解云上二十五年日食之下注云是後夫人遂不制通于二叔殺二嗣子也今此日食之異亦爲此事故云異與上日食之說相似是以不復指解之

二十有七年春公會杞伯姬于洮 書者惡公教內女以非禮也洮內也凡公出在外致在內不致其與婦人會不別得意雖在外猶不致伯姬不卒者蓋不與卒于無服女會來例皆時○洮他刀反惡烏路反下惡莊同別彼列反 疏 注凡公出在外致○解云即哀十三年夏公會晉侯及吳子于黃池秋公至自會是其公與二國以上得意致會也桓二年秋公及戎盟于唐冬公至自唐是其公與一國出會盟得意致地也其不得意皆不致矣○注在內不致○解云即隱五年公觀魚于棠不書公至自唐之屬是也○注其與至不致○解云春秋上下無公會婦人于外之經而注言雖在外猶有不致者但遇爾無之○注伯姬至無服○解云凡諸侯之女嫁於諸侯者爲之朞若嫁於大夫者則不服矣其有服者春秋皆書其卒以錄恩即紀伯姬宋伯姬之屬是也若無服者則略之今此伯姬春秋不記其卒者蓋以其嫁於大夫故云不與卒于無服矣○注女會來例皆時○解云即此經書春公會杞伯姬于洮下文云冬杞伯姬來之屬是也 ○夏六月公會齊侯宋公陳侯鄭伯同盟于幽○秋公子友如陳葬原仲原仲者何陳大夫也大夫不書葬此何以書 据益師等皆不書葬稱字者葬從主人也 疏 原仲者何○解云欲言陳君其稱異常欲言大夫不合錄葬故執不知問○注据益至書葬○解云即隱元年冬十二月公子益師卒之屬皆無葬文是也○注稱字至人也○解云若五等諸侯之卒例書本爵及其葬時悉皆稱公亦是葬從主人之稱故取尊名矣 通乎季子之私行也 不以公事行曰私行私行不言葬原仲于陳若告糴者告糴上有無麥禾知以國事起此上下無起文而不言如陳嫌不辟國事實私行也不嫌使乎大夫者有國文也○告糴音狄下同使所吏反 疏 注私行至告糴○解云即下二十八年經云冬築微大無麥禾臧孫辰告糴于齊傳云何以不稱使以爲臧孫辰之私行是也○注不嫌至國文也○解云成二年傳云君不使乎大夫此其行使乎大夫何者是其文也又閔二年傳云高子者何齊大夫也何以不稱使我無君也者亦是也今此葬原仲不嫌使乎大夫者正以上有如陳之文故也無國事言如陳者文九年注云大夫繫國是也 何通乎季子之私行 据大夫私行不書 辟內難也 欲起其辟內難○內難乃旦反注及下同 君子辟內難而不辟外難 禮記曰門內之治恩揜義門外之治義揜恩○之治直吏反下之治同 疏 注禮記曰至揜恩○解云喪服四制文也案彼文事作治字下揜字作斷字蓋以所見異 內難者何公子慶父公子牙公子友皆莊公之母弟也公子慶父公子牙通乎夫人 通者淫通 疏 內難者何○解云正以弒君之事乃在莊三十二年冬今已辟之故執不知問 以脅公 語在三十二年 疏 注語在三十二年○解云即公

曰不謂我曰魯一生一及君已知之矣慶父也存是也季子起而治之則不得與于國政坐而視之則親親親至親也○與音預因不忍見也因緣己心不忍見親親之亂原仲也書者惡注公不能任用使辟難而出疏故於是復請至于陳而葬○解云案上二十五年冬公子友如陳今又請○故言復也冬杞伯姬來其言來何據有來歸疏直來曰來○解云即上二十五年夏伯姬歸于杞者是也非謂此年春公會杞伯姬于洮者杞伯姬自是太夫之妻然則此伯姬是其女洮之伯姬是其姊妹故今得並稱伯矣○注据有來歸○解云即宣十六年秋郯伯姬來歸是也大歸曰來大故者奔喪之謂注直來無事而來也諸侯夫人尊重既嫁非有大故不得反唯自大夫妻雖無事歲一歸宗疏注諸侯至得反○解云即此文直來曰來是也其大故者奔喪之謂文九年夫人姜氏如齊彼注云奔父母之喪也是也○注唯自大夫至一歸宗○解云自從也言從大夫妻以下即詩云歸寧父母是也案詩是后妃之事而云大夫妻者向

氏不信毛故也大歸曰來歸大歸者廢棄來歸也婦人有七棄五不娶三不去嘗更三年喪不去不忘恩也賤取貴不去不背德也有所受無所歸不去不窮窮也喪婦長女不娶無教戒也世有惡疾不娶棄於天也世有刑人不娶棄於人也亂家女不娶類不正也逆家女不娶廢人倫也無子棄絕世也淫泆棄亂類也不事舅姑棄悖德也口舌棄離親也盜竊棄反義也嫉妬棄亂家也惡疾棄不可奉宗廟也○更音庚背音佩喪息浪反長丁丈反悖補內反疏注不背德也○解云言已賤時彼已事已是其恩德也若貴而棄之即是背德而不報非礼也○注逆家至人倫也○解云謂仍見其家不行正直而行頑嚚廢其尊卑之倫次故不可娶○莒慶來逆叔姬莒慶者何莒大夫也莒無大夫此何以書譏何譏爾大夫越竟逆女非禮也礼大夫任重爲越竟逆女於政事有所損曠故竟內乃得親迎所以屈私赴公也言叔姬者婦人以字通言叔姬賤故略與歸同文重乎疏莒慶者何○解云欲言莒君經不稱子欲言大夫莒無大夫故執不知問○大夫至非礼也○解云大夫

所以不得越竟逆女者正以大夫任重於政事有所損曠故也若士則得越竟娶妻正以其任輕故也是以士昏礼云若異邦則贈大夫送者以束錦是也○注言叔至乖離也○解云若不與歸同文宜言莒慶來逆女叔姬歸于莒矣然則言叔姬者是其歸文也又云重乖離者謂書其逆女與歸文同也何者嫁于大夫賤不合録而書其逆叔姬者重其乖離矣○杞伯來朝杞夏后不稱公者春秋黜杞新周而故宋以春秋當新王黜而不稱侯者方以子貶起伯爲黜疏注杞夏后不稱公○解云隱五年傳云王者之後稱公今而稱伯故說在僖公十三年○注黜而至三年○解云僖二十三年十有一月杞子卒注云始見稱伯卒獨稱子者微杞爲徐莒所脅不能死位春秋伯子男一也辭無所貶貶稱子者春秋黜杞不明故以其一等貶之明本非伯乃公也又因以見聖人子孫有誅無絕故貶不失爵是也言方以子貶者方以僖二十三年○公會齊侯于城濮○濮音卜

監本附音春秋公羊註疏莊公卷八

伐者為主一本作見伐者為主

監本春秋公羊註疏莊公卷第九（起二十八年盡閔公二年）

何休學

二十有八年春王三月甲寅齊人伐衛衛人及齊人戰衛人敗績伐不日此何以日據鄭人伐衛不日（疏）注據鄭人伐衛不日。解云在隱二年冬按彼文雖在十二月乙卯夫人子氏薨之下不蒙其日月故得據之至之日也用兵之道當先至竟侵責之不服乃伐之今日至便以今日伐之故日以起其暴也戰不言伐此其言伐何至之日也至日便伐明暴故與伐（疏）戰不至伐何。解云正以上十年傳云戰不言伐云云書其重者故此弟子據而難之春秋伐者為客伐人者為客讀伐長言之齊人語也。伐者為客何云讀伐長言之伐人者也（疏）春秋伐者為客。解云謂伐人者必理直而兵強故引聲唱伐長言之喻兵無長矣伐者為主見伐者為主讀伐短言之齊人語也。伐者為主何云讀伐短之見伐者也（疏）伐者為主。解云謂被伐主必理曲而寡接恐得罪於鄰國故促聲短言之喻其恐懼也公羊子齊人因其俗可以見長短故言此故使衛主之也戰序上言及者為主曷為使衛主之據宋襄公伐齊宋主齊（疏）注據宋至主齊。解云即僖十八年春王正月宋公會曹伯衛人邾婁人伐齊夏五月戊寅宋師及齊師戰于甗齊師敗績傳云戰不言伐此其言伐何宋公與伐而不與戰故言伐春秋伐者為客伐者為主曷為不使齊主之與襄公之征齊也曷為與襄公之征齊桓公死豎刀易牙爭權不葬為是故伐之也是也衛未有罪爾蓋為幽之會服父喪未終而不至故。蓋為干偽反（疏）注蓋為至至故。解云上二十六年夏公會齊侯宋公陳侯鄭伯同盟于幽是也按上二十五年夏五月癸丑衛侯朔卒至二十七年六月幽之會時始二十六月未盡今傳復以為無罪故知正為父喪未終是以不至則幽之會不至之衛侯惠公朔之子蓋懿公也敗者稱師衛何以不稱師據栢十三年己巳燕人戰敗績稱師也（疏）注據栢至稱師也。解云即彼經云十三年春二月公會紀侯鄭伯己巳及齊侯宋公衛侯燕人戰齊師宋師衛師燕師敗績是也未得乎師也未得成列為師也詐戰不言戰言戰者衛未有罪方欲使衛主齊見直文也不地者因都主國也。見直賢遍反（疏）注詐戰不言戰。解云通例如此

夏四月丁未邾婁子瑣卒日者附從霸者朝天子行進。瑣素果反（疏）注日者至行進。解云欲決上十六年冬十二月邾婁子克卒不書日故也正以行進而書日故知附從霸者朝天子賢於會霸者於此而已但以相如例所不書故無其文何氏以理知之。故如此解

秋荊伐鄭公會齊人宋人邾婁人救鄭書者善中國能相救。

冬築微築微左氏作糜

大無麥禾冬既見無麥禾矣曷為先言築微而後言無麥禾諱以凶年造邑也諱使若造邑而後無麥禾者惡愈也此蓋秋水所傷秋築微下俱擧水則嫌冬水推秋無麥禾使若冬水所傷者但言無麥禾則無秋自不成不能起秋水因莊公行類同故加大明有秋水也此（疏）注此蓋至秋水。解云既言無麥是夫人淫泆之所致建未之前事故知秋水所傷也若其經云冬築微大水無麥禾即大水在冬下嫌是冬水矣則嫌非爭此秋無麥禾之事若使冬水傷殺之者矣若不言大而但言無麥禾則嫌此秋但也氣不殺而麥禾不成不能起是此秋實有水矣因欲疾莊公之行不制夫人令其陰盛類同於水故加大以見之。

臧孫辰告糴于齊告糴者何請糴也買穀曰糴（疏）告糴者何。解云欲言買穀不見將物之文欲言非買穀而經書糴者故執不知問何以不稱使據上大無麥禾知以國事行當言如也（疏）注當言如也。解云正以知者內使文故也以為臧孫辰之私行也曷為以臧孫辰之私行據國事也君子之為國也必有三年之委一年不熟告糴譏也古者三年耕必餘一年之儲九年耕必有三年之積雖遇凶災民不饑之莊公享國二十八年而無一年之畜危亡切近故諱使若國家不匱大夫自私行[illegible]反諸直魚反

齊勅六反匱其位反 疏 注危亡切近故諱○解云謂危亡之事切於國家埋應不遠矣

二十有九年春新延廏。新延廏者何。脩舊也。舊故也繕故曰新有所增益曰作始造曰築○廏九又反 疏 新延廏者何○解云欲言新造不見作名欲言修舊修舊不書故執不知問○注繕故曰新○解云即此是也○注有所增益曰作○解云即僖二十年新作南門是也○注造曰築○解云即上築微傳云凶年不造邑也之屬是也 脩舊不書。此何以書。据新宮災後修不書 疏 注据新至不書○解云即成三年二月甲子新宮災三日哭於此以後不見修作之文是也 譏。何譏爾。凶年不脩。不諱者繕延廏馬廏也○費芳味反差初賣反 疏 注不諱至造邑○解云上二十八年築微之事實在大無麥禾後而在前言之者諱以凶年造邑故也然則去年無麥禾今茲凶歳而修廏不諱者正以功費輕也 ○夏。鄭人侵許。○秋。有蜚。何以書。記異也。蜚者臭惡之虫也象夫人有臭惡之行言有者南越盛暑所生非中

國之所有○蜚扶味反臭蟲也行下孟反 ○冬。十有二月。紀叔姬卒。國滅卒者從夫人行待之以初也 疏 注國滅至以初也○解云桓七年夏穀伯綏來朝鄧侯吾離来朝傳云皆何以名失地之君也其稱侯朝何貴者無後待之以初也然則今此叔姬其國已滅而書卒正以本貴為夫人今雖國滅猶以夫人之礼待之而書其卒故云待之以初也案隱七年則此叔姬乃是伯姬之媵而言從夫人行者正以十二年春叔姬歸于酅傳云其言歸于酅何隱之也何隱爾其國亡矣徒歸于叔爾也然則初去之時雖為媵妾至莊四年三月伯姬卒之後紀國未滅之前紀侯立之為夫人其年夏紀侯大去其國叔姬乃歸于魯至十二年春歸于酅之時為夫人故曰從夫人行也 ○城諸及防。諸君邑防臣邑言及別君臣之義君臣之義正則天下定矣○別彼列 疏 注諸君至臣邑○解云知如此者正以昭五年夏莒牟夷以牟夷及防茲来奔傳云其言及防茲来奔何不以私邑累公邑也彼注云公邑君邑也私邑臣邑也累次也義不可使臣邑與君邑相次序故言及以絶之然則都邑言及別公私故知此言城諸及防者是君臣邑故也○注言及至定矣○解云所以君臣之義正則天下定可以為王者之法矣

三十年春王正月。○夏。師次于成。○秋。七月。齊人降鄣。鄣者何。紀之遺邑也。降之者何。取之也。取之則曷為不言取之。為桓公諱也。時霸功足以除惡故為諱言降者能以德見歸自來服者可也○降戸江反下注同鄣音章為桓于偽反注同 疏 鄣者何○解云欲言是國春秋未有欲言非國復無所繫故執不知問○降之者何○解云欲言自服文道齊人欲言兵加而文又言降故執不知問 外取邑不書。此何以書。盡也。襄公服紀以過而復盡取其邑惡其不仁之甚也月者重於取邑○復扶又反惡其烏路反下同 疏 注月者重於取邑○解云以取邑例時即隱六年冬宋人取長葛之屬是 ○八月。癸亥。葬紀叔姬。外夫人不書葬。此何以書。隱之也。何隱爾。其國

亡矣。徒葬乎叔爾。○九月。庚午朔。日有食之。鼓。用牲于社。是後魯比弑二君狄滅邢衛○比弑申志反也 疏 徒葬乎叔爾○解云謂不得與夫合葬故言徒徒者空也案上四年齊侯葬紀伯姬傳云外夫人不書葬此何以書隱之也何隱爾徒葬于齊爾而此重發之者正以彼則于齊此則于叔故重言之○注是後魯比弑二君○解云謂下三十二年子般卒閔二年公薨是也○注狄滅邢衛○解云謂僖元年次聶北救邢僖二年春王正月城楚丘之屬是也 ○冬。公及齊侯遇于魯濟。濟子禮反 ○齊人伐山戎。此齊侯也。其稱人何。据下言齊侯來獻戎捷 疏 注据下至戎捷○解云即下三十一年夏六月齊侯来獻戎捷是也 貶。曷為貶。据齊侯伐北戎不貶 疏 注据齊至不貶○解云即僖十年夏齊侯許男伐北戎是也若然而此註不道許男者正以其解齊人伐山戎之故省文 子司馬子曰。蓋以操之為已蹙矣。操迫也已甚也蹙痛也迫殺之甚痛○以操七刀反迫也注同蹙子

六反 此蓋戰也，何以不言戰？據得戰捷也。春秋敵者言戰。桓公之與戎狄，驅之爾。時桓公力但可驅逐之而已，戎亦天地之所生，而乃迫殺之甚痛，故去戰貶，見其事，惡不仁也。山戎者，戎中之別名，行進，故録之。○去，起呂反。見，賢遍反。疏春秋敵者言戰。○解云謂軍之衆寡相敵者，不謂將之尊卑等。是以僖二十八年晉侯已下及楚人戰于城濮，宣十二年晉荀林父帥師及楚子戰于邲之屬，雖君與大夫，亦言戰矣。○注故去至不仁也。○解云謂貶去其戰，以見力不得等，惡齊侯之不仁。○注行進故録之。○解云謂言山戎，詳録之耳。

三十有一年，春，築臺于郎。何以書？譏。何譏爾？臨民之所漱浣也。無垢加功曰漱，去垢曰浣，齊人語也。譏者，為瀆下也。禮，天子外屏，諸侯内屏，大夫帷，士簾，所以防泄瀆之漸也。禮，天子有靈臺，以候天地；諸侯有時臺，以候四時。登高遠望，人情所樂，動而無益於民者，雖樂不為也。四方而高曰臺。○漱，素口反。浣，戶管反。垢，古口反。去，起呂反。為瀆，于偽反，下為威同。疏臨民之所漱浣也。○解云謂郎臺近泉臺，故知如此。是以文十六年傳云「泉臺者何？郎臺也。郎臺則曷為謂之泉臺？未成為郎臺，既成為泉臺」，彼注云「既成更以所置名之」，是其近泉之證也。○注無垢加功曰漱。○解云謂但用手矣。既無垢而加功者，蓋亦小有，但無多垢，故謂之無垢，非全無也。又取其斗漱耳，若以里語曰斗漱也。注去垢曰浣者，蓋用足物，是以舊説云用足曰浣是也。故内則云「冠帶垢，和灰請漱；衣裳垢，和灰請浣」，鄭注云「手曰漱，足曰浣」，齊和讀也是也。○注禮天至士簾。○解云禮説文也。○注天子至四時。○解云皆是禮説文也。文王受命之後，乃築靈臺，亦是天子曰靈臺之義，正以候天地，故以靈言之。諸侯候四時，故謂之時臺。○注四方而高曰臺。○解云爾雅釋宮文。○夏，四月，薛伯卒。卒者，薛與滕俱朝隱公，桓弑隱而立，滕朝桓公，薛獨不朝，知去就也。○弑，申志反。疏卒者去就也。○解云所傳聞之世，小國卒例不合書，而今書之，故解之耳。言薛與滕俱朝隱公者，即隱十一年滕侯、薛侯來朝是也。言滕朝桓公者，即桓二年滕子來朝是也。言知去就者，謂知去惡就善矣。○築臺于薛。何以書？譏。何譏爾？遠也。禮，諸侯之觀不過郊。○觀，工喚反。疏至過郊。

解云不以郎為近邑，而在郊内明者，上傳不譏其遠，今此云薛傳云遠也，故知禮云不得過郊矣。○六月，齊侯來獻戎捷。戰所獲物曰捷。據齊未成戰。○捷，在接反。齊，大國也，曷為親來獻戎捷？據嘗朝魯。威我也。以威恐怖魯也。如上難知，為威書之。○恐怖，丘勇反，下皆放此。其威我奈何？旗獲而過我也。旗獲，建旗縣所獲得以過魯也。不書以威者，恥不能為齊所忌，見輕侮也。言獻捷繫戎者，春秋王魯，因見王義。古者方伯征伐不道，諸侯交格而戰者，誅絶其國，獻捷於王者。桓公獻捷時此月者，刺齊桓驕慢，恃盈，非所以就霸功也。○幟，昌志反，又申志反，又尺志反，本又作織，同。旌，乃旦反。因見，賢遍反。疏注旗軍至有色。○解云即禮，大帛以即戎之屬是也。○注與金鼓俱舉。○解云謂以金錞和鼓，金鐸通鼓之時而建之。○注旗獲至過魯也。○解云凡言過者，謂道所經過之稱。今齊侯伐山戎而得過魯，則此山戎不在齊北可知。蓋戎之別種，居于諸夏之山，故謂之山戎耳。○注言獻捷繫戎至不道。○解云正決僖二十一年冬楚人使宜申來獻捷，無所繫矣。○注諸侯交至於王者。○解云格猶距也，謂與交戰而距王命，今人謂不順之輩為格化之類。○注楚獻至此月。○解云即僖二十一年冬楚人使宜申來獻捷是也。而云持盈者，謂自持盈滿之道，而侮諸侯，失謙虚之義，故月之。○秋，築臺于秦。何以書？譏。何譏爾？臨國也。言國者，社稷宗廟朝廷皆為國，明皆不當臨也。臨社稷宗廟則不敬，臨朝廷則泄慢也。○冬，不雨。何以書？記異也。京房易傳曰：旱異者，旱久而不害物也。斯祿去公室，福由下作，故陽雖不施，而陰道獨行，以成萬物也。先是比築三臺，慶父、公子牙專政之應。○施，申豉反。疏注先是比築三臺。是也。○注慶牙專政。○解云即上二十七年傳云公子慶父、公子牙、公子友，皆莊公之母弟也。公子慶父、公子牙通乎夫人以脅公，季子起而治之，則不得與于國政，坐而視之則親親，因不忍見也。故於是復請至于陳而葬原仲也。下三十二年傳云季子至而授之以國政。然則二子既言脅公，季友不得為政，下文始言授季子國政，即於是時慶牙為政明矣。○

三十有二年，春，城小穀。○夏，宋公、齊侯遇于泯立。秋七月癸巳，公子牙卒。何以不稱弟。據公弟叔肸卒。○肸許乙反。疏城小穀。○解云二傳作小字與左氏異。○解云隱八年注云宋公亭上者時衛侯要宋公使不虞者為主明當戒慎之然則今宋公亭上亦為齊侯所要故也。○注據公弟叔肸卒。○解云即宣十七年冬十有一月壬午公弟叔肸卒是也

殺也。殺則曷為不言刺。據公子買有罪殺之言剌不言卒。疏注據公至言卒。○解云即僖二十八年公子買戍衛不卒戍剌之傳云不卒戍者何不卒戍者內辭也不可使往也不可使往則其言戍衛何遂公意也是也

為季子諱殺也。曷為為季子諱殺。據殺僖得臣卒不日者惡不發揚公子遂弒也。○為季于偽反下為季而為注故為同。疏注據叔至遂弒也。○解云即宣五年九月叔孫得臣卒注云不日者知公子遂欲弒君為人臣知賊而不言明當誅是也然則季子若其發揚牙之罪惡誅之正是臣人之道今而諱殺故難之云

季子之遏惡也。遏止也。○遏於葛反。不以為國獄。其刑不就致獄故言獄

緣季子之心而為之諱。季子遏在親親疑於非正故為之諱所以別嫌明疑。○別彼列反。疏注季子至明疑。○解云季子仁者不忍用刑其親若故曰過在親親春秋以掩過牙之惡與周公行誅于兄異是以疑其非正禮耳故為之諱刺文所以別嫌者謂諱剌別於親親失臣道之嫌明疑者明於掩惡非正禮之疑耳

季子之遏惡奈何。莊公病將死，以病召季子。召之於陳。疏注召之於陳。○解云正以上二十七年傳云因不忍見也故於是復請至于陳而葬原仲也之文故也

季子至而授之以國政。至不書者內大夫出與歸不兩書。疏注至不至兩書。○解云謂通例如此宣八年夏公子遂如齊至黃乃復書其乃復者彼傳云何言乎有疾乃復譏何譏爾大夫以君命出聞喪徐行而不反彼注云喪尚不當反況於疾乎是也宣十八年秋公孫歸父如晉冬歸父還自晉至檉遂奔齊書其還者彼傳云還者何善辭也何善爾歸父使於晉還自晉至檉聞君薨家遣擗踊反命乎介自是走之齊彼注云主書者善其不以家見遂怨懟去踊哭君終臣子之道起

時莫能然也言至極者善其得禮下經是也昭十四年春隱如至自晉又昭二十四年春叔孫舍至自晉皆書至者正由彼執而得歸是以重而書至猶非一歸當望之例也閔二年秋季子來歸書者乃出奔歸例也

曰：寡人即不起此病，吾將焉致乎魯國。焉於虔反。季子曰：般也存，君何憂焉。公曰：庸得若是乎。庸猶傭傭無節目之辭。○般音班

牙謂我曰：魯一生一及，君已知之矣。父死子繼曰生兄死弟繼曰及言隱公生桓公及今君生慶父亦當及是魯國之常也

慶父也存。時莊公以為牙欲立慶父。疏慶父也存者。○解云莊公辭

季子曰：夫何敢。是將為亂乎。夫何敢。一人也。再言夫何敢者反覆思惟且欲以安病者意孔子曰君子有九思視思明聽思聰色思溫貌思恭言思忠事思敬疑思問忿思難見得思義。○夫音扶下及注同覆芳服反。疏注再言至思義。○解云謂反覆思惟之間故再言之向敢使病者意安耳。○注孔子曰至思義。○解云引之者欲言季子反覆思惟合於君子之道言見得思義者得謂利祿也

俄而牙弒械成。是時牙實欲自弒君兵械已成但事未行爾有以守之器曰械。○俄五多反牙殺申志反注及下親弒同械戶戒反

季子和藥而飲之。藥者酖毒也傳曰酖之是也時季子亦有故能飲之傳不道者從可知。○飲於鴆反注同酖本亦作鴆直蔭反下文同。疏注藥者至是也。○解云即下云季子不直誅而酖之云云者是

曰：公子從吾言而飲此，則必可以無為天下戮笑，必有後乎魯國。時世大夫誅不宜世當繼嗣故。疏則必以無為天下所戮笑矣。○注時世大夫。○解云欲道古禮大夫不世也

不從吾言而不飲此，則必為天下戮笑，必無後乎魯國。於是從其言而飲之，飲之無傫氏，至乎王堤而死。公子牙今將爾。今將欲殺無傫。○無傫本又作巫傫音力

反又力追反撰丁兮反【疏】飲之無傫氏。○解云或是大夫家或是地名言飲酖毒之藥于無傫氏矣舊云飲之無傫氏者言飲此毒不累其子孫謂當立其氏族也若非地。○至乎王堤而死。○解云王堤蓋地名辭曷為與親弒者同解傳序經辭【疏】注辭傳序經辭。○解云知如此者正以經書公子牙卒無誅殺之文傳云曷為不言刺之云是將為亂乎故知此辭與親弒者同但是傳序經辭非為經也君親無將將而誅焉親謂父母。○無將如字閔公本將不誅將而皆同或子匠反非也然則善之與曰然殺世子母弟直稱君者甚之也季子殺母兄何善爾誅不得辟兄君臣之義也以臣事君之義也唯人君然後得申親親之恩。○與音餘【疏】殺世子母弟至之也。○解云即僖五年春晉侯殺其世子申生襄二十六年秋宋公殺其世子痤之屬者是殺世子直稱君之經也隱元年夏五月鄭伯克段于鄢襄三十年夏天王殺其弟年夫之屬者是殺母弟直稱君之經也。○注唯人至之恩。○解云欲道殺世子母弟所以直稱君甚之之義言得申親親之恩而不申之故甚其惡耳然則曷為不直誅而酖之行誅乎兄隱而逃之使託若以疾死然親親之道也明當以親親原而與之於治亂當賞疑從重於平世當罰疑從輕莊不卒大夫而卒牙者本以書國將弒君書日者錄季子遏惡也行誅親親雖酖之猶有恩也【疏】隱而逃之。○解云言隱匿辟殺是以不直誅而酖之矣。○注明當至與之。○解云明春秋之道當親其親而原季子之心而與之故善之耳。○注於治至從輕。○解云注言此者欲道春秋者撥亂之書是以原其親親而賞季氏即賞疑從重也當所傳聞之世天下未平是以升平疑獄不得不誅故云於平世乃可罰疑從輕矣。○注莊不至弒君。○解云上三年春王正月溺會齊師伐衛傳云溺者何吾大夫之未命者也彼注云所以大夫不卒者莊公薄於臣子之恩故不卒大夫與桓同義是也今牙書卒者本以當國將弒君故也。○注書日至遏惡也。○解云正以春秋之義於所傳聞之世大夫之卒不問有罪無罪皆不書日以略之因示其恩淺即隱元年冬十有二月公子益師卒隱八年冬十有二月無駭卒之屬是也今而書日故解之言錄季子遏惡也者正以為季子遏其惡之故是以詳錄之耳○八月癸亥公薨于路寢路寢者何正寢也公之正居也天子諸侯皆有三寢一曰高寢二曰路寢三曰小寢父居高寢子居路寢孫從王父母妻從夫寢夫人居小寢在寢地加錄內也夫人不地者外夫人不卒內薨已錄之矣故出乃地【疏】路寢者何。○解云欲言正寢公存之時經文無問。○注天子諸侯至人居小寢。○解云皆時王之禮矣若春秋定十五年夏五月壬申公薨于高寢僖三十三年冬十二月乙巳公薨于小寢之屬是也然則諸侯有三寢而薨其內者是正矣而文十八年二月丁丑公薨于臺下襄三十一年夏六月辛巳公薨于楚宮之屬皆為失其所而無譏文者蓋以不在三寢非禮自見故也而云父居高寢者蓋以寢中最尊若父子並薨之時父殯于高寢矣其嗣君亦薨乃居於路寢若其孫又薨則從王父小寢所以不再言母者妻從夫寢故也其夫人若存定居于寢內之三宮矣若非有並喪則從寢之中科薨其一而謂路寢為公之正居者以其始正之常處也。○注在寢地加錄內也。○解云正決外諸侯之卒不地故也。○注故出乃地。○解云即僖元年秋七月戊辰夫人姜氏薨于夷是也○冬十月乙未子般卒子卒云子卒此其稱子般卒何据子赤不言子赤卒【疏】据子赤不言子赤卒。○解云文十八年冬十月子卒傳云子卒者孰謂謂子赤也是也君存稱世子明當世父位為君【疏】君存稱世子。○解云內外同矣而桓六年九月丁卯子同生不言世子者彼注云而不以世子正稱書者明欲以正見無正疾惡桓公是也君薨稱子某某緣民臣之心不可一日無君故稱子某明繼父也名者尸柩尚存猶以君前臣名也【疏】注緣民臣至名也。○解云子者嗣君之稱是以繼子某明其嗣父也既不可無君令之繼父而書名者正以尸柩尚存猶君前臣名故也其緣民臣之心不可一日無君者文九年傳文既葬稱子不名不名者無所屈也緣終始之義一年不二君故稱子也【疏】注不名至子也。○解云正以先君既葬臣無所屈所以不稱爵而言子者一年不二君矣其緣終始之義一年不二君者文九年傳文踰年稱公不可曠年無君【疏】注不可曠年無君。○解云文九年傳文子般卒何以不書葬据定姒俱

称卒書葬（疏）注据定至書葬。解云即定十五年秋七月壬申姒氏卒九月辛巳葬定姒然則定姒称卒而書葬今子般称卒不書葬故難之

未踰年之君也有子則廟則立廟**廟則書葬**録子恩也**無子不廟不廟則不書葬**未踰年之君乱臣下无服故无子不廟不廟則不書葬亦一年不二君也齐卒不地者降成君也曰者為臣子恩録之也弑不去日見隱者降子赤也。去起吕反見賢偏反（疏）注未踰至二君也。解云案喪服不杖期章之内有為君之長子臣下尤服之兒為嗣君而言无服者正以為長子之時其臣下従君而服之若其為嗣君則无従服之義是以知其无服矣不但如此作君長子之時其臣皆吉故得為之服期若作未踰年之君臣下皆為前君服斬寧得更為之服乎若定服期即是廢重服輕若為斬衰三年即違一年不二君之義故也。注称卒不至之也。解云案隱公閔公皆是成君而亦不地故注云不忍言隱十一年傳云公薨何以不地不忍言也故彼注云不忍言其僵尸之処今子般亦殺死正合不書地而言降成君者欲道好死者亦不書地所以降成君故也其好死者即襄三十一年秋九月癸巳子野卒是也。注殺不至子赤也。解云即文十八年冬十月子卒傳云子卒者孰謂子赤也何以不日隱之也何隱爾弑也弑則何以不日不忍言也彼注云所聞世臣子恩痛王父深厚故不忍言其日與子般異是也○然則子般尤是所聞之世而書日者以恩降于子赤是以忍言日也

公子慶父如齊如齊者奔也是時季子新立牙慶父雖懼鄧扈樂尤不自信於季子故出也不言奔者起季子不探其情不暴其罪。樂音洛暴步卜反（疏）注慶父至扈樂。解云其歸獄鄧扈樂之事在閔元年傳也。○**狄伐邢**

閔公 起元年 尽二年

元年春王正月公何以不言即位繼弑君不言即位復發傳者嫌繼未踰年君義異故。○弑申志反（疏）注復發至如一。解云即莊元年傳云公何以不言即位春秋君子不言即位君弑子何以不言即位隱之也孰隱隱子也然則莊元年已有此傳今復發之者正嫌此繼未踰年之君異于成君故也其異一成一未而不異之者明臣子隱痛之當如一矣若然案莊公繼弑弑是齊侯今閔公繼弑弑是慶父何以不嫌異而知為所繼之君成與不成者正以解即位之義欲道臣子痛其見弑不忍即其位処明据恩之深淺无弑者内外之義故也

孰繼据子般弑不見。○見賢偏反**繼子般也孰弑子般慶父也殺公子牙今將爾季子不免慶父弑君何以不誅將而不免遏惡也既而不可及因獄有所歸不探其情而誅焉親親之道也**論季子當從議親之辟尤律親親得相首匿當與叔孫得臣有差。○辟婢亦反匿女亦反（疏）注論季子至首匿。解云謂季子縱慶父之事當從周礼小司徒議親之法非其罪也。注當與至有差。解云即宣五年叔孫得臣卒注云不日者知公子遂欲弑君為人臣知賊而不言明當誅則得臣與遂不宜相隱是以罪之今慶父是季子之親則親矣得相首匿是以舍之故言當與叔孫得臣有差矣

惡乎歸獄歸獄僕人鄧扈樂曷為歸獄僕人鄧扈樂据師還也。○惡音烏（疏）注据師還也。解云即莊八年秋師還傳云還者何善辭也此滅同姓何善爾非師之罪也注云明君之重在君然則莊八年尊者使師滅同姓而歸善於師今則尊者使樂殺子般而反歸悪於樂故難之**扈樂**扈樂音洛或如字

莊公存之時樂曾淫于宮中子般執而鞭之莊公死慶父謂樂曰般之辱爾國人莫不知盍弑之矣使弑子般然後誅鄧扈樂而歸獄焉殺鄧扈樂不書者微也。○盍戶臘反（疏）樂曾淫于宮中。解云即左氏傳云雩講於梁氏女公子觀之圉人犖自牆外與之戲也者得與此合**季子至而不變也**至者聞君弑從家至朝季子知樂勢不能獨弑而不変正其自假

○**齊人救邢**。○**夏六月辛酉葬我君莊公。秋八月公及齊侯盟于洛姑**時慶父内則素得權重外則出奔彊齊恐為国家禍亂故季子如齊聞之奔閔

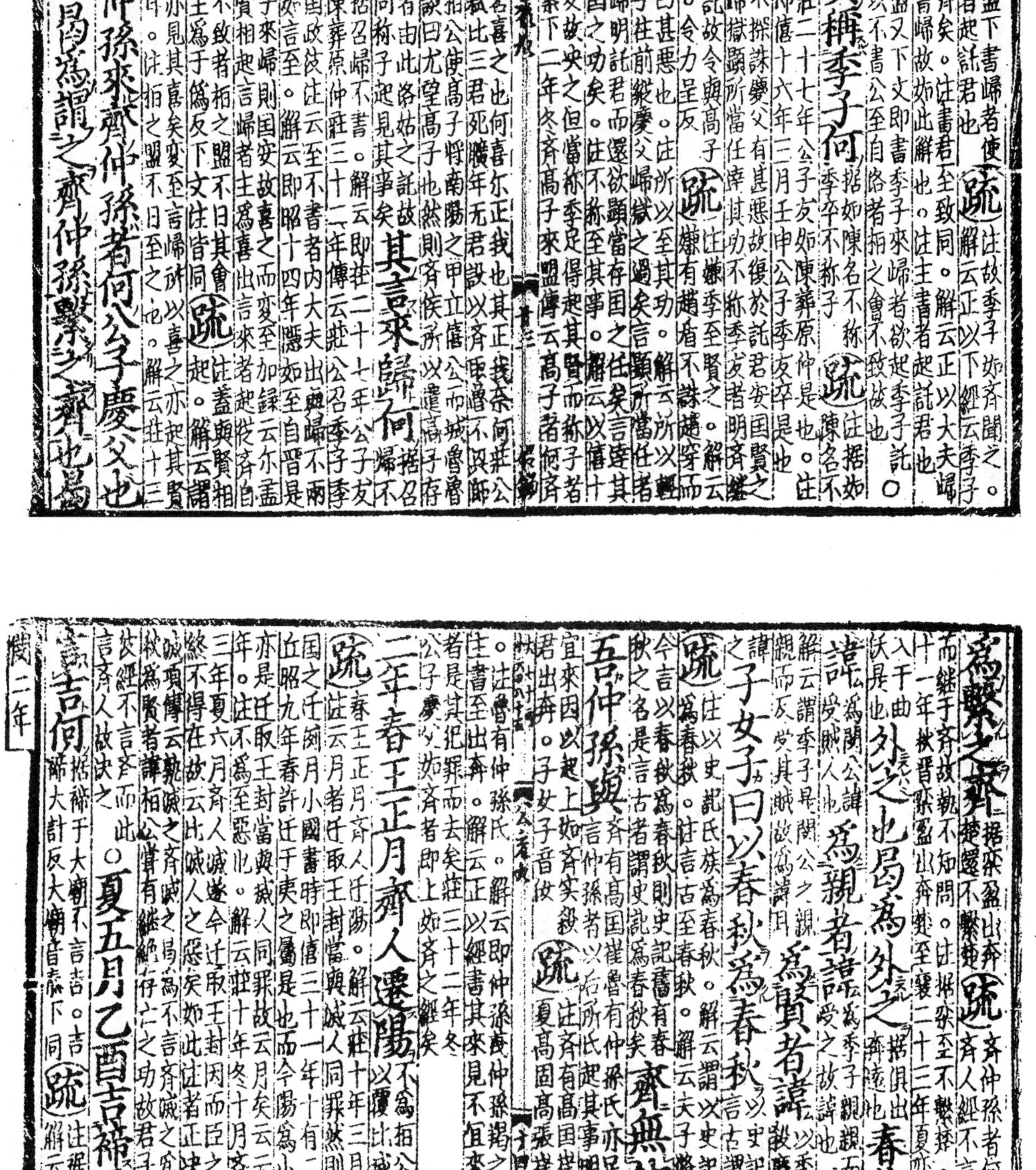

閔元年

公諱齊桓爲此盟下書歸者使與君致同主書者起託君也 疏 注故季子如齊聞之。
來歸故知時如齊矣。注書君至致同。解云正以下經云季子
閔不書而下經書歸故如此解也。注主書者起託君也 解云正以大夫歸
解云謂主書此盟又下文即書季子來歸者欲起季子託
君于齊侯矣所以不書公至自洛者桓之會不致故也 ○
季子來歸其稱季子何 據如陳名不稱 疏 注據如陳名不
稱季。解云即莊二十七年公子友如陳葬原仲是也。注
不稱子。解云即僖十六年三月壬申公子季友卒是也
賢之也 所以輕歸獄顯所當任達其功不稱季友者明齊繼之
魯本感洛姑之託故令與高子
俱稱子起其事。令力呈反 疏 注嫌季至賢之。解云
嫌弒君之惡故曰甚惡也。注所以至其功。解云所以輕
歸獄者欲輕季子往前縱慶父歸獄之過矣言顯所當任者
謂書曰季子來歸明託君而還欲顯當存国之任矣言達其
功者欲達其存国之功矣。注不稱至其事。解云以僖十
六年卒時稱季友故也之但當稱季足得起其賢而稱子者
見義故也何者案下二年冬齊高子來盟傳云高子者何齊
大夫也何以不名喜之也何喜爾正我也其正我奈何莊公
死子般弒閔公弒比三君死曠年無君設以齊取魯曾不興師
徒以言而已矣桓公使高子將南陽之甲立僖公而城魯魯
人至今以為美談曰猶望高子也然則齊侯所以遣高子存
魯而立君繼之者由此洛姑之託故
令季子與高子同稱子起見其事矣 其言來歸何 據召
書應如 疏 注據召歸不書。解云即莊二十七年公子友
言至 如陳葬原仲莊三十二年傳云莊公召季子季
子至而授之以国政故注云至不書者內大夫出與歸不兩
書是也。注隱如言至。解云即昭十四年隱如至自晉是
也 喜之也 季子來歸則国安故喜之而變至加錄云爾蓋
與賢相起言歸者主為喜出言來者起從齊自
外來盟不日公不致者桓之盟不日其會
不致信之也。主為于偽反下文注皆同 疏 注蓋與賢相
起。解云謂
稱字所以賢之亦見其喜矣變至言歸所以喜之亦起其賢
故云與賢相起耳。注桓之盟不日至之也。解云莊十三
年傳 ○冬齊仲孫來 齊仲孫者何 公子慶父也
文
公子慶父則曷為謂之齊仲孫 繫之齊也 曷為
爲繫之齊 據莱盈出奔楚還不繫楚 疏 齊仲孫者何。解云欲道
而繼于齊故執不知問。注據莱至不繫楚。解云即襄二
十一年秋晉欒盈出奔楚至襄二十三年夏欒盈復入于晉
入于曲沃是也 外之也 曷為外之 據俱出奔遠也 春秋為尊者
諱 為閔公諱 為親者諱 為季子親親而受之故諱也 疏 注為季至諱也
解云謂季子是閔公之親親而不受其賊故為諱耳 為賢者諱 以季子有遏牙不
諱殺慶父之賢故為
之 子女子曰以春秋為春秋 以史記氏族為春秋言古謂史記為春秋
疏 注以史記氏族為春秋。注言古至春秋。解云謂以史記人之氏族而
今言以春秋為春秋則史記舊有春秋之名是言古者謂史記為春秋矣 齊無仲孫其諸
吾仲孫與 齊有高国崔魯有仲孫氏亦足以知魯仲孫言仲孫者以治所氏起其事明主書者欲不
宜來因以起上如齊實殺
君出奔。子女子音汝 疏 注齊有高国崔。解云即国
夏高固高張崔杼之屬是矣

閔二年

。注魯有仲孫氏。解云即仲孫蔑仲孫羯之屬是也。注
注書至出奔。解云正以經書其來見不宜來則知上如齊
者是其犯罪而去矣莊三十二年冬
公子慶父如齊者即上如齊之經矣
二年春王正月齊人遷陽 不為桓公諱者功未足以覆比滅人之惡也
疏 春王正月齊人遷陽。解云莊十年三月宋人遷宿
注云月者遷取王封當與滅人同罪然則春秋之例大
国之遷例月小國書時即僖三十一年十有二月衛遷于帝
丘昭九年春許遷于夷之屬是也而今陽為小国齊人遷之
亦是遷取王封當與滅人同罪故云月矣云云之說在莊十
年。注不為至惡也。解云莊十年冬十月齊師滅譚莊十
三年夏六月齊人滅遂今遷取王封因而臣之雖當時未滅
終不得在故云比滅人之惡矣如此注者正決僖十七年夏
滅項傳云孰滅之齊滅之曷為不言齊滅之為桓公諱也春
秋為賢者諱桓公嘗有繼絕存亡之功故君子為之諱然則
彼經不言齊而此
言齊人故決之 ○夏五月乙酉吉禘于莊公 其
言吉何 據禘于大廟不言吉。吉禘大計反大廟音泰下同 疏 注據禘至言吉。解云即僖八年七

月禘于大廟用致夫人是也。**言吉者未可以吉也**。都未可以吉祭。經辛重不書禘于大廟嫌獨莊公不當禘于大廟可禘者故加吉明大廟皆不當。疏注都未可以吉祭。解云在三年之內故云都未可以吉祭。○注經辛重不書至大廟皆不當。解云春秋之義常事不書有善惡者乃始録而美刺之今莊公及始祖之廟皆未可以吉祭故言都公。○注經辛重不書者言三年之內公已辛重特書于莊公不書于大廟則嫌莊公一廟獨不當禘大廟便可禘矣然莊公卑于始祖而言吉祭者言辛重者言三年之內作吉祭之時莊公最不宜吉故言辛亞不謂莊公尊于始祖也。**曷為未可以吉**。據三年也。疏注據三年。解云莊三十二年八月公薨至今年五月已三年之竟故言據三年也。**未三年也**。未三年喪畢禮。疏注未三年喪畢禮。解云謂禘為礼禘祫從先君數朝聘從今君數三年喪畢遭禘則禘遭祫則祫。○君數所主反下同祫音洽。疏注礼禘祫從先君數。解云謂禘祫之祭合從先君死時日月而數之若滿三年已后遭禘則禘遭祫即祫耳。注朝聘從今君數。解云謂此今君即位以后數其年歲制為朝聘之數。**三年矣曷為謂之未三年三年之喪實以二十五月**。公薨至是適二十二月所以必二十五月者取期再期恩倍漸三年也孔子曰子生三年然后免于父母之懷夫三年之喪天下之通喪礼士虞記曰期而小祥曰薦此常事又期而大祥曰薦此常事中月而禫是月也吉祭尤未配是月者二十七月也傳言二十五月者在二十五月外可不譏。○取期音基下同禫大感反。疏注所以至二十五月。解云三年之恩倍於期者之遲正當其礼數故曰其恩倍矣言漸三年也者謂二十五月得三年之竟故云漸三年也議如得漸二君之遺教。注礼士至常事。解云彼注云小祥祭名祥吉也古文期皆作基常者期而祭礼古文常為祥。注又期至祥事。解云亦彼文注中月而禫是月也吉祭尤未配者亦彼文彼注云中尤間也禫祭名也與大祥間一月自喪至此凡二十七月禫之為言澹澹然平安意也是月是禫月當四時之祭月則祭尤未以其妃配哀未忘也。**其言于莊公何**。據禘于大廟不言周公祫僖公不言僖宮。疏注據禘至周公。解云即僖八年秋七月禘于大廟用致夫人是也。○注祫僖至僖宮。解云祫僖公不言僖宮定八年從祀先公傳云從祀者何順祀也文公逆祀去者三人定公順祀叛者五人彼注云諫不以礼而去曰叛云不

書禘者后祫亦順非獨禘也不言僖公者閔公亦得其順是其祫僖公不言僖公者即文二年八月丁卯大事于大廟躋僖公傳云大事者何大祫也者是也。**未可以稱宮廟也**。時閔公以莊公在三年之中未可入大廟禘之于新宮故不稱宮廟明皆非也。**曷為未可以稱宮廟**。据言禘也。疏注据言禘也。解云正以禘是吉祭之稱既得言禘何故不得稱宮廟故難之。**在三年之中矣**。當思慕悲哀未可以鬼神事之。疏注未可以鬼神事之。解云正言宮廟者鬼神居之之称故也。**吉禘于莊公何以書譏何譏爾譏始不三年也**。與託始同義。疏注與託始同義。解云案隱二年九月紀履緰來逆女傳云外逆女不書此何以書譏何譏爾譏始不親迎也始不親迎昉於此乎前此矣前此則曷為始乎此託始焉爾曷為託始焉爾春秋之始也故云與託始同義。亦宜云始不三年昉於此乎前此矣前此則曷為始乎此託始焉爾。**秋八月辛丑公薨何以不地隱之也何隱爾弑也孰弑之慶父也殺公子牙今將爾季子不免慶父弑二君何以不誅將而不免遏惡也既而不可及緩追逸賊親親之道也**。與不探其情同義不書葬者賊未討。疏注與不探至同義。解云即上元年傳云孰弑子般慶父也殺公子牙今將爾季子不免慶父弑君何以不誅將而不免遏惡也既而不可及因獄有所歸不探其情而誅焉親親之道也。注不書葬者賊未討。解云即隱十一年冬十有一月壬辰公薨傳云何以不書葬隱之也何隱爾弑也弑則何以不書葬春秋君弑賊不討不書葬以為無臣子也是也而言未者欲道於后討得之即僖元年傳於是抗輈經而死者是也。**九月夫人姜氏孫于邾婁**。為淫二叔殺二嗣子出奔不如文姜于出奔貶之者為內臣子明其義不得以子餘母凡公夫人奔例日此月者有罪

疏 注不如文姜至絶毋○解云莊元年三月夫人孫于齊時貶之之文也為内臣了明其義不得以子絶毋者正謂此顯見其義而已不謂此夫人卒竟不絶也故僖元年夫人氏之喪傳云夫人何以不稱姜氏貶曷為貶與弑公也然則曷為不於弑焉貶貶必以其重者莫重乎以其喪至也者是其亦貶之矣○注凡公至有罪○解云正以昭二十五年九月己亥公孫于齊而書日則知夫人之孫亦宜然而此及文姜之孫皆書月案此二人皆有罪故如此注之耳

公子慶父出奔莒慶父弑二君不當復見所以復見者起季子緩追逸賊也不日者内大夫奔例無罪者日有罪者月外大夫奔例皆時○當復扶又反下同見賢徧反下文復見同

疏 注慶父至逸賊也○解云知弑父之人不合復見者正見宣六年春晉趙盾衛孫免侵陳傳云趙盾弑君此其復見何復注云据宋督鄭歸生齊崔杼弑其君後不復見傳又曰親弑君者趙穿也彼注云復見趙盾者欲起親弑者趙穿非盾是○注不日者至皆時○解云襄二十三年冬十月乙亥臧孫紇出奔邾婁是無罪書日也其有罪書月者即昭十二年冬十月公子整出奔齊之屬及此文皆是而文八年公孫敖如京師不至復丙戌奔莒案傳云不可使往也則是有罪而書丙戌者彼注云日者嫌敖罪明則起君弱故錄使若無罪者是也其外大夫奔例皆時者不問有罪與無罪即襄二十七年夏衛侯之弟鱄出奔晉二十八年夏衛石惡出奔晉冬齊慶封來奔之屬是也○

冬齊高子來盟高子者何齊大夫也以齊高傒也

疏 高子者何○解云欲言齊侯而經稱子欲言大夫名不書見經故執不知問○注以齊高傒也○解云即莊二十二年秋七月丙申及齊高傒盟于防是也

何以不稱使据鄭伯使其弟語來盟

疏 注据鄭至來盟○解云在桓十四年夏

我無君也時閔公弑僖公未立故正其義明君臣無相適之道也春秋謹於別尊卑理嫌疑故絶去使文以起事張例則所謂君不使乎大夫也○別彼列反故絶去起呂反下欲去同

疏 注所謂君不使乎大夫也○解云成二年齊侯使國佐如師之下傳云君不使乎大夫此其行使乎大夫何佚獲是也

然則何以不名据國佐盟名

疏 注据國佐盟名○解云即成二年及國佐盟于袁婁者是也

喜之也何喜爾正我也其正我奈何莊公死子般弑閔公弑比三君死曠年無君與曠年無君無異

疏 注曠年無君無異○解云正以莊公死時子般即位子般弑後閔公即位閔公弑後僖公即位君常不絶而傳言曠年無君者正以三年之内三君比死與曠年無君無異非實無君也

設以齊取魯曾不興師徒以言而已矣設時勢然桓公使高子將南陽之甲南陽齊下邑甲華皆鎧胄也○華更百反鎧苦愛反胄直又反立僖公而城魯或曰自鹿門至于爭門者是也或曰自爭門至于吏門者是也魯人至今以為美談曰猶望高子也久闊思相見者引此為喻美談至今不絶也立僖公城魯不書者諱微弱喜而加高子者美大齊桓繼絶于魯故尊其使起其功明得子續父之道○鹿門魯南城東門也○其使所吏反

疏 注明得至之道○解云凡人子之道宜繼祖祢之功不絶之今桓公繼絶于魯正得續父功德之義故尊其使而稱子耳言明其得人子續其人父功德之道也○

十有二月狄入衛○鄭棄其師鄭棄其師者何連国者并問稱国

疏 鄭棄其師者何○解云正以言異常故執不知問

惡其將也以言棄師○惡其烏路反下及注同將也子匠反下同

鄭伯惡高克使之將逐而不納棄師之道也鄭伯素惡高克欲去之無由使將師救衛隨後逐之因將師而去其本雖逐高克實棄師之道故不書逐高克棄師為重猶趙盾加殺也不解国者重衆從国辭錄可知繫閔公篇于莊公下者子未三年無改於父之道傳曰則曷為於其國内三年稱子緣孝子之心則三年不忍當也○盾徒本反

疏 注猶趙盾加弑○解云謂趙穿弑君但文加弑為重相似趙盾加弑在宣二年○注子未三年○解云謂莊三十二年八月薨至閔二年八月薨時始二十五月故曰未三年也○注傳曰至忍當也○解云文九年傳文也

監本附音春秋公羊註疏閔公卷九

監本附音春秋公羊註疏僖公卷十 起元年盡七年

何休學

元年春王正月公何以不言即位 據文公言即位 繼弒
君子不言即位此非子也其稱子何 僖公者閔公庶兄 據
閔公繼子般傳不言子○弒申志反 臣子一例也 僖公繼成君閔公繼未踰年君禮諸侯臣諸父
兄弟以臣之繼君猶子之繼父也其服皆斬衰故傳稱臣子一例○衰七雷反 ○齊師宋師曹
師次于聶北救邢救邢不言次此其言次何
據夏師救齊不言次○聶女涉反 疏 注據夏至言次○解云即下十八年夏師救齊是也 不及事
也不及事者何邢已亡矣 亡剌其救急舒緩使至於亡故錄之止次以起之 孰亡之 蓋
疏 不及事者何○解云正以次者間暇之名而言不及事似於義違故執不知問
狄滅之 以上有狄伐邢 疏 注以上有狄伐邢者解云即莊三十二年冬狄伐邢者是 曷爲
不言狄滅之 據狄滅溫言滅 疏 注據狄滅溫言滅者解云即下十年春狄滅溫溫子奔衛
者 爲桓公諱也曷爲爲桓公諱 據徐人取舒晉滅夏陽楚滅黃皆不
諱○爲桓于僞反下爲桓爲內爲僖皆同夏戶雅反 疏 注據徐人取舒○解云即下三年
夏徐人取舒者是也○注晉滅夏陽○解云即下二年夏虞師
晉師滅夏陽是也○注楚滅黃○解云即下十二年夏楚人
滅黃是也然則彼三事皆不爲桓公諱者取舒之下何氏
云不爲桓諱者刺其不救也是也今此實救故爲之諱耳
上無天子下無方伯天下諸侯有相滅亡者
桓公不能救則桓公恥之 故爲諱所以醇其能以治世自任而厚責之 疏
上無至方伯○解云上無天子下無方伯彖四年何氏云有
而無益于治曰無猶易曰闃其無人者是也○注以治出自
任者猶言以天子治世爲已任矣 曷爲先言次而後言救 據救晉先言
救 疏 注據救至言救○解云即襄二十三年秋齊侯伐衛遂伐晉八月叔孫豹帥師救晉次于雍渝是也 君
也 叔孫豹臣也當先通君命故先言救今此先言次知實諸侯故從君文但舉師而已○ 君則其稱師何
不與諸侯專封也 據狄滅之 曷爲不與
實與 爲桓公諱 不書所封歸貝也○ 疏 注不書至是也○解云昭十三
于陳傳云此皆滅國也其言歸何不與諸侯專封也彼注云
故使若有國自歸者也名者專受其封當誅然則彼經書所
封歸是不與楚專封則知此經不書所封歸者與
齊桓專封明矣若書所封歸宜言邢侯歸于邢矣 而文不
與文曷爲不與 據實與也 疏 而文不與○解云連上句讀之 諸侯之義
不得專封也 此道大平制○大音泰 疏 注此道大平制○解云以春秋作義實與齊
桓專封而言諸侯之義不得專封故知是大平制也 諸侯之義不得專封則
其曰實與之何上無天子下無方伯天下諸
侯有相滅亡者力能救之則救之可也 主書者起文從實 疏 注主書至實也○解云謂雖文不與其義實與故言起文從實也 ○夏六月邢
遷于陳儀遷者何其意也 其意自欲遷時邢創畏狄兵更欲依險阻○陳儀左氏作夷儀 疏 遷者何○解云欲言自遷實齊遷之欲言齊遷而作自遷之文故執不知問 遷之
者何非其意也 謂宋人遷宿也書者譏之也王者封諸侯必居土中所以教化者平貢賦者均
在德不在險其後爲衛所滅是也遷例大國月重小國時此小國月者霸者所助城故與大國同 疏 注謂
宋人遷宿也○解云即莊十年三月宋人遷宿是也案彼傳云遷之者何不通也以地還之也今又發之者正以此有自
遷之文故取此對之也○注王者必居土中○解云謂各處其土中不謂據天下○注其後至是也○解云即二十五年春
王正月丙午衛侯燬滅邢是也○注遷例大國月○解云即
下三十一年十有二月衛遷于帝丘之屬是也○注小國時
○解云即昭九年春許遷于夷之屬是也 ○齊師宋師曹師城邢此一

僖元年

事也曷為復言齊師宋師曹師 據首戴前日而後凡。復言扶又反下同 【疏】注據首至後凡。解云即下五年夏公及齊侯宋公陳侯衞侯鄭伯許男曹伯會王世子于首戴秋八月諸侯盟于首戴是也 不復言師則無以知其為一事也 諸言師則嫌與首戴同嫌實師言諸侯則嫌與緣陵同嫌歸聞其遷更與諸侯來城之未必反故入也故順上文則知桓公宿留城之為一事也。 【疏】注言諸師至實師。解云首戴之會歷序齊侯宋公之屬下文揔道諸侯更是實諸侯今此亦上歷序齊師之屬若下文直揔言諸師則與首戴同嫌是實師非以齊侯宋公等是以得序之以順上文也。注言諸侯至入也。解云即下十三年公會齊侯宋公陳侯衞侯鄭伯許男曹伯于鹹十四年春諸侯城緣陵是時會諸侯各自還國至十四年春更來城之故此復注云言諸侯則嫌與緣陵同嫌歸聞其遷更與諸侯來城之未必反故人也。注故順至事也。解云宿音須就反留音盧胄反案十四年穀梁傳曰其曰諸侯散辭也范氏云直曰諸侯無大小之序是各自欲城無揔一之者非伯者所制故曰散辭傳又曰聚而曰散何也范氏云揔言諸侯城則是聚傳又云諸侯城有散辭也桓德衰矣范氏云言諸侯城則非伯者之為可知也齊桓德衰所以散也何休曰案先是盟亦言諸侯非散也又穀梁美九年諸侯盟于葵丘即散何以美之於義穀梁為矩然則何氏彼癈穀梁不聽為散辭而此所引以作散辭者何氏之意直以言諸侯者見桓德衰待諸侯然後能城之故嫌穀梁以為散辭耳今此注正道緣陵之諸侯十三年鹹之會各自歸國十四年復來城之仍自不道十四年諸侯為散辭矣。秋七月戊辰夫人姜氏薨于夷齊人以歸夷者何齊地也齊地則其言齊人以歸何 據從國中歸不當書邾婁人執鄫子不書以歸是也。鄫似陵反 【疏】夷者何 ■ 解云夫人之薨例不言地今言于夷故執不知問。注邾婁至是也。解云即下十九年夏六月宋人曹人邾婁人盟于曹南鄫子會盟于邾婁己酉邾婁人執鄫子用之是 夫人薨于夷則齊人以歸 夫人所以薨于夷者齊人以歸至夷 夫人薨于夷則齊人曷為以歸 據上說夫人薨于夷若齊人以歸至于夷 桓公召而縊殺之 先言薨後言以歸而不言喪者起桓公召若夫人自薨于夷然後齊人以歸者也主書者從內諱恥錄因見桓公行霸王誅不阿親親疾夫人淫泆二叔殺二嗣子而殺之。縊一賜反一本作益於華反見賢遍反泆音逸 【疏】注主書至殺之。解云即閔二年九月夫人姜氏孫于邾婁注云不以文姜于出奔貶之者為內臣子明其義不得以子絕母者是。楚人伐鄭 楚稱人者為僖公諱與夷狄交婚故進使若中國又明嫁娶當慕賢者。 【疏】注楚稱人者。解云欲對莊二十八年秋荊伐鄭之經也。注為僖至交婚。解云即下八年秋七月禘于太廟用致夫人傳云夫人何以不稱姜氏譏以妾為妻也其言以妾為妻奈何蓋脅于齊媵女之先至者也彼注云僖公本聘楚女為嫡齊女為媵齊先致其女脅僖公使用為嫡故從父母辭言致不書夫人及楚女至者起齊先致其女然後脅魯使立也楚女未至而豫廢故皆不得以夫人至書也者是其與夷狄交婚之事。注故進使若中國。解云正以稱人為楚進稱故也。八月公會齊侯宋公鄭伯曹伯邾婁人于朾 月者危公會霸者而與邾婁有辨也不從有夫人喪出會惡之者不如危重也。朾敕貞反又他丁反左氏作檉惡之烏路反下同 【疏】八月至于朾。解云朾字左氏作檉亦有作朾字。注月者至辨也。解云正以月非大信辭故也知與邾婁有辨者即下文公敗邾婁師于纓是也既出尊者之側而有私爭故危之。九月公敗邾婁師于纓 有夫人喪不惡親用兵者時怨邾婁人以夫人與齊於喪事無譏故也。于纓左氏作偃 【疏】九月公敗至于纓。解云左氏作偃字。注有夫至故也。解云正以僖三十三年晉人及姜戎敗秦于殽下傳云襄公親至則其稱人何貶曷為貶君在乎殯而用師危不得葬也然則彼背殯用兵貶而危之今此經云九月公敗邾婁師于纓與莊十年春王正月公敗齊師于長勺夏六月公敗宋師于乘丘之屬無異者時於喪事無譏故也然則公敗邾婁者為哀姜復讎也若然案莊九年及齊師戰于乾時亦是為桓公復讎于齊經不言公此言公者彼傳云此復讎于大國曷為使微者公也公則曷為不言公不與公復讎也曷為不與公復讎復讎者在下也注云時實為不能納子糾伐齊諸大夫以為不如以復讎伐之於是以復讎伐之非誠心至意故不與也然則此言公者本出公意故也 冬十月壬午公子友帥師敗莒師于犂獲莒挐莒挐者何莒大夫也莒無大夫此何以書大季子之獲也何大乎季子之獲（据獲人當坐○于犂力知反又力兮反左氏作酈莒挐女居反一音女加反一本作拏音同）【疏】（莒挐者何■解云欲言莒君經不稱子欲言大夫莒無大夫故執不知問）季子治內難以正（謂拒慶父○內難乃旦反下同）禦外難以正其禦外難以正奈何公子慶父弒閔公走而之莒莒人逐之將由乎齊齊人不納卻反舍于汶水之上使公子奚斯入請季子曰公子不可以入入則殺矣（義不可見賊而不殺）【疏】（將由乎齊○解云欲從齊而自安矣○舍于汶水之上[闕]解云舊本皆作洛誤也何者今齊魯之間有汶無洛也○）奚斯不忍反

命于慶父自南涘（涘水涯涘音俟）○北面而哭（時慶父自汶水之北也）慶父聞之曰嘻（嘻發痛語首之聲○嘻許其反）【疏】（注嘻發至之聲解云謂發心自痛傷而以嘻為語之首也）此奚斯之聲也諾已（諾已皆自畢語）【疏】（注諾已皆自畢語○解云猶似今人云休一生罷去已自畢竟之辭故云自畢語矣畢作甲字誤耳）曰吾不得入矣於是抗輈經而死（輈小車轅冀州以此名之云爾○輈音竹由反車轅也○）【疏】（於是至而死○解云鄭氏云慶父輈死者正取此文）莒人聞之曰吾已得子之賊矣以求賂乎魯（魯時雖緩追猶外賻求之○賻古旦反）魯人不與為是興師而伐魯（故與季子獲之）季子待之以偏戰（傳云爾者善季子忿不加暴得君子之道）【疏】（注傳云至之道○解云此特之以偏戰者即經書敗文是也敗者內戰文耳莒人可忿而能結日偏戰偏戰是其不加暴之義故得君子之道○）十有二月

丁巳夫人氏之喪至自齊夫人何以不稱姜氏（据薨于夷稱姜氏經有氏不但問不稱姜幷言氏者嫌据夫人婦姜欲使去氏○去起呂反）【疏】（注經有至去氏○解云夫人婦姜之文即宣元年三月遂以夫人婦姜至自齊是也）貶之曷為貶（据薨于夷不貶）與弒公也（與與慶父共弒閔公○與殺音預又如字下申志反）【疏】（注與慶至閔公○解云不言子般者据成君言之省文○）然則曷為不於弒焉貶（据酖牙於卒時貶）【疏】（注据酖至時貶○解云即莊三十二年公子牙卒傳云何以不稱弟殺也是傳言殺者言由其見殺貶之矣）貶必於重者莫重乎其以喪至也（刑人于市與衆棄之故必於臣子集迎之時貶之所以明誅得其罪因正王法所加臣子不得以夫人禮治其喪也貶置氏者殺子差輕於殺夫別逆順也致者從書薨以常文録之言自齊者順上以歸文○差初賣反又初佳反別彼列反○）【疏】（注刑人至棄之解云禮記文○注所以至喪也○解云季子之遏慶父齊桓之討哀姜二義相違而皆善之者誅不辟親王者之道親親

相隱古今通式然則齊桓之討哀姜得伯者之義季子之縱慶父因獄有所歸遂申親親之恩義各有途不可為難矣○注貶置氏者○解云謂貶而置其氏矣○殺子至順也解云言殺子差輕於殺夫者欲道莊元年夫人孫于齊姜氏並去者正猶殺夫罪重故也言別逆順者言殺夫之逆甚於殺子二事相對而言之不謂哀姜殺子得為順是以晉侯宋公殺世子皆直稱君而甚之○注致者至録之○解云謂不書殺而書薨作常文是以於歸亦作常文録之若公之喪至自齊至自乾侯之屬○注言自至歸文○解云其實從夷來而言至自齊正以上文云薨於夷齊人以歸故言至自齊順之）二年春王正月城楚丘孰城（据內城不月故問之）【疏】（注据內至問之○解云內城不月若即隱七年夏城中丘襄十九年冬城西郛之屬是也其內城有在日月下者皆不蒙日月）城衛也曷為不言城衛（据無遷文以言城故當言城衛）【疏】（注据無至城衛○解云舊本曷為之下有不言二字今無者脫也言以前之經未有遷衛于楚丘之文今此城之個當言城衛不應言城楚丘故難之個字亦有作故字者言內是之故當言城衛）滅也孰滅之蓋狄滅之

有狄入衛【疏】滅也○解云言正由是時衛國已滅故不得言衛矣○注以上有狄入衛○解云即閔二年冬狄入衛是也曷爲不言狄滅之爲桓公諱也曷爲爲桓公諱上無天子下無方伯天下諸侯有相滅亡者桓公不能救則桓公恥之也然則孰城之據不出主名見桓公德優不恃之又不獨書齊實諸侯也○爲桓于僞反下爲桓曷爲注深爲同見桓賢徧反下傳荀息見幷注同桓公城之曷爲不言桓公城之不與諸侯專封也曷爲不與實與而文不與文曷爲不與諸侯之義不得專封諸侯之義不得專封則其曰實與之何上無天子下無方伯天下諸侯有相滅亡者力能救之則救之可也復發傳者君子樂道人之善也不繫衛者明去衛而國楚丘起其遷也不書遷與救次者深爲桓公諱使若始時尚倉卒有所救其後晏然無干戈之患所以重其在而厚責之主書者起文從實也○復扶又反卒寸忽反【疏】注不繫至遷也○解云欲決襄十年冬戍鄭虎牢繫鄭矣○注不書至責之○解云正決元年經次于聶北救邢邢遷于陳儀之文○注主書至實也○解云謂經文雖不與當從其實理而與之○夏五月辛巳葬我小君哀姜哀姜者何莊公之夫人也誅當絕不當以夫人礼書葬書葬者正齊桓討賊辟責內雖齊【疏】哀姜者何○解云欲言其妾經書小君欲言適妻與夫別謚故執不知問○註誅當至雖齊○解云即元年夫人氏之喪不言姜者是其誅文也上既誅之郎當合絕不以夫人之禮書葬而書葬者欲正齊桓討得其賊故也而言辟責內雖齊者公羊之例君弒賊不討不書其君葬責臣子不討賊令君喪無所繫矣今若不書葬即似責魯臣子不討齊桓故言正齊桓討賊辟責內雖齊耳○虞師晉師滅夏陽虞微國也曷爲序乎大國之上據稱師有加文知不主會○夏陽左氏作下陽【疏】注據稱至主會○解云即隱五年秋邾婁人鄭人伐宋注云邾婁小國序上者主會也然則邾婁小國稱人無加文而得序于鄭上者正由主會故也今虞爲小國而得稱師是有加文則知序于晉上者不爲主會既不爲主會而在大國之上故難之知稱師爲加文者正以小國例不得稱師其稱師者乃是大國將卑師衆之稱故也○使虞首惡也曷爲使虞首惡據楚人巴人滅庸不使邑首惡【疏】注據楚人至首惡○解云即文十六年秋楚人秦人巴人滅庸是案彼經有秦人而不言之者直取巴爲小國不序在上之意故省文○虞受賂假滅國者道以取亡焉其受賂奈何獻公朝諸大夫而問焉曰寡人夜者寢而不寐其意也何諸大夫有進對者曰寢不安與其諸侍御有不在側者與獻公不應荀息進曰虞郭見與猶曰虞郭豈見於君之心乎荀息素知獻公欲伐此二國故云爾○安與音餘下者與見與同應對之應郭音虢又如字注及下同○【疏】寢不至者與○解云言直置寢自不安與爲侍御之人有不在側者與其諸蓋爲辭矣故桓六年傳云公羊子曰其諸以病桓與彼注云其諸辭也則知論語云其諸異乎人之求之歟者其諸亦爲辭矣獻公揖而進之以手通指曰揖【疏】注以手通指曰揖○解云謂揖而招之言用拱揖并招引近巳若文七年傳云眣晉大夫使與公盟彼注云以目通指曰眣眣大結反又丑乙反遂與之入而謀曰吾欲攻郭則虞救之攻虞則郭救之如之何願與子慮之荀息對曰君若用臣之謀則今日取郭而明日取虞爾君何憂焉獻公曰然則奈何荀息請曰以屈產之乘屈產出名馬之地乘備駟也○屈貝物反之乘繩證反注及下同【疏】注屈產至駟也○解云謂屈產爲地名不似服氏謂產爲產生也○與垂棘之白璧垂棘出美玉之

也玉以尚白為美○䔲一本作䔲音同 往必可得也則寶出之內藏藏之外府 如虞可得猶外府藏也○內藏才浪反注同○ 【疏】注如虞至藏也○解云本藏下有之字 馬出之內廄繫之外廄爾君何喪焉獻公曰諾雖然宮之奇存焉如之何荀息曰宮之奇知則知矣 君欲言其知實知也○廄九又反○長息浪反知則音智下及注同○ 雖然虞公貪而好寶見寶必不從其言請終以往於是終以往虞公見寶許諾宮之奇果諫記曰脣亡則齒寒 記史記也○好呼報反 【疏】虞公貪而好寶○解云謂立性貪賄於寶甚也○請終以往○解云請君終竟齎寶馬以往不欲令其難之○ 虞郭之相救非相為賜 賜猶惠也 則晉今日取郭而明日虞從而亡爾君請勿許也虞公不從其言終假之道以取郭 明郭非虞不滅虞當坐滅人○ 【疏】注明郭至滅人○解示欲道序虞于晉上令其首惡之義也○ 還四年反取虞 還復往滅虞故言反 【疏】還四年反取虞○解云言晉人滅郭還歸其四年反往滅虞矣 虞公抱寶牽馬而至荀息見曰臣之謀何如獻公曰子之謀則已行矣寶則吾寶也雖然吾馬之齒亦已長矣蓋戲之也 以馬齒長戲之喻荀息之年老傳極道此者以終荀息宮之奇言且以為惑又惡獻公不仁以滅人為戲謔也晉至此乃見者著晉楚俱大國後治同姓也以滅人見義者比楚先治大惡親踈之別○牽本又作掔音同已長丁丈反注同惡烏路反謔許略反別彼列反○ 【疏】注以馬至謔也○解云言雖有謀年老必昏耄不任使故言蓋戲之○注晉至姓也○解云即莊十年秋九月荊敗蔡師于莘以蔡侯獻舞歸是先書楚小惡而治之也以前不見晉之小惡者後治同姓故也○注以滅

至之別○解云以前楚滅穀鄧不書之而先書此晉滅夏陽者先治同姓之大惡欲見骨肉之親大則誅小則隱故言親踈之別耳 夏陽者何郭之邑也曷為不繫于郭國之也曷為國之君存焉爾 【疏】夏陽者○解云欲言是國天下未有欲言是邑而不繫國故執不知問 ○秋九月齊侯宋公江人黃人盟于貫澤 江人黃人者何遠國之辭也 桓公總盛不嫌使微者知以遠國辭稱人○貫澤古亂反二傳無澤字 【疏】江人黃人者何○解云欲言是君經不稱子欲言微者得敵齊侯故執不知問 遠國至矣則中國曷為獨言齊宋至爾大國言齊宋遠國言江黃則以其餘為莫敢不至也 晉大于宋不序晉而序宋者特實晉楚之君不至霸功而勉盛德也江黃附從霸者當進不進者方為徧至之辭○遍至音遍下同 【疏】注江黃至進者○解云怡其不稱爵矣○注方為徧至之辭 解云言方為徧至之辭故直以遠國辭稱人若進而稱爵無以見徧至之義○ 冬十月不雨何以書記異也 說與前同 【疏】注說與前同者○解云即莊三十一年冬不雨傳云何以書記異也彼注云京房易傳曰旱異者旱久而不害物也斯祿去公室福由下作故陽雖不施而陰道獨行以成萬物也先是比築二臺奢于專政之應今此亦是僖公喜於得立委任陪臣不恤政事故有此罰耳故言說與前同○ 楚人侵鄭

三年春王正月不雨○夏四月不雨何以書記異也 太平一月不雨即書春秋亂世一月不雨未害物未足為異當滿一時乃書一月書者時僖公得立欣喜不恤庶衆比致三旱即能退辟正殿飭過求己循省百官放佞臣郭都等理寃獄四百餘人精誠感天不雩而得澍雨故一月即書善其應變改政旱不從上後傳者著人事之備積於是○太平音泰飭過音勑下同寃於元反澍之樹反 【疏】注太平至即書○解云正以太平之時陰陽和調若一月不雨足以為異其應應對之應後災祥之應皆放此

僖三年

故知然也○注當滿至即書○解云即莊三十一年冬不雨傳云何以書記異是也○注比致三旱○解云即上二年冬十月不雨三年春王正月不雨夏四月不雨是也○注即能至閔雨○解云皆閔精待決○注故一月即書○解云即去年十月不雨今年正月不雨夏四月不雨是也○注不從上發傳○解云即上二年十月不雨之下已發云何以書記異也今不從其例而又發之者欲著人事之備積于是故也○徐人取舒其言取之何據國言滅疏注據國言滅○解云即莊十年齊師滅譚十三年齊人滅遂之屬是也易也易者猶無守禦之備不爲拒諱者刺其不設備也○易以豉反注同爲于僞反疏注不至設也○解云決上元年二年狄滅邢滿皆爲桓公諱下書其滅也○六月雨其言六月雨何據上不雨書月不書月雨上雨而不甚也所以詳錄賢君憂民之應也疏注據上至不書○解云即十二年三年二月三月五月之屬皆不書疏注宣公至大旱○解云十五年初稅畝其冬蝝生宣年秋大旱明天人相與報應之際不可不察其意公受過其後不明年饑宜十六年冬大有年是也○注明天至其意○解云謂人行德天報之福人行惡天報之禍兩令相及故書之○秋齊侯宋公江人黃人會于陽此大會也曷爲末言爾末者末言曰據貫澤言盟疏注據貫至言盟○解云上二年齊侯宋公江人黃人盟于貫澤傳云江人黃人者何遠國之辭也遠國至矣則中國曷爲獨言齊宋至爾大國言齊宋遠國言江黃則以其餘爲莫敢不至也此經亦書齊侯宋公江人黃人故難之○注據貫澤言盟○解云謂貫澤亦大會言盟故據之桓公曰無障谷無障斷川谷專水利也水注川曰谿注谿曰谷○障之亮反一音章注同斷丁管反疏注水注至曰谷○解云釋水文李巡云水出于山入於川曰谿水相屬曰谷是陘○附中吕反無貯粟貯畜也無易樹子樹立也本正當立之子無以妾爲有無當相通妻此四者皆時人所患桓公功德隆盛諸侯咸曰無言不從故爲川盟戒故若誓而已○冬公子友如齊蒞盟蒞盟者何往盟乎彼也以日往

僖四年

蒞臨也時魯與齊都盟王者遣使臨諸侯盟飭以法度○蒞音利又音類注同以見賢遍反下同遣使所吏反疏注蒞盟者何○解云以言盟則不言蒞盟見經故執不知問其言來盟者何來盟于我也小國因魯而盟見王義使若來盟者何言蒞欲言非盟而書盟見法度之京師盟白事于王不加尊矣疏年春宋司馬華孫來盟之屬是也但此來盟以對之○注不加至尊矣○解云正以上經言蒞孫來盟者何○解云即文十五年春衛侯使孫良夫來盟之屬是也但此經既有蒞盟之文故引來盟以對之○注不加至尊矣○解云正以上經言蒞者見尊魯爲王之義今此來盟者已是就魯之文足見尊矣何勞言蒞以見之乎若其加蒞宜直云孫良夫蒞盟也○楚人伐鄭四年春王正月公會齊侯宋公陳侯衛侯鄭伯許男曹伯侵蔡蔡潰潰者何下叛上也國曰潰邑曰叛不與諸侯潰之爲文重出蔡者侵爲加蔡舉潰爲惡蔡錄義各異也月者善義兵也疏潰者何○解云侵者浅辭潰者深辭二者並書故執不知問○國曰潰邑曰叛○解云即襄二十六年衛孫林父入于戚以叛定十三年秋晉趙鞅入于晉陽以叛冬晉荀寅等入于朝歌以叛之屬是也○注月者善義兵○解云正以侵伐例時故也○注潰例月○解云即成九年經云庚申莒潰彼注云日者錄責中國無信同盟不能相救至爲夷狄所潰是也○注叛例時○解云即昔趙鞅書秋荀寅書冬之屬是也遂伐楚次于陘其言次于陘何據召陵不言次○陘音刑召上照反下文同疏注據召至言次○解云即定四年三月公會劉子晉侯已下于召陵侵楚是也○注來盟不言陘○解云即下文夏楚屈完來盟于召陵是也有俟也孰俟俟屈完也時楚強大恣暴不知臨蔡蔡潰恃楚威則多傷士衆桓公先犯其與國率受盟脩臣子之職不煩兵血刃以文德優柔服之故詳錄其以次待之善其重愛民□生事有漸故能則有功○屈居

□反卒寸忽反 疏 注善其至有功○解云言上事有漸者即先侵蔡乃遂伐楚是也言漸則有功者謂□□□公

舉事敵當則有成功矣 ○夏許男新臣卒 不言卒於師者師無危不月者爲下

盟去月方見大信○爲于僞反下爲桓公同夫起呂反見賢遍反 疏 注不言至無危○解云決成十三年曹伯

廬卒于師之屬皆以其有危故言于師矣○注不月至大信○解云正以莊二十三年冬十有一月曹伯射姑卒然則許與曹

皆等而不月者若會盟之例大信者時若不去月將其盟一个爲大信故也 ○楚屈完來盟于

師盟于召陵屈完者何楚大夫也何以不稱

使 據陳侯使袁僑如會○僑其驕反一本作驕音同 疏 屈完者何○解云欲言楚子經不書欲言大

夫文不言使故執不知問○注據陳至如會○解云即襄三年六月公會單子晉侯已下同盟于雞澤陳侯使袁僑如會

尊屈完也曷爲尊屈完 據陳侯使袁僑如會不尊之 以當

桓公也 增倍使若得其君以醇德成王事也 疏 注增倍至其君○解云倍讀如倍益之倍矣

其言盟于 注以開至事也○解云即下傳云桓公救中國而攘夷狄卒怗荊以此爲王者之事也

師盟于召陵何 據戊寅叔孫豹及諸侯之大夫及陳袁僑盟不舉會與地 疏 注據戊寅

至與也○解云在襄三年夏也彼經不言陳袁僑來盟于會盟于雞澤與此異故難之 師在召陵

也 將喜得屈完來服於陘服退次召陵與之盟故言盟于師盟于召陵 師在召陵則曷

爲再言盟 據齊侯使國佐如師己酉及國佐盟于袁婁俱從地不再言盟 疏 注據齊至言盟

○解云在成二年秋言俱從地者謂國佐從晉于袁婁也 喜服楚也 孔子曰書之重辭之復嗚呼不

可不察其中必有美者焉○重直用反又直容反之復扶又反年末同後同又音福 疏 注孔子曰至美者焉○解

云春秋說文 何言乎喜服楚 據服蔡無喜文 疏 注據服蔡無喜文○解云即上侵蔡蔡

潰是也 楚有王者則後服 桓公行霸至是乃服楚 無王者則

先叛 桓公不脩其師先叛則是也 疏 注桓公至是也○解云即下經六八月公至自伐楚傳云楚已

服矣何以致伐楚叛盟也彼注云叛桓公不脩其師而執濤塗故也者是 夷狄也而亟病

中國 數侵滅中國○亟去冀反數音朔 疏 注數侵滅中國○解云即莊十八年秋荊伐鄭者是其

數侵中國之文其數滅中國者即滅鄧穀之屬是也而經不書者彼注夷狄故也 南夷與北狄

交 南夷謂楚滅鄧穀伐蔡鄭北夷狄謂狄滅邢衛至于溫交亂中國 疏 注南夷至蔡鄭○解云楚滅鄧穀不

書而此言者正以上桓七年夏穀伯鄧侯來朝傳云皆何以名失地之君也故知之伐蔡鄭者謂蔡鄭服從

楚即上經齊侯侵蔡蔡潰是伐蔡者蓋是蔡爲楚之屬矣其鄭者蓋見莊十五年鄭人侵宋十六年夏宋人齊人

衛人伐鄭之文也何者莊十五年時正是桓公爲霸宋爲齊屬而鄭侵之豈不怒乎其從楚而侵宋也蓋于時鄭人文服于齊是以十六年

秋荊伐鄭故此注云蔡鄭矣○注北夷至中國○解云狄滅邢衛在閔元年二年狄滅溫在僖十年溫言至于者以其

在後故言至于僖十年文滅溫也或者溫是畿內之國云京師近故言至于矣

中國不絕若綫 綫喻微也綫帛縷以喻微○綫思賤反 桓公救

中國 存邢衛是也 而攘夷狄 攘却也北伐山戎是也○攘如羊反却也 卒怗

荊 卒盡也怗服也荊楚也○怗他協反一本作貼服也劉兆同音雅云靜也王篇文丁篋反一本作怗或音章涉反

以此爲王者之事也 言桓公先治其國以及諸夏治諸夏以及夷狄如王者爲

之云爾 其言來何 據陳袁僑如會不言來 與桓爲主也 以從內文知與

桓公爲天下霸主 前此者有事矣 謂城邢衛是也 疏 注謂城邢衛是也○解云即上

九年夏六月齊師宋師曹師城邢二年春王正月城楚丘城衛也是 後此者有事矣 謂城

緣陵是也 疏 注謂城緣陵是也○解云即下十四年春諸侯城緣陵是也 則曷爲獨於

此焉與桓公爲主序績也 序次也績功也累次桓公之功德莫大於服楚

明德及強夷最盛 ○齊人執陳袁濤塗 濤塗之罪何 辟

軍之道也其辟軍之道奈何濤塗謂桓公曰

君既服南夷矣何不還師濱海而東服東夷且歸濱音賓涯也濱海而東也東夷吳也從召陵東歸不經陳而過近海道多廣澤水草軍所便也○濱擬川反解涯五佳反又音宜下同濱音賓涯〔疏〕云濱循也謂循海近海道○解五佳反近附近之近便婢面反海之道也桓公曰諾於是還師濱海而東大陷于沛澤之中草棘曰沛澤曰澤○沛補具反又普具反〔疏〕注草棘至曰澤音濟曰沛澤曰澤○沛音具又普具反解云爾雅無文也顧而執濤塗時濤塗與桓公俱行執者曷爲或稱侯或稱人稱侯而執者伯討也言有罪者方伯所宜討〔疏〕執者曷爲或稱侯○解云即下二十八年晉侯執曹伯畀宋人成十五年晉侯執曹伯歸之于京師之屬是也稱人而執者非伯討也此執有罪何以不得爲伯討古者周公東征則西國怨西征則東國怨此道周公東征四國是皇〔疏〕注此道至時也○解云此道周公之時也詩云注至時也以諸典不見周公西討之文故也桓公假塗于陳而伐楚則陳人不欲其反由己者師不正故也言故令濤塗有此不以己所招而反執人古人所不爲〔疏〕注凡書至專執○解云言雖有脩其師而執濤塗古人之討則不然也此凡書執者悉其專執罪方伯所宜討要須曰天子乃可執之秋及江人黃人伐陳○八月公至自伐楚楚已服矣何以致伐楚叛盟也爲桓公不脩其師而執濤塗故也月者凡公出三時〔疏〕秋及至伐陳○解云內之微者矣○楚諱月危公之久〔疏〕已至致伐○解云莊六年傳云得意致會不得意致伐今此楚已服而致伐故難之○注凡公至之久○解云即此僖公春去秋乃還而云八月公至自伐楚又襄二十八年冬公如楚二十九年夏五月公至自楚之屬皆是危而久之文字亦有作之字者案莊五年冬公會齊人已

下伐衛至六年秋八公至自伐衛亦書月不書時者彼注云久不月者不與伐天子也故不爲危錄之者是○葬許繆公曹伯卒葬於所傳聞世若前後小大次〔疏〕注曹後至解云所傳聞之世微國卒葬例不錄之今許得書葬故注解也何者正以曹許雖非大國亦非微故得錄見也知許大小次曹後者案僖五年夏公及齊侯宋公陳侯衛侯鄭伯許男曹伯會王世子于首戴許在曹上者正是會盟之序皆是主會次之非孔子之意不必得其正故何氏不以爲妨矣若然案昭十二年傳云春秋之信史也其序則齊桓晉文其會則主會者爲之也彼注云非齊桓晉文則如主會者爲之雖優劣大小相越不改更信史也又云其詞則丘有罪焉爾彼注云在孔子名其與絕譏刺之辭有所失者是丘之罪然則首戴之會正是齊桓爲伯之時而云許在曹上皆是主會者次之未必得其正者案下五年之會注云世子所以會者時桓公德衰諸侯背叛故上假王世子示以公義然則桓公德衰故晉在許下仍自不妨小于曹則知昭十二年傳云其序則齊桓晉文者據其盛時大判言耳○冬十有二月公孫慈帥師會齊人宋人衛人鄭人許人曹人侵陳月者刺桓公不脩其師因見患誑不內自責乃復加人以罪○慈左氏作茲誑九況反〔疏〕注月者至以罪○解云正以侵伐例時今此書月故須主解也言因見患誑者言因見不脩其師之故而爲陳之所苦患遂爲所調誑矣

五年春晉侯殺其世子申生曷爲直稱晉侯以殺據鄭殺其大夫申侯稱國也續問以殺者問殺所稱例爾非謂晉侯不當稱國辭也〔疏〕注據鄭至例爾○解云即下七年夏鄭殺其大夫申侯是也○注非謂至罰也○解云若直問曷爲直稱晉侯即嫌時不合稱晉侯傳須云以殺明其但怪向故稱晉侯以殺耳殺世子母弟直稱君者甚之也甚之者甚惡殺親親也春秋公子貫於先君唯世子與母弟以今君錄親親也今舍國體直稱君知以親親書之○舍音捨〔疏〕注今舍國體○解云謂不直言晉殺申生也○杞伯姬來朝其子其言來朝其子何據微者不當書朝連來者內辭也與其子來者間

自來邪爲下朝出○爲下于偽反疏注據微至書朝○解云即隱十一年傳云諸侯來曰朝大夫來曰聘是也○注直來至朝出○解云直來者即莊二十七年冬紀伯姬來傳云其言來何直來曰來大歸曰來歸是也今此傳又何故不云其言朝其子何而連來問之者欲問伯姬者爲見無事而來欲見有事言來者爲是朝其子而出之○

內辭也與其子俱來朝也因其與子俱來禮外孫初冠有朝外祖之道故使若來朝其子以殺直來之恥所以辟教戒之不明也微無君命言朝者服非實○冠古亂反疏注禮外至之道解云正以士冠禮冠訖見于母見于兄弟入見于姑姊乃易服玄冠玄端爵韠奠摯見于君遂以摯見于鄉大夫鄉先生鄭氏云易服不朝服者非朝事也摯雉也鄉先生鄉中老人爲卿大夫致仕者然先生猶尚見之既其外祖乎故言外孫初冠有朝外祖之道○注微無至非實○解云正見桓九年曹伯使其世子射姑來朝彼言使來朝則有君命今既是微人復不言使而經書朝明其非實也書○夏公孫慈如牟○牟莫侯反○公

及齊侯宋公陳侯衛侯鄭伯許男曹伯會王世子于首戴爲殊會王世子據宰周公不殊別也○首戴左氏作首止別彼列反疏注據宰至別也○解云即僖九年公會宰周公齊侯宋子已下于葵丘是也世子貴也世子猶世世子也解貴意也言當世父位儲君副主不可以諸侯會之爲文故殊之使若諸侯爲世子所會也自王者言之以嫌疑世子在三公下禮喪服斬衰曰公士大夫之衆臣是也自諸侯言之世子尊於三公此禮之威儀各有所施言及者因其文可得見汲汲也世子所以會者時桓公德衰諸侯背叛故上假王世子示以公義疏注使若諸至會也○解云使若世子爲會主致諸侯於此而會之故言使若諸侯爲世子所會也○注自王至是也○解云何氏引喪服者欲言三公臣有爲之斬衰世子則無是卑於二公之義○注自諸至所施○解云即殊與不殊是也何者世子於諸侯將有君臣之義故也○注言及至會者○解云及汲汲之文故隱元年傳云及猶汲汲也我欲之然則此言及者因會王世子之經得見魯侯汲汲于齊桓矣○注時桓至公義○解云即上四年傳文桓公不脩其師楚叛盟下文鄭伯逃歸不盟九年葵丘之盟書日以見危之屬皆是也○秋

八月諸侯盟于首戴諸侯何以不序據上會序一事而再見者前目而後凡也省文從可知間無事不省諸侯會盟一事不序重者時世子不與盟○見賢遍文省文所景反下同與音預疏注間無至諸侯○解云昭十三年秋公會劉子晉侯已下于平丘八月甲戌同盟于平丘然則彼經以其間無事不重言諸侯今重言諸侯盟于首戴故解之○注會盟至與盟○解云文十四年公會宋公陳侯衛侯已下同盟于新城然則彼是會盟一事舉盟以爲重不言會于某今此會盟並處故須解之也言時世子不與盟者若不言諸侯則恐世子亦豫之盟故須言諸侯盟于首戴則世子不與可知○

鄭伯逃歸不盟其言逃歸不盟者何據上言諸侯鄭伯在其中弟子歸故疑不知問疏注據上至其中○解云亦有無據字者非正本不可使盟也時鄭伯內欲與楚外依古不盟爲解安居會上不肯從桓公盟故後言不盟○解古賣反疏注時鄭伯至不盟解云知古不盟者正見桓三年夏齊侯衛侯胥命于蒲傳云胥命者何相命也何言乎相命近正也此其爲近正奈何古者不盟結言而退是也

不可使盟則其言逃歸何據後言不盟罷會上魯子曰盖不以寡犯衆也諸侯以義相約而鄭伯懷二心依古不肯盟故言逃歸所以抑一人之惡申衆人之善故云爾○楚人滅弦弦子奔黃○

九月戊申朔日有食之此象齊桓德衰是後楚遂背叛狄伐晉滅溫晉里克弒其二君○弒申志反疏注楚遂背叛○解云即下六年秋楚人圍許之屬是也○注狄伐晉滅溫○解云即下八年夏狄伐晉十年春狄滅溫之屬是也○注晉里克弒其二君○解云即下九年冬晉里克弒其君之子奚齊十年春晉里克弒其君卓子是也○冬晉人執虞公虞已滅矣其言執之何據滅言以歸上傳云四年反取虞去滅變以歸言執○去起呂反下同疏注據滅言以歸解云即定六年鄭游遬帥師滅許以許男斯歸之屬是也○注上傳至取虞○解云在上二年○注知去至言執○解云注言此者欲解傳家得虞已滅矣之辭耳不與滅也曷爲不與滅

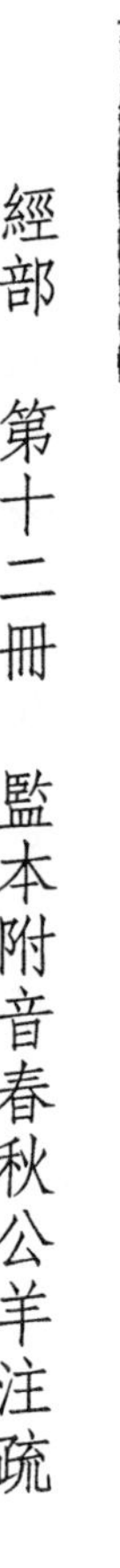

亡國之善辭也言滅者亡者起當存之故爲善辭滅者上下之同力者也言滅者臣子與君戮力一心共死之辭也不但去滅復去以歸言執者明實公滅人以自亡當絕不得責不死位也晉稱人者本滅而執之不以王法執治之故從執無罪辭也虞稱公者奪正爵起從滅也不從滅例月者略之。○戮音六又作勠力彫反

六年春王正月。夏公會齊侯宋公陳侯衛侯曹伯伐鄭圍新城邑不言圍此其言圍何彊也惡桓公行霸彊而無義也鄭背叛本由桓公過陳不以道理當先脩文德以來之而便伐之彊非所以附疏。○彊其良反。秋楚人圍許諸侯遂救許。冬公至自伐鄭鄭事遝蔡救許以伐致者舉不得意疏注事遝至得意。解云莊六年傳云得意致會不得意致伐今此以伐致故云舉不得意然伐鄭救許皆不得意故以伐致或者但伐鄭不得意兵猶復用於鄭故舉其不得意者言之即下七年春齊人伐鄭是也

七年春齊人伐鄭。夏小邾婁子來朝至是所以進稱爵者時附從霸者朝天子旁朝罷行進齊桓公白天子進之固因其得禮著其能以爵通疏注至是至爵者。解云如此注者欲決莊五年秋郳犂來來朝之文。注時附至爵通。解云正以得進而稱爵故如此解小邾婁子朝天子不書者例所不錄也今朝魯而謂之旁朝者正以諸侯之法五年一朝天子但是常事故不書之欲對朝王爲正朝故謂之旁朝案莊十一年滕侯薛侯來朝皆以其來朝新王故進稱侯今此邾不由朝新王而得進者正以僖公非受命之王故也。○鄭殺其大夫申侯其稱國以殺何據晉侯殺其世子申生稱侯疏注據晉至稱侯。解云在上五年春稱國以殺者君殺大夫之辭也諸侯國體以大夫爲股肱士民爲肌膚故以國體錄。○秋七月公會齊侯宋公陳世子款鄭世子華盟于甯母

○款苦管反毋音無或音牟

曹伯般卒。○公子友如齊。○冬葬曹昭公

監本附音春秋公羊註疏僖公卷第十

監本春秋公羊註疏僖公卷第十一 起八年盡三十三年

何休學

八年春王正月公會王人齊侯宋公衛侯許男曹伯陳世子款鄭世子華盟于洮。王人者何微者也曷為序乎諸侯之上先王命也衛侯毋命會諸侯諸侯當北面受之故尊序於上時桓公德衰衛侯毋之盟當會者不至而陳鄭又遣世子故上殿王人之重以自助○洮〔疏〕注衛侯毋云不至○解云在上七年傳也其常會之盟者不至以衛侯許男已下不至也○注而陳鄭又遣世子○解云即世子款世子華之屬是也

鄭伯乞盟。乞盟者何處其所而請與也以不序也〔疏〕乞盟者何○解云正以盟有常所而請與也〔疏〕事自應得與今而言乞故執不知問其處其所而請與也蓋酌之也酌挹也鄭伯欲與其國遣使挹取其血而請與之約束無汲汲慕中國之心故抑之使若叩頭乞盟者也不錄使者方鄭伯使若自來也不盟不為大惡者古者不盟也○遣使所使反下疑使同〔疏〕注不盟不為大惡○解云知非大惡者正以鄭伯不疑不絕故也若其是大惡宜如陳佗之賤爵而書名也知古者不盟者桓三年傳云古者不盟結言而退是也

夏狄伐晉。秋七月禘于太廟用致夫人。用者何用者不宜用也致者何致者不宜致也禘用致夫人非禮也以致文在廟下不使入廟知非禮也禮夫人始見廟當特祭而因禘諸公廟見欲以省煩勞不謹敬故譏之不日者不用失礼明○大音泰始見賢徧反下同省所景反〔疏〕用者何○解云欲言失禮而經不明欲言得禮而文言用故執不知問○致者何○解云見夫見廟禮當特祭禘而言致故執不知問○比禮夫至特祭○解云正以三月見廟見廟期限明其不得因禘為之故知然也○注不日至礼明○解云正以隱五年考仲子之宮下注云失禮鬼神例日然則此亦失禮而不書日故知用在廟下失禮已明不勞舉日也○

夫人何以不稱姜氏貶曷為貶譏以妾為妻也據夫人姜氏入不貶〔疏〕注據夫至不貶○解云即莊二十四年八月丁丑夫人姜氏入是也以妾為妻也〔疏〕注夫人姜氏入廟當稱婦姜而稱夫人者夫人當坐篡嫡故也下同○以妾之事嫡猶臣之事君同○篡嫡初患反下音的以逆不書○解云言入廟至不書○解云欲道傳家知以妾為妻者正以初逆不書與桓莊之屬夫人文異故也○入廟當至嫡也○解云言入廟當稱婦者正以婦者服也對舅姑服從之辭也今而稱夫人作不服之稱明其有篡嫡之心欲得為夫人是以稱之曰夫人見其當有篡嫡之罪矣猶如桓宣篡弒得即位是以春秋亦如其意書其即位明其本意耳○注妾之事嫡猶臣之與君同○解云注言此者欲道妾之篡嫡欲得為夫人而春秋書之曰夫人猶如臣子篡君欲得即位而春秋亦書其即位之義矣

其言以妾為妻奈何蓋脅于齊媵女之先至者也以不致楚女及夫人至皆不書也僖公本聘楚女為嫡齊女為媵齊先致其女脅僖公使用為嫡故致父母辭言致不書夫人及楚女至者起齊先致其女然後脅魯立也楚女未至而豫廢故皆不得以夫人至書也〔疏〕注僖公至為媵○解云春秋說文○注故從至言致○解云即成九年夏季孫行父如宋致女是也○注起齊至書也○解云皆欲道若齊女未至而已脅魯之時可以書其至今先致其女乃後脅魯為夫人其初至之時乃為媵妾是以不得書其至矣○

冬十有二月丁未天王崩。惠王也

九年春王三月丁丑宋公禦說卒。何以不書葬為襄公諱也襄公背殯出會宰周公有不子之惡後有征齊憂中國尊周室之心功足以除惡故諱不書葬使若非背殯也○說音悅為襄于偽反下注為天為桓皆同〔疏〕何以不書葬○解云正以隱十一年公薨之下傳云何以不書葬彼注云據葬然則彼已有解故不重釋○注襄公至周公○解云在下經文○注後有至殯也○解云即下十八年傳云曷為不使齊主之與襄公之征齊也桓公死豎刁易牙爭權不葬為是故伐齊之文是也

夏公會宰周公齊侯宋子衛侯鄭伯許男曹伯于葵丘。宰周公者何天子之為

僖吉列校　公羊疏十一　二　余天礼

政者也宰猶治也三公之職號尊名也以加宰知其職大尊重當與天子參聽萬機而下為諸侯所會惡不勝其任也宋未葬不稱子某者出會諸侯非尸柩之前故不名○惡不烏路反勝音升疏宰周公者何○解云欲言三公而文加宰欲言伊上經書周公故執不知問○注宰猶治也○解云正以宰者知治之名得為治事之義○注而下至其任也○解云如此注者欲決上五年首戴之會總序諸侯乃言會王世子若以世子為會主致諸侯于此會而會之然也今此宰周公文與彼異故知下為諸侯所會○注宋未葬至不名○解云莊三十二年傳云君存稱世子君薨稱子某既葬稱子踰年稱公然則宋未葬宜稱子某而單稱子者非尸柩之前無父前子名君前臣名之義知宋未葬者正以宋公之卒在上三月下有七月之文當此之特未滿五月是以知其未葬若然案桓公十一年鄭忽出奔傳云忽何以名注云据宋子既葬稱子者正以其非居尸柩前故作既葬之稱非謂葬訖其說在彼○秋七月乙酉伯姬卒此未適人何以卒据杞叔姬不卒疏此未適人何以卒○解云正以文無所繫知其未適人○注据杞叔姬不卒解云宜作伯姬字即莊二十七年春公會杞伯姬于洮注云伯姬不卒者蓋不與卒于無服此未適人何以卒乎故難之也案春秋之內唯有杞叔姬來歸成八年冬杞叔姬卒更無叔姬不卒之事故如此解許嫁矣婦人許嫁字而笄之字者尊而不泄所以遠別也笄者簪也所以繫持髮象男子飾也服此者明繫屬於人所以養貞一也婚礼曰女子許嫁笄而醴之稱字○笄古兮反泄息列反別彼列反簪側林反疏注字者至遠別也○解云正以字尊於名故言尊而不泄所以遠別者正以內之公子為大夫者卒皆稱名而內女許嫁卒而稱字者所以遠別之故也○注婚礼曰至稱字○解云士婚禮記文彼注云許嫁已受納徵礼也笄女之禮猶冠男也使主婦女賓執其禮是也死則以成人之喪治之不以殤禮降也許嫁卒者當為諸侯夫人有即貴之漸猶俠卒此日者恩尤重於未命大夫故從諸侯夫人例○俠音協疏注許嫁卒者至夫人○解云則知許嫁於大夫者不卒之何者為大夫妻者賤雖至其家卒猶不書況其許嫁乎○注猶俠卒也○解云在隱九年春三月俠卒彼傳云俠者何吾大夫之未命者也彼注云未命所以卒之者賞疑從重然則未命大夫所以卒之以其將為大夫有即貴之漸賞疑從重故錄之今此許嫁之女亦有將為諸侯夫人之漸故得書之○注日者至夫人例○解云以俠卒不日故言日者恩尤重於未命大夫故從諸侯夫人之卒例皆書日成八年冬十月癸卯杞叔姬卒之屬是也故言從諸侯夫人例○九月戊辰諸侯盟于葵丘桓之盟不日此何以日危之也何危爾貫澤之會桓公有憂中國之心不召而至者江人黃人也葵丘之會桓公震而矜之叛者九國下伐厲善義兵是也會不書者叛也叛不書者為天子親遣三公會之而見叛故上為天子下為桓公諱也會盟一事不舉重者所會宰周公不與盟○不預音豫疏貫澤之會○解云即上二年秋九月齊侯宋公江人黃人盟于貫是也而此言于貫澤者蓋地有二名然則案彼經盟此言會者舉其初會而言也彼直書盟者舉重故也○注下伐至是也○解云即下十五年秋七月齊師曹師伐厲注云月者善錄厲兵屬祭兵之會叛天子之命也者是也○注會不至叛也○解云言厲等九國亦在于會而葵丘之會不書之者以其叛天子之命故不錄之但書曹伯以上于會○注會盟至不與盟○解云正以文十四年公會宋公已下同盟于新城然則彼是會盟一事舉盟以為重不言會于其今此會盟並舉故須兩解之言解周公是時實不與盟若言公會宰周公齊侯已下盟于葵丘則是文害其義不舉盟直書上會會輕於盟失舉重之例矣以此之故必須兩舉書云諸侯盟于葵丘則知周公不與盟矣震之者何猶曰振振然亢陽之貌疏震之者何○解云欲言是善而盟書日欲言其惡賢伯所為故執不知問○矜之者何猶曰莫若我也色自美大之貌疏矜之者何○解云既名賢伯美見天下而取夸矜異于本行故執不知問○注色自美大之貌○解云謂其顏色自有美大之勢○甲戌晉侯詭諸卒不書葬者殺世子也○詭九委反疏注不書葬者殺世子也○解云在上五年春凡君殺無罪大夫例云其葬弃以絕之○冬晉里克弒其君之子奚齊此未踰年之君其言弒其君之子奚齊何据弒其君舍不連先君連名者上不書葬子某

公羊疏十一　三

公羊疏十一　四

弑君名未明也○殺其音弑下及注放此【疏】注据弑至先君○解云即文十四年齊公子商人弑其君舍是也○注連名至未明也○解云言名未明者弟子本意正欲問弑其君之子而連奚齊何之者恐人不知奚齊之名為是先君未葬稱子某以君子般子野之屬是也為是被弑之故猶名以君諸兒卓子之屬是也是以脩名讀弑問之欲使後人知其稱名之義

殺未踰年君之號也欲言弑其子奚齊嫌無君文與殺大夫同欲言弑其君又嫌與弑成君同故引先君冠子之上則弑未踰年君之號定而坐之輕重見矣加之者起先君之子不解名者解言殺從弑名可加也弑未踰年君例當月不月者不正遇禍終始惡明故略之○冠古亂反見賢徧反【疏】注則弑至見矣○解云言罪差於成君與殺大夫異矣○注加之至之子○解云若不加之嫌是君子為一人故○注不解名至知也○解云正以傳云弑未踰年君之號止答上云其言弑其君之子何之文故云不解名矣既解言弑則書奚齊之名由弑之故明矣是以不復答之○注弑未踰至略之○解云正以隱四年春戊申衛州吁弑其君完注云日者從外赴辭以賊聞例然則弑成君者例書日即昔八年冬十一月癸未齊無知弑其君諸兒之屬是弑成君者例既書日知弑未踰年君當月明矣今此不月故須解之

僖吉劉校　公疏十一　運司蔡重校　五　陳青

十年春王正月公如齊書如者録內所與外交接也故如京師善則月榮之如齊晉善則月安之如楚則月危之明當尊賢慕大無友不如己者月者僖公本齊所立桓公德衰見叛獨能念恩朝事之故善録之○【疏】注故如京至榮之○解云即成十三年春三月公如京師彼注云月者善公尊天子是○注如齊至安之○解云即襄二十一年春王正月公如晉彼注云月者溴梁之盟後中国方乖離善公獨能與大国是也○注如楚則月危之○解云即襄二十八年十一月公如楚彼注云如楚皆月者危公朝夷狄也必如此注者正以朝聘例時而書月故須解矣○注明當尊賢慕大○解云正覆如齊晉則月安之○注無友不如己○解云覆如楚則月危之○狄滅溫○溫子奔衛○晉里克弑其君卓子及其大夫荀息○及者何累也弑君多矣舍此無累者乎曰有孔父仇牧皆累也舍孔父仇牧

傳一本作傅

無累者乎曰有有則此何以書賢也何賢乎荀息据與孔父同○君卓子勑角反又丁角反左氏經無子字舍音捨下同【疏】及者何○解云君之與臣尊卑異等今而言及故執不知問○累也○解云桓二年注云累累從君而死齊人語也則彼已有解故此處不復注之○曰有○解云桓二年注云叔仲惠伯是也○何賢乎註据與孔父同○解云桓二年傳云何賢乎孔父注云据叔仲惠伯不賢然則此言据與孔父同者謂與孔父同据叔仲惠伯矣荀息可謂不食其言矣不食言者不如食受之而消亡之以奚齊卓子皆立【疏】注以奚至皆立○解云欲指不食無言之事狀矣○其不食其言奈何奚齊卓子者驪姬之子也荀息傳焉禮諸侯之子八歳受之少傅教之以小學業小道焉履小節焉十五受大傅教之以大學業大道焉履大節焉○驪力知反少詩照反大傅音泰【疏】註禮諸侯至節焉○解云皆藝文志文也注云小道小節正謂始甲典覔師受業大道大節謂傳習盡誠也驪姬者國色也其顔色○

僖言劉校　公疏十一　六　王進富

國之選○選息戀反獻公愛之甚欲立其子於是殺世子申生申生者里克傅之獻公病將死謂荀息曰士何如則可謂之信矣獻公自知廢正當有後患欲託二子於荀息故動之云爾荀息對曰使死者反生生者不愧乎其言則可謂信矣荀息察言觀色知獻公欲為奚齊卓子來動已故荅之云爾○欲為于偽反下文為文公不為故為皆同獻公死奚齊立里克謂荀息曰君殺正而立不正廢長而立幼長謂重耳○長丁丈反注同○如之何願與子慮之荀息曰君嘗訊臣矣上問下曰訊臣者明君臣相與言不可負○訊音信上問曰下訊臣對曰使死者反生生者不愧乎其言則可謂信矣里克知其不可

與誅退弒奚齊荀息立卓子里克弒卓子荀息死之荀息可謂不食其言矣 起時立不背死鄉故去殺與故荀息一受君命終身死之故言及與孔父同義不日者不正遇禍終始惡明故略之。背音佩鄉許亮反（疏）注言至同義。解云桓二年宋督弒其君與夷及其大夫孔父彼注云言及者使上及其君若附大國以名通明當封爲附庸不絕其祀所以重社稷之臣也今荀息一受君命終身死之言及亦使上及其君若附大國以名通明當封爲附庸不絕其祀所以重社稷之臣故云與孔父同義。注不日者至故略之。解云正以成君見弒者例書日今此不日故解之。

。夏齊侯許男伐北戎。晉殺其大夫里克 里克弒二君則曷爲不以討賊之辭言之 據衛人殺州吁（疏）注據衛人殺州吁。解云即隱四年九月衛人殺州吁于濮是也 惠公之大夫也 此乃惠公篡立已定晉國君臣合爲一體無所復責故曰惠公之大夫欲以討賊之辭言之。所誅[illegible]

然則孰立惠公 欲難殺之意。難乃旦反下同 里克也里克弒奚齊卓子逆惠公而入里克立惠公則惠公曷爲殺之惠公曰爾既殺夫二孺子矣 孺子小子也奚齊卓子時皆幼小。夫音扶孺如住反。 又將圖寡人 圖我如二孺子。 爲爾君者不亦病乎於是殺之然則曷爲不言惠公之入 據書小白入于齊 晉之不言出入者踊爲文公諱也 踊豫也齊人語若關西言渾矣獻公殺申生文公與惠公恐見及出奔不子當絕還入爲篡文公功足以并掩前人之惡故惠公入懷公出文公入渾皆不書惡爲文公諱故也爲文公諱者欲明文公之功大也語在下懷公者惠公子也惠公卒懷公立而秦納文公故出奔惠公文公出奔不書者非命嗣也。踊音勇豫也言渾戶昆反又戶本反下同（疏）注臣尚無去義況於兄子乎[illegible]惠公文公庶子[illegible]解云正以同姓之[illegible]

秋九字一本作秋七

假令不去亦不殺之故知去之宜當絕矣 齊小白入于齊則曷爲不爲桓公諱桓公之享國也長美見乎天下故不爲之諱本惡也文公之享國也短美未見乎天下故爲之諱本惡也 桓公功大善惡相除足封有餘較然爲天下所知文公功少嫌未足除身篡而有封功故爲之諱并不言惠公懷公出入者明非獨足以除身篡而已有足封之明較也美不如桓公之功大。美見賢遍反下同較然音角下同。

。秋七月。冬大雨雹。（疏）解云左氏作雹。 何以書記異也 夫人專愛之所生也。雨于付反雹步角反。解云蓋是女而專取君愛故生此雹災

十有一年春晉殺其大夫丕鄭父。 丕普悲反（疏）丕鄭父。解云左氏經無父字。 。夏公及夫人姜氏會齊侯于陽穀。秋八月大雩。 公與夫人出會不恤民之應。 冬楚人伐黃

十有二年春王三月庚午日有食之 是後楚滅黃狄侵衛（疏）注是後楚滅黃狄侵衛。解云在今年夏十三年春。 。夏楚人滅黃。秋七月。冬十有二月丁丑陳侯處臼卒。 處臼左氏作杵臼（疏）夏楚人滅黃。解云莊十年冬十月齊師滅譚十三年夏六月齊人滅遂然則滅例月而此不月者所傳聞之世始錄夷狄滅小國也

十有三年春狄侵衛。夏四月葬陳宣公。公會齊侯宋公陳侯衛侯鄭伯許男曹伯于鹹 桓公自貫澤陽穀之會後所以不復與小國者從一法之後小國言從令行大國唯曹許以上乃會。鹹音咸。 。秋九月大雩 由陽穀之會不恤民復會于鹹[illegible]須[illegible]之應

注由陽至之應。解云謂上十一年夏公及夫人姜氏會齊侯于陽穀是。冬公子友如齊。

十有四年春諸侯城緣陵。孰城之。諸侯不序故問誰城。疏注諸侯至誰城。解云案上二年春王正月城楚丘傳云孰城之彼注云据內城不月故問之然彼經書月故得此解此經不月傳云孰城之漫道諸侯無所指斥緣陵之城由來有故怪而問之。城杞也。曷為城杞。滅之。孰滅之。蓋徐莒脅之。以下皆狄徐也言會首杞王者之後尤微是見恐曷而亡。恐丘勇反曷火葛反。疏注以下至曷而亡。解云即下十五年冬楚人敗徐于婁林注云謂之徐者為滅杞不知尊先聖法度惡重故狄之也文七年冬徐伐莒彼注云謂之徐者前共滅王者後不知尊先聖法度今自先杞文對事連可以起同惡莒在下不得狄故復狄徐也一罪再狄者明為莒狄之亦是也。曷為不言徐莒脅之。為桓公諱也。曷為為桓公諱。上無天子，下無方伯，天下諸侯有相滅亡者，桓公不能救，則桓公恥之也。然則孰城之。桓公城之。曷為不言桓公城之。不與諸侯專封也。曷為不與。實與而文不與。文曷為不與。諸侯之義不得專封也。諸侯之義不得專封，則其曰實與之何。上無天子，下無方伯，天下諸侯有相滅亡者，力能救之，則救之可也。輒發傳者與城衛同義言諸侯者時桓公德衰待諸侯然後乃能存之外城不月者文言諸侯非內城明矣。為桓于偽反下為桓為天下并注臣為同。疏注外城至明矣。解云正以隱七年夏城中丘襄十九年冬城西郭城武城之屬是內城不月外城月者即上元年夏六月城邢二年春王正月城楚丘之屬是也今此不月正以文言諸侯非內城同外城故也又昭三十二年冬城成周不月者以城天子之與內同。夏六月季姬及鄫子遇于防，使鄫子來朝。鄫子曷為使乎季姬來朝。据使者臣為君銜命文也。內辭也，非使來朝，使來請己也。使來請要已以為夫人下書歸是也禮男不親求女不親許魯不防正其女乃使要遮鄫子淫泆使來請已與禽獸無異故卑鄫子使乎季姬以絕賤之也月者甚惡內也。要一遙反遮諸奢反泆音逸惡烏路反。疏注下書歸是也。解云即下十五年季姬歸于鄫是也。注禮男不親求。解云即昏禮不稱主人之屬是也。女不親許。解云即致女之禮是也。注以絕賤之也。解云謂絕而賤之不以為諸侯也。注月者甚惡內也。解云正以遇例時即隱四年夏公及宋公遇于清八年春宋公衛侯遇于垂莊三十年冬公及齊侯遇于魯濟之屬是也今此月者甚惡內也范氏云魯女無故遠會諸侯遂得淫通此亦事之不然左傳曰鄫季姬來寧公怒之以鄫子不朝遇于防而使來朝此近合人情何氏以為鄫魯相近信使洪通男女之情或適合未由無禮容或有之若姜氏如莒之流寧可然問也。秋八月辛卯，沙鹿崩。沙鹿者何。河上之邑也。此邑也，其言崩何。据梁山言崩。疏沙鹿者何。解云欲言是邑邑無崩道欲言其山文無山稱故執不知問。注据梁山言崩。解云即成五年夏梁山崩是也。襲邑也。襲者嘿陷入于地中言崩者以在河上也河崩有高下如山有也矣故得言崩也。疏注襲者至地中。解云謂嘿然而陷矣。沙鹿崩何以書。記異也。外異不書，此何以書。据長狄之齊晉不書。疏注据長至不書。解云即文十一年傳云狄者何長狄也兄弟三人一者之齊一者之魯一者之晉其之齊者王子成父殺之其之魯者叔孫得臣殺之則未知其之晉者也何以書記異也然則長狄之齊晉皆不書之是外異不書也。為天下記異也。土地者民之主霸者之象也河者陰之精為下所襲者此象天下異齊桓將卒霸道毀夷狄動宋襄承其業為楚所敗之應而不繫國者起天下異。疏注宋襄至天下異。解云即下二十二年冬十一月己巳朔宋公及楚人戰于泓宋師敗績是也。狄侵鄭。冬蔡侯肸卒。不書葬者潰當絕也不月者賤其背中國而附父讎故略之甚也而立不書者父[illegible]以父立非篡也。

僖十四年

○肸許乙反注同背音佩【疏】注不月至篡也○解云正以大國之卒例合書日即隱八年夏六月己亥蔡侯考父卒之屬是也今此反不月者故言略之甚也其父者即蔡侯獻武莊公十年為楚所獲而卒於楚故謂楚為父讎上四年齊侯已下侵蔡蔡潰遂伐楚是其背中国附父讎之事

十有五年春王正月公如齊月者善公既能念恩尊事齊桓又合古五年一朝之義故錄之【疏】注月者至齊桓○解云即上十年春王正月公如齊彼注云月者僖公本齊所立桓公德衰見叛獨能念恩朝事之故善錄之故也○注又合至錄之○解云何氏以為古者天子五年一巡守諸侯亦五年一朝天子分天子諸侯為五部部朝一年五年而徧其小國事大國亦然故以十年朝齊今又往朝是為合古桓元年傳云諸侯特朝乎天子天子之郊諸侯皆有朝宿之邑焉注云諸臣子之心莫不欲朝朝莫夕王者與諸侯別治勢不得自專朝故即位比年使大夫小聘三年使上卿大聘四年又使大夫小聘五年一朝王者亦貴得天下之歡心以事其先王因助祭以述其職故分四方諸侯為五部部有四輩輩主一時孝經曰四海之內各以其職來助祭尚書云群后四朝敷奏以言

明試以功車服以庸是也○楚人伐徐○三月公會齊侯宋公陳侯衛侯鄭伯許男曹伯盟于牡丘遂次于匡○公孫敖率師及諸侯之大夫救徐言次者刺諸侯緩於人恩既約救徐而生事止次不自往遣大夫往卒不能解也大夫不序者起會上大夫君已目故臣凡也內獨出名氏者臣不得因君殊尊省文別尊卑也○別彼○【疏】注臣不至省文○解云正以上言公會齊侯以下是殊尊魯之文今若不舉內大夫名氏即因君卿者殊尊之經而省文○夏五月日有食之是後秦獲晉侯齊桓公卒楚執宋公霸道衰中國微弱之應○秋七月齊師曹師伐厲月者善錄義兵厲葵丘之會叛天子之命也曹稱師者桓公霸道衰曹獨能從之征伐不義故褒之所以勸怠不能扶助霸功激揚解惰也○厲如字舊音賴激古歷反解古賣反惰徒卧反【疏】注月者善錄義兵○解云正以侵伐例時故也其例時者即上十一年冬楚人伐黃之屬是也○八月螟公久出煩擾之

所生○螟之戎反○九月公至自會桓公之會不致此何以致據柯之會不致久也久暴師衆過三時○暴步卜反○季姬歸于鄫○己卯晦震夷伯之廟晦者何冥也書日而冥○冥亡丁反又亡定反注同【疏】晦者何○解云欲言月晦例所不書欲言書冥亦非常錄故執不知問震之者何雷電擊夷伯之廟者也夷伯者曷為者也季氏之孚也孚信也季氏所信任臣【疏】震之者何○解云欲言天震文不言天欲言地震又無地稱故執不知問加之者以震有二種故也且辟問輕重兩舉云云之說在隱九年季氏之孚則微者其稱夷伯何大之也曷為大之據陽虎稱盜【疏】注據陽虎稱盜○解云即是八年盜竊寶玉大弓是也天戒之故大之也明此非但為微者異乃公家之至戒故尊大之使稱字過于大夫以起之所以畏天命孔子曰君子

有三畏畏天命畏大人畏聖人之言何以書記異也此象桓公德衰彊楚以邪勝正僖公蔽於季氏季氏蔽於陪臣陪臣見信得權僭立大夫廟天意若曰蔽公室者是人也當去之○去起呂反○冬宋人伐曹○楚人敗徐于婁林謂之徐者為滅杞不知尊先聖法度惡重故狄之也不月者略兩夷狄也○為于偽反【疏】注不月至狄也○解云正以敗例書月即莊十年春王正月公敗齊師于長勺秋九月荊敗蔡師于莘是也以其非兩夷故書月○十有一月壬戌晉侯及秦伯戰于韓獲晉侯此偏戰也何以不言師敗績據泓之戰言宋師敗績○泓烏宏反君獲不言師敗績也舉君獲為重也釋不書者以獲君為惡書者以惡見獲與獲人君者皆當絕也主書者從獲人例○惡烏路反【疏】注釋不書至人例○解云正決二十一年釋宋公之經矣然莊十年荊敗蔡師于莘以蔡侯獻舞歸傳云曷為不言其獲不與夷狄之獲中國也然則秦楚同類得獲晉侯者正以爵稱伯非真夷狄故與楚異

十有六年春王正月戊申朔霣石于宋五是月六鷁退飛過宋都曷為先言霣而後言石据星霣後言霣○十六年本或從此下別為卷案七志七録何注此十一卷公羊以閔附莊故也後人以僖卷大難分之尔霣于敏反是月如字或一音徒兮反六鷁五歷反水鳥疏注据星霣後言霣○解云即莊七年夜中星霣如雨是也霣石記聞聞其磌然視之則石察之則五是月者何僅逮是月也是月邊也魯人語也在正月之幾盡故曰劣及是月也磌然之人反又大年反聲響也一音芳君反本或作碑八耕反僅其靳反劣也逮音代又大計反及也幾音祈疏是月者何○解云正以言異常例故執不知問○注是月至語也○解云案上十年傳云踊為文公諱何氏云踊豫也齊人語若關西言渾矣是以春秋之内於此乎悉解為齊人語而此一文獨為魯人語者以是經文孔子作之孔子魯人故知魯人語彼皆是諸傳文乃胡母生公羊氏皆為齊人欲解為齊人語注在正月之幾盡者謂晦日乃在正月之欲盡矣

侯吉劉校　公十一　蔡重校　十三　王艮富

何以不日据五石言日○疏注据五石言日○解云等是災異何故五石書言戊申朔而六鷁不書日乎故難之晦日也凡災異晦日不日日食是也日食嫌於晦朔不日晦可知也六鷁無常故言是月以起晦也疏注凡災至不日○解云即莊十八年三月日有食之之屬是也今此亦晦故不書日○注日食至起晦也○解云案隱三年王二月己巳日有食之傳云日食則曷為或日或不日或言朔或不言朔曰某月某日朔日有食之者食正朔也注云桓三年秋七月壬辰朔日有食之是也傳又云其或日或不日或失之前或失之後失之前者朔在前也注云謂二日食己巳日有食之是也傳又云失之後者朔在後也注又云謂晦日食莊十八年三月日有食之是也然則日食亦有二日食此注何言日食常於晦朔乎二日食者雖非正朔若欲比晦言之亦得謂之朔矣言若正朔食朔日並言若二日食則言日則知日朔並不言是晦日明矣故云不日晦可知也晦則何以不言晦据上言朔春秋不書晦也事當日者日平居無他卓佹無所求取言晦朔也雖盟奚戰是也○佹尤委反雖翠軌反疏注平居無他卓佹○解云謂無他卓異佹戾平常之事也○注無所至戰

是也○解云即指十七年二月丙午及邾婁儀父盟于趡春秋說以為二月晦矣五月丙午及齊侯戰于奚亦秋說以為五月之朔也然則此傳云春秋不書晦謂平常之事下文朔有事則書晦雖有事不書者謂卓佹之事合書晦朔矣朔有事則書重始故書以録事若泓之戰及此皆是也疏注若泓至是也○解云即下二十二年冬十有一月己巳朔宋公及楚人戰于泓及此經皆書朔是其卓佹之事書朔也晦雖有事不書重始而終自正故不復書以録事○不復扶又反下同曷為先言六而後言鷁据霣石後言五六鷁退飛記見也視之則六察之則鷁徐而察之則退飛鷁小而飛高故視之如此事勢然也宋都者宋國所治也人所聚曰都言過宋都者時獨過宋都退飛○所治直吏反五石六鷁何以書記異也外異不書此何以書為王者之後記異也王者之後有亡徵非親王安存之象故重録為戒記災異也石者陰德之專者也鷁者鳥中之耿介

侯吉劉校　公羊疏十一　十四　徐來祝

者皆有以宋襄公之行襄欲行霸事不納公子目夷之謀事事耿介自用卒以五年見執六年終敗如五石六鷁之數天之與人昭昭著明甚可畏也於晦朔者示其立功善甫始而敗將不克終故詳録天意也○為王于偽反注同耿介音戒之行下孟反○疏注卒以五年見執○解云即下二十一年執宋公以伐宋是計有六年而言五年者据實而月言之以合五石之數故也又六年終敗者即下二十二年戰于泓宋師敗績是也計有七年而言六年者如上說○注天之與人至畏也者解云春秋說文也○三月壬申公子季友卒其稱季友何据犂戰名不稱季宋歸不稱反疏注据犂至稱季○解云即上元年冬十月壬午公子友帥師敗莒師于犂是也○注来歸不稱友解云閔二年季子来歸是也賢也閔公不書葬故復於卒賢之明季子當蒙討慶父之功遏牙存國然當録也不稱子者上歸本當稱字起事言子○疏注閔公至録也○解云正以君弒賊不討惡臣子不討賊君喪無所繫注前閔公不書葬恐季子有甚惡故書字見其賢○注不稱子至言子○解云即閔元年歸之下注云不稱季友者明齊繼魯本感落姑之託故令與高子俱稱子起其事是也○夏四月丙

申鄫季姬卒。○秋七月甲子公孫茲卒日者僖公賢君宜有恩禮於大夫故皆日也一年喪骨肉三人故曰痛之疏注日者至皆日也○解云以所傳聞之世大夫之卒不問有罪以否例不日隱元年十二月公子益師卒是也今此季友公孫茲之卒皆書日者正以賢君宜有恩禮於大夫故也然則言皆者皆季友與公孫茲也其鄫季姬之卒例自合日即上九年秋七月乙酉伯姬卒之屬是也○注一年至痛之○解云言由其是賢君故宜痛骨肉之卒若直見是賢君宜有禮于大夫但當見季一人書日故知宜痛其頻死故也。○冬十有二月公會齊侯宋公陳侯衛侯鄭伯許男邢侯曹伯于淮月者危桓公德衰任豎刁易牙墮功滅項自此始也○墮許規反疏注月者至此始也○解云正以盟會之例大信書時今而書月故如此解知任豎刁易牙者下十八年傳文言墮功滅項者謂墮毀霸功而滅項即下十七年夏滅項是也

僖言劉校　公十一　十五　汪定寫

十有七年春齊人徐人伐英氏稱氏者春秋前黜稱氏也伐國而舍氏言之者非主名故伐之得從國舉疏注伐國至主名○解云若其主名即爵等是也○夏滅項孰滅之齊滅之以言滅知非內也以不諱知齊滅○項户講反國名疏注以言滅知非內也○解云案經直言滅不載主名何知非內滅之正以春秋之例內大惡諱今言滅知非內矣○以不諱知齊滅○解云春秋之例為賢者諱故上十二年楚人滅黃不為諱今諱不言齊人故知齊滅之曷為不言齊滅之據齊師滅譚疏注據齊師滅譚○解云在莊十年冬也為桓公諱也春秋為賢者諱此滅人之國何賢爾君子之惡惡也疾始絕其始則不得終其惡○為桓于為反下及注同惡惡並如字一讀上烏路反善善也樂終樂賢者終其行○行下孟反桓公嘗有繼絕立僖公也疏注立僖公也○解云即元年是也存亡之功存邢衛杞疏注存邢衛杞○解云存邢上元年城邢是也存衛上二年城楚丘是也存杞上十四年城緣陵是也故君子為之諱也言嘗者時桓公德衰功廢而滅人嫌當坐故上述所當盛美而為之諱所以尊其德彰其功傳不言服楚獨與繼絕存亡者明繼絕存亡足以除殺子糾滅譚遂項覆終身之惡服楚功在覆篡惡之表所以封桓公名當如其事也不月者桓公不坐滅略小國疏注傳不言服楚至亡者○解云其服楚在上四年傳云曷為再言盟喜服楚也是也○注明繼至身之惡○解云殺子糾者即莊九年九月取子糾殺之是也滅譚即莊十年冬十月齊師滅譚是也其滅遂者即莊十三年夏六月齊人滅遂是也以繼絕除殺子糾以存三亡國除其三滅故云覆終身之惡○注服楚至事也○解云即莊九年齊小白入于齊是其篡文也而言之表者取以蓋藏之○注不月至小國○解云言滅國例書月者惡其篡而罪之今桓公功足除其滅是以不月故云不坐滅也而滅譚滅遂皆月者是特未足以覆之也略小國者欲道既諱不言齊知是誰滅而不書月又以略小國故也○秋夫人姜氏會齊侯于卞○卞皮彥反○九月公至自會○十有二月乙亥齊侯小白卒

僖言劉校　公十七　十六　陸

十有八年春王正月宋公會曹伯衛人邾婁人伐齊月者與襄公之征齊善錄義兵疏注月者至征齊○解云正以侵伐例時故也戰不言伐者莊十年師辭故難之○夏師救齊○五月戊寅宋師及齊師戰于甗齊師敗績戰不言伐此其言伐何宋公與伐而不與戰故言伐春秋伐者為客伐者為主曷為不使齊主之據甲寅衛人及齊人戰○甗魚輦反又音言與伐音預下不與同○疏宋公至故言伐○解云謂宋公但與伐而不與戰故不得舉重是以兩舉之○注據甲至人戰○解云即莊二十八年春王三月甲寅齊人伐衛衛人及齊人戰衛人敗績傳云春秋伐者為客伐者為主故使衛主之也彼注云戰序上言及者為主是也與襄公之征齊也曷為與襄公之征齊據齊桓公霸者猶不與征衛疏與襄公之征齊也○解云謂使

征而正之征是上討下之辭。注据齊至征衛解云即莊二十八年春衛人及齊人戰是也桓公死豎刁易牙爭權不葬為是故伐之也不為文實保伍連率本有用兵征伐不義之道。刁音彫為是于偽反注同【疏】注不為文至之道。解云其為文實者即上元年齊師宋師曹師次于聶北救邢傳云曷為先言次而後言救君也君則其稱師何不與諸侯專封也曷為不與實與而文不與文曷為不與諸侯之義不得專封也諸侯之義不得專封則其曰實與之何上無天子下無方伯天下諸侯有相滅亡者力能救之則救之可也其二年城楚丘之下亦復發文實之傳矣今此經何以不言宋師伐齊傳云此公也其稱師何不與諸侯專征曷為不與實與而文不與文曷為不與諸侯之義不得專征諸侯之義不得專征則其曰實與之何上無天子下無方伯天下諸侯有不道者力能征之則征之可也正以諸侯本無專封之道是以元年二年之經皆為文實以保伍連率本有用兵征不義之道是以不從宋公稱師矣○狄救齊。○秋八月丁亥葬齊桓公。○冬邢人狄人伐衛狄稱人者善能救齊雖拒

僖十八　十七

義兵猶有憂中國之心故進之不於救時進之者辟襄公不使義兵壅塞【疏】注狄稱人至兵壅塞。解云案穀梁傳狄救齊傳云善救齊也又云邢人狄人伐衛傳云其稱人何也善累而後進之伐衛所以救齊也何氏發之日即伐衛救齊當兩舉如伐楚救江矣又傳以為江遠楚近故伐楚救江今狄亦近衛而遠齊其事一也於義穀梁為短以此言之則何氏之意適自伐衛不為救齊之故而此注又以狄稱人者善能救齊者謂以其上能救齊是以於此進之不謂此時伐衛為救齊也所以不於救時進者不使義兵壅塞也

十有九年春王三月宋人執滕子嬰齊名者著葵丘之會致天子命者也不得為伯討者不以其罪執之妄執之所以著有罪者為襄公救恥也襄公有善志欲承齊桓之業執一惡人不能得其過故為見其罪所以勵賢者養善意也月者錄責之。為襄于偽反下為為起為為襄公深為若不為皆同見賢編反【疏】注名者至命者。解云即上九年夏公會宰周公齊侯宋子衛侯鄭伯許男曹伯于葵丘九月戊辰諸侯盟于葵丘傳云桓公震而矜之叛者九國是也。注不得為伯討。解云上四年傳云稱侯而執者伯討也稱

人而執者非伯討也今此不稱侯故辭之。注月者錄責之解云正以執例書時即上四年夏齊人執陳袁濤塗五年冬晉人執虞公之類是也今此書月者錄責之也○夏六月宋公曹人邾婁人盟于曹南因本會于曹南盟故以地實邾婁諱在下【疏】注因本至在下解云言此盟之前相與于曹南矣其實此盟在邾婁故言實邾婁矣鄫子會盟于邾婁其言會盟何据言諸侯會盟不錄及曹伯襄言會諸侯之【疏】注据外至會諸侯。解云舊本皆無及字言外諸侯會盟不錄者正以竟春秋上下無外諸侯會盟之文若存及宜下句讀之後會也說與會伐宋同義君不會大夫剌後會者起實君也地以邾婁者起為邾婁事也不言君者為襄公諱也鄫本許嫁季姬於邾婁季姬淫泆使鄫子請已而許之二國交忿襄公為此盟欲和解之既在人間反為邾婁所欺執用鄫子恥辱加於宋無異故沒襄公使若微者也不於上地以邾婁者深為襄公諱使若不為邾婁事盟而鄫子自就邾婁為所執者也上盟不日者深順諱文從微者渕使若下執不以上盟為辭也會盟不日者言會盟不信已明無取於日自其正文也【疏】注說與會伐宋同義

夏六月宋公

僖十九　十八

解云即莊十四年春齊人陳人曹人伐宋夏單伯會伐宋傳云其言會伐宋何後會也彼注云本期而後故但舉會書者刺其不信。注君不會大夫。解云案莊九年春公及齊大夫盟于暨傳云公曷為與大夫盟齊無君也然則何以不名為其諱與大夫盟也使若衆然文莊二十二年秋及齊高傒盟于防傳云曷為不言公諱與大夫盟也皆是君不會大夫之辭。注起實君也。解云言起上宋人曹人之屬實是宋公曹伯耳。注地以邾婁。解云正以二十八年夏公會晉侯以下盟于踐土陳侯如會傳云其言如會何後會也然則彼言陳侯如會此亦宜言鄫子如會而言于邾婁起為邾婁事也。注不言君者。解云上曹南之盟不言宋公等是也。注季姬淫泆至微者也。解云即上十四年夏六月季姬及鄫子遇于防使鄫子來朝傳云鄫子曷為使乎季姬來朝內辭也非使來朝使來請已也。注不於上至執者也。解云上經云盟于曹南者實是盟于邾婁故以此解之所以不於上經地以邾婁者深為襄公諱使若不為邾婁事盟而鄫子自就邾婁所見執者也。注上盟不至日者。解云春秋上下微者之盟例皆書時而下文冬會陳人蔡人楚人鄭人盟于齊之屬是今此乃以不日為微者例者正以宋襄賢君雖使微者有可采取故宜書月隱元年注云微者盟例時不

能專正故責略之此月者隱公賢君雖使微者有可采取故錄也異也。注會盟至正文也。解云正以春秋之例不信者日故也言自其正文也者謂既言會盟即是下信之正文不勞書日以見。己酉邾婁人執鄫子用之。惡乎用之。用之社也。其用之社奈何。蓋叩其鼻以血社也。惡無道也。不言社者本無用人之道言用之已重矣故絕其所用處也。日者魯不能防正其女以至於此明當痛其責備而自責之。惡乎音烏惡無烏路反用處昌慮反 疏 注日者魯至自責之。解云正以凡執例時即上四年夏齊人執陳袁濤塗之屬是也今日故解之。秋宋人圍曹。衛人伐邢。冬會陳人蔡人楚人鄭人盟于齊。因宋征齊有隙爲此盟也是後楚遂得中國霸之會執宋公。疏 注因宋征至執宋公。解云謂上十八年宋公征齊鄭與宋有隙齊遂構會諸侯之人而爲此盟以謀宋矣霍之會執宋公即下二十一年秋宋公楚子陳侯蔡侯鄭伯許男曹伯會于霍執宋公以伐宋是也。梁亡。此未有伐者其言梁亡何。據蔡潰以自潰爲文與侵也。疏 注據蔡至侵也。解云即上四年春公會齊侯云云侵蔡蔡潰是也。自亡也。其自亡奈何。魚爛而亡也。梁君隆刑峻法一家犯罪四家坐之一國之中無不被刑者百姓一旦相率俱去狀若魚爛魚爛從內發故云爾。著其自亡者明百姓得去之君當絕者。疏 注梁君至絕者。解云魚爛而亡也史記春秋說有此文也。

二十年春新作南門。何以書。譏。何譏爾。門有古常也。惡奢泰不奉古制常法。惡烏路反 疏 注惡奢至常法。解云言其直是奢泰不依古法非僭天子也。隱五年傳云始僭諸侯昉於此乎前此則曷爲始乎此僭諸公猶可言也僭天子不可言也。定二年雉門及兩觀災之下何氏云立雉門兩觀不譏者僭天子不可言雖在春秋中猶不書然則此新作南門書之知不僭天子也。夏郜子來朝。郜子者何。據末有存文嫌不名故執不知問。郜古報反姬之國下同。疏 注末有至知問。解云桓二年夏四月取郜大鼎于宋隱二年傳云始滅昉於此乎前此矣何氏云前此者在春秋前謂宋滅郜是也然則宋人滅郜在春秋之前是以桓二年取郜大鼎于宋自爾以來不見存在之文若然則是失地之君例合書名而來朝不名故執不知問。失地之君也。何以不名。據鄧穀名。疏 注據鄧穀名。解云即桓七年夏穀伯綏來朝鄧侯吾離來朝傳云皆何以名失地之君是也。兄弟辭也。郜魯之同姓故不忍言其絕賤明當尊遇之異於鄧穀也書者喜內見歸。疏 注不忍至絕賤。解云即不書其名是也何者若非兄弟宜書其名絕而賤之。注明當至見歸。解云正以穀鄧書名而此不名也。五月乙巳西宮災。西宮者何。小寢也。小寢則曷爲謂之西宮。有西宮則有東宮矣。魯子曰以有西宮亦知諸侯之有三宮也。西宮者小寢內室楚女所居也禮諸侯娶三國女以楚女居西宮知二國女於小寢內各有一宮也故云爾禮夫人居中宮少在前右媵居西宮左媵居東宮少在後。疏 西宮者何。解云欲言是廟不書廟欲言居寢而書宮舉災故執不知問。注西宮者至云爾。解云案襄九年春宋火傳云曷爲或言災或言火大者曰災小者曰火何氏云大者謂正寢社稷宗廟朝廷也此西宮者小寢內室楚女所居也何故不言火而書災彼傳又云內何以不言火內不言火者甚之也彼注云春秋以內爲天下法動作當先自克責故小有火如大有災是以雖小言災耳。禮夫人居中宮。解云王者之制也。西宮災何以書。記異也。是時僖公爲齊所脅以齊媵爲嫡楚女廢在西宮而不見恤悲愁怨曠之所生也言西宮不繫小寢者小寢夫人所統妾之所繫也天意若曰楚女本當爲夫人不當繫於齊女故繫宮亦云爾。爲嫡丁歷反又作嫡。鄭人入滑。秋齊人狄人盟于邢。狄稱人者能常與中國也。冬楚人伐隨。叛楚故也。

二十有一年春狄侵衛。狄稱人者爲犯中國諱。爲于僞反下不爲襄下文爲執皆同。宋人齊人楚人盟于鹿上。夏大旱。何以書。記災也。新作南門之所生。秋宋公楚子陳侯蔡

侯鄭伯許男曹伯會于霍執宋公以伐宋執
之楚子執之 以下獻捷貶霍左氏作盂〔疏〕會于霍。解云左氏作盂穀梁作雩蓋誤或所見異。注以下獻捷貶。解云即下文冬楚人使宜申來獻捷傳云此楚子也其稱人何貶曷爲貶爲執宋公貶是也
曷爲不言楚子執之 據溴梁盟下執莒子邾婁子以歸是也〔疏〕注據溴梁盟。解云即襄十六年春公會晉侯宋公以下于溴梁晉人執莒子邾婁子以歸是也復出晉人也溴古闃反 不與夷
狄之執中國也〔疏〕注劫質諸侯。解云言劫諸侯以爲質而求其國事當起也不爲襄公諱者守信見執國事當起也是以執伐兩舉見其外貪利也 冬公伐邾婁。楚人使
宜申來獻捷此楚子也其稱人何 據稱使 貶曷
爲貶爲執宋公貶曷爲爲執宋公貶
宋公與楚子期以乘車之會 蓋鹿上之盟 據上已沒不與執中國
〔疏〕注蓋鹿上之盟。解云即上文春宋人齊人楚人盟于鹿上是也言鹿上盟爲此約 公子目夷
諫曰楚夷國也彊而無義請君以兵車之會往
宋公曰不可吾與之約以乘車之會自我爲之
自我墮之曰不可終以乘車之會往楚人果伏
兵車執宋公以伐宋 據許諾劫質諸侯求其國當絕故 墮許規反讒音許讒反
音援 宋公謂公子目夷曰子歸守國矣國子
之國也吾不從子之言以至乎此公子目夷
復曰君雖不言國國固臣之國也 所以堅宋人之意絕彊楚之
望〔疏〕君雖不言國。解云即言君假令不道是臣之國今國當是臣之國矣所以堅宋人之意欲使宋公乃心

在楚不急求還。注絕彊楚之望。解云欲絕楚人使知宋雖取不復望之 於是歸設守械
而守國楚人謂宋人曰子不與我國吾將殺
子君矣宋人應之曰吾賴社稷之神靈吾國
已有君矣楚人知雖殺宋公猶不得宋國於
是釋宋公宋公釋乎執走之衛 襄公本謂公子目夷曰國子之國也宋公恨前語故慙不忍反走之衛不書者執解而往非出奔也。守手又反又如字應應對之應〔疏〕注走之衛至奔也。解云正決襄十四年夏衛侯衎出奔齊也 公子目夷復曰國爲君
守之君曷爲不入然後逆襄公歸 凡出奔歸書執獲歸不書者出奔已失國故録還應盜國與執獲者異臣下尚當逆君之未失國不應盜國無爲録也。國爲于偽反下爲襄爲公子注爲沒故爲皆同〔疏〕注凡出奔至爲録也。解云正以桓十五年夏鄭伯突云突故傳云曷爲或言歸或言復
歸復歸者出惡歸無惡復入者出無惡入有惡入者出入惡歸者出入無惡不應盜國即入與復入是也春秋皆是其歸以別之其執獲而歸不書者本未失國無義可書何之有案下二十八年三月丙午晉侯入曹執曹伯畀宋人冬會伯襄復歸于曹晉人執衛侯歸之于京師三十年衛侯鄭歸于衛哀七年秋公伐邾婁八月己酉入邾婁以邾婁子益來八年夏歸邾婁子益于邾婁然則三者皆執獲而歸所以書之者曹伯之下注云執歸不書書者名惡當見其曹伯名者刺天子歸有罪也衛侯歸下注爲殺叔武惡天子歸有罪也執歸不書主書者名惡當見也邾婁子益之下注云善能悔過歸之
惡乎捷捷乎宋 以上言伐宋惡音烏 曷爲不言
捷乎宋爲襄公諱也 據戎捷也 襄公本會楚欲行霸憂中國也不用目夷之言而見詐執伐宋幾亡其國故諱爲沒國文所以申善志不月者因起其事。幾音祈〔疏〕注不日者因起其事。解云正以戎捷書六月也起事者正以春秋之義滅國例月莊十年冬十月齊師滅譚十三年夏六月齊人滅遂之類是也今戚宋公幾亡國是以爲諱之去其月以彰其賢曷爲不言宋國者案舊本傳注三者皆作闕字唯有守下知上一國字以其有

僖二十一年

皆作圍字者誤守國即上傳設守械而守是也此圍辭也曷爲不言其圍據上言守國知圍也爲公子目夷諱也目夷遭難設權救君有解圍存國免王之功故爲諱圍起其事所以彰目夷之賢也歸據書者刺魯受惡人物也○遭難乃旦反疏注設權至人物也○解云救君者即上傳宋公釋乎執走之衛是也解圍者楚人釋宋公去而不復圍也○十有二月癸丑公會諸侯盟于薄言諸侯者起霍之會諸侯也不序者起公從旁以議釋宋公會盟一事也言會者因以殊諸侯也疏注起霍之會諸侯也○解云即上文秋宋公楚子陳侯蔡侯鄭伯許男曹伯會于霍執宋公以伐宋是上文序之下文總之故得起其上會諸侯也不序者若其序之云公會某侯某侯即無以見公從旁別來今諸侯不序并作一文別言公會則知魯公從旁而來是以不序諸侯以起其義○注會盟一事至侯也○解云上言會于霍下言盟於薄明其但是一出之行而更言公會諸侯者因以殊諸侯矣○釋宋公執未有言釋之者此其言釋之何據執滕子至言釋疏宋公○解云不言楚子釋宋公者何氏發疾公羊以爲公會諸侯釋之故不復出楚耳○注據執至言釋○解云即上十九年春王二月宋人執滕子嬰齊是也公與爲爾也公與爲爾奈何公與議爾也善僖公能與楚議釋賢者之厄不言公釋之者諸侯亦有力也疏公與議爾○解云言魯公與爲釋宋公之事也

監本附音春秋公羊註疏卷第十一

監本春秋公羊註疏僖公卷第十二　起二十二年盡三十三年

何休學

二十有二年春公伐邾婁取須朐○朐其俱反左氏作句○夏宋公衛侯許男滕子伐鄭○秋八月丁未及邾婁人戰于升陘○陘音刑○冬十有一月己巳朔宋公及楚人戰于泓宋師敗績偏戰者日爾此其言朔何據奚之戰不言朔疏注據奚之戰不言朔○解云即桓十七年五月丙午及齊師戰于奚春秋說以爲五月朔日也春秋辭繁而不殺者正也繁多也殺省也正得正道尤美○不殺所戒反注同省所景反何正爾宋公與楚人期戰于泓之陽泓水名水北曰陽楚人濟泓而來濟渡有司復曰請迨其未畢濟而擊之迨及宋公曰不可吾聞之也君子不厄人吾雖喪國之餘我雖前幾爲楚所喪所以得其餘民以爲國喻褊弱○喪國息浪反注同幾音祁寡人不忍行也既濟未畢陳有司復曰請迨其未畢陳而擊之宋公曰不可吾聞之也君子不鼓不成列軍法以鼓戰以金止不鼓不戰不成列未成陳也君子不戰未成陳之師○畢陳直覲反下及注同已陳然後襄公鼓之宋師大敗故君子大其不鼓不成列臨大事而不忘大禮有君而無臣言朔亦所以起有君而無臣惜其有王德而無王佐也若襄公所行帝王之兵也有帝王之君宜有帝王之臣有帝王之臣宜有帝王之民未能醇粹而守其礼所以敗也○醇音純下同粹雖遂反以爲

雖文王之戰亦不過此也有似文王伐崇陸戰當舉地舉水者大其不以水厄人也

二十有三年春齊侯伐宋圍緡邑不言圍此其言圍何疾重故也疾痛也重故謂若重故創矣襄公欲行霸守正履信屬為楚所敗諸夏之君宜雜然助之反因其困而伐之痛與重故創無異故言圍以惡其不仁也○緡亡巾反重故直用反又直龍反注同故創初良反下同屬音燭雜七合反父如字惡烏路反○夏五月庚寅宋公慈父卒何以不書葬盈乎諱也盈滿也相接足之辭也襄公本以背殯不書其父葬至襄公身書葬則嫌霸業不成所覆者薄故復使身不書葬明當以前諱除背殯以後諱加微封內要不去日略之者功覆之也○慈父左氏作茲父復扶又反去起呂反【疏】注襄公至背殯○解云即九年春王三月丁丑宋公禦說卒傳云何以不書葬為襄公諱也彼注云襄公背殯出會宰周公有不子之惡後有征齊憂中國尊周室之心功足以除惡故諱不書葬是也○注以後諱加微封○解云謂以至功薄微故加而為之諱而封之其封字亦有下句讀之非也○注內要至覆之也○解云即下二十五年夏宋殺其大夫傳云何以不名宋三世無大夫三世內要也彼注云三世謂慈父王臣處臼也內要而責其去日者正以文七年夏四月宋公王臣卒注云不日者內要略文十六年冬十一月宋人弒其君處臼彼注云不日者內要略賤之然則三世內要二人皆略此獨書日者明是覆之○秋

侯言刻校　僖公疏十二　運司蔡重校　二　張尾郎

楚人伐陳○冬十有一月杞子卒卒者桓公存王者後功尤美故為表異卒錄之始見稱伯卒獨稱子者微弱為徐莒所脅不能死位春秋伯子男一也辭無所貶貶稱子者春秋黜杞不明故以其一等貶之明本非伯乃公也又因以見聖人子孫有誅無絕故貶不失爵也不名不日不書葬者從小國例也○始見賢徧反【疏】注桓公存至錄之○解云正所以傳聞之世小國之卒未合書見故辭之○注始見稱伯○解云即莊二十七年冬杞伯來朝是也○注為徐莒所脅○解云即十四年傳云曷為城杞滅也孰滅之蓋徐莒脅之是也○注貶稱至不明○解云正以春秋之前周王舊有黜陟之法隱元年儀父稱字上十七年春英氏稱氏之類今拒公之辭雖為伯仍從春秋之前周王黜之非為新周故因不明公○注故以其一等貶之○解云謂伯之與子春秋合以為一等而已杞君從伯至子乃是同事之內故云一等○注明本非伯乃公也○解云正以一等貶之明是王者之後本非伯亦注二十七年杞伯來朝之時所以不稱侯正欲見貶以一等貶之故彼不稱侯也聖人子孫有誅無絕者若其有過但當誅責不合絕去其爵是以雖微弱見貶仍但從伯至子不失其爵矣○注不名不日至例也○解云謂所傳聞之世尤小國如此若其曹許之屬仍自書名書葬即上四年許男新臣卒秋葬許繆公彼注云得卒葬於所傳聞世者許太小次曹故卒少在曹後也

二十有四年春王正月○夏狄伐鄭○秋七月○冬天王出居于鄭王者無外此其言出何据王子瑕奔晉不言出【疏】王者無外○解云桓八年傳云女在其國稱女此其稱王后何王者無外其辭成矣是也○注据王至言出者解云即襄三十年王子瑕奔晉是也不能乎母也不能事母罪莫大於不孝故絕之言出也下無廢上之義得絕之者明母得廢之臣下得從母命【疏】注明母至母命○解云正以襄王之母於今仍在亦非繼母與左氏異也鄭氏發墨守云聖人制法必因其事非虛之孟子曰夫人自侮而後人侮之家必自毀而後人毀之國必自伐而後人伐之今襄王實不能孝道稱惠后之心令其寵專於子失教而亂作出居于鄭自絕于周故孔子因其自絕而書之公羊以母得廢之則左氏已死矣是也襄王正是惠后所生非繼母又云失教而亂作自絕於周從左氏鄭氏雜用三家不苟從一

僖公疏十二　二十

曾子曰是王也不能乎母者其諸此之謂與猶曰是王也無絕義不能事母而見絕外者其諸謂此灼然異居不復供養者與主書者錄王者所居也○與音餘復扶又反供養九用反下餘亮反【疏】注灼然異至居也○解云公羊以為此天王出居于鄭不事其母而自出居于鄭春秋惡其所為是以書出以絕之實非出奔故云灼然異居不復供養者與

晉侯夷吾卒篡故不書葬明當絕也不日月者先衆爵死子見篡遂故略之猶薛伯定也【疏】注篡故不書明當絕也○解云正以惠公無立入之以及於例去葬以絕之○注不日月至略之

解云大國之卒例書日月上十七年冬十有二月乙亥齊侯小白卒之類是也。注猶薛伯定也。解云即定十二年春薛伯定卒彼注云不日月者子無道當廢之而以為後未至三年失衆見弒危社稷宗廟禍端在定故略之然則惠公之子亦是不肖而以為後未期之間文公奪之是以不書日月

二十有五年春王正月丙午衛侯燬滅邢。衛侯燬何以名。據楚子滅蕭不名。燬況委反絕。曷為絕之。據俱滅人滅同姓也。絕先祖之體尤重故名甚之也日者為魯憂而錄之。為魯于偽反下同【疏】注滅同姓云云。解云曲禮下篇云滅同姓名是也以此言之則知公羊何氏以為齊人滅萊楚滅隗晉滅下陽之屬皆非同姓是以不名耳。注日者至錄之。解云凡滅例月即莊十年冬十月齊師滅譚之屬是而此書日也。夏四月癸酉衛侯燬卒。宋蕩伯姬來逆婦。宋蕩伯姬者何。蕩氏之母也。蕩氏宋世大夫【疏】宋蕩伯姬者何。解云欲言婦人而來逆婦欲言大夫而言伯姬故執不知問。注蕩氏宋世大夫。解云正以稱蕩氏若崔氏尹氏之屬文同也。其言來逆婦何。據莒慶言逆叔姬連來者嫌內女為殺直來也【疏】注連來者。解云弟子本意據莒慶逆叔姬難比逆婦之文宜云其言逆婦何而連來言之者正以伯姬是內女嫌經言來逆婦為殺直來之恥非實逆婦是以連來問之似若上五年杞伯姬來朝其子傳云其言來朝其子何彼注云連來者問為直來弟為下朝出之類其言直來者即莊二十七年冬杞伯姬來傳云其言來何直來曰來彼注云直來無事而來也是也。兄弟辭也。其稱婦何。有姑之辭也。宋魯之間名結婚姻為兄弟稱婦者見姑之辭以逆實文知不殺直來也主書者無出道也。見賢編反【疏】其稱婦何。解云隱二年傳云在塗稱婦今此非在塗而稱婦故難之不注者從省文可知也。注宋魯至兄弟。解云蓋時猶然公羊子齊人而取宋魯間語者正以蕩伯姬來逆婦宋魯之事故使解之亦何傷。注主書者無出道也。解云言伯姬無逆婦之道是以書而譏之。宋殺其大夫。何以不名。據宋殺其大夫山名宋三世無大夫三世內娶也。三世謂慈父王臣處臼也內娶大夫女也言無大夫者禮不臣妻之父母國內皆臣無娶道故絕去大夫名正其義也外小惡正之者宋以內娶故公族以弱妃黨益彊威權下流政分三門卒生篡弒親親出奔疾其末故正其本。去起呂反【疏】注三世至臼也。解云即上二十三年夏宋公慈父卒文七年夏宋公王臣卒文十六年冬宋人弒其君處臼是也。注外小惡正之者所傳聞之世外小惡不書故也。注威權下流。解云謂君之威權下流于臣而臣下用之也。秋楚人圍陳納頓子于頓。何以不言遂。據楚子鄭人侵陳遂侵宋兩之也。微者不別遂但別兩耳別兩之者惡國家不重民命一出兵為兩事也納頓子書者前出奔當絕還入為盜國當誅書楚納之與之同罪也主書者從楚納之頓子出奔不書者小國例也不見挈者故君不可見挈於臣。惡烏路反【疏】注頓子至例也。解云正以春秋之例小國出入不兩書桓十五年夏許叔入于許注云不書出時者小國是例也。注不見挈者。解云故君不可見挈於臣者案桓十一年九月宋人執鄭祭仲突歸于鄭傳云突何以名挈乎祭仲也彼注云挈猶提挈也突當國本當言鄭突欲明祭仲從宋人命提挈而納之故上繫於祭仲不繫國者使與外納同也案莊九年夏公伐齊納糾傳曰何以不稱公子彼注云據下言子糾知非當國本當去國見挈言公子糾此若作挈文宜言齊人納糾于齊去國以見挈于齊矣故君不可以見挈於臣。葬衛文公。不月者滅同姓故奪臣子恩也【疏】注不月者至恩也。解云卒日葬月大國之常案桓十二年冬十一月丙戌衛侯晉卒十三年三月葬衛宣公之類是也。冬十有二月癸亥公會衛子莒慶盟于洮。莒無大夫書莒慶者尊敬齊之義也洮內地公與未踰年君大夫盟不別得意與在外諸不致也。別彼列反【疏】注書莒至之義也。解云即莊二十七年冬莒慶來逆叔姬傳云大夫越竟逆女非禮也。注公與未至致也。解云案莊六年注云公與二國以上出會盟得意致會不得意不致謂與諸侯會時然也今此衛子莒慶皆是卑者得意不得意亦可知故言不別得意耳今洮是內地位不合致假令在外亦不致之何者正以其與卑者會盟得意不假別之如定十二年冬公至自圍成成是孟氏之邑而書致者彼注云天子不親征下土諸侯不親征叛邑公親圍成不能以一國為家甚危若從他國

來故危錄之是也

二十有六年春王正月己未公會莒子衛甯遬盟于向。遬音速向舒亮反○齊人侵我西鄙公追齊師至嶲弗及其言至嶲弗及何據公追戎于濟西不言所至又不言弗及○嶲戶圭反又以兖反侈也侈猶大也大公能却強齊之兵弗者不之深者也言齊人畏公士卒精猛引師而去之深遠不可得及故曰侈不直言大之者自爲追惟莒子得後之耳不得與追戎同也言師者後大公所追也國內兵不書而舉地者善公却齊師去則止不還勞百姓過復取勝得用兵之節故錄詳之○侈昌氏反又昌者反大也卒子忽反自爲于僞反下深爲同〔疏〕注不直言至錄詳之○解云莊十八年公追戎于濟西傳云此未有言伐者其言追何大其爲中國追也此未有伐中國者則其言爲中國追何大其未至而豫禦之也其言于濟西何大之也彼注云大者當有功賞也然則彼爲諸侯追於王法當有功賞故得云大此則自爲己追但臣子得夷之故傳不言大以見義云言師者後大公所追也者正以上言齊人侵我西鄙下言公追齊師與上文異故也

夏齊人伐我北鄙。衛人伐齊。公子遂如楚乞師。乞師者何卑辭也曷爲以外內同若辭據春秋〔疏〕乞者至若辭○解云案成十六年夏晉侯使欒黶來乞師十七年秋晉侯使荀罃來乞師外內皆同卑其辭者重師也曷爲重師據泓之戰不重〔疏〕注據泓之戰不重師○解云上二十二年十有一月己巳朔宋公及楚人戰于泓宋師敗績傳云宋公與楚人期戰于泓之陽楚人濟泓而來有司復曰請迫其未畢濟而擊之宋公曰不可吾聞之也君子不厄人吾雖喪國之餘寡人不忍行也既濟未畢陳有司復曰請迫其未畢陳而擊之宋公曰不可吾聞之也君子不鼓不成列已陳然後襄公鼓之宋師大敗故君子大其不鼓不成列臨大事而不忘大禮有君而無臣以爲雖文王之戰亦不過此也然則宋公守古敗師而春秋褒之也是其不重之文師出不正反戰不正勝也

不正者不正自謂出當復反戰當必勝公以器戰危亡之道已而用之爲乃以假人故重而不暇別外內也稱師者正所名也乞師例時○當復扶又反下同別外彼列反下同〔疏〕注戰必當勝○解云以義言之此句亦宜云戰不正勝者不正自謂戰當必勝但何氏者文不復備言○注乞師例時○解云正以據文承夏下文成十三年春晉侯使郤錡來乞師之屬皆書時故也秋楚人滅隗以隗子歸不月者略夷狄滅微國也不言獲者舉滅爲重書以歸者惡不死位不名者所傳聞世見治始起責小國略但絕不誅之○隗五罪反二傳作夔惡烏路反下同傳直專反見治賢遍反下直吏反〔疏〕注不月者略夷狄○解云正以莊十年冬十月齊師滅譚十三年夏六月齊人滅遂之類皆書月故也○注不名者至不誅之○解云案上二十三年杞子卒之下注云公又因以見聖人子孫有誅無絕故貶不失爵也以此言之似誅輕絕重此注云但絕不誅自相違者凡誅有二一是誅責之誅若齒路馬有誅於予與何誅之類一是誅絕之誅以武王誅紂孫君之子不立之類然則上言有誅無絕聖人子孫但當誅責而已不合絕去此言但絕不誅者謂所傳聞之世責小國略今此不書其名但欲絕去一身不聽爲君不合誅滅其國

哀七年八月己酉入邾婁以邾婁子益來傳云邾婁子益何以名絕之又莊十年以蔡侯獻舞歸傳曰蔡侯獻舞何以名絕之以此二文言絕之則似書名爲絕之此注云不名者但絕而不誅又以不名爲絕者蓋以絕亦有二種一是絕去其身一是絕滅其國蔡侯獻舞大國之君不能死難爲楚所獲春秋之義不與夷狄得志于諸夏是以不得書獲故名蔡侯起其當合絕滅矣邾婁正當所見之世爲魯所獲春秋之義內獲人皆諱不書故名邾婁子以起不死難當絕滅矣今此隗子既是微國復當傳聞之世若其書名恐如二君亦合絕滅故不名見責之略也但合一身絕去而已○冬楚人伐宋圍緡邑不言圍此其言圍何刺道用師也將以師與魯未至又道用之於是惡其視百姓之命若草木不仁之甚也稱人者楚未有大夫未聞緡亡巾反文故從楚文〔疏〕邑不至用師也○解云案隱五年宋人伐鄭圍長葛之下傳云邑不言圍此其言圍何彼已注云據伐於餘丘不言圍然則彼已有注故此不復解耳○注稱人至從楚文○解云以文九年冬楚子使椒來聘彼傳云椒者何楚大夫也楚無大夫此何以書始有大夫也始有大夫則何以不氏許夷狄者不一而足也然則

文九年始有大夫則知今時未有然上四年夏楚屈完來盟于師下二十八年夏楚殺其大夫得臣在椒來聘之前而有大夫者屈完之下傳云屈完者何楚大夫也何以不稱使尊屈完也曷為尊屈完以當桓公也注云增倍使若得其君以醇霸德成王事也然則欲尊屈完使當桓公以醇霸德非常事子玉之下注云楚無大夫言其大夫者欲起上楚人本當言子玉得臣所以詳錄霸事○注楚自道至楚文○解云欲道下文公以楚師得稱楚師而此不得者以楚自道用之故從楚文也○**公以楚師伐齊取穀**言以者行公意別會兵也稱師者順上文【疏】注言以者行公意○解云桓十四年冬宋人以齊人衛人蔡人陳人伐鄭傳云以者何行其意也彼注云以已從人曰行言四國行宋意也**公至自伐齊此已取穀矣何以致伐**據伐邾婁取叢不致**未得乎取穀也**未可謂得意於取穀**曷為未得乎取穀**據俱取邑**曰患之起必自此始也**魯內虛而外乞師以犯強齊會齊侯昭卒晉文行霸幸而得免孔子曰人之生也直罔之生也幸而免故雖得意猶致伐也【疏】注魯內虛而外乞師○解云言內虛者謂自無師○會齊侯昭卒○解云即下二十七年齊侯昭卒是也○注晉文行霸○解云即二十八年侵曹伐衛敗楚師于城濮盟于踐土是也○注故雖至伐也○解云莊六年注云公與一國及獨出用兵得意不致不得意致伐然則此文公以楚師伐齊取穀是得意宜合不致今致伐作不得意之文以解之

二十七年春杞子來朝貶稱子者起其無禮不備故魯入之【疏】注貶稱子至入之○解云杞本公爵但春秋欲新周故宋而黜之稱伯即莊二十七年冬杞伯來朝是也至二十三年經書杞子卒者但以微弱為徐莒所脅不能死位故以其一等貶之見聖人子孫有誅無絕而已至於此經復稱子者起其無禮故左氏皆有魯入之文也○**夏六月庚寅齊侯昭卒**○**秋八月乙未葬齊孝公**○**乙巳公子遂帥師入杞**日者杞屬脩禮朝魯雖無禮君子躬自厚而薄責於人不當乃入之故錄責之○屬音燭○**冬楚人陳侯蔡侯鄭伯許男圍宋此楚子也其稱人何**據序諸侯之上**貶曷為貶**據圍鄭不貶**為執宋公貶故終僖之篇貶也**古者諸侯有難王者若方伯和平之後相犯復故罪楚前執宋公僖公與共議釋之今復圍犯宋故貶因以見義終僖之篇貶者言君子和平人當終身保也○為于偽反難乃旦反今復扶又反見賢遍反【疏】注楚前執宋公○解云即二十一年秋執宋公以伐宋十二月公會諸侯盟于薄釋宋公傳云執未有言釋之者此其釋之何公與議爾也彼注云善僖公能與楚議釋賢者之厄○**十有二月甲戌公會諸侯盟于宋**也以宋者起公解宋圍為此盟也宋得與盟則宋解可知也而公釋之見矣○與音預

二十有八年春晉侯侵曹晉侯伐衛曷為再言晉侯據楚人圍陳納頓子于頓亦兩事不再出楚人【疏】注據楚至出楚人○解云在上二十五年秋也**非兩之也然則何以不言遂**據侵蔡遂伐楚言遂【疏】非兩之也○解云上二十五年頓子之下傳云何以不言遂兩之也注云微者不別遂但別兩稱耳別之者惡國家不重民命一出兵為兩事也以此言之初發國即有兩伐之意○注據侵蔡伐楚言遂○解云即上四年春王正月公會齊侯以下侵蔡蔡潰遂伐楚是也**未侵曹也未侵曹則其言侵曹何致其意也其意侵曹則曷為伐衛晉侯將侵曹假塗于衛衛曰不可得則固將伐之也**曹有罪晉文行霸征之衛壅遏不得使義兵以特追故著言侵曹以致其意所以通賢者之心不使壅塞也宋襄公伐齊月此不月者晉文公功信未著且當脩文德未當深求於諸侯故不美也○衛壅於勇反下同又作壅同遏於葛反【疏】衛曰不至伐之也○解云言衛不可得塗則固將先伐之其意猶自欲得侵曹矣○注晉有至征之○解云言征之者謂伐而正之上討下之辭如上十八年傳云與襄公之征齊也○**公子買戍衛不卒戍刺之不卒戍者何不卒戍者內辭也不可使往也**即注當言戍衛不卒【疏】注不卒戍者何○解云欲言實戍乃有不一戍之文欲言不戍而經書

戍衛故執不知問不可使往則其言戍衛何據言戍衛行才遂
入意也使臣子不可使恥深故諱使若往不卒竟事者明臣不得壅塞君命刺之者何
殺之也殺之則曷爲謂之刺之內諱殺大夫
謂之刺之也有罪無罪皆不得專殺故諱殺言刺之不言刺公子買但言不卒戍刺之者起爲其
事刺之也內殺大夫例有罪不日無罪日外殺大夫皆時○起爲于僞反下爲下卒爲晉深爲不爲同疏刺之
者何○解云欲言不殺文言刺之欲言實殺文不言殺故執不知問○注有罪臣刺之也○解云孟子言大夫者天子命
之輔助其政諸侯不得專殺大夫也然則孟子之文論有罪故注同氏云有罪無罪皆不得專殺也○注內殺大至無罪
日○解云其有罪不日即此文是而不月者與上同月故也無罪日者成十六年冬十二月乙酉刺公子偃是也○注外
殺大夫皆時○解云即上七年夏鄭殺其大夫申侯下三十年秋衛殺其大夫元咺之類是也○楚人救
衛○三月丙午晉侯入曹執曹伯畀宋人畀
者何與也其言畀宋人何據下執衛侯言歸之于京師○畀宋必二反與
同也下疏畀者何○解云欲言是與文不言歸欲言非與畀者與義故執不知問○注据下至京師○解云即
下經云冬晉人執衛侯歸之于京師是也然則彼言歸于京師此言以畀宋人故難之與使聽之
也與使聽其獄也時天王居于鄭晉文欲討楚師以宋王者之後法度所存故因假使治之宋獨人者明聽訟必
師斷決其師衆共之斷丁亂反下當斷同○曹伯之罪何甚惡也其之甚
惡奈何不可以一罪言也曹伯數侵伐諸侯以自廣大傳曰晉侯執曹伯
班其所取侵地于諸侯是也齊桓既役諸侯皆叛無道者非一晉與曹同姓恩薄當先治刑罰當後加起而征之嫌與失
義故著其甚惡者可知也以其得不言復者晉文伯討不坐復者故亦不責曹不死義與同者喜義兵得時入○數所角
反下數道同疏注傳曰晉侯至是也○解云即下二十一年春既齊所因之下傳云惡乎取之取之曹也此未
有戍曹者則其言取之曹何晉侯執曹伯班其所取侵地于諸侯是也○注恩薄當先治○解云即堯典云九族既睦平

僖二十八年

章百姓是也○注刑罰當後加○解云即小司寇職云議賢之辟是也○注故著其甚惡○解云即執而言畀宋人使治
其罪是也○注晉文伯討○解云即稱侯以執是也○注不坐獲者○解云謂諸侯言獲者皆是惡甚禮獲是以上十五
年獲晉侯○下傳云君獲不言師敗績也注云舉君獲爲重也釋不言者以獲君爲惡書者以惡見獲與獲人君者皆當
絕也主書者從獲人例是其伯獲之文今晉侯伯討故不坐獲○夏四月己巳晉侯
齊師宋師秦師及楚人戰于城濮楚師敗績
此大戰也曷爲使微者据秦稱師録功知大戰必不使微者楚雖無大夫齊桓行
霸書屈完也○濮音卜疏注据秦稱師○解云案文十二年秋秦伯使遂來聘傳云秦無大夫此何以書賢繆
公也然則至文十二年秦始有大夫則知此時未合稱師今乃稱師録功故知大戰既是大戰則明知必不應使微者云
楚雖無大夫者文九年冬楚子使椒來聘傳云楚無大夫此何以書始有大夫也以此言之則知此時未有大夫故曰楚
雖無大夫矣云齊桓行霸書屈完也者即上四年夏楚屈完來盟于師傳云屈完者何楚大夫也何以不稱使尊屈完也
曷爲尊屈完以當桓公也注云增倍使若得其君以醇霸德成王事是也子玉得臣也以上敗績
下殺疏子玉得臣也○解云傳又得臣注意以子玉爲得臣之氏子玉得臣則其
稱人何据屈完當桓公稱名氏貶曷爲貶据邲之戰林父不貶○邲皮必反大
夫不敵君也臣無敵君戰之義故絕正也秦稱師者助霸者征伐克勝有功故褒進之齊桓先朝
天子晉文先討夷狄者晉文之時楚與爭彊所遭遇異疏注齊桓先朝天子○解云正以莊十三年冬柯之盟
桓公之信著于天下豈不朝天子而得然乎但以外朝不書是以無經可指耳何氏以理知之故言先朝天子言晉先朝
欲道至僖四年乃始服楚之意云所遭遇異者謂齊桓初霸之時楚未強大雖侵諸夏未能爲伯者之害是以桓公養成
其晦至僖四年乃往討而服之至晉文之時楚人孔熾圍宋救衛與之爭盛是以未暇朝王先討子玉矣時事不同故云
所遭遇異矣○楚殺其大夫得臣楚無大夫其言大夫者欲起上楚人本當言子
玉得臣所以詳録霸事不氏者子玉得臣楚之驕蹇臣數道其君侵中國故貶明當與君俱治○道音導

僖二十八年

侯出奔楚晉文逐之不書逐之者以王事逐之擇立其次無絕衛之心惡不如出奔重疏注擇立至奔重○解云以叔武是也叔武衛侯之弟故曰其次耳惡不如出奔重者言文公逐人之惡少於衛侯出奔之罪。○五月癸丑公會晉侯齊侯宋公蔡侯鄭伯衛子莒子盟于踐土陳侯如會其言如會何據曹伯襄言會諸侯疏注據曹伯襄○解云即下文曹伯襄復歸于曹遂會諸侯圍許是也後會也說與會書戊宋同刺諸侯不慕霸者反岐意于楚失信後會會不致者安信與晉文也盟日者諭也衛稱子者起叔武本無即位之意陳岐意于楚在二十七年○讒古究反疏注盟日者諭也○解云正以春秋之例不信者日今而書日故解之而言諭者正以孔子謂之諭而不正故取其文○注衛稱子至之意○解云衛侯為王伯所逐而立叔武叔武即是成君何不稱侯而作未踰年之君號欲起其本無即位之心故也無即位之心者即下云文公逐衛侯而立叔武叔武辭立而他人立則恐衛侯之不得反也故於是己立然後為踐土之會治反衛侯是也○公朝于王所曷為不言公如京師據三月公如京師天子在是也天子在是則曷為不言天子在是據狩于河陽不與致天子也時晉文公年老恐霸功不成故上白天子曰諸侯不可卒致願正王居踐土下謂諸侯曰天子在是不可不朝迫使正君臣明王法雖非正起時可與故書朝因正其義不書諸侯朝者外小惡不書獨錄內也不書如不言天王者從外正君臣所以見文公之功○卒七忽反下倉卒同見賢遍反下不見當見見其同疏注時晉至錄內也○解云皆春秋說文及史記文檀弓下篇云晉獻公之喪秦穆公使人弔公子重耳曰喪亦不可久也時亦不可久也孺子其圖之鄭玄注云孺稚也孺子猶稚子則於僖九年獻公卒時仍謂之孺子今得解云年老者正以禮記非正典何氏不醇取之云明王法非正起時可與者言明王之法雖以為非正欲見當時事勢不得不然是故遂書其朝云公朝于王所言因正其義者欲道臣無召君之義故不言王之所在云不書至不書諸侯以諸侯朝王不在京師亦是其惡但非大惡當所傳聞之世是在不錄之限是以特書公朝故隱元年公子益師卒之下何氏云於所傳聞之世見治起於衰亂之中用心尚麤觕故內其國而外諸夏先詳內而後治外內小惡書外小惡不書是也○注不書如不言至之功○解云春秋之例內朝言如外來言朝今此魯侯不言如反言朝故云從外正君臣所以見文公之功也不言天王所以得正君臣見文公之功者以隱元年秋七月天王使宰咺來歸惠公仲子之賵下何氏云天王者時吳楚上僭稱王王者不能正而上自繫于天也春秋不正者因以廣是非然則稱天為正稱於天則非禮今此經書不言天王者亦是正君臣以見文公之功也○六月衛侯鄭自楚復歸于衛言復歸者天子有命歸之名者剌天子歸有罪也言自楚者為天子諱也天子所以陵遲皆為善不賞惡不誅衛侯出奔當絕叔武讓國不當復廢而反衛侯令殺叔武故使若從楚歸者復歸例皆時此月者為下卒出也○當復扶又反令力呈反下令自同疏注者復歸至歸之○解云春秋文是以傳云然後為踐土之會治反衛侯何氏云叔武訟治於晉文公令白王者反衛侯使還國也天子有命歸而言復歸者正以衛侯出惡歸無惡故也何者正以衛侯初出之時晉文以王事逐之是其出惡文其歸國得天子之命是其歸無惡矣猶十五年傳曰復歸者出惡歸無惡是也○注名者至罪也○解云諸侯不生名若其生名皆欲絕之宜以為諸侯是以莊十年齊侯獻舞之下傳云蔡侯獻舞何以名絕也今此衛侯王事不供而為伯者所逐故當合絕但天子歸之失誅臣之義是以書名刺天子也○注自楚者為天子之諱也○解云正以自者有力之文故言自楚為天子諱者以自得楚力而歸然云復歸至出也者案莊十七年秋蔡季自陳歸于蔡下二十年秋衛侯鄭歸于衛之屬是歸書時也其復歸書時者即下冬衛元咺自晉復歸于衛之類是例合時而此月故知為他事出也○衛元咺出奔晉咺況元反○陳侯款卒不書葬者為晉文諱行霸不務教人以孝陳有大喪而彊會其孤故深為恥之宋襄亦皆會孤不為恥者時未爽自會之卒不日者賤其歧意于楚疏注卒不日者○解云以大國之卒例書日已說于上○秋杞伯姬來○公子遂如齊○冬公會晉侯齊侯宋公蔡侯鄭伯陳子莒子邾婁子秦人于溫○天王狩于河陽狩不書此何以書據常事也。不與再致天子也。（一失禮尚愈，再失禮重，故復正其義，使若天子自狩，非致也。）

曾子曰：溫近而踐土遠也。（此曾子一說也。溫近狩，故可言狩；踐土遠，狩也，故不言狩也。公以再朝而日言之，上說是。）【疏】溫近而踐土遠也。解云：近讀如附近之近，遠讀爲疏遠之遠。○注公以至上說是。○解云：正以上朝不日而下朝始日，危録內再失禮，則知此書狩者，不與再致天子也，故言上說是也。

○壬申，公朝于王所。其日何？（據上朝不日。）録乎內也。（危録內再失禮，將爲有義者所惡，不月而日者，自是諸侯不繫於天子，君自不繫於月。○惡，烏路反，下「惡衛」同。）

○晉人執衛侯，歸之于京師。歸之于者何？歸于者何？歸之于者，罪已定矣；歸于者，罪未定也。罪未定，則何以得爲伯討？（此難成十五年晉侯執曹伯歸于京師。○難，乃旦反，下方難同。）【疏】歸之于者何。○解云：欲言伯執，晉不稱侯；欲言非伯討，而云歸之于京師，似得伯執之義，故執不知問。

歸之于者，執之于天子之側者也，罪定不定已可知矣。（歸之者，絕之辭，執于天子之側，已白天子，罪定不定自在天子，故言已可知。）歸于者，非執之于天子之側者也，罪定不定未可知也。（未得自天子分別之者，但欲明諸侯尊者不得自相治，當斷之于天子，天子亦大惡，雖未可知，執有罪，當爲伯討矣。無罪而執人，當貶稱人。○別，彼列反。）

衛侯之罪何？殺叔武也。何以不書？（據殺大夫書。）爲叔武諱也。春秋爲賢者諱。何賢乎叔武？（據失見意。○爲叔，于僞反，下爲讓、爲叔武及注「而爲深爲」皆同。）讓國也。其讓國奈何？文公逐衛侯而立叔武，叔武辭立而他人立，則恐衛侯之不得反也，故於是己立，然後爲踐土之會，治反衛侯。（文公，晉文公。叔武欲治反衛侯。）

反衛侯，使還國也。叔武讓國見殺，而爲叔武諱殺者，明叔武治反衛侯，欲兄還國，故爲去殺己之罪，所以起其功而重衛侯之無道。○爲去，起呂反。衛侯得反，曰：叔武篡我。元咺爭之曰：叔武無罪。終殺叔武，元咺走而出。此晉侯也，其稱人何？（此以伯討而向貶者，言歸之于伯討。）【疏】注此以伯討而向貶者。○解云：上四年齊人執陳袁濤塗之下，傳云：此執有罪，何以不稱侯？而云此晉侯也，其稱人何，問其貶者，正以罪定已可知，即是伯討明矣。知彌人，更有所爲故問之。○傳云此執有罪何以不得爲伯討，然則此傳宜云此執有罪何以不稱侯，而云此晉侯也其稱人何，問其貶者，欲明知坐他事故更問之。貶，（據他罪。）衛之禍，文公爲之也。（不見歸之于者罪定已可知，即是伯討明矣，知彌人，更有所爲故問其稱人之義。）文公爲之奈何？文公逐衛侯而立叔武，使人兄弟相疑，（春秋許人臣者必使臣，許人子者必使子。文公惡衛侯，大深，愛叔武，大甚，故使兄弟相疑。○大深，音泰，下同。）放乎殺母弟者，文公爲之也。（又公本逐之，非故致之也。）

此禍也。逐之之文不見，故貶主書者，以起文公逐之。○放，甫往反。【疏】注文公本逐之。○解云：上注文公以王事逐之，而言非者，雖王事不供，罪不至逐，而文公逐之，疾之也。甚，以爲非也。案《論語》云「人而不仁，疾之已甚，亂也」，以大甚故，以爲非也。案論語云人而不仁疾之已甚亂也。○解云：其主書者，即文公執衛侯之事是也。今執衛侯，貶文公，彌人見其失，所是故貶以起文公逐之也。

○衛元咺自晉復歸于衛。自者何？有力焉者也。（有力焉者，有力于晉也，言恃晉有力，歸己力也。以歸，方難下意，故於是發問。○焉，音獨。）【疏】自者何。解云：文公本以出奔，今自晉……此執其君，其言自何？（公賢伯而有力於惡人，以非其義，故執不知問。）【疏】解文公助之意。○解云：而文公執衛侯，知以元咺爲叔武爭也。（以元咺爲叔武爭也，言復歸者，深爲之……許，執之，怪許其君而助之，疑許以爲忠於己而助之，雖然臣無訴君之義，復於衛，非也。）爲叔武爭也。

○諸侯遂圍許。○曹伯襄復歸于曹。遂會諸侯圍許。（言遂以爲忠於己而助之，雖然臣無訴君之義，故著言自。明不當有力於惡人也。言復歸者，以侍君臣之義，故著言自。……爲霸者所使，若無罪。○爭，爭鬬之爭，下注同。侍，必內反。）曹伯言復歸者，天子歸之也。名者，與……

衛侯鄭同義執歸不書書者名惡當見本無事不當言遂又不更舉曹伯者見其能悔過即時從霸者征伐也霸兵不月者剌文公不偃武脩文以附疏舍卒欲服許卒不能降威信自見衰故不減其善。歸户江反【疏】復歸于曹。解云天子歸之以得天子之命其罪可以除故言復歸作入無惡之文矣上衛侯之下注云言復者天子有命歸之不言衛侯而此覆者言曹伯者正以文承元咺復歸之下嫌嫌也。注執歸至言遂。解云正以上二十一年宋公被執而歸經不書之故知執歸不書今書者其名之惡當須見之。注又不更舉曹伯者。解云謂何以不言曹伯遂會諸侯圍許正以言遂又不更舉曹伯皆是風兵之義故可以見悔過即時從霸者征伐也。注欲服許至其善。解云正以上文溫之會許男不至是不慕霸者而從于楚故因而服之云卒不能降者正以二十九年春公至自圍許作不得意之文莊六年秋公至自伐衛之不得云得意致會不得意致伐今此不致會知卒不能降也

二十有九年春介葛盧來。介葛盧者何。夷狄之君也。何以不言朝。據諸侯來曰朝。介曷音介國名。【疏】介葛盧者何。解云欲言諸侯文不言朝欲言大夫文不書朝故執不知問。不能乎朝也。不能升降揖讓也介者國也葛盧者名也進稱名者能慕中國朝賢君明當扶勸以禮義。【疏】注進稱名者。解云正以下三十年秋介人侵蕭不名故知此稱名是其進。○公至自圍許。○夏六月公會王人晉人宋人齊人陳人蔡人秦人盟于翟泉。公圍許不能服自知威信不行故復上假王人以會諸侯年老志衰不能自致故諸侯亦使微者會之月者惡霸功之廢於是故。雹扶又反年末同惡烏路反。【疏】注月者至廢於是。解云正以月非大信之辭也。○秋大雨雹。夫人專愛之所生。雨于付反雹步角反。○冬介葛盧來。前公圍許不在故更來朝不稱字者一年再朝不中禮故不復進也。中丁仲反。

三十年春王正月。○夏狄侵齊。○秋衛殺其大夫元咺及公子瑕。衛侯未至其稱國以殺何。據歸在下。道殺也。時已得天子命還國於道路遇而殺之坐之與至國同故但稱國不復別也言及公子瑕者下大夫別尊卑。○復扶又反別彼列反。○衛侯鄭歸于衛。此殺其大夫其言歸何。據未至而有專殺之惡與入惡同。【疏】其言歸何。解云正以復入者出入無惡也。○注殺入惡同。解云正以復入者出無惡入有惡今此衛侯未至而殺故但與入惡同不合言歸之故難。歸惡乎元咺也。元咺之惡明矣。曷為歸惡乎元咺。據師還。【疏】注據師還。解云即莊八年秋師還傳云還者何善辭也此滅同姓何善爾病之云還者何善辭也此滅同姓何善爾。師之罪也彼注云明君之使重在君然則彼魯公遣師滅同姓歸善于師而歸惡于公此衛侯即歸惡于元咺與彼義違。元咺之事君也君出則己入。晉人執衛侯歸之于京師元咺自晉復歸于衛侍晉力。【疏】注侍晉至是也。解云即彼傳云自者何有力焉者也注云有力焉者有力于晉也言侍晉有屬以歸是也。君入則己出。衛元咺出奔晉是也。以為己力以歸是。以為不臣也。故不從犯伯執為天子所還言復歸從出入無惡言歸以見元咺有出入罪衛侯得殺之所以專臣事君之義名者為殺叔武之惡天子歸有罪也執歸不書主書者名惡當見。○以見賢徧反下同為于偽反夫烏路反。○晉人秦人圍鄭。○介人侵蕭。稱人者侵中國故退之。【疏】注稱人者至退之。解云正以上二十九年來朝稱名今不名故知此稱人者退之也。○冬天王使宰周公來聘。宰周公與葵丘會同義。【疏】注與葵丘會同義。解云葵丘之會在上九年公會宰周公以下于葵丘彼注云宰猶治也三公之職號尊名也以加宰知其職大尊重當與天子參聽萬機而下為諸侯所會惡不勝任也出宰周公亦職大尊重當與天子參聽萬機而下聘諸侯惡不勝任故云與葵丘同義。○公子遂如京師遂如晉。大夫無遂事此其言遂何。公不得為政爾。不從公政令也時見使如京師而橫生事矯君命聘晉故疾其驕蹇自專當絕之不舉重者遂當有本。○矯居表反本又作撟。【疏】大夫無遂事。解云正以臣無自專之道也

三十有一年春取濟西田惡乎取之以不月與取運異知
非內數邑○惡音烏 疏 注以不月至叛邑○解云昭元年三月取運傳云運者何內之邑也其言取之何不聽也
注云不聽者叛也不言叛者爲內諱故書取以起之月者爲
內喜得之故書月也此不書月與彼異知非內之邑是以傳
云惡乎取之猶言何所取之 取之曹也曷爲不言取之曹 據取
邾婁田也 諱取同姓之田也 此叢言
未有伐曹者則其言取之曹何 據伐同姓不諱即
取須朐 疏 注即句兵至須朐○解云即文七年春公伐
以日若甲戌日取之使若他人然注云使若公
春伐邾婁而去他人自以甲戌日取須朐
晉侯執曹伯班其所取侵地于諸侯也 班者布徧還之辭○班音班下文同
晉侯執曹伯班其所取侵地于諸侯則何諱乎取
同姓之田 據晉還之得爲伯 疏 注據晉還之得爲伯○解云
即上二十八年三月丙午晉侯入曹執曹伯畀宋人是也何者
傳云晉侯執曹伯班其所取侵地于諸侯正指上二十八年
執曹伯以畀宋人之文言晉還之然此者謂執曹伯而還諸侯之田矣
久也 當時不取久後有悔更緣前語取之不應以得故當坐取邑
○公子遂如晉○夏四月四卜
郊不從乃免牲猶三望曷爲或言三卜或言
四卜三卜禮也四卜非禮也三卜何以禮四
卜何以非禮 據俱卜也 疏 據俱卜也○解云即襄七年夏四月三卜郊不從乃免牲是其
則也○三卜禮也○解云案曲禮上篇云卜筮不過三魯四卜郊春秋譏之是也
三卜禮謂是魯禮若天子之郊則不卜以其常事
但以魯郊非常是以卜之吉則爲之凶則已之
求吉之道三 三卜吉凶必有相奇者可以決疑故求吉必三卜○奇居宜反 疏 求吉之道三○解云周禮大卜
掌三王之龜易義亦通于此然三卜是禮理應不書襄七年
三卜郊何以書正以魯人之郊博卜三正乃在周之
四月以其不 禘嘗不卜郊何以卜 據天子四時祭爲大故據
之 疏 禘嘗不卜○解云即僖八年秋七月禘于太廟禘比祫爲大嘗比
四時祭爲大是以書也
禘比祫爲大○解云禘之與祫雖皆大祭但禘及功臣於祫
則否故以禘爲大是以文二年大事於大廟之下傳云五年
而再殷祭彼注云諸三年祫五年禘禘所以異於祫者功臣
皆祭也祫猶合也禘猶禘也審諦無所遺失盤庚曰茲予大
享于先王爾祖其從與享之義亦通于此也○注嘗比四時
祭爲大○解云以此當其禘既大於祫則亦嘗大于四時
且嘗是秋成萬物以爲盛也 卜郊非禮也 禮天子
薦馨故以爲盛也 不卜郊 疏 注禮天至
云欲道天子之郊以其常事故不須卜 卜郊何以非禮 據上
魯郊非小禮是以卜之與於禘嘗耳
言三 疏 卜郊何以非禮○解云弟子之意以爲上言三卜
卜禮 是禮何言卜郊非禮者以爲由魯郊非正故
須卜何妨天子 魯郊非禮也 以魯郊非禮故卜爾昔武
之郊不卜乎 王既沒成王幼少周公居
攝行天子事制禮作樂致太平有王功周公薨成王以王禮
葬之命魯使郊以彰周公之德非正故卜三卜吉則用之不
吉則免牲謂之郊者天人相與交接之意也不言郊天
者謙不敢斥尊○此詩照反大平音泰王功于況反 疏
注謂之郊至意也○解云何氏以爲郊特牲云於郊故謂之
郊禮記非正故不從之○注不言郊天者至尊言○解云
欲道禘于大廟于莊公武宮之屬皆斥尊言之若然乙亥嘗
己卯烝之屬又不斥言者以是時祭于大廟小於禘故也
魯郊何以非禮 據成公乃郊惡之○惡烏路反下皆同 天子祭天
郊者所以祭天也天子所祭莫重於郊於南郊者就陽位也
稾席玄酒器用陶匏大珪不琢大羹不和爲天至尊物不可
悉備故推質以事之○稾古老反匏白交反琢丁角反 疏 注
反和戶卧反爲天于僞反下則爲本爲王爲皆同
南郊至以事之○解云皆出禮記郊特牲文又云郊之祭也
大報天而主日也兆於南郊就陽位也又云莞簟之安而蒲
越稾鞂之尚酒醴之美玄酒明水之尚器用陶匏以象天地
之性也大珪不琢美其質也大羹不和貴其質也鄭氏云明
水司烜以陰鑑所取於月之水也蒲越稾鞂藉神席也而彼
文又云祭天埽地而祭焉於其質而已矣而云稾鞂神席者

正謂對不爲壇故言掃地不全無席**諸侯祭土**。土謂社也諸侯所祭莫重於社卿大夫祭五祀士祭其先〔疏〕諸侯祭土〇解云欲道魯郊爲非禮之意也**天子有方望之事**。方望謂郊時所望祭四方羣神日月星辰風伯雨師五嶽四瀆及餘山川凡三十六所〔疏〕注方望至六所〇解云舊說云四方羣臣是爲四也通日與月爲六星是五星爲十一也辰是十二辰爲一十二風伯雨師爲二十五嶽爲三十四瀆爲三十二餘小山川爲二是爲三十六所**無所不通**。所不通者之所載無所不至故**諸侯山川有不在其封內者則不祭也**。故魯郊非禮也〔疏〕注故魯至禮也〇解云正以天子所主狹是以不得祭天地也**曷爲或言免牲或言免牛**。或言免牲之禮卜郊不吉則爲牲作〇解云即成七年王正月鼷鼠食郊牛角改卜牛鼷鼠又食其角乃免牛是也〔疏〕或言免牛〇解云即成玄衣纁裳使有司玄端放之於南郊明本爲天不敢留天牲**免牲禮也免牛非禮也免牛何以非禮**。不謹敬有災傷天不饗用不得復爲天牲故以本牛名之非禮者非大牲不當復卜**傷者曰牛**。犧牲之〇復爲扶又反下同見賢偏反下以見同**三望者何**。三望者何〇解云欲言祭名文在免牲之下欲言非祭因郊天爲之〔疏〕**望祭也然則曷祭祭泰山河海曷爲祭泰山河海**。音泰本亦作泰下同〇大山者主爲祭天〇**山川有能潤于百里者天子秩而祭之**。故執不知問此皆助天宣氣布功故祭天及之秩者隨其大小尊卑高下所宜禮祭天牲角繭栗社稷宗廟角握六宗五嶽四瀆角尺其餘山川視卿大夫天燎地瘞日月星辰布山縣水沈風磔雨升燎者取俎上七體與其珪寶在辦中置柴上燔之〇繭古典反燎力召反瘞於例反縣音玄磔陟百反〔疏〕注王制與禮記文耳其餘山川視卿大夫者小山川之屬但牽牛而已〇注天燎至雨升〇解云爾雅祭天曰燔柴者蓋以燔柴而燔之故謂祭爲燔柴祭地曰瘞埋李巡曰祭地以玉埋地中曰瘞亦埋也云日月星辰布者即爾雅云祭星曰布孫氏云既

捷

祭布散於地位似星辰布列郭氏曰布散祭於地然則爾雅雖不言日月日月之義宜附於星故何氏連日月言之云山縣者爾雅云祭山曰庪縣郭氏云或庪或縣置之於山李氏曰祭山以黃玉及璧以庪置几上遙遙而眡之若縣故曰庪縣孫氏曰庪縣埋於山足曰庪埋於山上曰縣是也云水沈者即爾雅祭川曰浮沈孫氏曰置祭於水中或浮或沈故曰浮沈是也言風磔者即爾雅云祭風曰磔孫氏云既祭披磔其牲以風散之李氏曰祭風以牲頭蹄及皮破之以祭故曰磔郭氏曰今俗當大道中磔狗云以止風此其象云雨升者無文何氏更有所見蓋以其雨多祭使上升故祭雨曰升明上求沈是祭川也〇注燎者取至燔之〇解云上天燎之文其七體者即少牢之肩臂臑肫胳正脊脡脊橫脊長脅代脅之屬也**觸石而出膚寸而合**。側手爲膚案指爲寸言其觸石理而出無有膚寸而不合〇膚方于反側手爲膚案指爲寸**不崇朝而徧雨乎天下者**。崇重也不重朝言一朝也〇崇朝如字注同又作宗崇重直龍反下同**唯泰山爾**。同雨于付反又亦能通氣致雨潤澤及于千里詩傳曰**河海潤于千里**。湯時大旱使人禱于山川是也望非一**猶者何通可以已也**。已止**何以書**。譏不郊而望祭也猶者通可以已也言獨祭三者魯郊非禮故獨祭其大者**譏不郊而望祭也**。譏尊者不食而卑者獨食書者惡尊明其先祖之功德不就譏之譏者春秋不見事不書皆從事舉可知也不告言不從者明已意汲汲欲郊而上不從所以見事鬼神當加精誠〇**秋七月**。〇**冬杞伯姬來求婦**。其言**來求婦何兄弟辭也其稱婦何有姑之辭也**〇**狄圍衛**〇**十有二月衛遷于帝丘**。月者惡大國遷至小國城郭堅固人衆畏遷徙畏人故惡之也書者無出道也

三十有二年春王正月〇**夏四月己丑鄭伯接卒**。不書葬者殺大夫申侯也君殺大夫皆就葬別有罪無罪惟內無也公之道不可去葬故從殺時別之〇接二傳作捷別有彼列反下同玄遍呂反〔疏〕注君殺至無罪〇解云正謂大夫無罪有罪則書其君葬若大夫無罪

則去其君葬以見惡。注嗜內至別之。解云正其別之者
即有罪不日上二十八年春公子買戍衛不卒戍刺之是也
若其無罪則書日即成十六年十有二月乙酉刺公子偃是也。衛人侵狄。秋衛
人及狄盟不地者因上侵就狄盟也復出衛人者嫌與內微者同也言及者時出不得狄君也稱人而言及則知狄盟者卑。復扶又反。冬十有二月己卯晉侯重
耳卒。重音龍反
三十有三年春王二月秦人入滑。齊侯使
國歸父來聘。夏四月辛巳晉人及姜戎敗
秦于殽。殽本又作崤户交反或户高反。其謂之秦何。據敗者稱師未得師稱人。
疏注據敗至稱人。解云即莊二十八年春王三月甲寅齊人伐衛衛人及齊人戰衛人敗績傳云敗者稱師衛何以不稱師未得乎師也何氏云據桓十二年己巳戰敗績稱師何氏云未得成列為師也然則彼衛人未得師稱人此稱國故難之
夷狄之也曷為夷狄之。據俱見敗。秦
伯將襲鄭。輕行疾至不戒以入曰襲。襲音習反
百里子與蹇叔
子諫曰千里而襲人未有不亡者也。行疾不假道遠多險阻變必生必亡。蹇紀輦反
秦伯怒曰若爾之年者宰上之
木拱矣。宰冢也拱可以手對抱。疏注宰冢也。解云正以穀梁傳云子之冢木已拱矣范氏云拱合抱未知同異如何也。拱九勇反以手對抱
爾曷知。師出百里子與蹇
叔子送其子而戒之曰爾即死必於殽之嶔
巖是文王之所辟風雨者也。其處險阻隘勢一人可要百故文王過之驅馳常若辟風雨襲鄭所當由也。嶔若銜反鄒氏生銜反又音欽巖五銜反韋昭漢書音義去瞻反又本或作嶔同若五銜反崟音吟巖音嚴辟音避反隘於賣反要遙反傳要之同
吾將尸爾焉。尸在棺曰尸

子揖師而行。揖其父於師中介胄不拜為其拜而蹲。胄直又反介胄不拜。解云出曲禮上篇彼文作拜字鄭注云軍中之拜肅拜是也。蹲音存
百里子
與蹇叔子從其子而哭之。秦伯怒曰爾曷為
哭吾師。對曰臣非敢哭君師哭臣之子也。言恐臣子先死子不見臣故先哭之
弦高者鄭商也。賈人。賈音古
遇之殽。矯
以鄭伯之命而犒師焉。詐稱曰矯犒勞也。非常不以君子恐見虜掠故生意矯君命勞之。矯以居表反犒苦報反勞力報反下同掠音亮
或曰往矣或曰
反矣。軍中語也時以為鄭實使弦高犒之或以為鄭伯已知將見襲以設備不如還或曰猶出當遂往之
然
而晉人與姜戎要之殽而擊之匹馬隻輪無
反者。匹馬一馬也隻踦也皆喻盡。隻輪如字一本又作易輕董仲舒云車皆不還故不得易輪轍隻踦居宜反一本作易踦
其言及姜戎何。據秦人白狄不言及吳子主會也。疏注及吳子主會也。解云即黄池傳云吳何以稱子吳主會也吳主會則曷為先言晉侯不與夷狄之主中國
姜戎微也。故絕言及
稱人亦微者也何言乎姜
戎之微。據邢人狄人伐衛不言及
先軫也。先軫晉大夫也言姜戎微則知稱人者尊
或
曰襄公親之。疏注以既葬又危文公葬。解云即下經云癸巳葬晉文公是也何者隱三年傳云當時而不日正也當時而日危不得葬也今此文公去年十二月薨至今年四月正宜合葬而書其日故云危文公葬
襄公親之則其稱人何。據桓十三年衛侯用兵不稱人。疏注據桓十三年至稱人。解云即桓十三年二月公會紀侯鄭伯己巳及齊侯宋公衛侯燕人戰云云是也知彼衛侯背殯用兵者即以桓十二年十一月丙戌衛侯晉卒十三年三月葬衛宣公然則三月乃葬先君二月而已出戰故知背殯明矣
貶。曷為貶。據俱背殯用兵
君在乎殯而用師

宰字一本作冢字

危不得葬也 與衛迫鄭宋異故惡不子也。惡不烏路反下同 疏 注與衛至宋異。解云即彼注云背殯用兵而月不危之者衛寡於齊宋不從亦有危故量力不責是也 詐戰不日此何以日 據不言敗績外詐戰文也詐卒也齊人語也。卒七忽反 盡也 惡不仁 。癸巳葬晉文公。狄侵齊。公伐邾婁取叢 取邑不致者得意可知例。取叢 疏 取叢。解云有作鄒字者。注取邑至知例。解云公與二國以上出會之時得意致會不得意致伐若與一國及獨出用兵之時得意不致不得意致伐今此取邑例皆不致不別得意者與不得意也故云得意可知例 秋公子遂率師伐邾婁。晉人敗狄于箕 不月者略夷狄也 疏 注不月至狄也。解云以隱六年注云戰例時偏戰日詐戰月今此不月故解之 冬十月公如齊 月者善公念齊恩及子孫 疏 注月者至子孫。解云正以朝聘例時故如此解而言念齊恩及子孫者正以十年春公如齊之下注云月者僖公本齊所立桓公德衰見叛獨能念恩朝事之故書錄之十五年公如齊之下注云月者善公既能念恩尊事齊桓又合古五年一朝之義故録月以念恩及子孫解之 十有二月公至自齊。乙巳公薨于小寢。隕霜不殺草李梅實何以書記異也何異爾不時也 周之十二月夏之十月也易中孚記曰陰假陽威之應也早霜而不殺萬物至當實之時復榮不殺也此禄去公室政在公子遂之應也。解云正謂陰威陽而散萬物也 疏 注陰威至萬物。解云正謂

人陳人鄭人伐許 晉

監本春秋公羊註疏文公卷第十三 起元年盡九年

何休學

元年春王正月公即位。二月癸亥朔日有食之 是後楚世子商臣弒其君 疏 注是後至其君。解云即下經云冬十月丁未楚世子商臣弒其君是也。注是後至其君。解云即下四年夏狄侵齊之屬是也 天王使叔服來會葬 其言來會葬何會葬禮也 疏 注據奔喪以非禮書。解云即定十五年夏五月壬申公薨于高寢下云邾婁子來奔喪傳云其言來奔喪何奔喪非禮也是也。注歸含且賵不言來。解云下五年春王正月王使榮叔歸含且賵是也。注者常事書者不一言諸侯之故書天子之厚以起諸侯之薄蓋以長補短也。叔服者王子虎也服者字也叔者長幼之稱也不繫王者不以親親錄也不稱王子者時天子諸侯不務求賢而專貴親親故尤其在位子弟剌其早任以權也魯得言公子者方錄異辭故獨不言弟也諸侯得言子弟者一國失賢輕。不爲子偏反下不爲同長幼丁丈反 疏 注但解至施也。注常事書者。解云在隱元年會葬在葬前適得其所故謂之常事常事不書今書之故須解之。注文公至會之。解云正以下七年秋八月公會諸侯晉大夫盟于扈傳云諸侯何以不序大夫何以不名公失序也公失序奈何諸侯不可使與公盟昳晉大夫使與公盟也注云文公爲諸侯所薄賤不見序故深諱爲不可知之辭是其不肖諸侯莫肯會之之義也。注故書至之薄。解云言天子因以厚於文公而經書其會葬起諸侯之薄無恩於文公故經不書矣而襄三十一年冬十月滕子來會葬亦是常事而書之者亦起當時更無人會故彼注云此書者與叔服同義是也。注蓋以長補知也。解云謂書天子得禮欲以補諸侯之短今其非禮見矣其非禮者不相會葬是也。注叔服至王子虎也。解云知叔服爲王子虎者正以下三年夏五月王子虎卒傳云王子虎者何天子之大夫也外大夫不卒

此何以卒新使乎我也注云王子虎即叔服也新爲王者使來會葬在葬後三年中卒君子恩降於親親則加報之故卒明當有恩禮也是也○注不繫至録也○解云若繫王宜云王使王服子來會葬似若宣十五年王扎子矣今不如此者春秋王見天子之厚使來會葬而已何須録其使人之親疏乎是以不言王服子矣宣十五年王扎子殺召伯毛伯傳云王扎子者何長庶之號注云子者王子也天子不言子弟故變文上扎繫先王以明之是其類也○注不稱至權也○解云言尤其在位子弟則知聘使與會盟之時不得稱子弟若其卒與奔猶得稱之何者卒與出奔不復在位何須刺其早任以權乎即下三年夏五月王子虎卒襄三十年夏王子瑕奔晉之屬是也○注魯得至弟也○解云魯君在位公子得言之者即莊五年公子翬如齊逆女莊二年公子慶父伐於餘丘之屬是也言方録異辭者謂上異於天子下異於諸侯見其爲新王之義故曰方録異辭矣故獨不言弟也者謂尤其在位之弟若其卒與出奔不妨有之即宣十七年冬公弟叔肸卒之屬是也○注諸侯至賢輕○解云諸侯在位公子得見經者即宣二年春及鄭公子歸生戰于大棘之屬是也其諸侯在位之弟得見經者即隱七年夏齊侯使其弟年來聘桓十四年夏鄭伯使其弟語來盟之屬是也一國失賢輕

侯吉劉表　公羊疏十二　運司綦重校　三

者雖是不務求賢而專貴親親要其一國失賢其罪輕故也○夏四月丁巳葬我君僖公○天王使毛伯來錫公命錫者何賜也命者何加我服也復發傳者嫌禮與桓公同死生異也主書者惡天子也古者三載考績三考黜陟幽明文公新即位功未足施而錫之非禮也○錫思歷反復扶又反惡烏路反疏錫者何○解云明始即位未有功美天子加錫異於常典故執不知問○注復發至禮也○解云莊元年王使榮叔來錫桓公命傳云錫者何賜也注云上與下之辭傳又云命者何加我服也注云增加其衣服令有異於諸侯然則若不重發即嫌恐與桓公同故復言之明有異矣彼是贈死之衣此是朝祭之服故言死生異也云云之説在莊元年○晉侯伐衛○叔孫得臣如京師書者與莊二十五年同知不爲喪聘書者聘爲貢職天子當得異方之物以事宗廟又欲以知君父無恙不以喪廢故不譏也如他國就不三年一譏而已○恙餘亮反疏注書者至譏也○解云即莊二十五年冬公子友如陳彼注云如陳者聘也內朝聘言如者尊內也書者録內所交接也今此亦然故曰同也○注如他至而已○解云如他國所以合譏者正以公娶是吉禮又非君父之國於喪宜廢故也言就不三年一譏而已者即下二年冬公子遂如齊納幣傳云納幣不書此何以書譏何譏爾譏喪娶也娶在三年之外則何譏乎喪娶三年之內不圖婚是也言就其重者一譏而已其餘不譏從可知○衛人伐晉○秋公孫敖會晉侯于戚○戚子寂反○冬十月丁未楚世子商臣弑其君髡楚無大夫言世子者甚惡世子弑父之禍也不言其父言其君者君之於世子有父之親有君之尊言世子者所以明有父之親言君者所以明有君之尊又責臣子當討賊也日者夷狄子弑父忍言其日○髡苦門反左氏作頵疏注楚無至賊也○解云下九年冬楚子使椒來聘傳云椒者何楚大夫也楚無大夫此何以書始有大夫也始有大夫則何以不氏許夷狄者不一而足也然則至下九年椒始有大夫則知此處未有大夫矣既無大夫其世子亦未當見故解之○注日者至其日○解云此注者正決襄三十年夏四月蔡世子般弑其君固何氏云不日者深爲中國隱痛有子弑父之禍故不忍言其日是也○公

公羊疏十三

孫敖如齊書者譏喪娶吉凶不相干

二年春王二月甲子晉侯及秦師戰于彭衙秦師敗績稱秦師者起其衆悲其將不用百里子蹇叔之言匹馬隻輪無反者今復重師敗績師敵君不正者敵之不嫌得敵君○衙音牙本或作牙惡烏路反將子匠反復扶又反下不復皆同重直用反疏注稱秦至其將○解云正以秦主是時未有大夫則不合稱師今而稱師故解之○注前以至敗績○解云在僖三十三年○注師敵至敵君○解云僖二十八年夏晉侯以下及楚人戰于城濮傳云此大戰也曷爲使微者子玉得臣也子玉得臣則其稱人何貶曷爲貶大夫不敵君也然則彼是大夫嫌其與君敵故正之稱人此師者乃是秦之衆人是以不勞正之耳○丁丑作僖公主作僖公主者何爲僖公作主也爲僖公廟作主也主狀正方穿中央達四方天子長尺二寸諸侯長一尺○爲僖公廟于僞反下蓋爲爲下欲爲同疏作僖公主者何○解云欲言是禮書而譏之欲言非禮禮有作主之事故執不知問○爲僖公

文二年

作主也。○解云：爲于僞反。○注主狀至二尺。○解云：皆孝經說文也。卿大夫以下正禮無主，故不言之。云云之說，備在左氏。

主者曷用？虞主用桑。 禮，平明而葬，日中而反虞，以陽求陰，謂之虞。埋。孝子無所親，求而虞事之。虞猶安神也。用桑者，取其名與其麤觕，所以副孝子之心。禮，虞祭天子九，諸侯七，卿大夫五，士三。其奠處猶吉祭。○觕，才古反，又七奴反。○[illegible]苦晃反。

疏 注禮平至反虞。○解云：皆出禮弓與士虞記也。言以陽求陰者，謂以日中求神是也。而鄭注士虞記云朝葬而日中虞，君子舉事必用辰正也者，兩相須也。彼鄭氏又云再虞三虞皆質明，則日中而反虞者，指葬日言之。○注虞猶安神至吉祭。○解云：內諸侯七以下，雜記文。其天子九虞者，何氏差之耳。異義，左氏說亦有此文。云云之說，具在左氏疏。

練主用栗。 謂期年練祭也。埋虞主於兩階之間，易用栗也。夏后氏以松，殷人以柏，周人以栗。松猶容也，想見其容貌而事之，主人正之意也。柏猶迫也，親而不遠，主地正之意也。栗猶戰栗，謹敬貌，主天正之意也。禮士虞記曰：桑主不文，吉主皆刻而諡之。蓋爲禘祫時別昭穆也。虞主三代同者，用意尚麤觕，未暇別也。○期年音基。三年同。人正音征，下同。別，彼列反，下同。

疏 注謂期至栗也。○解云：出禮記文。○注夏后至以栗。○解云：出論語也。而鄭氏注云謂社主，王以古文論語哀公問社於宰我故也。今文論語無社字，是以何氏以爲廟主耳。

用栗者，藏主也。 藏于廟室中，當所當奉事也。質家藏于堂。

作僖公主何以書？ 據作餘公主不書。

譏。何譏爾？不時也。其不時奈何？欲久喪而後不能也。 禮，作練主當以十三月。文公亂聖人制，欲服喪三十六月，十九月作練主，又不能卒竟，故以二十五月也。日者，重失禮鬼神。

疏 注禮作至三月。○解云：即禮記云十三月而練是也。○注日者至鬼神。○解云：即隱五年注云失禮鬼神例日是也。

○**三月乙巳，及晉處父盟。此晉陽處父也，何以不氏？** 據晉陽處父伐楚救江。

疏 注據晉至救江。○解云：即下三年冬，晉陽處父帥師伐楚救江是也。

諱與大夫盟也。 諱去氏者，使若得其君，如經言鄭處父矣。不地者，起公就於晉也。日者，起公盟也。俱沒公者，齊高傒不地，使若君自來也。如晉不書，不致者，深諱之。○去，起呂反。

疏 諱去至晉也。○解云：處父之事在隱元年。凡大夫諸侯失爵者，宜名字之例者，但直書其名字，不言其氏，即宛、祭叔、郭處父之類是也。今此處父無氏，故云使若得其君矣。○注日者起公盟也。○解云：正以微者盟例不日故也。○注俱沒至君也。○解云：高傒之事在莊二十二年，彼經云秋七月丙申，及齊高傒盟于防是也。○注如晉至諱之。○解云：正決下二年冬，公如晉，十有二月己巳，公及晉侯盟，四年春，公至自晉之文也。

○**夏六月，公孫敖會宋公、陳侯、鄭伯、晉士縠盟于垂斂。** 不日[illegible]。○縠，戶木反。垂斂，[illegible]。左氏作垂隴。

疏 [illegible]

○**自十有二月不雨，至于秋七月。何以書？記異也。大旱以災書，此亦旱也，曷爲以異書？大旱之日短而云災，故以災書。此不雨之日長而無災，故以異書也。**

疏 [illegible]

○**八月丁卯，大事于大廟，躋僖公。大事者何？大祫也。** 大祫者，合祭也。[illegible]

疏 [illegible]

栗字一本
栗三作ル

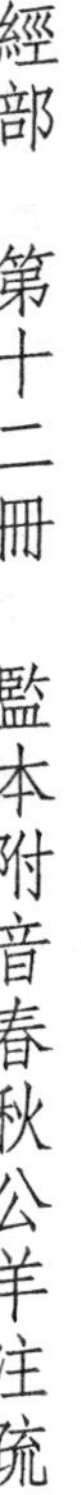

僖八年秋七月禘於太廟從此以後三年一祫數則十一年祫十四年祫十七年祫二十年祫二十三年祫二十六年祫二十九年祫三十二年祫文二年祫也若作五年一禘數則從僖公八年禘十三年禘十八年禘二十三年禘二十八年禘三十三年禘文五年禘則文二年非禘年正當合祫故知此年大事為祫矣是以注云又從僖八年禘數之知為大祫也若然從僖八年禘數之則十一年祫十三年禘隨次而下至僖二十三年并為禘祫何得下傳云五年而再殷祭者蓋為其初時三年作祫五年作禘大判言之得言五年而再殷祭其間三五參差隨次而下何妨或有同年時乎知非祫與禘相因而數為三年五年者若從僖八年禘十一年祫十六年禘十九年祫數之至僖三十二年禘文公二年祫亦相當但於五年而再殷祭之言不合故不得然 大祫者何合祭也其合祭奈何毀廟之主陳于大祖 毀廟謂親過高祖毀其廟藏其主于大祖廟中禮取其廟室笮以為死者炊沐大祖周公之廟陳者就陳列大祖前大祖東鄉昭南鄉穆北鄉其餘孫從王父父曰昭子曰穆昭取其鄉明穆取其北面尚敬○笮側白反炊沐昌垂反下音木東鄉許亮反下同 疏 云太祫者何○解云正以祫小于禘而文加大故執不知問○注禮取至炊沐○解云出禮記文 未毀廟之主皆升合食于大祖 自外來曰升 五年而再殷祭 殷盛也謂三年祫五年禘禘所以異於祫者功臣皆祭也祫猶合也禘猶諦也審諦無所遺失禮天子特禘特祫諸侯禘則不礿祫則不嘗大夫有賜於君然後祫其高祖○禘音帝礿羊略反 疏 注禘所以至皆祭也○解云出禮記與春秋說文○注禮天至特祫解云禮記及春秋說文即不主禘祫是也○注諸侯至不嘗解云即禮記王制所云夏禘則不礿秋祫則不嘗是也○注大夫至高祖○解云正以於禮不得故也 躋者何升也何言乎升僖公 據禘于大廟不道所升 疏 躋者何○解云先君昭穆自有常次今而言躋故執不知問○注據禘至所升○解云即僖八年秋七月禘于大廟用致夫人是也 譏何譏爾逆祀也其逆祀奈何先禰而後祖也 升謂西上禮昭穆指父子近取法春秋惠公與莊公當同南面西上隱桓與閔僖亦當同北面西上繼閔者在下文公緣僖公於閔公為庶兄置僖公於閔公上失先後之義故譏之傳

曰後祖者僖公以臣繼閔公猶子繼父故閔公於文公亦猶祖也自先君言之隱桓及閔僖各當為兄弟顧有貴賤耳自繼代言之有父子君臣之道此恩義逆順各有所施也不言吉祫者就不三年不復譏略為下張本○禰乃禮反 疏 注不言至張本○解云閔二年夏五月乙酉吉禘于莊公傳云其言吉何言吉者未可以吉也曷為未可以吉未三年也然則吉禘于莊公亦在三年之內今此大事亦在三年之內是不須更言吉祫以譏之但略言大事于大廟為下躋僖公張本而已 冬晉人宋人陳人鄭人伐秦○公子遂如齊納幣納幣不書此何以書譏何譏爾譏喪娶也娶在三年之外則何譏乎喪娶 據逆姜在四年○喪取七住反本亦作娶同 疏 注據逆至四年○解云正以桓三年秋公子翬如齊逆女不書納幣故難之 三年之內不圖婚 據僖公以十二月薨至此未滿二十二月又禮先納采問名納吉乃納幣此四者皆在三年之內故云爾 吉禘于莊公譏然則曷為不於祭焉譏 據吉禘于莊公譏始不三年大事圖嫌但不三年大事猶從吉禘不復譏 三年之恩疾矣 疾痛 非虛加之也 非虛加責之 以人心為皆有之 以人心為皆有疾痛不忍娶 以人心為皆有之則曷為獨於娶焉譏 據孝子疾痛吉事皆不當為非獨娶也 娶者大吉也 合二姓之好傳之於無窮故為大吉○好呼報反傳直專反 非常吉也 與大事異 其為吉者主於己 娶主於己身不如祭祀娶有念先人之心 以為有人心焉者則宜於此焉變矣 變者變慟哭泣也有人心念親者聞有欲為已圖婚則當變慟哭泣矣況乃至于納幣成婚哉○慟杜貢反

三年春王正月叔孫得臣會晉人宋人陳人衛人鄭人伐沈沈潰 ○伐沈音審國名潰戶內反 ○夏五月王

文三年

子虎卒。王子虎者何？天子之大夫也。外大夫不卒，此何以卒？據原仲也。疏 王子虎者何○解云：欲言大夫則不書卒，欲言諸侯而經書王子，故執不知問。○注據原仲也○解云：即莊二十七年秋公子友如陳葬原仲是也。新使乎我也。王子虎即叔服也。新爲王者使來會葬，在葬後三年而卒。君子恩隆於親親，則加報之，故卒，明當有恩禮也。尹氏卒日，此不日者，在期外也。名者，卒從正。○新使所吏反 疏 注尹氏至外也○解云：隱三年夏四月辛卯尹氏卒，下傳云外大夫不卒，此何以卒？天王崩，諸侯之主也。何氏云時天王崩，魯隱往奔喪，尹氏主儐贊諸侯，與隱交接而卒，恩隆於王者則加禮錄之，故爲隱恩痛之。日者，恩錄之，明當有恩禮。然則彼天王崩，尹氏將月卒，仍在期內，其恩近，故書日。此則已經三年，其恩殺，故不日，是以注云在期外。○注名者卒從正○解云：隱八年夏六月己亥，蔡侯考父卒，八月葬蔡宣公，傳云卒從正而葬從主人。何氏云卒當赴告天子，君前臣名，故從君臣之正義言也。傳云而葬從主人，何氏云至葬者有常月可知，不赴告天子，故自從蔡臣子辭稱公。然則此亦從君臣之正義言之，故云名者卒從正也。○秦人伐晉。○秋，楚人圍江。○雨螽于宋。雨螽者何？死而墜也。以先言雨也。墜，隨地也。不言如雨言雨螽者，本飛從地上而下至地，似雨尤酷。○雨螽于付反，下及注同。一音如字。螽音終。而墜直類反，注同。隋大果反。上時掌反。酷苦毒反。疏 雨螽者何○解云：欲言是雨而特施于螽，欲言非雨而文言雨螽，故執不知問。○注以先言雨也○解云：正以先言雨，後言螽，則知死而墜者也。○注不言至尤酷○解云：欲道莊七年星霣如雨者，本從天來，又不及地，如雨不酷，故云如雨。此則初從地上而還至地，故不言如，言其真似雨也。何以書？記異也。外異不書，此何以書？爲王者之後記異也。螽猶衆也。衆死而墜者，羣臣將爭彊相殘賊之象。是後大臣比爭鬬相殺，司城驚逃，子哀奔亡，國家廓然無人，朝廷以空，蓋由三世內娶，貴近妃族，禍自上下，故異之云爾。○爲王于偽反。近附近之近。疏 注是後至相殺○解云：即七年夏宋人殺其大夫，八年冬宋人殺其大夫是也。○注司城驚逃○解云：即八年冬宋司城來奔是也。○注子哀奔○解云：十四年秋宋子哀來奔是也。○注蓋由三世內娶○解云：僖二十五年及十七年傳皆云宋三世無大夫，三世內娶也之屬是也。○冬，公如晉。十有二月己巳，公及晉侯盟。○晉陽處父帥師伐楚救江。此伐楚也，其言救江何？據兩之當先言救也。非兩之，當重出處父也。生事當言遂。三者皆違例，知後言救江起伐楚意，故問之。○壹直用反。疏 注據兩至救也○解云：即僖二十五年秋楚人圍陳，納頓子于頓，傳云何以不言遂？兩之也，是也。必知先言救者，正以江近楚遠故也。○注非兩至父也○解云：即僖二十八年春晉侯侵曹，晉侯伐衛，傳云曷爲再言晉侯？非兩之也，是也。○注生事當言遂○解云：即宣元年秋楚子、鄭人侵陳，遂侵宋是也。爲諼也。諼許元反。○諼其爲諼奈何？伐楚爲救江也。救人之道，當指其所之，實欲救江而反伐楚，以爲其勢必當引圍江兵當還自救也，故云爾。孔子曰：自古皆有死，民無信不立。

四年春，公至自晉。○夏，逆婦姜于齊。其謂之逆婦姜于齊何？據不書逆者主名，不言如齊，不稱女。疏 夏逆婦姜于齊○解云：隱二年注云不親迎例月，重錄之。今此書時者，蓋以聚于大夫，賤不可以奉宗廟，故略之。○注據不至稱文○解云：決宣元年公子遂如齊逆女之經也。略之也。稱婦姜至文也。逆與至共文，故爲略。疏 注稱婦至爲略○解云：欲道遂以夫人婦姜至自齊之經，還至始言婦姜，今此始逆已言婦姜，故云逆與至共文耳。高子曰：娶乎大夫者，略之也。賤，非所以奉宗廟，故略之。不書逆者主名，卑不爲錄使也。不言如齊者，大夫無國也。不稱女者，方以婦姜見與至共文，重至也。不稱夫人，爲致文，若賤不可奉宗廟也。不言氏者，本當稱女，女者父母辭，君子不奪人之親，故使從父母辭，不言氏。○爲于偽反。使所吏反。見賢遍反。疏 注不言至言氏○解云：莊二十七年秋公子友如陳葬原仲，案彼亦是大夫無國而得言如陳者，何氏云不言如陳，嫌不碎國事，實私行也，是也。○狄侵齊。○秋，楚人滅江。○晉侯伐秦。○衛侯使甯俞來聘。○冬十有一月壬寅，夫人風氏薨。

○甯俞乃定反下音餘 【疏】衛侯使甯俞來聘○解云正本作速字故賈氏云公羊曰甯速是也

五年春王正月王使榮叔歸含且賵含者何

口實也 孝子所以實親口也緣生以事死不忍虛其口天子以珠諸侯以玉大夫以碧士以貝春秋之制也文家加飯以稻米○飯扶晚反 【疏】含者何○解云欲言實口上下無例欲言佗物而經書含故執不知問○注天子至貝者○解云皆春秋說文故云春秋之制也○注文家加飯以稻米○解云即禮記檀弓下篇云飯用米貝弗忍虛也

其言歸含且賵何 據宰咺歸兩賵不言且也連賵何之者嫌據賵言歸○咺況阮反 【疏】注據宰至且也○解云即隱元年秋七月天王使宰咺來歸惠公仲子之賵是也○注連賵至言歸○解云若傳直言其言且何即嫌責此賵宰亦當言歸故連言賵以辯嫌

兼之兼之非禮也 且兼辭以言且知幾兼之也含言歸者時主持含來也去天者含者臣子職以至尊行至卑事失尊之義也不從含晚言來者本不當含也主書者從含也○去起呂反下同 【疏】注含者臣子職○解云正以大宰掌之故也○注不從至

候言刘校　公疏十三　運司蔡重校　張星卿

含也○解云正以含者殯前之禮逕始行之故知晚然則宜言來以見晚而不言來者正以本不當含寧得責其晚乎○注主書至含也○解云言春秋主書此事者正欲譏其含而并言且賵者因譏之 ○三月辛亥

葬我小君成風成風者何僖公之母也 風氏也任宿顓臾之姓○任音壬顓臾音專下音揄 【疏】成風者何○解云欲言其妾經書小君欲言夫人不同夫謚故執不知問○注風氏至之姓○解云風氏謂此成風即上文風氏甍者矣知任宿等之姓者左傳文 ○王使召伯

來會葬 去大者不及事刺比失喪禮也 ○夏公孫敖如晉○秦人

入鄀 鄀音弱 ○秋楚人滅六○冬十月甲申許男

業卒○ 【疏】秋楚人滅六○解云不月者略夷狄滅小國也說在僖二十六年○許男業卒○解云正本作辛字

六年春葬許僖公○夏季孫行父如陳○秋

季孫行父如晉○八月乙亥晉侯讙卒 讙好官反 ○冬十月公子遂如晉○葬晉襄公 書遂者刺公生時數如晉葬不自行非禮也禮諸侯葬使大夫弔自會葬○數所角反 【疏】注書遂至會葬○解云晉侯生時公數如晉者即上二年三月乙巳及晉處父盟彼下注云公如晉不書不致者深諱之三年冬公如晉之屬是也言葬不自行非禮云云者異義公羊說云襄三十年叔弓如宋葬宋共姬譏公不自行也者由此也 ○晉殺其大

夫陽處父○晉狐射姑出奔狄 晉殺其大

夫陽處父則狐射姑曷爲出奔 據蔡殺其大夫公子燮蔡公子履出奔楚此非同姓恐見及○射姑音亦又音夜殺眾作夜 【疏】注據蔡至見及○解云事在襄二十年秋彼傳云公子燮蔡公子履出奔此非同姓而亦奔故難之 射姑殺也 以非恐見及知其殺 射

姑殺則其稱國以殺何君漏言也 自上言泄下曰漏○君漏力豆反泄息列反又以制反 其漏言奈何君將使射姑將 謂作中軍大夫○將子匠反下同 陽處父諫曰射姑民眾不說不可使將於是廢將陽處父出射姑入君謂射姑曰陽處父言曰射姑民眾不說不可使將射姑怒出刺陽處父於朝而走 明君漏言殺之當坐殺也易曰君不密則失臣臣不密則失身幾事不密則害成○不說音悅下同刺七亦反又一音七賜反 【疏】注明君至坐殺也○解云襄公當坐則例去其葬而上文經書冬十月公子遂如晉葬晉襄公者蓋謂葬訖乃相殺不得追去葬是以穀梁傳曰襄公死處父主竟上之事夜姑使人殺之是也然則此傳連言之所以不妨殺之在葬後是以經書葬在殺前矣○注易曰至害成○解云上繫辭文也鄭氏云幾微也密靜也言不慎于微而以動作則禍變必成 閏月不

告月 不告月者何不告朔也 禮諸侯受十二

月朔政於天子藏于大祖廟每月朔朝廟使大夫南面奉天子命君北面而受之比時使有司先告朔謹之至也受於廟者孝子歸美先君不敢自專也言朔者緣生以事死親在朝朝莫夕已死不敢渫鬼神故事必于朔者感月始生而朝○大祖音泰比必利反朝朝上如字下直遥反渫息列反 疏 不告月者何○解云欲言朔日說不言朔欲言朔刺其不告故執不知問○注禮諸侯至受之○解云出玉藻但謂禮法然非謂禮有成文○注比時至告朔○解云比時者言比至月初之時也○注親在朝朝莫夕○解云聚禮有朝玄端夕深衣之文故也而文王世子云文王之爲世子朝於王季日三者蓋謂越禮之甚矣 曷爲不告朔 據月也 天無是月也 閏月矣何以謂之天無是月非常月也 所在無常故無政也 猶者何通可以已也 朔者因視朔政令無政而朝故加猶不言朝者閏月無告朔禮也不言閏者內事例知 疏 猶者何○解云欲言非禮禮則有之欲言是禮而經當猶故執不知問○注不言至可知○解云欲道下十六年夏五月公四不視朔言公矣故解之

七年春公伐邾婁○三月甲戌取須朐取邑不日此何以日 據取叢也○朐其俱反 疏 注據取叢也○解云考諸舊本叢皆作闞字是以昭三十二年春王正月取闞傳云闞者何邾婁之邑也若作叢字即僖三十三年夏四月辛巳晉人及姜戎敗秦于殽癸巳葬晉文公狄侵齊公伐邾婁取叢文承日月之下而將取邑不日錄之非其義也且案彼叢字多作闞字耳○ 內辭也使若他人然 使若公春伐邾婁而去他人自以甲戌日取之內再取邑然後甚而日也今此一取而日故使若他人然所以深諱者惡之盟不見序并為取邑故○并爲于僞反年末注同 疏 注內再至日也○解云即隱十年夏六月辛未取郜辛巳取防傳云取邑不日此何以日一月而再取也何言乎一月而再取甚之也是也若然哀二年春王二月季孫斯叔孫州仇仲孫何忌帥師伐邾婁取漷東田及沂西田亦是再取邑而不日者隱公之時新王始起當先自正而此取人邑小惡之甚書日以甚之至定哀之時以致太平內之小惡亦諱而不書是以不書其日矣所以不全諱之者如彼注云○注今此丁人然○解云舊本此下有如字○注邑之至邑故○解云

文七年　十一

邑之盟在下文秋八月○遂城郚 主書者甚其生事困極師衆○郚音吾 ○夏四月宋公王臣卒 不書葬者坐殺大夫也不日者內娶略 疏 注不書至夫也○解云正以僖二十四年宋公王臣即位至二十五年夏宋殺其大夫而不書葬明其坐此故也○注不日至娶略○解云正決僖九年春王三月丁丑宋公禦說卒書丁丑故也 ○宋人殺其大夫何以不名 據宋殺其大夫山名 疏 注據宋至山名○解云即成十五年秋宋殺其大夫山是也 宋三世無大夫三世內娶也 故使無大夫 疏 宋三至娶也○解云僖二十五年傳云宋三世無大夫三世內娶也注云三世謂慈父王臣處臼也內娶大夫女也言無大夫者禮不臣妻之父母國內皆臣無娶道故絕去其大夫名正其義也是也然則彼已有傳今復發之者恐大夫不書名更有他義故明之其有他義者即莊二十六年夏曹殺其大夫傳云何以不名衆殺之之類是耳○戊子晉人及秦人戰于令狐 ○令力丁反 晉先眛以師奔秦此偏戰也何以不言師敗績 據秦師敗績○眛音蔑左氏作蔑 疏 晉先眛○解云左氏穀梁作先蔑○注據秦師敗績○解云即上二年春王二月甲子晉侯及秦師戰于彭衙秦師敗績是也 敵也 俱無勝負 此晉先眛也其稱人何 據奔無出文知先眛也 貶曷爲貶 據新築之戰衛孫良夫敗績不貶 疏 注據新築至不貶○解云即成二年夏衛孫良夫帥師及齊師敗于新築衛師敗績是也 外也其外奈何以師外也 懷持二心有功欲還無功便持師出奔故於戰敗之起其以師外也本所以懷持二心者其咎亦由晉侯要以無功當誅也不起者敵而外事可知也○咎其九反 疏 注不起至知也○解云言所以不申作文起見晉侯要無功當誅之義者以其可知故也 何以不言出 據楚囊瓦俱戰而奔言出 疏 注據楚至言出○解云即定四年冬蔡侯以吳子及楚人戰于伯莒楚師敗績楚囊瓦出奔鄭也以此言之則令狐非晉地伯莒爲楚地亦明矣 遂在外也 起其生事成於竟外從竟外去 狄侵我西鄙○秋八月公會諸

侯吉刻校　十三　張尾郎

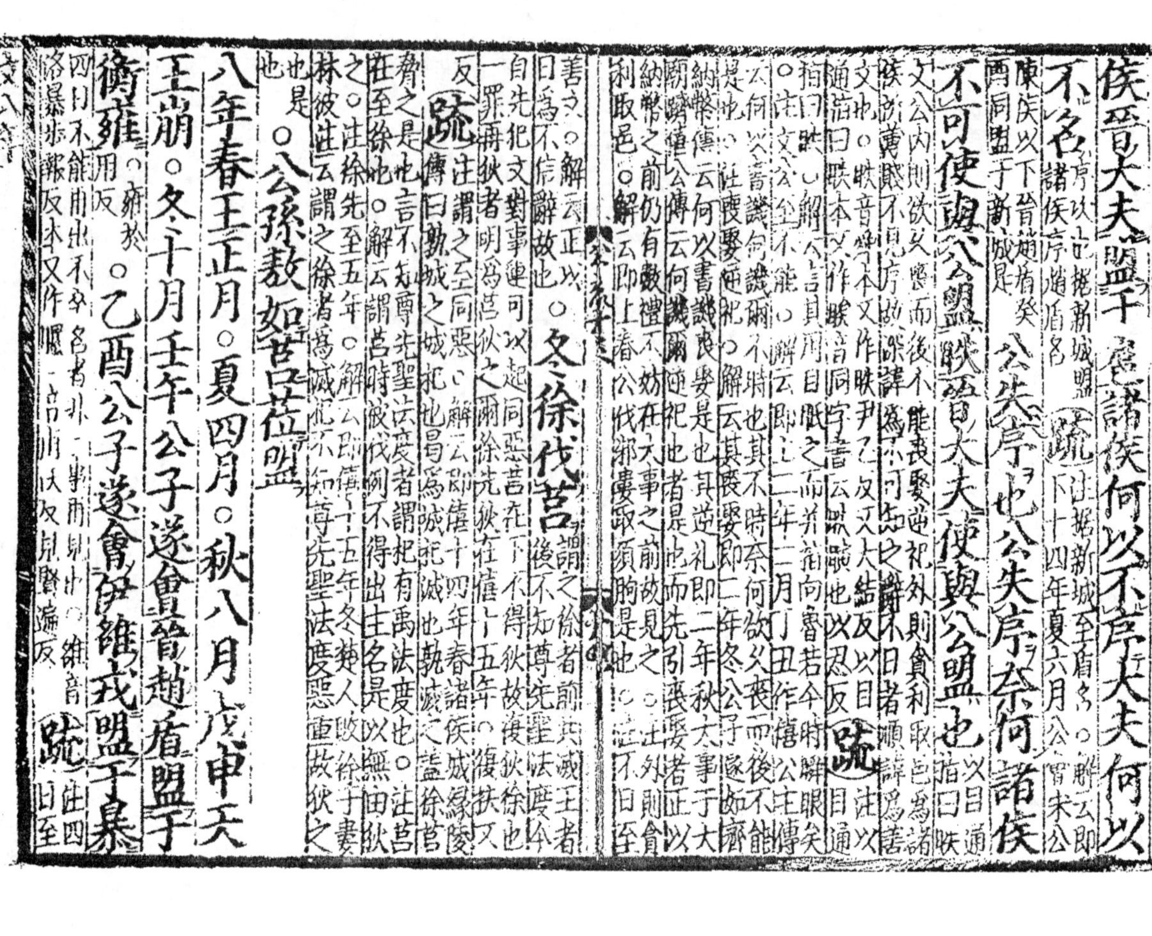

侯晉大夫盟于扈。諸侯何以不序。大夫何以不名。據新城盟序諸侯趙盾名 疏 注據新城至盾名○解云即下十四年夏六月公會宋公陳侯以下晉趙盾盟于新城是 公失序也。公失序奈何。諸侯不可使與公盟。眣晉大夫使與公盟也。以目通指曰眣 文公內則欲久喪而後不能喪娶逆祀外則貪利取邑爲諸侯所薄賤不見序故深諱爲不可知之辭不但者順諱爲善文也○眣音舜本又作眣尹乙反又大結反以目通指曰眣本又作眣音同字書云眣眼也以忍反 疏 注以目通指曰眣○解云言其用目眡之而并指向魯若今時眼矣○注文公至不能○解云即上二年二月丁丑作僖公主傳云何以書譏何譏爾不時也其不時奈何欲久喪而後不能也是也○注喪娶逆祀○解云其喪娶即二年冬公子遂如齊納幣傳云何以書譏何譏爾譏喪娶也其逆祀即二年秋大事于大廟躋僖公傳云何譏爾逆祀也者是也而先別喪娶者正以納幣之前仍有數禮不如在大事之前故見之○注外則貪利取邑○解云即上春公伐邾婁取須朐是也○注不但至善文○解云正以日爲不信辭故也。冬。徐伐莒。謂之徐者前共滅王者後不知尊先聖法度惡重故狄之自先犯文對事連可以起同惡 一罪兩狄者明爲莒狄之爾 疏 注謂之至同惡○解云即僖十四年春諸侯城緣陵傳曰孰城之城杞也曷爲城杞滅也孰滅之蓋徐莒脅之是也言不知尊先聖法度者謂杞有禹法度也○注莒在至徐也○解云謂莒時被狄不得出注名是以無由狄之○注徐先至五年○解云即僖十五年冬楚人敗徐于婁林彼注云謂之徐者爲滅杞不知尊先聖法度惡重故狄之也是○公孫敖如莒莅盟。

八年春王正月。夏四月。秋八月戊申。天王崩。冬十月壬午。公子遂會晉趙盾盟于衡雍。乙酉。公子遂會伊雒戎盟于暴。[illegible] 疏 注四[illegible]

見也○解云欲道宣元年公子遂如齊三月遂以夫人婦姜至自齊傳云遂何以不稱公子一事而再見者卒名也注云卒竟也竟但舉名者省文耳言彼是一事再見故得省文與此異也○公孫敖如京師。不至復。丙戌。奔莒。不至復者何。不至復者內辭也。不可使往也。安居不肯行故諱使若已行但不至還爾即已行當道所至乃言復如至黃矣 疏 不至復者何○解云欲言不到經有如文欲言實到復有不至之称故執不知問○注即已至黃矣○解云即宣八年夏六月公子遂如齊至黃乃復是也 不可使往則其言如京師何。遂公意也。正其義不使君命壅塞○壅於勇反 何以不言出。據慶父言出奔 疏 注據慶至出奔○解云即上閔二年九月公子慶父出奔莒是也 遂在外也。諱使若從外來不敢復還者也日者嫌敖罪明則起君弱故諱使若無罪○復扶又反 疏 注日者至無罪○解云閔二年九月公子慶父出奔莒彼注云不日者內大夫奔例無罪者日有罪者月是也故此作注云日者使若無罪矣內大夫奔例日者襄二十三年冬十月乙亥臧孫紇出奔邾婁之屬是也○螟。先是公如晉公子遂公孫敖比出不可使勢奪於大夫煩擾之應○螟音終 疏 注先是至之應○解云公子遂不可使者即僖三十年冬公子遂如京師遂如晉傳云大夫無遂事此其言遂何公不得爲政爾注云不從公政令也時見使如京師而橫生事矯君命聘晉故疾其驕蹇自專當絕之者是○宋人殺其大夫司馬。宋司城來奔。司馬者何。司城者何。皆官舉也。皆以官名舉言之天子有大司徒大司馬大司空皆三公官名也諸侯有司徒司馬司空皆卿官也宋變司空爲司城者辟先君武公名也 疏 司馬者何○解云欲言大夫經不官舉欲言非大夫而經有大夫之文故執不知問○司城者何○解云欲言大夫例不官舉欲言非大夫司城者宋大夫之號故執不知問○注宋變至武公名也○解云桓六年左氏傳文○曷爲皆官舉。據宋殺其大夫山不官舉 疏 注據宋殺至官舉○解云即在成十五年秋 宋三世無大夫。三世內娶也。宋以內娶故威勢下流三世妃黨爭權相殺司城驚逃子■之主或不知所在朝廷父空故但舉官■事也大夫相殺例皆將【疏】注子哀奔亡○解云即下十四年宋子哀來奔是也○注大夫相殺例皆是○解云正以此經及下九年晉人殺其大夫先都晉人殺其大夫士穀之屬皆不別書日月故也知彼此是大夫相殺之經者正以下十六年傳云大夫相殺稱人矣

九年春毛伯來求金毛伯者何天子之大夫也何以不稱使（据南季稱使）【疏】毛伯者何○解云欲言諸侯經不書朝欲言大夫又不言使故執不知問○注据南季稱使解云即隱九年春天王使南季來聘是也當喪未君也（時王新有三年喪）【疏】注時王新有三年喪○解云即去年八月天王崩是也踰年矣何以謂之未君（据崩在八年踰年當即位）即位矣而未稱王也未稱王何以知其即位以諸侯之踰年即位亦知天子之踰年即位也（俱繼體其禮不得異）以天子三年然後稱王亦知諸侯於其封內三年稱子也（各信恩於其下○信音申）踰年稱公矣則曷爲於其封內三年稱子緣民臣之心不可一日無君緣終始之義一年不二君（故君薨稱子某既葬稱子明繼體以繫民臣之心）【疏】踰年稱公○解云莊二十年師解云爾故據難之不可曠年無君（故踰年稱公）緣孝子之心則三年不忍當也（孝子三年志在思慕不忍當父位故雖即位猶於其封內三年稱子子張曰書云高宗諒闇三年不言何謂也孔子曰何必高宗古之人皆然君薨百官總己以聽冢宰三年○諒音亮又音良闇如字又音陰）毛伯來求金何以書譏何譏爾王者無求求金非禮也然則是王者與（据未稱王○與音餘）曰非也非王者則曷爲謂之王者王者無求曰是子也（雖名爲三年稱子者其實非唯繼父之位）繼文王之體守文王之法度文王之法無求而求故譏之也（引文王者文王始受命制法度）○夫人姜氏如齊（奔父母之喪也不言奔喪者尊內猶不言■得禮也故以致起得禮也書者大夫家危重言如齊者大夫繫國）【疏】注奔父母之喪也解云知者正以諸侯夫人尊重既在夫家終身不反唯三年之喪乃可越竟而奔之今此夫人如齊直書不諱故知其奔父母之喪也○注故以致起得禮也○解云正以春秋之例夫人違禮而出會者皆不致之唯此一文而書至故莊元年注云有出道乃致奔喪致是也○注書者至危重○解云欲道夫人如齊奔父母之喪禮所許之則是常事而書之者但此夫人所適乃是大夫之家卑于夫人有不制之義而危重之是以書也○注言如齊至繫國○解云案上四年經云夏逆婦姜于齊逆者大夫無國也與此違者正以四年逆婦姜之下注云不言如齊至其文又不書如齊見其要于大夫矣故不言如齊正由大夫無國故也今此夫人乃彼婦姜一也經書如齊明知正由大夫繫國故也何者今既尊內不言奔喪若去如齊即文不可施是以將大夫繫國書如齊矣○二月叔孫得臣如京師○辛丑葬襄王王者不書葬此何以書不及時書過時書（重錄失時）【疏】王者不至以書○解云正以隱三年天王崩之下師作解云天子記崩不記葬必其時也故此弟子據而難之○不及時書過時書○解云其不及時書者即宣二年十月天王崩三年正月葬匡王是三十二年夏四月乙丑天王崩六月叔鞅如京師葬景王之屬是也以其不及七月故書之也其過時書者上下無文唯桓十五年三月乙未天王崩至莊三年夏五月葬桓王蓋以當之○注重錄失時○解云以天下共葬一人而不如礼故重錄之刺其失時矣我有往者則書（謂使大夫往也惡文公不自往故書葬以起大夫會之日者僖公成風之喪襄王比加禮故恩錄之所以甚責內○惡烏路反）【疏】注日者至責內○解云如此注者正以二十二年六月叔鞅如京師葬景王之屬不日故也言襄王比加礼者即元年叔服來會葬五年榮叔歸含且賵召伯來會葬之屬是也○晉人殺其大夫先都○三月夫人姜

氏至自齊出獨致者得禮故與臣子辭月者婦人危重從始至例（疏）注出獨至子辭○解云書致者臣子喜其脫危而致故曰與臣子辭耳○注月者至始至例○解云獨行無制恐有非禮之惡故曰危重也言從始至例者即宣元年三月遂以夫人婦姜至自齊成十四年九月僑如以夫人婦姜氏至自齊之屬是也○晉人殺其大夫士穀及箕鄭父○楚人伐鄭○公子遂會晉人宋人衛人許人救鄭○夏狄侵齊○秋八月曹伯襄卒○九月癸酉地震地震者何動地也動者震之故傳先言動者喻若物之重地以曉人也（疏）地震者何○解云大蛟蛇重本無動性而書震故執不知問何以書記異也天動地靜者常也地動者象陰為陽行是時魯文公制於公子遂齊晉失道四方叛德星孛之前自此而作故下與北斗之變所感同也不傳天下異者從王內錄可知○行下孟反孛音佩（疏）注孛星至同也○解云即十四年秋七月有星孛入于北斗是也言與北斗之變所感同者即十四年注云齊晉並爭吳楚更謀競行天子之事齊宋莒魯弒其君而立之應是也○注不傳至可知○解云僖十四年秋八月辛卯沙鹿崩傳云何以書記異也外異不書此何以書為天下記異也今此地震為內錄之內為新王天下明矣故言不傳天下異者從王內錄可知○冬楚子使椒來聘椒者何楚大夫也楚無大夫此何以書始有大夫也入文公所聞世見升平法內諸夏以外夷狄也屈完子玉得臣者以起霸事此其正也聘而與大夫者本大國○椒子遙反二本作菽子小反見賢徧反（疏）椒者何○解云欲言大夫不言其氏欲言微者書名見經故執不知問○注入文至升平○解云知文公為所聞之世者春秋說云文宣成襄所聞之世是也言見治升平者升進也欲見其治稍稍上進而至于平也○注內諸夏外夷狄○解云即成十五年冬叔孫僑如會晉士燮以下會吳于鍾離傳云曷為殊會吳外吳也曷為外也春秋內其國而外諸夏內諸夏而外夷狄是也○注屈完至霸事○解云僖四年夏楚屈完來盟于師盟于召陵傳曰屈完者何楚大夫也何以不稱使尊屈完也曷為尊屈完以當桓公也何氏云增倍使若得其君以醇霸德成王事也是也其子玉得臣者即僖二十八年夏楚殺其大夫得臣何氏云楚無大夫其言大夫者欲起上楚人本當言子玉得臣所以詳錄霸事是也然則彼二人皆是傳聞之世未合書之而書之者欲起齊桓晉文霸事故也○注此其正至大國○解云等是夷狄而舒越之屬皆無大夫而楚得有大夫者正以本是大國故入所聞之世於是見法矣始有大夫則何以不氏據屈完氏許夷狄者不一而足也許夷也足其氏則當純以中國禮責之嫌夷狄質薄不可卒備故且以漸○卒七忽反○秦人來歸僖公成風之襚其言僖公成風何兼之兼之非禮也禮主于敬當各使一使所以別尊卑○襚音遂贈喪之衣服一使所吏反別彼列反下同（疏）其言僖成風之襚何○解云欲言非禮禮有襚才欲言是禮而二人并致故執不知問曷為不言及成風據及者別公夫人尊卑文也成風連成風者但問尊卑體當絕非欲上成風使及僖公○上時掌反又如字（疏）注據及至卑文也○解云即僖十一年夏公及夫人姜氏會齊侯于陽穀是也成風尊也不可使卑及尊也母尊存在下者明婦人有三從之義少繫父既嫁繫夫夫死繫子○少詩召反○葬曹共公共音恭

監本附音春秋公羊註疏卷第十三

監本春秋公羊註䟽文公卷第十四 起十年盡十八年

何休學

十年春王三月辛卯臧孫辰卒。夏秦伐晉 謂之秦者起令狐之戰不貶晉先眛以師奔秦可以足矣而猶不知止故夷狄之 ○楚殺其大夫宜申。自正月不雨至于秋七月。公子遂之所招 ○及蘇子盟于女栗 本亦作汝 ○女音汝 ○冬狄侵宋。楚子蔡侯次于屈貉 魯恐故書刺微弱也○屈貉居勿反又音厥下麥又戶各反二傳作厥貉

屈字一本作蹷字

十有一年春楚子伐圈 圈求阮反一音卷說文作圈字林曰萬反二傳作麇 ○夏叔彭生會晉郤缺于承匡。秋曹伯來朝。公子遂如宋。狄侵齊。冬十月甲午叔孫得臣敗狄于鹹。狄者何 以日嫌夷狄不能偏戰故問也○鹹音咸 䟽 注以日至問也○解云正以春秋之例偏戰日詐戰月夷狄不能偏戰今而書日故執不知問 長狄也 蓋長百尺 䟽 注蓋長百尺○解云何氏蓋取關中記云秦始皇二十六年有長人十二見於臨洮身長百尺皆夷狄服天誡若曰勿大為夷狄行將滅其國始皇不知反喜是時初併六國以為瑞乃收天下兵器鑄作銅人十二象之是也其文穀梁左氏與此長短不同者不可強合 兄弟三人 言相類如兄弟 䟽 注言相類如兄弟○解云正以別之三國不相援助是以知其非親兄弟 一者之齊一者之魯一者之晉 不書者外異也 䟽 注不書者外異也○解云案上文狄侵齊而云不書者蓋以為侵齊之狄非此等也 其之齊者王子成父殺之其之魯者叔孫得臣殺之 言敗殺不明故復云爾○復扶又反 則未知其之晉者也其言敗何 據敗者內戰文非殺一人也 䟽 注據敗者至人也○解云以春秋之義內魯為王王於諸侯無敵之義但當言戰戰則是內敗之文言敗其師則是內戰之文今殲其一人而言敗狄于鹹作內戰之經故難之 大之也 長狄之三國皆欲為君長大非一人所能討與師動眾然後殺之如大戰故執其事言敗 䟽 注長狄至為君○解云正以各之一國故也何者縱非兄弟若不為君率行亦將即長人十二見於臨洮是也 其日何 據日而言敗與公子友敗莒師于犂同非殺一人文○犂力兮反又力之反 䟽 注據日至人文○解云即僖元年冬十月壬午公子友帥師敗莒師于犂獲莒挐傳云莒人聞之曰吾已得子之賊矣以求賂于魯魯人不與為是興師而伐魯季子待之以偏戰是也 大之也 如結日 其地何 大之也 如大戰故地 何以書 記異也 魯成就周道之封齊晉霸尊周室之後長狄之操無羽翮之助別之三國皆欲為君此亦欲亂之象蓋譏禮義廢大人無輔佐有夷狄行事以三成不可苟指一以往弒君二十八亡國四十○行下孟反 䟽 注魯成就周道之封○解云正以周公相成王而致太平意封于魯故云爾○注齊晉至之後○解云正以晉文齊桓皆率諸侯尊事天子此是齊晉之君子孫故云亦○注長狄至之助

解云謂執持此意也○注事以三成○解云即長狄之三國共成其異是也言不可苟指一者明知其異亦不苟指一事而已○注故自宣成至四十○解云案今春秋之經自宣成以下訖于哀十四年止有弒君二十一國二十四則知此注誤也宜云弒君二十一亡國二十四也作四十者錯也其弒君二十一即宣二年趙盾弒其君夷獆四年歸生弒其君夷十年夏徵舒弒其君平國襄二十五年崔杼弒其君光吳子謁伐楚門于巢卒為巢人所弒二十六年衛甯喜弒其君剽二十九年閽弒吳子餘祭三十年蔡世子般弒其君固三十一年莒人弒其君密州昭八年陳招殺偃師十一年楚子虔誘蔡侯般殺之十三年公子比殺其君虔棄疾殺比十九年許世子止弒其君買二十三年吳殺胡子髡沈子楹二十七年吳弒其君僚定四年蔡殺沈子嘉十三年薛弒其君比哀六年齊陳乞弒其君舍之屬是也其滅國二十四者宣八年楚滅舒蓼十二年楚滅蕭十五年晉滅潞氏十六年滅甲氏及留吁成十七年楚滅舒庸襄六年莒人滅鄫齊滅萊十年遂滅偪陽十三年取詩二十五年楚滅舒鳩昭四年遂滅厲八年楚滅陳十一年楚滅蔡十七年晉滅賁渾戎二十三年胡子髡沈子楹滅二十四年吳滅巢三十年吳滅徐定四年蔡滅沈六年鄭滅許十四年楚滅頓十五年楚滅胡

哀八年宋滅曹之屬是其二十四也然則三國交異起自今年而注者所以不言自今以後而言自宣成以往者蓋以成公之年已過半以後既不得其初故遣去其實美人滅庸宋弑其君莒弑庶其之屬皆由此揭耳或者弑君三十八亡國四十者春秋說文其間亦有經不書者故不同耳

十有二年春王正月盛伯來奔盛伯者何失地之君也何以不名兄弟辭也與郜子同義月者爲魯所滅今來見歸 疏 盛伯者何○解云欲言諸侯不見存文欲言大夫而經書伯故執不知問○何以不名○解云[illegible] ○解云即僖二十年郜子來朝之下傳云郜子者何失地之君也何以不名兄弟辭也[illegible]

杞伯來朝○二月庚子子叔姬卒[illegible] **此未適人何以卒許嫁矣婦人許嫁字而笄之死則以成人之喪治之**[illegible] **其稱子何**[illegible] **貴也其貴奈何母弟也**[illegible]

○秋滕子來朝○秦伯使遂來聘遂者何秦大夫也秦無大夫此何以書賢繆公也何賢乎繆公以爲能變也[illegible]

其爲能變奈何惟諓諓善竫言[illegible] **俾君子易怠**[illegible] **而況乎我多有之惟一介斷斷焉無他技**[illegible] **其心休休能有容是難也**[illegible]

十有二月戊午晉人秦人戰于河曲此偏戰也何以不言師敗績敵也曷爲以水地[illegible] **河曲疏矣河千**

里而一曲也河曲流以起地明故可以曲地因以起國之君數興兵相伐戰无已時故不言及不別曲直而地以河曲明兩曲也○數所角反不別彼列反下同季孫行父帥師城諸及運帥師者剌魯微弱臣下不可使邑又不備不敢徒行興師屬衆然後敢城之言及者別君邑臣邑也○運二傳作鄆後皆爾疏注書帥至城之○解云如此注者正見隱七年夏城中丘之屬皆不言帥師故也言臣下不可使者即上八年公孫敖如京師不至復丙戌奔莒傳云不至復者何不至復也內辭也不可使往也之屬是也○注言及至邑也○解云正見昭五年莒牟夷以牟婁及防茲來奔彼傳云其言及防茲來奔何不以私邑累公邑也何氏云公邑君邑也私邑臣邑也累次也義不可使臣邑與公邑相次序故言及以絕之是也

十有三年春王正月○夏五月壬午陳侯朔卒不書葬者盈爲晉文諱也晉文雖霸會人孤以尊天子自補有餘故復盈爲諱○盈爲于爲反下文盈爲爲周公皆同復扶又反疏注不書至盈爲諱○解云盈者相接足之辭晉文於僖二十八年之時此朔之父陳侯款夏六月卒至冬未未葬而晉文會諸侯於溫經有陳子是強會人孤令失子行亦是文公恥之是以春秋遂卒竟不書葬深爲文公諱也今若款之子陳侯朔書葬則文公之惡還見是以此處須去朔葬使若陳國之君例不書葬然故言盈爲晉文諱故僖二十八年夏陳侯款卒之下注云不書葬者爲晉文諱行霸不務教人以孝陳有大喪而強會其孤故深爲恥之是也○邾婁子蘧篨卒○蘧其居反篨直居反○自正月不雨至秋七月公子遂所致○世室屋壞世室者何魯公之廟也魯公周公子伯禽○世室二傳作太室疏世室者何○解云欲言君廟欸例不書欲言宗廟未有世室之名故執不知問周公稱太廟魯公稱世室羣公稱宮周公少差異其下者所以上尊周公○太廟音泰下同疏周公稱太廟○解云即僖八年禘于太廟文二年大事于大廟是也○魯公稱世室○解云即此經是也○羣公稱宮○解云即武宮煬宮之屬是也○注少差至周公○解云正以廟者尊卑之名據所居之稱今此稱異其名知上尊周公故也此魯公

之廟也曷爲謂之世室世室猶世室也世世不毀也魯公始封之君故不毀也疏世室猶世室也○解云言謂之世室者猶世世室也周公何以稱大廟于魯據魯公始封也封魯公以爲周公也爲周公故語在下周公拜乎前魯公拜乎後始受封時拜于文王廟也尚書曰用命賞于祖是也父子俱拜者明以周公之功封魯公也疏注尚書至於祖○解云甘誓文也曰生以養周公生以魯國供養周公○以養餘亮反注皆同供養九用反下同死以爲周公主始周公死當以魯公爲祭祀主加曰者成王始受其茅土之辭禮記明堂位曰封周公於曲阜地方七百里革車千乘蓋以爲有王功故半天子也○死以爲如字注死以爲周公主同乘繩證反王于况反疏注加曰至之辭○解云即周書作洛篇曰封人社壝諸侯受命于周乃建大社于國中其壝東青土南赤土西白土北驪土中央舋以黃土將建諸侯鑿取其一面之土包以黃土苴以白茅以爲社之封孔氏云王者封五色土爲社建諸侯則各割其方土與之使立社燾以黃土苴以白茅茅取其絜黃取其王者覆四方者是其茅土之文耳○注蓋以至子也○解云正以天子千里方百里者百周公七百里方百里者四十九大判言之故得言半天子矣然則周公之魯乎曰不之魯也封魯公以爲周公主然則周公曷爲不之魯據爲周公者謂生以養周公死以爲周公主周公不之魯則不得供養爲主欲天下之一乎周也周公聖人德至重功至大東征則西國怨西征則東國怨嫌之魯恐天下迴心趣鄉之故封伯禽命使遙供養死則奔喪爲主所以一天下之心于周室○鄉許亮反疏注東征至東國怨○解云僖四年傳文魯祭周公何以爲牲據廟異也周公用白牡白牡殷牲也周公死有王禮謙不敢與文武同也不以夏黑牡者嫌改周之文當以夏辟嫌也疏注不以至嫌也○解云知黑牡爲夏牲者出明堂位文正朔三而改改一以正十一月者當以十三月爲正故言辟以夏矣魯公用騂犅騂犅赤脊周牲也魯公以諸侯不嫌故從周制以脊爲差○騂

息暫反㭬音剛詩云【疏】注騂㭬至牲也○解云正以山
作剛騂㭬赤脊也者詩曰剛故知騂㭬為赤脊矣　群
公不毛不毛不純色所以降于尊祖【疏】注不毛不純色○解云正以牲用純色祭神之禮而言不
毛故以降于尊祖解之
魯祭周公何以為盛盛者據牲異也○盛成反又音成
粢盛也在器曰盛
周公盛新穀魯公燾燾者冒也故上以新○燾徒報反一本
作燾音同冒亡報反【疏】注燾者至新也○解云正以燾訓為覆故
公盛者謂新穀滿其器言魯公以新
穀冒上故上新穀可半平
羣公廩廩者連新於陳上財令半相連爾此
謂方祫祭之時序昭穆之差○【疏】羣公廩○解云廩謂全
廩力甚反財令力呈反下同【疏】注廩者至之差○解云正以若
穀則得相連而已故謂之廩廩者希少之名是以鄭注云廩
讀如羣公廩之廩者是也○注謂方至之差○解云上少有新
是祫祭之時序昭穆之差所以降于尊祖故也
何以書譏何譏爾久不脩也
世室屋壞至令壞敗故譏之言
【疏】簡慢也
屋者重宗廟之以不務公室不月者知久不脩當蒙上月【疏】注以不務至上月○解
秋七月也不務公室月者即定二年冬十月新作雉門及兩
觀傳云其言新作之何脩大也脩舊不書此何以書譏何譏
不務乎公室何氏云務勉也不務公室亦可以於久不脩亦
可施于不務如公室之禮皆此月者久也當即脩之如諸
侯禮是也然則彼久不脩見以書月此亦久不脩故知當蒙上月爾
侯會于沓○沓徒合反　○秋侵衛○十有二月己丑
公及晉侯盟○還自晉○鄭伯會公于斐○還
者何善辭也何善爾往黨衛侯會公于沓
至得與晉侯盟反黨鄭伯會公于斐故善之
也當所也所猶時齊人語也文公前黨之明不見序後能
致鄭伯以至晉為諸侯所樂故加錄于上得尊之義下得解患之
恩【疏】注黨所至之恩○解云凡還者何○解云正以
深善之○斐芳尾反難乃旦反
文十三年

不言至而言還異於常例故執不知問○注文公至見序○解云即上七年秋公會諸侯晉大夫盟于扈傳云諸侯何以
不序大夫何以不名公失序也是也○注後能至之難○解
云即上九年春楚人伐鄭公子遂會晉人宋人衛人許人救
鄭是也○注不逆王者之求是也○注上得至之義○解云即不逆王
金絕無不與之文是也○注下得至之恩
○解云即公子遂救鄭是也
十有四年春王正月公至自晉月者為臣子喜
錄上事○為臣
于偽反下為
後當為同【疏】注月者至上事○解云出上文也
邾婁人伐我南
鄙○叔彭生帥師伐邾婁○夏五月乙亥齊
侯潘卒不書葬者潘立諸嗣不明久欲立商人
至使臨葬更相篡弒故絕其身明當更立其先君
之次○潘普干反更相音庚下同【疏】注至使至篡弒○解云
即下九月齊公子商人
弒其君舍是也與弒
吳楚更同篡殺申志反下同
葬相篡弒之文
○六月公會宋公陳侯衛侯鄭
伯許男曹伯晉趙盾癸酉同盟于新城盟下日
者刺諸
侯微弱信在趙盾○盾徒本反【疏】注盟下至趙盾○解云言信在於趙
盾若如盟日定否趙盾制之然是以下
日以近之○秋七月有星孛入于北斗孛者何彗星
也狀如篲○孛步
內反彗徐抉反【疏】孛者何○解云欲言是星星名未
有欲言非星錄為星稱故執不知
問其言入于北斗何據大辰不言入【疏】注據大至
又不言孛名言入○解
云即昭十七年冬有星孛于大辰是也○注又不言孛名
解云謂昭十七年直言于大辰不言所孛之星名今此言有
星孛入于北斗故難之何者大辰非星名故也是以昭十七
年傳云其言于大辰何彼注云據北斗言入于大辰非常名
是北斗有中也中者何以書記異也孛者邪亂之
氣篲者埽故
也北斗天之樞機玉衡七政所出是時桓文跡息
置新之象也
王者不能統政自是之後齊晉並爭吳楚更謀競行天子之
事齊宋魯莒弒其君而立○解云即孛所出○解云即璇璣
立之象○孛音
○【疏】注北斗至
玉衡以齊七政七政

謂日月五星也。○注齊宋至之應。○解云即下文九月齊公子商人弒其君舍，十八年夏五月齊人弒其君商人，是齊弒君事也。十六年冬宋人弒其君處臼，是宋弒其君事也。十八年冬莒弒其君庶其，是莒弒其君事。十八年冬十月子卒，傳云子卒者孰謂？謂子赤也。何以不日？隱之也。何隱爾？弒也。弒則何以不日？不忍言也。者，是魯弒其君事也。○公至自會。○晉人納接菑于邾婁，弗克納。納者何？入辭也。其言弗克納何？據言于邾婁與納頓子于頓同，俱入國得立辭。○捷菑，在妾反，又如字。下捷，其反，二傳作捷菑。疏納者何。○解云欲言得國，下有不克之文；欲言不得國，納者入辭，故執不知問。○注據言至立辭。○解云即僖二十五年秋楚人圍陳，納頓子于頓，是也。此上言于邾婁，是其得國，下云弗克納，自相違，故難之。大其弗克納也。惡比弗勝。克，勝也。鄭伯以勝為惡，故為大。疏注鄭伯以勝為惡。○解云即隱元年夏五月鄭伯克段于鄢，傳云克之者何？殺之也。殺之則曷為謂之克？大鄭伯之惡也。曷為大鄭伯之惡？母欲立之，己殺之，如勿與而已矣。注云克者詁為殺，亦為能，惡其能忍戾母而親殺之，是也。○何大乎其弗克納？據伐齊納子糾不能納。疏注據伐至能納。○解云即莊九年夏公伐齊納糾，傳云納者何？入辭也。其言伐之何？伐而言納者，猶不能納也，是也。晉郤缺帥師革車八百乘以納接菑于邾婁，力沛若有餘而納之。沛若，有餘貌。○乘，繩證反。沛，普具反。有餘貌。邾婁人言曰：接菑晉出也，貜且齊出也。出，外孫也。○貜，俱縛反，下子餘反。子以其指，子謂郤缺言。則接菑也四，貜且也六。子以手指指麾于邾婁，令使納接菑也。疏子以其指，注指手指。○解云子謂郤缺言。言俱不得天之正性。疏注言俱至正性。○解云地四生金于西方，地六成水于北方，皆非天數也。子以大國壓之，言此者，喻皆庶子矣，貴則皆貴矣。壓，服也。服邾婁使從命。○壓，於甲反，又於輒反，服也。則未知齊晉孰有之也。設齊復興伍來納貜且，亦欲服邾婁使從命，未知齊晉誰能使外孫有邾婁者。○齊復，扶又反，下同。貴則皆貴

矣。竹邾婁再娶二子，母尊同，體敵。疏注時邾至體敵。○解云蓋皆是古媵之子，或是左媵之子，言非嫡娣所生也。舊云子以其指者，言以古之法，以其手指相況，則接菑猶人之四指，貜且猶人之六指，皆異於人，故曰俱不得天之正性也。雖然者，雖皆不得正性，但四不如六，猶長者宜立矣。雖然，貜且也長。既兩不得正性，又皆貴，當以年長敵立之。○長，丁丈反，注同。郤缺曰：非吾力不能納也，義實不爾克也。可尊，故不爾。知邾婁人言義不可奪。引師而去之。故君子大其弗克納也。大其不以己非奪人之畏。此晉郤缺也，其稱人何？貶。曷為貶？據趙盾弒君不貶。疏至不貶。注據趙盾。○解云即宣六年晉趙盾衛孫免侵陳，是也。不與大夫專廢置君也。曷為不與？據大其弗克納。實與而文不與。文曷為不與？大夫之義不得專廢置君也。無天子下無方伯，傳者諸侯本有錫命征伐，憂天下之道，故明有亂臺大夫不得專也。接菑不繫邾婁者，見挈于郤缺也。不氏者，本當言邾婁接菑，見當國也。○挈，賢編反，下音苦結反。疏注不復至之道。○解云欲道僖元年救邢，經悉是實與而文不與，文與此同，其傳皆云上無天子，下無方伯，天下諸侯有相滅亡者，力能救之則救之可也。今此不復言之，故云爾言諸侯本有錫命征伐，憂天下之義，是以上無天子，下無方伯，謂伍連帥本有其相存恤之道，故興於大夫耳。○注明有至專也。○解云言大夫若有專廢置君者，即是亂義，故曰明有亂義大夫不得專也。正由大夫不得專廢置故也。○注接菑至缺也。○解云據僖二十五年納頓子繫頓也。○注不氏者。○解云據宣十一年納公孫寧儀行父于陳，皆言氏也。○注本當至當國也。○解云即隱元年傳云段者何？鄭伯之弟也。何以不稱弟？當國也。注云欲當國為之君，故如其意，使如國君，氏上鄭，所以見段之逆是也。○九月甲申，公孫敖卒于齊。已絕，卒之者，為後齊歸其喪。疏注已絕至大夫。○解云言已絕者，即上八年公孫敖如京師，不至復，丙戌奔莒，是也。而言卒之者，大夫之例，春秋之內大夫出奔之後，不復書其卒，

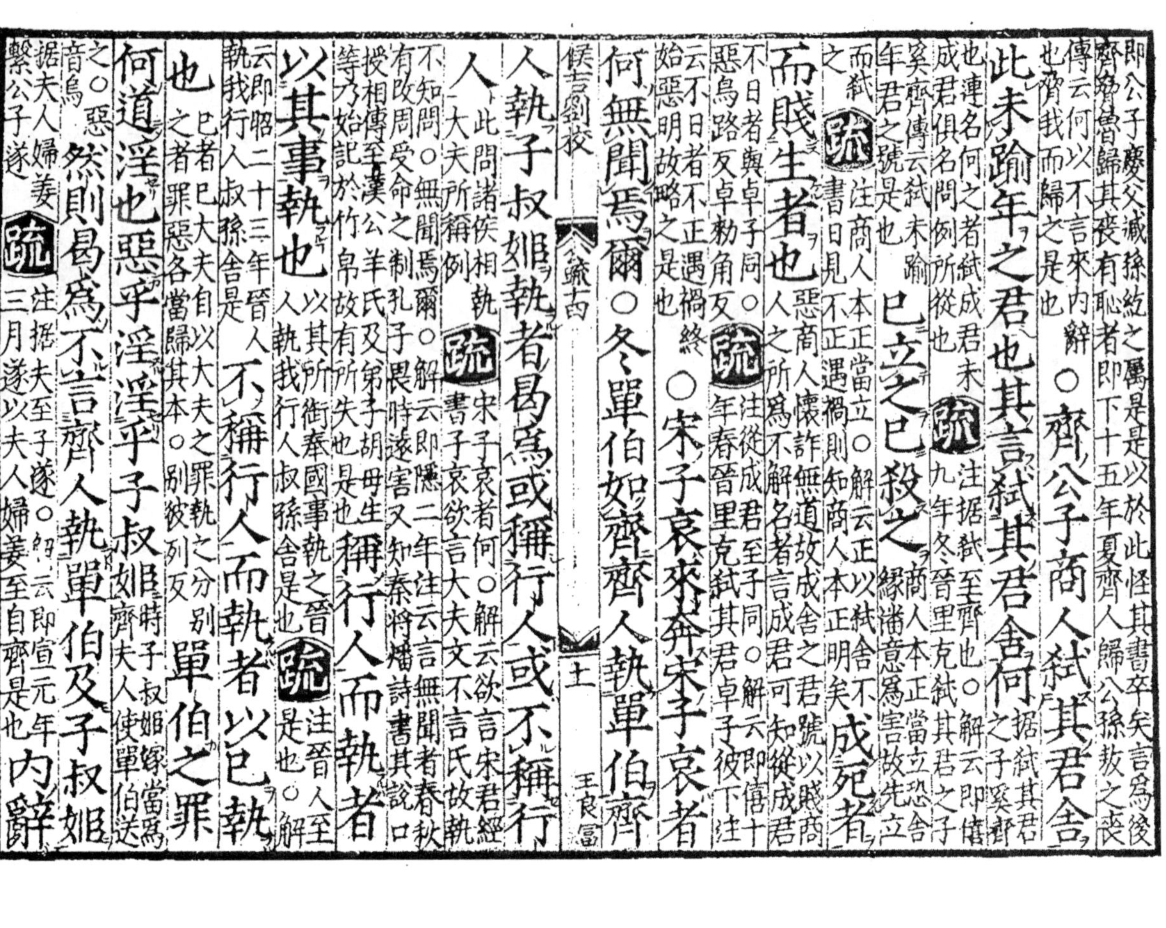

即公子慶父臧孫紇之屬是是以於此怪其書卒矣言爲後齊歸魯歸其喪有恥者即下十五年夏齊人歸公孫敖之喪傳云何以不言來内辭也齊我而歸之是也○齊公子商人弒其君舍○此未踰年之君也其言弒其君舍何据弒其君之子奚齊也連名何之者弒成君未成君俱名問例所從也疏注据弒至齊也○解云即僖九年冬晉里克弒其君之子奚齊傳云弒未踰年君之號是也已立之已殺之商人本正當立恐舍緣讒意爲害故先立成死者而弒之疏注商人本正當立○解云正以弒舍不書日見不正遇禍則知商人本正明矣而賤生者也惡商人懷詐無道故成舍之君號以賤商人之所爲不解名者言成君可知從成君不日者與卓子同○惡烏路反卓勑角反疏注從成君至子同○解云即僖十年春晉里克弒其君卓子彼下注云不日者不正遇禍終始惡明故略之是也○宋子哀來奔宋子哀者何無聞焉爾○冬單伯如齊齊人執單伯齊人執子叔姬執者曷爲或稱行人或不稱行人此問諸侯相執大夫所稱例疏宋子哀者何○解云欲言宋君經書子哀欲言大夫文不言氏故執不知問○無聞焉爾○解云即隱二年注云言無聞者春秋有改周受命之制孔子畏時遠害又知秦將燔詩書其說口授相傳至漢公羊氏及弟子胡母生等乃始記於竹帛故有所失也是也稱行人而執者以其事執也以其所銜奉國事執之晉人執我行人叔孫舍是也疏注晉人至是也○解云即昭二十三年晉人執我行人叔孫舍是不稱行人而執者以已執也已者已大夫自以大夫之罪執之分別之者罪惡各當歸其本○別彼列反單伯之罪何道淫也惡乎淫淫乎子叔姬時子叔姬嫁當爲齊夫人使單伯送之○惡音烏然則曷爲不言齊人執單伯及子叔姬据夫人婦姜繫公子遂疏注据夫至子遂○解云即宣元年三月遂以夫人婦姜至自齊是也内辭

候言劉校　公羊疏十四　十一　王良富

也使若異罪然深諱使若各自以他事見執者不書叔姬歸于齊者深諱以起道淫書單伯如齊者起是叔姬也齊稱人者順諱文使若非伯討疏注不書至姬也○解云言此諸侯決隱二年冬十月伯姬歸于紀之屬皆歸也言深諱者正以子叔姬有罪故也言以起道淫者謂深諱不言歸即是以起道淫之義何者若更爲小事而見執何須諱其歸于齊今不言歸于齊而與單伯俱見執明其在道與單伯淫于歸事不醒醒矣或曰不書歸于齊者深諱其起道淫故也何者言叔姬歸于齊齊人執單伯齊人執子叔姬即有道淫之理也○注齊稱人至伯討○解云即僖四年夏齊人執袁濤塗之下傳云稱侯而執者伯討也稱人而執者非伯討也是也

十有五年春季孫行父如晉○三月宋司馬華孫來盟月者文公微弱大夫秉政宋亦敝於三世之黨三亂結盟故不與信辭不稱使者宋無大夫官舉者見宋亂也録華孫者明惡三國非以月惡華孫也○華孫乃化反見賢遍反惡三烏路反下皆同疏注月者至之黨○解云即公子遂是也○注宋亦至之黨○解云即上九年傳云宋三世無大夫三世内娶也是也言爲三世内娶之故三世妃黨皆強而爲君之所敝故云敝于三世之黨矣○注故不與信辭○解云正以春秋之例凡盟皆書時所以然者欲見王者當以至信先于天下故也是以桓十四年夏鄭伯使其弟語來盟注云時者從内爲王義明王者當以至信先天下是也今而書月故言不與信辭耳○不稱使至大夫○解云正決鄭伯使其弟語來盟之文也○注宋無至孫也○解云大夫之義例不官舉今而此言司馬者正以見宋之亂是以詳録華孫明其書月不與信辭者不由華孫之故也○夏曹伯來朝○齊人歸公孫敖之喪何以不言來据齊人來歸子叔姬疏注据齊至叔姬○解云在此年十二月内辭也脅我而歸之筍將而來也筍者竹箯一名編輿齊魯以此名之日筍將送也爲叔姬淫惡魯類故取其尸置編輿中傳送而來齊魯今受之故諱不言來起其來有恥不可言來也不月者不以恩録與子叔姬異○筍將音峻竹箯也將送也竹箯卑綿反一音步賢反服虔音編韋昭音如類反編必綿反一音篇郭璞音步典反輿音餘爲叔子爲反下以爲子爲其爲實爲同傳直專反令受力呈反下同疏

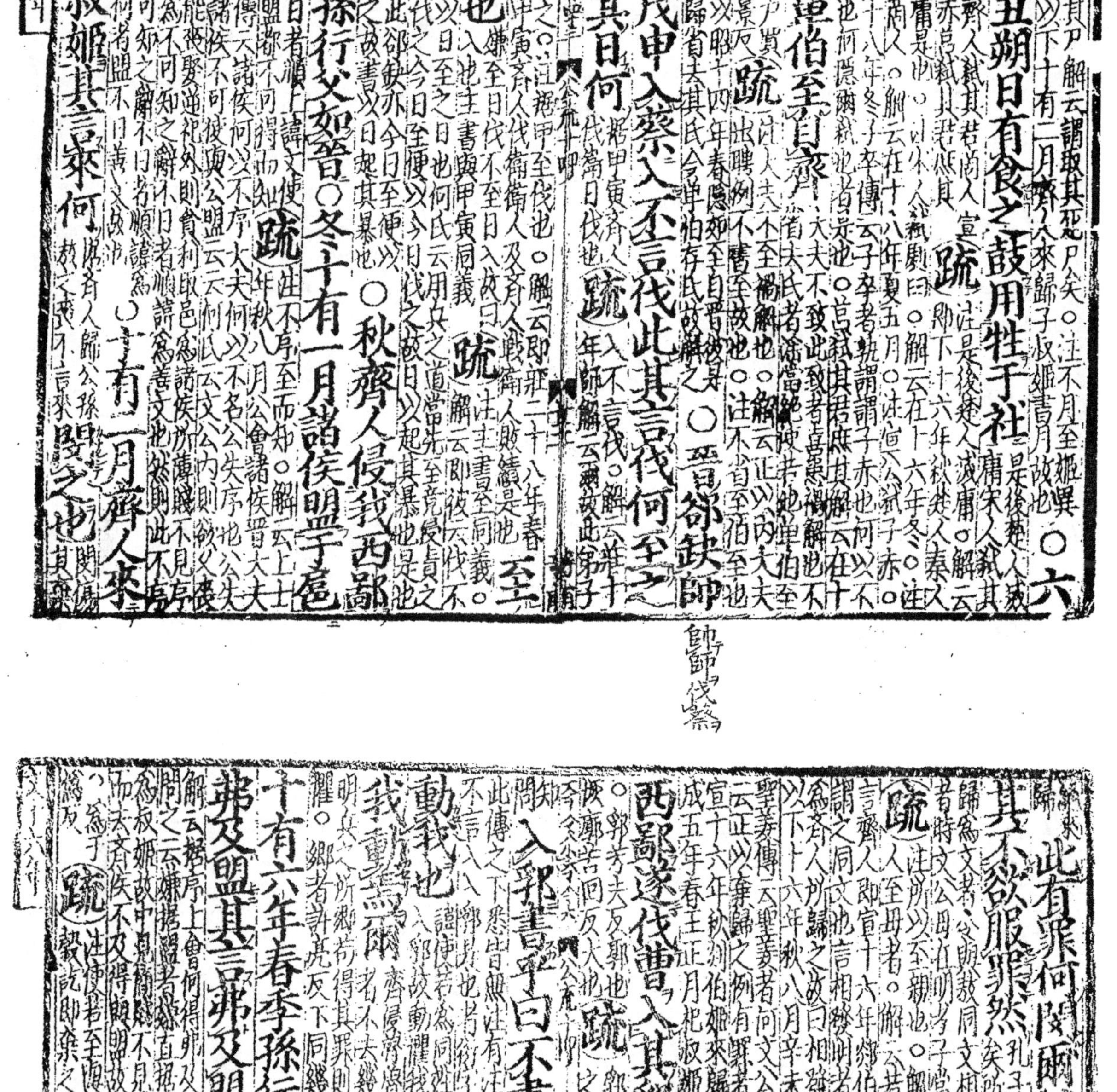

齊侯不肯○解云若直言不及盟文辭已具足見不得盟矣而更言齊侯不及者欲道是時不肯盟者是齊侯也若直言季孫行父會齊侯于陽穀不及盟不勑行父不及無以見齊侯不肯矣○夏五月公四不

視朔視朔謂在六年不舉不朝朔者禮月終于廟先受朔政乃朝朝明王教尊也朝廟禮也故以不視朔爲重常以朔者始重也疏注視朔謂在六年○解云即上六年注云禮諸侯受十二月朔政於天子藏于太祖廟每月朔朝廟使大夫南面奉天子命君北面而受之是也○注不舉至爲重○解云正以視朔之時必有朝廟之禮故上六年云閏月不告月猶朝于廟是也今此經直言四不視朔不道不朝朔故解之○注常以至始也○解云言十二月之政令所以不在年初一受之而已必以月之朔日受之者重月之始故也公曷爲四不視朔據無事也

公有疾也以不諱奔公如有疾公有疾乃後季公是也○乃復扶又反下同疏注公有至是也○解云即昭二十三年冬公如晉至河公有疾乃復至也何言乎公有疾

不視朔據有疾無惡也疏注據有疾無惡也○解云即昭二十三年傳云何言乎公有疾乃復是也

自是公無疾不視朔也有疾無惡不當書又不書無疾不視朔也言有疾者欲起公自是疏注公自至朔也○解云即鄭氏云魯自文公四不視朔視朔之禮已後遂廢者取此書也

然則曷爲不言公無疾不視朔有疾猶可言

也無疾不可言也言無疾大惡不可言也是後公不復視朔政事委任公子遂○

六月戊辰公子遂及齊侯盟于郪丘○郪丘西左氏作郪丘穀梁作師丘疏盟于郪丘○解云正本作郪丘故賈氏云公羊曰郪丘穀梁曰師丘是也今左氏經作郪字

○秋八月辛未夫人姜氏薨○毀泉臺泉臺

者何郎臺也莊公所築臺于郎以郎臨民之處也○[illegible]疏者何○解云泉臺之名自前未有今而言毀故執不知問○注莊至遊觀○解云即莊三十一年春築臺于郎傳云何以書何譏爾臨民之所漱浣也是也然則何以知泉臺爲郎臺正以彼傳云譏臨民之所漱浣書與此泉臺之義合故也郎

臺則曷爲謂之泉臺未成爲郎臺未成時但以地名之既

成爲泉臺既成更以所置泉名之毀泉臺何以書譏何譏

爾築之譏毀之譏先祖爲之已毀之不如勿

居而已矣但當勿居令自毀壞不當故毀暴揚先祖之惡也築毀譏同知例皆時○令力呈反暴步卜反疏注築毀至皆時○解云言築毀譏同者即上傳云築之譏毀之譏是也言知例皆時者正以此經文承月下而蒙月故如此解賤者窮諸人首言士先自稱人今弒君亦稱人故曰窮諸人矣云賤者窮諸盜者言士之賤名不過于盜故也○楚人秦人巴人滅庸巴布加反○冬十有一

月宋人弒其君處臼弒君者曷爲或稱名氏

或不稱名氏大夫弒君稱名氏賤者窮諸人

賤者謂士也士正自當稱人○處臼二傳作杵臼大夫相殺稱人賤者窮

諸盜降大夫使稱人降士使稱盜者所以別死刑有輕重也無尊上非聖人不孝者斬首梟之無營上犯軍法者斬要殺人者刎脰故重者皆輕者略也不日者內娶略賤之○別彼列反梟古堯反要一遙反刎亡粉反頭如字本又作脰音豆疏注故重至略也○解云謂大夫弒君罪重故稱名氏責之深若大夫相殺罪輕於犯君故降稱盜者義之輕然也○注不日至賤之者已說于上

十有七年春晉人衛人陳人鄭人伐宋○夏

四月癸亥葬我小君聖姜聖姜者何文公

之母也○聖姜二傳作聲姜疏聖姜者何○解云欲言夫人謚異其大號欲言爲妾而卒葬並不見故執不知問○齊侯伐我西鄙○六月癸未公及齊

侯盟于穀○諸侯會于扈○秋公至自穀○公

子遂如齊

十有八年春王二月丁丑公薨于臺下。○秦伯罃卒。秦穆公也至此卒者因其賢○伯罃乙耕反何以云穆公也左氏穆公子康公 疏 注秦穆至其賢○解云正以秦是戎狄春秋外之往前以來未録其卒今乃始書故以賢解之而左氏以為康公者與此別穀梁無解

○夏五月戊戌齊人弑其君商人。商人弑君賊復見者與大夫異齊人已君事之殺之宜當坐弑君○復見扶又反下同下同編反 疏 注商人至弑君○解云春秋之義諸是弑君之賊皆不復見所以賤之是以宣六年書晉趙盾衛孫免侵陳傳云趙盾弑君此其復見何注云據宋督鄭歸生齊崔杼弑其君後不復見傳又云親弑君者趙穿也注云復見趙盾者欲起親弑君者趙穿非盾是也今此商人於十四年弑其君舍而復見者正以其弑君故也與大夫異者齊人以君事之殺之宜當坐弑君察則商人弑其君舍而存之欲責臣子不討賊故也是以莊二十二年注云不與念母而讓容省者本不事母則已不當見省嫌為商人責不討賊義子遂於此

○六月癸酉葬我君文公。○秋公子遂叔孫得臣如齊。不卒重者譏虛國家廢政事重録內也 疏 注不卒至內也○解云書事卒重春秋之常今二大夫而並卒文故解之穀梁傳云使舉上客而不稱介不正其同倫而相為介故列而數之也者亦是直舉重之義也而言重録內者正以外大夫未有並見者於內唯有此經及定六年夏季孫斯仲孫何忌如晉之文武知正是重録內也

○冬十月子卒。子卒者孰謂謂子赤也何以不日據子般卒日隱之也何隱爾弑也弑則何以不日據子般卒日○弑音試下及注同 疏 注據子般卒日○解云即莊三十二年冬十月乙未子般卒是也 不忍言也所聞世臣子恩痛王父深厚故不忍言其日與子般異 疏 注故不忍至般異○解云正以子般為所傳聞之世恩淺是以莊三十二年子般卒之下何氏云不日見隱者降子赤也是

○夫人姜氏歸于齊。歸者大歸也夫死子殺賊人立無所歸留故去也有去道書 疏 注歸者至歸也○解云凡言大歸者絕不復反出不反之辭若紀侯大去其國之類言歸者大歸也○注有大至不復○解云正以常事不書故也

○季孫行父如齊。○莒弑其君庶其。稱國以弑何據莒人弑其君密州 疏 注據莒至密州○解云即襄三十一年冬十有一月莒人弑其君密州是也 稱國以弑者眾弑君之辭一人弑君國中人人盡喜故舉國以明失眾當坐絕也例皆時者略之也 疏 注一人至之也○解云謂是夫眾而稱國以弑君者皆書時以略之即定十三年冬薛弑其君比之屬是也若然昭二十七年夏四月吳弑其君僚亦是稱國而書月者彼非失眾但以見弑之義故不得賤之是以何氏云不書闔閭弑其君者為季子諱明季子不忍父子兄弟自相殺讓國闔閭欲其身之故為殺其罪也月者非失眾見弑故不略之者是也

監本附音春秋公羊註疏文公卷十四

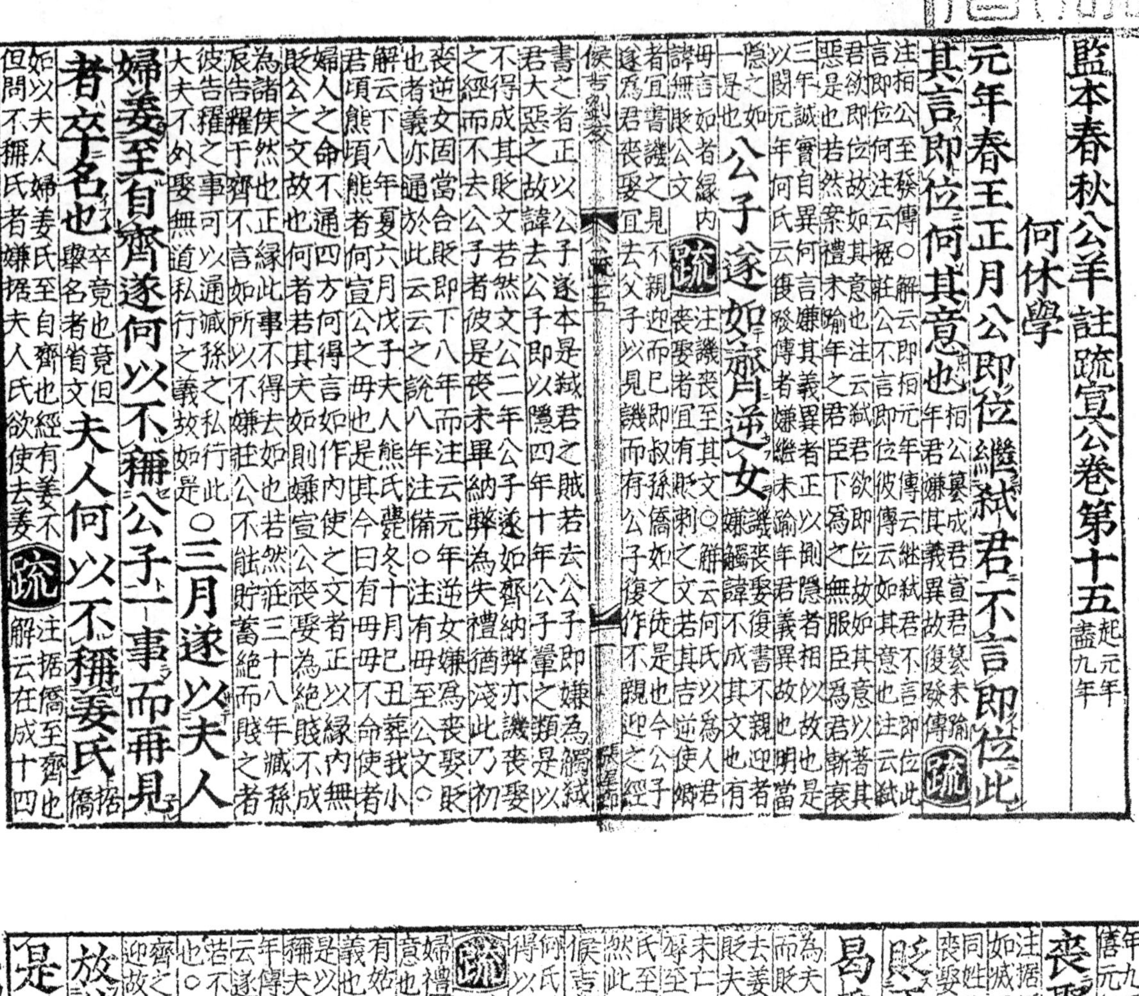

監本春秋公羊註疏宣公卷第十五　起元年盡九年

何休學

元年春王正月公即位繼弒君不言即位此其言即位何其意也桓公篡成君宣君篡未踰年君嫌其義異故復發傳疏注桓公至發傳○解云即桓元年傳云繼弒君不言即位此言即位何注云据莊公不言即位彼傳云如其意也注云弒君欲即位故如其意也注云弒君欲即位故如其意以著其惡是也若然案禮未踰年之君臣下爲之無服臣爲君斬衰三年誠實自異何言嫌其義異者正以則隱者相以故也是以閔元年何氏云復發傳者嫌繼未踰年君義異故也明當一隱之如是也公子遂如齊逆女譏喪娶復書不親迎者嫌譏諱不成其文也有毋言如者緣內諱無貶公文疏注譏喪至其文○解云何氏以爲人君喪娶者宜有貶刺之文若其吉逆使卿者宜書譏之見不親迎而已即叔孫僑如之徒是也今公子遂爲君喪娶宜去父子以見譏而有公子復作不親迎之經

侯吉劉校

書之者正以公子遂本是弒君之賊若去公子即嫌爲觸弒君大惡之故諱去公子即以隱四年十年公子翬之類是以不得成其貶文若然文公二年公子遂如齊納幣亦譏喪娶之經而不去公子者彼是喪未畢納幣爲失禮猶淺此乃初喪逆女固當合貶即下八年而注云元年逆女嫌爲喪娶貶也者義亦通於此云云之說八年注備○注有母至公文○解云下八年夏六月戊子夫人熊氏薨冬十月己丑葬我小君頃熊頃熊者何宣公之母也是其今曰有母母不命使者婦人之命不通四方何得言如作內使之文者正以緣內無貶公之文故也何者若其夫如則嫌宣公喪娶爲絕賤不成爲諸侯然也正緣此事不得去如也若然莊三十八年臧孫辰告糴于齊不言如所以不嫌莊公不能貯蓄絕而賤之者彼告糴之事可以通臧孫之私行此大夫不外娶無道私行之義故如是○三月遂以夫人婦姜至自齊遂何以不稱公子一事而再見者卒名也卒竟也竟但舉名者省文夫人何以不稱姜氏据僑如以夫人婦姜氏至自齊也經有姜不但問不稱氏者嫌据夫人氏欲使去姜疏注据僑至齊也○解云在成十四

年九月○注嫌据至去姜○解云即僖元年夫人氏之喪至自齊是也貶曷爲貶据至也譏喪娶也喪娶者公也則曷爲貶夫人据師還也疏注据師還也○解云即莊八年秋師還傳曰還者何善辭也如滅同姓何善爾病之也曷爲病之非師之罪也彼公自滅同姓非師之罪是以歸惡于公書還以善師此公自喪娶非夫人之罪而貶夫人與彼義違故据而難之內無貶于公之道也明下無貶上之義內無貶于公之道則曷爲貶夫人据俱有諱義疏注据俱有諱義○解云春秋之道多爲內諱何故此經不爲夫人諱而貶之乎夫人與公一體也恥辱與公共之夫人貶則公惡明矣去氏比於去姜差輕可言故不諱貶夫人○差初賣反疏夫人與公一躰○解云初判合終成一躰是以寡妻之號稱未亡人言其事躰先亡遺餘半在爾故傳以一躰言之○恥辱至明矣○解云正以夫人與公共謚知榮辱同矣○注去氏至夫人○解云去姜即僖元年夫人氏之喪至自齊是也然此不諱者以其輕而僖元年去姜者則重矣而亦不諱者

侯吉刘校　公疏十五　二

何氏云因正王法所加臣子不得以夫人禮治其喪也是也其稱婦何据桓公夫人至不稱婦疏注据桓至稱婦○解云即桓三年九月夫人姜氏至自齊是也有姑之辭也有姑當以婦禮至無姑當以夫人禮至故分別言之言以者見行遂意也見繼重在遂因遠別也月者公不親迎危錄之例也疏有姑之辭也○解云隱二年傳云在塗稱婦與此違者兼二義也言在塗見夫而服從夫故謂之婦至國對姑而服從姑是以亦謂之婦矣○注有姑至禮至○解云當以婦禮至而稱夫人者臣下錄之故也○注言以至別也○解云桓十四年傳云以者何行其意也何氏云以已從人曰行然則此經云遂以夫人者欲見夫人是時進止由遂故言見繫重在遂若不言以直云遂夫人則嫌恡夫人男女無別故云因遠別也○注月者至例也○解云即桓三年九月夫人姜氏至自齊之屬是也言公不親迎故書月危錄之例也○夏季孫行父如齊○晉放其大夫胥甲父于衛放之者何猶曰無去是云爾衛是是疏放之者何○解云大夫去國於例言出奔此經言放故執不知問然

則何言爾近正也此其爲近正奈何古者大夫已去三年待放古者刑不上大夫蓋以爲摘巢毀卵則鳳凰不翔刳胎焚夭則麒麟不至刑之則恐誤刑賢者死者不可復生刑者不可復屬故有罪放之而已所以尊賢者之類也三年者古者疑獄三年而後斷易曰係用徽纆寘于叢棘三歲不得凶是也自嫌有罪當誅故三年不敢去○摘他狄反刳口孤反屬音燭纆音墨寘之豉反【疏】近正也○解云此用古放臣而言近正者正以古者刑不上大夫○解云出曲禮上篇文鄭注云不與賢者犯法其犯法則在八議輕重不在刑書是也○注蓋以爲至不至○解云皆家語文是時孔子之晉聞趙簡子殺鳴犢舜華之屬故爲此言而遂還耳○注易曰至是也○解云此坎上六爻辭也鄭氏云繫拘也爻辰在巳巳爲蛇蛇之蟠屈似徽纆也三五互體艮又與震同體艮爲門闕於木爲多節震之所爲有叢拘之類門闕之內有叢木多節之木是天子外朝左右九棘之象也外朝者所以詢事之處也左嘉石平罷民焉右肺石達窮民焉罷民邪惡之民也上六乘陽有邪惡之罪故縛約徽纆置于叢棘而後公卿以下議之其害人者置之圜土而施職事焉以明刑恥之能復者上罪三年而舍中罪二年而舍下罪一年而舍不得者不自思以得正道終不自改而出圜土者殺故凶是也○注自嫌至不敢去○解云莊二十四年曹羈之下傳云三諫不從遂去之故君子以爲得君臣之義也何氏云孔子曰所謂大臣者以道事君不可則止此之謂也諫必三者取月生三日成魄臣道就也以此言之則知待放之臣三年乃去者亦取月生三日成魄臣道就之義故也君放之非也大夫待放正也聽君不去衛正也【疏】君放之非也大夫待放正也○解云此二句皆重是今事非古法古者臣有大喪則君三年不呼其門孝子之恩也禮父母之喪三年不從政齊衰大功之喪三月不從政故孔子曰夏后氏三年之喪既殯而致事殷人既葬而致事周人卒哭而致事君子不奪人之親亦不可奪親也【疏】注禮父至不從政○解云禮記王制文也注故孔子至卒哭而致事○解云曾子問文鄭注云致事者還其職位於君是也注君子至親也○解云此文彼云君子不奪人之親亦不可奪親也者是孝子之謂乎鄭云二者恕也孝也已練可以弁冕此說特發正失非謂禮當然弁者所謂皮弁爵弁也皮弁武冠爵弁文冠夏曰收殷曰冔周曰弁加旒曰冕王所以入宗廟○冔況甫反【疏】注夏曰至曰弁○解云即郊特牲云周弁殷冔夏收是也○注加旒曰冕○解云何氏以爲弁冕之形制一耳但加旒爲異矣○注王所以入宗廟○解云以其文冠故也服金革之事謂以兵事使之君使之非也非古道也臣行之禮也臣順君命亦禮也此與君放之非臣待君放正同故引同類相發明閔子閔子騫以孝聞【疏】注閔子騫以孝聞○解云出論語要絰而服事禮已練男子除乎首婦人除乎帶○要一遙反【疏】注禮已至乎帶○解云間傳文孔子蓋善之也者蓋猶是也言於此三事孔子皆善之其三事者初則要絰而服事次則謂君爲古者從則而致仕是也既而曰若此乎古之道不即人心既事退言古者不敢斥君即所也退而致仕退退身也致仕還祿位于君孔子蓋善之也善其服事以得事君之義致仕內不失親親之恩言古者又孫順不亂其君也不言君子者時賢者多以爲非唯孔子以○孫音遜

公會齊侯于平州○公子遂如齊○六月齊人取濟西田外取邑不書此何以書據莒取之不書○濟子禮反【疏】注據莒取之不書○解云即僖三十一年取濟西田傳云惡乎取之取之曹也曷爲不言取之曹諱取同姓之田也此未有伐曹者則其言取之曹何晉侯執曹伯班其所取侵地于諸侯也晉侯執曹伯班其所取侵地于諸侯則何諱乎取同姓之田久也何氏云曾不爲霸者所還當時不取久後有悔更緣前語取之不應後將故當以取邑其濟西田本魯物而曹取之不言者之矣所以賂齊也魯以賂遺齊故稱人共國辭○遺唯季反【疏】注齊稱人共國辭○解云謂一人字人齊人失所取其者曷爲賂齊據上無戰伐無所謝【疏】注據上至所謝○解云正以哀七年秋公伐邾婁八月己酉入邾婁以邾婁子益來哀八年齊人取讙及闡傳云外取邑不書此何以書所以賂齊也曷爲賂齊爲以邾婁子益來也然則此文之上不見伐之文無所謝故難之爲

子赤之賂也 子赤齊外孫宣公篡弒之恐為齊所誅為是賂之故諱使若齊自取之者亦因惡齊取篡者賂當坐取邑未之齊坐者出律行言許受賂也月者惡內甚于邾婁子益 疏 注子赤齊外孫○解云文十八年經書娶于齊而生也○注未之至受賂也○解云十年齊人歸我濟西田傳云齊已取之矣其言我何言我者未絕于我也曷為未絕于我齊已言取之矣其實未之齊也何氏云齊已言語許取之其人民貢賦尚屬於魯實未歸於齊言來者明不從齊來不當坐取邑是以知其未之齊矣○注月者至子益○解云宣八年夏齊人取讙及闡傳云外取邑不書此何以書所以賂齊也曷為賂齊為以邾婁子益來也彼注云邾婁齊與國畏為齊所怒而賂之也其故諱使若齊自取然則彼為侵奪小國而賂齊此為篡逆而賂齊罪重於彼是以書月以諱其惡故云月者惡內甚於邾婁子益矣

○秋邾婁子來朝○楚子鄭人侵陳遂侵宋 遂者不得言遂遂者楚子之遂也不從鄭人去遂者兵尊者兼將○將子匠反 疏 注遂者至之遂也○解云正以遂者專事之文也是以僖二十五年注云遂者不別遂但別兩耳是也其若大例不合遂若其竟外有利國家之事亦權許之即莊十九年秋公子結媵陳人之婦于鄄遂及齊侯宋公盟下傳云大夫無遂事此其言遂何聘禮大夫受命不受辭出竟有可以安社稷利國家者則專之可也是

○晉趙盾帥師救陳宋公陳侯衛侯曹伯會晉師于斐林伐鄭此晉趙盾之師也 據上趙盾救陳繼者不能會諸侯○斐芳尾反 疏 注繼者至諸侯○解云謂若是繼者即不 曷為不言趙盾之師 據公子遂會晉趙盾于衡雍乙酉公子遂會伊雒戎盟于暴是再出名氏 疏 注據公子至名氏○解云即文八年冬十月壬午公子遂會晉趙盾盟于衡雍乙酉公子遂會伊雒戎盟于暴是 君不會大夫之辭也 時諸侯為趙盾所會不與卑致尊故正之去大夫名氏使若更有師也殊會地之者起諸侯為盾所會 疏 注殊會至所會○解云言殊會者正謂先序諸侯訖乃言會晉師是也所以不言宋公陳侯衛侯曹伯帥師伐鄭而先言會晉師于斐林乃言伐鄭者甚以趙盾之師光在是致諸侯來會之然也故曰起諸侯為盾所會耳○冬晉趙穿帥師侵

郲郲者何天子之邑也 天子之間田也古者大夫守之晉與大夫忿爭侵之○郲音[illegible] 疏 郲者何○解云欲言是國又復未聞欲言是邑文無所繫故執不知問 曷為不繫乎周 據王師敗績于貿戎繫王○貿音茂 疏 注據王至繫王○解云即成元年秋王師敗績于貿戎是也 不與伐天子也 絕正其義使若兩國自相伐使繫之於王所以正君臣之義也 疏 注絕正其義○解云謂絕不 ○晉人宋人伐鄭

二年春王二月壬子宋華元帥師及鄭公子歸生帥師戰于大棘宋師敗績獲宋華元 宋者非獨惡華元明恥及宋國○華戶化反 疏 宋華至華元○解云宋鄭皆言師師者其將皆尊其師皆衆故也○秦師伐晉 秦稱師者閔其衆惡其將本秦之忿起殽之戰今襄公繆公已死可以止矣而復伐晉惡其構怨結禍無已 疏 注秦稱至其將○解云秦伯使遂來聘始有大夫宜見將之名氏若其衆之宜稱人稱國而言師者正以閔其衆惡其將故也○注本秦至之戰○解云在僖三十三年夏○注今襄公已死○解云即文六年晉侯讙卒文十八年秦伯罃卒是也

○夏晉人宋人衛人陳人侵鄭○秋九月乙丑晉趙盾弒其君夷獆 夷獆戶刀反又古刀反二傳作夷皋 ○冬十月乙亥天王崩 匡王 疏 注匡王○解云即三年春葬匡王是也

三年春王正月郊牛之口傷改卜牛牛死乃不郊猶三望其言之何 據食角不言之 疏 注據食角不言之○解云即成七年春王正月鼷鼠食郊牛角改卜牛鼷鼠又食其角乃免牛是也 緩也 辭間容之故為緩不若食角急也別天牲主以角書者譏宣公養牲不謹敬不潔清而災重事至尊故詳錄其簡甚 疏 注不若食角急也○解云言食角之時[illegible]正以有不順之應為天所災不敢簡慢故不言之耳○注別天牲主以角○解云即王制云祭天地之牛角繭栗宗廟之

牛角握賓客之牛角尺。是○注重事至簡甚○解云正謂言之是也何者之爲緩辭故以簡慢之甚言矣言簡者欲取五行傳云簡宗廟之言耳**曷爲不復卜**據定十五年一牛死改卜牛疏注據定至卜牛○解云據彼經云十五年春正月鼷鼠食郊牛牛死改卜牛是也**養牲養二卜**二卜語在卜**帝牲不吉**帝皇天大帝在北辰之中主總領天地五帝羣神也不吉者有災疏注帝皇至有災○解云在北辰之中者言在北辰之處紫微宮內也云總領天地五帝羣神也者總領天地之內五帝羣臣也其五方之帝東方青帝靈威仰之屬是其五帝之名春秋緯文耀鉤具有其文**則扳稷牲而卜之**先卜帝牲養之有災更引稷牲卜之以爲天牲養之凡當二卜爾復不吉不復郊○扳音顔反又甫覆反疏注更引至天牲○解云即宣十五年牛死改卜牛者是謂也**帝牲在于滌三月**滌宮名養帝牲三牢之處也謂之滌者取其蕩滌潔清三牢者各主一月取三月一時足以充其天牲○十滌大歷反養牲宮名疏注養帝至之處○解云其三牢之文出春秋說文**於稷者唯具是視**視其身體具無災害而已不特養于滌宮所以降稷尊帝**郊則曷爲必祭稷**據郊者主爲祭天**王者必以其祖配**祖謂后稷周之始祖姜嫄履大人跡所生配食也疏注姜嫄至所生○解云即詩云履帝武敏歆文周本紀云有邰氏女曰姜嫄爲帝嚳元妃出野見巨人迹心忻然說欲踐之踐之身動如孕者居期而生子以爲不祥棄之隘巷或棄山林寒冰之上云云姜嫄以爲神遂收養長之初欲棄之因名曰棄是也**王者則曷爲必以其祖配**據方父事天疏注據方父事天○解云言既以爲父特祭何嫌而要須以祖配祭之乎故難之**自內出者無匹不行**匹合也無所與會合則不行**自外至者無主不止**必得主人乃止者天道闇昧故推人道以接之不以文王配者重本尊始之義也故孝經曰郊祀后稷以配天宗祀文王於明堂以配上帝上帝五帝在太微之中迭生子孫更王天下者以下者善其應得疏注必得至主之禮也○迭大結反更王音庚下于況反○解云正謂天之權柄靈不明祭矣○注上帝至禮也○解云此五帝者即靈威仰之屬言在太微宮內迭王天下即感精符云蒼帝之始

宣三年

二十八宿滅者翼也彼注云貞翼之星精在南方其色赤滅翼者斗注云舜斗之星精在中央其色黃滅斗者參注云禹參之星精在西方其色白滅參者虛注云湯虛之星精在北方其色黑滅虛者房注云文王房星之精在東方其色青是其義五星之謀○**葬匡王**○**楚子伐賁渾戎**賁渾舊音六或音奔下戶門反二傳作陸渾疏注葬匡王○解云天子記崩不記葬今而書者正以去年十月天王崩至今年春未滿七月即文九年傳曰王者不書葬此何以書不及時書過時書我有往者書然則此未滿七月所謂不及時書也○**夏楚人侵鄭**○**秋赤狄侵齊**○**宋師圍曹**○**冬十月丙戌鄭伯蘭卒**○**葬鄭繆公**葬不月者子公未三年而出故略之也○繆音穆疏注葬不月至之也○解云即下四年夏六月乙酉鄭公子歸生弒其君夷是也然則春秋之內卒日葬月大國之常今而不月故爲此解以若定公三年春薛伯定卒何氏云不日月者子無道當廢之而以爲後未至三年失衆見弒危社稷宗廟禍端在定故略之之類也考諸舊本皆無注然則有者衍字耳而不月者與卒同月故也即隱三年傳云不及時而不日慢葬何氏云慢薄不能以禮葬是也然則薛伯定之子是失衆見弒者即定十三年薛弒其君比彌國以弒是也今此繆公之子爲公子歸生弒之非失衆之文是以經書冬十月丙戌鄭伯蘭卒而不略之以此言之有注者非也

四年春王正月公及齊侯平莒及郯莒人不肯公伐莒取向此平莒也其言不肯何據取汶陽田不言棘不肯疏注據取汶至不肯○解云即成二年秋取汶陽田至三年秋叔孫僑如率師圍棘傳云棘者何汶陽之不服邑也其言圍之何不聽也何不聽也何氏云不聽者叛也不言叛者爲內諱故書圍以起之是也**辭取向也**爲公取向作辭也恥行義爲利故諱使若莒不肯起其平也聽公平伐取其邑以弱之莒愈也莒言及者明非莒不肯起其平也書齊侯者公不能獨平也月者惡錄之○公爲于僞反疏注莒言及至其平也○解云正以及是汲汲之意亦見直之義故知此解○注月者惡錄之○解云正以定十一年冬及鄭平知平例不月今而書月故以

宣四年

得恩録之君然定十年春王三月及齊平而書月何氏云月者嫌公之會齊侯欲執定公故不易是也又昭七年春王正月暨齊平而書月何氏云月者剌內暨暨也時魯方結婚于呉外慕強楚故不汲汲于齊是也○秦伯稻卒○夏六月乙酉鄭公子歸生弑其君夷○赤狄侵齊○秋公如齊○公至自齊○冬楚子伐鄭

五年春公如齊○夏公至自齊○秋九月齊高固來逆子叔姬○叔孫得臣卒不日者知公子遂欲弑君爲人臣知賊而不言明當誅疏秋九月至叔姬○解云隱二年注云逆例時知此月爲下卒出高固不蒙月也○注不日至當誅○解云正以所聞之世大夫之卒無罪者日有罪者月今此不日故解之但推尋上下更不見得臣有罪之文惟有文十八年秋公子遂叔孫得臣如齊冬十月公子遂弑子赤是以何氏消量作如此解○冬齊高固及子叔姬來何言乎高固之來據當至叔姬爲重大夫私事不當書○爲重直用反下同疏注據當至爲重○解云正以春秋尊內故也○注大夫至當書○解云正以內之大夫直録其如不書其大夫私事故也今書高固是以難之言叔姬之來而不言高固之來則不可禮大夫妻歲一歸宗叔姬屬嫁而與高固來如但言叔姬來而不言高固來則曾有教戒重不可言故書高固明失教戒重在固言及者猶公及夫人疏注故書至在固○解云婦人之道既嫁從夫故也○注言及至夫人○解云即僖十一年夏公及夫人姜氏會齊侯于陽穀是也然則公羊之義以爲夫妻言及者遠別之稱刺其無別是以下注云言其雙行匹至似於鳥獸是也故桓十八年春公夫人姜氏遂如齊傳云公何以不及夫人注云據公及夫人會齊侯于陽穀夫人外也注云若言夫人已爲公所絕外也傳云夫人外者何內辭也注云內爲公諱辭其實夫人外公也注云時夫人從於齊侯而譖公故云爾然則桓公十八年而不言及者正以言夫人爲公所絕外是以不得言及以遠之子公羊子曰其諸爲其雙雙而俱至者與言其雙行匹至似於鳥獸疏注言其至鳥獸○解云言其無別如禽獸○綏綏故曰雙行游匹而來鶼鶼不異故言匹至似於鳥獸矣而舊說云雙雙之鳥一身二首尾有雌雄隨便而偶常不離散故以喻焉非何氏意也○楚人伐鄭

六年春晉趙盾衛孫免侵陳趙盾弑君此其復見何據宋督鄭歸生齊崔杼弑其君後不復見○見何賢徧反疏注據宋督至不復見○解云其宋督之事即桓二年春王正月戊申宋督弑其君與夷及其大夫孔父者是也歸生之事上四年夏六月乙酉鄭公子歸生弑其君夷是也崔杼之事即襄二十五年夏五月齊崔杼弑其君光是也然則春秋之內書名弑君後不復見者唯此三人耳餘見者皆著義焉即桓三年公子翬如齊逆女宣元年公子遂如齊逆女之屬欲見罪在桓宣故翬遂得見閔二年公子慶父出奔莒書者彼注云慶父弑二君不當復見所以復見者起季子緩追逸賊是也隱四年衛人殺州吁于濮彼注云書者善之也然則善其臣子討得其賊是以書見則知莊九年齊人殺無知書之者亦是討得其賊善而書之並十二年宋萬出奔陳得書之者彼注云萬弑君所以復見者重録彊禦之賊明當急誅之也是也僖十年夏晉殺其大夫里克得書之者亦翬遂之類也故彼傳云里克弑二君則曷爲不以討賊之辭言之惠公之大夫也何氏云惠公篡立已定晉國君臣合爲一體無所復責故曰此乃惠公之大夫安得以討賊之辭言之然則欲歸惡於惠公尚不作討賊之辭何得怪其見于經矣襄二十七年衛殺其大夫甯喜得書之亦翬遂之類也是見其與獻公同謀而弑剽是以二十六年弑剽之下何氏云甯喜爲衛侯衎弑剽不舉衎弑剽者讓成於喜是也其二十六年晉人執甯喜之下傳云不以其罪執之也何氏云明不得以爲功當坐執人亦是其得書之義文十八年齊人弑其君商人昭十一年楚子虔誘蔡侯般殺之于申皆書者商人之下何氏云商人弑君賊復見者與大夫異齊人已君事之殺之宜當坐弑君是也昭十三年楚公子棄疾弑公子比得書者亦是加弑故也如趙盾之類矣親弑君者趙穿也復見趙盾者欲起親弑者趙穿非盾親弑君者趙穿則曷爲加之趙盾不討賊也何以謂之不討賊據皆云弑不加弑疏注據皆去

宣五年

宣六年

葬不加弒○解云春秋之義君弒賊不討則不書葬所以責臣子不討賊若其加弒者雖不討賊亦書其葬以其不親弒不責臣子之討賊是以昭十九年夏許世子止弒其君買冬葬許悼公傳云賊未討何以書葬不成于弒也曷爲不成于弒止進藥而藥殺也止進藥而藥殺則曷爲加弒焉爾譏子道之不盡也是以君子加弒焉爾葬許悼公是君子之赦止也赦止者免止之罪辭也是也然則此趙盾之弒君與彼親弒者同文皆去其葬則趙盾不加弒趙盾既不加弒即其身是賊何得謂之不討賊乎故難之

晉史書賊曰晉趙盾弒其君夷獋趙盾曰天乎無辜辜罪也呼天告冤疏注呼天告冤○解云冤謂冤枉之冤也吾不弒君誰謂吾弒君者乎史曰爾爲仁爲義人弒爾君而復國不討賊此非弒君如何復反也趙盾不能復應者明義之所責不可辭趙盾之復國奈何靈公爲無道使諸大夫皆內朝禮公族朝於內朝親親也雖有富貴者以齒明父子也外朝以官體異姓也宗廟之中以爵爲位崇德也宗人授事以官尊賢也升餕受爵以上嗣尊祖之道也喪紀以服之精粗爲序不奪人之親也○餕音俊疏注禮公族至之親也○解云此皆文王世子文彼注云內朝路寢庭也云雖有貴者以齒明父子也彼注云謂以宗族事會也云外朝以官體異姓也者彼鄭氏云外朝路寢門之外庭射猶連結也云宗廟之中以爵爲位崇德也者鄭氏云崇高也以爵貴賤異位云宗人授事以官尊賢也者鄭氏云宗人掌禮及宗廟也以官官各有所掌也若司徒奉牛司馬奉羊司空奉豕云升餕受爵以上嗣尊祖之道也者彼文云其登餕獻受爵則以上嗣尊祖之道也注云上嗣君之正統爵謂上嗣舉奠也今此何氏以登爲升復无獻字蓋所見異也云喪紀以服之精粗爲序不奪人之親也者彼文作輕重字此作精粗者亦所見異也其上文云其公大事則以其喪服之精粗爲序注云大事謂死喪也其爲君雖皆斬衰序之必以本親也是也然後處乎臺上引彈而彈之已趨而辟丸已已諸大夫也○已音紀是樂而已矣以是爲笑樂○是樂音洛趙盾已朝而出與諸大夫立

於朝有人荷畚荷負也畚草器若今市所量穀者是也齊人謂之鍾○有人何本又作荷胡可反又音何畚音本疏注齊人謂之鍾○解云即昭三年左傳云齊舊四量豆區釜鍾是也自閨而出者宮中之門謂之閨其小者謂之閤從內朝出立于外朝見出閨者知外朝在閨外內朝在閨內可知疏注閨宮中至之閨○解云釋宮文孫氏曰閨者宮中相通小門也其小者謂之閨小閨謂之閤李氏曰皆門戶大小之異是也趙盾曰彼何也夫畚曷爲出乎閨彼何者怪何等物之辭熟視知其爲畚乃言夫畚者賤器何故乃出尊者之閨乎呼之不至怪而呼欲問之曰子大夫也欲視之則就而視之顧君責己以視人欲以見就爲解也古者士大夫通曰子○解佳賣反又如字趙盾就而視之則赫然死人也赫然已支解之貌趙盾曰是何也曰膳宰也主宰膳殺膳者若今大官宰人熊蹯不熟公怒以斗擊而殺之擊猶斗擊謂旁擊頭項○擊五燕反又苦交反猶擊也擊口弔反擊也支解將使我棄之趙盾曰嘻趨而入靈公望見趙盾愬而再拜愬驚貌禮臣拜然後君荅拜靈公先拜者畚出盾入知其欲諫欲以敬排之使不復言也禮天子爲三公下階卿前席大夫興席士式几○愬所革反又許路反疏注禮天至士几○解云春秋說文亦時王禮也趙盾逡巡北面再拜稽首頭至地曰稽首頭至手曰拜手疏注頭至地至拜手○解云出大祝文趨而出本欲諫君君以拜謝知已意異當覺悟故出靈公心怍焉怍慙貌○怍在洛反欲殺之於是使勇士某者往殺之某者傳本有姓字記者失之勇士入其大門則無人門焉者焉者於也是无人闚門以視者也入其閨則無人閨焉者上其堂則無人焉但言焉絕語辭堂不設守視人故不言堂焉者俯而闚其戶俯俛頭戶室戶

方食魚飧勇士曰嘻子誠仁人也吾入子之大門則無人焉入子之閨則無人焉上子之堂則無人焉是子之易也易猶省也○飧音孫子爲晉國重卿而食魚飧是子之儉也君將使我殺子吾不忍殺子也雖然吾亦不可復見吾君矣負君命也遂刎頸而死勇士自斷頭也傳極道此者明約儉之衛也其於重門擊柝孔子曰禮與其奢也寧儉此而謂也○頸居郢反斷音短重直容反柝他洛反〔疏〕注傳極至謂也○解云易下繫辭云重門擊柝以待暴客是也靈公聞之怒滋欲殺之甚滋猶益也衆莫可使往者於是伏甲于宮中召趙盾而食之趙盾之車右祁彌明者國之力士也禮大夫驂乘有車右有卿者○而食音嗣下同祁巨支反仡然從乎趙盾而入仡然壯勇貌○仡魚乙反放乎堂下而立嫌靈公後欲殺盾故入以爲意禮器記曰天子堂高九尺諸侯七尺大夫五尺士三尺趙盾已食靈公謂盾曰吾聞子之劍蓋利劍也子以示我吾將觀焉授君劍當拔而進其首靈公因欲以推殺之趙盾起將進劍祁彌明自下呼之曰盾食飽則出何故拔劍於君所趙盾知之由入曰知之自己知曰覺焉〔疏〕注由入至覺焉○解云由人曰知之此文是也自己知曰覺者即昭三十一年傳云夏父曰以來人未足而盱有餘叔術覺焉曰嘻此誠爾國也夫起而致國于夏父是也躇階而走躇猶超遽不暇以次○躇丑略反與踱同一本作辵音同剬不具據反本亦作遽靈公有周狗可以比周之狗所指如意○比毗志反謂之獒犬四尺曰獒○獒五刀反〔疏〕注犬四尺曰獒○解云釋

公羊疏十五　十三

踆

文呼獒而屬之獒亦躇階而從之祁彌明逆而踆之以足逆蹋曰踆○踆音存以足逆蹋之蹋徒臘反〔疏〕呼獒而屬之○解云謂呼而指屬之令呼犬謂之屬義出於此絕其頷頷口○頷戶感反趙盾顧曰君之獒不若臣之獒也然而宮中甲鼓而起甲即上所道伏甲約勒聞鼓聲當起殺盾有起于甲中者抱趙盾而乘之欲趙疾走盾顧曰吾何以得此于子猶曰吾何以得此救急之恩於子邪非所以意悟曰子某時所食活我于暴桑下者也某時者記傳者失之暴桑蒲蘇桑傳道此者明人當素積恩德趙盾曰子名爲誰欲後報之曰吾君孰爲介介甲也猶曰我晉君誰爲與此甲兵豈不爲盾乎子之乘矣何問吾名之乘即上車也猶曰子以上車矣何不疾去而反徐問吾名乎欲令蚤免去不望報矣○蚤音早

公羊疏十五　十四

趙盾驅而出衆無留之者明盾賢人不忍殺也且靈公無道民衆不悅以致見殺趙穿緣民衆不說起弑靈公然後迎趙盾而入與之立于朝復大夫位也即所謂復国不討賊明史得用責之傳極道此上事者明君雖不君臣不可以不臣○不說音悅而立成公黑臀不書者明以惡夷律猶不書剽立○臀徒門反剽匹妙反〔疏〕注不書至剽立○解云襄公二十六年二月辛卯衛甯喜弑其君剽甲午衛侯衎復歸于衛然則剽爲不言剽之立不言剽之立者以惡衛侯矣注云欲起衛侯失衆出奔故不書剽立剽立無惡則衛侯惡明矣然則此處不書黑臀之立以惡夷律明矣故如此解○夏四月○秋八月螽先是宣公代莒取向公比如齊所致〔疏〕注先君至取向○解云在上四年春也○注公比如齊○解云即四年秋公如齊五年春公如齊是也○冬十月

七年春衛侯使孫良夫來盟○夏公會齊侯

伐萊。秋，公至自伐萊。大旱。（注）為伐萊煩擾所致。○為，于偽反。（疏）

春，衛侯至來盟。○解云：不書日月者，在十四年夏，鄭伯使其弟語來盟之下，何氏云：「時者，從內為王義，明王者當以至信先天下。」然則成三年冬十有一月，晉侯使荀庚來聘，衛侯使孫良夫來聘。丙午，及荀庚盟。丁未，及孫良夫盟，亦是來盟而書日月。彼下注云：「書者，惡之。詩曰：君子屢盟，亂是用長。二國既脩禮相聘，不能親信，反復相疑，故舉聘以非之。」是其惡，故不與重而書日月之義也。是當文皆有注解。○冬，公會晉侯、宋公、衛侯、

鄭伯、曹伯于黑壤。

八年，春，公至自會。○夏，六月，公子遂如齊，至黃乃復。其言至黃乃復何？（注）據公孫敖不言至復，不言乃。（疏）注據公至言乃。○解云：即文八年冬，公孫敖如京師，不至復，丙戌，奔莒是也。

有疾也。（注）乃，難辭也。上言及復，下有卒，知以疾為難。○難，乃旦反。何言乎有疾乃復？（注）據公如晉以有疾乃復，殺恥以為有疾，無[illegible]。（疏）注據公如至無譏。○解云：即昭二十三年冬，公如晉，至河，公有疾，乃復。傳云「何言乎公有疾乃復？殺恥也」。注云因有疾以殺晉之恥是也。

譏。何譏爾？大夫以君命出，聞喪，徐行而不反。（注）聞喪者，聞父母之喪。徐行者，不忍疾行。有疾者猶不得反，況於疾乎？順經文而重責之，言乃不言有疾者，尚不當反也。敖不言乃者，明無所難，為重敖當誅，遂當絕。（疏）注順經文至難為重。○解云：正以傳不言大夫以君命出遇疾而還，非禮，而言聞喪徐行而不反者，是其順經文而重責之故也。○注敖當誅，遂當絕。○解云：以敖違命罪大，故當誅，誅者罪累家也。遂前雖弒君，而宣公不以為罪，直以當時行事而責之，責其奉命不終，而以疾辭，故當絕其身而已。○辛巳，有事于太廟，

仲遂卒于垂。仲遂者何？（注）據不稱公子，故問之。公子遂也。（注）自是後無遂卒，知公子遂。何以不稱公子？（注）據公子季友卒，加字稱公子也。（疏）注據公至子也。○解云：即僖十六年三月壬申，公子季友卒是也。言所加字者，欲道仲遂亦加字而不稱公子矣。

貶。曷為貶？（注）據叔孫得臣卒不貶。（疏）注據叔至不貶。○解云：即宣五年秋九月，叔孫得臣卒是也。何氏云：「不日者，知公子遂欲弒君，為人臣知賊而不言，明當誅。」然則得臣與遂同罪，而或貶或否，故難之。為弒子

赤貶。然則曷為不於其弒焉貶？（注）據翬終隱之篇貶，欲使於文十八年子赤卒年中貶。（疏）注據翬至中貶。○解云：即隱四年秋，翬帥師會宋公、陳侯、蔡人、衛人伐鄭。傳云「翬者何？公子翬也。何以不稱公子？貶。曷為貶？與弒公也」。十年夏，翬帥師會齊人、鄭人伐宋。傳云「此公子翬也，何以不稱公子？貶。曷為貶？隱之罪人也，故終隱之篇貶」是也。

於文則無罪，於子則無年。（注）此解十八年秋如齊不貶意也。十八年，編於文公，貶之則嫌有罪於文公，無罪於子赤也。卒乃貶者，元年逆女，嫌為喪娶貶也；公會平州下如齊，地嫌公遂如齊，嫌坐乃復貶也。貶加字，首起嬰齊所氏，明為歸父後，大宗不得絕也。地者，絕外卒，明當有卒外禮也。日者，不去樂也。書有事者，為不去樂張本。○編，必連反。（疏）注元年逆至貶也。○解云：即上元年「公子遂如齊逆女」，彼注云「嫌諱不成其文也」是也。○注公會至公遂。○解云：即元年經云「夏，公會齊侯于平州，公子遂如齊」是也。若不言公子，直言遂如齊，文承公會於平州之下，嫌謂公遂如齊，非公子遂，是以不得去公子矣。○注如齊嫌坐乃復貶也。○解云：公子翬助桓篡弒，入篇即不貶，見其無罪於桓公。今此公子遂助宣篡弒而於宣貶者，正以於子赤則無年，遂之罪重，不得令免，會須貶之，諸見之處悉皆有嫌，不得作文，是以正於卒時貶見其事。○注貶加字至絕也。○解云：成十五年三月乙巳，仲嬰齊卒。傳云「仲嬰齊者何？公孫嬰齊也。公孫嬰齊則曷為謂之仲嬰齊？為兄後也。為兄後則曷為謂之仲？為人後者為之子也」。注云「更為公孫之子，故不得復氏公孫」。傳文云「為人後者為其子，則其稱仲何？孫以王父字為氏也。然則嬰齊孰後？後歸父也。歸父使于晉而未反，何以後之？」注云「據已絕也」。傳云「叔仲惠伯，傅子赤者也。文公死，子幼，公子遂謂叔仲惠伯曰：君幼，如之何？願與子慮之。叔仲惠伯曰：吾子相之，老夫抱之，何幼君之有？公子遂知其不可與謀，退而殺叔仲惠伯，弒子赤而立宣公。宣公死，成公幼，臧宣叔者相也，君死不哭，聚諸大夫而問焉，曰：昔者叔仲惠伯之事，孰為之？諸大夫皆雜然曰：仲氏也，其然乎？於是遣歸父之家」。注云「時見君幼，欲以防示諸大夫，然後哭君」。「歸父使乎晉，還自晉，至檉，聞君薨家遣，墠帷，哭君成踊，反命于介，自是走之齊。魯人徐傷歸父之無後也」，注云「徐者，皆共之辭也。關東語」。傷其先人為惡，身見逐絕

不忿爭也於是使嬰齊後之也注云弟無後兄之義爲亂昭穆之序失父子之親故不言仲孫明不與子爲父孫是也然後既彼服而加字者欲起成十五年仲嬰齊以仲爲氏故也嬰齊者仲遂之子宜稱公孫而氏仲者明爲其兄公孫歸父之後不得氏公孫故氏仲矣所以弟爲兄後者正以大宗不得絶故也○注此者至猶也○解云欲道公子季友之文皆不地此言於垂者正以卒於外故也所以卒於外則地之者明其當有卒於外之禮故也○注日者不去樂也○解云正以春秋之例失禮鬼神例日故也○注書者至張本○解云正以時祭之禮礿夏作之即是得時不書之例而書之者爲下不去樂張本故也而言有事者礿不合書是以但言有事爲下張本而已似若文二年注云不言吉禘者就不三年不復譏略爲下張本而已之類　○壬午猶繹萬入去籥繹者何祭之明日也　禮繹繼昨日事但不灌地降神爾天子諸侯曰繹大夫曰賓尸士曰宴尸去事之殺也必繹者尸屬昨日配先祖食不忍輒忘故因以復祭禮則無有誤敬慎之至殷曰肜周曰繹繹者據今日道昨日不敢斥尊言之文意也肜者肜肜不絶據昨日道今日斥尊言之質意也祭必有尸者節神也禮天子以卿爲尸諸侯以大夫爲尸卿大夫以下以孫爲尸夏立尸殷坐尸周旅酬六尸○屬音燭肜羊弓反　疏　繹者何○解云大近欲言非祭繹者祭名故執不知問○注礼繹至神爾○解云正以繹天云繹又祭也孫氏云祭之明日尋繹復祭故言繼昨日事正以昨日祭已灌地降神是以今日繹王爲尸作何以爲灌乎故云但不灌地降神爾○注天子諸侯至宴尸○解云春秋說文也稍得言名繹在正祭之後故曰去事之殺也○注則無有誤○解云思敬先君之尸而爲之設祭則無有過誤也○注殷曰肜周曰繹○解云釋天文案郭氏爾雅其下文仍有夏曰復胙之文而何氏不言之者正以諸家爾雅悉無此言故不引之復胙郭氏云未見義所出也○注繹者至意也○解云祭尊于繹欲道今日所尋繹乃是昨日之正祭故云據今日道昨日不敢斥尊乃是尊正之義故曰文意也○注肜者至神也○解云正由昨日正祭是以今日作又祭相因而不絶肜肜然故曰據昨日道今日乃是追近而不尊故曰質意也○注禮天子至孫爲尸○解云何氏差約古禮也天子不使公諸侯不使卿皆爲其大尊也卿大夫已下以孫爲尸以其昭穆同也○注夏立至六尸○解云卿礼器云周坐尸注云言此亦周所因於殷也夏立尸而卒祭注云夏禮尸有事乃坐殷坐尸注云無事猶坐周旅酬六尸

熊氏一本作嬴氏

注云使之相酌也后授之尸爵不受旅曾子曰周礼其猶醵與注云合錢飲酒爲醵旅酬相酌似之也　萬者何干舞也　干謂楯也能爲人扞難而不使害人故聖王貴之以爲武樂萬者其篇名武王以萬人服天下民樂之故名之云爾○楯食允反扞户旦反　疏　萬者何○解云欲言其樂文無樂名欲言非樂祭祀用之故執不知問○注武王至云爾○解云春秋說文昔武王一會八伯諸侯人數皆止萬而已蓋以萬是揔名故據以言耳　籥者何籥舞也　籥所吹以節舞也吹籥而舞文樂之長　疏　籥者何○解云欲言非樂籥是樂名欲言是樂臨祭見去故執不知問○注吹籥而舞文樂之長○解云正以萬是武樂入而用之而籥特備矣　其言萬入去籥何　據入者不言萬去樂不言名　疏　注去樂不言名○解云即昭十五年二月癸酉有事于武宮籥入叔弓卒去樂卒事是也　去其有聲者　不欲令人聞之也　廢其無聲者　廢置也置者不去也齊人語　存其心焉爾存其心焉爾者何知其不可而爲之也　明其心猶存於樂知其不可故去其有聲者而爲之　疏　存其心焉爾者何○解云欲道存心于樂而有去籥之文欲道存心于殷肱而繹万不廢故執不知問　猶者何通可以已也　禮大夫死爲廢一時之祭有事于廟而聞之者去樂卒事而聞之者廢繹日者起明日也言入者據未奏云籥時書凡祭自三年喪已下各以日月廢時祭唯郊社越紼而行事可　疏　猶者何○解云欲言是禮書而譏之欲言非禮行事可○解云大夫至之祭○解云正以正祭爲吉事故也○注有事至去樂○解云即昭十五年二月癸酉有事于武宮籥入叔弓卒去樂卒事傳云其言去樂卒事何礼也君有事于廟聞大夫之喪去樂注云恩痛不忍卒○注卒事至日也○解云即檀弓下篇云仲遂卒于垂壬午猶繹萬入去籥仲尼曰非礼也卿卒不繹是也○注言入至時書○解云欲道所以不言萬作而言万入之意也○注凡祭至事可○解云即王制曰喪三年不祭唯祭天地社稷爲越紼而行事鄭注云不敢以卑廢尊越猶蹤也紼輴車索臬也　○戊子夫人熊氏薨○晉師白狄伐秦○楚人滅舒蓼○秋七月甲子日有食之

疏 是後楚莊王圍宋析骸易子伐鄭勝晉鄭伯肉袒晉大敗於邲中國精奪而服強楚之應 疏 注後至易子○解云圍宋者即下十四年秋九月楚子圍宋是也言析骸易子者即十五年傳云易子而食之析骸而炊之是也○注伐鄭勝晉○解云即下九年冬楚子伐鄭晉郤缺帥師救鄭十年夏晉人宋人衛人曹人伐鄭冬楚子伐鄭十一年夏楚子陳侯鄭伯盟于辰陵注云不日月者莊王行霸約諸侯明王法討徵舒善其憂中國故為信辭然則比年之間晉楚爭共伐鄭鄭伯然服于楚盟于辰陵楚勝于晉居然明矣故云伐鄭勝晉也○鄭伯肉袒○解云即下十二年春楚子圍鄭鄭伯肉袒左執茅旌右執鸞刀以逆莊王是也○注晉大敗于邲○解云即下十二年夏晉荀林父帥師及楚子戰于邲晉師敗績○注中國精奪○解云正以日者太陽之精諸夏之象今而被食故曰中國精奪

○冬十月己丑葬我小君頃熊雨不克葬庚寅日中而克葬頃熊者何宣公之母也熊氏楚女宣公嫡傳八公妾子○頃音傾而者何難也

疏 頃熊者何○解云欲言是妾至葬備禮欲言夫人與君別謚故執不知問

乃者何難也謂閔定公日下昃乃克葬 疏 而者何○解云魯公夫人葬多矣此獨言故執不知問○注謂閔定至克葬○解云即是十五年九月丁巳葬我君定公雨不克葬戊午日下昃乃克葬是也然則言乃之經不干此事而於此問之者正以葬時遇雨廢葬而乃異文是以連而問之難也禮卜葬從遠日不克葬見難者臣子重難不得以正日葬其君 疏 禮卜葬從遠日○解云即曲禮上篇云喪事先遠日鄭注云喪事葬與練祥也左氏傳云禮卜葬先遠日辟不懷也舊典之遺存也曷為或言而或言乃乃難乎而也言乃者內而深言而者外而淺下昃日昳久故言乃孔子曰其為之也難言之得無訒乎皆所以起孝子之情也雨不克葬者為不得行葬禮孔子曰生事之以禮死葬之以禮祭之以禮故不得行禮則不葬也魯錄雨不克葬者恩錄內尤深也別朝莫者明見日乃葬也○訒音刃莫音暮 疏 注孔子至訒乎○解云論語文引之者謂難言之事必須訒而言之似若臣子不得正日雖言重難亦須訒而葬之○注所以起孝子之情也○解云謂春秋言而言乃者所以起見孝子之情重難有淺深故也○注魯錄至深也○解云欲道外諸侯葬多矣而无不克之文者以其恩淺也○注別朝至葬也○解云謂日中與昃然則朝莫猶早晚也○城平陽○楚師伐陳

九年春王正月公如齊月者善宣公事齊合古禮卒使齊歸濟西田不就十年月者五年再朝近得正孔子曰知和而和不以禮節之亦不可行也明雖事人皆當合禮 疏 注月者至西田○解云即下十年春齊人歸我濟西田是也○注不就至合禮○解云何氏之意以為春秋之道祖述堯舜天子五年一巡狩諸侯亦五年一朝天子是以桓元年注故即位比年使大夫小聘三年使上卿大聘四年又使大夫小聘五年一朝是也然則諸侯自相朝雖文不著若欲以朝亦不過是也宣公五年春公如齊今九年春又如齊乃五年之內不得正尽五年故曰近得正言近者不正是之辭也雖不正是近合於禮是以春秋此年書月以見善宣公至十年公復如齊是為大數唯近取濟西田之文亦不得見善故言不就十年月者五年再朝近得正○公至自齊○夏仲孫蔑如京師○齊侯伐萊○秋取根牟根牟者何邾婁之邑也曷為不繫乎邾婁諱亟也亟疾也屬有小君之喪邾婁子來加禮未期而取其邑故諱不繫邾婁也上有小君喪而下諱取之則邾婁加禮明矣未期年從加禮數者猶王子虎從會葬數○亟去冀反 疏 根牟者何○解云欲言是國經典未有欲言非國文無所繫故執不知問○注屬有小君之喪○解云即上八年夏夫人熊氏薨是也○注邾婁子來加禮○解云謂上八年冬十月葬頃熊之時邾婁子使人來加禮但例不書之故不見也○注未期至婁也○解云去年十月來加禮今年七月而取邑故言未期也加禮者或是賵襚之屬皆是葬前之事而要繫會葬言之言未期者欲取諱亟之義強故也必知過期之後不復諱之者正以定十五年夏五月定公薨邾婁子來奔喪至於哀元年冬仲孫何忌帥師伐邾婁注云邾婁子新來奔喪伐之不諱者期外恩殺惡輕明當與根牟有差是也○注未期年至葬數○解云此文欲取未期之義而從加禮數之若取薨之時則過於期矣若以僖三十三年冬十二月公薨于小寢文元年天王使叔服來會葬夏四月葬我君僖公文三年夏五月王子虎卒傳云王子虎者何天子之大夫也外大夫不卒此何以卒新使乎我也

注云王子虎即叔服也新爲王者使來會葬九年後三年中卒君子恩隆於親親則加報之故卒明當有恩禮也然則王子虎之卒在文三年夏若數來會葬之時則在三年之内若數公卒時四年矣與此相似故猶之。○八月滕子卒。九月晉侯宋公衛侯鄭伯曹伯會于扈。晉荀林父帥師伐陳。辛酉晉侯黑臀卒于扈。扈者何。晉之邑也。諸侯卒其封内不地。此何以地。据陳侯鮑卒不地【疏】扈者何。○解云若言晉地不應書之然道外地文无所繫故執不知問。○注据陳侯鮑卒不地。○解云桓五年春正月甲戌己丑陳侯鮑卒傳云曷爲以二日卒之怴也甲戌之日亡己丑之日死而得君子疑焉故以二日卒之也是其卒於封内不言地故難之卒于會故地也。起時衰多窮厄伐喪而卒於諸侯會上故地危之未出其地故不言會也。左右皆臣民雖卒於會上危愈於竟外故不復著言會也出外死有輕重不於師尤甚於會次之如人國次之於封内最輕不書葬者故篡也【疏】注出外死至最輕。○解云時衰多窮厄伐喪師者閑兵之處而君死焉故言于師者其危甚即襄十八年曹伯負芻卒于師是也是以僖四年夏許男新臣卒何氏云不言卒於師者桓公師无危是其義也云於會次之者與人交接之處或相刼詐未可知若柯之盟曹子劫桓公之類是也而君卒焉故言次之即定四年夏杞伯戊卒于會是也云於人國次之者正以時多背死向生而君卒於竟外似有掩襲之理但於主國有賓客之道是故又以爲次矣即襄二十六年秋許男寧卒于楚之屬是也云於封内最輕者正以左右皆民臣危少於竟外是以不言於會矣但有外國之人亦有危理故書其地即此文書晉侯黑臀卒於扈是也若不聚會直卒於封内者仍自不地即陳侯鮑卒是也若然昭十三年夏四月楚公子比自晉歸于楚弒其君虔于乾谿不與人會而書地者彼注云封内地者起禍所由因以爲戒是也而云起禍所由者案彼傳云靈王爲无道作乾谿之臺三年不成楚公子棄疾脅比而立之然後令于乾谿之役曰比已立矣後歸者不得復其田里衆罷而去之靈王經而死是其致禍之由。○注不書至篡也。○解云春秋之義篡明者書葬即小白之屬是也篡不明者即不書其葬以見篡即此黑臀之屬是也云云已説于上。○冬十月癸酉衛侯鄭卒。不書葬者殺公子瑕也【疏】注不書葬至瑕也。○解云即僖三十年秋衛殺其大夫元咺及公子瑕也不言殺元咺元咺有罪云云已説于上。○宋人圍滕。○楚子伐鄭。○晉郤缺帥師救鄭。○陳殺其大夫泄治。

監本附音春秋公羊註疏宣公卷十五

監本春秋公羊註疏宣公卷第十六　起十年盡十八年

何休學

十年春，公如齊。公至自齊。齊人歸我濟西田。齊已取之矣，其言我何？據歸讙及僤，齊已取不言我。○僤本又作闡，音昌善反。

疏 注據歸至言我。○解云：哀公八年夏，齊人取讙及僤，冬齊人歸讙及僤是也。○

言我者，未絕於我也。曷為未絕于我？據有俄道。

疏 注據有俄道。○解云：即指二年傳云「至乎地之與之則不然，俄而可以為其有矣」，彼注云「俄者謂須臾之間，制得之頃也」，言俄爾之間則有繼于本主之意，爾來十年，何言未絕于我乎？故難之。

齊已言取之矣，齊已言語許取之。○其實未之齊也。其人民貢賦尚屬於魯，實未歸於齊。不言來者，明不從齊來，不當坐取邑。

疏 注不言來至取邑。○解云：案元年注云：亦因懸齊取篡者賂，當坐取邑者，正以篡逆之賊天下共惡，齊乃許取其賂而物之，同似若漢律行言許受財之類，故云當坐取邑耳。今言不當坐取邑者，正以爾來十年，仍不入己，見宣有禮，還復歸之，功過相除，可以滅其初惡，是以春秋恕之，不復書來以除其過，故曰不當坐取邑耳。○注凡歸邑物例皆時。○解云：其歸邑時者，即定十年夏，齊人來歸運、讙、龜陰田，及此經書春之屬皆是也。其歸為特者，即莊六年冬，齊人來歸衛寶，注云「寶者玉物，凡名」是也。以此言之，則知哀八年齊人歸讙及僤在日月之下，不蒙日月，亦可知也。

夏四月丙辰，日有食之。與甲子既同，事重故累食。

疏 注與甲子既同。○解云：即上八年秋七月甲子日有食之既，彼注云「是後楚莊王圍宋，析骸易子，伐鄭勝晉，鄭伯肉袒，晉師大敗于邲，中國精奪弱服，強楚之應」。今此與彼同占，故曰與甲子既同也。

己巳，齊侯元卒。○齊崔氏出奔衛。崔氏者何？齊大夫也。其稱崔氏何？據齊高無咎出奔名。連崔氏者，與尹氏俱稱氏，嫌為采邑。

疏 崔氏者何。○解云：欲言大夫而直言崔氏，欲言微者而得書于經，故執不知問。○注據齊至奔名。○解云：即成十七年秋齊高無咎出奔莒是也。○注連崔氏者。○解云：與尹氏俱稱氏，嫌為采邑者，即隱三年夏四月辛卯尹氏卒是也。○

貶。曷為貶？據外大夫奔不貶。

疏 注據外大夫奔不貶。○解云：即高無咎出奔莒之屬是也。

譏世卿，世卿非禮也。復見譏者，嫌尹氏王者大夫，職重不當世，諸侯大夫任輕可世也。因齊大國禍著，故就可以為法戒，明王者尊莫大於周室，彊莫大於齊國，世卿猶能危之。○

疏 注復見至世也。○解云：即三年尹氏卒單稱氏，已是譏世卿，今復單言崔氏，故言復也。○注因齊大國至危之。○解云：欲道尊是諸侯，彊取即得，所以不於僖二十八年衛元咺出奔晉之經見之者，因齊大國有弒君之禍著明，下出奔故也。

○公如齊。不言奔喪者，尊內也。猶不言朝聘。○

疏 注不言至內也。○解云：正以上文四月己巳齊侯元卒，則知此經公如齊者奔喪而往，而言尊內也者，欲道定十五年夏公薨于高寢，邾婁子來奔喪，彼則書之，今此不書，尊內故也。○

五月，公至自齊。○癸巳，陳夏徵舒弒其君平國。○六月，宋師伐滕。○公孫歸父如齊，葬齊惠公。○晉人、宋人、衛人、曹人伐鄭。○秋，天王使王季子來聘。王季子者何？天子之大夫也。其稱王季子何？據叔服不繫王不稱子，王札子不稱季。○

疏 書五月公至自齊。○解云：致例時，而書五月者，為下癸巳出之。○王季子者何。○解云：欲言諸侯而王使來聘，欲言大夫而經書子，故執不知問。○注據叔至稱季。○解云：即文元年天王使叔服來會葬是也。○王札子不稱季，下十五年夏六月王札子殺召伯、毛伯是也。

貴也。其貴奈何？母弟也。子者王子也。天子不言子弟，故變文上繫先王以明之，著其骨肉貴親也。

疏 注子者王子至明之。○解云：言天子不言子弟者，即文元年注云「叔服者王子虎也，不繫王者，不以親疏錄也，不稱王子者，時天子諸侯不務求賢而專貴親親，故尤其在位子弟，剌其早任以權也」是也。既言尤其在位子弟，是以不得稱之王子。瑕奔晉，天王殺其弟年夫，難之云云，已論在文元年。○注著其骨肉貴親也。○解云：以其稟氣于先王，故言骨肉貴，以其今王母弟，故曰體親也。

○公孫歸父帥師伐邾婁，取繹。○繹[illegible]又力斛飲類二反。大水。先是城平陽取根牟及龢役重民怨之所生。疏注先是城平陽解云在上八年冬。注取根牟者解云在上九年秋。季孫行父如齊。冬，公孫歸父如齊。齊侯使國佐來聘。饑。何以書？以重書也。民食不足百姓不可復興危亡將至故重而書之明當自省減開倉廩賑之哀公問於有若曰年饑用不足如之何有若對曰盍徹乎曰二吾猶不足如之何對曰百姓足君孰與不足百姓不足君孰與足。盍常盤反。楚子伐鄭。

十有一年，春，王正月。夏，楚子、陳侯、鄭伯盟于辰陵。不日月者莊王行霸約諸侯明王法討徵舒善其憂中國故爲信辭。公孫歸父會齊人伐莒。秋，晉侯會狄于欑函。離不言會言會者見所聞世治近升平內諸夏而詳錄之殊夷狄也下殊楚於吳者方見其義故張外內也於殊舉者明書之。疏注[illegible]所聞世[illegible]至明言之。解云即成十五年冬十有一月叔孫僑如會晉士燮齊高無咎宋華元衛孫林父鄭公子鰌邾婁人會吳于鍾離傳云曷爲殊會吳外吳也曷爲外也春秋內其國而外諸夏內諸夏而外夷狄王者欲一乎天下曷爲以外內之辭言之言自近者始也注云明當先正京師乃正諸夏諸夏正乃正夷狄以漸治之是也。冬，十月，楚人殺陳夏徵舒。此楚子也，其稱人何？據下入陳稱子。貶。曷爲貶？據殺有罪。不與外討也。疏注據下入陳稱子。解云即下丁亥楚子入陳是也。解云貶見之即所謂至匹夫天子故貶見之即所謂至匹夫天子故貶絕然後罪惡見。疏注即所見。解云即昭元年傳云春秋不待貶絕而罪惡見者不貶絕以見罪惡也是也。不與外討者，因其討乎外而不與也，雖內討亦不與也。雖自討其臣下亦不與也。疏注雖內討亦不與也。解云即所謂內討亦不與也。解云案隱四年九月衛人殺州吁于濮傳曰其稱人何討賊之辭也注云討者除也明國中人人得討之所以廣忠孝之路以此言之則弑君之賊國內人人皆得殺之而言雖內討亦不與者正以與莊王非國內是以不復外討又言雖內討亦不與者正以討于身爲君而見在者更以他罪耳諸侯不得專殺大夫是以不與內討。曷爲不與？據討之乎明知莊王行討。實與而文不與。疏注據善爲齊誅之。解云即昭四年秋七月楚子以下伐吳執齊慶封殺之傳云此伐吳也其言執齊慶封何爲齊誅也其爲齊誅奈何慶封走之吳吳封於防何氏云月者善義兵是也。言執齊慶封何爲齊誅也其爲齊誅奈何慶封。實與疏注不言楚與陳行人于徵舒殺之言楚討賊之文隱四年衛人殺州吁于濮乃陳國與同文故知實與矣。解云注以稱人同文。疏注不言楚至同文。解云即昭八年夏楚人執陳行人于徵師殺之言楚人殺無知實不言執以見此不言執乃陳國與同文故知實與矣。而文不與。文曷爲不與？諸侯之義不得專討也。諸侯之義不得專討，則其曰實與之何？上無天子，下無方伯，天下諸侯有爲無道者，臣弑君，子弑父，力能討之，則討之可也。與齊桓專封同義不書兵者時不伐。疏注與齊桓專封同義。解云即僖元年齊師救邢之下傳云曷爲先言次後言救君也君則其稱師何不與諸侯專封也曷爲不與實與而文不與文曷爲不與諸侯之義不得專封諸侯之義不得專封則其曰實與之何上無天子下無方伯天下諸侯有相滅亡者力能救之則救之可也注云主書者起文從實也今此亦然故曰齊桓專封同義耳。注不書兵者時不伐。解云欲決昭四年秋楚子以下伐吳執齊慶封殺之彼實有兵故言伐今此不書兵者時實不伐非是省文之義耳。丁亥，楚子入陳。日者惡莊王討賊之後欲利其國。疏注日者至利其國。解云正以春秋之義入例書時傷害多則書月今此書日以詳其惡上貶文不可因。疏注復出楚至貶文。解云春秋之義以納爲篡故如此解。注復出楚至貶文。解云春秋之義以納爲篡辭而言爲下納善者正以上有起文故與凡納異何者上有討賊之文而即言納二子于陳故知其善所謂美惡不嫌同辭矣。納公孫寧、儀行父于陳。此皆大夫也，其言納何？據納者謂已絕也今齊絕文故見大夫反言納也。寧乃定反，音寧。疏注據納至言納也。解云定十四年宋公之弟辰及仲佗石彄出奔陳至哀二年夏晉趙鞅納衛世子蒯聵于戚是其上有出奔絶文而下言納矣而僖二十五年秋楚人圍陳納頓子于頓上文不言頓子出奔者正以頓是微國出入不兩書故彼注云頓子出奔不書者國例也云故見大夫者言此二子上無絶文故見任爲大夫

納公黨與也 徵舒弑君甯儀行父如楚而反言納于陳訴徵舒徵舒之黨從後絶其位楚爲討徵舒而納之本以助公見絶故言納公黨與不書徵舒絶之者以弑君爲重主書者美楚能變悔改過以遂前功卒不取其國而存陳不繫國者因上入陳可知 疏 注不書至主書者○解云若書徵舒絶之宜云陳公孫甯等出奔楚傳云此訴于楚矣是爲謂之出奔徵舒絶其位是以謂之奔也○注美楚至改過○解云謂之入陳是也○注以遂前功○解云討徵舒是也○注不繫國至可知○解云欲決哀二年納衛世子云云繫衛是也

十有二年春葬陳靈公討此賊者非臣子也何以書葬 據惠公殺里克不書卓子葬○ 疏 注據惠至子葬○解云僖十年春里克弑其君卓子夏晉惠公殺里克是也

君子辭也楚已討之矣臣子雖欲討之而經無所討也 無所復討也不從殺泄冶不書葬者泄冶有罪故從討賊書葬則君子辭與泄冶罪兩見矣不月者獨甯儀行父有訴楚功上已言納故從餘臣子恩薄略之 疏 君子至討也○注無所復討也○解云然則卓子之賊亦是惠公已討之實臣子雖欲討之亦無所討而不作君子辭者正以惠公之殺里克不作討賊之意是以春秋不書卓子葬以責其臣子也今此楚莊本以討賊之意而殺徵舒一賊不可再討故不責之○注不從至有罪○解云案何氏作膏肓以爲泄冶無罪而此注云有罪者其何氏兩解乎正以春秋之義殺無罪大夫者例去其葬以見之今乃經書靈公之葬則知泄冶有罪明矣而膏肓以爲無罪者蓋以諫君之人罪之無文而左氏罪之故言無罪矣而此何氏以爲有罪者其更有他罪乎○注從討至兩見矣○解云賊不討不書葬者欲責臣子不討賊今而書葬則知賊已討矣君子恕之不復責臣子矣又且君殺無罪大夫則不書其葬今靈公殺泄冶而得書葬則知泄冶有罪明矣故云兩見矣○注不月者至略之○解云正以卒日葬月大國之常今書春故須辨之

○楚子圍鄭○夏六月乙卯晉荀林父帥師及楚子戰于邲晉師敗績大夫不敵君此其稱名氏以敵楚子何 據城濮之戰子玉得臣貶也○ 疏 注據城濮至貶也○解云即僖二十八年夏晉侯以下楚人戰于城濮楚師敗績傳云此大戰也曷爲使微者子玉得臣也子玉得臣則其稱人何貶曷爲貶大夫不敵君也

不與晉而與楚子爲禮也 不與晉而反與楚子爲君臣之禮以惡晉 疏 不與晉至禮也○解云何作一句連讀之注云不與晉而反與楚子爲君臣之禮亦爲一句連讀之○注以惡晉○解云内諸夏以外夷狄春秋之常今叙晉于楚子之上正是其例而知其惡晉者但楚莊德進行修同於諸夏討陳之賊不利其土入鄭皇門而不取其地既卓然有君子之信甯得殊之既不合殊即是晉侯之匹林父人臣何得序於其上既序人君之上無臣子之禮明矣臣而不臣故知惡晉也

曷爲不與晉而與楚子爲禮也 據城濮之戰貶得臣者不與楚爲禮

莊王伐鄭勝乎皇門 勝戰勝皇門鄭郭門 放乎路衢 路衢郭内衢道四四達謂之衢○ 疏 注道四達謂之衢○解云釋宮文

鄭伯肉袒左執茅旌 茅旌祀宗廟所用迎道神指護祭者斷曰藉不斷曰旌用茅者取其心理順一自本而暢乎末所以通精誠副至意○斷音短藉在夜反 疏 注茅旌至至意○解云茅旌祀宗廟所用云者皆時王之禮正以公羊子是景帝時人是以何氏取當時之事以解其語云用茅者取其心理順一者言茅心文理皆順無逆矣云自本而暢乎末者言其文理從本而申暢于末無絶以絶之

右執鸞刀 鸞刀宗廟割切之刀環有和鋒有鸞執宗廟者示以宗廟不血食自歸首 疏 注鸞刀宗至有鸞○解云亦時王之制祭義亦云祭之日君牽牲卿大夫序從彼注云序以次第從也既入廟門麗于碑卿大夫袒而毛牛尚耳鸞刀以封取膟膋鄭注云麗猶繫也毛牛尚耳以耳毛爲上也膟膋血與腸間脂也又祭統云鸞刀盡聲是鸞刀爲宗廟割切之刀矣○注執宗廟至自歸首○解云言示以宗廟者言示楚以宗廟血食之路也言已宗廟將隨滅絶酌在楚耳故言自歸首矣○

以逆莊王曰寡人無良邊垂之臣 諸侯自稱曰寡人天子自稱曰朕良善也無善喻有過言已有過於楚邊垂之臣謙不敢斥莊王○ 疏 注諸侯自稱曰寡人

撝軍

解云曲禮文。注天子自稱曰朕時王之禮也若古礼自稱為予一人矣。解云 以干天禍
也議不敢斥王歸之於天。是以使君王沛焉注沛焉者奄有餘之貌猶傳曰力沛若
有餘。沛普盖反。疏注猶傳至有餘。解云文十四年傳文 辱到敝邑辱到於鄭遠自勞
鄭也諸侯自稱國曰敝邑 君如矜此喪人自謂已喪亡。錫之不毛之
地墝埆不生五穀曰不毛議不敢求肥饒。墝苦交反下苦角反。疏注墝埆至肥饒解云墝埆者[illegible]
鹵之稱若俗言墝埆矣 使帥一二耋老而綏焉六十稱耋七十稱老綏安也謂
不敢多索丁夫願得主帥一二老夫以自安。耋大結反舊本作薦音索。疏注六十至稱老解云七十稱老 請唯君王
曲禮文也案今曲禮云七十曰耄與此異也盖何氏所見與鄭注者不同或者此耋字誤耳。
之命 莊王曰君之不令臣交易為言是亦非王謙不斥鄭
備之辭令善也交易猶往來也言君之不善臣數往來為惡言。數音朔下同。屢往力住反又作數音朔。是以使寡

人得見君之玉面而微至乎此微喻小也猶言以微故至於此 疏
是以使至玉面。解云若祭統云故國君取夫人之辭曰請
君之玉女與寡人共有敝邑事宗廟社稷鄭注云言玉女者
美言之也君子於玉比德焉然則此言玉面者亦美言之也。莊王親自手旌自以手持旌也
緇廣充幅長尋曰旐繼旐如燕尾曰旆加文章曰旂錯革鳥曰旟注旄首曰旌 疏注緇廣充至曰旌。解云此注
皆爾雅釋天文其間少有不同者蓋所見異或何氏潤色之棨今爾雅釋天縿作旒字孫氏云緇黑繒也郭氏云帛全幅
長八尺又云繼旐曰旆孫氏云帛續旐末亦長尋詩云帛旆英英是也郭氏曰帛續旐末為燕尾者故此何氏云繼旐如
燕尾曰旆也又云有鈴曰旂李氏云有鈴以鈴著旐端孫氏曰鈴在旂上旂者畫龍郭氏曰縣鈴於竿頭畫交龍於旒是
以此注云加文章曰旂也又云錯革鳥曰旟李氏云以革為之置於旒端孫氏曰錯置也革急也言畫急疾之鳥于旒周
官所謂鳥隼為旟者矣又云注旄首曰旌李氏云以犛牛尾注旌首者郭氏云戴旄於竿頭如今之幢亦有旒是也。左
右撝軍退舍七里將軍子重諫曰南郢之與

宣十二年

鄭相去數千里南郢楚都不能二千里言數千里者欲深感莊王使納其言。數所主反。諸
大夫死者數人廝役扈養死者數百人艾草為防者曰
廝汲水漿者曰役養馬者曰扈炊亨者曰養。扈養餘亮反又魚廢反。疏注艾草至曰養。解云盡于時猶然
是以何民知之 今君勝鄭而不有無乃失民臣之力乎
無乃猶得無。疏注無乃猶得無。解云言得無失民臣之力乎言其失民臣之力矣 莊王曰古
者杅不穿皮不蠹則不出於四方杅飲水器穿敗也皮裘也
蠹壞也古者杅穿皮蠹乃出四方古者出四方朝聘征伐皆當多少圖有所喪費然後乃行爾喻已出征伐士卒死傷固其
宜也不當以是故滅有鄭恥不能早服也。杅不音于費芳味反。疏注杅飲水器。解云其音于若今馬盂矣
舊說云杅是杅字若今食杅矣案今音作于則舊說非。是以君子篤於禮而薄
於利篤厚也不惜杅皮之費而貴朝聘征伐者厚於禮義薄於財利 要其人而不要

其土本所以伐鄭者欲要其人服罪過耳不要取其土地猶古朝聘欲尊礼義不顧杅皮 告從從服
不赦不詳善用心曰詳 吾以不詳道民災及吾
身何日之有何日之有猶無有日 既則晉師之救鄭者至
荀林父也 曰請戰荀林父請戰。莊王許諾將軍子重諫曰
晉大國也國大衆彊 王師淹病矣淹久也謂大夫廝役死者是 君
請勿許也莊王曰弱者吾威之彊者吾辟之
是以使寡人無以立乎天下以是故必使寡人無以立功名于天下。
令之還師而逆晉寇言還者時莊王勝鄭去矣曾晉師至復還戰也言寇者[illegible]
意謂晉如寇虜 莊王鼓之晉師大敗晉衆之走者舟中
之指可掬矣晉衆走抱度邲水戰敗反走欲急去先入舟者斬後扳舟者其指隨舟中身墮水

宣十二年

夫字失字モアリ

水中而死可掬者言其多也以兩手曰掬礼天子造舟諸侯維舟卿大夫方舟士特舟○可掬九六反注同扳普顏反又必顏反造七報反○疏注禮天子造舟至士特舟○解云釋水文彼云以舟為橋詣其上而行過故曰造舟也言以舟為梁故郭氏云比舩為橋舊說之造造成也諸侯維舟孫氏云維連四舩音義曰維持使不動搖也者是也大夫方舟者李氏云併兩船曰方舟也士特舟者鄭注云單舩李氏云一舟曰特舟是也案爾雅下文云庶人乘泭李氏曰併木以渡別尊卑是也此注列之不尽者蓋何氏所見者無此文矣案今孫郭所注者亦有其文莊王曰嘻吾兩君不相好敵大夫單言兩君者林父本以君命來○百姓何罪令之還師而佚晉寇佚猶過使得過渡邲來去也晉見莊王行義於陳功立盛行鐵鉆欲敗之救鄭解猶擊之不止為其欲壞楚善行以求二人故奪不使與楚成礼而停林父於上罪其事言及者大臣及君不嫌晉直明晉汲汲欲敗楚爾陸戰當舉地而舉水者大莊王閔隋水而佚晉寇○而佚音逸注同壞音怪疏注晉見莊至立威行○解云即上十一年討夏徵舒是其行義也討陳既得鄭人遂服是其功立威行也○注救鄭至之不止○解云上文令之還師之下注云言還者時莊王勝鄭去矣會晉師至復還戰也以此言之晉師未至之時楚師已解去也非謂晉人擊之令解也言猶擊之不止者謂欲一逐而擊之非謂已擊也○秋七月

○冬十有二月戊寅楚子滅蕭日者屬上有王言今反滅人故深責之○疏注日者至深責之○解云春秋之義滅例書月即十年冬十月齊師滅譚之屬是今乃書日故解之也言屬上有王言謂適上文云莊王曰嘻吾兩君不相好百姓何罪令之還師而佚晉寇者王霸之言也王者之道宜存人矜患今反滅人為過深矣是故書日變於常例故曰深責之耳宋師伐陳者案諸家經皆有此文唯賈氏注者闕此一經疑脱○晉人宋人衛人曹人同盟于清丘○宋師伐陳○衛人救陳

十有三年春齊師伐衛○夏楚子伐宋○秋螽先是新饑而使歸父會齊人伐莒賦歛不足國家遂虛下求不已之應○螽音終疏注先是新饑

解云即十年冬書饑是也○注而使至伐莒者解云即上十二年公孫歸父會齊人伐莒是也○冬晉殺其大夫先縠

十有四年春衛殺其大夫孔達○夏五月壬申曹伯壽卒日者公子喜時父也緣臣子尊榮莫不欲與君父之故加錄之所以養孝子之志許人子者必使父也疏注日者公子至使父也○解云正以曹為小國卒月葬時即昭十八年三月曹伯須卒秋葬曹平公之屬是今而書日故以加錄解之也公子喜之讓在成十三年曹伯廬卒于師也其傳云云之說在昭二十年曹公孫會自鄸出奔宋之下云所以養孝子之志者正以喜時之讓而春秋尊榮其父故曰養孝子之志也云許人子者必使人父也者謂喜時為子必使其人父亦尊榮是以加錄之似若襄二十九年傳云以季子為臣則宜有君者也之類也○晉侯伐鄭○秋九月楚子圍宋月者惡久圍宋使易子而食之○惡烏路反○疏注月者至而食之○解云正以凡圍例時即上十二年春楚子圍鄭之屬是今而書月故解之言使易子而食之者下十五年傳文○葬曹文公○冬公孫歸父會齊侯于穀

十有五年春公孫歸父會楚子于宋宋見圍不得與會地以宋者善內為救宋行雖不能解猶為見人之厄則矜之故養遂其善意不嫌與實解宋同文者平事見刺皆可知○厄音預疏注宋見至皆可知○解云春秋盟會之義以國都為地名者皆是主人與之可知即隱元年九月及宋人盟于宿注云宿不出主名者主國主名與可知故省文明宿當自首其榮辱也今宋見圍不得與會而地以宋者正欲善內為救宋行養遂其善意故地于宋耳不嫌與實解宋同文者平事見刺皆可知者魯會楚子于宋至夏宋楚始平度其事則知魯人不能平得之宋圍自解也且下傳云此皆大夫也其稱人何貶曷為貶平者在下也注云言在下者譏二子在君側不先以便宜反報歸美于君而生事專平故貶稱人然則二子專平以云易子析骸明其急矣遂不告君是以見刺被貶稱人以此言之宋圍不解亦可知矣故言平事見刺皆可知焉云見刺者謂魯人見刺也者疑之○夏

五月宋人及楚人平外平不書此何以書
注據鄭平不書。疏注據上至不書。解云適上十一年春楚子圍鄭之時傳云莊王親自手旌左右撝軍退舍七
里是其平也但經不書之故難之。大其平乎己也已二大夫何大乎其
平乎己據大夫無遂事疏注據大夫無遂事。解云即莊十九年傳云大夫無遂事此其言遂何聘
禮大夫受命不受辭是也莊王圍宋軍有七日之糧爾盡此
不勝將去而歸爾於是使司馬子反乘堙而
闚宋城宋華元亦乘堙而出見之堙距堙上城具疏
軍有七日之糧至歸爾。解云考諸舊本或云軍有七日之糧爾七日不此不勝將去而歸爾即云更留七日之糧有糧而不得勝將去宋而歸爾今定本無下七日二字。
司馬子反曰子之國何如華元曰憊矣曰何如問憊意也憊皮誡反。曰易子而
食之析骸而炊之析破骸人骨也司馬子反曰嘻甚
矣憊雖然嘻猶如所言吾聞之也圍者古有見圍者。柑馬而
秣之秣者以粟置馬口中柑者以木銜其口不欲令食粟示有蓄積。柑其廉反以木銜馬口使肥
者應客示飽足也是何子之情也猶曰何大露情疏是何子之
情也。解云言是何者猶言是何大然也子之情者言子之露情也是以何氏云猶曰何大露情。華元曰吾
聞之君子見人之厄則矜之矜閔小人見人之
厄則幸之幸僥幸吾見子之君子也是以告情
于子也司馬子反曰諾諾者受語辭勉之矣勉猶努力使努力堅
守之吾軍亦有七日之糧爾盡此不勝將去而
歸爾揖而去之反于莊王反報於莊王莊王曰何

如司馬子反曰憊矣曰何如曰易子而食之
析骸而炊之莊王曰嘻甚矣憊雖然雖已憊。吾
今取此然後而歸爾意未足也司馬子反曰不可
臣已告之矣軍有七日之糧爾莊王怒曰吾
使子往視之子曷爲告之司馬子反曰以區
區之宋區區小貌猶有不欺人之臣可以楚而無
乎是以告之也莊王曰諾先以諾受絕子反語舍而止受命
築舍而止示無去計雖然雖宋已知我糧竭。吾猶取此然後歸爾欲微
糧待勝也司馬子反曰然則君請處于此臣請歸
爾莊王曰子去我而歸吾孰與處于此吾亦
從子而歸爾引師而去之故君子大其平乎
己也大其有仁恩。此皆大夫也其稱人何貶曷爲
貶據大其平平者在下也言在下者譏二子在君側不先以便宜反報歸美于君而生事
專平故貶稱人不物貶不言遂者在君側無遂道也以主
坐在君側遂爲罪也知經不以文實貶也凡爲文實貶者皆
以取專事爲罪注等不勿貶至道也。解云案莊十九
月者專平不易疏年秋公子結媵陳人之婦于鄄遂及齊
侯宋公盟之下傳云大夫無遂事此其言遂何聘禮大夫受
命不受辭出竟乃得專之以此言之則知大夫在君側無遂
道也是以此注言等欲見大夫專平爲罪不勿貶但當言遂
亦足以見其專平矣所以不言遂者正以在君側無遂道故
也若當言楚圍宋宋華元楚子反遂平于宋矣。注以主至
爲罪。解云凡言遂者專事之辭也爲文實貶者皆以時無
王霸諸侯專事雖違古典于時爲宜是以春秋文雖貶惡其
實與之即僖元年齊師云云救邢貶齊侯稱師刺其專事不
言狄人滅邢而爲之諱見其實與是也今此以主坐爲在君
側專事爲罪更無起文則知經稱人者實爲專貶之稱人非

宣十五年

是實與而文不與矣所以反覆解之者正以月爲文實貶者皆以取專事爲罪故也○注月者專平不易○解云正以定十一年冬及鄭平不書月者易故也昭七年春王正月暨齊平注云月者內暨暨也定十年春王三月及齊平注云月者頰谷之會齊侯欲執定公故不易之類皆如此○六月癸卯晉師滅赤狄潞氏以潞子嬰兒歸潞何以稱子據其滅稱氏○潞子之爲善也躬足以亡爾躬身雖然君子不可不記也離于夷狄疾夷狄之俗而去離之故稱子而未能合于中國未能與中國合同禮義相親比也故猶係赤狄晉師伐之中國不救狄人不有是以亡也以去俗歸義亡故君子閔傷進之日者嘉錄之名者亦所閔也始錄小國也錄以歸者因可責而責之責而加進之者明不當絕當復其氏○疏注以去至其氏○解云言以去俗歸義亡者謂去離夷狄之俗而欲歸中國之義卒無救助者是以亡也正以文在赤狄潞氏之下故取以說之云日者嘉錄之者正以凡滅例月今此書日故以爲嘉而詳錄之耳云名者亦所閔也始錄小國也者正以僖二十六年秋楚人滅隗以隗子歸彼注云不名者所傳聞世見治始起責小國略然則此書名者亦所聞世始錄小國也云錄以歸者因可責而責之者謂因其行進在可責之限故書以歸責其不死位是以僖二十六年以隗子歸之下何氏云書以歸者惡不死位是也云明不當絕當復其氏者言其行既進明不當絕滅其國還當復其潞氏以爲國矣○秦人伐晉○王札子殺召伯毛伯王札子者何長庶之號也天子之庶兄札者冠且字也禮天子庶兄冠而不名所以尊之子者王子也天子不言子弟故變文王札繫先王以明之不稱伯仲者辟同母兄弟起其爲庶兄也主書者惡天子不以禮尊之而任以權至令殺尊卿二人不言其大夫者摯也惡一大夫居尊卿之位爲下所摯而殺之大夫相殺不稱人者正之諸侯大夫顧弑君重故降稱人王者至尊不得顧○疏王札子者何○解云欲言王子以札間之欲言其非而繼有王子之文故執不知問○注天子至得顧○解云言禮天子庶兄冠而不名所以尊之者時王之制與春秋同也言既加冠之後天子不復名之所以

公羊疏卷十六

尊之也云子者王子也天子不言子弟故變文上札繫先王以明之者言子者王子也者正以子在札下故須解之言天子不言子弟者謂不言在位子弟也即文元年注云不稱王子者時天子諸侯不務求賢而專貴親親尤其在位子弟剌其早任以權也是也至於出奔被殺仍自言子弟即王子瑕奔晉天王殺其弟年夫之屬是言故變文者謂變文不言王子也言上札繫先王以明之者謂以札於子上以札近先王明其今王之庶兄矣云不稱伯仲者辟同母兄弟起爲庶兄也者若其與君同母者即稱伯仲字即上十年秋天王使王季子來聘彼傳云其稱王季子何貴也其貴奈何母弟也是也今稱王札字故言辟同母兄弟起其爲庶兄也云主書者惡天子不以禮尊之而任以權至令殺尊卿二人者正以經不稱爵知非公故云不以禮尊之矣正以甚殺二卿故知任以權也云不言其大夫者摯也者由其爲下所摯而殺之大夫位故不云大夫也云居尊卿之位者正以稱其五十字知是尊卿耳云大夫相殺不稱人者正之者以文十六年宋人弒其君處臼之下傳云大夫弒君稱名氏賤者窮諸人注云賤者謂士也士正自當稱人大夫相殺稱人賤者窮諸盜注云降大夫使稱人降士使稱盜者所以別死刑有輕重也然則大夫相殺例合稱人今此不稱人者正之與稱二字說

公羊疏卷十六　十四

子故也所以正之者如下云諸侯大夫顧弑君重故降稱人者即大夫弑君稱名氏大夫相殺稱人是也云王者至尊不得顧者言至尊之人無有弑之理不可顧是以大夫相殺不假降之稱人矣○秋螽從十三年之後上求未已而又歸父比年再出會內計稅畝百姓動擾之應○疏注從十三年至之應○解云即上十三年秋螽注云先是新饑而使歸父會齊人伐莒賦斂不足國家愁悶下求不已之應是以此注足之云爾云而又歸父比年再出會者即上十四年冬公孫歸父會齊侯于穀十五年春公孫歸父會楚子于宋是也○仲孫蔑會齊高固于牟婁○初稅畝初者何始也稅畝者何履畝而稅也時宣公無恩信於民民不肯盡力於公田故履踐案行擇其善畝穀最好者稅取之○疏初者何○解云賦稅之式國之常經今而言初故執不知問○稅畝者何○解云什一而行明王舊典今而變文謂之稅畝故執不知問初稅畝何以書譏何譏爾譏始履畝而稅也何譏乎始履畝而稅據用田賦不言初亦不言

稅畝（疏）注据用田至稅畝。○解云即哀十二年春用田賦是也。然則用田賦亦是改古易常而不言初及不言稅畝今此特言初稅畝以譏之故難之也

古者什一而藉 什一以借民力以什與民自取其一為公田。

古者曷為什一而藉 据數非

什一者天下之中正也。多乎什一大桀小桀 奢泰多取於民比於桀也（疏）多乎什一大桀小桀。○解云夏桀無道重賦於人今過什一與之相似若十取四五則為桀之大貪若取二三則為桀之小貪故曰多乎什一大桀小桀所以不言紂者略舉以為說耳舊說云不言紂者近事不嫌不知。

寡乎什一大貉小貉 蠻貉無社稷宗廟百官制度之費稅薄。○貉亡百反貉音陌。（疏）寡乎至小貉。○注蠻貉至稅薄。○解云若十四五乃取其一則為大貉行若十二十三乃取一則為小貉行故曰寡乎什一則為大貉小貉也然則多於什一則有為桀之譏寡於十一則有蠻貉之恥是以什一而稅三王所不易故傳比于中正之言

什一者天下之中正也。什一行而頌聲作矣 頌聲者太平歌頌之聲帝王之高致也春秋經傳數萬指意無窮狀相須而舉相待而成至此獨言頌聲作者民以食為本也夫飢寒並至雖堯舜躬化不能使野無寇盜貧富兼并雖皐陶制法不能使彊不陵弱是故聖人制井田之法而口分之一夫一婦受田百畝以養父母妻子五口為一家公田十畝即所謂十一而稅也廬舍二畝半凡為田一頃十二畝半八家而九頃共為一井故曰井田廬舍在內貴人也公田次之重公也私田在外賤私也井田之義一曰無泄地氣二曰無費一家三曰同風俗四曰合巧拙五曰通財貨因井田以為市故俗語曰市井種穀不得種一穀以備災害田中不得有樹以妨五穀還廬舍種桑荻雜菜畜五母雞兩母豕瓜果種疆畔女上蠶織老者得衣帛焉得食肉焉死者得葬焉多於五口名曰餘夫餘夫以率受田二十五畝十井共出兵車一乘司空謹別田之高下善惡分為三品上田一歲一墾中田一歲一墾下田三歲一墾肥饒不得獨樂墝埆不得獨苦故三年一換主易居財均力平兵車素定是謂均民力彊國家在田曰廬在邑曰里一里八十戶八家共一巷中里為校室選其耆老有高德者名曰父老其有辯護伉健者為里正皆受倍田得乘馬父老比三老孝弟官屬里正比庶人在官吏民春夏出田秋冬入保城郭田作之時春父老及里正旦開門坐塾上晏出後時者不得出莫不持樵者不得入五穀畢入民皆居宅里正趨緝績男女同巷相從夜績至於夜中故女功一月得四十五日作從十月盡正月止男女有所怨恨相從而歌飢者歌其食勞者歌其事男年六十女年五十無子者官衣食之使之民間求詩鄉移於邑邑移於國國以聞於天子故王者不出牖戶盡知天下所苦不下堂而知四方十月事訖父老教於校室八歲者學小學十五者學大學其有秀者移於鄉學鄉學之秀者移於庠庠之秀者移於國學學於小學諸侯歲貢小學之秀者於天子學於大學其有秀者命曰進士行同而能偶別之以射然後爵之士以才能進取君以考功授官三年耕餘一年之畜九年耕餘三年之積三十年耕有十年之儲雖遇唐堯之水殷湯之旱民無近憂四海之內莫不樂其業故曰頌聲作矣。○數所主反以食音嗣伉苦浪反一音苦杏反塾音孰莫音暮。（疏）什一行而頌聲作矣。○解云頌者太平之歌案文宣之時乃升平之世言但能均其眾寡等其功力平正而行必時和而年豐什一而稅之則四海不失業歌頌功德而歸鄉之故曰頌聲作矣不謂宣公之時實致頌聲。○注帝王之高致也。○解云謂帝王之行清高乃致頌聲故曰高致也。○注春秋經傳至作矣。○解云言春秋經與傳數萬之字論其科指意義實無窮然其上下經例相須而舉其上下意義相待而成以此言之則非一言可盡至此獨言頌聲作者正以此勸論稅畝之事若稅畝得所以致太平故云民以食為本也云夫飢寒並至雖堯舜躬化不能使野無寇盜云云者是謂假設之辭耳云是故聖人制井田之法而口分之一夫一婦受田百畝云云以下皆是時王之制云井田之義一曰無泄地氣者謂其冬前相助耦墾云二曰無費一家者謂其田器相通云三曰同風俗者謂其同耕而相習云四曰合巧拙者謂其治耒耜云五曰通財貨者謂井地相交遂生恩義貨財有無可以相通云因井田以為市故俗語曰市井者古者邑居秋冬之時入保城郭春夏之時出居田野既作田野遂相交易井田之處而為此市故謂之市井云里正旦開門坐塾上者即鄭注學記曰古者仕焉而已者歸教於閭里朝夕坐於門閭側之堂謂之塾是也

○冬蝝生 未有言蝝生者此其言蝝生何 蝝即蝗也始生曰蝝大曰蝗。○蝝悅全反。

蝝生不書此何以書 幸之也 幸佛幸。○（疏）蝝生不書。○解云謂例不書之

幸之者何 聞災當懼反喜非其

宣十五年

類故執不知問猶曰受之云爾受之云爾者何上變古易常謂宣公變易公田古常舊制而稅畝○疏受之云爾者何○解云災是害物何得避之今而云受之於義似乖故執不知問應是而有天災應是變古易常而有天災蝝氏用斂其諸則宜於此焉變矣言宣公於此天災饑後能受過變寤明年復古行中冬大有年其功美過於無災故君子深為喜而僥倖之變蝝言緣以不為災書起其事○○饑

十有六年春王正月晉人滅赤狄甲氏及留吁言及者留吁行微不進○○夏成周宣謝災成周者何東周也後周分為二天下所名為東周名為成周者本成王所定名天下初號之云爾○宣謝災左氏作宣謝災疏成周者何○解云欲言天子正居經不繫京師之文欲言是邑而錄其災故執不知問○注後周至之云爾○解云何氏之意以成周為天子正居但至昭二十二年夏景王崩敬王即位王子猛與之爭立入于王城自號西周是故氏下之人因號成周為東周矣是以昭二十二年秋劉子單子以王猛入于王城傳云王城者何西周也注云時居王城邑自號西周王二十六年冬十月天王入于成周傳云成周者何東周也注云是時王猛自號為西周天下因謂成周為東周也云名為成周者即鄭注書序云居攝七年天下太平而此邑成乃名曰成周也者是其名作成周之義矣宣謝者何宣宮之謝也宣宮周宣王之廟也至此不毀者有中興之功室有東西廂曰廟無東西廂有室曰寢無室曰謝○疏宣謝者何○解云宣王之廟盡不宜有○注室有東西至曰謝○解云皆釋宮文李氏曰室有東西廂謂宗廟殿有東西小堂也孫氏云夾室前堂無東西廂有室曰寢者郭注云但有大室云無室曰榭者但有大殿無室內名曰榭郭注云榭即今堂埠是也周宣謝災據天子之居稱京師宋災不別所燒疏注據天子至所燒○解云即桓九年紀季姜歸于京師傳云京師者何天子之居也京師者何大也師者何眾也天子之居必以眾大之辭言之是也云宋災不別所燒者即襄三十年夏五月宋災是也何言乎成周宣謝災樂器藏焉爾宋災者以其王者之後與周相類也特

中興所作樂器疏注宣王至樂器○解云蓋東遷之時樂器有缺故宣王作之不謂更造別樂何者正以考諸古典不見宣王別有樂名故也成周宣謝災何以書記災也外災不書此何以書新周也新周故分別有災不與宋同也孔子以春秋當新王上黜杞下新周而故宋因天災中興之樂器示周不復興故繫宣謝於成周使若國文黜而新之從為王者後記災也疏注使若至記災也○解云使周成為國與宋齊之屬為王者之後記災也者即襄九年宋火之下傳云外災不書此何以書為王者之後記災也是也○秋郯伯姬來歸嫁不書者無罪不書之即叔姬歸于紀伯姬歸于宋之屬是也今適書者後為嫡也死不卒者已棄有更適人之道或時為大夫妻故不得待以初也棄歸例有罪時無罪月○疏注嫁不至罪月○解云正以春秋上下魯女嫁為諸侯夫人書故知為媵若然案隱七年叔姬歸于紀注云叔姬者伯姬之媵也媵賤書者後為嫡終有賢行紀侯為齊所滅紀季以酅入于齊叔姬得為嫡而初嫁不書者蓋以不賢故也是以彼注云媵賤書者後歸之能處隱約全竟婦道故重錄之是也然則彼以終有賢行故初大得書此則初去不書明其無賢也正以其嫡不書則知伯姬非姪娣也左媵右媵皆尊于嫡姪娣故後得為嫡耳云來歸書者後為嫡也者正以紀叔姬後為嫡其卒葬皆書即莊二十九年紀叔姬卒三十年葬紀叔姬是也今此伯姬出亦待書見故知後得為嫡矣云死不卒者已棄云云者正以紀叔姬莊十二年歸于酅時從夫人行待之以初也然則彼叔姬者莊二十九年紀叔姬卒注云國滅卒者從夫人行待之以初是待之以初今此伯姬或時為大夫妻故不得作夫人待之以不復書其卒矣云云之說在莊二十九年云棄歸例云云有罪時者此文書秋是也無罪月者即成五年春二月杞叔姬來歸之屬是也○冬大有年

十有七年春王正月庚子許男錫我卒錫星歷反○丁未蔡侯申卒○夏葬許昭公○葬蔡文公不月者齊桓晉文沒後先背中國與楚故略之與楚在文十年疏注不月至文十年○解云正以卒日葬月大國之當何今此蔡侯不月故解之云與楚在文十年者即文十年冬楚子蔡侯次于屈貉者是也○○六

月癸卯日有食之（是後邾婁人戕鄫子四國大夫敗齊師于鞌齊侯幾獲君道微臣強之所致○鞌音安）【疏】注是後至之所致○解云即十八年秋邾婁人戕鄫子于鄫傳云殘賊而殺之也是也二云四國大夫敗齊師于鞌者即成二年夏六月季孫行父云云會晉郤克衛孫良夫曹公子手及齊侯戰于鞌齊師敗績是也言齊侯幾獲者即成二年秋七月齊侯使國佐如師傳云君不使乎大夫此其行使乎大夫何佚獲也注云佚獲者已獲而逃亡也當絕賤使與大夫敵體以起之是也○己未公會晉侯衛侯曹伯邾婁子同盟于斷道（[illegible]○斷音短）○秋公至自會○冬十有一月壬午公弟叔肸卒（稱字者賢之宣公篡立叔肸不仕其朝不食其祿終身於貧賤故孔子曰篤信好學守死善道危邦不入亂邦不居天下有道則見無道則隱此之謂也禮盛德之士不名天子上大夫不名春秋公子不為大夫者不卒卒而字者起其宜為天子上大夫也孔子曰興滅國繼絕世舉逸民天下之民歸心焉）

十有八年春晉侯衛世子臧伐齊○公伐杞○夏四月○秋七月邾婁人戕鄫子于鄫戕鄫子于鄫者何殘賊而殺之也（支解節斷之故變殺言戕戕則殘賊惡無道也言于鄫者刺鄫無守備小國本不卒故亦不日○斷音短）【疏】戕鄫子于鄫者何○解云欲言殘賊於國都汲言非殘賊戕者殘文故執不知問○注小國本至不日○解云正以凡滅例月即莊十年冬十月齊師滅譚之屬是君有所責者則書日即上十二年十二月戊寅楚子滅蕭注云日者屬上有王言今反滅人故深責之是也然則鄫無道殘賊人君于其國君與滅相似亦宜書日以責其暴而不日者正以鄫為微國本不合卒是以略之不書其日也而僖十九年夏六月已酉邾婁人執鄫子用之亦是無道與此相似而書日者彼注云日者惜不能防正其女以至於此明當痛其女禍而自賤之是也○甲戌楚子旅卒何以不書葬（据[illegible]日而名）【疏】注据日而名○解云書日書名全一是諸夏大國之例是以楚子因此責其不與大國例同書葬是也○

吳楚之君不書葬辟其號也（旅即莊王也辟其號當稱王故絕其葬明當誅之至此卒者因其有賢行○行下孟反）【疏】注至此至賢行○解云正以已前未有書楚子卒故也若文十八年春秦伯罃卒彼注云秦穆公也至此卒者因其賢○公孫歸父如晉○冬十月壬戌公薨于路寢○歸父還自晉至檉遂奔齊還者何善辭也何善爾歸父使於晉（晉[illegible]如）【疏】還者何○解云以大夫使反例不書今乃書還嫌於常例故執不知問還自晉至檉聞君薨家遣（家為[illegible]所逐遣以先人弒君故也）【疏】注家為至[illegible]○解云即成十五年春仲嬰齊卒之下傳云公孫嬰齊則曷為謂之仲嬰齊為兄後也為兄後則曷為謂之仲嬰齊為人後者為之子也為人後者為其子則其稱仲何孫以王父字為氏也然則嬰齊孰後後歸父也歸父使于晉而未反何以後之叔仲惠伯傅子赤者也文公死子幼公子遂謂叔仲惠伯曰君幼如之何願與子慮之叔仲惠伯曰吾子相之老夫抱之何幼君之有公子遂知其不可與謀退而殺叔仲惠伯弒子赤而立宣公宣公死成公幼臧宣叔者相也君死不哭聚諸大夫而問焉曰昔者叔仲惠伯之事孰為之諸大夫皆雜然曰仲氏也其然乎於是遣歸父之家然後哭君歸父使乎晉還自晉至檉聞君薨家遣墠帷哭君成踊反命于介自是走之齊是也○墠帷（墠音善）哭君成踊（墠音善帷音惟）【疏】注[illegible]○解云[illegible]謂今俗名之云爾將祖[illegible]故設帷重形○墠帷音善[illegible]帷哭君成踊（成踊三日五哭踊之禮禮臣為君本服斬衰故成踊比二日朝莫哭踊三日朝哭踊莫不復哭踊去事之殺也）【疏】注成三日至之禮者○解云出禮記奔喪也反命乎介（介因介反命禮聘禮以大夫為上介以士為眾介）【疏】注禮聘禮以大夫為上介以士為眾介○解云出聘禮○自是走之齊（書者善其不以家見逐怨懟成踊哭君終臣子之道起時莫能然也言至檉者善其得禮於檉也逐者因介反命是也不得報罪也逐弒君者本當絕小善錄若本宣公同莫之人又不當逐不日者伯討可逐故從有罪例也○懟直類反）【疏】注不日至例也○解云凡內大夫出奔例無罪者日即襄二十三年冬十月乙亥臧孫紇出奔邾婁昭十二年冬十月公子慭出奔齊之屬是也今此歸父亦無罪出奔不日者正以仲遂弒君其家合沒但與宣公同謀魯人不合逐之若作伯討之時歸父可逐故從有罪之例矣

監本附音春秋公羊註疏宣公卷十六

監本附音春秋公羊註疏成公卷十七 起元年盡十年

何休學

元年春王正月公即位。二月辛酉葬我君宣公。無冰。周正月夏十一月尚書曰舒恒燠若易京房傳曰當寒而温倒賞也是時成公幼少季孫行父專權而委任之所致。舒拘如字緩也尚書作豫與本又作燠於六反煖也少詩照反 疏 注尚書至燠若。解云洪範文舒遲也恒常也若順也言人君舉事太舒則有常燠之咎氣來順之是也。注易京至賞也。解云凡爲賞罰宜出君門而臣下行之故曰倒賞也是以洪範云唯辟作福唯辟作威唯辟玉食鄭氏云此凡君抑臣之言也作福專慶賞作威專刑罰王食備珍美又云臣之有作福作威玉食其害于而家凶于而國鄭氏云害于汝家福去室凶于汝國亂下民是也然則是時成公幼少季孫專政是以無冰矣桓十四年無冰之下何氏云此夫人淫泆陰而陽行之所致襄二十八年無冰之下何氏云豹鶡爲政之所致皆與此注合。三月作丘甲。何以書。譏。何譏爾。譏始丘使也。四井爲邑四邑爲丘甲鎧也譏始使丘民作鎧也古者有四民一曰德能居位曰士二曰辟土殖穀曰農三曰巧心勞手以成器物曰工四曰通財貨曰商四民不相兼然後財用足月者重錄之。鎧苦代反辟婢亦反粥羊六反 疏 譏始丘使也。解云謂不辨能否以丘責甲故譏之矣。注四井至爲丘。解云司馬法文周禮經亦然。注古者至錄之。解云四民之言出齊語也德能居位曰士者即彼云處士就閒宴是也辟土殖穀曰農者即彼云處農就田野是也巧心勞手以成器物曰工者即彼云處工就官府是也通財粥貨曰商者即彼云處商就市井是也云月者重錄之者欲道宣十五年秋初稅畝哀十二年春用田賦皆書時今書月故如此解。夏臧孫許及晉侯盟于赤棘。時者謀結鞌之戰不相負也後爲晉所執不日者執在三年外尋舊盟後背此盟所能保 疏 注時者至負也。解云正以春秋之義大信者書時故也鞌之戰在下二年。注後爲至能保。解云春秋之義不信者日故如此注也言後爲晉所執者即下十六年九月晉人執季孫行父舍之於招丘是也言執在三年外尋舊盟後者即下三年冬十有一月晉侯使荀庚

成元年

來聘丙午及荀庚盟傳云此聘也其言盟何聘而言盟者尋舊盟也是秋王師敗績于貿戎。孰敗之。蓋晉敗之。以晉比侵柳園郊知王師討晉而敗之。貿戎音茂一音茅左氏作茅戎 疏 注以晉至茅戎。解云宣元年冬晉趙穿帥師侵柳傳云柳者何天子之邑也曷爲不繫于周不與伐天子也者是晉侵柳之事昭二十三年春晉人圍郊傳云郊者何天子之邑也曷爲不繫于周不與伐天子也者是晉人圍郊之事然則圍郊之事起在此經之後得如此明義者正以往前晉人侵柳已犯天子至於在後圍郊復犯天子二經之間天子敗績据上下更無餘國犯王之處故知正是天子討晉而爲所敗故如此解。或曰貿戎敗之。以地貿戎故 疏 注以地貿戎故。解云蓋晉侯不臣知王討之逆往敗之亦何傷。然則曷爲不言晉敗之。据侵柳圍郊言晉。王者無敵莫敢當也。正其義使若王自敗于貿戎莫敢當敵敗之也不日月者深正之使若不戰 疏 王者至當也。解云春秋之義託魯爲王而使舊王無敵者見任爲王寧可會奪正可時時內魯見義而已。注不日至不戰。解云正以春秋之例偏戰者日詐戰者月故如此解。冬十月。

二年春齊侯伐我北鄙。夏四月丙戌衛孫良夫帥師及齊師戰于新築衛師敗績。築音竹。六月癸酉季孫行父臧孫許叔孫僑如公孫嬰齊帥師會晉郤克衛孫良夫曹公子手及齊侯戰于鞌齊師敗績。曹無大夫公子手何以書。据羈無氏。公子手一本作午左氏作首鞌音安 疏 注据羈無氏。解云即莊二十四年冬曹羈出奔陳傳曰曹羈者何曹大夫也注云以小國知無氏爲大夫然則曹爲小國例無大夫假有須見者仍名氏不具以此言之則是不合有大夫之限故傳云曹無大夫公子手何以書。憂內也。春秋託王于魯因假以見王法明諸侯有能從王者征伐不義克勝有功當褒之故與大夫大夫敵君不貶者隨從王者大夫得敵諸侯也不從內言敵

候吉劉校　公疏十七　運司蔡重校　二　王良富

之者君子不掩人之功故從外言戰也魯季孫內大夫不舉重
者惡內多虛國家悉出用兵重錄內也○以見賢猶及年末
注同惡（疏）注大夫至侯也○解云欲決僖二十八年夏晉
烏路反 侯以下及楚人戰于城濮楚師敗績即傳云此
大戰也曷為使微者子玉得臣也子玉得臣則其稱人何貶
曷為貶大夫不敵君也注云臣無敵君戰之義故絕正也然
則彼是大夫敵君故貶之此不貶者隨從王者大夫有得敵
諸侯之義故也以此言之即知宣十二年晉荀林父亭于楚
子之上為惡者時無王者大夫故也○注不從至戰也○解
云桓十年冬齊侯衛侯鄭伯來戰于郎傳云此偏戰也何以
不言師敗績內不言戰言戰乃敗矣注云春秋託王於魯戰
者敵文也王者兵不與諸侯敵戰乃其已敗之文故不復言
師敗績矣然則此戰之內有魯大夫若從魯為文宜直云季
孫行父以下敗齊師于鞌而已但以君子不掩人功故從外
為文言戰于鞌齊師敗績耳何氏必知此解者正以桓十三
年春二月公會紀侯鄭伯己巳及齊侯宋公衛侯燕人戰齊
師宋師衛師燕師敗績傳云內不言戰此其言戰何從外也
曷為從外恃外故從外也何氏云明當歸功乎紀鄭言戰然
則此亦歸功于晉衛不
聽其功故從外言戰也 ○秋七月齊侯使國佐如
師己酉及國佐盟于袁婁君不使乎大夫此
其行使乎大夫何 據高子來盟魯無君不稱使不從王者大夫稱使者實晉郤克為主
經先晉傳舉郤克是也○不使所使反下及注使乎大夫同（疏）注據高至稱使○解云即閔二年齊高子來盟
傳云何以不稱使我無君也何氏云時閔公弒僖公未立故
正其義明君臣無相適之道也春秋謹於別尊卑理嫌疑故
絕去使文以起事張例則所謂君不行使乎大夫也者是○
注不從至是也○解云經先晉謂未戰之時經已言及晉侯
盟于赤棘是也云傳舉郤克是也者即下傳云師還齊侯晉
郤克投戟逡巡再拜稽首馬前之屬是也或者言先晉正謂
會晉郤克是也何者序四大夫乃言會晉郤克則似郤克先
在是而四大夫往會之是為先晉之文猶如宣元年宋公陳
侯以下會晉師于棐林伐鄭然
佚獲也 佚獲者已獲而逃亡也當絕賤使與大夫敵體以起之君獲不言師
敗績等起不去師敗績者辟內敗文○佚獲音逸下同一本作佚去起呂反（疏）注君獲至敗文○解云言君獲不
言師敗績者即僖十五年冬晉侯及秦伯戰于韓獲晉侯傳
云此偏戰也何以不言師敗績君獲不言師敗績也注云舉

君獲為重也是也然則君若被獲則不言師敗績今此經爭
欲起見齊侯被獲何不去師敗績以見之而書使乎大夫以
起之者正欲辟內敗之文故也何者春秋王魯內不言戰言
戰乃敗若直言季孫行父以下及齊侯戰于鞌不言齊師敗
績則是內
敗之文 其佚獲奈何師還齊侯 還繞○還音環注同 晉郤
克投戟逡 逡七旬反 巡再拜稽首馬前逢丑父者頃公
之車右也 人君驂乘有車右有御者○逡七巡反頭音價乘繩證反（疏）注晉郤至馬前○解云
禮介者不拜而郤克再拜者蓋齊師已敗行賓命之禮投戟
之後得兩拜矣若當戰之時猶有不可犯之色寧有拜乎
故表記曰君子衰絰則有哀色端冕則有敬色甲
胄則有不可辱之色鄭注云言色稱其服也是 面目與
頃公相似衣服與頃公相似 禮皮弁以征故言衣服相似頃公有憂晉
郤之心故特與丑父備急欲以自代（疏）注禮皮弁以征○解云時王之礼即昭二十五年注云皮弁以征不義是
也韓詩傳亦有此文○注頃公至之心○解云即下傳云前
此者晉郤克與臧孫許同時而聘于齊則客或跛或眇於是
使跛者迓跛者眇者迓眇者是也 代頃公當左 升車象陽陽道尚左故人君居左臣居右○尚
時亮反 使頃公取飲頃公操飲而至 不知頃公將欲堅敵意邪勢未
得去邪○公操七刀反特也 曰革取清者 革更也軍中人多水泉濁欲使遠取清者因亡去○
頃公用是佚而不反 不書獲者內大惡諱（疏）注不書至惡諱○解云獲人君故
為大惡是以諱而不書也若獲大夫則當書之是以莊十二
年傳云方當與莊公戰獲乎莊公莊公數月然後歸之何氏云獲
不書者士也然則万若大夫書之明矣 逢丑父曰吾賴社稷之神靈
吾君已免矣郤克曰欺三軍者其法奈何 顧問
執法者 曰法斮 斮斬○斮在略反又仕略反斮也（疏）曰法斮○解云釋器云魚曰斮之樊光云
斮斫也又說文云斮斬也故此何氏亦云斮斬也 於是斮逢丑父 丑父死君不賢之者經有
使乎大夫於王法頃公當絕如賢丑父是賞人之臣絕其君
也若以丑父故不絕頃公是開諸侯戰不能死難也亦以衰

毋絕頃公者自齊所當善亦非王法所當貴○難乃旦反疏注君以至難也○解云言君以丑父故不絕頃公以昔襄二十九年吳子使札來聘傳曰吳無君無大夫此何以有君有大夫賢季子也何賢乎季子讓國也賢季子則賢君許使臣有大夫故宜有君矣今君以丑父賢以爲齊國宜有君而不絕頃公即謂諸侯不死社稷○注如以至得貴○解云丑父權以免齊侯是以齊人得善之但春秋爲王法是以不得貴耳而公羊說解疑論皆譏丑父者非何氏意不取爲

己酉及齊國佐盟于袁婁曷爲不盟于師據國佐如師而盟于袁婁前此者晉郤克與臧孫許同時而聘于齊不書聘恥之疏注不書聘之謂晉使尊卑聘齊爲所侮戲假藉大國而言之其恥是以不書如齊恥之矣其郤克不書者自從外相如之例○注臧孫許恥也者正以當聘之時无有內魯之義晉爲之人國郤克宜先而魯宜後傳先言或跛故知眇者是臧孫許矣或曰一本云臧孫許跛舊解傳言客或跛或眇據魯序上者非也案此一句注宜在不書恥之下今定本無疑脫誤也蕭同姪子者齊君之母也蕭同國名姪子者蕭同君姪娣之子嫁於齊生頃公○姪大結反又丈乙反踊于棓而窺客踊上也凡無高下有絕加躡板曰棓齊人語○踊音勇上也棓普口反又步侯反高下有絕加躡板曰棓上時掌反躡女輒反而闚去規反本又作窺疏注凡无至曰棓○解云无高下猶言莫問高下但當有縣絕而加躡板者皆曰棓矣則客或跛或眇於是使跛者迓跛者使眇者迓眇者迓迎也主迎者也聘禮賓至大夫率至于館卿致館宰夫朝服致飧明至于館○跛布可反眇亡小反迓本又作訝五嫁反飧也飧音孫聆而審反疏注聘禮至于館○解云皆聘禮文二大夫出相與踦閭而語閭當道門閉一扇開一扇一人在外一人在內曰踦閭踦閭者別根爲齊所侮戲謀伐之而不欲使人聽之○踦閭居倚反踦足也又音於綺反初義反何云閉一扇開一扇一人在內一人在外曰踦閭移日然後相去齊人皆曰患之起必自此始知必爲國家憂明智之言不可廢且起頃公不覺寤○智音智初俱反羌如遥反二大夫

歸相與率師爲鞌之戰齊師大敗齊侯使國佐如師注齊襄公滅紀所得甗邑其亡肥饒欲得之或說甗玉甑○甗音言又魚輦反又音彥邑也佐如師郤師勝猶不服往問之郤克曰與我紀侯之甗疏注齊襄公至甗玉甑○解云正以莊四年夏紀侯大去其國是也知滅紀者即莊四年夏紀侯大去其國是也正以齊紀侯言之故知紀邑而或說云甗玉甑者蓋以左傳云賂以紀甗玉磬名非地故以玉甑解之反魯衛之侵地使耕者東畝又別言與地明甗是器使耕者東畝西如晉地疏注使耕至晉地○解云蓋晉地公谷川宜東畝是則土齊也何氏云則晉悉以齊爲土地是不可行者是與晉東畝之義也舊云如者往也使齊東西其畝往來於晉地易非公詳意也且以蕭同姪子爲質見侮戲本由蕭同姪子○爲質音致下注同則吾舍子矣國佐曰與我紀侯之甗請諾反魯衛之侵地請諾使耕者東畝是則土齊也則晉悉以齊爲土地是不可行疏是則土齊○解云亦有一本云是則土齊曰不可也者○蕭同姪子者齊君之母也齊君之母猶晉君之母也不可言至尊不可爲質請戰卯欲使耕者東西畝質齊君之母當請戰壹戰不勝請再再戰不勝請三言齊雖敗尚可三戰三戰不勝則齊國盡子之有也何必以蕭同姪子爲質揖而去之郤克眣魯衛之使使以其辭而爲之請郤克恥傷其威故使魯衛大夫以國佐辭爲國佐請○眣音舜又丑乙反又陸結反之使所吏反爲之于僞反注皆同然後許之逮于袁婁而與之盟逮及也追及國佐于袁婁也傳極道此者本禍所由生因録國佐受命不受辭義可拒則拒可許則許一言使四國大夫汲汲追與之盟疏注因録國至與之盟○解云其受命不受辭者即莊十九年傳云聘禮大夫受命不受辭是也○八月壬午

宋公鮑卒。（鮑白卯反）○庚寅，衛侯遬卒。（遬晉速）○取汶陽田。汶陽田者何？鞌之賂也。（以國佐言反魯衛之侵地，請諸本所侵地非一，故繫汶陽者，省文也。不言取之齊者，恥內乘勝會齊求賂，得邑，故諱，使若非齊邑。○汶晉問）疏 汶陽田者何。○解云：欲言是國，曾來未有；欲言非國，乃與取邾婁田同文，故執不知問。○注本所侵地至省文也。○解云：知侵非一者，正以下三年秋叔孫僑如率師圍棘，傳云棘者何，汶陽之不服邑也。以此言之，則知汶陽大畔之名明矣。○注不言至非齊邑。○解云：決襄十九年春取邾婁田自漷水，繫邾婁言之故也。○冬，楚師、鄭師侵衛。○十有一月，公會楚公子嬰齊于蜀。○丙申，公及楚人、秦人、宋人、陳人、衛人、鄭人、齊人、曹人、邾婁人、薛人、鄫人盟于蜀。此楚公子嬰齊也，其稱人何？（據會而盟一処，知一人也。○処昌慮反）疏 鄭人齊人至盟于蜀。○解云：亦有一本無齊人者，脫也。得一貶焉爾。（得一貶者，獨此一事得具見其惡，故貶之。亦不然則當沒公也。如齊高傒奔不沒公者，明不主為公故也。上會不貶諸侯大夫者，嬰齊驕蹇，專政臣也。數道其君率諸侯侵中國，故獨先孕於上，乃貶之，明本在嬰齊，當先誅其本，乃及其末。○數道所角反，下晉導）疏 得一貶焉爾。○解云：正以於此処得一貶焉爾。○注不然則至高傒矣。○解云：即莊二十二年秋及齊高傒盟于防，傳云公則曷為不言公？諱與大夫盟也。○注不沒公至公故也。○解云：言高傒本齊公故乘之，今嬰齊者上自元往驗之，不主為公，是以春秋不沒公以見之矣。○注數道至侵中國。○解云：即宣十四年秋楚子圍宋，十五年夏宋人及楚人平，上文冬楚師、鄭師侵衛之屬是也。以其非一，故謂之數也。

三年春王正月，公會晉侯、宋公、衛侯、曹伯伐鄭。○辛亥，葬衛繆公。（繆音穆）○二月，公至自伐鄭。○甲子，新宮災。三日哭。新宮者何？宣公之宮也。（以无新宮，知宣公之宮廟）

疏 二月公至自伐鄭。○解云：莊公六年傳云得意致會，不得意致伐。何氏云：此謂公與二國以上也。然則此言至公自伐鄭者，不得意故也。莊六年注云：皆例時，今此書二月者，為下甲子出也。○新宮者何。○解云：欲言宮廟，未有新公之名；欲言非廟，言宮牽災，故執不知問。○注以无新宮知宣公之宮廟者，正以春秋上下無新公宮，則知此言新宮者正是其父宣公之宮，以其至近被災，故謂之新宮。宣宮則曷為謂之新宮？不忍言也。（親之精神所依而災，孝子隱痛，不忍正言也。謂之新宮者，因新入宮，易其西北角，示昭穆相繼代，有所改更也）疏 注謂之新宮至有所改更也。○解云：即穀梁傳云壞廟之道，易檐可也者，是易其西北角之檐也乎？故爾雅釋宮云西北隅謂之屋漏是也。孫氏曰當室之白光所漏入也，不與何氏別。其言三日哭何？（據桓僖宮災不言三日哭）疏 注據桓至日哭者，即下哀三年夏辛卯，桓宮僖宮災是也。廟災三日哭，禮也。（善得禮，痛傷鬼神無所依歸，故君臣素縞哭之。○縞古老反）疏 注善得禮至縞哭之。○解云：即檀弓下曰：有焚其先人之室，則三日哭。鄭氏云：謂人燒其宗廟，哭者哀精神之有虧傷，故此注云善得禮痛傷鬼神无所依歸是也。云故君臣素縞哭之者，謂著素衣縞冠哭之。新宮災何以書？記災也。（此象宣公篡立，當誅絕，不宜列昭穆。成公幼少，臣威大重，結怨彊齊，將不得久承宗廟之應。○幼少詩召反）疏 注此象至昭穆。○解云：桓公亦篡立，不災其宮者，蓋以桓母言，媵以第宜立，隱公攝位，久不還，天示其變，隱猶不覺，是以隱九年三月癸酉大雨震電，何氏云：周之三月，夏之正月，雨當小雪雜下，雷當聞於地中，電未可見，而大雨震電，此陽氣大失其節，猶隱公久居位不反於桓，失其宜也。然則桓正宜立，隱是左媵之子，據位失宜，而桓弑之，雖曰篡君，其罪差輕，是以不災其廟。宣若宣公以庶篡適，其子失政，將不得久承宗廟之應，故災其宮矣。而哀三年五月辛卯桓宮僖宮災者，彼是已毀，後復立之，是不宜立，故天災之，不謂怒其墓也。○乙亥，葬宋文公。○夏，公如晉。○鄭公子去疾率師伐許。（去起呂反）○公至自晉。○秋，叔孫僑如率師圍棘。棘者何？汶陽之不服邑也。（棘民初未服於魯。○）

成三年

疏 棘者何。解云欲言內邑，不應圍之；欲言外邑，不繫於國，故執不知問。注棘民初未服於魯。解云言初未服者，欲言終服於魯矣。知終服者，正以汶陽田者大畔之名，棘者乃是其小邑。上二年經取汶陽田，以知盡得之，但有不服之意，故魯圍之。若然，公羊之義，以圍者為不克之文，若其得之而言圍者，正謂當時未克，何妨終得之乎。其言圍之何 據國內兵不舉。疏 注據國內兵不舉者。解云即定八年傳云公斂處父帥師而至，經不書是也。不聽也 不聽者，叛也。不言叛者，為內諱，故書圍以起之。不先以文德來之，而便以兵圍之，當與圍外邑同罪，故言圍也。得曰取，不得曰圍。○為，于偽反。疏 注當與圍外邑同罪。道國內之兵本自不書，而此書者，惡其失所，令與圍外邑同矣。○注得曰取，不得曰圍。解云取者是得之，故言得曰取也。即上文取汶陽田及哀九年春宋皇瑗帥師取鄭師于雍丘之屬是也，故傳云其言取之何？易也。其易奈何？詐之也。何氏云詐謂陷阱奇伏之類。兵家之所以勝。其不得曰圍者，即定四年楚人圍蔡之屬是也。正以圍而去者，非克之故也。○大雩 成公幼少，大臣秉政，亂政數發，先是作丘甲，為衆圍棘，戰伐鄭、圍棘，不恤民之所生。疏 注先是作丘甲者，云在上元年。云戰者，在上二年。云伐鄭者，在上二年。云圍棘者，在上文秋也。○晉郤克、衛孫良夫伐將咎如。將咎如，音古刀反，左氏作廧咎如。疏 伐將咎如者，左氏將作廧字。○冬十有一月，晉侯使荀庚來聘。衛侯使孫良夫來聘。丙午，及荀庚盟。丁未，及孫良夫盟。此聘也，其言盟何？據不至重嫌生事，故此以輕問重也。疏 注據不至重也。解云春秋之義，舉重略輕，即莊十年傳戰不言伐，圍不言戰，入不言圍，滅不言入，書其重者也是也。今聘盟兩受命，已至及於魯生事而盟，故曰嫌生事矣。云故此以輕問重也。書故云不至重矣。云嫌生事者，是荀庚初受君命但聘而書聘輕而明盟重，即此傳云聘而言盟者，尋舊盟也。尋猶尋繹也。以不舉重連聘而言之，知尋繹舊故約誓言也。書者，惡之。詩曰：君子屢盟，亂是用長。二國既循禮相聘，不能相親信，反復相疑，故舉聘以非之。○繹音亦。惡，乙路反，下同。屢，力住反。用長，丁丈反。反復，扶又反。疏 注不舉至約誓。

解云若其特結約誓，當以盟為重，即文十五年三月宋司馬華孫來盟，宣七年春衛侯使孫良夫來盟之屬，皆因聘而為之。不言聘而言盟，故知特結盟也。此則言聘又言盟，故知非特盟，而尋繹舊盟矣。故傳云聘而言盟者，尋舊盟也。○鄭伐許 謂之鄭者，惡鄭襄公與楚同心，數侵伐諸夏，自此之後，中國盟會無已，兵革數起，夷狄比周為黨，故夷狄之。○數，所角反，下同。比，毗志反。

四年春，宋公使華元來聘。三月壬申，鄭伯堅卒。堅，古田反，本或作臤。疏 鄭伯堅卒者。解云左氏作堅字，穀梁作臤字，今定本亦作堅字。○杞伯來朝。夏四月甲寅，臧孫許卒。公如晉。葬鄭襄公。秋，公至自晉。冬，城運。鄭伯伐許。未踰年君稱伯者，時樂成君位，親自伐許，故如其意以著其惡。疏 注未踰至其惡。解云正以莊三十二年傳云君存稱世子，君薨稱子某，既葬稱子，踰年稱公。即僖二十五年夏衛侯燬卒，秋葬衛文公，冬衛子、莒慶盟于洮是也。今此鄭伯未踰年而已稱伯，故如此解矣。

成五年

五年春王正月，杞叔姬來歸。婦人來歸不書，與鄭伯姬同。疏 注婦歸不書與鄭伯姬同。○解云即宣十六年秋郯伯姬來歸，何氏云嫁不書者，為媵也，來歸書者，後為嫡也。棄歸例有罪時，無罪月是也。然則今書月者，無罪之文矣。○仲孫蔑如宋。○夏，叔孫僑如會晉荀秀于穀。荀秀，左氏作荀首。○梁山崩。梁山者何？河上之山也。梁山崩，何以書？記異也。何異爾？大也。何大爾？梁山崩，壅河三日不沶。沶，流也。故不日，以起之。不書壅河者，舉崩大為重。○壅，於勇反。沶，音流。疏 梁山者何。解云欲言晉山，文不繫晉；欲言魯物，見在晉竟，故執不知問。○注故不日以起之。解云謂起其三日不沶也。則但一日不可不書日矣，若無所起，例當書日，即僖十四年秋八月辛卯，沙鹿崩是也。外異不書，此何以書？為天下記異也。

山者陽精德澤所由生君之象河者四瀆所以通道中國正道同卽山崩壅河者此象諸侯失勢王道絶大夫擅恣爲海內害自是之後六十年之中弑君十四亡國三十二故溴梁之盟徧剌天下之大夫【疏】外異不書者正以文十一年長狄之齊晉不之故也○注河者至道同○解云釋水云江河淮濟爲四瀆四瀆者發源注海者也○注記山至壅河者○解云壅河不書而言記壅河者正以不書日以起壅河三日不沂之義故亦謂之記壅河矣○注自是之後至亡國三十二　春秋說文若對經數之從今以後訖於六十年則不及於此數何者自今以後盡昭十六年弑君止有十亡國止有九卽襄二十五年齊崔杼弑其君光吳子門于巢爲巢人所弑二十六年衛甯喜弑其君剽二十九年閽弑吳子餘祭三十年蔡世子般弑其君固三十一年莒人弑其君密州昭八年陳招殺偃師十一年楚子殺蔡侯般十三年楚公子比弑其君虔楚公子棄疾弑公子比是六十年弑君但十矣其亡國止有九者成十七年楚滅舒庸襄六年莒人滅鄫齊侯滅萊十年遂滅偪陽十三年取詩二十五年楚滅舒鳩昭四年遂滅賴八年楚滅陳十三年滅蔡是九也然則春秋書遂其可書者矣說文舉者悉言之是以多少異耳或者此注誤也○注故溴梁至之大夫○解云襄十六年春公會晉侯大夫以下于溴梁戊寅大夫盟傳云諸侯皆在是其言大夫盟何信在大夫也何言乎信在大夫徧剌天下之大夫也曷爲徧剌天下之大夫君若贅旒然何氏云旒旂旒贅繫屬之辭以旂旒喻者爲下所執持東西是矣○**秋大水**先是郕有兵甲鞌之役又重以城鄲民怨之所生○重直用反【疏】注先是郕至之所生○解云作丘甲在元年三月鞌之師在二年夏叔孫僑如圍棘在三年秋城運在四年冬○**冬十有一月己酉天王崩**定王○**十有二月己丑公會晉侯齊侯宋公衛侯鄭伯曹伯邾婁子杞伯同盟于蟲牢**約倫彊趣○蟲直弓反下力刀反

六年春王正月公至自會月者前會大夫獲齊侯今親相見故危之【疏】注月者前至故危之○解云諸致例時卽桓二年冬公至自唐僖二十六年冬公至自伐齊哀十三年秋公至自會之屬是也今此書月故解之也言前會大夫獲齊侯者卽上二年鞌戰時也言今親相見者卽上二年冬公會齊侯以下于蟲牢是也○**二月辛巳立武宮武宮者何武公之宮也**在春秋前【疏】武宮者何○解云春秋之內未有武公之文而立武宮故執不知問**立者何立者不宜立也立武宮非禮也**禮天子諸侯立五廟受命始封之君立一廟至於子孫過高祖不得復立廟周家祖有功尊有德立后稷文武廟至於子孫自高祖已下而七廟天子卿大夫三廟元士二廟諸侯之卿大夫比元士二廟諸侯之士一廟立武宮者蓋時衰多廢人事而好求福於鬼神故重而書之叔孫許伐鄭有功故立武宮○復扶又反好呼報反【疏】立者何○解云置廟是常而乃書立故執不知問○立者不宜立也○解云亦有直云不宜立無注上立者二字也○注天子諸侯立五廟至元士二廟○解云皆出祭法也其文云天下有王分地建國注云建國封諸侯也置都立邑注云置都立邑爲卿大夫采地及賜士有功者之地設廟祧壇墠而祭之注云廟之言貌也宗廟者先祖之尊貌也祧之言超也超上去意也封土曰壇除地曰墠書曰三壇同墠乃爲親疏多少之數是故王立七廟一壇一墠曰考廟曰王考廟曰皇考廟曰顯考廟曰祖考廟皆月祭之注云王皇皆君也顯明也祖始也名先人以君明始者所以尊本之意也有二祧享嘗乃止云享嘗謂四時之祭諸侯立五廟一壇一墠曰考廟曰王考廟曰皇考廟皆月祭之顯考廟祖考廟享嘗乃止大夫立三廟二壇曰考廟曰王考廟曰皇考廟享嘗乃止顯考祖考無廟有禱焉爲壇祭之適士二廟一壇曰考廟曰王考廟享嘗乃止顯考無廟有禱焉爲壇祭之注云適士上士也此適士云顯考無廟非也當爲皇考字之誤官師一廟曰考廟王考無廟而祭之庶士庶人無廟注云官師中士下士庶士府史之屬然則此注云禮天子諸侯立五廟者據正禮通諸上代而言之祭法云王立七廟者據周言之耳祭法云大夫立三廟適士二廟者皆據天子大夫士也云諸侯之卿大夫比元士○解云更無正文何氏以意當之○注諸侯之士一廟○禮說文云而鄭注王制云士一廟者謂諸侯之中士下士名曰官師者上士二廟也與何氏異○注立武至書之○解云祭明堂位云武公之廟武世室然則謂之世室者世世不毀而此傳也及注譏其立者明堂位之作在此文之後記人見武公之廟已立欲成魯之善故言此非實然故彼下卽云魯之君臣未嘗相弑也鄭注春秋時魯國君弑而云君臣未嘗相弑亦近誣矣○注蓋叔孫許伐鄭有功解云正以伐鄭之由本非臧孫故也○**取鄟鄟者何**

婁之邑也曷為不繫乎邾婁諱亟也（諱魯背信亟也屬相與為蟲牢之盟旋取其邑故使若非蟲牢人矣○鄟市轉反又音專亟去冀反注同背音佩屬音燭）〔疏〕何鄟者○解云欲言是國曾來未有欲言是邑文無所繫故執不知問○注屬相至其邑○解云即上五年冬公會晉侯齊侯以下同盟于蟲牢是也○注故使若非蟲牢人矣○解云謂所取之邑非同盟之物然也○衛孫良夫率師侵宋。夏六月邾婁子來朝。公孫嬰齊如晉。壬申鄭伯費卒。（不書葬者為中國諱蟲牢之盟約備彊楚楚伐鄭喪不能救晉又侵之故去葬使若非伐喪○費音祕為于偽反去起呂反）〔疏〕注楚伐鄭喪不能救晉又侵之者○解云即下文秋楚公子嬰齊帥師伐鄭冬晉欒書帥師侵鄭是也○秋仲孫蔑叔孫僑如率師侵宋。楚公子嬰齊率師伐鄭。冬季孫行父如晉。晉欒書率師侵鄭。

七年春王正月鼷鼠食郊牛角改卜牛鼷鼠又食其角乃免牛（鼷鼠者鼠中之微者角生上指逆之象易京房傳曰祭天不慎鼷鼠食郊牛角書又食者重錄魯不覺寤重有災也不重言牛獨重言鼠者言角牛可知食牛者未必故鼠故重言鼠○鼷音兮重直用反下同）〔疏〕注角生上指逆之象○解云角在牲體之上指于天亦是上逆之象○注書又食者至有災也○解云重讀如煩重之重也舊義公羊說云鼷鼠初食牛角咎在有司又有咎在人君取已有災而不云改更者義通于此若然改卜牛之徒皆言改而莊三十一年夏五月葬桓王傳云此未有言崩者何以書葬蓋改葬也何故不言改者蓋改卜牛之徒皆有所由故得言改其葬桓王者上未有經是以無由言之○吳伐郯（吳國見者罕與中國交至升平乃見故因始見以漸進○郯音談見賢遍反下同）〔疏〕注吳國見者至以漸進○解云正以莊十年秋荊敗蔡師于莘傳云荊者何州名也州不若國國不若氏云云何氏不言楚言荊者楚強而近中國卒暴責之則恐為害深故進之以漸從此七等之極始也然則吳楚相敵亦宜言揚當以揚州言之而經言吳者正以罕與中國交至今升平之世乃始見經故因其始見以漸進之○夏五月曹伯來朝。不郊猶三望。秋楚公子嬰齊率師伐鄭。公會晉侯齊侯宋公衛侯曹伯莒子邾婁子杞伯救鄭。八月戊辰同盟于馬陵。公至自會。吳入州來。冬大雩。（先是公會諸侯救鄭前不恤民之所致）〔疏〕注先是公會諸侯救鄭前不恤民之所致○解云即上三年大雩之下注云成公幼少大臣秉政先是作丘甲為鞌之戰伐鄭圍棘不恤民之所生是也○衛孫林父出奔晉。

八年春晉侯使韓穿來言汶陽之田歸之于齊。來言者何。內辭也。脅我使我歸之也（以魯不見使即聞晉語之知見使自歸之但當言歸）〔疏〕來言者何○解云語言見經於例未有今而書之故執不知問○注以此經加之至當言歸○解云其自歸言歸者哀八年夏齊歸邾婁子益于邾婁注云善齊能殉過歸之然則若自歸當言歸汶陽之田于齊今乃加來言文而又言之則知被晉使之非其本情○曷為使我歸之（據本魯邑）〔疏〕注據本魯○解云正以莊十三年曹子劫齊侯反魯其所取侵地之時管子曰然則君何求曹子曰願請汶陽之田又上二年傳曰反魯衛之侵地之下其經云取汶陽田以此言之汶陽之田本是魯物明矣○鞌之戰齊師大敗齊侯歸弔死視疾七年不飲酒不食肉晉侯聞之曰嘻奈何使人之君七年不飲酒不食肉請皆反其所取侵地（晉侯聞齊侯悔過自責高其義畏其德使諸侯還齊之所喪邑魯見使歸之得其義自歸之爾不得使也主書者善晉諱不言使者因兩為其義諸侯不得相奪土地晉適可以諭之義齊○嘻許其反喪息浪反語魚據反）○晉欒書率師侵蔡。公孫嬰齊如莒。宋公使華元來聘。○夏，宋公使公孫壽來納幣。納幣不書，此何以書？據紀履緰來逆女，不書納幣。○緰音須 【疏】注據紀履緰至納幣 解云：隱二年九月紀履緰來逆女是也。錄伯姬也。伯姬守節逮火而死，賢，故詳錄其禮，所以殊於衆女。【疏】注伯姬守節逮火死。○解云：即襄三十年夏五月甲午，宋災，伯姬卒，秋七月叔弓如宋葬共姬，傳云：外夫人不書葬，此何以書？隱之也。何隱爾？宋災，伯姬卒焉。其稱謚何？賢也。何賢爾？宋災，伯姬存焉，有司復曰：火至矣，請出。伯姬曰：不可。吾聞之也，婦人夜出，不見傅母不下堂。傅至矣，母未至也。逮乎火而死，是也。○晉殺其大夫趙同、趙括。○括，古活反。秋七月，天子使召伯來錫公命。其稱天子何？據天王使毛伯來錫文公命，不稱天子。【疏】注據天王使至天子 ○解云：即文元年夏四月天王使毛伯來錫公命是也。元年春王正月，正也。正者，文不變也。【疏】元年春王正月也。○解云：據始言之，其實二年三年以下之經皆如是。其餘皆通矣。其餘謂不繫于元年者。或言王，或言天王，或言天子，皆相通矣，以見刺譏是非也。王者號也，德合元者稱皇，孔子曰：皇象元，逍遙術無文字，德明謚。德合天者稱帝，河洛受瑞可放。仁義合者稱王，符瑞應，天下歸往。天子者爵稱也，聖人受命，皆天所生，故謂之天子。此錫命稱天子者，爲王者長愛幼少之義，欲進勉幼君，當勞來與賢師良傅，如父教子，不當賜也。月者，例也。爲魯喜錄之。○見賢遍反。應應對之應。爵稱尺證反。爲王于僞反，下爲魯、爲下同。少詩召反。勞來力報反，下力代反。【疏】注其餘謂不繫于年。○解云：何氏亦順傳文，是以獨言元年矣。○注或言王。○解云：即莊元年冬，王使榮叔來錫桓公命，文公五年春，王使榮叔歸含且賵，三月王使召伯來會葬之屬是也。○注或言天王。○解云：隱元年秋七月，天王使宰咺來歸惠公仲子之賵之屬是也。○注或言天子。○解云：此文是也。莊元年榮叔之下，何氏云：不言天王者，桓行實惡，而乃追錫之，尤悖天道，故云爾。文五年榮叔之下注云：去天者，含者臣子職，以至尊行至卑事，失尊之義也。召伯之下，何氏云：去天者，不及事，刺比失禮也。隱元年宰咺之下，何氏云：言天王者，時吳楚上僭稱王，王者不能正，而上繫於天也。春秋不正者，因以廣是非。然則王是舊名，天王者，春秋時稱耳，但春秋見當時之王皆繫于天，是以遂本其追正見其非。何者？若單稱王者，是其舊號，若繫于天者，明非古禮矣。作春秋既不追正，遂以天王作其常稱，是以春秋之內，不言天者皆悉解之，見其失所。此注云皆相通矣，以見刺譏是非也，言皆相通矣者，凡三者皆是上之通稱，但以天王者得當時之言，王與天子者皆有所刺，故曰以見刺譏是非也。○注王者號也。○解云：言王是當時天子之號也。○注德合元者稱皇。○解云：謂元氣是總三氣之名，是故其德與之相合者，謂之皇。皇者，美大之名也。○注孔子曰皇象至明謚。解云：皆春秋說文，宋氏云：言皇之德象合元矣，道逍遙自動行，其德術未有文字之教，其德盛明者，爲其謚矣。○注德合天者至可放。○解云：天者二儀分散以後之稱，故其德與之相合者，謂之帝。帝者，諦也，言審諦如天矣。當爾之時，河出圖，洛出書，可以受而行之，則效于天下，故曰河洛受瑞可放耳。○注仁義合者稱王至歸往。○解云：二儀既分，人乃生焉，人之行也，正直爲本，行合於仁義者，謂之王，行合人道者，符瑞應之，而爲天下所歸往耳。是以王字通於三才，得爲歸往之義。○注天子者爵稱也。○解云：案辨名記云：天子無爵，而言天子爲爵稱者，言爵者，盡也，所以盡其材。天子有聖德，居無極之尊位，謂之爵稱，亦何傷？而云天子無爵者，謂無如諸侯以下九命之爵耳，謂無尊卑之爵，故禮記郊特牲云：古者生無爵，死無謚，天子有謚有爵明矣。○注此錫命稱天子不當賜也。○解云：如此注者，決文元年天王使毛伯來錫公命，言天王矣。彼注云：主書者，惡天子也。古者三載考績，三考黜陟幽明，文公新即位，功未足施而錫之，非也。然則文公受命而未有功，而王錫之，故見非也，但文公年長，故稱天王。今成公幼少，當須如父教子，未當錫也，是以爲之張義而言天子矣。○注月者例也。○解云：正以此經書月，故知例月。然外來朝聘皆例書時，天王錫命而書月，魯人喜得王命而錄之故也。然則莊元年錫桓公命，文元年錫文公命，雖承上日，不蒙上日，亦可知矣。○冬十月，癸卯，杞叔姬卒。棄而曰卒者，爲下脅杞歸其喪張本，文使若尚爲杞夫人。【疏】注棄而曰卒至杞夫人。○解云：外夫人之卒，經例書日，即襄三十年夏五月甲午，宋災，伯姬卒，何氏云：外災例時，此日者，爲伯姬卒日是也。今此已棄而書日，故解之。其棄者，即上五年春，王正月，杞叔姬來歸是也。○注爲下脅杞歸其喪。解云：即下九年春，杞伯來逆叔姬之喪以歸，傳曰：脅而歸之是也。○晉侯使士燮來聘。叔孫僑如會晉士燮、齊人、邾婁人伐郯。○衛人來

成九年

媵。媵不書，此何以書？據逆女不書媵也。言來媵者，禮，君不求媵，諸侯自媵夫人。○媵，以證反，又繩證反。疏注據逆女不書媵也。○解云：蓋通內外言之。何者，隱二年紀履緰來逆女，桓三年公子翬如齊逆女之屬，皆不書媵故也。云媵例時者，即下九年夏晉人來媵，莊十九年秋公子結媵陳人之婦于鄄之屬是也。然則此經文承日月之下，不蒙日月明矣。錄伯姬也。伯姬以賢聞諸侯，諸侯爭欲媵之，故善而詳錄之。媵例時。

九年春王正月，杞伯來逆叔姬之喪以歸。杞伯曷為來逆叔姬之喪以歸？據已棄也。內辭也，脅而歸之也。言已歸，乃與忿怒執人同辭，而不得專其本意，知其為脅也。已棄而脅歸其喪，恃義恥深惡重，故使若杞伯自來逆之。○悖，布內反。疏注言以歸至為脅。○解云：言忿怒執人同辭者，即襄十六年春晉人執莒子、邾婁子以歸，昭十三年秋晉人執季孫隱如以歸之屬是也。○注而不得專其本意。○解云：正以以者，行其意之辭故也。是以桓十四年冬宋人以齊人、衛人、蔡人、陳人伐鄭，傳云：以者何？行其意也。何氏云：以已從人曰行，言四國行宋意。今叔姬之喪言以歸，不得專其本意，明知杞伯有忿怒，是以知其被脅耳。言知其為脅者，為讀如子為衛君乎之為也。○公會晉侯、齊侯、宋公、衛侯、鄭伯、曹伯、莒子、杞伯同盟于蒲。不日者，已得鄭盟，當以備楚，而不以罪執之，旋使會叛，楚緣隙潰莒，不能救，禍由中國無信，故諱為信辭，使若莒潰非盟失信所以，甚中國，因與下潰日相起。疏注不日者已至信辭。○解云：正以春秋之義，不信者日，故以不日為信辭矣。言已得鄭盟者，有鄭伯也。當以備楚者，正以楚人數為諸夏之患故也。○注而不以罪執之。○解云：即下文秋晉人執鄭伯是也。正以僖四年傳曰：稱侯而執者，伯討也；稱人而執者，非伯討也。今經稱人，故曰不以罪執矣。○注旋使離叛者。○解云：即其下文云晉欒書帥師伐鄭是也。○注楚緣隙潰莒。○解云：即下文冬楚公子嬰齊帥師伐莒，庚申，莒潰是也。言楚人緣其有不和之隙，來伐莒而潰之，故曰緣隙潰莒矣。知不能救者，正見以下遂無救文故也。○注所以甚中國。○解云：謂其作信辭也，所以甚惡中國之無信矣。○注因與下潰日相起者。○解云：言言因非正為之辭矣。言此盟不日，非但甚中國之無信，亦因欲起其下潰書日者，乃是中國無信，同盟不相救，至為夷狄所潰矣。言相者，兩事相共之辭，則下潰書日，亦起此盟之不信矣。公至自會。○二月，伯姬歸于宋。○夏，季孫行父如宋致女。未有言致女者，此其言致女何？錄伯姬也。古者婦人三月而後廟見稱婦，擇日而祭於禰，成婦之義也。父母使大夫操禮而致之。必三月者，取一時足以別貞信，貞信著，然後成婦禮。書者，與上納幣同義，所以彰其絜，且為父母安榮之。言女者，謙不敢自成禮。婦人未廟見而死，歸葬於女氏之黨。○廟見，賢遍反，下同。操，七刀反。別，彼列反。且為，于偽反。疏未有言致女者。○解云：謂春秋無此經也。○注古者婦人至之義也。○解云：此皆曾子問文也。其文云：孔子曰：取婦之家，三日不舉樂，思嗣親也。三月而廟見，稱來婦也。擇日而祭于禰，成婦之義也。鄭注云：謂舅姑沒者也。必祭成婦義者，婦有共養之禮，猶舅姑存時盥饋特豚於室是也。○注書者與上納幣同義。○解云：即上八年夏宋公使公孫壽來納幣，傳云：納幣不書，此何以書？錄伯姬也。注云：伯姬守節，逮火而死，賢，故詳錄其禮，所以殊於眾女是也。今此書其致女者，義亦然，故云書者與上納幣同義。○注所以彰其絜至敢自成。○解云：重得父母之命，乃行婦道，故曰所以彰其絜也。其女當夫，非禮不動，兆照九族，父母得安，故曰榮之。○注禮婦人未至氏之黨。○解云：曾子問文也。其文云：曾子曰：女未廟見而死，則如之何？孔子曰：不遷於祖，不祔於皇姑，壻不杖、不菲、不次，歸葬于女氏之黨，示未成婦也。鄭氏云：遷，朝廟也。壻雖不備喪禮，猶為之服齊衰是也。○晉人來媵。媵不書，此何以書？錄伯姬也。義與上同。復發傳者，嫌道人之善。○復，扶又反。疏注義與同上也。○解云：謂亦與上致女皆同書納幣矣。○秋七月丙子，齊侯無野卒。○晉人執鄭伯。○晉欒書帥師伐鄭。○冬十有一月，葬齊頃公。○楚公子嬰齊帥師伐莒。庚申，莒潰。日者，錄責中國無信，同盟不能相救，至為夷狄所潰。○潰，戶內反。○疏注日者錄責至狄所潰。○解云：正以凡潰例月，即僖四年春王正月蔡潰，文三年春王正月沈潰之屬是也。今而書日，故如此解。○楚人入運。○秦人、白狄伐晉。○鄭人圍許。城中城。

十年春衛侯之弟黑背率師侵鄭。夏四月

五卜郊不從乃不郊。其言乃不郊何。（據上不郊不言乃。僖公不從言免牲。○解云即上七年夏不郊，公不從言免牲也。）

（疏）注據上不郊不言乃。○解云即上七年夏，不郊猶三望是也。○注僖公不從言免牲。○解云僖三十一年夏四卜郊不從，乃免牲猶三望是也。

不免牲故言乃不郊也。（不免牲當坐盜天牲失事天之道，故諱使若重難不得郊。○難乃旦反。）

（疏）注使若重難不得郊。○解云宣八年傳云而者何難也，乃者何難也，曷爲或言而或言乃，乃難乎而也。何氏云言乃者內而深，言而者外而淺，下昊曰戚以故言乃然則乃者難之深，今經云乃不郊，故云使若重難不得郊也。重難之義皆出於乃字。

○五月公會晉侯齊侯宋公衛侯曹伯伐鄭。（不致者，成公數卜郊不從，怨懟，故不免牲，不但不免牲而已，故奪臣子辭以起之。○懟，直類反。）

（疏）注不致者至牲而已。○解云莊六年傳云得意致會，不得意致伐，注云此謂公與二國以上也，然則此經公會晉侯宋公以下伐鄭，亦是二國以上，若得意宜致會，不得意宜致伐，今全不致，故如此解也。言成公數卜郊不從者，即此上文五卜郊不從是也。五卜郊卜之多者，故言數。云不但不免牲而已者，謂成公意卒竟而不復郊，知如此者，正以不免牲，上文已有說，今此仍不致，故知更有罪也。○注故奪臣子辭以起之。○解云謂不致也，奪其臣子之辭以起見其罪失所以不致得謂之奪臣子辭者，桓二年注云凡致者，臣子喜其君父脫危而至，今不書至以若不得脫危然，故曰奪臣子辭也。桓元年注云不致之者，至而凡奪臣子辭成誅文也者，義亦通于此。

○齊人來媵。媵不書，此何以書。錄伯姬也。三國來媵非禮也，曷爲皆以錄伯姬之辭言之。婦人以衆多爲侈也。（侈，大也。朝廷侈於妃上，婦人侈於妃下。伯姬以至賢爲三國所爭媵，故侈大其能容之，唯天子娶十二女。○侈，昌氏反，大也。妃了。姬，反，下十七年反，本或作娶。）

（疏）注朝廷侈於妃上。○解云言妃其有賢不而居於己上也，言朝廷侈之妃也。○注婦人侈於妃下。○解云言

不能容衆妾而妒忌之者，是婦人妬也。○故侈大其能容之。○解云考諸舊本，大上無侈字。○注唯天子娶十二女。○解云保乾圖文，孔子爲後王制此禮也。

○丙午晉侯獳卒。（不書葬者，殺大夫趙同等。○獳，乃侯反。）

（疏）注不書葬至同等。○解云春秋之義，君殺無罪大夫，例不書其葬，見其無臣子也。是以僖九年晉侯詭諸卒，何氏云不書葬者，殺世子也是也。其殺趙同等，即上八年晉殺其大夫趙同趙括是也。

○秋七月公如晉。（如晉者，冬也。去冬者，惡成公前既怨懟不免牲，今復如晉，過郊乃反，遂怨懟無事天之意，當絶之。○去，起呂反。惡，烏路反。復，扶又反。）

（疏）注過郊乃反至天之意。○解云謂明年三月公至自晉，是其過郊乃反，是其無事天之意。○注當絶之者，解云當合絶之，不可爲魯侯矣。

監本附音春秋公羊註疏成公卷第十七

監本附音春秋公羊注疏成公卷十八（起十一年盡十八年）

何休學

十有一年春王三月，公至自晉。○晉侯使郤州來聘。己丑，及郤州盟。（郤州本亦作犨，尺由反。）疏 晉侯至州盟。○解云：上三年冬，晉侯使荀庚來聘，丙午及荀庚盟。傳云：此聘也，其言盟何？聘而言盟者，尋舊盟也。注云：以不舉重，連聘而言之，知尋繹舊故約誓之言也。書者，惡之。二國既脩禮相聘，不能相親信，反復相疑，故舉聘以非之。今此亦然，而無傳注者，從可知故省文。案桓十四年夏，鄭伯使其弟語來盟，注云：時者，從內為王義，明王者當以至信先天下，是以春秋之例，莅盟、來盟悉書時。即僖三年冬，公子友如齊莅盟之屬是也。今此經及上三年荀庚盟之屬皆書月者，蓋以既脩禮相聘，不能相親信，反相疑，是故不與信辭耳。○夏，季孫行父如晉。○秋，叔孫僑如如齊。○冬十月。

十有二年春，周公出奔晉。周公者何？天子之三公也。王者無外，此其言出何？自其私土而出也。（私土者，謂其國也。此起諸侯入為天子三公也。周公驕蹇不事天子，出居私土，不聽京師之政，天子不能之而出走，明當并絕其國，故以出國錄也。不月者，小國也。）疏 周公者何。○解云：既是周臣，自周無出，而經書出，故執不知問。○注私土不聽至小國。○解云：春秋之例，大國君奔例皆書月，即桓十六年十有一月衛侯朔出奔齊之屬是也。小國例時者，即昭三年冬北燕伯款出奔齊，及此經書春皆是也。又王制云：天子三公之田視公侯。既視公侯，何言小國者？據其私土之言也。周公本是小國諸侯，而入為天子三公，於王畿之內雖有采地，但從私土而去，故從小國例。○夏，公會晉侯、衛侯于沙澤。（沙澤，素禾反，又如字。二傳作瑣澤，定七年同。）○秋，晉人敗狄于交剛。○冬十月。

十有三年春，晉侯使郤錡來乞師。（郤錡，魚綺反。）○三月，公如京師。（月者，善公尊天子。）疏 注月者善公尊天子者。○解云：正以朝聘時故也。○夏五月，公自京師，遂會晉侯、齊侯、宋公、衛侯、鄭伯、曹伯、邾婁人、滕人伐秦。其言自京師何？（據僖公二十八年諸侯遂圍許，不言自王所。）疏 五月至自京師。○解云：公下自上有至字者，衍文。○注據僖公至自王所。○解云：僖二十八年冬，公會晉侯以下于溫，天王狩于河陽。壬申，公朝于王所。諸侯遂圍許是也。然則彼亦朝天子而直言自王所，與此異，故難之。公鑿行也。（以起公鑿行也。鑿猶更造之意。○鑿，在洛反。造意也。）公鑿行奈何？不敢過天子也。（時本欲直伐秦，途過京師，不敢過天子而不朝，復生事，脩朝禮而後行，故起時善公而褒成其意，使若故朝然後生事也。間無事復出公者，善公鑿行。○復，扶又反。）疏 注生事脩朝禮而行者。○解云：生事之上亦有復字者，衍文。○注間無事復出至鑿行。○解云：昭十三年秋，公會劉子、晉侯以下于平丘。八月甲戌，同盟于平丘。注云：不言劉子及諸侯者，間無異事，可知矣。然則彼以間無事，不勞重舉劉子及諸侯。此亦間無事，但言夏五月遂會晉侯以下伐秦足矣，而重舉公者，善公鑿行故也。定四年召陵之會再言公者，彼注自具。○曹伯廬卒于師。（廬，力吳反，本亦作盧。）○秋七月，公至自伐秦。（月者，危公幼而遠用兵。）疏 注月者危公幼而遠用兵者。○解云：正以凡致例時，故如此解。○冬，葬曹宣公。

十有四年春王正月，莒子朱卒。（莒大于邾婁，至此乃卒者，庶其見殺，不得卒，至此始卒，又不得日。）疏 注莒大于至不得卒。○解云：正以莊十六年冬十有二月邾婁子克卒，二十八年夏四月丁未邾婁子瑣卒，春秋之序，莒常在上，而至此乃卒者，正由文十八年莒弒其君庶其，是以不得書其卒矣。○注至此始卒又不得日。○解云：邾婁子瑣之卒所以書日者，非直行進，其邾婁子克往前已卒矣，以春秋得詳錄之。今此始卒，故不得書日。曹書日者，何氏云：老使世子來朝，春秋敬老重恩，故為曹恩錄之尤深是也。然則此注何以不言故不得日而言又者，欲道曹伯終生雖亦始卒，但於魯有恩，是以書日。今此莒子非直始卒，又無善行，是以不日。○夏衛孫林父自晉歸于衛。○秋，叔孫僑如如齊逆女。凡娶早晚皆不譏者，從紀履緰一譏而已。○凡，取本又作娶。疏注秋叔孫僑如如齊逆女。○解云：隱二年注云不親迎例月重録之，今此不月者，蓋以成公即位十有四年始娶元妃，非重繼嗣之義，故畧之。○注凡娶早至譏而已。○解云：隱二年九月紀履緰來逆女，傳云外逆女不書，此何以書？譏。何譏爾？譏始不親迎也。始不親迎昉於此乎？前此矣。前此則曷爲始乎此？託始焉爾。曷爲託始焉爾？春秋之始也。然則宣公元年春公子遂如齊逆女，喪服未除，是其大早也；成公十四年秋始使僑如如齊逆女，非重繼嗣之義，是其大晚也。故言凡娶早晚矣。但畧舉一二人，則桓公三年娶于齊、文公四年娶于齊，合在其間也。然則諸侯之法合親迎，而魯侯悉使大夫，所以不復發傳云何以書譏何譏爾譏不親迎者，正欲從隱二年紀履緰之一譏而已，是以不復發傳以解之。舊解云：隱二年履緰之下注云內逆女常書，外逆女但疾始不常書者，明當先自詳正，躬自厚而薄責於人，故略外也。然則外之娶妻莫問早晚，其不親迎者皆不復書而譏之者，未從履緰之經一譏而已。所以此處注之者，正以內逆女常書之末，是以於此處決之。更有或解，不足述也。○鄭公子喜率師伐許。九月，僑如以夫人婦姜氏至自齊。冬十月庚寅，衛侯臧卒。秦伯卒。

十有五年，春，王二月，葬衛定公。三月乙巳，仲嬰齊卒。仲嬰齊者何？疑仲遂後，故問之。疏注疑仲後故問之。○解云：何氏欲解弟子問所不知之意，何者？欲言仲遂之子宜稱公孫，今經稱仲，故執不知問。公孫嬰齊也。未見於經爲公孫嬰齊，今爲大夫死見於經爲仲嬰齊。○未見，賢編反，下同，年末及注皆同。疏注未見於經至仲嬰齊。○解云：未見於經者，謂未作大夫，不得見于經，當爾之時猶爲公子之子，故爲公孫嬰齊矣。今爲大夫而死，得見于經，更爲公子之孫，孫以王父字爲氏，故爲仲嬰齊矣。其更爲公子之孫之事，其說在下。公孫嬰齊則曷爲謂之仲嬰齊？爲兄後也。爲兄後則曷爲謂之仲嬰齊？據本公孫。疏注據本公孫。○解云：言其本公孫，所以須正難代兄爲大夫，寧得更爲公孫之子乎？故難之。爲人後者爲之子也。更爲公孫之子，故不得復氏公孫。○復氏，扶又反，年內同。爲人後者爲其子，則其稱仲何？據非氏。孫以王父字爲氏也。謂諸侯子也。顧興滅繼絶，故紀族明所出。然則嬰齊孰後？後歸父也。歸父使于晉而未反。宣公十八年自晉至檉奔齊，許今未還。○使于，所吏反，及下使乎同。何以後之？據已絶也。叔仲惠伯，傅子赤者也。叔仲者，叔彭生氏也。文家字積於叔，叔仲有長幼，故連氏之。經云仲者，明春秋質家當積於仲。惠，謚也。○長，丁丈反。疏注叔仲者叔彭生氏也。○解云：即文十一年叔彭生之氏族也。○注文家字積於叔至謚也。○解云：知如此者，正以大姒之子皆稱叔，唯有聃季而已，是文家字積於叔之義也。注言此者，欲道彭生之氏所以不連仲之意也。云叔仲有長幼，故連氏之者，注言此者，欲道彭生之傳所以連叔仲之意也。何者？彭生之祖牙於叔氏，其父武仲又長幼當仲，是以彭生遠而言之，雖非正禮，要是當時之事，是以傳家述其私稱連言仲矣。○注經云仲至積於仲。○解云：注言此者，欲道嬰齊此經何故不連其父歸父之字而單言仲者，欲明春秋當質，正得積於仲，是以不得更以佗字連之。文公死，子幼。子赤幼也。公子遂謂叔仲惠伯曰：君幼，如之何？願與子慮之。叔仲惠伯曰：吾子相之，老夫抱之。禮，大夫七十而致事，若不得謝，則必賜之几杖，行役以婦人從，適四方乘安車，自稱曰老夫。○相，息亮反，下同。疏注禮大夫至稱曰老夫。○解云：皆上曲禮文。鄭氏云：致其所學之事於君而告老。謝猶聽也，君必有命勞君辭謝之，其有德尚壯則不聽耳。几杖、婦人、安車，所以養其身體也。安車，坐乘，若今小車也。老夫，老人稱也。亦明君尊賢，春秋衛曰老夫耄矣是也。何幼君之有？公子遂知其不可與謀，退而殺叔仲惠伯，弒子赤而立宣公。殺叔仲惠伯不書者，與弒君爲重，叔仲惠伯事與荀息相類，不得爲累者有異也叔仲惠伯直先見殺爾不如荀息死之○殺子音弑【疏】注叔仲惠伯至荀息死之○解云僖十年春晉里克弑其君卓子及其大夫荀息傳云及者何累也弑君多矣舍此無累者乎曰有孔父仇牧皆累也舍孔父仇牧無累者乎曰有有則此何以書賢也何賢乎荀息荀息可謂不食其言矣其不食其言奈何奚齊卓子者驪姬之子也荀息傅焉驪姬者國色也獻公愛之甚欲立其子於是殺世子申生申生者里克傅之獻公病將死謂荀息曰士何如則可謂之信矣荀息對曰使死者反生生者不愧乎其言則可謂信矣獻公死奚齊立里克謂荀息曰君殺正而立不正廢長而立幼如之何願與子慮之荀息曰君嘗訊臣矣臣對曰使死者反生生者不愧乎其言則可謂信矣里克知其不可與謀退弑奚齊荀息立卓子里克弑卓子荀息死之桓二年宋督弑其君與夷及其大夫孔父案彼傳文則孔父亦先見殺與此正同而得為累者正以孔父生存殤公不可得而弑故於是先攻孔父之家殤公知孔父死己必死趨而救之皆死焉孔父正色而立于朝則人莫敢過而致難於其君者孔父可謂義形于色矣然孔父雖先見殺而事君之正義形于顏色豈如惠伯但為傅子赤而𡚁之公子遂但欲弑子赤而殺之不畏惠伯衛護豈得類於孔父乎若然內之弑例皆諱不書假令成累安可作文而注言此者雖不言弑宜言及之十月子赤及叔彭生卒案今文公十八年經直言冬十月子卒故言不得為累矣

宣公死成公幼臧宣叔公或作叔者相也臧孫許宣謚君死不哭聚諸大夫而問焉曰昔者叔仲惠伯之事孰為之諸大夫皆雜七合反又如字然曰仲氏也其然乎於是遣歸父之家時見君幼欲以防示諸大夫○【疏】注時見君至諸大夫○解云於時見君幼少恐有禍變欲以有防衛之義示其諸大夫然後哭君歸父使乎晉還自晉至檉聞君薨家遣墠帷哭君成踊反命于介自是走之齊魯人徐傷歸父之無後也徐者皆共之辭也關東語傳其先人為惡身見逐絕不忿懟以後兄之義故為亂昭穆之序於是使嬰齊後之也繼弟也父子之親故不言仲孫明不與子為父孫【疏】注弟無後兄至為父孫○解云案異義公羊說云質家立世子弟文家立世子子而春秋從質故得立其弟以此言之嬰齊為兄後正合春秋之義何得謂之亂昭穆之序者正以質家立世子弟者謂立之為君而已豈謂作世子之子乎今嬰齊後之若為歸父之子然故為亂昭穆之序言失父子之親者若後歸父即不為仲遂之子故云失父子之親矣○癸丑公會晉侯衛侯鄭伯曹伯宋世子成齊國佐邾婁人同盟于戚世子成音○戚本或作成晉侯執曹伯歸之于京師為篡喜時○【疏】注為篡喜時○解云何賢乎公子喜時讓國也其讓國奈何曹伯廬卒于師注云在成十三年傳又云公子喜時見公子負芻之當主也逡巡而退是也公至自會○夏六月宋公固卒不日者多取三國媵非禮故略之【疏】注不日至略之○解云即上九年伯姬歸于宋之時三國來媵傳云三國來媵非禮也是宋得晉人來媵齊人來媵衛人來媵非之者其娶當從諸侯故為伯姬為榮而宋公有失故死略之○楚子伐鄭

○秋八月庚辰葬宋共公共音恭○宋華元出奔晉○宋華元自晉歸于宋不省文復出宋華元者宋公孫子幼華元以憂國為大夫山所譖出奔晉晉人理其罪宋人反華元誅山故繫文大之也言歸者明出入無惡【疏】注不省文至大之○解云襄二十年秋鄭良霄出奔許自許入于鄭彼則省文不言鄭良霄自許入于鄭今則不省文故決之必知不省者為大之必知不省者為不可不察故知也言華元以憂國為大夫山所譖出奔是大之者正以孔子曰書之重辭之復嗚呼其中必有美者焉不可不察故知也○注言歸者明出入無惡○解云即上桓十五年傳例云復歸者出惡歸無惡復入者出無惡入有惡入者出入惡歸者出入無惡是也○宋殺其大夫山不氏者見殺在華元歸後嫌直自見殺者故去之明【疏】注不氏者至華元故○解云襄二十三年夏陳殺其大夫慶虎及慶寅陳侯之弟光自楚歸于陳注云不省文則為二慶所譖出奔楚楚人治其罪陳人誅二慶而光歸是光故言歸宋大夫山譖華元之比此不氏者見其譖辭可知然則今此華元歸後山見殺故須去氏以見其義宋山者魚石之卿若其不殺宜言魚山也○

宋魚石出奔楚　負山有親恐見及也後得言復入若出無惡而非君漏言魚石不殺山【疏】注負山有親恐見及也。○解云知如此者襄二十年秋蔡殺其大夫公子燮蔡公子履出奔楚明矣今此宋殺其大夫山宋魚石出奔楚文與彼同故知山之親也但山以惡華元而見殺是以不得言魚矣。○注後得言復至不殺山。○解云復入者即下十八年夏宋魚石復入于彭城是也言復入者出無惡者即十五年傳文案又六年冬晉殺其大夫陽處父晉狐射姑出奔狄傳云晉殺其大夫陽處父則狐射姑曷爲出奔射姑殺也射姑殺則其稱國以殺何君漏言也其漏言奈何君將使射姑將陽處父諫曰射姑民衆不說不可使將於是廢將陽處父出射姑入君謂射姑曰陽處父言曰射姑民衆不說不可使將射姑怒出刺陽處父於朝而走注云明君漏言殺之當坐殺也以此言之若由君漏言魚石殺山而走則是出有惡不得言復入今魚言之於下言復入知非君漏言魚石不殺山也。○

冬十有一月叔孫僑如會晉士燮齊高無咎宋華元衞孫林父鄭公子鰌邾婁人會吳于鍾離曷爲殊會吳　據楚不殊。○燮息協反鰌音秋【疏】注據楚不殊。○解云即僖二十一年秋宋公楚子陳侯蔡侯鄭伯許男曹伯會于霍是也　外吳也曷爲外也　據襄五年仲孫蔑會吳于善稻不外之【疏】注據襄五年至不外之。○解云其經云公會晉侯宋公以下鄭世子光吳人鄫人于戚是

春秋内其國而外諸夏内諸夏而外夷狄　内其國者假魯以爲京師也諸夏外土諸侯也謂之夏者大總下土言之辭也不殊楚者楚始見所傳聞世尚外諸夏未得殊也至於所聞世可得殊又卓然有君子之行吳似夷狄差醇而適見於可殊之時故獨殊吳。○傳直專反行下孟反差初賣反醇音純【疏】春秋内其國而外諸夏。○解云即經云叔孫僑如以下是也云内諸夏而外夷狄者即經云會吳于鍾離是也。○注不殊楚者楚始至得殊也。○解云即僖二十一年秋宋公楚子陳侯蔡侯鄭伯許男曹伯會于霍之屬是也。○注至於至之行。○解云即宣十一年夏楚子陳侯鄭伯盟于辰陵者是不殊楚之然也言卓然有君子之行者即彼注云不日月者莊王行霸約諸侯明王法討徵舒善其憂中國故爲信辭也然則討

徵舒明王法勝鄭而不取令之還師佚晉寇之屬皆是卓然有君子之行矣

王者欲一乎天下曷爲以外内之辭言之　據大一統【疏】注據大一統。○解云即元年傳云何言乎王正月大一統也注云統者始也總繫之辭夫王者始受命改制布政施教於天下自公侯至於庶人自山川至於草木昆蟲莫不一一繫於正月故云政教之始然則王者施政欲其遠近徧及海内如此而殊外内故難之

言自近者始也　明當先正京師乃正諸夏諸夏正乃正夷狄以漸治之葉公問政於孔子孔子曰近者說遠者來季康子問政於孔子孔子曰政者正也子帥以正孰敢不正是也月者危録之諸侯既委任大夫復命交接夷狄。○葉公舒涉反下文同說音悦【疏】注子帥以正孰敢不正是也。○解云子帥也言子爲諸侯之長而爲正誰敢不爲正乎亦是先正於近乃始及遠之義故引之。

許遷于葉

十有六年春王正月雨木冰　雨木冰者何雨而木冰也何以書記異也　木者少陽幼君大臣之象冰者凝陰兵之類也冰脅木者君臣將執於兵之徵也【疏】雨木冰者何。○解云雨與木冰理不相類如此作經故執不知問。○注木者至之象。○解云木始於東方故曰少陽陽比君故有幼君之象震爲六子之宗乃是乾之長子故爲大臣之象也。○

夏四月辛未滕子卒　滕始卒於宣公日於成公不名邾婁始卒於文公日於襄公名俱葬於昭公是以知滕小【疏】注滕始至滕小。○解云滕始卒於宣公者即宣九年秋八月滕子卒是也其日於成公者即此注云辛未滕子卒是也二者皆不名故曰不名其卒於文公者即文十三年夏五月邾婁子蘧篨卒是也其日于襄公者即襄十七年春王二月庚午邾婁子瞷卒是也書其名故曰名也云俱葬于昭公者即昭元年六月丁未邾婁子華卒秋葬邾婁悼公昭三年春王正月丁未滕子泉卒五月葬滕成公是也然則春秋於所聞之世始録微國之卒於所聞之世于滕則未是以知其小于邾婁也何氏所以不書曰書名明其大小滕子卒葬皆在邾婁之後邾婁之君名於會序比之而擬其卒葬者會是主會次之未得其義其大小仍自難明故如此解若然案莊十六年十二月邾婁子克卒二十八年夏四月丁未邾婁子瑣卒然則邾婁始卒書曰書名並在莊公之世而邾婁卒于文公曰于襄公名者彼是

傳聞之世小國之卒例不合書而莊公之時邾婁之君得書卒者何氏於克卒之下注云小國未嘗卒而卒者為慕霸者有尊天子之心行進也嘗卒之下注云日者附從霸者朝天子行進以此言之是行而得書卒書日非其常例故不取之。○鄭公子喜帥師侵宋。○六月丙寅朔日有食之是後楚滅舒庸晉厲公見弒殺之重故下七年復食。○復扶又反 疏 注是後楚滅舒庸晉厲○解云在下十七年冬十二月。○注晉厲公見弒殺○解云即下十八年春王正月庚申晉弒其君州蒲是也春秋說以為厲公猥殺四大夫臣下人人恐見及也正月繇之二月而死故此注云見弒殺也。○注故十七年復食○解云即下十七年十有二月丁巳朔日有食之是也。○晉侯使欒黶來乞師黶烏簟反又於斬反。○欒力官反。○甲午晦晦者何冥也何以書記異也此王公失道臣代其治故陰代陽。○冥亡定反又亡丁反治直吏反 疏 晦者何。○解云欲言月晦經所不書欲言旦冥文不言書故執不知問。○晉侯及楚子鄭伯戰于鄢陵楚子鄭師敗績敗者稱師楚何以不稱師據宋公戰于泓敗績稱師。○鄢於晚反又於建反泓烏宏反 疏 注據宋公戰至稱師。○解云即僖二十二年冬十有一月己巳朔宋公及楚人戰于泓宋師敗績是也王痍也王痍者何傷乎矢也時為飛矢所中。○痍音夷傷中丁仲反 疏 王痍者何。○解云王有六軍之衛而身見傷於非其類故執不知問然則何以不言師敗績據王痍末言爾末無也無所取於言師敗績也凡舉師敗績為重眾今親傷人君當舉傷君為重以言戰以言敗績知非詐當蒙上日甲。○為于偽反下為代公同 疏 注以言戰至上日也。○解云正以春秋之義偏戰者日詐者月今鄢陵之經言戰言敗績知非詐故當蒙上日矣。○楚殺其大夫公子側。○秋公會晉侯齊侯衛侯宋華元邾婁人于沙隨不見公公至自會不見公者何公不見見也不見見者恥乞師不得欲執之。○恚一睡反 疏 不見公者何。○解云公會晉侯是與會之文言不見公疑其非類故執不知問。○注不見見者恚乞師不得欲執之即下傳云其代公執奈何前此者晉人來乞師而不與公會晉侯將執公是也公不見見大夫執何以致會據不得意不致會。公失序不致 疏 注據不得意者。○解云正以莊六年傳云得意致會不得意致伐何氏云此謂公與二國以上也公與一國以上出會盟得意致會不得意不致。○注扈之會公失序不致。○解云即文七年秋公會諸侯晉大夫盟于扈傳云諸侯何以不序大夫何以不名公失序也公失序奈何諸侯不可使與公盟眣晉大夫使與公盟也是也然則彼是公不得意不書致今此亦不得意而反致故難之不恥也曷為不恥據扈之會公失序恥之公幼也因公幼殺恥為諱辭不書行父執者公不見見已重矣 疏 注因公幼殺恥為諱辭。○解云實不月而致會詐若得意然故言為諱辭耳。○注不書行父執者。○解云是時晉欲代公執而下經但書其一故此注不書行父執者公不見見已重矣。○公會尹子晉侯齊國佐邾婁人伐鄭。○曹伯歸自京師執而歸者名曹伯何以不名而不言復歸于曹何據曹伯襄復歸于曹 疏 注據曹伯襄復歸于曹。○解云在僖二十八年冬易也易故未言之不復舉國名。○易以豉反注及下同復扶又反下同其易奈何公子喜時在內也公子喜時在內則何以易據本叛公子喜時也。○喜時左傳作欣時公子喜時者仁人也內平其國而待之和平其臣民令專心於負芻。○令力呈反外治諸京師而免之設治于京師解免使來歸其言自京師何據僖二十八年晉人執衛侯歸之于京師後復歸于衛但舉大子所歸不言自京師不連歸問者嫌自京師天子有力文言甚易欲并問力文與上說喜時錯 疏 注據僖二十八年至言自京師。○解云即僖二十八年冬晉人執衛侯歸之于京師三十年秋衛侯鄭歸于衛是也。○注不連歸問至喜時錯。○解云問者之意欲道僖三十年衛侯鄭歸于衛亦是天子所

成十六年

甚字一作真字

招一本作莒

歸不言自京師今晉伯亦爲天子所歸獨言自京師文相違情故問之君連歸間云其言歸自京師何即嫌歸自京師者乃是天子有力之文以君僖二十八年冬衛元咺自晉復歸于衛傳云自者何有力焉者也然上說言其所以易正猶公子喜時之力若此處并問天子有力之文即與上說喜時之力自相違 言甚易也舍是無難矣 言歸自京師者與内据臣子致公同文欲言其易也舍此所從還無危難矣主所以見曹伯歸本据喜時平國反之書非録京師有力也執歸書者賢喜時爲兄所篡終無怨心而復深推精誠憂免其難非至仁莫能行之故書起其功也○舍是音捨注同下傳舍臣放此　無難乃旦反注同 疏 注言歸自京師者至致十三年公至自京師祖似○注執歸書者至起其功也○解正以僖十九年宋人執滕子嬰齊二十一年執宋公之屬皆不書其歸也若然僖二十八年春晉侯執曹伯以畀宋人冬晉人執衛侯歸之于京師曹伯襄復歸于曹三十年秋衛侯鄭復歸于衛皆是被執而書之者曹伯之下注云執歸不書書者名惡當見衛侯之下注云執歸不書主書者名惡當見是也前此者晉人來乞師而不與者即上十六年夏六月晉侯使欒黶來乞師晉侯及楚子鄭伯戰于鄢陵楚子鄭師敗績於戰之經不見魯師則知不與矣 ○九月晉人執季孫行父舍之于招丘執未可言舍之者此其言舍之何仁之也曰在招丘悕矣 悕悲也仁之者若曰在招丘可悲矣閔録之辭○招丘章遥反又上饒反二傳作苕丘悕音希悲也 執未有言仁之者此其言仁之何代公執也其代公執奈何前此者晉人來乞師而不與 不書者不與無惡 疏 注不書者不與無惡○解云若其書之宜言晉侯使欒黶來乞師公不許之今無此經故言不與不書也言不與無惡者僖二十六年公子遂如楚乞師之下傳云乞者何卑辭也曷爲以外内同若辭重師也曷爲重師師出不正反戰不正勝也何氏云兵凶器戰危事不得已而用之爾乃以假人故重而不假別外内也者是其不與無惡之義 公會晉侯 會沙隨也 將執公季孫行父曰此臣之罪也於是執季孫行父成公將會厲公 謂上伐鄭言譖者別嬰齊所請也明言公會晉侯者嬰齊所請事也故下與嬰齊傳合同○別彼列反 疏 於是執季孫行父○解云此以上道今年秋會于沙隨之時事○注謂上伐鄭至傳合同解云下十七年公孫嬰齊卒于貍軫之下傳云前此者嬰齊走之晉公會晉侯將執公嬰齊爲公請公許之反爲大夫歸至于貍軫而卒然則上言公會晉侯將執公者乃是上經沙隨之事故下與嬰齊傳文合言成公將會晉厲公言譖者欲別於嬰齊所請之事明其是上伐鄭將也案此傳沙隨之事時行父亦請而特言嬰齊所請者欲言行父再請而嬰齊三請俱在沙隨故也 會不當期將執公季孫行父曰臣有罪執其君子有罪執其父此聽失之大者也今此臣之罪也舍臣之身而執臣之君吾恐聽失之爲宗廟羞也於是執季孫行父 善其過則稱己美則稱君累代公執在危紿之地故言舍而月之者痛傷忠臣不得其所爲代公執不稱行人者在君側非出使○出使所吏反 疏 此聽失之大者也○解云言聽獄者失之大者矣○注故地言舍至得其所○解云言故地言舍而月之者即經書九月晉人執季孫行父舍之于招丘是也言月則爲傷痛之文者正以凡執例時故也即僖四年夏齊人執陳袁濤塗五年冬晉人執虞公之屬是也○注爲代公至非出使○解云正以文十四年冬齊人執單伯之下傳云執者曷爲或稱行人或不稱行人注云此問諸侯相執大夫所稱例傳云稱行人而執者以其事執也注云以其銜命奉國事執之晉人執我行人叔孫舍是也傳又云不稱行人而執者以已執也注云已者已大夫自以大夫之罪執之分別之者罪惡當各歸其本以此言之則知自爲己執者乃不稱行人今此行父爲代公執而亦不稱行人者正以其在君側非出使故也 ○冬十月乙亥叔孫僑如出奔齊○十有二月乙丑季孫行父及晉郤州盟于扈 行父執釋不致者舉公至爲重 疏 注行父執釋不致者舉公至爲重○解云正以昭十三年秋晉人執季孫隱如以歸十四年春隱如至自晉二十三年春晉人執我行人叔孫舍二十四年春叔孫舍至自晉皆書其至今此不書至故言舉公至爲重○

○公至自會。○乙酉，刺公子偃。疏 乙酉刺公子偃。○解云：即僖二十八年注云內殺大夫例有罪不日，無罪日者，謂此文是也。考諸舊本，此經之下悉皆無注，若有注者，衍字耳。

十有七年，春，衛北宮結率師侵鄭。○夏，公會尹子、單子、晉侯、齊侯、宋公、衛侯、曹伯、邾婁人伐鄭。○六月，乙酉，同盟于柯陵。柯，古何反。○秋，公至自會。○齊高無咎出奔莒。○九月，辛丑，用郊。用者何？用者不宜用也。九月非所用郊也。周之九月，夏之七月，天氣上升，地氣下降，又非郊時，故加用之。疏 用者何。○解云：正以上下之郊例不言用，此獨違例，故執不知問。然則郊曷用？郊用正月上辛。魯郊博卜春三月，言正月者，因見百王正所當用也。三王之郊，一用夏正，言正月者，春秋之制也。正月者，歲首；上辛，猶始新，皆取其首先之意。日者，明用辛例，不郊則不日。○因見，賢遍反，下同。疏 注魯郊至所當用。○解云：僖三十一年傳云魯郊非禮也，彼注云：以魯郊非禮，故卜爾。昔武王既沒，成王幼少，周公居攝，行天子事，制禮作樂，致太平，有王功。周公薨，成王以王禮葬之，命魯使郊，以彰周公之德，非正，故卜，三卜吉則用之，不吉則免牲者，是其魯郊博卜春三月之義也。而此傳止言正月者，因見其自今以後百代之王正所當用之月也。○注三王之郊至制也。○解云：三王之郊，一用夏正者，易說文也。既用夏正，而此傳特言用正月卜辛者，但春秋之制也。春秋因魯以制法，令自今以後之郊，皆用周之正月故也。○注不郊則不日。○解云：即僖三十一年夏四月，四卜郊不從，乃免牲，猶三望；成七年春王正月，鼷鼠食郊牛角，改卜牛；夏五月，不郊，猶三望之屬，是不郊則不日之文也。或曰用然後郊。或曰用者，先有事存后稷，神名也。晉人將有事於河，必先有事於惡池；齊人將有事於泰山，必先有事於配林；魯人將有事於天，必先有事於泮宮。九月郊，尤非禮，故言用。小大盡譏之，以不郊乃譏三望，知郊不得譏小也。又夕牲告至在日下。○惡如字，又火吳反，池如字，又大河反，盡在日上，不當在日下。○惡如字，又芳尾反，又音配。泮音判，本又作郊，泮音全。疏 注晉人將有事至於泮宮。○解云：即禮器云：晉人將有事於上帝，必

先有事於泮宮。注云：上帝，周所郊祀之帝，謂蒼帝靈威仰也。魯以周公之故，得郊祀上帝，與周同。先有事于泮宮，告后稷也。告之者，將以配天，先仁也。泮宮，郊之學也，詩所謂泮宮也，字或爲郊宮。晉人將有事於河，必先有事於惡池，與注云：惡當爲呼，聲之誤也，呼池、嘔夷，并州川。齊人將有事於泰山，必先有事於配林，注云：配林，林名是也。○注以不郊至譏小也。○解云：即僖三十一年夏四月，四卜郊不從，乃免牲，猶三望，傳云：猶者何？通可以已也。何以書？譏不郊而望祭也。何氏云：譏尊者不食而卑者獨食也。○注又夕牲告至在日下。○解云：言古禮郊之前日午后陳其牲物，告牲之牲于后稷，則知此經宜云辛丑郊，九月用。○晉侯使荀罃來乞師。罃，乙耕反。○冬，公會單子、晉侯、宋公、衛侯、曹伯、齊人、邾婁人伐鄭。十有一月，公至自伐鄭。月者，方正下壬申，故月之。疏 注月者方至月之。○解云：正以凡致例時，故此解之，言正下壬申者，欲正壬申爲十月之日，是以不得不言十一月以表之。○壬申，公孫嬰齊卒于貍軫。非此月日也，曷爲以此月日卒之？據下丁巳朔，知壬申在十月。○貍，力之反；軫，之忍反。左氏作貍脤，穀梁作貍蜃。疏 注據下至十月。○解云：即下十有二月丁巳朔，日有食之是也。十二月丁巳朔，逆而推之，則丁亥爲十一月朔日；又逆而推之，即丁卯爲十月十一日矣。即從丁卯數之，戊辰、己巳、庚午、辛未、壬申，然則壬申乃爲十月十六日，故云據下丁巳朔，知壬申在十月矣。待君命然後卒大夫。據昭公出奔，卒叔孫舍。疏 注據昭公至孫舍。○解云：即昭二十五年九月己亥，公孫于齊；冬十月戊辰，叔孫舍卒；三十二年冬十二月，公薨于乾侯是也。曷爲待君命然後卒大夫？前此者嬰齊走之晉，不書者，以爲公請，除出奔之罪。○爲，于僞反，下文爲公同。疏 注不書者至之罪也。○解云：其請公者，謂七年沙隨時也。公會晉侯，將執公，嬰齊爲公請。公許之反爲大夫，歸至于貍軫而卒。十一月壬申日。○貍軫，魯地。無君命，不敢卒大夫。國人未被君命，不敢使從大夫禮

八公至自十一月至是也○（疏）注十一月至是也○解云十有一月公之請魯侯許之皆是沙隨時也若在沙隨會時即在伐鄭之上何故待公伐鄭之還乃始卒之正以成公許之實在沙隨但嬰齊未還公又伐鄭伐鄭未歸嬰齊已卒國人不聞公命未敢卒之亦何傷 曰吾固許之反爲大夫 許反爲大夫即受命矣 然後卒之 其不敢自專故引卒之起其事所以激當世之驕臣○激古狄反 其死日下就公至月 ○十有二月丁巳朔日有食之○邾婁子貜且卒 貜且俱縛反下子餘反 ○晉殺其大夫郤錡郤州郤至○楚人滅舒庸 舒庸東夷道吳圍巢（疏）注舒庸東夷道吳圍巢○解云出左氏考諸舊本亦有無此注者

十有八年春王正月晉殺其大夫胥童○庚申晉弒其君州蒲 日者二月庚申日上繫於正月者起正月見幽二月庚申日死也厲公猥殺四大夫臣下人人恐見及以致此禍故日起其事深爲有國者戒也（疏）注日者至申日○解云正以文十八年冬莒弑其君庶其傳云稱國以弑者衆弑君之辭注云一人弑君國中人人盡喜故舉國以明失衆當坐絕也例皆時者略之也然則稱國以弑者例書時而此書日故解之而昭二十七年夏四月吳弑其君僚何氏云月者非失衆見弑故不略是也云云之說在彼知庚申二月日者亦以上十二月丁巳朔言之也去年十二月丁巳朔則知今年二月丙辰朔也何者以長曆推之今年正月小故也二月丙辰朔數之丁巳戊午己未庚申則庚申爲二月五日矣正月之中寧得有之乎故知庚申二月日也○注上繫于正月至日死也○解云春秋說云厲公猥殺四大夫臣下人人恐見及正月幽之二月而死是也○注厲公猥殺四大夫者解云即去年殺三郤是歲殺胥童是也 ○齊殺其大夫國佐○公如晉○夏楚子鄭伯伐宋○宋魚石復入于彭城 不書叛者楚爲魚石伐取彭城以封之本楚以封魚石復本繫于宋言復入者不與楚專封故從犯君録之主書者其專封○復入扶又反注同爲于僞反下爲失同（疏）注不書叛者至其意也○解云如此注者欲决昭二十一年宋華亥向寧華定自陳入于宋南里以畔之文故也○注楚以至君録之○解云桓十五年傳云復入者出無惡入有惡故言從犯君録之何者魚石出時直爲與山有親更無實罪故曰出無惡也今依楚而入故爲入惡從犯君録之○注主書者至專封○解云言楚子伐宋下即言魚石復入于彭城是起其專封之義以起其專封者正欲責楚之故也 ○公至自晉○晉侯使士匄來聘 匄古害反 ○秋杞伯來朝○八月邾婁子來朝○築鹿囿 何以書譏何譏爾有囿矣又爲也 刺奢泰妨民天子囿方百里公侯十里伯七十里子男五十里皆取一也○鹿囿音又（疏）注天子囿至取一也○解云孟子文司馬法亦云也 ○己丑公薨于路寢○冬楚人鄭人侵宋○晉侯使士彭來乞師 ○士彭二傳作士魴襄十二年同 ○十有二月仲孫蔑會晉侯宋公衛侯邾婁子齊崔杼同盟于虛朾 不日者時欲行義爲宋誅魚石故善而爲信辭或盟略○杼直呂反虛朾起魚反下勑丁反 ○丁未葬我君成公

監本附音春秋公羊註疏成公卷第十八

成十八年

監本春秋公羊註疏襄公卷第十九 起元年盡十一年

何休學

元年春王正月公即位。仲孫蔑會晉欒黶
宋華元衛甯殖曹人莒人邾婁人滕人薛人
圍宋彭城宋華元曷為與諸侯圍宋彭城 據晉
趙鞅以地正國加叛文今此无 疏 注據晉至問之。解云
加叛文故問之。殖市力反 即定十三年秋晉趙鞅
入于晉陽以叛冬晉荀寅及士吉射入于朝歌以叛晉趙鞅
歸于晉傳云此叛也其言歸何注云據叛與出入惡同以地
正國也又注云軍以井田立數故言以地傳又云其以地正
國奈何晉趙鞅取晉陽之甲以逐荀寅與士吉射荀寅與士
吉射者曷為者也君側之惡人也此逐君側之惡人曷為以
叛言之无君命也注云无君命者操兵鄉國故初謂之叛后
知其意欲逐君側之惡人故錄其釋兵書歸故之君子誅意
不誅事今華元與諸侯操兵鄉國而不加叛文故難之云宋
華元曷為與諸侯圍宋彭城而不加叛文與趙鞅異乎然則
趙鞅以采地之兵逐君側之惡人以正其國其意既善而春
秋必加叛文者正以人臣之義本无自專之道若其許之恐
惡逆之臣外託興義之兵內有覬覦之意是以雖為善不得
與之 為宋誅也 故華元无惡文。為宋于偽反下為宋楚為并注同 疏 注故華元无惡文。
解云雖云操兵鄉國但稟宋公之命與諸侯之
師逐去叛人以衛社稷春秋善之故无惡文也 其為宋誅
奈何魚石走之楚楚為之伐宋取彭城以封
魚石魚石之罪奈何以入是為罪也 說在成十八年書者
善諸侯為宋誅雖不能誅猶有屈彊臣之助 疏 注說在成十八年。解云即成十五
至魚石。解云即成十八年夏楚子鄭伯伐宋宋魚石復入
于彭城是也。以入是為罪也。解云言魚石於成十五年
初出之時直是與山有親恐見及是以辟而去非其大罪也
至成十八年外託鄭楚之兵以伐取君邑遂居彭城與君相
拒失人臣之義非順行之道故曰以入是為罪也。注說在
成十八年。解云即謂成十八年經具說楚子鄭伯伐宋宋

魚石復入于彭城之事言上辛楚鄭伐宋下即言魚石復
入者出无惡之文明其出奔楚時非其罪也但向託楚師
伐取彭城為大惡故此傳云以入是為罪矣非謂成十八年
更有解注。注書者至之助。解云傳云為宋誅而知不能
誅者正以助其君討叛臣義之高者若能誅之理應在見似
若昭四年經書執慶封殺之今但言圍而无殺文故知不能
誅雖不能誅尤有屈魚石之助
是以春秋書之善其為宋誅矣 楚已取之矣曷為繫
之宋 據莒人伐杞取牟婁後莒 疏 注據至繫杞。解云
牟夷以牟婁來奔不繫杞 莒人伐杞取牟婁在
隱四年春其后來奔者即昭五年夏
莒牟夷以牟婁及防茲來奔是也 不與諸侯專封也
故奪繫于宋使若宋邑者 疏 注故奪至邑者。解云案僖
楚救不書者從封內兵也 二年春王正月城楚丘傳云
不與諸侯專封也然則不與諸侯專封取事一也所以或繫
於宋或不繫於衛者彼以衛國已滅故无所繫不言桓公城
之者不與諸侯專封故也今此魚石受楚之封入邑而叛昪
以奪而繫國以示不成然則不與之言雖同其不與之理實
異是以齊侯封衛春秋實與楚封魚石繫宋以抑之云云之
說在僖二年。注楚救至兵也。解云經傳无文而知楚救
者正以楚人去年封之故也楚人是時并兵于魚石魚石之
叛抑而不成今華元討之即是宋國封內之兵也封內之兵
例所不錄是以楚救魚石不得書之知封內之兵例所不錄
者正以定公八年傳云公斂處父帥師而至經不書之是也
若然哀三年衛石曼姑帥師圍戚亦是封內之兵而得書者
彼以国夏為伯討是以得書故彼傳云齊國夏曷為與石曼
姑帥師圍戚伯討也然則春秋不與蒯聵之直故令國夏得
討之国夏得討之則非封內之兵也今此魚石不成叛是以
與彼
異也。夏晉韓屈帥師伐鄭。仲孫蔑會齊崔
杼曹人邾婁人杞人次于合 刺欲救宋而后不能
也知不救鄭者時鄭
背中国不能救不得刺 疏 注夏晉韓屈。解云左傳穀
于合二傳作鄫 鄫背音佩 梁屈作厥字也。次于合者
左氏合作鄫字也。注刺至得刺。解云知如此者正以莊
三年冬公次于郎傳云其言次于郎何刺欲救紀而后不能
也今此下文即有楚人侵宋言次于合譬人在其間故知亦
彼宜同闕亦是初欲救宋而後不能畢以春秋書其止次一
之。秋楚公子壬夫帥師侵宋。九月辛酉天

王崩。邾婁子來朝。冬衛侯使公孫剽來
為天子身服斬衰三年是以曾子問云諸侯相見揖讓而入
聘。剽匹妙反。晉侯使荀罃來聘【疏】九月辛酉至來聘。解云諸侯
門不得終禮廢者幾孔子曰六請問之曰天子崩大廟火日
食后夫人之喪雨霑服失容則廢然則天王九月崩而四國
得行朝聘禮者杜氏云辛酉九月十五冬者十月初也天王
崩赴未至皆未聞喪故各得行朝聘之禮是也若然則四國
行朝聘之時王之赴告未至於魯經書天王崩得在朝聘之
上者公羊之義據百二十國寶書案
而為經雖四國未知何妨先書乎
二年春王正月葬簡王【疏】注二年至簡王。解云
崩不記葬必其時也而此書者即文公九年傳云不及時書
過時書我有往者則書彼注云謂使大夫往也然文公不自
往故書葬以起大夫會之然則簡王去年九月崩
至今年正月但始五月矣所謂不及時是以書之。鄭師
伐宋。夏五月庚寅夫人姜氏薨。六月庚
辰鄭伯睔卒【疏】注不書至伐喪。解
卒不書其葬非止一義而已或諱背殯用兵或譏其篡或刺
不討賊狂殺大夫案此鄭伯襄公之子繼嗣為君復非篡立殺
成十五年即位以來未有罪惡之事所以其不書葬者不為上
事明也而下文云冬仲孫蔑會晉荀罃以下云云于戚遂城
虎牢傳云虎牢者何鄭之邑也其言城之何取之也取之則
曷為不言取之為中國諱也曷為為中國諱諱伐喪也然則
既不為上事下即有諱伐喪之文則知
不書葬者正為諸侯諱其伐喪故也。晉師宋師衛
甯殖侵鄭。秋七月仲孫蔑會晉荀罃宋
華元衛孫林父曹人邾婁人于戚。己丑葬
我小君齊姜齊姜者何齊姜與繆姜則未知
其為宣夫人與成夫人與齊姜者宣公夫人九年繆姜者成公夫人也傳家依
違者襄公服繆姜喪未踰年親自伐鄭有惡
故傳從內義不正言也。繆音穆人與音餘【疏】。解云欲

言成毋謚不言宣欲言成妻與成謚別故執不知問。注齊
姜至正言也。解云左氏以齊姜成公夫人繆姜宣公夫人
而何氏不然者正以齊姜先薨多是姑繆姜後亡宜為婦
實無以據以順言之也且九年襄公伐鄭不書其至若非
毋不應畏之至此矣言襄公服繆姜喪未踰年親自伐鄭者
即襄九年五月辛酉夫人姜氏薨秋八月癸未葬我小君繆
姜冬公會晉侯以下伐鄭是也然則襄公毋死未期已為兵
首無恩之甚是故為諱若為祖差輕可言是以彼注云不致
者惡公服繆姜喪未踰年親自伐鄭故尊臣子辭是也舊云
傳言惡襄公喪服用師故以祖為親母所以甚責內是以何
氏順傳文也者非也公羊之義口授相傳五世以後方著竹
帛是以傳家數云無聞焉以亦此言之容或未審止作公羊
頗桓公九年曹世子射姑向故也案桓公九年冬曹伯使其
氏實不分明何以不得而要知傳序經意依違之者正以文
世子射姑來朝傳云諸侯來曰朝此世子也其言朝何春秋
有譏父老子代從政者則未知其在齊與在曹與注云在齊
者世子光也時曹伯年老有疾使世子行聘禮恐卑故使自
代朝雖非禮有尊厚之心傳見下卒葬詳録故叙經意依
違之也然則彼刺曹世子而傳序經意不正
言之今此文正與彼同故知亦依違言之。孫叔豹如
宋。冬仲孫蔑會晉荀罃齊崔杼宋華元衛
孫林父曹人邾婁人滕人薛人小邾婁人于
戚遂城虎牢虎牢者何鄭之邑也以下戍繫鄭【疏】
虎牢者何。解云欲言鄭邑今不繫鄭欲言他邑有城虎牢
之文執不知問。注以下戍繫鄭者。解云即下十年冬戍
鄭虎牢是其言城之何據外城邑不書【疏】注據外至不書。解云
正以春秋上下無外城
邑之經故也而何氏兼邑言之者正以外城國都亦有書者
是以不得直言據外城國都即城邢城楚丘城緣
陵城成周之屬是也其外城國都雖非常
例要自數數有經是以何氏据邑言之
則曷為不言取之據取牟婁【疏】注取牟婁。解云即隱四年二月莒人伐杞取牟婁
是也為中國諱也曷為為中國諱據莒伐杞取牟婁不為中國諱
○為中于偽反下及注竝同諱伐喪也曷為不繫乎鄭為

中國諱也。大夫無遂事，此其言遂何？歸惡乎大夫也。使若大夫自生事取之者，即實遂但當言取之。○楚殺其大夫公子申。疏 注諱伐喪也 ○解云：考諸古本皆无此注，且與下傳文煩重，若有注者是衍字也。○曷爲爲中國諱 ○解云：正据莒人取邾妻不爲中國諱矣，而何氏不注之者，以上文已据滅牟婁，是以不能重出。曷爲不繫乎鄭者，正据下十年冬戍之時繫鄭也。爲中國諱也者，若繫于鄭，遂有伐喪之義，故云中國諱也。○注即實至取之 ○解云：若實大夫自生事，即非諸侯使之取，是以不勞爲諸侯諱，依實書之亦无傷，故言即實遂但當言取之。

三年春，楚公子嬰齊帥師伐吳。○公如晉。○

夏四月壬戌，公及晉侯盟于長樗。○樗勑居反。公至自晉。盟地者，不于都也。以晉致者，上盟不于都，嫌如晉不得入，故以晉致起之。不別盟得意者，成公比失意如晉，公獨得容盟，得意亦可知。○別彼列反。疏 注盟地至可知 ○解云：文三年冬，公如晉，十有二月己巳，公及晉侯盟，彼不舉地者，以其在國都故也。今此舉長樗，故言不于都矣。云以晉至起之者，昭二十八年春王三月，公如晉次于乾侯，二十九年春，公至自乾侯，居于運，何氏云不致以晉者，不見容于晉，未至晉。然此經上言盟于長樗，今若又言至自長樗，即嫌以次于乾侯，然亦不得入晉都，故以晉致起其文也。云不別至可知者，公與二國以上出會盟，得意致會，不得意不致；公與一國出會盟，得意致地，不得意不致。然則此襄公得與晉侯盟，宜直致地，不致地者，以其可知也。言成公比失意於晉者，即成公十六年秋，公會晉侯以下于沙隨，不見公，傳云前此者晉人來乞師而不與，公會晉侯，將執公，季孫行父曰：此臣之罪也。於是執季孫行父。經又云公會尹子、晉侯以下伐鄭，傳云成公將會晉厲公，會不當期，將執公，季孫行父曰：臣有罪執其君，子有罪執其父，此聽失之大者也。今此臣之罪也，舍臣之身而執臣之君，吾恐聽失之爲宗廟羞也。於是執季孫行父是也。○六月，公會單子、晉侯、宋公、衛侯、鄭伯、莒子、邾婁子、齊世子光。己未，同盟于雞澤。盟下日者，信在世子光也。疏 注盟下至光也 ○解云：言信在於世子光，若如盟曰定否，世子光制之。

然是以下日以近之由，如文十四年注云盟下日者，刺諸侯微弱，信在遂者之類。何氏何以數言信在？正以下十六年傳云諸侯皆在是，其言大夫盟何？信在大夫也。舊解云齊光亢諸侯之禮，晉侯貴致大國，衆人畏之，故卻日以待之，非也。

陳侯使袁僑如會。其言如會何？据曹伯襄言會諸侯，鄫子言會盟。○僑其驕反。疏 注据曹伯襄言會諸侯者，即僖二十八年冬，曹伯襄復歸于曹，遂會諸侯圍許是也。云鄫子言會盟者，即僖十九年鄫子會盟于邾婁是也。後會也。與袁僑盟，又下方殊及之，不直言會盟者，時諸侯不親。疏 注不直至及之 ○解云：若其諸侯親與之盟，宜云公會單子、晉侯以下盟于雞澤，陳侯使袁僑來會盟。正由諸侯不親與之盟，故止得言於會矣。云又下方殊及之者，即下云及諸侯之大夫及陳袁僑盟是也。言下方殊文道及陳袁僑盟，是以此處未勞道會盟。戊寅，叔孫豹及諸侯之大夫及陳袁僑盟。曷爲殊及陳袁僑？据俱諸侯之大夫也。言之大夫者，辟諸侯與大夫皆。爲其與袁僑盟也。陳，鄭楚之與國，陳侯有慕中國之心，有疾，使大夫會諸侯，欲附盟，不復備責，遂與之盟，共結和親，故殊之，起主爲與袁僑盟也。復出陳者，喜得陳國也。不重出地，有諸侯在，臣繫君，故因上地。○爲其于僞反，注同。不復扶又反，下同。重直用反。疏 注陳鄭至國也 ○解云：即宣十一年夏，楚子、陳侯、鄭伯盟于辰陵是也。知有慕中國之心者，正謂使大夫如會是也。且僖八年鄭伯乞盟之下注云：時鄭伯欲與楚，不肯自來盟，處其國，遣使挃取其血而請與之約束，无汲汲慕中國之心，故抑之，使若叩頭乞盟者也；不錄使者，方抑鄭伯，使若自來也。然則鄭伯无慕中國之心，抑言乞盟，又不錄其使，則今不言乞盟，又錄其使，則有慕中國之心明矣。又知有疾者，非直以其不自來，又見下四年三月陳侯午卒矣。云復出陳者喜得陳國也者，欲決成二年及國佐盟于袁婁之經，彼不重言齊，今重言陳者，喜得陳國故也。孔子曰：書之重，辭之復，嗚呼不可不察，其中必有美者焉。是以僖四年傳云曷爲再言盟？喜服楚也。故此注云復出陳者喜得陳也。春秋意必如此者，正以楚人強盛，諸夏微弱，陳侯背楚，故喜得之，所以奪夷狄之勢，益諸夏之榮也。○注不重出地 ○解云：正決襄二十七年夏，叔孫豹會晉趙武、楚屈建以下于宋，秋七月辛巳，豹及諸侯之大夫盟于宋，彼所以再出地者，正以上无君故也。今諸侯在，臣繫於君，故因上地矣。下十六年春，公會晉侯以下于溴梁戊寅大夫盟之下不重出地者亦以爲諸侯在臣下于君得因上地故彼注云不重出地者與三年雞澤大夫盟同義是也○秋公至自會○冬晉荀罃帥師伐許

四年春王三月己酉陳侯午卒○夏叔孫豹如晉○秋七月戊子夫人弋氏薨○弋氏以職反莒女也左氏作姒氏

疏四年至夫人弋氏薨○解云左氏經作姒氏字與此同○定弋者何○解云欲言君母謚不言成欲言是妾卒葬亦見故執不知問

○葬陳成公○八月辛亥葬我小君定弋○定弋者襄公之母也定弋莒女也襄公者成公之妾子○定弋左氏作定姒

疏注定弋至妾子○解云正以鄫世子巫者莒之外孫下五年傳意以爲與襄公爲舅出故知定弋氏爲莒女也

○冬公如晉○陳人圍頓

五年春公至自晉○夏鄭伯使公子發來聘

○叔孫豹鄫世子巫如晉外相如不書此何以書據晉郤克與臧孫許同時而聘于齊不書○巫亡扶反

疏注據晉至不書○解云成二年傳云云者是也然則臧孫許不書者自是恥之故也而郤克聘齊不書之者是外相如例不書故也是以據之若然桓五年夏齊侯鄭伯如紀傳云外相如不書此何以書何氏云據蔡侯東國卒于楚不言如也何氏彼據蔡侯此據郤克者欲逐其相類故也何者彼齊侯鄭伯是君且事不干魯故據蔡侯卒于楚不言如矣此鄫世子巫事非親且叔孫豹率之故據晉大夫與臧孫許俱行者所引譬連類得其象也且其齊鄭如紀州公如曹皆得書者彼文悉有成解

爲叔孫豹率而與之俱也以不殊鄫世子俱言如也○爲于僞反

疏注以不至如也○解云正以不言及鄫世子與叔孫共作一文故知叔孫率之矣

叔孫豹則曷爲率而與之俱據非內大夫蓋舅出也巫者鄫前夫人襄公母姊妹之子也俱莒外孫故曰舅出

疏蓋舅出也者○解云謂巫是襄公舅氏之所出姊妹之子謂之出也言蓋者公羊子不受于師故疑若下傳蓋欲立其出也之類或言此蓋宜訓爲皆若隱三年傳云蓋通于下○蓋云歸哉之類言襄公與巫皆是一男姊妹之子也

莒將滅之故相與往殆乎晉也殆疑疑讞于晉齊人語○讞魚蝎反

莒將滅之則曷爲相與往殆乎晉據當以兵救之取後乎莒也其取後乎莒奈何莒女有爲鄫夫人者蓋欲立其出也時莒女嫁爲鄫後夫人夫人無男有女還嫁之于莒有外孫鄫子愛後夫人而無子欲立其外孫立者善之得爲善者雖撥父之孫救國之滅者可也○仲孫蔑衛孫林父會吳于善稻魯衛不殊衛者晉侯欲會吳于戚使魯衛先通好見使者故不殊蓋起所恥○善稻左氏作善道好呼報反

疏注書者善之○解云六年秋莒人滅鄫然則不能救滅而得善之者雖不能救有言之功故也

○秋大雩先是襄公數用兵圍彭城虎牢三年再會四年如晉踰年乃反又賦歛重恩澤不施所致○數所角反歛力驗反

疏注先是至所致○解云圍彭城在元年春即經云仲孫蔑會晉欒黶以下圍彭城是也其城虎牢者在上二年冬遂城虎牢是也云三年再會者蓋爲三年六月公會單子晉侯以下同盟于雞澤下云戊寅叔孫豹及諸侯之大夫及陳袁僑盟是也雖是一出行頭有二事停車貴速而致旱緣是之故得作然解云四年如晉踰年乃反者即上四年冬公如晉五年春公至自晉是也其元年夏仲孫蔑會齊崔杼以下次于合二年秋叔孫豹如宋冬仲孫蔑會晉荀罃以下于戚於此諸事豈不爲費而注不言之者正以元年與圍彭城二年與城虎牢三年與再會四年與如晉年與一事輔而言之見其致旱之由而已其餘不足與者文略不悉耳其三年再會並與之者以其皆會事可以一言而盡故也

○楚殺其大夫公子壬夫○公會晉侯宋公陳侯衛侯鄭伯曹伯莒子邾婁子滕子薛伯齊世子光吳人鄫人于戚吳何以稱人據上善稻之會不稱人

疏注楚其大夫公子壬夫○解云春秋之內君殺大夫皆至葬時別有罪無罪今其楚之君例不書葬不作殺文以別之者蓋以略夷狄故之也

吳鄫人云則不

疏孔子曰言不順則事不成方以吳抑鄫國列在秭人上以不以順辭故進吳秭人所以抑鄫者經書莒人滅鄫文與巫許巫當存惡鄫文不見見惡必以吳者夷狄尚知父死子繼故以甚鄫也等不使鄫称國者鄫不如夷狄故不得與夷狄同文○惡鄫烏路反不見賢偏反疏莒人滅鄫者在下六年秋其迎秭人以鄫之云又與巫許者即上文世子巫如晉是也許之即合存之義然則上下經皆非鄫咎故曰惡鄫文不見也公至自會○冬戍陳孰戍之諸侯戍之曷爲不言諸侯戍之據下救陳言諸侯疏注據下救陳言諸侯○解云謂下救陳是也離至不可得而序後至也陳坐欲與中國故強楚之害中國宜離然同心救之乃解息前後至故不序以剬中國之无信○剬音制疏注陳坐至无信○解云其與中國者謂欲得與晉侯以下救陳是也故言我也言我者以魯至時書與魯微者同文使若城楚丘辟魯獨戍之戍例時疏注與魯微者同○解云以不載名氏及國文故云與魯微者同文矣云微者同文者使若城楚丘辟魯獨戍之者城楚丘在僖二年彼時亦直言城楚丘作魯微者之文魯之微者焉能獨城乎明其更有餘國是以書月見其非內城今此戍陳之經亦作魯微者之文魯之微者焉能獨戍乎明其更有餘國矣故曰使若城楚丘辟魯獨戍之云戍例時者正以此文直書冬十年冬戍鄭虎牢故知例時也○楚公子貞帥師伐陳○公會晉侯宋公衛侯鄭伯曹伯莒子邾婁子滕子薛伯齊世子光救陳十有二月公至自救陳○辛未季孫行父卒疏十有二月公至自救陳○賈氏云月爲下卒赴其義也

六年春王三月壬午杞伯姑容卒始卒更名日書葬者新黜未忍便略也疏注始卒至略也○解云案僖二十三年冬十有一月杞子卒何於此言始者彼注云卒者桓公

存王者後功尤美故爲表異卒錄之然則傳聞之世小國之卒未合書見非其常例矣至所聞之世始合書卒是以於此言始矣文十三年夏五月邾婁子蘧篨卒宣九年秋八月滕子卒其名日與葬皆未書今此盡錄故解之也言新黜未忍便略也者即莊二十七年冬杞伯來朝注云杞夏後不稱公者春秋黜杞新周而故宋以春秋當新王者以其稟氣朱王聖人攝嗣雖其微弱未忍便略之○夏宋華弱來奔○秋葬杞桓公○滕子來朝○莒人滅鄫莒稱人者從莒无大夫疏注莒稱人者從莒无大夫也言滅者以異姓爲後莒人當坐滅也不月者取後于莒非兵滅疏注不月者○解云凡滅者例書月即莊十年冬十月齊師滅譚十三年夏六月齊人滅遂之屬是也今此非兵滅故書時矣以此言之即知僖二年晉滅下陽僖十年狄滅溫之屬皆蒙上月矣僖十七年夏滅項彼注云不月者桓公不坐滅略小國僖二十六年秋楚人滅夔何氏云不月者略夷狄滅微國也以此言之則知僖十二年夏楚人滅黃文五年秋楚人滅六之屬亦是略之故也其衛人滅邢楚子滅蕭蔡歸生滅沈之屬皆當文自釋不勞備說注據譚子言奔者即莊十年齊師滅譚譚子奔莒是也○冬叔孫豹如邾婁○季孫宿如晉○十有二月齊侯滅萊曷爲不言萊君出奔據譚子言奔○曷爲于僞反國滅君死之正也明國當存不書殺萊君者舉滅國爲重○重直用反疏注不書至爲重○解云欲決定四年四月庚辰蔡公孫歸姓帥師滅沈以沈子嘉歸殺之文也彼注云不舉滅爲重書以歸殺之者責不死位也是也

七年春郯子來朝郯音談○夏四月三卜郊不從乃免牲○小邾婁子來朝○城費費音秘○秋季孫宿如衛○八月螺先是郯小邾婁來朝有賓主之賦加以城費季孫宿如衛煩擾之應○螺音終一音鍾○冬十月衛侯使孫林父來聘壬戌及孫林父盟○楚公子貞帥師圍陳○十

有二月公會晉侯宋公陳侯衛侯曹伯莒子邾婁子于鄬。鄬于委反字林凡吹反鄭伯髡原如會未見諸侯丙戌卒于操。操者何鄭之邑也諸侯卒其封內不地此何以地據陳侯鮑卒不地。髡原若門反左氏作髡頑操七報反一音七南反疏鄭伯髡頑如會者。解云正本作頑字亦有一本作原字非也。左氏作鄬。操者何。解云欲言鄭邑封內不地故言外邑文不繫外故執不知問其鄭字者非正本也。注據陳至不地。解云即桓五年正月甲戌己丑陳侯鮑卒傳曰曷爲以二日卒之㦛也甲戌之日亡己丑之日死而得君子疑焉故以二日卒之是封內卒不地者故據而難之隱之也何隱爾弑也孰弑之其大夫弑之曷爲不言其大夫弑之據鄭公子歸生弑其君夷書。弑也音試下及注皆同疏注據鄭至夷書。解云在宣四年夏六月書者謂書大夫名氏弑爲中國諱也曷爲爲中國諱據歸生弑君不爲中國諱。爲中于僞反下及注皆同鄭伯將會諸侯于鄬其大夫諫曰中國不足歸也則不若與楚鄭伯曰不可其大夫曰以中國爲義則伐我喪據虎牢事疏注據城虎牢者。解云上二年經云遂城虎牢傳云虎牢者何鄭之邑也其言城之何取之也取之曷爲不言取之爲中國諱也曷爲爲中國諱諱伐喪也是也以中國爲彊則不若楚言楚圍陳不能救。彊音彊疏注言楚至能救。解云即上文云楚公子貞帥師圍陳終無救文是也於是弑之禍由中國無義故諱使若自卒。既由音禍鄭伯髡原何以名據陳侯如會不名疏注據陳至不名。解云即僖二十八年五月公會晉侯以下于踐土陳侯如會是也傷而反未至乎舍而卒也舍昨日所舍止處也以操定邑知傷而反也未見諸侯尚往舍知未至舍也云亦者言有保辜諸侯卒名故於

如會名之明如會時爲大夫所傷以傷辜死也君親無將見辜者辜內當以弑君論之辜外當以傷君論之。○辜古盧反見辜賢編反疏注以操定邑知傷而反也者。解云正以操是鄭邑操本去鄭弥遠是以知其見傷而返。注未見諸侯至舍也者。解云凡言未見者有欲見之理知尚往辭若其迴還至舍便說未見之義經不應得言未見故如此解。注君親無將。解云莊三十二年傳云君親無將將而必誅故此注引之其弑君論之者其身梟首其家執之其傷君論之其身斬首而已罪不累家漢律有其事然則知古者保辜者亦依漢律律文多依古事故知然也未見諸侯其言如會何致其意也鄭伯欲與中國意未達而見弑故養遂而致之所以達賢者之心疏未見諸侯其言會何。解云上陳侯如會故據未見而難之言未見諸侯而言如會哀愍如會之善皆是至會今鄭伯既陳侯逃歸起鄭伯欲與中國其禍諸侯莫有恩痛自疾之心於是懼然後逃歸故書以刺中國之無義加逃者抑陳侯也孔子曰夷狄之有君不如諸夏之亡不當昔也。昔昔[illegible]

八年春王正月公如晉月者起鄭之會鄭伯以弑陳侯逃歸公獨循禮於大國得自安之道故書錄之。以殺音試夏葬鄭僖公賊未討何以書葬爲中國諱也據順事上使若無賊然不月者本實當去葬責臣子故不足也。爲中于僞反去起呂反疏賊未討何以書葬。解云正以隱十一年傳云春秋弑君賊不討不書葬以爲無臣子也是以弟子據而難之。注不月者。解云本實當去葬責臣子故不足也者正以卒日葬月達於春秋大國之例今鄭爲大國不月故如此解○鄭人侵蔡獲蔡公子燮此侵也其言獲何據宋師敗績獲宋華元戰乃言獲也。燮素協反疏獲蔡公子燮者穀梁作公子濕。注據宋至獲也。解曰即宣二年春宋華元帥師及鄭公子歸生帥師戰于大棘宋師敗績獲宋華元是也公羊之義以爲猶者曰侵故如此解侵而言獲者適得之也時適遇值其不備獲得之易不言取之者封內兵不書嫌如子糾取一人故言獲起有兵也又將兵欲難不明候伺雖不戰鬭當坐獲。易以豉反難乃旦反伺音司又息嗣反疏注易不言取之者。解云春秋之義取爲易辭故隱十年鄭伯伐取之傳云其言伐取之何易

地者是春秋之義封内之兵例不書之故定八年傳云公斂處父帥師而至雖不書之是也莊九年齊人取子糾殺之者是取一人之文凡言獲者用兵之文即獲宋華元獲陳夏齧之輩是也然則此傳言適得之即是易之甚者所以不言取之者其人是時將兵拒鄭但未至鬬戰封内之兵例所不書既不得書有蔡師若言鄭人侵蔡取公子燮則嫌如莊九年齊人取子糾殺之然但取一人而已故言獲起其文是時亦將兵來云人將兵鄭雖不明何嫌雖不戰鬬當坐獲者以謂蔡公子燮當以被獲爲坐罪何者以其於守禦之道不足故也○季孫宿會晉侯鄭伯齊人宋人衛人邾婁人于邢丘邢丘音刑○公至自晉○莒人伐我東鄙○秋九月大雩由城費公比出會如晉莒人伐我動擾不恤民之應疏注由城至之應○解云城費在七年夏也公比出會者即五年冬公會晉侯以下救陳七年十二月公會晉侯以下于鄬是也如晉者即今年正月公如晉是也莒人伐我者即今年夏莒人伐我東鄙是也或者公比出會者即七年公會晉侯以下于鄬今年季孫宿會晉侯以下于邢丘是也然則季孫宿會而言公比出會者略舉以言之是以不復別也○冬楚公子貞帥師伐鄭○晉侯使士匄來聘

九年春宋火曷爲或言災或言火大者曰災小者曰火大者謂正寢社稷宗廟朝廷也下此則小矣災者離本辭故可以見火○宋火二傳作宋災離力智反見賢偏反疏言火者○解云左傳穀梁作宋災曷爲或言災者莊二十年夏齊大災襄三十年宋災之類是○大者曰災小者曰火○解云五行書云害物爲災不害物爲異者謂雹霜冰旱螟螽之屬非謂火害與否與此非妨矣○注災者至見火○解云本實是火而謂之災離其本辭故曰離本辭災者害物之名故可以見其大於火也然則何氏以爲春秋之義不訟人火火者皆是天害也但害於大物則言災害於小物則言火且不如左氏人火曰火故如此注所以然者正以春秋之義重於天道略於人事人火之難何足記也然則内何以不言火據西宮災不言火疏注據西至言火○解云即僖二十年夏五月乙巳西宮災傳云西宮者何小寢也彼注云西宮者小寢内室楚女所居也以其非正寢社稷宗廟朝廷故謂之小君然桓十四年秋八月壬申御廩災亦應是小所以不據之者以其御廩於宗廟之物於小義不強豈似西宮爲小寢内室乎内不言火者甚之也春秋以内爲天下法動作當自克責故小有火如大有災何以書記災也外災不書此何以書爲王者之後記災也是時周樂已毁先聖法度浸疏遠不用之應○爲王于僞反浸子鴆反疏外災不書○解云莊十一年秋宋大水之下傳云外災不書此何以書注云據鄰國不書是也○爲王者之後記災也○解云春秋之義詳内而略外是以外災例不録而書皆書文又皆有傳釋不勞備載也○注是時至之應○解云宣十六年夏成周宣謝災傳云成周者何東周也宣謝者何宣宮之謝也彼注云宣宮周宣王之廟傳云何言乎成周宣謝災樂器藏焉爾注云宣王中興所作樂器天災中興之樂器示周不復興是也然則宣公十六年時周樂已毁而宋是王者之後先聖法度所存今復災之是法度浸疏遠不用之應也夏季孫宿如晉○五月辛酉夫人姜氏薨○秋八月癸未葬我小君繆姜○冬公會晉侯宋公衛侯曹伯莒子邾婁子滕子薛伯杞伯小邾婁子齊世子光伐鄭十有二月己亥同盟于戲事連上伐不致者惡公服繆姜喪未踰年而親伐鄭故奪臣子辭○戲許宜反惡烏路反疏注事連至子辭○解云莊六年傳得意致會不得致伐者謂公與二國以上會伐並有之時若公與二國以上出會盟得意致會不得意不致也然則今此若直同盟于戲而已容或不致今事連上伐若其得意宜致會若其不得意宜致伐無不致之理而今不致者惡其服喪未期親自用兵不子之甚故不書致言奪臣子辭者正以凡書致者皆是臣子喜其君父脱危而至今不書致似若不脱然故曰奪臣子辭楚子伐鄭

十年春公會晉侯宋公衛侯曹伯莒子邾婁子滕子薛伯杞伯小邾婁子齊世子光會吳

于柤。柤莊加反。夏五月甲午遂滅偪陽。偪音福又彼力反
疏 遂滅偪陽。解云左氏經作偪字音夫目反一音逼近
之逼而南州人云道仍有偪陽之類如逼近之偪矣
公至自會。滅日者甚惡諸侯不崇禮義以相安反遂為
不仁開道彊夷滅中國中國之禍連蔓日及
故疾録之滅比于取邑例不當書曾書致者深諱君公與上
會不與下滅。惡烏路反道音導蔓音萬公與音預下同
疏 注滅日至下滅。解云凡滅例月即莊十年冬十月齊
師滅譚十三年夏六月齊人滅遂之屬是今乃書日故
如此解也言反遂為不仁者則此經遂滅偪陽是也云開道
強夷者昭八年夏楚人執陳行人干徵師殺之冬十月壬午
楚師滅陳執公子招放之于越殺陳孔瑗十一年夏四月丁
巳楚子虔誘蔡侯般殺之于申楚公子棄疾帥師圍蔡冬十
有一月丁酉楚師滅蔡執蔡世子有以歸用之三十年冬十
有二月吳滅徐徐子章禹奔楚定十四年楚公子結帥師滅
頓以頓子牄歸十五年春楚子滅胡以胡子豹歸之屬皆是
強夷迭害諸夏故言連蔓日及是以變例書日疾而録之云
滅比云云者春秋之義士書致者正欲別其得意以不故莊
六年傳曰得意致會不得意致伐是也若取邑例不書致所
以然者取得他邑得意明矣何勞書致以見之乎是以僖三
十三年夏公伐邾婁取叢何氏云取邑不致者得意可知例
是也然則滅得他國義如取邑故曰滅比取邑亦不
當致而致之者深為內諱使若公不與滅事故也。○楚
公子貞鄭公孫輒帥師伐宋。晉師伐秦。
秋莒人伐我東鄙。公會晉侯宋公衛侯曹
伯莒子邾婁子齊世子光滕子薛伯杞伯小
邾婁子伐鄭。冬盜殺鄭公子斐公子發公
孫輒。不言其大夫者降從盜故與盜同文。斐芳尾反左氏作騑
疏 冬盜殺云云。解云凡春秋之
事君殺大夫稱國即僖七年鄭殺其大夫申侯之屬是也大
夫相殺稱人即文九年晉人殺其大夫先都之屬是也今此
士殺其大夫故言盜矣是以文十六年傳云大夫弒君稱名
氏賤者窮諸人注云賤者謂士也士正自當稱人大夫相殺
稱人賤者窮諸盜注云降大夫使稱人降士使稱盜者所以
別死刑有輕重也者是其士殺大夫稱盜之義也。注不言
其至同文。解云士正自當稱人宜言鄭人殺其大夫某甲
今不言其大夫者正以士既降從盜故與盜同文也其盜殺
者即哀四年春盜弒蔡侯申傳云弒君賤者窮諸人此其稱
盜以弒何賤乎賤者也賤乎賤者孰謂謂罪人也彼注云罪
人者未加刑也蔡侯近罪人卒逢其禍故以為人君深戒不
言其君者方當刑放之與刑人義同然則盜殺蔡侯申不言
其君今此士殺大夫降之言盜亦不言其大夫與實盜同故
云降從盜故與盜同文也而哀四年注云當刑放之與刑人
義同者襄二十九年夏五月閽弒吳子餘祭傳云閽者何門
人也注云以刑人為閽非其人故變盜言閽君子不近刑人
近刑人則輕死之道也注云不言其君者公家不畜士庶不
友放之遠地欲去聽所之故不繫國不繫國故不言其君然
則刑人所止不常礙居君故出奔任其所願由此之故不合
繫國既不繫國則君臣義盡是以春秋去君父以見之其殺
蔡侯者由未加刑而亦不言其君
者方當刑放故與刑人同義也。○戍鄭虎牢。孰戍
之諸侯戍之。曷為不言諸侯戍之。離至不可
得而序故言我也。剌諸侯既取虎牢以為蕃蔽不能離然同心安附之。○爲蕃方元反
疏 戍鄭虎牢云云。解云五年陳戍之下已有傳而後發
者蓋嫌國邑不同故也注既取虎牢者即二年冬遂城
虎牢傳云虎牢者何鄭之邑也其言城之何取之也取之曷
為不言取之為中國諱也曷為為中國諱諱伐喪也是也
諸侯已取之矣曷為繫之鄭。據莒牟夷以牟婁來奔本杞之邑不繫于杞
疏 注據莒至于杞。解云即昭五年莒牟夷以牟婁
及防茲來奔是也云本杞之邑即隱四年二月莒
人伐杞取牟婁是也諸侯莫之主有故反繫之鄭。諸侯本无利虎牢之
心欲共以距楚爾无主有之者故不當坐取邑故反繫之鄭
見其意也所以見之者上諱伐喪不言取今剌戍之𧃶緩嫌
於義反故正之云尒。諸侯莫之主有絕句見其賢偏反下同
疏 注所以見之者。解云上諱伐喪不言取者即
二年冬遂城虎牢傳云云是也不言取諱之似不合取既
取戍之紓緩即不合剌而今剌之義似違是以春秋繫之
於鄭見无主有明欲拒楚實无貪利即諸
侯取之不合罪坐也故云不當坐取邑耳。○楚公子貞
帥師救鄭。○公至自伐鄭。

十有一年，春，王正月，作三軍。三軍者何？三卿也。爲軍置三卿官也。卿大夫爵號大同小異，方據上卿道中下，故摠言三卿。○爲軍，于偽反，年末同。

(疏)作三軍。○解云：公羊以爲王官之伯宜半天子，乃有三軍，魯爲州牧，但合二軍，司徒、司空將之而已。今更益司馬之軍，添滿三軍，是以春秋書而譏之，故曰作三軍。是以隱五年注「禮，天子六師，方伯二師，諸侯一師」是其一隅也。何氏之意以軍與師得爲通稱，而臨時名耳，是以或言軍，或言師，不必萬二千五百人爲軍也。○三軍者何。○解云：欲言先有，不應言作；欲言先无，軍是常設，故執不知問。○注爲軍至官也。○解云：魯人前此止置司徒、司空以爲將，下各有小卿二人輔助其政。其司馬事省，蓋摠監而已，故但有一小卿輔之。今更置中軍司馬將之，亦置二小卿輔助其政，故曰爲軍置三卿官也。然則問者云三軍者何，師荅之云三卿也者，謂言作三軍者，正是致司馬之職，三卿之官爲軍將也。○注卿大至小異。○卿大夫者，皆是爵號，但大同小異而已。若摠而言之，皆曰卿大夫；若别而異之，乃貴者曰卿，賤者曰大夫耳。而此注者，欲道一卿二大夫所以摠名三卿之意也。○注方據至三卿。○解云：言卿與大夫析而言之，其實有異，而皆謂之卿者，方據上卿言其中下者，遂得卿稱，故得通言三卿也。其二小卿謂之中下者，蓋二者相對，有尊卑，若似大司馬敘官云「大司馬卿一人，小司馬中大夫二人，軍司馬下大夫」然。

作三軍何以書？欲問作多書乎，作少書乎，故復全舉句以問之。○復，扶又反。

(疏)注欲問至問之。○解云：欲道所以不直言何以書而舉作三軍者，弟子之意欲問春秋之義，書其作三軍者，爲是嫌其作軍大多而書乎，爲是嫌其大少而書乎，故復全舉經文一句軍之頭數問之。若直言何以書，但問王書，无以見其數，故言此也。

譏。何譏爾？古者上卿、下卿、上士、下士。說古制司馬官數。古者諸侯有司徒、司空，上卿各一，下卿各二；司馬事省，上下卿各一，上士相上卿，下士相下卿，足以爲治。襄公委任強臣，國家内亂，兵革四起，軍職不共，不推其原，乃益司馬，作中卿官，踰王制，故譏之。言軍者，本以軍數置之。月者，重録之。○省，所景反。相，息亮反，下同。治，直吏反。共音恭。

(疏)注說古制。○解云：言古者司馬一官，但上卿一人，下卿一人，上士一人，下士一人而已。所以尓者，以其事省，不作軍將故也。○注古者至爲治。○解云：何氏之意，知古者但有司徒、司空典事者，正以詩云「乃召司空，乃召司徒」，不見司馬，故知司馬事省，摠監而已。然則司徒卿一人，其大夫二人；司空卿一人，其大夫二人；司馬卿一人，其大夫一人，所謂諸侯之制三卿五大夫矣。云襄公委任強臣者，謂三家季孫宿之徒是也。云國家内亂者，謂舉事不由君命，即下十二年遂入運之屬是也。云乃益司馬作中卿官踰王制故譏之者，言乃益司馬，謂添益其職内，作中卿官者，謂於司馬内更作一卿官，尊于小卿，故曰作中卿官也。言踰王制者，謂過于先王舊制。云言軍者本以軍數置之者，其實置中卿而言作三軍者，言本所以置此中卿官者，正欲令助司馬爲軍將，將三軍，故曰本以軍數置之。云月者重録之者，此事无例，不可相决，但言重失禮，故詳言之。

○夏，四月，四卜郊，不從，乃不郊。成公下文不致，此致者，襄公但不免牲尓，不懟，无所起。○懟，直類反。

(疏)注成公至所起。○解云：成十年夏四月，五卜郊，不從，乃不郊，傳云「其言乃不郊何？不免牲，故言乃不郊也」。下云五月公會晉侯以下伐鄭，注云「不致者，成公數卜郊不從，怨懟，故不免牲，不但不免牲而已，故奪臣子辭以起之」者，是其成公下文不致之文也。今何氏難明前義，故令上下相曉也。

○鄭公孫舍之帥師侵宋。公會晉侯、宋公、衛侯、曹伯、齊世子光、莒子、邾婁子、滕子、薛伯、杞伯、小邾婁子伐鄭。○秋，七月，己未，同盟于京城北。○京城北，左氏作亳城北。

(疏)同盟于京城北。○解云：穀梁與此同，左氏經作亳城北，服氏之經亦作京城北，乃與此傳同之也。

公至自伐鄭。○楚子、鄭伯伐宋。○公會晉侯、宋公、衛侯、曹伯、齊世子光、莒子、邾婁子、滕子、薛伯、杞伯、小邾婁子伐鄭，會于蕭魚。此伐鄭也，其言會于蕭魚何？据伐鄭常難，公有詳録之文。○難，乃旦反。

(疏)注据伐至之文。○解云：謂以上伐鄭，多以伐致，作不得意之文，故曰常難。今有詳録之文者，謂録其會蕭魚，并下文公至自會之屬是也。

蓋鄭與會爾。中國以鄭故，二年之中五起兵，至是乃服，其後无干戈之患二十餘年，故喜而詳録其會，起得鄭爲重。○與音預。

(疏)注中國至爲重。○解云：即上文九年冬，公會晉侯以下伐鄭同盟于戲一也十年秋公會晉侯以下伐鄭二也冬戍鄭虎牢三也今年公會晉侯以下伐鄭同盟于亳城北四也會蕭魚是則五矣故曰三年之中五起兵耳云至是乃服者非直鄭人與會下文公以會致亦是其服文矣云其後无干戈之患二十餘年者謂鄭之從晉不復伐之不謂不伐餘國即下十四年夏叔孫豹會晉荀偃以下伐秦十八年公會晉侯以下同圍齊之屬是言二十餘年謂不滿得三十年至昭公之時屬楚也陳蔡蠻夷內侵乃是諸夏之患故言此

公至自會。

楚人執鄭行人良霄。霄音消。

冬秦人伐晉。爲楚救鄭

（疏）注爲楚救鄭。解云爲楚救鄭之義出左氏傳矣

監本春秋公羊註疏襄公卷第十九

監本春秋公羊註疏襄公卷第二十　起十二年盡二十四年

何休學

十有二年春王三月莒人伐我東鄙圍台邑不言圍此其言圍何伐而言圍者取邑之辭也伐而不言圍者非取邑之辭也外取邑有嘉惡當書不直言取邑者深恥中國之無信也前九年伐得鄭同盟于戲楚伐鄭不救卒爲鄭所背中國以弱蠻荊以強兵革亟作蕭魚之會服鄭最難不務長和親復相貪犯故諱而言圍以起之月者加責之。台他來反又音臺背音佩亟去冀反難乃旦反長丁丈反

（疏）傳邑不言圍。解云隱五年冬宋人伐鄭圍長葛傳云邑不言圍注云據伐於餘邑不言圍也今此不注者從彼可知矣。注外取至責之。解云九年外取邑有所嘉有所惡皆當書見昭二十五年冬齊侯取運傳云外取邑不書此何以書爲公之也彼注云爲公取運以居公善其憂內故書者是其有嘉而書也宣元年六月齊人取濟西田傳云外取邑不書此何以書所以賂齊也曷爲賂齊爲叔子赤之賂也注云子赤齊外孫宣公篡弑之恐爲齊所誅爲是賂之故諱使若齊自取之者月者惡內甚於邾婁子益者是其有惡書也故言外取邑有嘉惡當書也然則外取魯邑有所嘉有所惡當書取今亦有所惡亦以不直言取邑而言圍者深恥中國之無信故也云前九年伐得鄭知九年伐得鄭者以上言公會晉侯以下即言同盟于戲是其伐得之也言楚伐鄭不救者即下文楚子伐鄭經無救鄭之文是也言卒爲鄭所背者即十一年夏楚公子貞鄭公孫輒帥師伐宋是其背諸夏之文云兵革亟作者即前年注云三年之中五起兵是也云蕭魚之會服鄭最難者正以三年之中五起兵然後得之直會于蕭魚鄭人與會而已經無同盟之文莒人伐我東鄙圍台之經爲文不止以此傳亦常文釋之云故知服鄭最難矣云故諱而言圍以起之者不直言取而諱之言圍作無所嘉惡之文者欲以起禍深不可言故也知此伐而言圍者取邑之辭也伐而不言圍者非取邑之辭也下十五年夏齊侯伐我北鄙圍成十七年秋齊侯伐我北鄙圍洮齊高厚帥師伐我北鄙圍防之屬皆從此文而不釋故知常文明矣若此是義之經至齊高厚之下傳當解之云月者加責之者欲道下十七年秋齊侯伐我北鄙圍洮及高厚圍

十二年

屬皆不書月故知此特月加而責之故也而十五年圍成之下注云俱紀蕭魚此不月十二年月者殊始可知者正以去此勢近故令從此義十比年者差遠故不復解之 ○季孫宿帥師救台遂入運入運者討叛也封內兵書者爲遂舉討叛惡遂者得而不取與不討同故言入起其事。疏注入運討叛也。解云昭元年三月取運運者何內之邑也其言取之何不聽也何氏云不聽者叛也不言叛者爲內諱故書取以起之然則運者是內邑而季孫入之故知討叛也。注封內兵書者爲遂舉。解云春秋之義封內之兵例所不書即定八年傳云公斂處父帥師而至經不書之是也今書救台與入運者爲惡季孫之遂是以舉之。注討叛至其事。解云春秋之義大夫出竟有可以安社稷利國家者專之可也然則討叛之事可以容其專之而惡其遂者正以得而不取與不討莫異知得而不取者正以經書入故也是以襄二年夏莒人入向之下傳云入者何得而不居也案下注云季孫宿遂取鄆以自益其邑然則此言得而不取者謂雖得運不取以入國家非謂全不取也言故書入起其事者以起其不取運以入國家之事也 大夫無遂事此其言遂何公不得爲政爾特公微弱政教不行故季孫宿遂取鄆而自益其邑疏 大夫無遂事云云。解云莊公十九年公子結之下已發此傳今此復言之者嫌討叛不惡遂故明之。注季孫宿至其邑。解云遂者專事之辭言季孫自專取鄆故言遂取鄆也知以自益其邑者正以討叛邑而不入國家故知以自益其邑也。○夏晉侯使士彭來聘。○秋九月吳子乘卒至此卒者與中國會同本在楚後賢季子因始卒其父是後亦欲見其迭爲君卒皆不日吳遠于楚。迭大結反。疏夏晉侯使士彭來聘。解云考諸正本皆作士鮒字若作士彭者誤矣。注至此至其父。解云案宣十八年秋楚子旅卒而吳至是乃書卒者正以與其中國會同本在楚後是以春秋略之不書卒但因季子之賢乃始卒其父矣僖十九年冬會陳人蔡人楚人鄭人盟于齊二十一年春宋人齊人楚人盟于鹿上秋宋公楚子陳侯以下會于霍成十五年冬叔孫僑如會晉士燮以下會吳于鍾離然則於傳聞之世楚人數與中國會同至所聞之世吳人乃會故云與中國會同本在楚後也亦賢季子乃始卒其父者正以吳子乘不慕諸夏會大晚理自略之今得書卒問其有因是以二十九年夏吳子使札來聘之下傳云吳無君無大夫此何以有君有大夫賢季子也何賢乎季子讓國也賢季子則吳何以有君有大夫以季子爲臣則宜有君者也札者何吳季子之名也春秋賢者不名此何以名許夷狄者不壹而足也季子者所賢也曷爲不足乎季子許人臣者必使臣許人子者必使子也然注云緣臣子尊榮莫不欲與君父共之故不足乎季子所以隆父子之親也以此言之則知由賢季子卒其父也。注吳後至爲君。解云今書其父卒亦欲見其四子迭爲君之義故也襄二十九年傳云其讓國奈何謁也餘祭也夷昧也與季子同母者四季子弱而才兄弟皆愛之同欲立之以爲君謁曰今若是迮而與季子國季子猶不受也請無與子而與弟弟兄迭爲君而致國乎季子皆曰諾故諸爲君者皆輕死爲勇飲食必祝曰天苟爲君之事。注卒皆不日吳遠於楚。解云言皆不日者即此文書九月下二十五年冬十二月吳子謁伐楚門于巢卒昭十五年春王正月吳子夷昧卒之屬故云卒皆不日也言吳遠於楚者正以宣十八年秋七月甲戌楚子旅卒下十三年秋九月庚辰楚子審卒之屬皆書日故決之也所以爲吳道接而生恩楚國於諸夏數會同親而邇近之故書其日吳則海隅而與諸夏罕接故皆不日以見其遠也 ○冬楚公子貞帥師侵宋 ○公如晉

十有三年春公至自晉。○夏取詩詩者何邾婁之邑也曷爲不繫乎邾婁諱亟也諱背蕭魚之會亟一取詩二傳作邿邿夫與反注同背音佩疏夏取詩者。解云正本皆作邿字有作詩字者誤。詩者何。解云欲言其國曾來未有欲言其邑又不繫國故執不知問。注諱背至會亟。解云正以上十一年蕭魚之會邾婁在其閒故知此解 ○秋九月庚辰楚子審卒。○冬城防

十有四年春王正月季孫宿叔老會晉士匄齊人宋人衛人鄭公孫蠆曹人莒人邾婁人滕人薛人杞人小邾婁人會吳于向月者危刺諸侯委任大夫交會彊夷臣日以強三年之後君若贅旒然。蠆勑邁反二傳作蠆向舒亮反綴流知銳反又作丁桅反一本作贅

疏 注三年之後君若贅旒然者即下十六年春三月公會晉侯以下于溴梁戊寅大夫盟傳云諸侯皆在是其言大夫盟何信在大夫也何言乎信在大夫徧刺天下之大夫也曷為徧刺天下之大夫君若贅旒然彼注云旒旂旒贅繫屬之辭以旂旒喻者為下所執持東西者也 ○二月乙未朔日有食之 是後衛侯為彊臣所逐出奔溴梁之盟信在大夫 疏 注是後衛至大夫。解云彊臣謂孫甯矣云溴梁之盟信在大夫者在下十六年春鄭已引之訖 ○夏四月叔孫豹會晉荀偃齊人宋人衛北宮結鄭公孫蠆曹人莒人邾婁人滕人薛人杞人小邾婁人伐秦○己未衛侯衎出奔齊 注曰者為孫氏甯氏所逐後甯氏復納之者同當相起故獨日也不書孫甯逐君者孫甯君絕為重見逐說在二十七年○復扶又反 疏 叔孫豹會晉荀偃者。解云舊本作荀偃若作荀者誤○注曰者至日也○解云凡諸侯出奔之例大国月重乖離之小国書時即桓十五年五月鄭伯突出奔蔡昭三年冬北燕伯款出奔齊之屬是也今此書日故須解之為孫氏甯氏所逐者下二十六年傳云衛甯殖與孫林父逐衛侯而立公孫剽是也知後甯氏復納者亦彼傳文甯殖已死其子甯喜納之也云出納之者同當相起故獨日也者欲見其出納之者同故出入皆書見其一家之事其入書日之經即下二十六年二月甲午衛侯衎復歸于衛是也云孫甯君絕為重者謂衎之名見其當從不合為諸侯云見逐說在二十七年者謂下二十七年夏衛侯之弟鱄出奔晉之下傳具道見逐之由也○莒人侵我東鄙○秋楚公子貞帥師伐吳○冬季孫宿會晉士匄宋華閱衛孫林父鄭公孫蠆莒人邾婁人于戚○

十有五年春宋公使向戌來聘 戌音恤 ○二月己亥及向戌盟于劉○劉夏逆王后于齊劉夏者何天子之大夫也劉者何邑也其稱劉何以

渠伯糾繫官。劉夏戶雅反 疏 劉夏者何。解云欲言王臣文不言爵欲言諸侯臣而逆王后故執不知問。劉者何。解云欲言官名經典未有欲言非官與宰咺文相值故執不知問。注據宰渠伯糾繫官者即桓四年夏天王使宰渠伯糾來聘是也。糾 以邑氏也 諸侯入為天子大夫不得氏國稱本爵故以所受采邑氏稱子所謂采者不得有其土地人民采取其租稅爾禮記王制曰天子三公之田視公侯卿視伯大夫視子男元士視附庸子者參見義顧為天子大夫亦可以見諸侯不生名亦可以見爵亦可以見大夫稱傳曰天子大夫是也不稱劉子而名者禮逆王后當使三公故貶去大夫明非禮也○采七代反下謂采同租稅子奴反下爵縱反見義賢徧反下同大夫稱尺證反去起呂反 疏 注諸侯至稱子。解云知劉夏是諸侯入為天子大夫者正以卒葬並書即定四年秋七月劉卷卒葬劉文公是也若直為大夫者假令書卒不錄其葬即文三年夏五月王子虎卒經無葬文是也言不得氏國稱本爵者謂不得氏本國不得稱本爵也其本國本爵今文無說不可以指知也言故以所受采邑氏稱子者即劉子尹子單子之屬是也言其常文然不謂此經得稱子矣記至附庸。解云公羊之義天子圻內不封諸侯故如此解即引王制以證之與左氏穀梁之義異若然案王制下文云天子之縣內方百里之國九七十里之國二十有一五十之國六十有三凡九十三國名山大澤不以盼其餘以祿士以為間田鄭氏云大國九者三公之田三為有致仕者副之以六也其餘三待封王之子弟次國二十一者卿之田六亦為有致仕者副之為十二又三為三孤之田其餘六亦待封王之子弟小國六十三大夫之田二十七亦為有致仕者副之為五十四其餘九亦以待封王之子弟三孤之田不副者以其無職佐公論道耳雖其致仕猶可即而謀焉以此言之天子圻內九十三國言天子圻內不封諸侯者謂采地以為國比於圻外諸侯由自采取其稅租而已不得取即有其人民身沒之後子孫不世不得以諸侯難之。注稱子至是也。解云參讀為三三之三也言凡諸侯入為天子大夫所以稱子者三種見義何者正欲顯其為天子大夫其稱子者所以得見義者一則可以見諸侯不生名故曰子一則可以見其本爵何者是圻外諸侯容其稱爵雖不得正稱其本爵亦得稱子以見之一則可以見大夫稱故曰參見義也言傳曰天子大夫是也者即上傳云劉夏者何天子之大夫也是也。注不稱至非禮也。解云桓八年冬十月祭公來遂逆王后于紀傳云祭公者何天子之三公也何氏云婚禮成於伍先納采問名納吉納徵請期然後親迎時王者遣祭公來使魯爲媒可則因用魯往迎之不復成禮疾王者不重妃匹逆天下之母若逆婢妾將謂海內何哉故譏之其注幷引親迎言之則知何氏以爲天子親迎是以異義公羊說云天子至庶人皆親迎所以重婚禮也者是何此注云禮逆王后當使三公者蓋謂有故之時或者何氏此注云禮逆王后當使三公卽知何氏之意以爲不親迎與桓八年注云婚禮成於五云云然後親迎者欲道士婚禮親迎之前仍有此五禮于時王者不行不謂解天子親迎也又言疾王者不重妃匹云云者正謂疾時王不行五禮不謂責親迎而異義公羊說云天子親迎者彼是章句家說非何氏之意也云故貶去大夫明非禮也者謂子是大夫之稱今貶而去之故曰貶去大夫也去其大夫正稱非禮明矣故云貶去大夫明非禮也

外逆女不書此何以書過我也

明魯當共從迎之禮。過古禾反共音恭。

夏齊侯伐我北鄙圍成

俱犯蕭魚此不月十二年月者疾始可知

疏 注俱犯至可知。解云即十二年三月莒人伐我東鄙圍台傳云邑不言圍此其言圍何伐而言圍者取邑之辭也彼注云不直言取邑者深恥中國之無信也前九年伐得鄭同盟于戲楚伐鄭不救卒爲鄭所背中國以弱蠻荊以強兵革亟作蕭魚之會服鄭最難不務長和親復相貪犯故諱而言圍以起之月者加責之然則今齊侯伐我北鄙圍成者亦是取邑之辭但深恥諸夏之無信故言圍以起之然則齊侯不務長和親復相貪犯背蕭魚約而特不月者疾始可知也

公救成至遇其言至遇何

據季孫宿救台不言所至

疏 注據季至所至。解云即上十二年春季孫宿帥師救台遂入運是也。

不敢進也

兵不敵不敢進也不言止次知公次于郎以刺之者量力不責重民也故與至攜同文封內兵書者爲不進張本。攜戶圭反又因宄反爲于攜反

疏 注不言至民也云云。解云莊三年公次于郎傳云其言次于郎何刺欲救紀而後不能也彼注云惡公既救人辟難道還故書其止次以起之是也正以此量力不責之則知莊公三年者力能救之而不敢救故刺之云故與至攜同文者僖二十六年春公追齊師至攜弗及是也然則彼言至攜此言至遇故言與至攜同文彼下注云國內兵不書而舉地者善公齊師去則止不遠涉百姓過復取勝得用兵之節故詳錄之即襄公亦力不能敵不忍戰殺其民至遇則止亦得用兵之宜故與之同文。注封內云云。解云定八年傳

襄十五年

云公斂處父帥師而至經不書之則知封內之兵例不書也今此公救成亦是封內之兵書之者正爲至遇張本也至遇者是不進之文故言此也。

季孫宿叔孫豹帥師城成郛。郛芳夫反

○秋八月丁巳日有食之

是後湨梁之盟信在大夫齊蔡莒吳衞之禍偏滿天下

疏 注是後至大夫。解云在下十六年春。注齊蔡至天下。解云下二十五年夏五月乙亥齊崔杼弒其君光冬十二月吳子謁伐楚門于巢卒二十六年春二月辛卯衞甯喜弒其君剽二十九年夏五月閽弒吳子餘祭三十年夏四月蔡世子般弒其君固三十一年冬十有一月莒人弒其君密州事不次者意及則言不必見義也

○邾婁人伐我南鄙。冬十有一月癸亥晉侯周卒。周本亦作[illegible]

十有六年春王正月葬晉悼公。三月公會晉侯宋公衞侯鄭伯曹伯莒子邾婁子薛伯杞伯小邾婁子于湨梁。湨本又作[illegible] 湨古闃反

戊寅大夫盟諸侯皆在是其言大夫盟何

據葵丘之盟諸侯皆在有大夫不言盟大夫

疏 公會晉侯以下于湨梁者。解云爾雅釋地云梁莫大于湨梁孫氏曰梁水橋也音義云湨水出河內軹縣東南至溫入河是也。注據葵丘之盟者。解云在僖九年其經云夏公會宰周公齊侯宋子以下于葵丘九月戊辰諸侯盟于葵丘案彼經傳云不見有大夫之盟文唯有僖十五年三月公會齊侯宋公以下盟于牡丘遂次于匡公孫敖率師及諸侯之大夫救徐然則牡丘之盟即有大夫可知此注云葵丘之盟者誤也宜爲牡丘字矣信在大夫也者言其信在

信在大夫也

故書大夫盟不言諸侯之大夫者起信在大夫

疏 注不言諸侯之大夫者起信在大夫。解云欲決上三年雞澤之會經云及諸侯之大夫也

何言乎信在大夫

據上三年戊寅不起

疏 注據上至不起。解云即上三年雞澤之會經云戊寅叔孫豹及諸侯之大夫及陳袁僑盟連言諸侯是其不起之文而言上戊寅不起者欲道今此戊寅起之二經皆言戊寅故得相對爲

襄十六年

襄十六年

上下也　偏刺天下之大夫也。曷爲偏刺天下之大夫。據戊寅不刺之。偏刺者音遍下及下同【疏】注據戊寅不刺之。解云不復言上戊寅者上已言之從可知省文

君若贅旒然。旒旂旒贅屬之辭若今俗名就瞀爲贅贅矣以旂旒俞者爲下所執持東西旒者其數名禮記玉藻曰天子旂十有二旒諸侯九卿大夫七士五不言諸侯之大夫者明所刺者非但會上大夫并偏刺天下之大夫不殊內大夫者欲一其文見惡同也至此所以偏刺之者蕭魚之會服鄭最難諸侯勞倦莫肯復出而大夫常行三委于臣而君遂失權大夫故得信失故孔子曰唯器與名不可以假人不重出地者與三年雞澤大夫盟同義。贅章銳反本又作綴丁衛反又丁劣反繫屬也旒音留本又作流旗之旒屬音燭見惡賢遍反難乃旦反復扶又反重直用反【疏】注若今俗名就贅爲贅矣。解云亦是妻所特摯故名之云爾。注禮記玉藻。解云案今禮記玉藻即無此文唯禮說稽命徵及含文嘉皆云天子旗九刃十二旒曳地諸侯七刃九旒齊軫卿大夫五刃七旒齊較士三刃五旒齊首而言玉藻誤也云不言至大夫者注已云不言諸侯之大夫者起信在大夫又言此者嫌不言諸侯之大夫有兩種之義非但起信在大夫明偏刺天下

公羊疏卷二十　八

之大夫也云不殊內大夫者欲一其文見惡同也者欲道上三年雞澤之會殊叔孫豹不一其文者非唯彼大夫之過亦惡亦可見故也云諸侯勞倦莫肯復出而大夫常行三委于臣而君遂失權大夫故得信在者謂上十一年蕭魚之會以來十四年春季孫宿叔老會晉士匄以下于向夏叔孫豹會晉荀偃以下伐秦冬季孫宿會晉士匄以下于戚之屬是諸侯不出大夫常行也云故孔子曰唯器與名不可以假人者家語文成二年左傳亦有此言云不重出地者與三年雞澤大夫盟同義者即上注云不重出地有諸侯在臣繫君故因上地是也

晉人執莒子邾婁子以歸。錄以歸者甚惡晉有罪無罪皆當歸京師不得自治之。惡烏路反【疏】注錄以至治之。解云稱人以執非伯討也是晉之惡也後言以歸不快於天子又是其惡故其錄以歸者甚惡晉矣

齊侯伐我北鄙。夏公至自會。五月甲子地震。是時溴梁之盟政在臣下其後叛臣二弑君五楚滅舒鳩齊侯襲莒乖離出奔兵革最甚【疏】注其後叛臣二者。解云即下二十三年夏晉欒盈復入于晉入于曲沃二十六年春衛孫林父入于戚以叛是也云弑君五者即下二十五年夏齊崔杼弑其君光二十六年春衛甯喜弑其君剽二十九年夏閽弑吳子餘祭三十年夏蔡世子般弑其君固三十一年冬莒人弑其君密州之屬是也云楚滅舒鳩者即下二十五年秋楚屈建帥師滅舒鳩是也云齊侯襲莒者在下二十三年冬云出奔者即下十七年宋華臣出奔陳二十年蔡公子履出奔楚之屬也

○叔老會鄭伯晉荀偃衛甯殖宋人伐許。叔老會鄭伯晉荀偃者正本作荀偃若有作荀罃者誤矣

○秋齊侯伐我北鄙圍成。大雩。先是伐許齊侯圍成動民之應　○冬叔孫豹如晉

襄十七年

十有七年春王二月庚午邾婁子瞷卒。瞷音閑或下奸反左氏作𥌒

○宋人伐陳。夏衛石買帥師伐曹。秋齊侯伐我北鄙圍洮。洮他刀反左氏作桃

○齊高厚帥師伐我北鄙圍防。九月大雩。比年仍見圍不服恤民之應

公羊疏卷二十　九

○宋華臣出奔陳。冬邾婁人伐我南鄙

襄十八年

十有八年春白狄來。白狄者何。夷狄之君也。何以不言朝。不能朝也。言朝直遥反下同【疏】白狄者何。解云欲言其君經不書朝欲言其臣不見名氏故執不知問

○夏晉人執衛行人石買。○秋齊師伐我北鄙。○冬十月公會晉侯宋公衛侯鄭伯曹伯莒子邾婁子滕子薛伯杞伯小邾婁子同圍齊。曹伯負芻卒于師。○楚公子午帥師伐鄭

襄十九年

十有九年春王正月諸侯盟于祝阿。下有執不日者善同

伐齊故被與信辭。【疏】下有至信辭。解云以公羊之義不書者據與信辭故也。祝柯二傳作祝柯。信者曰今上文同盟下即執邾婁子是爲不信而不日者猶與信辭故也。

晉人執邾婁子。公至自伐齊。據諸侯圍許致圍。【疏】注據諸侯圍許致圍者。

此同圍齊也，何以致伐？許致圍。解云即僖二十八年冬諸侯遂圍許，二十九年公至自圍許是也。未圍齊也。故致伐。未圍齊則其言圍齊何？抑齊也。曷爲抑齊？據侵蔡伐楚猶不抑。【疏】注據侵至不抑。解云即僖四年春王正月公會齊侯以下侵蔡，蔡潰，遂伐楚是也。言猶不抑者，正以楚爲彊夷數害諸侯，論深淺其於齊矣，猶不抑之，故以爲難也。

爲其亟伐也。或曰爲其驕蹇，使其世子處乎諸侯之上也。以下葬略或說是也。亟伐者并數闚加圍者，明當從亟數故也，加圍者以二等其爵士。爲其子處數必王反，下所王反，下數年同。【疏】或曰爲其至上也。解云即上十一年夏公會晉侯以下伐鄭之時，齊世子光在於莒子之上之屬是也。注以下至是也。解云下葬略者，即下文冬葬齊靈公，注云不月者，責臣子可得無過，故蓋臣子恩明光代父從政，處諸侯之上，不孝也。若是正以葬是生者之事，故略其父葬，所以惡其子，則知或說近其義也。云亟伐者并數闚者，即上圍成、圍洮、圍防之屬，故言并數闚。以如此解者，正以宣九年秋取根牟，傳云根牟者何？邾婁之邑也。曷爲不繫乎邾婁？諱亟也。注云亟，疾也。屬有小君之喪，邾婁子來加禮，未期而取其邑，故諱不繫邾婁也。然則彼言亟者，謂上有小君之喪，邾婁來加禮於魯，未期而伐取邑，背信大疾，故云亟。今此直是頻繫伐魯，故云亟，故須解云亟伐者并數闚，以別彼文。注加圍者至爵士。解云據未圍而言圍，故謂之加也。莊十年傳云觕者曰侵，精者曰伐，戰不言伐，圍不言戰，入不言圍，滅不言入，書其重者。然則用兵之道，滅爲最甚，入次之，圍次之，今加言圍，輕於滅入二等，明不合死滅土耳。

取邾婁田自漷水。其言自漷水何？據齊人取濟西田不言自濟水。漷火號反，徐音郭。濟子礼反，下同。【疏】注據齊至濟水。解云即宣元年夏六月齊人取濟西田是也。

以漷爲竟也。何言乎以漷爲竟？據取邑夫當道竟界。

漷移也。曹本與邾婁以漷爲竟，漷移入邾婁界，魯隨而有之。諸侯土地本有度數，不得隨水，故諱不書者，外異不書故也。【疏】漷移也。解云漷移而經不書者，外異，故邑故云爾。

○季孫宿如晉。○葬曹成公。○夏，衛孫林父帥師伐齊。○秋七月辛卯，齊侯瑗卒。瑗于眷反，二傳作環，音環。【疏】齊侯瑗卒。○左氏、穀梁作環。解云。

○晉士匄帥師侵齊，至穀，聞齊侯卒，乃還。還者何？善辭也。何善爾？大其不伐喪也。此受命乎君而伐齊，則何大乎其不伐喪？據公子買戍衛不卒戍，言戍衛遂公意。【疏】注據公至公意。解云即僖二十八年春公子買戍衛不卒戍，刺之。傳云不卒戍者何？不卒戍者，內辭也，不可使往也。不可使往，則其言戍衛何？遂公意也。彼注云使臣子不可使恥深，故諱使若往不卒竟事者，明臣不得壅塞君命是也。然則公子買不可使往而經書戍衛，以遂公意，以明臣子不得壅塞君命，今此士匄不行君命而經善之，故以爲難也。

大夫以君命出，進退在大夫也。禮兵不從中御外，臨事制宜，當敵爲師，唯義所在。士匄聞齊侯卒，引師而去，恩動孝子之心，服諸侯之君，是後兵寢數年，故起時善之。言乃者，士匄有難重廢君命之心，故見之。言至穀者，未侵齊也。言聞者，在竟外聞，侵者未侵齊也。難乃旦反，見賢遍反。【疏】注禮兵至張本。解云司馬法云閫外之事將軍裁之，法以須臨事制宜，謂專進退也。當其敵之強弱而爲師以禦之，唯不爲非義而已，故言唯義所在。而老子云將軍有廟勝之策者，謂未行之時先謀於廟，授之斧鉞之後，明即自專之義，裁其可否，故是其宜也。云恩動孝子之心、義服諸侯之君者，凡痛其喪是其恩，故曰恩動孝子之心；依禮而行是其義，故曰義服諸侯之君也。云是後兵寢數年者，謂自此以後兵事寢伏數年不起，至二十三年秋齊侯伐衛，遂伐晉，二十四年冬楚子、蔡侯、陳侯、許男伐鄭者，始有兵起也。寧明年仲孫遬帥師伐邾婁，亦是兵而言數年者，正以魯與邾婁竟界相近，數相冒犯，非齊晉之事，故得然。

解也云故起時善之者正以士匄具事實依古礼但時莫能除時以為善故云起時善之云言乃者上匄有難重廢君命之心故見之者正以言入作傳之乃者何難也今又言乃故以重難解之而言重者正以乃難於而故彼注云言乃者内而深言而者外而淺故此云重難也云言至穀者未侵齊也者上十五年夏公救成至遇傳云其言至遇何不敢進也然則彼言至者不進之文今至穀即聞其喪明其未行侵故云言至穀者未侵齊也云言聞者在竟外者正以古礼無人為君齊襄三月若其入竟即全而知之何道聞乎故如此解也云全侵者張本者若如上說本未入齊但在竟外聞喪而言侵者為下張本耳

○八月丙辰仲孫蔑卒○齊殺其大夫高厚○鄭殺其大夫公子喜傳作嘉○喜二疏鄭殺至子喜○解云左氏穀梁作公子嘉也○冬葬齊靈公不月者抑其父嫌子可得無過故奪臣子恩明光代父從政處諸侯之上不孝也○疏注不月至不孝也○解云正以卒日葬月終于春秋為大國之例今葬不書月故須解之言抑其父者即上十九年傳云夫圍齊則言其圍齊何抑齊也曷為抑齊為其亟伐也或曰為其驕蹇使其世子處乎諸侯之上也是也言嫌子可得無過者正以明王之制父子兄弟罪不相及故也故奪臣子恩者正以葬是生者之事故略其父葬不書其月可以奪臣子恩也言明光代父從政處諸侯之上不孝也者正以孝子之道見父母不義之事不合從父之命處其人君之上焉得為孝乎故去其父葬月以見之○城西郛言西郛者據郭鄰東西城録道○叔孫豹會晉士匄于柯柯古河反○城武城

二十年春王正月辛亥仲孫遫會莒人盟于向○遫音速○夏六月庚申公會晉侯齊侯宋公衛侯鄭伯曹伯莒子邾婁子滕子薛伯杞伯小邾婁子盟于澶淵○澶市然反○秋公至自會○仲孫遫帥師伐邾婁○蔡殺其大夫公子燮○蔡公子履出奔楚○陳侯之弟光出奔楚

為二慶所譖還在二十三年○弟光左氏傳作弟黄疏注為二慶至三年○解云即下二十三年經云陳殺其大夫慶虎及慶寅陳侯之弟光自楚歸于陳注云前為二慶所譖出奔楚楚人治其罪陳人誅二慶反光故言歸宋大夫山諸華元殺之而今此不顯者殺二慶而光歸譖光可知者即其義也○叔老如齊○冬十月丙辰朔日有食之自溴梁之盟臣恣日甚故比年日食疏注自溴至日食○解云自上十六年溴梁之盟信任大夫以來臣之恣日甚彼言比年日食即下二十一年秋九月庚戌朔日有食之冬十月庚辰朔日有食之二十三年春王二月癸酉日有食之是也○季孫宿如宋

二十有一年春王正月公如晉月者溴梁之盟後中國方乖離善公獨能與大國疏注月者至大國○解云正以朝聘例時故如此解○邾婁庶其以漆閭丘來奔邾婁庶其者何邾婁大夫也邾婁無大夫此何以書據快無氏○漆音七閭力於反快苦夬反疏邾婁庶其者何○解云欲言其君經不書爵欲言其大夫邾婁無大夫故執不知問○注據快無氏○解云即昭二十七年冬邾婁快來奔是其無氏即不合書見之義問者見快不書氏知邾婁無大夫既無大夫何以特書庶其乎故難之然案下二十二年夏邾婁鼻我來奔何故不據鼻我而要以據快者正以鼻我以二字為稱嫌鼻我為字若其據之於義不明故如此注重地也懸受叛臣邑故重而書之不言叛者舉地言奔則魯受與庶其叛兩明故省文也○惡烏路反○夏公至自晉○秋晉欒盈出奔楚○九月庚戌朔日有食之○冬十月庚辰朔日有食之○曹伯來朝○公會晉侯齊侯宋公衛侯鄭伯曹伯莒子邾婁子于商任○任音壬○十有一月庚子孔子生時歲在己卯○庚子孔子生傳文上有十月庚辰此亦十月也一本作十一月庚子又本无此句疏十有一月庚子孔子生○解云左氏經无此言則公羊師從後記之○注

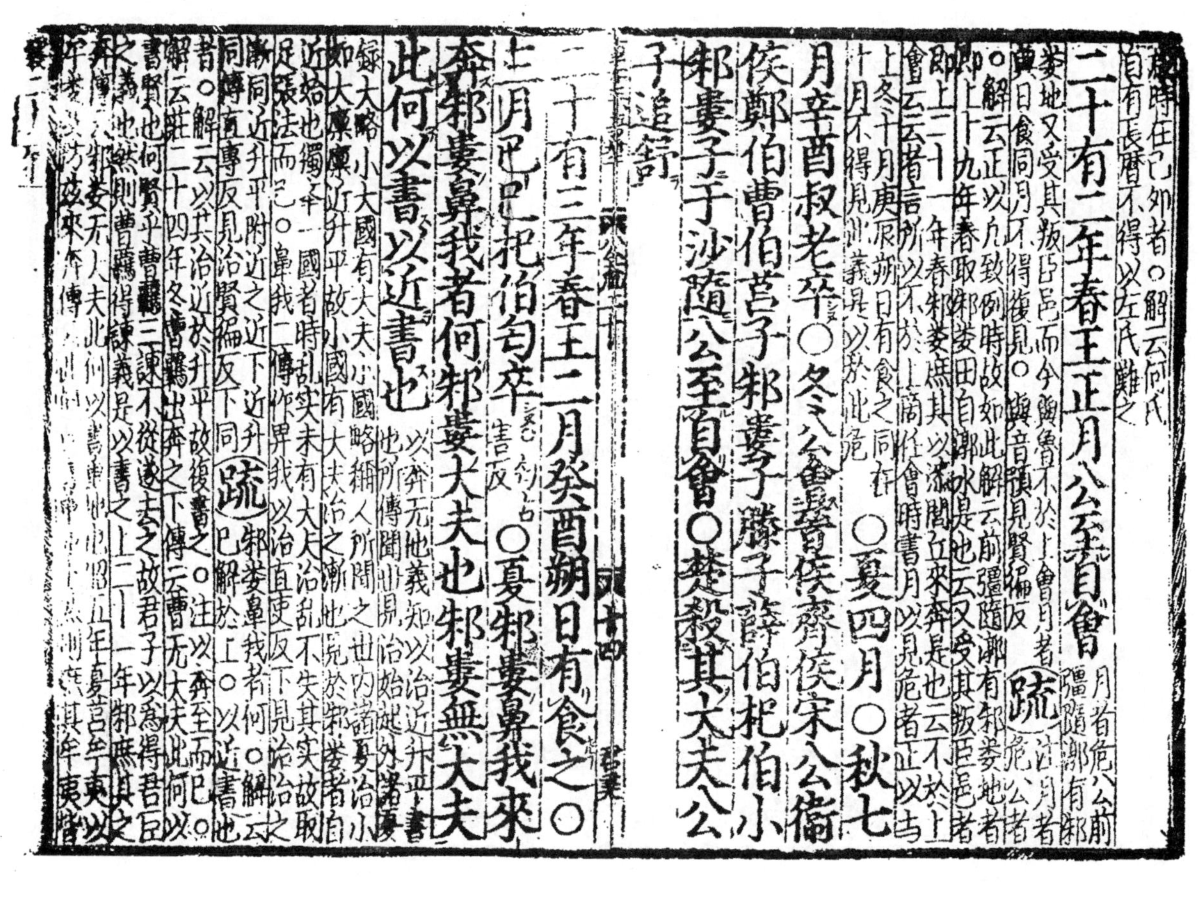

二十有二年春王正月公至自會○夏四月○秋七月辛酉叔老卒○冬公會晉侯齊侯宋公衛侯鄭伯曹伯莒子邾婁子滕子薛伯杞伯小邾婁子于沙隨公至自會○楚殺其大夫公子追舒

二十有三年春王二月癸酉朔日有食之○三月己巳杞伯匄卒○夏邾婁鼻我來奔邾婁鼻我者何邾婁大夫也邾婁無大夫此何以書以近書也

○葬杞孝公○陳殺其大夫慶虎及慶寅○陳侯之弟光自楚歸于陳○晉欒盈復入于晉入于曲沃曲沃者何晉之邑也其言入于晉入于曲沃何欒盈將入晉晉人不納由乎曲沃而入也○秋齊侯伐衛遂伐晉○八月叔孫豹帥師救晉次于雍渝曷為先言救而後言次

宋師曹師次于匡…辭也故刑是也先通君命也惡其不遂君命而專止次故先通君命言救○惡烏
路反○己卯仲孫遬卒○冬十月乙亥臧孫紇出
奔邾婁紇恨發反○晉人殺欒盈曷為不言殺其
大夫據甯喜得大夫之位 疏 注據甯喜至之位○解云正以夏門入…非其大夫也明其君所置不得為大夫…
其除亂也…
也○齊侯襲莒
二十有四年春叔孫豹如晉○仲孫羯帥師
侵齊仲孫羯本又作碣亦作竭同居竭反○夏楚子伐吳○秋七
月甲子朔日有食之既 疏 注是後至其君○解云二十五年夏齊崔杼弒其君光二十六年春衛甯喜弒其君剽是也 是後楚滅舒鳩齊崔杼弒其君 二十五年秋楚屈建帥師滅舒鳩
○齊崔杼帥師伐莒○大水前此叔孫豹救晉仲孫羯侵齊此與師眾民怨之所生也
八月癸巳朔日有食之與甲子同 疏 注與甲子同○解云在上七月
也○公會晉侯宋公衛侯鄭伯曹伯莒子邾
婁子滕子薛伯杞伯小邾婁子于陳儀陳儀二傳作夷儀
夷儀二十五年同○冬楚子蔡侯陳侯許男伐鄭○公至
自會○陳鍼宜咎出奔楚鍼本又作鍼其廉反咎其九反○叔
孫豹如京師○大饑有死傷曰大饑無死傷曰饑 疏 注有死傷曰大饑○解云以諸經直言饑此加大故也 十陳儀左氏穀梁作夷儀

卷第二十

監本春秋公羊註疏襄公卷二十一起二十五年盡三十一年

何休學解

二十有五年春齊崔杼帥師伐我北鄙○夏
五月乙亥齊崔杼弒其君光○公會晉侯宋
公衛侯鄭伯曹伯莒子邾婁子滕子薛伯杞
伯小邾婁子于陳儀○六月壬子鄭公孫舍
之帥師入陳日者陳鄭俱楚之與國今鄭背楚入陳明中國當憂助鄭以離楚弱陳故為中國憂
錄之○背音佩 疏 注日者至錄之○解云正以公羊之義入例為于偽反 例書時傷害多者乃始書月即成七年秋吳入州來隱二年夏五月莒人入向之屬是也今此書日故為憂錄之故也言陳鄭楚之與國者正以宣十一年夏楚子陳侯鄭伯盟于辰陵之文也○秋八月己巳諸侯同盟于重丘
會盟再出不舉重者起諸侯欲誅崔杼故詳錄之○重直龍反 疏 注會盟至錄之○解云正以文十四年夏公會宋公以下同盟于新城舉盟以為重不言會于某今會盟一傳經之傳九年公會宰周公以下于葵丘之下注云會盟一事不舉重者特宰周公不與盟也昭十三年平丘之下注云不舉重者起諸侯欲討棄疾故詳錄之與此同
公至自會○衛侯入于陳儀陳儀者何衛之邑
也曷為不言入于衛據與鄭突入櫟同○櫟力狄反 疏 解云欲言其邑不繫于衛故執不知問○注據與鄭突入櫟同○解云桓十五年秋九月鄭伯突入于櫟櫟是國都同○解云不言入于鄭注云據齊陽生立陳乞家言入于齊今此亦據哀公六年齊陽生之事與之同故云據與鄭突入櫟同矣哀六年傳云景公死而舍立陳乞使人迎陽生于諸其家諸大夫不得已皆逡巡北面再拜稽首而君之爾然則陽生實入陳乞之家而言入于齊今衛侯入于陳儀不言衛是以據而難之然則陽生入于陳乞之家在國都之內
言入于齊陳儀非國都故不得言入于衛諼君以弒也以先言入后言弒也時衛侯為剽所篡

不能以義自復詐顯居是邑爲剽臣然后候間伺便使甯喜弒之君子恥其所爲故就爲臣以譏君惡之未得国言入者起詐篡從此始。譏況元反以弒音試注同 疏 注以先至谷年放此伺便音同下娴面反悪烏路反

云謂今言入二十六年弒剽是也云時衛侯爲剽所篡逐者初見篡逐在十四年今仍未復故言時也云然后候間伺便使甯喜弒之者在下二十六年春云故就爲臣以譏君惡之者謂就其君之文以悪之云未得国言入者云云欲言小白陽生之屬得国乃言入

○楚屈建帥師滅舒鳩。巫居勿反 ○冬鄭公孫囆帥師伐陳。疏 公孫囆云云亦有一本作公孫囆字者。○

十有二月吳子謁伐楚門于巢卒。門于巢卒者何。入門乎巢而卒也。入門乎巢而卒者何。入巢之門而卒也。以先言門后言于巢吳子欲伐楚過巢不假塗卒暴入巢門者以爲欲犯巢而射殺之君子不然所不知故與巢得殺之使若吳爲自死文所以彊守禦也書伐者明持兵入門乃得殺之 ○謁左氏作遏卒暴七忽反射食亦反 疏 吳子謁者亦有一本作謁字者。門于巢卒者何。解云欲言好者卒門于巢卒欲言其殺卒非殺之称故執不知問。入門乎巢而卒者何。解云雖加入者仍未分明故更以不知問之。○注先言門后言于巢者。解云正以先入其門巢人乃殺故言門于巢卒傳云入巢之門而卒也者解入于巢而卒

吳子謁何以名。據諸侯伐人不名 傷而反未至乎舍而卒也。以名卒間无事知以傷辜死還就張本文伐名知傷而反卒繫巢知未還至舍巢不坐殺復見辜者辜內當以弒君論之辜外當以傷君論之。○復扶又反 疏 吳子謁至卒也。解云上七年傳云鄭伯髡原何以名傷而反未至乎舍而卒也已是辜傳也今復發之者正以彼是臣傷其君今此異国因其異故復發之。○注以名至本文。解云正以伐楚而書名門于巢而言卒其間更无事知以傷之故傷辜而死是以還就于伐而書其名爲卒張本文云伐名知傷而反卒繫巢知未還至舍者正以名者卒爵之称今于伐巳名知其見傷而反也其卒之時仍繫巢言之故知於彼傷還未至于舍止之處而卒也云巢不坐殺復見辜者上注云與巢得殺是巢不坐殺也言復見辜者對上七年言之故言復也云辜內當云云者上七年云云與巢得殺之今見辜者正以過国假塗賓客之謙謹重門設守主人之恒備今吳人无礼陵慢巢国君不與殺開衰世諸侯得使縱橫恣無禦備而殺人之君甚於舍之又脫漏其罪是以何氏進退月之若以殺論巢君合絕若以傷論則黜而巳云云之說在上七年

二十有六年春王二月辛卯衛甯喜弒其君剽。甯喜爲衛侯衎弒剽不卒衎弒剽者譏成于喜。○剽匹妙反喜爲于僞反下文爲悪烏爲同 疏 注甯喜至剽者。解云下二十七年傳文云不卒衎弒剽者譏成于喜者言喜若爲衎弒剽春秋卒重宜書衎弒今書喜者正由譏成于喜故也是以下二十七年傳曰甯殖死喜立爲大夫使人謂獻公曰黜公者非甯氏也孫氏爲之吾欲納公何如是譏詐于成喜之文也。

○衛孫林父入于戚以叛。衎盜国林父未君事衎言叛者林父本逐衎衎入故叛衎得誅之尤定公得誅季氏故正之云尔 疏 注林父至言叛者。解云正以凡言叛者臣盜土之辭故如此解云林父本逐衎者在十四年也。○注尤定公至云尔。解云昔林父逐衎衎得誅之季氏不逐定公而定公得誅季氏者正以昭公是父定公子一体榮辱同之季氏逐昭公故與定公得誅之也知如此者正以定公元年賣霜殺菽何氏云周十月夏八月微霜用事未可殺菽者少類爲稼強季氏象也是時定公喜於得位而不念父黜逐之恥反爲淫祀立煬宮故天示以當早誅季氏是也

○甲午衛侯衎復歸于衛。此諼君以弒也其言復歸何。據齊陽生至陳乞家時書入于齊不書復歸復歸者入无悪 疏 注據齊至歸者。解云即哀六年秋齊陽生入于齊傳云景公死而舍立陳乞使人迎陽生于諸其家諸大夫不得已皆再拜稽首而君之尔是也云復歸者入无悪文者即桓十五年傳云復歸者出悪歸无悪是也。

悪剽也。主悪剽衛侯入无悪則剽悪明矣。○悪剽烏路反注及下悪剽以悪并上注故悪反悪悪輕以同

曷爲悪剽。據齊陽生不書歸悪舍 剽之立於是未有說也。凡篡立皆緣親親也剽以公孫立於是位尤非其次故衛人未有說喜由此得成護禍故悪以爲戒也篡重不書反悪此者因重不得書故得悪輕亦欲以見重。○有說音悦注同以見賢徧反下出見同 疏 注凡篡至

襄二十六年

衎會晉趙武楚屈建蔡公孫歸生衛石惡陳孔瑗鄭良霄許人曹人于宋。孔瑗二傳作孔奐 ○衛殺其大夫甯喜衛侯之弟鱄出奔晉衛殺其大夫甯喜則衛侯之弟鱄曷爲出奔晉 據與射姑同。鱄市轉反又音專一音直 疏 注據與射姑同。解云即文六年晉殺其大夫陽處父則狐射姑出奔秋傳云晉殺其大夫陽處父狐射姑曷爲出奔彼注云據蔡殺其大夫公子燮蔡公子履出奔楚此非同姓恐見及欲則今此亦據公子履出奔之事與射姑同故言據與射姑同矣其公子履之事在上二十年秋執鈇鑕者若似司弓矢云甲革椹鑕之類 爲殺甯喜出奔也曷爲爲殺甯喜出奔 據非同姓。爲殺于僞反下爲殺爲我爲衛注爲皆同 衛甯殖與孫林父逐衛侯而立公孫剽甯殖病將死謂喜曰黜公者非吾意也孫氏爲之 黜尤出逐。黜公勑律反下文注同 我即死女能固納公乎 固尤必也喜者殖子殖本與孫氏共立剽而孫氏獨得其權故有此言。女音汝 喜曰諾甯殖死喜立爲大夫使人謂獻公曰黜公者非甯氏也孫氏爲之吾欲納公何如獻公曰子苟納我吾請與子盟 盟者欲堅固喜意 喜曰無所用盟 時喜見獻公多詐欲使公子鱄保之故辭不肯盟曰臣納君義也无用爲盟矣 請使公子鱄約之 喜素信鱄以爲鱄能保獻公 獻公謂公子鱄曰甯氏將納我吾欲與之盟其言曰無所用盟請使公子鱄約之子固爲我與之約矣公子鱄辭曰夫負羈縶 縶絆也。羈縶本又作羈。縶陟立反馬絆也絆音半 執

親也者。解云正以有繼及之道故也。云剽以公孫立於是位尤非其次故衛人未有許者。解云君以昭穆言之緣於公子故曰尤非其次也昭穆既遠復无賢德是以衛未有許之也 然則曷爲不言剽之立 據衛人立晉 不言剽之立者以惡衛侯也 欲起衛侯失衆出奔故不書剽立剽立无惡則衛侯惡明矣日者起甯氏復納之故出入同文也甯喜弑君而衛侯歸則甯氏納之明矣以歸出奔俱日知出納之者同衛侯歸而孫氏叛孫氏本與甯氏共逐之亦可知也名者起盜國盜國明則復歸爲惡剽出見矣。復納扶又反 疏 注據衛人立晉者在隱四年。注日者至納之。解云正以春秋之例歸與復歸例皆時即僖二十八年夏六月衛侯鄭自楚復歸于衛何氏云復歸例皆時此月者爲下卒出也是也今此昔日故須解之。云故出入同文也者。解云即十四年夏四月己未衛侯衎出奔齊今此復日故曰同文也。云盜国明至見矣者。解云正以復歸者出有惡入无惡故得爲惡剽之文何者衎既盜国寧得无惡而入言復歸知更有所見 ○夏晉侯使荀吳來聘 ○公會晉人鄭良霄宋人曹人于澶淵 ○秋宋公殺其世子痤 痤有罪故平公書葬 疏 注痤有罪至書葬。解云春秋之例君殺无罪大夫及枉殺世子者皆不書葬以明其合絕是以申生无罪不書獻公之葬至昭十一年經云叔弓如宋葬宋平公者正以痤有罪故也若隱元年鄭伯克段于鄢以其有罪故去弟痤今若有罪仍言世子者正以段有當国之罪重故如其意貶去其弟使如国君氏上鄭所以見段之惡逆矣今痤之罪微不足去世子但是合罪之科故得存其葬矣 ○晉人執衛甯喜此執有罪何以不得爲伯討 據甯喜弑君者稱人而執非伯討 疏 注稱人而執非伯討。解云僖四年傳文也 不以其罪執之也 不明得以爲功當坐執人 ○八月壬午許男甯卒于楚 甯乃定反 ○冬楚子蔡侯陳侯伐鄭 ○葬許靈公

襄二十七年

二十有七年春齊侯使慶封來聘 ○夏叔孫

鈇鑕從君東西南北則是臣僕庶孽之事也僕從者庶孽衆賤子猶樹之有孽生。鈇音甫又方于反鑕之實反從君才用反又如字注同孽魚列反又五割反注及下同若夫約言為信則非臣僕庶孽之所敢與也鱄見獻公多許不敢保。與音預獻公怒曰黜我者非甯氏與孫氏凡在爾欲以此語迫從令必約之。令力呈反公子鱄不得已而與之約已約歸至殺甯喜獻公歸至国皆約殺甯喜。背約音佩下同公子鱄挈其妻子而去之慙恚不能保獻公。挈苦結反恚於睡反將濟于河攜其妻子攜猶提也而與之盟恐衆不肯從也曰苟有履衛地食衛粟者昧雉彼視如彼矣傳極道此者見獻公無信刺鱄兄為臣所遂既不能救又殺之事則背為姦約獻公雖復因喜得反誅之小負未為大惡而深以自絕所謂守小信而忘大義昧音妹○昧舊音劣亡粉反一音未又音蔑割以小介而失之……不為君漏言者即漏言當坐殺大夫不得以此見獻賢偏反下見此

疏　注誅之至大忠。解云獻公之殺甯喜之故謂之小負也時之人應為大惡而言小負者正以甯氏殺逐兩君累世同惡迹納舊君亦是掩其舊罪今獻公違約殺之若殺無罪大夫例不書葬而獻公書葬喜有罪明矣喜既有罪則殺何氏必知小負者正以下二十九年秋葬衛獻公若殺無罪之若罪輕其罪既輕謂之小負不亦宜乎。注不為至有罪解云君漏言者即文六年傳云射殺則其稱国以殺何君漏言也是也然則君漏言者即坐殺大夫故當去其葬而文六年晉襄公由漏言以殺處父而經書公子遂如晉葬晉襄公者正以彼經殺在葬後是以不得去其君葬矣。秋七月辛巳豹及諸侯之大夫盟于宋曷為再言豹據盟于首戴不再出公

疏　注據盟于首戴。解云即僖五年夏公及齊侯宋公以下會王世子于首戴秋八月諸侯盟于首戴是也殆諸侯也殆危也危諸侯故再出豹懼録之曷為殆諸侯不殆據首戴曷為衛石惡在是也曰惡人之徒在是矣衛侯衎不信而使惡臣石惡來故深為諸侯危懼其將負約為禍原先見出者衎負鱄殺喜得書殺嫌於義絕可欲起其小負會盟再出不舍重者方再出豹也石惡惡者

疏　注會盟至豹也。解云正以文十四年夏公會宋公以下同盟于新城辛盟以為重不言會于其今此會盟並舉故須解之○冬十有二月乙亥朔日有食之是后閽殺吳子餘祭之應。閽殺昏音下音弑

疏　注是后至之應。解云即下二十九年夏五月閽弑吳子餘祭三十年夏四月蔡世子般弑其君固三十一年冬十一月莒人弑其君密州是也

二十有八年春無冰豹羯為政之所致

疏　注豹羯至所致。解云成元年元氷之下注云尚書曰舒恒燠若易京房傳曰當寒而溫謂置也是時成公幼少季孫行父專權而委任之所致即其義也而偏指豹羯者正以數年以來專見豹羯之事不見季孫見經明是時豹羯用事故也即上二十三年叔孫豹帥師救晉次于雍渝二十四年叔孫豹如晉仲孫羯帥師侵齊二十七年夏叔孫豹會晉趙武以下于宋下文秋仲孫羯如晉二十九年夏仲孫羯會晉荀盈以下城杞之屬是也○夏衛石惡出奔晉○邾婁子來朝○秋八月大雩公方久如楚先是賦斂于民之所致

疏　注公方久如楚。解云即下十一月公如楚二十九年夏五月公至自楚是也仲孫羯如晉○冬齊慶封來奔○十有一月公如楚如楚皆月者危公朝夷狄也

疏　注如楚皆月者。解云即此及昭七年三月公如楚皆月之屬是也○十有二月甲寅天王崩靈王○乙未楚子昭卒乙未與甲寅相去四十二日蓋閏月也舜以閏數喪以閏數非死月不得數閏○閏數所主反下同期月居其反又作朞

疏　注葬以閏至數閏。解云哀五年閏月葬齊景公傳云閏不書何以書喪以閏數也注云……不書閏者正取朞月明朞三年之喪始死得以閏數非死……書何以書注云據楚子昭卒不書閏傳云喪以閏數也注云

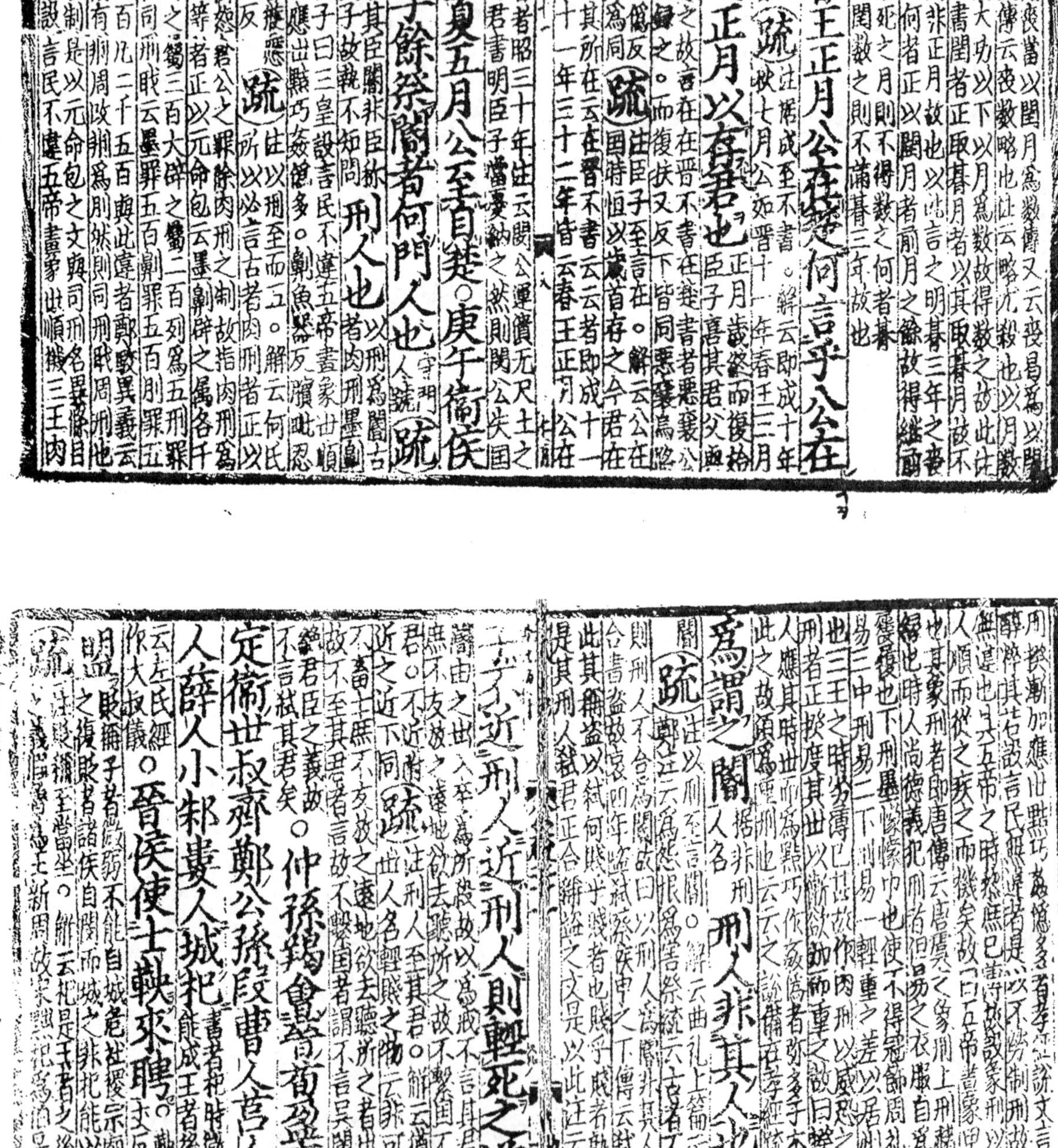
諸喪服大功以下諸喪當以閏月爲數傳又云喪曷爲以閏數注云卒不書閏傳云喪數略也注云略猶殺也以月數恩殺故并閏數然則大功以下以月爲數故得數之故此注云葬以閏數云卒不書閏者正取朞月者以其取朞月故不得書閏矣何者以閏非正月故也以此言之明朞三年之喪始死在閏月得數之何者正以閏月者前月之餘故得繼前月言之若閏不在始死之月則不得數之何者朞三年皆以年計若通閏數之則不滿朞三年故也

二十有九年春王正月公在楚何言乎公在楚 據成十一年正月公在晉不書 疏 注據成至不書。解云即成十年七月公如晉十一年春王三月公至自晉則知正月之時公在晉明矣 正月以存君也 正月歲終而復始臣子喜其君父與歲終而復始執贄存之故言在在晉不書在楚書者惡襄公以在夷狄爲臣子危錄之。而復扶又反下皆同惡烏路反下惡以同爲臣子偏反 疏 注臣子至言在。解云公在下故爲季子傳凡爲同國時恒以歲首存之今君在楚不得行此事故書其所在云在晉不書云云者即成十一年是也若然案昭三十一年三十二年皆云春王正月公在乾侯何言在晉不書者昭三十年注云閔公遭賊无尺土之居遠在乾侯故以存君書明臣子當憂納之然則閔公失国遠在晉也是以書之仍非常例也。夏五月公至自楚。庚午衛侯衎卒。閽弒吳子餘祭。閽者何門人也 守門人 疏 閽者何。解云欲言其臣閽非臣欲言非臣而得弒吳子故執不知問 刑人也 以刑爲閽古者肉刑墨劓臏宮與大辟而五孔子曰三皇設言民不違五帝畫象世順機三王肉刑揆漸加應世黠巧姦僞多。劓魚器反臏𠴨忍反辟婢亦反畫象音獲應世應對之應黠閑八反 疏 注以刑至而五。解云何氏所以必言古者肉刑者正以漢文帝感女子之訴怨君公之罪除肉刑之制故指肉刑爲古者矣知五刑爲此等者正以元命包云墨劓辟之屬各千臏辟之屬五百宮辟之屬三百大辟之屬二百列爲五刑罪次三千是也案周礼司刑職云墨罪五百劓罪五百刖罪五百宮罪五百大辟五百凡二千五百與此違者鄭駮異義云皐陶改臏爲剕呂刑有剕周改剕爲刖然則司刑所云周刑也孔子爲春秋採摘古制是以元命包之文與司刑名異條目不同云孔子曰三皇設言民不違五帝畫象世順機三王肉

刑揆漸加應世黠巧姦僞多者孝經說文言三皇之時天下醇粹其若設言民無違犯者是以不勞制刑故曰三皇設言民無違也言五帝之時黎庶已薄故設象刑以示其耻當世之人順而從之疾之而機矣故曰五帝畫象世順機猶殺也其象刑者即唐傳云唐虞之象刑上刑赭衣不純注云純緣也時人尚德義犯刑者但易之衣服自爲大耻中刑雜屨屨履也下刑墨幪幪巾也使不得冠飾周礼罷民亦然是上刑易三中刑易二下刑易一輕重之差以居州里而民耻之是也三王之時物薄已甚故作肉刑以威恐之言三王必爲重刑者正揆度其世以漸欲加而重之故曰揆漸加也謂當時之人應其時世而爲黠巧作姦僞者弥多于本用此之故須爲重刑也云云之說備在孝經疏 刑人則曷爲謂之閽 據非刑人名 刑人非其人也 以刑人爲閽非其人故變盜言閽 疏 注以刑至言閽。解云曲礼上篇云刑人不在君側鄭注云爲怨恨爲害祭統云古者不使刑人守門然則刑人不合爲閽故曰以刑人爲閽非其人也刑人弑君正合書盜敬宗四年盜弑蔡侯申之下傳云弑君賤者窮諸人此其稱盜以弑何賤乎賤者也賤乎賤者孰謂謂罪人也是其刑人弑君正合稱盜之文是以此注云故變盜言閽 君子不近刑人近刑人則輕死之道也 刑人不自賴而用作禍由之出入卒爲所殺故以爲戒不言其君者公家不畜士庶不友放之遠地欲去聽所之故不繫国不言其君。不近附近之近下同 疏 注刑人至其君。解云猶言不自重以君不畜士庶不友放之遠地欲去聽所之者出礼記王制文注故不至其君者言故不繫国者謂不言吳閽也既不繫国則絕君臣之義故不言弑其君矣。仲孫羯會晉荀盈齊高止宋華定衛世叔齊鄭公孫段曹人莒人邾婁人滕人薛人小邾婁人城杞 書者杞時微弱能成王者後 疏 衛世叔齊。解云左氏經作大叔儀。晉侯使士鞅來聘 鞅於丈反。杞子來盟 貶稱子者微弱不能自城危社稷宗廟當坐善諸侯城之復貶者諸侯自閔而城之非杞能以善道致諸侯 疏 注貶稱至當坐。解云杞是王者之後實爲公但春秋以新周故宋黜杞爲伯以莊二十七年

冬杞伯來朝注云杞夏後不稱公者春秋黜杞新周而故宋以春秋當新王然則杞之常爵正合稱伯而稱子者微弱不能自城危社稷宗廟當坐故也云云之說在僖二十三年○吳子使札來聘吳無君無大夫此何以有君有大夫據向之會稱國○札側八反（疏）注據向之會稱國○解云即上十四年季孫宿叔老會晉士匄以下會吳于向是也賢季子也何賢乎季子據聘不足賢而使賢者君有大夫荊人來聘是也（疏）注荊人來聘是也○釋曰即莊二十三年夏荊人來聘是也然則彼亦來聘而但稱人則知來聘之功不足褒美今得加文故怪之讓國也其讓國奈何謁也餘祭也夷昧也與季子同母者四與并也并季子四人季子弱而才兄弟皆愛之同欲立之以為君謁曰今若是迮而與季子國迮起也倉卒意○迮子各反起也卒七忽反季子猶不受也請無與子而與弟弟兄迭為君迭猶更也○迭大結反更也更音庚而致國乎季子皆曰諾故諸為君者皆輕死為勇飲食必祝祝因祭祝也論語曰雖疏食菜羹瓜祭是也○祝之又反又之六反注同疏食音嗣（疏）故諸至為勇○解云言其或輕其死或為勇事即餘祭不遠刑人闕為巢門所殺是也○注論語至是也○釋曰論語鄉黨文言雖疏食菜羹瓜祭貧薄之物亦必祭其所先君子有事不忘本也引之者證飲食有祭之義吳子因此祭而得自祝也曰天苟有吳國猶曰天誠欲有吳國當與賢弟（疏）注猶曰至賢弟○釋曰言天誠有吳而不滅之我當將國以與賢弟也尚速有悔於予身尚猶努力速疾也悔咎予我也欲急致國于季子意（疏）尚速云云予身○解云案成十七年左氏傳云晉士燮祈死下何氏作膏肓難之曰休以為人生有三命有壽命以保度有隨命以督行有遭命以摘暴未聞死可祈也昔周公之隆天不出妖地不出孽陰陽和調災害不生武王有疾周公植璧秉珪願以身代武王疾愈周公不夭由此言之死不可請禍自天祿欲盡矣

非果死今左氏以為果死因者其事以為信然於義左氏為短然則今此謁等亦自祈死而得雖左氏者八公羊此事直見謁等受真友弟致國無由精誠之至而頸早卒遂忘死不可祈之義矣猶如周公代死子路請禱之類豈言謁等祈得死乎而謁及餘祭之死或入巢之門或閽人所殺抑亦事非天者也豈如左氏以果死為信然故得難之然則季子仁者知兄如此何不早去而今三君遇咎自悔者喜謁等但為密謀季子不知是以未去耳故謁也死餘祭也立故迭為君（疏）故謁也死○解云在上二十五年餘祭也立在上二十六年餘祭也死在今年夏夷昧也立在明年夷昧也死在昭十五年春季子使而反至而君之亦若在昭十五年凡為季子之故也者三君皆年故言凡凡者非一之辭餘祭也死夷昧也立夷昧也死則國宜之季子者也季子使而亡焉僚者長庶也即之緣兄弟相繼而即位所以不書僚篡者緣季子之心惡以己之是揚兄之非故為之諱所以起至而君之○季子使所吏反下同僚者力雕反長庶丁丈反下注同季子使而反至而君之爾不為讓國者僚已得國無讓也闔廬曰先君之所以不與子國而與弟者凡為季子故也將從先君之命與則國宜之季子者也如不從先君之命與則我宜立者也僚惡得為君乎於是使專諸刺僚闔廬謁之長子光專諸膳宰僚嗜炙魚因進魚而刺之○闔戶臘反廬力居反命與音餘下命與同僚焉於虔反本又作惡音烏刺僚七賜反又七亦反注同者市志反（疏）注闔廬至子光○解云正以上云則我宜立故也云專諸膳宰僚嗜炙魚因進魚而刺之者昭文自闔廬以下至去之延陵皆在昭二十七年而致國乎季子季子不受曰爾弒吾君吾受爾國是吾與爾為篡也爾殺吾兄吾又殺爾是父子兄弟相殺終身無已也兄弟相殺者謂闔廬為季子殺僚○爾殺吾君申志

襄二十九年

反莊殺廢同纂初患反去之延陵延陵吳下邑禮公子無去國之義故不越竟終身不入吳國不入吳朝既不忍討闔廬義不可留事疏注不入吳朝。解云正以延陵者竟內之邑而言不入吳國故以朝廷解之故君子以其不受爲義以其不殺爲仁故大其能去以其不以貧賤苟止故推二事與之疏注故大其能云。解云言由其能去之故君子與之賢季子則吳何以有君有大夫據其本不賢其君以季子爲臣則宜有君者也方以季子賢許使有臣有大夫故宜有君札者何吳季子之名也春秋賢者不名故降字而名疏札者何。解云欲言其名違賢者例欲言其字仍不足其氏故執不知問。許夷狄者不壹而足也者。解云壹而足者即莊二十五年春陳侯使汝叔來聘是也此何以名許夷狄者不壹而足也季子者所賢也曷爲不足乎季子許人臣者必使臣許人子者必使子也緣臣子尊榮莫不欲與君父共之字季子則遠其君夷狄常例離君父辭故一不足以隆父子之親厚君臣之義季子讓在殺僚後豫於此賢之者移諱于闔廬不可以見讓故復因聘起其事。遂于萬反見賢徧反疏注季子至見讓。解云殺僚在昭二十七年夏言移諱于闔廬者移季子讓國之文諱去闔廬之殺是以不得見其讓矣故彼注云不書闔廬弒其君者爲季子諱明季子不忍父子兄弟自相殺讓國闔廬欲其高之故爲沒其罪也是也。○秋九月葬衛獻公。○齊高止出奔北燕。○燕音烟。○冬仲孫羯如晉。

三十年春王正月楚子使薳頗來聘月者公數如晉希見荅今見聘故喜錄之。○薳于委反頗音彼反又音彼一音普何反一本作跛者音同二傳作薳罷數所角反疏注月者公數如晉希見荅。解云正以當言如晉見荅有作如楚字者誤也言數如晉者即上三年春公如晉四年冬公如晉八年春公如

宋伯姬

晉十二年冬公如晉二十一年春公如晉之屬是也在位之間五朝于晉故言數也言希見荅者上十二年夏晉侯使士彭來聘二十九年夏晉侯使士鞅來聘是也魯侯五朝而晉人再荅故謂之希二十八年公如楚楚亦一報故喜錄之也案上元年晉侯使荀罃來聘而解之言希者以其公如晉之前非荅公之事故也。○夏四月蔡世子般弒其君固不日者深爲中國隱痛有子弒父之禍故不忍言其日。○般音班深爲丁僞反下爲伯不爲爲中國同疏注不日至其日。解云欲道文元年冬十月丁未楚世子商臣弒其君髡以其是夷狄不忍言其日也。○五月甲午宋災伯姬卒伯姬守禮含悲極思之所生外災例時此日者爲伯姬卒日。○思息吏反疏注外災至卒日。解云外災例時即莊十一年秋宋大水莊二十年夏齊大災上九年春宋火之屬是也而昭九年夏四月陳火書月者正以楚人強暴行詐滅君子閔之故特月矣故彼注云月者閔之是也而昭十八年夏五月壬午宋衛陳鄭災而盡日者正以四國同日而俱災四國者天下象若曰無天下云爾故日之然則此不合日而日自爲伯姬卒故日若然即魯女之卒例合書日而莊四年三月紀伯姬卒不日者□侯吉列反

彼夏六月乙丑齊侯葬紀伯姬何氏云卒不日葬日者魯本宜葬之故移恩錄大於葬是也以此言之則知莊二十九年冬十有二月紀叔姬卒三十年八月癸亥葬紀叔姬亦是魯本宜葬之故移恩錄大於葬也。○天王殺其弟年夫王者得專殺書者惡失親親也未三年不去王者方惡不恩而殺弟不與子行也不從直稱君者甚惡也莒殺意恢以失子行錄殺但殺弟不能書是也不爲諱者年夫有罪。○年夫音佞又如字二傳作佞夫惡失烏路反下皆同去起呂反子行下孟反下子行其行同疏注王者至親也。解云諸侯之義不得專殺大夫若大夫有罪而殺之者皆惡于專殺是以書也自得專殺若殺大夫宜不書之書者以其未王而殺母弟失親親故惡而書也。○宋三至子行。解云文九年毛伯來求金之下傳云何以不稱使當喪未君也踰年矣何以謂之未君即位矣而未稱王也未稱王何以知其即位以諸侯之踰年即位亦知天子之踰年即位也注云俱繼體其禮不得異以天子三年然後稱王亦知諸侯於其封內三年稱子也然則靈王之崩在二十八年十有二月則於此時未三年也未合稱王而稱王者責其在父服之內方當思慕而已而殺其母弟非人子之義是以直稱天王不與其子行也而昭二

王子瑕奔晉。秋七月叔弓如宋葬宋共姬。外夫人不書葬，此何以書？隱之也。何隱爾？宋災，伯姬卒焉。其稱謚何？賢也。何賢爾？宋災，伯姬存焉，有司復曰：火至矣，請出。伯姬

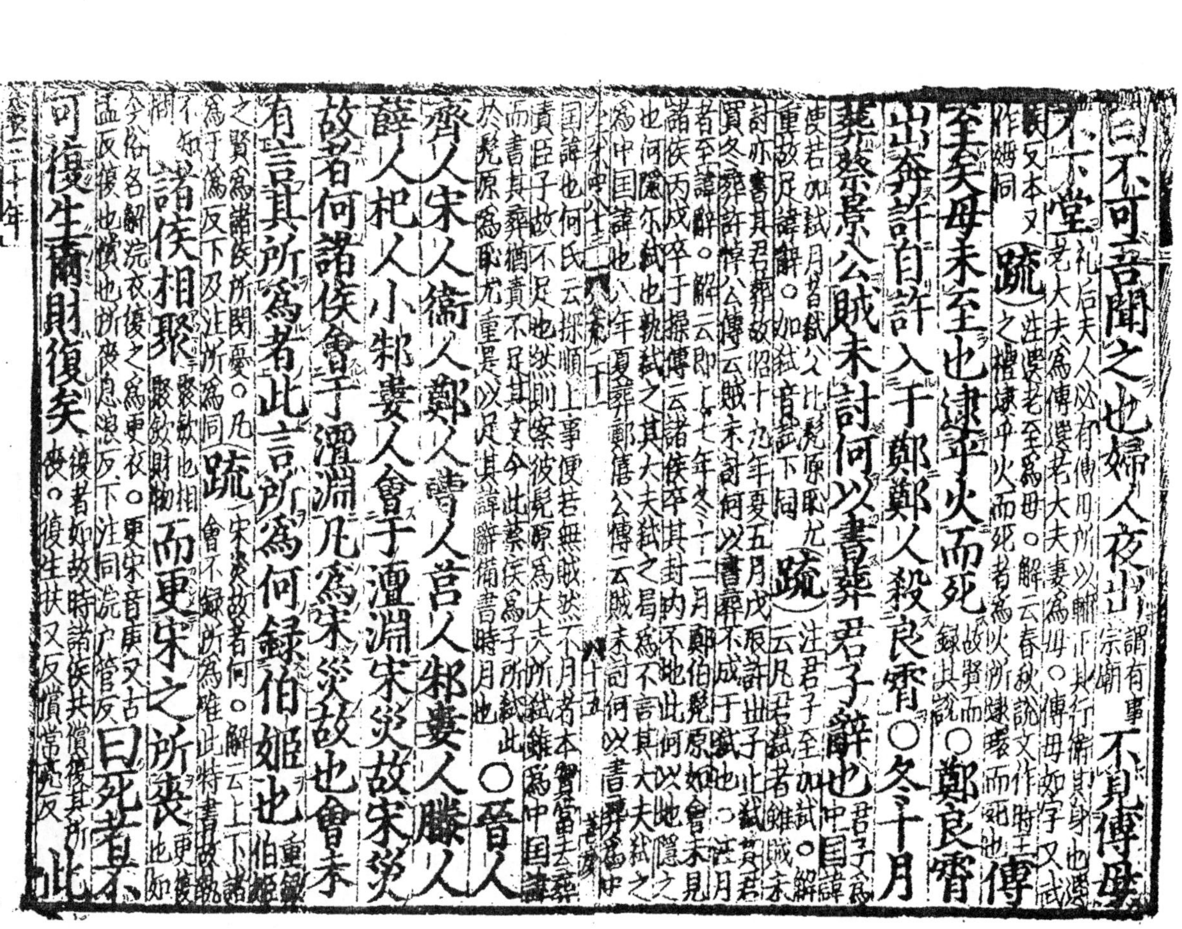

曰：不可。吾聞之也，婦人夜出，不見傅母不下堂。傅至矣，母未至也。逮乎火而死。鄭良霄出奔許，自許入于鄭，鄭人殺良霄。冬十月，葬蔡景公。賊未討，何以書葬？君子辭也。晉人、齊人、宋人、衛人、鄭人、曹人、莒人、邾婁人、滕人、薛人、杞人、小邾婁人會于澶淵，宋災故。宋災故者何？諸侯會于澶淵，凡爲宋災故也。會未有言其所爲者，此言所爲何？録伯姬也。諸侯相聚而更宋之所喪，曰：死者不可復生，爾財復矣。此

大事也曷為使微者（據詳錄所為故）卿也卿則其稱人何貶曷為貶（據善事也）卿不得憂諸侯也（時雖各諸侯使之恩實從卿發故貶起其事明大夫之義得憂內不得憂外所以抑臣道也宋憂內非貶者非救危亡禁作福也）疏注時雖各其事。解云以此言之若恩從君發而使大夫行之雖其非正罪不合貶也。注明大至臣道。解云在禮家施不及國而言得憂內者正謂救危亡之時助君憂內不謂自專行之以此言之若助君憂內以救危亡之時雖恩發大夫不合譏。注宋憂至福也。解云言宋雖遭災未至於滅而恩發於大夫外求鄰國近乎作福是以禁之洪範云惟辟作福惟辟作威今乃大夫行之故云禁作福也

三十有一年春王正月○夏六月辛巳公薨于楚宮（公朝楚好其宮歸而作之故名之云爾作不書者見者不復見。好其呼報反見者賢遍反下同）疏注公朝至云爾。解云正以上言公如楚公至自楚下言公薨于楚宮故云朝楚好其宮歸而作之故名楚宮

○注作不至復見。解云哀公三年夏五月辛卯桓宮僖宮災傳云此皆毀廟也其言災何復立也曷為不言其復立春秋見者不得見也何氏云謂內所改作也哀自立之善惡獨在哀故得省文然則言見者不復見謂春秋之義諸是內所改作者但譏其重處一過見之而已其餘輕處不復見之所以然者正以哀自作之還於哀上災之善惡獨在於哀故得省文矣今此作楚宮亦是襄自作之還復襄自薨之善惡獨在於襄故得省文故引彼傳云見者不復見也以此言之則知成六年立武宮昭十五年有事于武宮亦是內所改作而重見者正以成公立之至昭乃有事立之祭之者異故不得省文

○秋九月癸巳子野卒○己亥仲孫羯卒○冬十月滕子來會葬（此書者與叔服同義）疏注此書至同義。解云文九年春天王使叔服來會葬傳云其言來會葬何會葬禮也何氏云常事書者文公不肖諸侯莫肯會之故書天子之厚以起諸侯之薄然則今此會葬亦是常禮而書之者亦是襄公不肖諸侯莫肯會之故書滕子之厚以起諸侯之薄故云與叔服同義

○癸酉葬我君襄公○十有一月莒人弒

其君密州（莒子紏去疾及展立莒子廢之展因國人攻莒子殺之去疾奔齊稱人以弒者莒無大夫密州為君惡民所賤故稱國以弒之）

監本附音春秋公羊註疏襄公卷二十一

監本春秋公羊註疏昭公卷第二十二 起元年盡十二年

何休學

元年春王正月，公即位。○叔孫豹會晉趙武、楚公子圍、齊國酌、宋向戌、衛石惡、陳公子招、蔡公孫歸生、鄭軒虎、許人、曹人于漷。戌惡皆與君同名不正之者正之當貶貶之嫌觸大惡方譏二名二名為譏義當正亦可知○國酌二傳作國弱招上遙反軒虎軒依字許言反舊音罕二傳作罕虎漷音郭又音虢左氏作虢穀梁作郭 疏 齊國酌○解云亦有作國弱者○注戌惡至大惡○解云下七年秋衛侯惡卒十一年冬宋公戌卒知向戌石惡皆與君同名也然則君臣者父子之倫无同名之理今二子與君同名乃是不可之甚而春秋不正之者若正之當去其氏或貶稱人若其去氏嫌如宋督宋山齊无知之屬若其稱人嫌如襄三十年澶淵之大夫有作福之大惡由此進退不得正之然則君臣同名不執之甚得不為大惡者正以君者父之所署已父未必為今君之臣已或先世子而生君子既犯禮有不更名之義是以春秋謂之小惡曲禮下篇云不敢與世子同名鄭注云其先之生則亦不改義亦通於此以此言之則知无駭入極之屬自是大惡故去其氏俠卒翬會齊師之屬未命大夫正合无氏須辟嫌故○注方譏至可知○解云定六年冬季孫斯仲孫忌帥師圍運傳云此仲孫何忌也曷為謂之仲孫忌譏二名二名非禮也何氏云為其難諱也一字為名令難言而易諱所以長臣子之敬不逼下也春秋定哀之間文致太平故見王者治定无所復為譏唯有二名故譏之此春秋之制也然則所見之世文致太平二名是小過猶尚譏之況名不辟君乃小惡之大者乎當須正之亦可知矣旣二世言之所以為太平之首所以不譏二名而定哀之間乃譏之者蓋欲析而言之未當孔子之身故也云云之說在定六年

此陳侯之弟招也，何以不稱弟？據八年稱弟 疏 注據八年稱弟○解云即八年經云春陳侯之弟招殺陳世子偃師是 貶。曷為貶？據八年殺偃師猶不貶 為殺世子偃師貶。曰：陳侯之弟招殺陳世子偃師，大夫相殺稱人，此其稱名氏以殺何？難八年事○為殺于偽反下注為內為壯此同難乃旦反二年注同 疏 曰陳至偃師○解云先弒八年經文然後難之○大夫相殺稱人○解云文十六年宋人弒其君處臼之下師解彼此弟子恥而難之 言將自是弒君也。明其欲弒君故令之弒君而立者同文孔瑗弒君本謀在招令力呈反 疏 言將至君也○解云世子者君之副貳今而殺之明其從是以後有弒君之心故稱其名氏不作兩下相殺之辭矣○注明其至同文○解云兩下相殺例自稱人今欲明當是弒君故與文十四年齊公子商人弒其君舍文同矣若然大夫相殺稱人而宣十五年王札子殺召伯毛伯亦是大夫相殺而不稱人殺者彼注云大夫相殺不稱人者正之諸侯大夫顧弒君重故降稱人王者至尊不得顧是也○注孔瑗至在招○解云案昭八年春陳侯之弟招殺陳世子偃師夏四月辛丑陳侯溺卒竟无孔瑗弒君之文而知孔瑗弒君者正以八年下文冬十月壬午楚師滅陳執陳公子招放之于越殺陳孔瑗葬陳哀公當爾之時楚人託討于陳而殺世子但逐放之而已孔瑗見殺明其弒君故也是以九年陳火之下傳云滅人之國執人之罪人殺人之賊葬人之君以此言之知孔瑗為弒君賊矣而經不書孔瑗弒君者本為招弒當卒招為重也但始有討不成為弒陳侯溺卒者但自卒耳何氏之意見招作弒君之文故知本謀在招也本謀在招則招當為首而楚人所以不殺招但放之者蓋楚失其處或陳招爲罪於孔瑗是以但罪於孔瑗而招但罪其殺世子之惡也免弒君之咎春秋体其事故於殺世子經書其名氏矣 今將爾，詞曷為與親弒者同？君親無將，將而必誅焉。然則曷為不於其弒焉貶？據未弒也 疏 今將至者同○解云言招但與孔瑗為謀自而將欲弒陳侯爾而經曷為書招名氏乃與親弒者同文乎○注據未弒也○解云據令仍未弒而已貶去其弟曷為不於八年殺世子之時貶之乎 以親者弒，然後其罪惡甚。春秋不待貶絕而罪惡見者，不貶絕以見罪惡也。招殺偃師是也○見者賢編反下同 疏 以親至惡也○解云六傳言此者欲道八年之所罪惡大惡不假貶絕也云春秋不待貶絕而罪惡見者云云者欲道之而言春秋者欲道上下通例如此不為此文

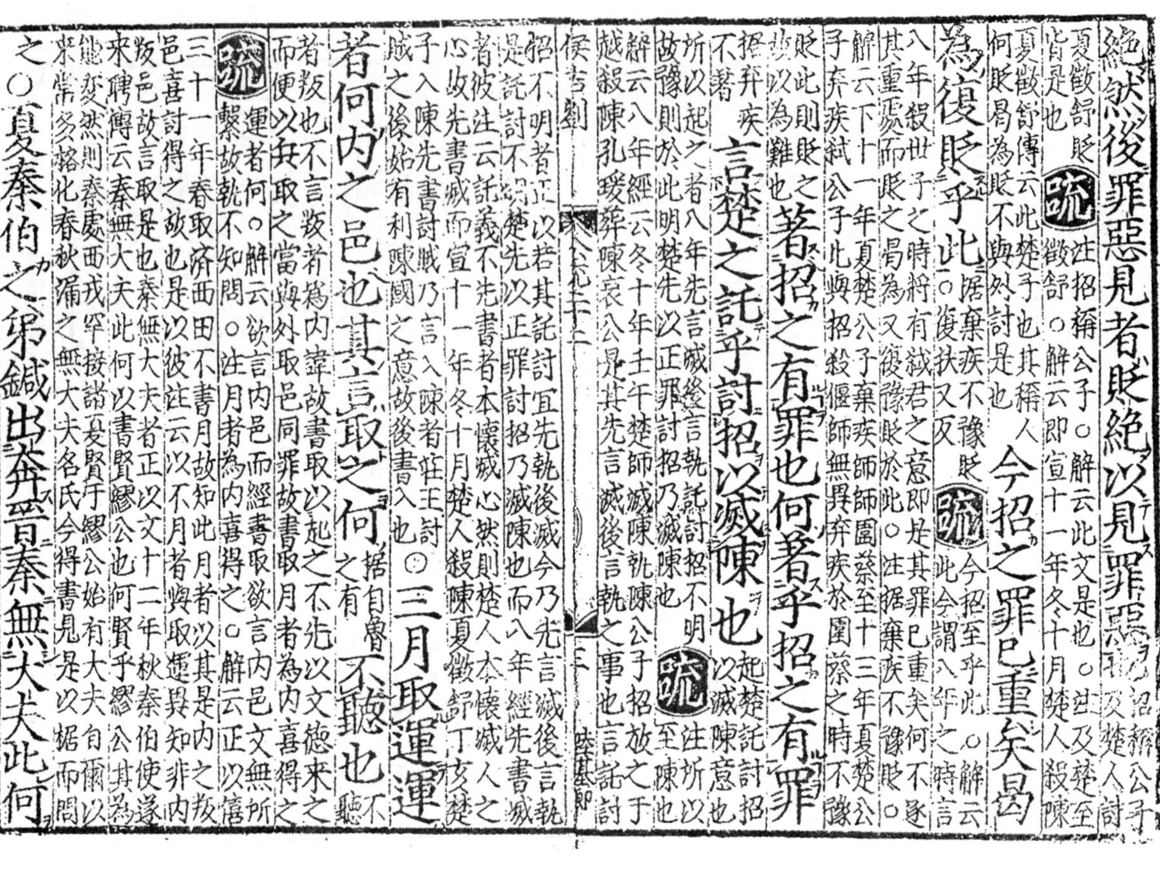

絕然後罪惡見者貶絕以見罪惡也。
皆是也夏徵舒貶 疏 注招稱公子○解云此文是也○注及楚至陳
夏徵舒傳云此楚子也其稱人何貶曷為貶不與外討是也
今招之罪已重矣曷為復貶乎此 據棄疾不豫貶 疏
八年殺世子之時招有弑君之意即是其罪已重矣何不遂其重惡而貶之曷為又復豫貶於此○注據棄疾不豫貶○解云下十一年夏楚公子棄疾帥師圍蔡至十三年夏楚公子棄疾弑公子比與招殺偃師無異棄疾於圍蔡之時不豫貶此則貶之以為難也
著招之有罪也何著乎招之有罪 據棄疾不著
言楚之託乎討招以滅陳也 起楚託討招以滅陳意也 疏 注所以至陳也
所以起之者八年先言滅後言執故豫則於此明楚先以正罪討招乃滅陳也
解云八年經云冬十月壬午楚師滅陳執陳公子招放之于越殺陳孔瑗葬陳哀公是其先言滅後言執之事也言託討招不明者正以若其託討宜先執後滅今乃先言滅後言執是託討不明楚先以正罪討招乃滅陳也而八年經先書滅者彼注云託義不先書者本懷滅心然則楚人本懷滅人之心故先書滅而宣十一年冬十月楚人殺陳夏徵舒丁亥楚子入陳先書討賊乃言入陳者彼莊王討賊之後始有利國之意故後書入也
三月取運 運者何內之邑也其言取之何 據自魯不聽也
不聽者叛也不言叛者為內諱故書取以起之不先以文德來之而便以兵取之當與外取邑同罪故書取 疏 運者何○解云欲言內邑而經書取欲言內邑文無所繫故執不知問○注月者為內喜得之○解云正以僖三十一年春取濟西田不書月故知此月者以其是內之叛邑喜討得之故也
秦無大夫此何以書賢繆公也何賢乎繆公以為能變然則秦處西戎罕接諸夏賢于繆公始有大夫自爾以來常多夷狄化春秋漏之無大夫名氏今得書見是以據而問之
○夏秦伯之弟鍼出奔晉秦無大夫此何

以書仕諸晉也 曷為仕諸晉
以祿有千乘之國 十井為一乘公侯封方百里凡千乘伯四百九十乘子男二百五十乘 疏 注公侯至千乘 解云王制文
時秦侵伐自廣大故曰千乘
其母弟故君子謂之出奔也 而不能容
○六月丁巳邾婁子華卒○晉荀吳帥師敗狄于大原此大鹵也曷為謂之大原
據讀言大原也○大原 疏 大鹵至大原
地物從中國 以中國形名言之所以曉中國教殊俗也 疏
邑人名從主人 疏 邑人名從主人
原者何上平曰原下平曰隰 疏 原者何

昭元年

濕從下但當名爲濕然則此言下平者正以對上平言之仍與濕不異 ○秋，莒去疾自齊入于莒。夫書去疾者重篡也莒無大夫書展者起與去疾爭篡當國出奔言自齊者當坐有力也皆不氏者當國也不從莒無大夫去氏者莒殺意恢稱公子篡重不嫌本不當氏○去疾起呂反 疏注莒無至當氏 解云在莊二十七年傳文云當國出奔者正以襄三十一年冬莒人弒其君密州今言去疾之入入者出入惡之文而又不氏故知出時爲當國也既是當國正合書入而言自齊者刺齊有力矣其出奔不書者春秋之義微者出入不兩書故也云皆不氏者當國也者正以隱元年鄭伯克段于鄢之下傳云何以不稱弟當國也則此等下言公子者是當國之文注不從云云者下十四年冬莒殺其公子意恢何氏云莒無大夫書殺公子者子去疾奪年而殺其君文子不孝大甚故重錄之稱氏者明君之子也然則莒爲小國大夫名氏例不錄見假有錄者名氏不具即莒慶之屬無氏是也今此去疾之徒寧知不爾無注云當國故不當氏者正以莒殺意恢重而錄氏今邪無篡其事非輕固宜重而錄之但欲當國爲君故如其意使惡逆見也然則意恢事重故稱公子今亦篡重明其末聚之時亦合稱氏故云篡重不嫌本不當氏也。○莒展出奔吳。叔弓帥師疆運田。疆運田者何？與莒爲竟也。疆竟也與莒是正竟界言城中丘○疆運居良反下同 疏疆運田者何 解云欲言正界而經書帥師欲言侵伐而道疆運故執不知問○與莒爲竟也 解云若言與莒人結作竟界○注若言城中丘 解云隱十年夏城中丘傳云何以書以重書也何氏云以功重故書當稍稍補完之至令大崩弛壞敗然後發衆城之損若百姓空虛國家故言城明其功重與始作無異則彼若稍稍補完則輕而不書至於功重故書而刺之今此魯若往前之時少侵即正則輕而不書至於大侵而興師發衆乃能正之明其功重與始取無異故若城中丘。與莒爲竟則曷爲帥師而往？據非侵伐。畏莒也。畏莒有賊臣亂子而與師與之正竟刺魯微弱失操煩擾百姓 疏注畏莒至百姓 解云襄三十一年莒人弒其君密州是爲賊臣而二子爭篡是爲亂子魯人自往與賊亂恐其辟侵是以與正竟之正竟賊亂之人自微無暇焉能辟侵乎故云微弱失操煩擾百姓也。○葬邾婁悼公。冬十有一月己酉，楚子卷卒。卷音權 疏楚子卷卒 解云左氏作麇 ○左氏作麇。○楚公子比出奔晉。辟內難也 疏注辟內難也 解云正以更無他事於君薨之際而出奔故知止爲辟內難故也

二年，春，晉侯使韓起來聘。○夏，叔弓如晉。○秋，鄭殺其大夫公孫黑。○冬，公如晉，至河乃復。其言至河乃復何？據公如晉次于乾侯而還言至乾侯乃復 疏注據公至乃復 解云即下二十八年春公如晉次于乾侯二十九年春公至自乾侯是也 不敢進也。時聞晉欲執之不敢往君子榮見與恥見距故諱使若至河河水有難而反○乃難如字又乃旦反下有難同 疏注若至河河水有難而反 解云宣八年傳文云故諱使若至河川之滿不可游也然 ○季孫宿如晉。

三年，春，王正月丁未，滕子泉卒。疏滕子泉卒 解云左氏穀梁作原字 ○夏，叔弓如滕。○五月，葬滕成公。月者襄公上葬諸侯莫肯加禮獨滕子來會葬故恩錄之明公當自行不當遣大夫失禮尤重以責內 疏注月者至之明 解云卒月葬時者小國之常典下六年夏葬杞文公之屬是也今而書月故以爲恩錄之言襄公上葬者謂上才葬襄公時也言諸侯莫肯加禮獨滕子來會葬者即襄三十一年夏公薨于楚宮冬十月滕子來會葬癸酉葬我君襄公是也○注明公至責之 解云公羊之義鄰國諸侯及鄰國夫人喪皆公自會葬故異義公羊說云襄公三十年叔弓如宋葬宋共姬譏公不自行是也然則凡平諸侯之葬公猶自行況其加禮於己者乎故言失禮尤重以責內也 ○秋，小邾婁子來朝。○八月，大雩。先是公季孫宿比如晉爲季氏○雨于付反 ○冬，大雨雹。雹步角反爲于僞反 ○北燕伯款出奔齊。名者所見世著治大平責小國詳錄出奔當誅○治直吏反大音泰 疏注名者至當誅 解云春秋之義有三世異辭入所見之世小國出奔而書其名故知義然也即莊十年譚子奔莒僖五年弦子奔黃十年溫子奔衛成十二年周公出奔晉之屬皆不

名至于此文北燕北欵下三十年冬徐子章禹出奔楚之國皆書其名是也言出奔當誅者謂太平之世民皆有礼况於諸侯不死社稷而棄國出奔當合誅滅矣

四年春王正月大雨雪為季氏。○大雨雪于付反左氏作大雨雹為季于偽反下文及注爲齊誅逆同。(疏)大雨雹。○解云案正本皆作雹字左氏經亦作雹字故賈氏云穀梁作大雨雪今此若有作雪字者誤也。○夏楚子蔡侯陳侯鄭伯許男徐子滕子頓子胡子沈子小邾婁子宋世子佐淮夷會于申不殊淮夷者楚子主會行義故君子不殊其類所以順楚而病中国(疏)注不殊至中國。○解云内諸夏外夷狄者春秋之常典而不殊淮夷者正以此會楚子爲主會行義其行義者即下文爲齊誅是也欲君子不殊其類者君子謂孔子孔子作春秋不殊楚之類孔子之意所以然者正欲順楚之事而病諸夏之衰微何者言楚夷狄尚能行義以相榮顯况於諸夏夏反不能然故得病之若然春秋之式傳聞之世内其國外諸夏所聞之世内諸夏外夷狄所見之世治致太平録夷狄則不殊淮夷因其宜也何則此注云由楚子主會行義君子不殊其類者正以等是太平亦有麤細昭當其父非已時事定哀之世乃醇粹之是以定六年仲孫氏之下何氏云春秋定哀之間文致太平故見王者治定無所復為譏唯有二名故譏之是也然則淮夷始見安行無礼是以此經更無進稱未當定哀之間仍合外限但由楚子主會故得不殊是以何氏更為立義矣楚人執徐子。○秋七月楚子蔡侯陳侯許男頓子胡子沈子淮夷伐吳執齊慶封殺之此伐吳也其言執齊慶封何爲齊誅也故繫之齊其爲齊誅奈何慶封走之吳以襄公二十八年奔魯自是走之吳不書者以絕于齊在魯不復為大夫賤故不復録之。○不復扶又反下同(疏)注以襄公至奔魯。○解云即彼云冬齊慶封來奔是也。○注不書至録之。○解云案如此經上言伐吳則犯吳之文已著何得注云使防繫吳嫌犯吳也正以慶封注前已封于防為小國矣但諸侯之義不得専封是以春秋奪言伐

吳與實言之非伐吳矣今日此經若言入防則更成上伐吳之文實伐吳則為犯吳若直言入防執齊慶封殺之則恐防是齊邑是以進退不得作文也吳封之於防不書入防者使防繫吳嫌犯吳也去吳嫌齊邑也。○去起呂反然則曷為不言伐防据防已為国不與諸侯專封也故奪言伐吳慶封之罪何脅齊君而亂齊國也道為齊誅意也稱侯而執者伯討也月者善義兵(疏)注稱侯至討也。○解云僖四年傳文上下更無稱爵以執大夫之事惟此一經可以當之故何氏言焉若然案如此經不重出楚上以為伯討之義僖二十一年秋宋公楚子陳侯以下會于霍執宋公以伐宋傳云曷為不言楚子執之不與夷狄之執中国者正以此經楚子為會主而序于上下言執慶封殺之可以因上文不勞重出也既得因上文即是稱爵以執之故知為伯討案霍之經宋公序上乃次楚子下言執宋公明知不得因上文矣既不因上文而不更出楚子不與夷狄之執諸夏故也云月者善義兵也者正以侵伐例時故也遂滅厲莊王滅蕭日此不日者靈王非賢責之略。○滅厲如字又音賴左氏作賴(疏)遂滅厲。○解云有作賴字者。○注莊王至之略。○解云宣十二年冬十有二月戊寅楚子滅蕭彼注云日者屬上有王言今反滅人故深責之是也然則以靈王非賢故責之略還依常例書月若似莊十年冬十月齊師滅譚之屬是。○九月取鄫其言取之何据国言滅(疏)注据国言滅。○解云即滅譚滅遂之屬是也滅之也滅之則其言取之何内大惡諱也因鄫上有滅文故使若取内邑(疏)内大惡諱也。○解云隱二年無駭入極之下傳云此滅也其言入何内大惡諱也今又重發之者正以入取之文不同故也。○注因鄫至内邑。○解云直言取鄫言上有滅文者即襄六年秋莒人滅鄫是也内取邑直言取者上元年三月取運之屬是也言上有滅鄫之文鄫不復為国因此之故遂直言取若似内自取邑然則襄六年之時鄫已見滅今而言取者彼自取後乎莒非兵滅是以魯人今得取之以此言之則無駭入極不言取者正以極上無滅文故也。○冬十有二月乙卯叔孫豹卒

五年春王正月舍中軍舍中軍者何復古也

然則曷為不言三卿

五亦有中三亦有中

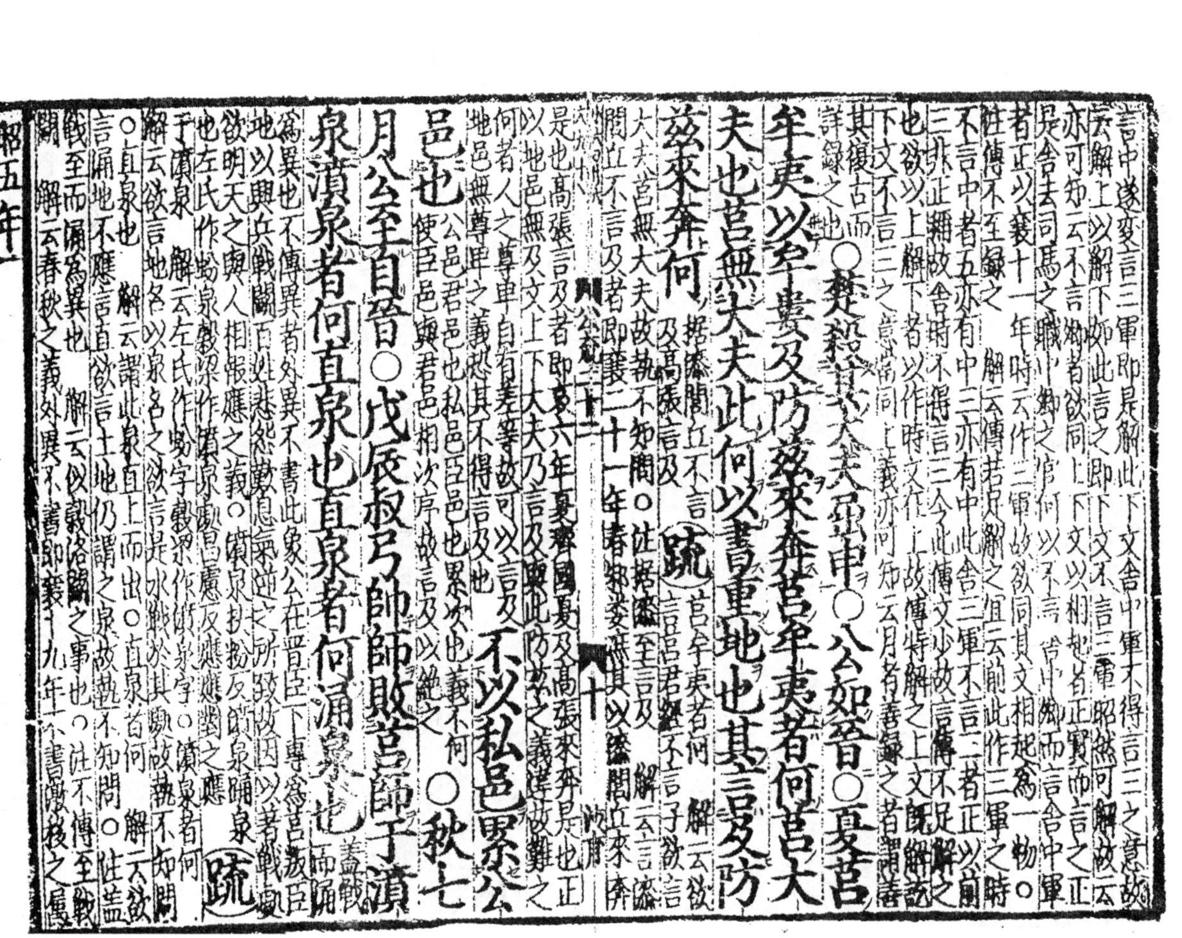

昭五年

楚殺其大夫屈申○公如晉○夏莒牟夷以牟婁及防茲來奔莒牟夷者何莒大夫也莒無大夫此何以書重地也其言及防茲來奔何不以私邑累公邑也○秋七月公至自晉○戊辰叔弓帥師敗莒師于濆泉濆泉者何直泉也直泉者何涌泉也

是今此瀆泉爲異故不錄經既不錄傳無由發之若書之傳宜云何以書爲天下記異以若僖十四年沙鹿崩之傳矣云此象公在晉云云者公在晉者即上春公如晉是也臣下專受莒叛臣也者即經書夏莒牟夷以下云云來奔在秋七月公至自晉之上是也以與兵戰鬬者即此戰敗于瀆泉是正以敗者內戰之文故也○注百姓至所致○解云上注云外異今此云魯人悲怨致之者正以瀆泉在莒魯界上二國結怨方戰於此應而爲異例以不然○注故因至之義○解云疏月

僖二年○秦伯卒何以不名據諸侯名秦者夷也匿嫡匿商反之名也嫡子生不以名令于四竟擇勇猛者而立之○嫡之丁歷反注及下同 疏 注嫡子至立之○解云即內則云夫人告宰名宰辯告諸男名書曰某年某月某日某生而藏之宰告閭史閭史書爲二其一藏諸閭府其一獻諸州史州史獻諸州伯州伯命藏諸州府是其以名令於四竟之義其云擇勇猛者而立之者正以夷狄之人不尚文德故也何以不名據秦伯嬰稻名 疏 注據秦伯嬰稻名○解云文十八年春秦伯罃卒宣四年春秦伯稻卒是也然則文十八年經作罃字今此嬰字者誤也寧知非彼誤者正以文十八年秦伯罃卒之下賈氏云穀梁傳云秦伯罃不道公羊曰嬰知公羊與左氏同皆作罃字矣注獨嬰稻以嫡得立之者嬰字亦誤宜爲罃字矣嫡得之也嬰稻以嫡得立之○冬楚子蔡侯陳侯許男頓子沈子徐人越人伐吳吳未服夷封之罪故也越稱人者俱助義兵意進于淮夷故加人以進之義兵不月者進越爲義兵明故省文 疏 注越稱至省文○解云即上四年秋七月楚子蔡侯陳侯許男頓子胡子沈子淮夷伐吳彼注云月者善義兵然則上文淮夷雖助義兵其意不進故不稱淮人今稱人故以進解之云義兵不月者能越爲義兵明故省文者正以侵伐例時義兵則詳錄故上四年秋七月楚子以下伐吳注云月者善錄義兵是也今此亦爲義兵而不書月故如此解

昭六年

六年春王正月杞伯益姑卒不日者行微弱故略之上城杞已賊復卒略之者入所見世責小國詳始錄內行也諸侯內行小失不可勝書故於終略責之見其義○復扶又反內行下孟反下同勝音升見賢遍反 疏 注不日至略之○解云正以襄二十三年春三月己巳杞伯匄卒彼已書日今而書月故解之○注上城至其義○解云上城己賊者謂襄二十九年夏仲孫羯會晉荀盈齊高止宋華定以下城杞杞子來盟注云賊稱子者微弱不能自城危社稷宗廟當坐是也律云一人有數罪則以重者坐之然則亦不再加而卒復略之者正以此是入所見之世責小國詳始錄其內行故也諸侯內行小失寧可備盡但當卒時略之而已言不可勝書者言小行非一不可勝有不可具書猶如亭云不可勝記之類也何氏必此解者正以往前經傳不見杞伯之惡而經略之恐內行有失也○葬秦景公○夏季孫宿如晉○葬杞文公○宋華合比出奔衛比如字又毗志反○秋九月大雩先是季孫宿如晉是後叔弓與公比如楚有欲賦之煩也○賦斂力驗反或無此字 疏 注先是至之煩○解云文當如是言先是季孫宿如晉即上文夏季孫宿如晉是也言是後叔弓與公比如楚者即下文冬叔弓如楚七年三月公如楚故謂之比也二年事皆在後故云有賦之煩也亦有一本云叔弓如齊者誤○楚薳頗帥師伐吳 疏 楚薳頗○解云左氏穀梁作薳罷字○冬叔弓如楚○齊侯伐北燕

昭七年

七年春王正月暨齊平暨者會暨內也不出主名者君相與平國中皆喜故以舉國體言之月者剌內暨暨也時魯方結婚于吳外慕強楚故不汲汲于齊○暨其器反 疏 注暨者至錄內也○注月者至暨也○解云正以定十一年冬及鄭平則知例書時也今此書月故如此解也隱元年傳云及猶汲汲也暨猶暨暨也及我欲之暨不得已然則暨暨者是不得已然後爲之平是善事而不汲汲故書月以剌之故云月者剌內暨暨矣○注時魯至于齊○解云下十年冬注云去冬者蓋昭公娶吳孟子之年故貶之然則十年不書冬者是其方結婚于吳之事其外慕強楚者即上文叔弓如楚下文公如楚之屬是也正以文不言及故云不汲汲于齊矣注是後楚滅陳云云者即八年冬十月壬午楚師滅陳是也及下十一年十有一月丁酉楚師滅蔡是也云楚弒其君于乾谿者即下十三年夏四月楚公子比自晉歸于楚弒其君虔于乾谿是也○三月公如楚○叔孫舍如齊涖盟二傳作婼○夏四

月甲辰朔日有食之是後楚滅陳蔡弑君虔于乾谿。秋八月戊辰衛侯惡卒。九月公至自楚。冬十有一月癸未季孫宿卒。十有二月癸亥葬衛襄公當時而日者世子輒有惡疾不早廢之臨死乃命臣下廢之自下廢上鮮不為亂故危錄之。○當丁浪反又如字鮮息淺反 疏 注當時至錄之。○解云隱三年傳云當時而日危不得葬也今此衛侯八月卒至此正五月而經書癸亥故言危錄之言世子輒有惡疾者即下二十年秋盜殺衛侯之兄輒傳云母兄稱兄兄何以不立有疾也是矣知其不早廢臨死乃命臣下廢之者正以危錄其葬故也其若不然更無危事不知衛侯葬何以書日言危錄之者以其有危故錄其日也

八年春陳侯之弟招殺陳世子偃師說在元年變其言陳者起招致楚滅陳自此始故重舉國。○殺重直用反年未同 疏 注說在元年。○解云即元年傳云大夫相殺稱人此其稱名氏以殺何言將自是弑君也今將爾詞曷為與親弑者同君親無將將而必誅之屬是也。○注變其至舉國○解云春秋之義大夫相殺稱人言其即莊二十二年春陳人殺其公子禦寇下陳人殺其大夫公子過文九年晉人殺其大夫先都之屬是也今變而下之例言殺陳世子者起招致楚滅陳自此始是以重舉陳矣○夏四月辛丑陳侯溺卒。溺乃狄反○叔弓如晉。○楚人執陳行人于徵師殺之。○陳公子留出奔鄭。秋蒐于紅。蒐者何簡車徒也徒衆。○蒐所求反本亦作蒐 疏 ○蒐者何。○解云正以常事不書今此見經故執不知問何以書蓋以罕書也說在桓六年 疏 注說在桓六年○解云桓六年秋八月壬午大閱傳云大閱者何簡車徒也何以書蓋以罕書也注云罕希也孔子曰以不教民戰是謂棄之故比年簡徒謂之蒐三年簡車謂之閱五年大簡車徒謂之大蒐存不忘亡安不忘危[illegible]比蒐閱時此日者桓既無文德又忽忘武備故尤危錄蒐之法此年作之今此不然故云以罕書○陳人殺其大夫公子過。過音戈。○大雩先是公如楚半年乃歸費重多賦所致。○費芳味反 疏 注先是至乃歸。○解云即去年三月公如楚九月公至自楚是也○冬十月壬午楚師滅陳執陳公子招放之于越殺陳孔瑗 疏 殺陳孔瑗○解云左傳穀梁作奐○葬陳哀公日者疾許諼滅人也不言滅為重復書二事言殺者葬諼詐義故別見之說義不先書者本懷滅心重舉陳者已言滅不復重舉無以明。○諼況元反復扶又反下同見賢遍反 疏 注日者至人也。○解云春秋之義滅例書月即莊十年冬十月齊師滅譚十三年夏六月齊人滅遂之屬是也上四年秋七月楚子滅厲之下注云楚王滅蕭日此不日者蠻王許賢責之略是以還依常例書月矣今不而日者疾許諼滅人故也○注不舉至見之○解云春秋之義舉滅為重是以襄六年齊侯滅萊之下何氏云不書殺萊君者舉國滅為重是也今不舉滅為重故須辨之言復書二事言殺者謂復書二事又言殺者以疾其詐諼詐義故須別而見之二事故招殺愛葬哀公是○注諼義至滅心○解云宣十一年冬十月楚人殺陳夏徵舒丁亥楚子入陳然則彼乃楚子有義先書其殺今此是子亦是討賊書在滅後者見本懷滅心故也○注重舉至以明○解云成二年秋七月齊侯使國佐如師己酉及國佐盟于袁婁不重舉齊此重舉陳者上已言楚師滅陳若不復舉陳無以明其是陳人矣

九年春叔弓會楚子于陳陳已滅復見者楚[illegible]錄猶宋部以邑錄不舉小地者顧後當存。○復見扶又反下同見賢遍反 疏 注陳已至當存。○解云部者是文王之子春秋前宋人滅之至隱十年夏六月壬戌公敗宋師于菅辛未取郜辛巳取防是也云不舉小地顧後當存者言陳是總號當是會時未必在其國都所以不舉小地而舉陳者正以楚人懸滅春秋欲閔陳而存之故還舉其大號而言也其存陳者即下經夏四月陳火是也○許遷于夷。○夏四月陳火。陳已滅矣其言陳火何據災異為有國者戒。○陳火左氏作災 疏 陳火。○解云左氏作災字穀梁亦與此同。○陳已至火何。○解云所以不言外災不書此何以書之義者正以解言存陳故書其火則外災得書之義亦從

矣存陳也陳已滅復火者死灰復燃之象也此天意欲存之故從有國記災疏注災不記解云即若異鄭不陳火之類未當誅絕天曉其君死灰更燃之意是也曰存陳悕矣存陳書災者若曰陳爲天所存悲之○悕音希悲也疏曰存陳悕矣○解云悕謂悲也公羊子曰陳爲天所存者天悲痛之故也曷爲存陳據災非一天意曷爲悲陳而存之疏注據災至存之○解云弟子之意以爲春秋之內書災者非止一處而已矣意曷爲正於此災之上悲陳而有之乎滅人之國執人之罪人罪人以也殺人之賊孔瑗弑君賊也葬人之君若是則陳存悕矣楚爲無道託討賊行義陳臣子辟門匿心待之而滅其國若是則天存之者悲之也不書孔瑗弑君者本爲招弑當辛招爲重方不與楚討賊於没招正賊文以辨與上貶起之月者閔之○辟婢亦反開也本爲于僞反疏注不書至閔之○解云案如上文則孔瑗與招本謀弑君而責是弑文者正以君親無將將而必誅故言當辛招爲重言故没招正賊文者謂不於討處貶招見其有弑君之罪矣言以辨與上貶起之者上貶謂元年稱公子傳云此陳侯之弟招何以不稱弟貶是也二云月者閔之者正以外災例時即襄元年春宋火之屬是今而書月故言閔○秋仲孫玃如齊玃具縛反又居碧反○冬築郎囿○囿音又

十年春王正月○夏晉欒施來奔晉欒施左氏作齊欒施○秋七月季孫隱如叔弓仲孫玃帥師伐莒○隱如左氏作意如○戊子晉侯彪卒彪彼虬反○九月叔孫舍如晉○葬晉平公○十有二月甲子宋公戌卒去冬者蓋昭公取吳孟子之年故貶之○宋戌誘左傳者音皮何云向戌與君同名則宜音恤去起呂反疏注去冬至貶之○解云正以禮記論語皆有昭公取于吳謂之吳孟子之文但不指其取之年歲今無冬者無佗罪可指是以何氏以意當之以無正文故言蓋也取吳孟子所以不書者諱取同姓故也賈服以爲刺不答其至視氣[illegible]

昭十年

以爲不書所未詳

十有一年春王正月叔弓如宋○葬宋平公○夏四月丁巳楚子虔誘蔡侯般殺之于申楚子虔何以名據誘戎曼子不名○戎曼音萬疏注據誘至不名○解云即昭十六年春楚子誘戎曼子殺之是也絕曷爲絕之據俱誘之爲其誘討也不從自知而死故加誘○爲于僞反疏注傳不至加誘○解云即左氏傳云醉而殺之是也此討賊也蔡侯般弑其父而立疏注蔡侯至而立○解云即襄三十年夏四月蔡世子般弑其君固是也雖誘之則曷爲絕之據與莊王外討晉文諸尊○諸古尤反疏注據與至諸尊○解云莊王外討者即宣十一年冬十月楚人殺陳夏徵舒傳云此楚子也其稱人何貶曷爲貶不與外討也曷爲不與實與而文不與文曷爲不與諸侯之義不得專討也諸侯之義不得專討則其曰實與之何上無天子下無方伯天下諸侯有爲無道者臣弑君子殺父力能討之則討之可也者是其實與莊王外討之文也云晉文諸尊者即僖二十八年五月癸丑公會晉侯以下盟于踐土公朝于王所傳云曷爲不言公如京師天子在是也曷爲不言天子在是不與致天子也注云時晉文公年老恐霸功不成故上白天子曰諸侯不可卒致願王居踐土下謂諸侯曰天子在是不可不朝迫使正君臣明王法雖非正起時可與故書朝因正其義所以見文公之功是也懷惡而討不義君子不予也内懷利國之心而外託討賊故不與其討賊而責其誘詐也地者惡以好會誘之○好呼報反疏注地者至誘之○解云正以昭十六年楚子誘戎曼子殺之不書地今言于申故解之○楚公子棄疾帥師圍蔡○五月甲申夫人歸氏薨○大蒐于比蒲大蒐者何簡車徒也何以書蓋以罕書也說在桓六年○比音毗疏大蒐者何○解云欲言常事而經加大欲言非常事蒐是常獵之名故執不知問○注說在桓六年○解云即桓六年秋八月壬午大閱傳云大閱者何簡車徒何

昭十一年

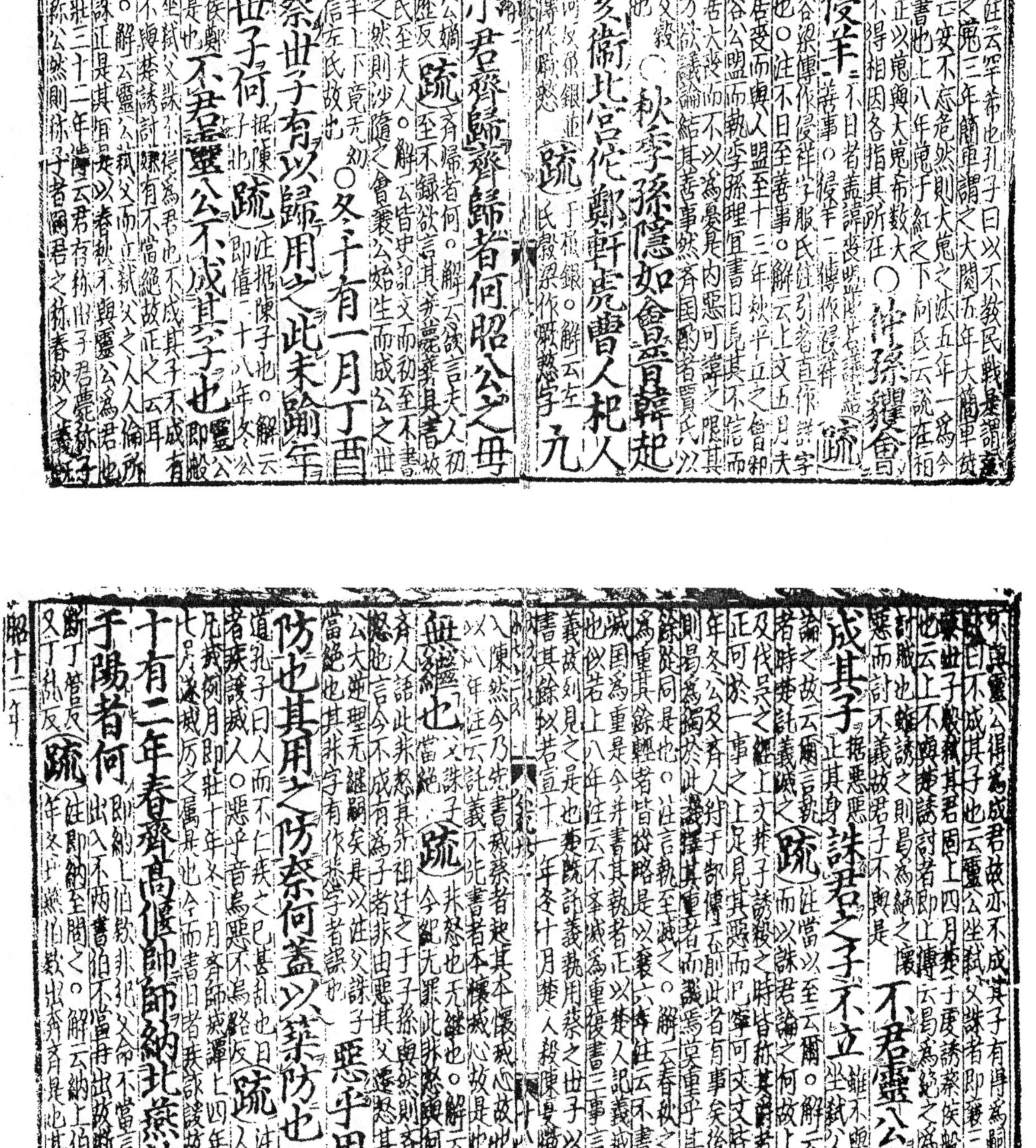

邾婁子盟于侵羊。秋，季孫隱如會晉韓起、齊國酌、宋華亥、衛北宮佗、鄭軒虎、曹人、杞人于屈銀。九月己亥，葬我小君齊歸。齊歸者何？昭公之母也。冬十有一月丁酉，楚師滅蔡，執蔡世子有以歸，用之。此未踰年之君也，其稱世子何？不君靈公，不成其子也。

不君靈公，則曷為不成其子？誅君之子不立。非怒也，無繼也。惡乎用之？用之防也。其用之防奈何？蓋以築防也。

十有二年春，齊高偃帥師納北燕伯于陽。伯于陽者何？

納言子邑者即哀三年夏晉趙鞅帥師納衛世子蒯聵于戚
傳云戚者何衛之邑也曷爲不言入于衛父有子子不得有
父也注云明其父得有子而廢之子不得有父之所有故奪
其國文正其義也者是也然則今此納北燕伯于陽若是納
上伯款即非犯父之命者正以出奔稱伯不似蒯聵稱世子
故也是以何氏於款之上連伯言之見非犯父之命云又微
國出入不兩書者僖二十五年秋楚人圍陳納頓子于頓何
以不言遂兩之也注云頓子出奔不書者小國例也是也

公子陽生也子曰我乃知之矣子謂孔子乃乃是歲也時孔子年二
十二具知其事後作春秋案史記知公誤爲伯子誤爲于陽在生刊滅闕○刋苦干反**在側者曰**
子苟知之何以不革曰如爾所不知何如爾猶奈何也
奈女所不知何寧可強更之乎此夫子欲爲後人法不欲令
人妄億錯子絕四毋意毋必毋固毋我○女音汝強其丈反
令力呈反下令獎同億於力反 疏 注如猶至億措○解云
錯七故反或七各反字或作措 孔子云當是歲也時已
年亦具見其事奈汝在側之徒不見之何故曰奈汝所不知
何也孔子雖知伯于陽者是公子陽生但在側之徒者不委
曲若改之謂已苟出心胸故曰寧可彊更之乎莊七年星霣
如雨之下傳云不脩春秋曰雨星不及地尺而復君子脩之
曰星霣如雨何氏云明其狀似雨耳不當言雨星不言尺者
霣則爲異不以尺寸錄之然孔子脩春秋大有改之處而特
此文不改之者欲示後人重其舊事似劉公即君與爲不上
禮之類也故曰夫子欲爲後人法不欲人妄億措也億措者
億謂有所疑度措者置也置意於言也不欲令人妄疑度不
欲令人妄置意於言矣若疑度而中之者無傷即槃也其求
乎由也其死矣之類是也若億措而妄者正得學者不思之
義也則學而不思則罔之類是也云子絕四者備於鄭注中
之者欲道無事億措乃孔子所絕是以脩春秋而有其義矣**春秋之信史也其序**
則齊桓晉文唯齊桓晉文會能以德優劣國大小相次序 疏 注唯齊至次序○解云謂
其盛時事也及其衰末亦不醇粹是以僖十二年鹹之會許
男序于曹伯之上而何氏於僖四年許男新臣卒葬許穆公
之下注云得卒葬於所傳聞世者許大小次曹故卒少在曹
曹俟者是鹹之會當桓末年許在曹上非其次序之事也**其**
會則主會者爲之也雖齊桓晉文則如主會者爲之雖優劣大小相越不改更信史

昭十二年

其詞則丘有罪焉爾此孔子名其貶絕譏刺之辭有所失者是丘之罪聖人德
盛尚謙故自名爾上書者惡納篡也不書所篡出奔者微國
雖得踰年君猶不錄不足陽下言于此燕者史文也北燕本
在上從史文也
○惡納烏路反 疏 注此孔至之罪○解云即春秋說云孔
授游夏之徒游夏之徒不能改一字是也云上書者惡納篡
也者正以春秋之義立納入皆爲篡辭且上有伯款出奔齊
之文知今納宜是篡人也○注不書至不錄○解云正以上
三年之末伯款出奔避遷十二年計應有君矣陽生篡之宜
書其出今不書者微國之君被篡而出者皆略而不書之
假令非被篡但是微國未踰年之君卒猶不書況乎被篡出
奔寧不略之乎何氏所以必將未踰年君約之者正以大見
之出微國成君之出例皆錄之故也即伯款之徒是也○注
不足至史文也○解云若足其文宜云齊高偃帥師納北燕
公子陽生于北燕今陽生之下不言北燕者正以史之本文
陽生之上有北燕之字因而從之不及改順文也
殺其大夫成然者左氏作成熊穀梁作成虎字**○三月**
壬申鄭伯嘉卒○夏宋公使華定來聘○公
如晉至河乃復○五月葬鄭簡公○楚殺其大
夫成然成然左氏作成熊**○秋七月○冬十月公子憖出**
奔齊憖之鎮反或作懃魚覲反**○楚子伐徐○晉伐鮮虞**謂之
晉者中國以無義故爲夷狄所強今楚行詐滅陳蔡諸夏懼
然去而與晉會于屈銀不因以大綏諸侯先之以博愛而先
伐同姓從親親起欲以立威行霸故狄之 疏 注謂之至狄之○解云諸夏之稱
連國稱爵今單言晉作夷狄之法
故須解之言中國無義故爲夷狄所彊者即襄七年鄭伯髡
原之下傳云曷爲不言其大夫弒之爲中國諱也曷爲爲中
國諱鄭伯將會諸侯于鄬其大夫諫曰中國不足歸也則不
若與楚鄭伯不可其大夫曰以中國爲義則伐我喪以中國
爲彊則不若楚於是弒之何氏云據由中國無義故深諱使
若自卒之屬是中國無義之文也言遂爲夷狄所彊也者即
四年夏楚子以下會于申執齊慶封殺之之屬是也云今楚
行詐滅陳蔡者即昭八年滅陳十一年滅蔡是也今楚行詐
者即託義討招援託義討蔡般是也言諸夏懼然去而與晉
會于屈銀者即上十一年秋季孫隱如會晉韓起以下于屈銀

昭十二年

……是也言外伐同姓者
……以鮮虞如狄故也

監本附音春秋公羊註疏昭公卷二十二

監本附音春秋公羊註疏昭公卷二十三 起十三年、盡二十三年

何休學

十有三年春叔弓帥師圍費。費音祕。夏四月楚公子比自晉歸于楚弒其君虔于乾谿。此弒其君其言歸何 據齊陽生入惡不言歸。谿苦兮反 疏 此弒至歸何。解云正以歸者出入無惡之文今君弒而言歸故難之。注據齊至言歸。解云即哀六年秋七月齊陽生入于齊是也其陽生入惡者先爵致諸大夫立荼陳乞之家自是往弒舍是也

歸無惡於弒立也歸無惡於弒立者何靈王為無道作乾谿之臺三年不成楚公子棄疾脅比而立之然後令于乾谿之役曰比已立矣後歸者不得復其田里衆罷而去之靈王經而死 時棄疾詐告比得有力罰以歸至而曾立之比之義宜效死不立而立君因自縊故加弒也言歸者謂其本無弒君而立之意加弒責之爾不日者惡靈王無道封內地者起禍所由因以為戒。罷音皮惡烏路反 疏 歸無至立也。解云弒謂虔也言所以書其歸者正於弒虔之時比無惡。歸無惡至者何。解云正據經書弒其君虔曷為言無惡故問之。靈王經而死。解云經者謂縊經而死也若申生雉經及論語云豈若匹夫匹婦之為諒也自經於溝瀆者是也故何氏云君因自經。注時棄疾至為戒。解云正以經書自晉故得為有力之義故如此。解云比之義宜效死不立者下傳文云言歸者明其本無弒君而立之意加弒責之爾者桓十五年傳曰歸者出入無惡故云本無弒君而立之意言加弒責之者謂責其不效死而立矣云不日者惡靈王無道者正以宣十一年秋七月乙丑晉趙盾弒其君夷獋四年夏六月乙酉鄭公子歸生弒其君夷則春秋之義不問加弒與否例皆書日今而不日故解之云封內地者起禍所由因為戒者正以下二十五年宋公佐卒于曲棘傳云曲棘者何宋之邑諸侯卒其封內不地此何以地憂內也注云時宋公聞昭公見逐欲憂納之至曲棘而卒故恩錄之然

昭十三年

棄疾弑公子比比已立矣其稱公子何

其意不當也

其意不當則曷爲加弑焉爾

比之義宜乎效死不立大夫相殺稱人此其

稱名氏以弑何

言將自是爲君也

會劉子晉侯齊侯宋衛侯鄭伯曹伯莒子

秋公

邾婁子滕子薛伯杞伯小邾婁子于平丘八

月甲戌同盟于平丘

公不與盟

公至自會公不與盟者何公不見與盟也

晉人執季孫隱如以歸

大夫執何以致會

公不見與盟大

不恥也曷爲不恥

諸侯遂亂反陳蔡君子恥不與

焉

與盟不書成亂者時不受盟也諸侯實不與公盟而言公不與盟者遂亂雖見與公猶不宜與也故因爲公張義○復扶又反爲公于偽反〔疏〕注齊侯至之君○解云即下文是也○注公不至賂也○解云春秋之義諱內惡故隱五年春公觀魚于棠傳云何以書譏何譏爾遠也何氏云實譏張魚而言觀譏遠者恥公去南面之位下與百姓爭利匹夫無異故諱使若以遠觀爲譏也然則公若與盟即成楚亂便是內惡例諱不書今公不與盟不書楚亂者正以時不受賂是以不得書其成亂矣但桓二年春公會齊侯陳侯鄭伯于稷以成宋亂夏四月取郜大鼎于宋戊申納于太廟傳云何以書譏何譏爾遂亂受賂納于太廟非禮也然則彼以受賂之故書其成宋亂今不受賂是以不書成楚亂決之春秋之義爲內諱大惡而桓公受賂而成宋亂不爲之諱者彼注云宋公馮與督共弒君而立諸侯會于稷欲共誅之受賂便還令宋亂遂成桓公本亦弒隱而立君子疾同類相養小人同惡相長故賤不爲諱也者是也○注諸侯至張義○解云上注云故諱使若公自不肯與之盟今又言此者正以諸侯遂亂是以魯侯不肯與之盟然則上下二注緫爲義非別解云因爲公張義者謂書公不與盟者非直爲國諱因是諸侯遂亂大惡公亦不宜與故言因爲公張義也○蔡侯廬歸于蔡○陳侯吳歸于陳此皆滅國也其言歸何○據歸者有國辭廬力吳反〔疏〕注據歸者有國辭○解云即僖三十年秋衛侯鄭歸于衛之屬是也不與諸侯專封也故使若有國自歸者名者專受其封當誅書者因以起楚封之所以能起之者上有存陳文陳見滅無君所責又蔡本以惡見殺但不成其子不絕其國即諸侯存陳當有文實也〔疏〕不與至封也○解云宜言不與楚專封而云不與諸侯專封者宣十一年傳云此楚子也其稱人何諸侯之義不得專討也是楚得言諸侯之義矣而書云楚子初無封陳蔡之意但畏諸侯之誅遂許封陳蔡之子孫陳蔡爲之請于諸侯諸侯止不伐楚楚乃封陳蔡然則陳蔡得封本由諸侯故傳言諸侯以明之也先疑焉○注名者至當誅○解云諸侯之式不合生名今陳蔡之君既已稱爵而書名者正以諸侯之封宜受于天子而受國于楚故名之見當誅討不合爲諸侯矣○注書者至實也○解云言主書此事者非直惡陳蔡之君不受天子之命亦因以起楚封之所以能起楚之封者正以上九年夏四月陳火傳云陳已滅矣其言陳火何存陳也注云陳已滅復火者死灰復燃之象也此天意欲存之故從有國記災故曰上有存陳文也言陳火滅無君無所責者正以陳國已滅無君可責而火之者意作死火復燃之象見陳國合存之意言蔡本以惡見殺者即襄三十年夏四月蔡世子般弒其君固至上十一年夏四月丁巳楚子虔誘蔡侯般殺之于申是也言但不成其子者即上十一年冬十有一月楚師滅蔡執蔡世子有以歸用之傳云未踰年之君其稱世子何不君靈公不成其子也子者謂君之稱謂不成其子有得稱繼君以繼其父矣言不絕其國者正以書滅是也何者僖五年晉人執虞公之下傳云虞已滅矣其言執之何不與滅也曷爲不與滅滅者亡國之善辭注云言王者起當存之故爲善辭也傳云滅者上下同力者也注云言滅者臣子與君勠力一心共死之辭是也然則何氏言此者欲道陳蔡皆舊有國二君之子復先在楚楚人封之而遂反國故得言歸非謂上會諸侯畀地封之若是上會諸侯畀地封之當如救邢城楚丘之屬傳亦有文實之文若作文實之文宜云滅陳蔡傳云孰滅之諸侯城之曷爲不言諸侯滅之不與諸侯專封曷爲不與實與而文不與文曷爲不與諸侯之義不得專封諸侯之義不得專封則其曰實與之者上無天子下無方伯天下諸侯有相滅亡者力能存之則存之可也○冬十月葬蔡靈公書葬者經不與楚討嫌本可責復讎故書葬明當從誅君論之不得責臣子〔疏〕注書葬至臣子○解云隱十一年傳云然則何以不書葬春秋君弒則不討不書葬以爲無臣子也然則靈公上十一年爲楚誘殺未見復讎之文而書其葬者正以上十一年經不與楚討若不書其葬即嫌可以責蔡臣子無復讎之義是以書葬靈公本者弒父而立當從誅君論之不得責臣子復讎於楚矣言經不與楚討者即上十一年傳云楚子虔何以不名絕也曷爲絕之爲其誘討也此討賊雖誘之曷爲絕之懷惡而討不義君子不與是也○公如晉至河乃復○吳滅州來不日者略兩夷〔疏〕注不日者略兩夷○解云上四年秋七月遂滅厲注云莊王滅蕭日此不日者靈王非賢表之略然則吳子夷昧兄弟立謀讓位季子即爲賢者而反滅人者亦書日以責之而不日者正以兩夷相滅故略之考諸舊本日亦有作月字者若作月字當云春秋上下滅例書月即莊十年冬十月齊師滅譚十三年夏六月齊人滅遂之屬是今此不月略兩夷故也是以下三十年十二月吳滅徐之下而注云不此乃月者所見世始錄夷狄滅小國也不從上州來巢見義者因有升文可責是也以此言之則知此文無月明矣文承十月之下而言無月者謂不

在十月內也然則爲日字有誤云云之說在三十一年

十有四年春隱如至自晉○三月曹伯滕卒○夏四月○秋葬曹武公○八月莒子去疾卒入昭公卒不日不書葬者本篡故因不序○去疾起呂反 疏 注入昭至不序○解云春秋之義所傳聞之世略於小國不書其卒至所聞之世乃始書之即文十三年邾婁子蘧蒢卒之徒是也至所見之世又致大平書小國而錄之卒月葬時即下二十八年秋七月癸巳滕子甯卒冬葬滕悼公之屬是也今此莒君入昭公所見之世宜令卒日葬月而卒不日復不書其葬者正由其本是篡人故因略之不序其卒日亦不序其葬矣其本篡者即上元年秋莒去疾自齊入于莒是也然則春秋之義篡明者例書其葬即衛晉鄭突齊小白之徒是也今此去疾於上元年秋亦有自齊入于莒之文即是篡明例合書葬但以本篡故因不序然則入昭公所見之世小國之卒例合書日而上三月曹伯滕卒亦不日者莊二十三年冬十一月曹伯射姑卒之下何氏云曹伯達於春秋當卒月葬時也如卒日葬月嫌與大國同故復卒不日入所聞世可日不復日然則曹伯終於柏十年時以春秋敬老重恩之故而得卒日葬月以爲大平是以入所見之世雖例可日亦不復日是故上文上曹伯不書日矣○冬莒殺其公子意恢莒無大夫書殺公子者未踰年而殺其君之子不孝尤甚故重而錄之稱氏者明君之子○恢苦回反 疏 注莒無大夫○解云莊二十七年傳文○注稱氏至之子○解云小国大夫假令得見皆不書氏即莒慶之徒是也今兼書公子者欲明其是君之子故也若言莒意恢無以明嗣子不孝

十有五年春王正月吳子夷昧卒夷昧音末本亦作昧○○二月癸酉有事于武宮籥入叔弓卒去樂卒事其言去樂卒事何據入者言萬去籥言名不言卒事○籥羊略反去樂起呂反注去籥及下文去樂同 疏 注據入至卒事○解云即宣八年夏六月辛巳有事于大廟仲遂卒于垂壬午猶繹萬入去籥是也然則彼乃入者言萬此則入者言籥彼去籥言名此則漫言去樂而已彼又不言卒事與此異是故弟子據而難之禮也以加錄卒事即非禮但當言去樂而已若去籥矣揔言樂者明悉去也君有事于廟聞大夫之喪去樂卒事恩痛不忍舉其祭事大夫聞君之喪攝主而往攝主謂已主祭者聞君之喪義不可以不即行故使兄弟若宗人攝行主事而往不廢祭者古禮也古有分土無分民大夫不世已父未必爲今君臣也孝經曰資於事父以事君而敬同 疏 注攝主謂至臣也○解云謂已於廟內主其祭事者矣云古有分土無分民知此者正以詩云逝將去汝適彼樂土論語云四方之民襁負其子而至矣之言故也云大夫不世者謂凡得大夫者皆以有功德大夫難之○注孝經至敬同○解云何氏之意以資爲取言取事父之道以事君所以得然者而敬同故也以此言之則何氏解孝經與鄭稱同與康成異矣云云之說在孝經疏大夫聞大夫之喪尸事畢而往賓尸事畢而往也日者爲卒日○爲于僞反 疏 注賓尸至往也○解云正以禮大夫祭謂之賓尸故也云日者爲卒日者正以春秋之義失禮鬼神例日今非失禮而日爲卒○夏蔡昭吳奔鄭不言出者始封名言歸嫌與天子歸有罪同故奪其有國之辭明專封○昭吳左氏作朝吳 疏 夏蔡昭吳奔鄭○解云左氏穀梁皆言朝吳出奔鄭今此作昭吳字又不言出者所見之文異案左氏穀梁皆以朝吳爲蔡大夫則知此昭吳亦爲蔡大夫矣而舊解以昭吳爲蔡侯廬之字者似非何氏之意○注不言至專封○解云今此昭吳出奔鄭不言出者正以其君始封之時名書歸即十三年蔡侯廬歸于蔡是也云嫌與天子歸有罪同者謂書名言歸與天子歸有罪之文近相似故以爲嫌何者僖公二十八年夏六月衛侯鄭自楚復歸于衛注云言復歸者天子歸有罪矣冬曹伯襄復歸于曹而注云曹伯言復歸者天子歸之名者與衛侯鄭同義然則天子歸有罪者書名言歸向上蔡侯廬歸于蔡小有罪歸故言嫌與天子歸有所嫌謂雖然相以言故奪其有國之辭者正以君子之歸有非故奪其昭吳有國之辭不言其出矣云明專封者欲明其蔡侯爲楚所專封矣吳既受諸侯之專封不合有國故不言大夫之出奔其國又以見之○六月丁巳朔日有食之此十七年食辰同占 疏 注此十至同占○解云謂此文日有食之與十七年夏六月甲戌朔日有食之皆與十七年有星孛大辰同占

昭十五年

陸渾 賁渾

於大辰同占也其占者則孛大辰之下注云是後周分爲二天下兩主宋南里以亡是也○秋晉荀吳帥師伐鮮虞○冬公如晉

十有六年春齊侯伐徐○楚子誘戎曼子殺之楚子何以不名 據誘蔡侯名○戎曼音蠻又音萬二傳作戎蠻哀四年同 疏 注據誘蔡侯名○解云即上十一年夏楚子虔誘蔡侯般殺之于申是也 夷狄相誘君子不疾也曷爲不疾 據俱誘也 若不疾乃疾之也 以爲固當常然者乃所以爲惡也顧以無知薄責之戎曼又稱子者入昭公見王道太平百蠻貢職夷狄皆進至其爵不日者本不卒不地者略也○是賢遍反 疏 注戎曼至其爵○解云上四年申之會淮夷再見淮夷五年冬越人伐吳一見越人所見之世而不進之者君子因事見義故也何者淮夷與越盡遣大夫會此是君因可進而進之且昭公之時文致太平實不治定但可張法而已豈可文皆進乎○注不日者本不卒○解云上十一年夏四月丁巳楚子虔誘蔡侯般殺之于申書其丁巳今亦誘殺而不日者正以戎曼子□近夷狄之內最爲微國雖於太平之世亦不合卒是故春秋略之不書其日矣云不地者略也者正以蔡侯誘殺經書于申今此不地故言略也○夏公至自晉○秋八月己亥晉侯夷卒○九月大雩 先是公數如晉○數音朔 ○季孫隱如如晉○冬十月葬晉昭公○

十有七年春小邾婁子來朝○夏六月甲戌朔日有食之○秋郯子來朝○八月晉荀吳帥師滅賁渾戎 ○賁渾音六二下戶門反 冬有星孛于大辰 孛者何彗星也 三孛皆發問者或言入或言于或言於嫌爲孛異猶問錄之○星孛音佩彗息遂反反囚歲反 疏 孛者何○解云欲言星名星名未有孛欲言非星錄爲星稱故執不知問○注三孛至錄之○解云言三孛皆發問者即文十四年秋七月有星孛入于北斗傳云孛者何彗星也其言入于北斗何北斗有中也何以

書記異也哀十三年冬十有一月有星孛於東方傳云孛者何彗星也其言于東方何見于旦也何以書記異也并此三處皆言孛者何故言三孛皆發問也所以三處皆問之者正以文十四年經言入于北斗此經言于大辰哀十三年經言于東方三文甚異即嫌爲孛之不同是以勇動皆發問而詳錄之故云或言入或言于或言於方嫌爲孛異猶問錄之 其言于大辰何 據北斗言入于大辰非常名 疏 注據北斗言入于○解云正以此經不言入宜言于比據入而難之云大辰非常名者正以東方七宿皆謂之辰故曰大辰非七宿之常名而經言之因以爲難也 在大辰也大辰者何大火也 大火謂心 疏 大辰者何○解云大辰之名非一而已不知何者故執不知問○注大火謂心○解云正以左氏傳心爲大火是也而釋天云大火謂之大辰南方亦可爲出火之候故也不謂心星非大火然則爾雅不言心爲大火者文不備也 大火爲大辰伐爲大辰 伐謂參伐也大火與伐天所以示民時早晚天下所取正故謂之大辰辰時也○參所林反 疏 大火爲大辰○解云即釋天云大火謂之大辰李巡孫氏云大火蒼龍宿之心以候四時故曰大辰郭氏云大火心也在中最明故時候主焉是也○注伐謂參伐也○解云正以伐在參傍與參連體而六星故言伐謂參伐也伐與參爲一候故也 北辰亦爲大辰 北辰北極天之中也常居其所迷惑不知東西者須視北辰以別心伐所在故加亦亦者兩相須之意○別彼列反 疏 注北辰北極天之中○解云即釋天云北極謂之北辰李氏云北極天心居北方正四時謂之北辰孫氏郭氏曰北極天之中以正四時謂之北辰是也云天中也者以天面言之故也然則謂之極者取於居中之義矣而春秋說云北者高也極者藏也言人一之星高居深藏故名北極也者與此傳說違其何氏兩解乎云常居其所者謂常居紫微宮所矣 何以書記異也 心者天子明堂布政之宮亦爲孛彗者邪亂之氣埽故置新之象是後周分爲二天下兩王宋南里以亡○雖似嗟反 疏 注心者至之宮○解云春秋說文星經亦云云亦爲孛者亦如北斗爲彗所孛矣○注是後至以亡○解云言周分爲二天下兩王者謂敬王在成周王猛居王城故下二十二年秋劉子單子以王猛入于王城傳云王城者何西周也何氏云時居王城邑自號西周王經又言冬十月王子猛卒二十二年尹氏立王子朝然則王猛卒後子朝復自與敬王爭據相

指故云周分爲天下兩主也是以運斗樞云星孛睥起宇
大辰於五堂乱政順門三王爭周以分是也然則彼云三王
爭者通前後言之今此云周分爲二天下兩主者正以子猛
子朝之篡是一也言宋南里以叛者即下二十一年夏宋華
亥向寧華定自陳入于宋南里以畔是也○楚人及吴戰于長岸詐戰
不言戰此其言戰何據於越敗吳于醉李醉李音醉本或作檇敵也
俱無勝負不可言敗故疏詐戰至戰何。解云經文言戰
言戰也不月者略兩夷而傳以詐戰問之者正以夷狄
實尊不能結日偏戰今此兩夷而言戰故以詐戰難之。注
據於至醉李。解云在定十四年夏也彼此皆是兩夷無言
戰之經是以据而難之。注不月者略兩夷。解云正以春
秋之例偏戰者日詐戰者月今此詐戰而不月故言略兩夷

十有八年春王三月曹伯須卒。夏五月壬
午宋衛陳鄭災何以書記異也何異爾異其
同日而俱災也外異不書此何以書爲天下
記異也詩云其儀不忒正是四國四國天下象也是後王
室乱諸侯莫肯救故天應以同日俱災若曰無天
下云爾。爲于僞反忒官得反應應對之應疏記異也。解云經言災者以其
燓宗廟朝廷故也傳云異者正
以四國同日而俱災。注四國天下象也。解云正以四國
得爲四方之國故得謂之天下象。注是後王室乱諸侯莫
肯救。解云即下二十二年夏六月王室乱傳云何言乎王
室乱注云據天子之居稱京師言不及外也注云宮謂之室
剌周室之微弱邪庶並篡无一諸侯之助四夫之救如一家
之乱也故變京師言王室不爲天子諱者方責天下不救之
者是王室乱諸侯莫肯救之事也
○六月邾婁人入鄅。鄅音禹又音矩○
秋葬曹平公。○冬許遷于白羽

十有九年春宋公伐邾婁。○夏五月戊辰許
世子止弒其君買蔡世子般弒父不忍日此日者加弒爾非實弒也疏注蔡
世子至弒也。解云即襄三十年夏四月蔡世子般弒其君固
何氏云不日者深爲中國隱痛有子弒父之禍故不忍言其
日月也然則許止亦中國而言日者正以加弒非實弒故也
卯弒者丁傳備文是夷狄弒父則忍言其日者即文元年冬
十月丁未楚世子商臣弒其君髡彼注
云日者夷狄子弒父忍言其日是也○己卯地震季氏
稍盛宋南里以叛王室大亂諸侯莫肯救
晉人圍郊吳勝雞父尹氏立王子朝之應疏注季氏至之應。解云謂
稍稍盛也往前時猶得爲政自上十一年夏公如晉至河乃
復十三年平丘之會公不與盟以來季孫隱如數見經至二
十五年遂出昭公矣云宋南里以叛者在二十一年夏云晉
人圍郊者在下二十三年也彼傳云郊者何天子之邑也曷
爲不繫于周不與伐天子也是也云吳勝雞父者即下二十
三年秋七月戊辰吳敗頓胡沈蔡陳許之師于雞父是也云
尹氏立王子朝者即下二十三年秋尹氏立王子朝是也賊
未討何以書葬者正以隱十一年傳云春秋君弒賊不討不
書葬以爲無臣子也然則師有辭故此弟子据而難之
○秋齊高發帥師伐莒
○冬葬許悼公賊未討何以書葬不成于弒也
曷爲不成于弒据將而誅之○于弒音試下于弒加弒皆同止進藥而
藥殺也時悼公病止進藥悼公飲藥而死止進藥而藥殺則曷爲
加弒焉爾据意善也譏子道之不盡也其譏子道
之不盡奈何曰樂正子春之視疾也樂正子春曾子弟子
以孝名聞疏注樂正至名聞。解云祭義云樂正子春下堂而
傷其足數月不出猶有憂色門弟子云云子春曰
吾聞諸曾子曾子聞諸夫子曰天之所生地之所養無人爲
大父母全而生之子全而歸之可謂孝矣云云今子忘孝之
道予是以有憂色云云是也
復加一飯則脫然愈復損一飯則
脫然愈復加一衣則脫然愈復損一衣則脫
然愈脫然疾除貌也言消息得其節○復加扶又反下同一飯扶晚反下同疏復加至然愈。解云
言子春視疾之時消息得其節觀其顏色力少加可時更加
一飯以與之其病若脫然加愈若觀其顏色力少弱時則
復損一飯以與之則其病若脫然加愈又觀其顏色力似寒
時則復加一衣以與之則病者脫然又加愈又觀其顏色力

十八年　十九年

昭十九年

似如燰則復損一衣齊之則病者脫然而愈以止進藥而藥殺是以君子加弑焉爾失其消息多少之宜曰許世子止弑其君買是君子之聽止也聽治止罪葬許悼公是君子之赦止也原止進藥本欲愈父之病无害父之意故赦之赦止者免止之罪辭也明止但得免罪不得繼父后許男斯代立无惡文是也疏注明止至是也○解云正以此傳但有赦止之文而无善止之處故知但得免罪而已无嗣父之義矣云許男斯代立无惡文是也者正以自此以后不見許男卒葬之文唯有定六年春王正月癸亥鄭游遬帥師滅許以許男斯歸是也言无惡文者正以不見立入之文故也若正宜立而斯簒之春秋之義應作簒文以惡斯矣似若隱四年衛桓見弑嗣子宜立而宣簒之經書立晉以爲惡晉之文也

二十年春王正月○夏曹公孫會自鄭出奔宋

奔未有言自者此其言自何据始出奔未有言此者與宋華亥入宋南里復出奔異○鄭音豪又亡忠反又亡貢反一音亡增反者出舊於此下有比者非復扶又反疏注据始至言此○解云謂始發国出未有言自者故云尓云與宋華亥入宋南里復出奔異者即下文冬十月宋華亥向寧華定出奔陳二十一年夏宋華亥向寧華定自陳入于宋南里以叛二十二年春宋華亥向寧華定自宋南里出奔楚是也而言異者正以華亥之徒奔而入叛邑之處乃始出奔故得言自今會始出故云異矣畔也以奔宋時會盜鄭畔則曷爲不言其畔言叛者當言以畔如邾婁庶期疏注言叛至庶期○解云若其作叛文當言公孫會以鄭出奔宋如似襄二十一年邾婁庶其以漆閭丘來奔之類也爲公子喜時之後諱也春秋爲賢者諱諱使若從鄭出奔者故與自南里同文○爲公子于僞反下爲賢爲會爲之諱同何賢乎公子喜時据喜時不書疏注据喜時不書○解云正以曹羈叔肸春秋賢之者皆書見經即莊二十四年冬曹羈出奔陳宣十七年冬公弟叔肸卒之文是也今此喜時既不書見非所賢矣則何賢乎喜時故難之讓國也其讓國奈何曹伯廬卒于師在成十三年則未知公子喜時從與喜時曹伯廬弟○從與才用反下音餘下從與同疏注喜時曹伯廬弟○解云而賈服以爲廬之庶子者蓋所見本異也公子負芻從與負芻喜時庶兄或爲主于國或爲主于師古者諸侯師出世子率與守國次宜爲君者將從所以備不虞或時疾病相代行本史文不具故傳疑之○槧從女居反說文云槧繿也一曰敝絮也疏注古者至不虞○解云春秋說文言率與守國者輿衆也謂率衆以守國也左氏春秋傳云大子之法君行則守是也其次宜爲君者謂若大子母弟也言時棺槧從者棺者押也即禮云以押從之文是也槧謂新絮即禮記云屬纊以俟絕氣之文是也云或時疾病相代行者正以曹伯無子喜時其母弟也當守國公子負芻若庶兄也禮當從君但或時負芻疾病而喜時代之行今傳不言者正以變文不具故也公子喜時見公子負芻之當主也逡巡而退賢公子喜時則曷爲爲會諱君子之善善也長惡惡也短惡惡止其身不遷怒也○逡七旬反惡惡並如字一讀上烏路反下同疏公子至其身○解云當依正禮喜時守國則負芻當主但在處之處當主而來若其疾病束代行則負芻當主也者在国而當主矣善善也及子孫賢者子孫故君子爲之諱也君子不使行善者有後患故以喜時之讓除會之叛不通鄭爲国如通濫者喜時本正當立有明王與當還國明叔術功惡相除義足通濫介○濫力甘反又力暫反疏注不通至濫國○解云昭三十一年冬黑弓以濫來奔傳云文何以無邾婁注云据書言邾婁通濫也注云通濫爲国故使無所繫爲通濫賢者子孫宜有地也賢者孰謂謂叔術也何賢乎叔術讓國也云云然則今若通鄭爲國宜云夏公孫會以鄭叛奔宋傳云文何以無曹通鄭也曷爲通鄭賢者子孫宜有地也賢者孰謂謂喜時也何賢乎喜時讓國也云云今不如此若正以喜時本正當立若有明王興興滅国繼絶世之時當合還其国則不宜通鄭邑以爲小国而已以此言之明叔術以讓国之功除其妻嫂殺顏之惡裁足通濫邑以爲小國而已不足以得邾婁地○秋盜殺衛侯之兄

輒。母兄稱兄。兄何以不立。據立嫡以長。○輒左氏作縶丁立反長丁丈反

疏 注據立嫡以長。○解云即隱元年傳曰立嫡以長不以賢立子以貴不以長之文是也

有疾也。何疾爾。惡疾也。惡疾謂瘖聾盲癘禿跛傴不逮人倫之屬也書者惡衛侯兄有疾不憐傷厚遇待衛不因至令見殺失親親也○公子不言之兄弟言之者嫌獨弒於尊卑不明故加之以絕之所以正名也○瘖於今反聾路工反癘力世反又力大反 疏 禿吐木反跛布可反傴於矩反惡烏路反令力呈反

注失親親也○解云失親親之道也○冬十月。宋華亥向甯華定出奔陳。二月若危三大夫同時出奔將為國家患明當防之○向甯二傳作向寧 疏 注月者至防之○解一人者執之義大夫出奔例皆書時即成七年冬衛孫林父出奔晉襄二十八年夏衛石惡出奔晉冬齊慶封來奔之屬是也今此書月故須解之言將為國家患者即下文入于宋南里以畔是也若言三大夫同時出奔然後乃月蔡莊二十二年冬十月宋萬出奔陳一大夫也亦書月者彼與大國君出奔同明彊禦之甚是也○十有一月

辛卯。蔡侯廬卒。

二十有一年春王三月。葬蔡平公。○夏。晉侯使士鞅來聘。○宋華亥向甯華定自陳入于宋南里以畔。宋南里者何。若曰因諸者然。因諸者齊故刑人之地公羊子齊人故以齊喻也宋樂大心自曹入于蕭不言宋南里者略叛臣從刑人于国家尤危故重其國○重直用反 疏 入于至以畔○解云左氏穀梁皆作南里字而賈氏云穀梁曰南鄙當所見異也○宋南里者何解云欲言其邑而繫宋言之與蕭例異欲言非邑入之而叛與蕭相似故執不知問○注因諸至之地○解云舊疏云即博物志云周曰囹圄齊曰因諸是也○注宋樂至言宋○解云即定十一年秋宋樂大心自曹入于蕭注云不言叛者從叛臣叛可知若是也何氏特引此事者正以自外而入與此相似而不繫宋故須解之○秋七月壬午朔。日有食之。是後周有爭篡禍 疏 注是後周有爭篡禍○解云在明年八月

昭二十一年

乙亥。叔痤卒。○叔痤在禾反左氏作叔輒 疏 叔痤卒○解云左氏穀梁作叔輒之○惡烏路反下皆同

冬。蔡侯朱出奔楚。出奔者為東國所篡也大國奔例月此時者篡出大國而與楚故略 疏 冬蔡侯朱○解云左氏與此同穀梁作東侯東○注出奔至篡也○解云今此書者正以二十三年夏六月蔡侯東國卒于楚故也篡不書者東國之下自有注說○注大國至略之○解云大國奔例月者即桓十六年十一月衛侯朔出奔齊之徒是○也言惡者中國而與楚者即奔楚是也○公如晉至河乃復。

二十有二年春。齊侯伐莒。○宋華亥向甯華定自宋南里出奔楚。前出奔已絕脫後錄者以故大夫專勢入南里犯君而出也言自者別從國去○復扶又反下同 疏 注前出至國去○解云在上二十年冬出奔陳之屬大夫奔之後其位已絕即襄二十八年冬齊慶封來奔其後因爲吳所以不書之是也今此書者正以專勢入南里犯君而出其當被族也云言自者別從國去者謂言自宋南里者欲別於宋萬出奔陳之文從國都而去者故也○大蒐于昌姦。○大蒐所求反本亦作蒐昌姦二傳作昌間○夏四月乙丑。天王崩。○六月。叔鞅如京師。○葬景王。○王室亂。謂王猛之事 疏 注謂王至之事○解云即下文劉子單子以王猛入于王城是也不言子朝者未成故也不言朝于時未篡事

何言乎王室亂。據天子之居稱京師天王入于成周天王出居于鄭不言亂 疏 注據天至京師○解云桓九年紀季姜歸于京師注云京師者何天子之居也京者何大也師者何衆也天子之居必以衆大之辭言之是也云天王入于成周是也以上二事以解不言下二十六年冬十月天王入于成周是也云天王出居于鄭者即僖二十四年冬天王出居于鄭是也○文何言乎王室之亂言不及外也。宮謂之室刺周室之微邪無所繫無諸侯之助四方之難故一家之亂也故不言京師言王室不言成周言王室者正王以責諸侯也傳不言事亂解者言不及外當言天之故正王可知也不爲天子諱者方責天下不救之○邪似嗟反

叛党反（疏）注宮謂之室○解云爾雅文云邪庶並篡者以子猛子朝皆非正適故謂之邪庶也其篡敵王故謂之並篡時子朝篡事未成而言並篡者欲見尹氏之徒已有立之之意也云無一諸侯之助匹夫之救者正以變京師言王室故知如此云不言成周言王室者正王以責諸侯也者公羊之義以成周是正居既不言京師亂何故不言成周亂而言王室亂者又欲正其王號以責諸侯不救之謂故王為王矣其若不然景王之崩至今期年其嗣子在從得云王室乎云傳不事事悉解者傳若事悉解宜云不言京師言王室者刺周家之微也如一家之亂而已責諸侯不救急者矣王之號今不爾者正以言不及外之文足兼此等之意是故不復責辭耳云言不及外者是外邊諸侯之當責之可知由是之故須言王責諸侯之不救也故曰皆可知云注不為天子諱者方責天下不救之者閔二年傳云曷為外之春秋為尊者諱然則春秋之義為尊者諱今天子微弱不能討亂以國之形而不為諱者方責天下不救之是以不得不見者矣

劉子單子以王猛居于皇。其稱王猛何？據未踰年已葬當稱子（疏）注據未至稱子○解云正以莊三十二年傳云既葬稱子踰年稱公故也言已葬者即上文葬景王是也

當國也。時欲當王者位故稱王猛見當國也錄居者事所見也不舉猛為重者時猛尚如以二子為討篡故加以以者行二子意辭也二子不舉重者尊同權等○見當賢編反下同（疏）注時欲至國也○解云正以言王須國受師以當國之人未成為王理宜略之而錄其居者事所見也者正以當國之人鄭段之徒矣云錄居者事所見也者春秋刺其篡逆若不書云王猛居于皇則其當國之事無由見故曰錄居者事所見也云不舉猛為重者春秋之徒悉皆舉重是以下二十三年秋天王居于狄泉之經不言其大夫以之今不舉重故如此解也云以者行二子意辭也者正以桓十四年宋人以齊人蔡人衛人陳人伐鄭以者何行其意也何氏云以已從人曰行言四國行宋意是也○秋

劉子單子以王猛入于王城。王城者何？西周也。時居王城邑自號西周主（疏）王城者何○解云欲言正居文無成周之稱欲言非正居王猛入之故執不知問

其言入何？據非成周（疏）注據非成周○解云正以公羊之義以成周為正居故言非矣是以二十六年冬十月天王入于成周是也

篡辭也。時雖不入成周已得京師地半稱王置官自居西周故從篡辭言入起其事也不言西周者正之無二京師也不月者本無此國無可與別輕重也（疏）注此從篡辭言入○解云正以春秋之義立納入皆為篡辭故此謂入為篡辭矣○注不月至重也○解云春秋之義大國之篡例合書月即隱四年冬十二月衛人立晉之徒是何者以其禍大故也小國例時以其禍小矣即昭元年秋莒去疾自齊入于莒之文是今此入王城之邑而篡天子計其禍然實如大國之例而不月者正以本無可與別輕重之義是以時之也

○冬十月，王子猛卒。此未踰年之君也，其稱王子猛卒何？據子卒不言名外未踰年君不當卒（疏）注據子卒不言名○解云即成十八年冬十一月子卒是也云外未踰年君不當卒者正以春秋上下無其事故也而僖九年冬晉里克弒其君之子奚齊書者彼乃見殺非此之類也而言外者正以內之子般子野之徒皆書之故也

不與當也。不與當者，不與當父死子繼兄死弟及之辭也。春秋篡成者皆與使當君之父死子繼兄死弟及者篡所以得並成尊君辭也猛未悉得京師未得成王入外未踰年君三者皆不當卒卒又名者非與使當成為君也嫌上入篡無成周文非篡辭故從得位卒明其為篡也月者方以得位明篡故從外未踰年君例（疏）注春秋至辭也○解云即公及齊侯盟于柯邢侯小白卒之徒是也○注猛未至當卒○解云猛未悉得京師即從篡不成已是不當卒也假令得作外踰年君既自不得書其卒況未成外踰年君實不得書其卒言二者不當卒矣○注卒又至篡○解云既不合卒今者其名非欲成其為君但嫌上經入于王城之時無成周之文恐其非篡辭故從其得位而書其卒正欲明為篡故也○注月者至君例○解云篡既不成理宜略之而書其月者春秋之嘗其卒若得位然以明其篡事故曰方以得位明事也言故從外未踰年君例者即僖九年冬晉里克弒其君之子奚齊何氏云弒未踰年君例當月不月者不正遇禍終始惡明故略之今此書月從未踰年君例矣

○十有二月癸酉朔，日有食之。是後晉人圍郊郊天子邑

監本春秋公羊註疏昭公卷第二十三

監本春秋公羊註疏昭公卷二十四　起二十三年盡三十二年

何休學

二十三年春王正月叔孫舍如晉。癸丑叔鞅卒。晉人執我行人叔孫舍。晉人圍郊。郊者何天子之邑也天子閒田有大夫主之。閒音閑疏叔孫舍者。解左氏穀梁作婼字。郊者何。解云欲言外邑文無所繫欲言魯邑而不言伐我故執不知問也曷爲不繫于周不與伐天子也與侵柳同義疏注與侵柳同義。解云即宣元年冬晉趙穿帥師侵柳傳曰柳者何天子之邑也注云天子滑田也有大夫守之晉與大夫忿爭侵之也曷爲不繫乎周注云據王師敗績于貿戎繫王不與伐天子也注云絕正其義使若兩国自相伐今此圍郊亦然故曰與侵柳同義然則彼已有傳今復發之者正以侵圍異文故也且若不發傳無以知其伐天子。夏六月蔡侯東國卒于楚不日者惡背中国而與楚故略之月者比肹附父仇責之淺也不書葬者篡也篡不書者以惡朱在三年之內不共悲哀舉錯無度失衆見篡。惡背烏路反下同背音佩共音恭錯七故反疏注不日至略之。解云正以大国之卒例皆書日今此不日故解之言背中国而與楚者即此文卒於楚是也。注月者至淺也。解云僖十四年冬蔡侯肹卒注云不月者賤其背中国而附父仇故略之甚也然則彼過深故不月此則過淺但不日而已云云之說備於僖十四年云不書葬者篡也者以春秋之例篡不明者例不書葬今此東国篡不明不書其葬以明篡矣。注篡不至見篡。解云二十一年冬蔡侯朱出奔楚何氏云奔者爲東国所篡然則東国既篡於朱而無立入之文者正欲惡朱故也何者東国篡朱而無文則知春秋之義惡朱明矣言在三年之內者即二十年冬蔡侯廬卒至二十一年冬朱即出奔故曰三年之內也所見之世始録諸侯内行小失不可勝書是以春秋但攜而見譏而已故何氏云不共悲哀舉錯無度而已矣凡是爲人所篡皆失衆之所由故何氏云失衆見篡也。秋七月莒子庚輿來奔。戊辰吳敗頓胡沈蔡陳許之

昭二十三年

師于雞父胡子髡沈子楹滅獲陳夏齧此偏戰也曷爲以詐戰之辭言之據甲戌齊国書及吳戰于艾陵俱與夷狄疏言戰今此從詐戰辭言敗。雞父音甫髡苦門反楹音盈左氏作逞穀梁作盈夏戶雅反齧五結反艾五蓋反此偏戰也。解云正以春秋之例偏戰者日詐戰則月今此書日故言偏戰。注據甲戌至言敗。解云即哀十一年夏五月公會吳伐齊甲戌齊国書帥師及吳戰于艾陵齊師敗績獲齊国書是也不與夷狄之主中國也序上言戰別客主人直不直也今吳序上而言戰則主中国辭也。別彼列反下及傳同疏注序上言戰。解云以莊二十八年齊伐衛衛人及齊人戰衛人敗績傳云春秋伐者爲客伐者爲主注云見伐者爲主故使衛主之也彼注云戰序上言及者爲主曷爲使衛主之衛未有罪矣注云蓋爲幽之會服父喪未終而不至故又僖十八年春宋公以下伐齊夏宋師及齊師戰于甗齊師敗績傳云春秋伐者爲客伐者爲主曷爲不使齊主之與襄公之征齊也曷爲與襄公之征齊桓公死豎刁易牙爭權不葬爲是伐之也以此言之若主人直則主序上若客直則客序上故云序上言戰別客主人直不直今吳入序其上而言戰則是吳人爲主中国之辭故不得言戰直言敗而已故云不與夷狄之主中国然則曷爲不使中國主之據齊国書主吳中國亦新夷狄也中国所以異乎夷狄者以其能尊尊也王室亂莫肯救君臣上下壞敗亦新有夷狄之行故不使主之不稱国国出師者惑略之言之師者辟許獨稱師上五国稱国之嫌。之行下孟反下同疏注君臣上下壞敗者。解云不救天子有難君臣上下之道故云君臣上下壞敗。注不稱国国出師者賤略之者。解云決桓十三年春齊師宋師衛師燕師敗績之文。注言之師者。解云若不言之直言吳敗頓胡沈蔡陳許師于雞父則嫌師文獨使許稱自陳以上單稱国是故言之以散之矣其言滅獲何據蔡公孫歸生滅沈以沈子嘉歸殺之国言滅君言殺又獲晉侯言獲此陳夏齧亦言獲君以大夫無別疏注據蔡至言殺。解云即定十四年夏四月庚辰蔡公孫歸生帥師滅沈以沈子嘉歸殺之彼国言滅君言殺今此君言滅是以據而難之云又獲晉侯言獲者即僖十五年冬十一月壬戌晉侯及秦伯戰于韓獲晉侯是也然則国言滅君言殺以

昭二十三年

解傳其言滅何之文又獲晉侯言獲以解傳其言獲何之文　別君臣也君死于位曰滅生得曰獲大夫生死皆曰獲大夫不世故不別死位○

疏君死于位曰滅者　解云即此胡子髡沈子逞滅是也生得曰獲者即獲晉侯是也大夫生死皆曰獲者大夫死曰獲者即此獲陳夏齧及襄十一年獲鄭皇頡是也其大夫生得曰獲者宣二年獲宋華元是也○注大夫不世故不別死位　解云正謂諸侯世故別其死社稷與不若其死社稷者而經書滅不能若與之言獲也大夫不世是以不察別之故下問生死皆謂之獲也

不與夷狄之主中國則其言獲陳夏齧何據別殿蔡師于莘以蔡侯獻舞歸不言獲○莘所巾反

疏注據別至獻舞　解云在莊十年秋九月彼傳云曷爲不言其獲不與夷狄之獲中國也

吳少進也能結日偏戰行少進

疏注言獲　解云在莊十年秋九月彼傳云曷爲不言其獲不與夷狄之獲中國也故從中國辭治之矣經先舉敗以獲敗走及殺也故以自滅爲文則本在位順也經先舉敗以獲敗走乃敗之爲名

疏注曉槩至順也　解云獲晉侯戰部子之若殺自滅乃在今上見槩之滅故云在下者以其死戰當合加禮故退滅文於下使若公子友之類不爲人所殺然故曰使若自卒一則不言滅不與夷狄之殺諸夏二理合待故言相主中國一則其言滅不與夷狄之殺諸夏二理合書則書不待順也○注名者從赴辭也　解云公羊之義合書則書不待赴告而言從赴辭者正以見槩既死故胡沈之臣赴告鄰國云皆寡君某甲爲吳所滅諸侯之史悉書其名孔子案諸國之文而爲春秋由是之故録其名矣故以名者從赴辭隱公八年夏六月己亥蔡侯考父卒秋八月葬蔡宣公傳云卒何以名而葬不名卒從正注云卒當赴告天子君前臣名故從君臣之正義言也而葬從主人彼注云至葬者有常月可知不赴告天子故從蔡臣子辭稱公也以此言之則此注云名者從赴辭者謂其赴告天子之辭是以稱人矣○天

王居于狄泉此未三年其稱天王何據毛伯來求金不稱天王

疏注據毛至天王　解云即文九年毛伯來求金是也君即位矣而未稱王也未稱王何以知其即位以諸侯之踰年即位亦知天子之踰年即位也彼云何以不稱使當喪未君也踰年矣何以謂之未君即位矣而未稱王也未稱王何以知其即位以諸侯之踰年即位亦知天子之踰年即位也然則以天子三年然後稱王亦知諸侯於封內三年稱子也然則天子之法三年然後方始稱王故此傳云此未三年其稱王

何據毛伯不稱天王以難之　著有天子也時庶孽並篡天王失位徙居微弱甚故急著正其號明天下當救其難而事之○孽魚列反難乃旦反

尹氏立王子朝　貶言尹氏者著世卿之權

疏注貶言尹氏者　解云即隱三年夏尹氏卒之下傳云尹氏者何天子之大夫也其稱尹氏何貶曷爲貶譏世卿世卿非禮也六年未滿十歲者何氏更有所見或者正以衛人立晉是去疾之徒悉去公子見其當國今此王子朝總貶文乃與公子比之經相似案上十三年公子比之下傳云此已立矣其稱公子何其意不當也以此言之明其幼少也年既幼少未貪富貴故以未盈十歲言以下二十六年出奔之時年已長而不去王子者順上文也○八月乙未地震是時

猛朝更起與王爭入遂至數年晉陵周竟吳敗六國季氏逐昭公吳光弑僚滅徐故日至三食地爲再動○更音庚數所主反爲于僞反

疏子朝復逆故曰猛朝更起　解云猛卒但莫來世近而言天王居于狄泉尹氏立王子朝二十六年天王入于成周王子朝奔楚故云與王爭入也首尾五歲故曰遂至數年云晉陵周竟者即上二國郊是也云吳敗六國者上文云吳敗頓胡沈蔡陳許之師云云是也云季氏逐昭公者即下二十五年九月癸亥公孫于齊是也○注吳光弑僚滅徐者即下二十七年夏四月吳弑其君僚三十年冬十二月吳滅徐徐子章禹奔楚是也云故日至三食地爲再動者上二十一年秋七月壬午朔日有食之二十二年十有二月癸酉朔日有食之二十四年夏五月乙未朔日有食之故云日至三食也上十九年夏五月己卯地震今年又震故曰地爲再動○冬公如晉至河公有疾乃復何言乎公有疾乃復據十二年冬公如晉至河乃復不言公有疾

疏注據十至有疾　解云上十二年冬公如晉至河乃復是也而云不言公有疾者正謂至河之下不言公有疾矣殺恥也因有疾以殺恥後晉之見畢以公有疾疾以殺耳

二十有四年春王二月丙戌仲孫貜卒○叔孫舍至自晉○夏五月乙未朔日有食之是後

季氏逐昭公吳滅巢弑其君僚又滅徐。○秋，八月，大雩。先是公如晉伊孫貜卒民被其役將年叔倪出會故秋七月復大雩○被皮寄反○丁酉，杞伯鬱釐卒。音來反○鬱釐傳作郁釐力之反二○冬，吳滅巢。○葬杞平公。【疏】叔孫舍至自晉

解云上十四年春隱如至自晉以其被執而還故省去其氏今此叔孫舍不去氏者蓋以無罪故也是以文十四年傳云稱行人而執者以其事執也注云以其所銜奉國事執之晉人執我行人叔孫舍是也不稱行人而執者以已執也注云已者已大夫自以入入之罪執之分別之者罪惡當各歸其本以此言之則知隱如有罪故去其氏舍無罪故無貶文若然文十五年夏單伯至自齊案彼單伯亦以其有罪執而存其氏者恥之故也是以彼注云不省去氏者淫當絕使若他單伯至是也王是後季氏逐昭公者在下二十五年九月云吳滅巢者在今年冬云弑其君僚者在二十七年云又滅徐者在三十年冬先言季氏逐昭公者正欲先吳事故也杞伯鬱釐卒者左氏穀梁作郁釐字今正本亦有郁字者

二十有五年，春，叔孫舍如宋。○夏，叔倪會晉趙鞅、宋樂世心、衛北宮喜、鄭游吉、曹人、邾婁人、滕人、薛人、小邾婁人于黃父。○倪音詣又五兮反左氏作詣樂世心世如字又以制反左氏作大心父音甫○有鸜鵒來巢。何以書？記異也。何異爾？非中國之禽也，宜穴又巢也。非中國之禽而來居此國國將危亡之象鸜鵒權欲宜穴又巢此權臣欲國自下居上之徵也其後卒爲季氏所逐○鸜音權左氏作鸜音劬鵒音欲【疏】夏叔倪者穀梁與此同左氏經賈注者作叔詣字○有鸜鵒來巢者○解云案運斗樞云有鸜鵒來巢于榆此經不言于榆者欲道來巢即爲異不假指其處所若莊七年傳云不脩春秋曰雨星不及地尺而復君子脩之曰星霣如雨何氏云明其狀似雨爾不當言雨星不言尺者霣則爲異不可以尺寸録之非中國之禽也者謂是夷狄之鳥以其義公羊說云鸜鵒夷狄之鳥不當來入中國鄭君駮之曰春秋之鳥不言來者多爲夷狄來也君鸜鵒乃飛從夷狄而來則昭將去遠域之外以此言之則知非中國之禽故[illegible]夷狄之鳥而冬官云鸜鵒不踰濟鄭氏云無於

國有之者何氏所不取也穀梁以爲中國中者非得注之意穀梁與此同○秋，七月，上辛，大雩。季辛，又雩。又雩者何？又雩者，非雩也，聚衆以逐季氏也。一月不當再舉雩言又雩者起非雩也不書逐季氏者諱不能逐反起下孫及爲所敗故因雩起其事也但舉臣不舉辰者辰不同不可相爲上下又日爲君辰爲臣去臣則逐季氏意明矣上不當日言上辛者爲下辛張本不言下辛言季辛者起季氏不執下而逐君○下孫音遜下文同去起呂反爲下于僞反下而爲同【疏】又雩者何○解云諸夏雩祭文悉不言又異于常例故執不知問○注一月至事也○解云僖三年注云大平一月不雨即書春秋亂世一月不雨未書物未足爲異當滿一時乃書然則春秋之義一時能害方始書雩豈有再舉其雩乎故曰一月不當再舉雩矣既無再舉雩之例而言又雩者可以起其非實雩故云言又雩者起非雩也○注但舉至上下○解云正以去年夏五月乙未朔日有食之則此月上辛爲辛丑下辛爲辛酉所以直言辛不兼言丑酉者若言辛丑辛酉即是參差不同不可相爲上下故也○注又日至明矣○解云十日爲陽爲幹故爲君之義十二辰爲陰故爲臣之象故云日爲君辰爲辰○注上不至張本○解云春秋之雩其例書時即桓五年秋大雩之文是故云上不當日也若然亦不合舉而云七月者欲見上辛下辛皆七月之日故○注不言至逐君○解云九言上者對下之辭既言上辛而不言下辛者欲起季氏不執臣下之甲而逐君矣。○九月，己亥，公孫于齊，次于楊州。地者臣子痛君失位詳録所舍止○揚州左氏作陽州○【疏】注地者至舍止○解云地者即書次于揚州是也春秋之義恐君[illegible]不舉公孫爲重而復書次于揚州者臣子哀痛公之失位是以詳録公之所舍止之處矣。○齊侯唁公于野井。唁公者何？昭公將弑季氏。傳言弑者從昭公之辭○唁音彥【疏】唁公者何○解云失國見唁在可諱之限今而書見故執不知問○注傳言至之辭○解云君討臣下正應言殺今此云弑故須解之而言從昭公之辭者即下文云吾欲弑之如何是也季氏爲無道者謂無臣之道告子家駒曰：季氏爲無道，僭於公室久矣。諸侯稱公室吾欲弑

之何如 昭公素畏季氏意者以爲如人君故言弒 疏 注昭公至言弒○解云隱四年傳云與弒公也
氏云弒者殺君之辭然則臣下犯於君父皆謂之弒今昭公欲討臣下而言弒違於常義故須解之 子家駒
曰諸侯僭於天子大夫僭於諸侯久矣昭公
曰吾何僭矣哉 失禮成俗不自知也 疏 注失禮成至知也○解云正以魯人始僭在春秋前至昭已久故不自知
子家駒曰設兩觀 禮天子諸侯臺門天子外闕兩觀諸侯內
闕一觀○觀工亂反注同 疏 注禮天子外闕兩觀諸侯內闕一觀者禮說文也
乘大路 禮天子大路諸侯路車大夫大車士飾車 疏 注禮天子至飾車○解云顧命之文也云諸
侯路車者即詩云路車乘馬是也云大夫大車者即詩云大車檻檻是也云士飾車者即書傳云乘飾車兩馬庶人單馬木車
是 朱干 干楯也以朱飾楯 玉戚 戚斧也以玉飾斧○王
也楯食允反又音尹 戚千歷反
以舞大夏 大夏夏樂也周所以舞夏樂者王者始起未制作之時取先王之樂與己同者假以風化
天下天下大同乃自作樂取夏樂者與周俱文也王者舞六
樂於宗廟之中舞先王之樂明有法也舞己之樂明有則也舞四夷之樂大德廣及之也東夷之樂曰株離南夷之樂曰
任西夷之樂曰禁北夷之樂曰昧○大夏戶雅反注同株離
音誅 禁音金 疏 注東夷之樂至曰昧○解云以下皆樂說文彼注云陽氣始起於懷任之物名離其
株也南者任也盛夏之時物皆懷任矣草木畢成禁如收斂盛陽消盡藏其光景昧然是也 八佾以舞
又居鴆反
大武此皆天子之禮也且夫牛馬維婁 繫馬曰維繫牛
曰婁○佾音逸 大音扶 疏 此皆天子之禮也○解云以
下有夫并注同婁力主反
以大夏之樂謂之爲僭者刺其羣公之廟若然周公則備四代之樂而
牛馬維婁者○解云皆謂繫之於廐不得放逸于郊也○注
繫馬曰維者即詩云皎皎白駒縶之維之是也繫牛曰婁者
正以上言牛馬下言維婁維既屬馬婁屬於牛亦可知矣而
文不次者意到則言矣舊說
云婁者侶也謂聚之於廐 委己者也 委食己者○委
已音紀委食 而柔焉 己于僞反注同
音嗣下同 順 疏 委己者也而柔焉○解云言牛馬之屬猶順於己之人而

季氏得民衆久矣 季氏專賞罰
民於之固其宜矣 得民衆之心
久矣民順從之則牛馬之於委食己者 季氏尊賞罰
云爾子家駒上諫正欲下引時事以 疏 法者○解云
諫者欲使昭公先自正乃正季氏 君無多辱焉 爲恐民必不從君令
下文朱干玉戚之屬是也云下 以爲季氏用反逐君也
引時事者謂牛馬維婁是也 昭公不從其言終弒
而敗焉 果爲季
氏所逐 疏 終弒之者解云欲往攻殺之也
走之齊齊
侯唁公于野井 弔亡國曰唁弔失國曰唁○唁音彥 疏 注弔亡
國曰唁者○解云此文是也
注弔喪至曰 傷弔 曰奈何君去魯
國之社稷昭公曰喪人 自謂亡人○喪
息浪反注亡也 不佞失
守魯國之社稷執事以羞 羞執
事以羞 謙自比於齊下執事言以羞及君 疏 注
以羞○解云言己之尊卑比於齊之執事也而
將措不善失守社稷由是之故以羞及君 再拜顙 顙者猶今
叩頭矣謂見唁也○再拜
顙息黨反見而稽顙也 慶子家駒
曰慶子免君於大難矣子家駒曰臣不佞陷君於大難
君不忍加之以鈇鑕賜之以死 鈇鑕要斬之罪即
所受之以死以大
難乃旦反下同 鈇音甫又方于反 鑕之實反 要一遙反 再拜顙 謝齊侯所慶 高子執簞
食 簞竹器也圓曰簞方曰笥食即下所致糗也○簞音丹
笥息嗣反 注簞竹器也至方曰笥○解云笥
反 疏 言之云食即下所致糗也者即下文云敢致糗於從
者是 與四脡脯 屈曰胊申曰脡○脡他頂
也 反又大頂反 胊其俱反 疏 注屈曰
胊申曰
脡首○解云正以脡是伸舒之名則知胊是屈
之稱矣鄭注曲禮上篇云屈中曰胊義通於此 國子執
壺漿 壺禮器腹方口圓曰壺 疏 注壺禮器○解云即禮
反之 白方壺有蓋飾 器云司宮尊于東楹之
西兩方壺左玄酒南上是也云腹方至爵飾者禮器無文蓋
用舊說以時事知之云有爵飾者謂刻畫爲爵之形飾其

曰吾寡君聞君在外餕饔未就（餕熟食饔熟食也）敢致糗于從者（疏注糗糒也）昭公曰君不忘吾先君延及喪人錫之以大禮再拜稽首以衽受（衽衣下裳當前）高子曰有夫不祥（夫猶人）君無所辱大禮（禮謂受君錫之拜）昭公蓋祭而不嘗景公曰寡人有不腆先君之服未之敢服有不腆先君之器未之敢用敢以請昭公曰喪人不佞失守魯國之社稷執事以羞敢辱大禮敢辭（疏敢辭至敢辭）

以（衽者以）景公曰寡人有不腆先君之服未之敢服有不腆先君之器未之敢用敢固以請昭公曰以吾宗廟之在魯也有先君之服未之能以服有先君之器未之能以出敢固辭景公曰寡人有不腆先君之服未之敢服有不腆先君之器未之敢用請以饗乎從者昭公曰喪人其何稱景公曰孰君而無稱昭公於是噭然而哭諸大夫皆哭既哭以人爲菑以幦爲席以鞌爲几以遇禮相見孔子曰其禮與其辭足觀矣

昭二十五年

故與此異下三十年晉侯使荀櫟唁公于乾侯地者與此同〇冬十月戊辰叔孫舍卒。〇十有一月己亥宋公佐卒于曲棘曲棘者何宋之邑也諸侯卒其封内不地此何以地憂内也時宋公聞昭公見逐欲憂納之至曲棘而卒故恩錄之疏曲棘者何。〇解云欲言宋邑例所不書欲言他邑文無所繫故執不知問。〇諸侯卒其封内不地此何以地者正以桓五年陳侯鮑卒不地是以弟子據而難之但宣公九年晉侯黑臀卒于扈之下已有成注故於此省文〇十有二月齊侯取運外取邑不書此何以書爲公取之也爲公取運以居公善其憂内故書不舉伐者以言語從季氏取之月者善錄齊侯。〇爲公于僞反注同疏外取邑不至以書。〇解云正據襄元年傳云魚石走之楚楚爲之伐宋取彭城以封魚石而經不書楚取彭城是也但隱四年春莒人伐杞取牟婁之下有注故此省文。〇注不舉伐者。〇解云正以隱四年春莒人伐杞取牟婁舉伐言取故决之云月者善錄齊侯者正以哀八年夏齊人取讙及僤外取邑而書時今此書月正以善憂内詳錄齊侯矣

二十有六年春王正月葬宋元公。〇三月公至自齊居于運月者閔公失国居運致者明臣子當憂納公不當使居運後不復月者始錄可知。〇不復扶又反下同疏三月公至于運。〇解云案上公遜于齊次于揚州齊侯唁公于野井以不入齊國都而得言至自齊者穀梁傳云公次于揚州其曰至自齊何也注云據公但至揚州未至齊以齊侯之見公可以言至自齊也注云齊侯唁公于野井以親見齊侯爲重故可言至自齊居于鄆者公在外也注云若但言公至自齊而不言居于鄆則嫌公得歸国欲明公實在外故言居于鄆。〇注月者閔至居運者正以凡致例時故也。〇注致者至可知。〇解云桓元年三月公會鄭伯于垂之下注云不致者爲下去王適足起無王未足以見無王罪深淺故復奪臣子辭成誅文也然則昭公失所爲臣所逐而致之者正以罪輕於桓公明其臣子當憂納公故也云後不復月者始錄可知即此秋公至自會二十七年冬公至自齊居于鄆之屬是也。〇夏公圍成書者惡公失國守而得運不脩文德以來叛遂復其民圍成不從叛書者本與國俱叛故不得復以叛[illegible]不從完公又以親圍下邑爲譏者明無臣子又即如定[illegible]惡烏路反疏注不從至爲重。〇解云成三年秋叔孫僑如率師圍棘棘者何汶陽之不服邑也其言圍之何不聽也注云不聽者叛也不言叛者爲内諱故書圍以起之然則今此圍成是圍叛之文而知爲惡公書之者正以本與國俱叛理宜不復以叛爲重故也。〇注天子不親征下臣子。〇解云定十二年十有二月公圍成注云天子不親征下士諸侯不親征叛邑不能圍成不能服不能以一國爲家甚危若從他國來故危錄之是也然則此經不書月亦與彼異而注不决之者省文從可知〇秋公會齊侯莒子邾婁子杞伯盟于剸陵不月者時諸侯相與約欲納公故内喜爲大信辭。〇剸音專本亦作專疏注不月至信辭。〇解云春秋之義大信者時小信者月不信者日剸陵之會無相犯復無大信止合書月而書時者正以約欲納公故爲大信辭矣公至自會居于運致會者責臣子明公已得意于諸侯不憂助納之而使居于運疏注致會者至于運。〇解云莊六年注云公與二國以上出會盟得意致會不得意不致即哀十三年夏公會晉侯及吳子於黃池秋公至自會宣七年冬公會晉侯以下于黑壤之屬是也然則公與二國以上出會盟得意致會明公已得意於諸侯。〇九月庚申楚子居卒。〇冬十月天王入于成周成周者何東周也是時王猛自號爲西周天下因謂成周爲東周疏成周者何。〇解云欲言正居經無京師之稱欲言非正居天王入之故執不知問。〇注是時王至西周。〇解云謂是上二十二年時故彼經冊秋劉子單子以王猛入于王城傳云王城者何西周也注云時居王城邑自號西周王是也其言入何據入者篡辭疏注據入者篡辭。〇解云即莊六年衛侯朔入于衛之下傳文所云其言入何篡辭也是也不嫌也上言天王者有天子已明不嫌爲篡王言入者起其難也不言京師者起正居在成周實外之月者爲天下喜錄王者反正位。〇爲天于僞反疏注上言至難也。〇解云謂此經上有天王之文下雖言入非篡可知上二十三年秋天王居于狄泉傳云此未三年其稱天王何著有天子然則此注云著有天子已明者取上傳之文云王言入者起其難也者正以隱八年春入邴之下傳其言入何難也莊二

十四年秋夫人姜氏入之下傳云其言入何難也然則入者重難之辭故云主言入者起其難也○注不言至外之○解云桓九年春紀季姜歸于京師之下傳云京師者何天子之居也則天子之居乃京師是也今言天王入于成周不言入京師者正欲起其正居在成周故也所以能起之者既爲天王所入正居明矣言實外之者正以天子之重海內瞻望宜親九族以自衛守而辟惡孽蒙塵于外經歷數年方歸舊守是以不言京師欲以外之然則不言京師兼仁義矣初起成周爲王居終實外天子故云不言京師起正居在成周實外之也注云月者爲天下喜録王者反正位者正以此上二十二年秋劉子單子以王猛入于成周不書月今此月者爲天下喜録王者反正位故也

尹氏召伯毛伯以王子朝奔楚立王子朝獨舉尹氏出奔弃舉召伯毛伯者明本在尹氏當先誅渠帥後治其黨猶楚嬰齊○渠率所類反或作帥(疏)尹氏召伯至奔楚者○解云穀梁與此同左氏召伯作召氏○注云立王子朝獨舉尹氏者○解云即上二十三年秋尹氏立王子朝是也云當先誅渠帥後治其黨者謨之賊首皆還之渠帥故何氏云焉云猶楚嬰齊者成二年冬十有一月公會楚公子嬰齊于蜀丙申公及楚人以下盟于蜀彼注云會不序諸侯大夫者嬰齊楚專政驕蹇臣也數道其君率諸侯侵中國故獨先舉于上乃貶之明本在嬰齊當先誅其本乃及其末是也

二十有七年春公如齊公至自齊居于運○

夏四月吳弑其君僚不書闔廬弑其君者爲季子諱明季子不忍父子兄弟自相殺讓國闔廬欲其享之故爲没其罪也不舉專諸弑者起闔廬當國賤者不得貶無所明文方見爲季子諱本不出賊以明闔廬罪雖可貶猶不繫月者非失衆見弑故不略之○爲季于僞反下同見賢徧反(疏)注不書闔廬弑其君者○解云襄二十九年吳子使札來聘下傳云闔廬曰先君之所以不與子國而與弟者凡爲季子故也將從先君之命與則國宜之季子者也如不從先君之命與則我宜立者也僚惡得爲君乎於是使專諸刺僚者闔廬弑僚之文也今不書闔廬弑爲季子諱不討賊故也云明季子不忍父兄自相殺者即彼傳云而致國乎季子季子不受曰爾弑吾君吾受爾國是吾與爾爲篡也爾殺吾兄吾又殺爾是父子兄弟相殺終身無已也去之延陵終身不入吳國皆是其文也云不舉專諸弑者桓二年春王正月戊申宋督弑其君與夷之下何氏注云督不氏者起馮當國然則彼經貶去督之氏者起其弑君取國與馮所以不舉專諸弑僚見取國與闔廬者正以其賤不得貶之假令書見正得稱人文無所明故也注月者明失衆見弑故不略之者文十八年冬莒弑其君庶其傳云稱國以弑何稱國以弑者衆弑君之辭何氏云一人弑君國中人人盡喜故舉國以明失衆當坐絶也例皆時者略之也然則稱國以弑者例皆不月以略之今此月者直是本不出賊以除闔廬罪是以稱國非失衆見弑之例故不略之○楚殺其大夫郤宛○郤去逆反下紆宛反○秋晉士鞅宋樂祁犂衛北宮喜曹人邾婁人滕人會于扈○犂力兮反又力私反　冬十月曹伯午卒○邾婁快來奔邾婁快者何邾婁之大夫也邾婁無大夫此何以書以近書也說與鼻我同義○邾婁快本又作噲苦夬反(疏)注說與鼻我同義○解云即襄二十三年夏邾婁鼻我來奔傳云邾婁鼻我者何邾婁大夫也邾婁無大夫此何以書以近書也何氏云以奔無他義知以治近升平書也所傳聞世見治始起外諸夏録大略小大國有大夫小國略稱人所聞之世內諸夏治小如大國廩廩近升平故小國有大夫治之漸也見於邾婁者以近治也獨舉一國特亂實未有大夫治亂不失其實故取足張法而已然則邾婁快亦以奔無它義知以治近太平書也見於邾婁者以其近魯故也太平世獨舉一國者時亂實未有大夫治亂不失其實故取足張法而已故云說與鼻我同義也云云之說在襄二十三年○公如齊公至自齊居于運

二十有八年春王三月葬曹悼公月者爲下出也○爲于僞反(疏)注月者爲下出也○解云正以上十八年三月曹伯負芻卒于師平公二十七年冬十月曹伯午卒然則曹於所見之世止自卒月葬時故知此月宜爲其下事出矣○公如晉次于乾侯乾音干晉地名月者閔公內爲强臣所逐出如晉不見答次于乾侯不諱者憂危不暇恥後不月者録始可知(疏)注不月至可知○解云即下二十九年春公如晉次于乾侯是也○夏四月丙戌鄭伯

甯卒○甯乃定反下同左氏并下滕子名並作寧○六月葬鄭定公○

秋七月癸巳滕子甯卒○冬葬滕悼公

二十有九年春公至自乾侯居于運不致以晉者不見容于晉未至晉○齊侯使高張來唁公言來者居運從國內辭書者如晉不見荅喜見唁也不月者例時也疏注言來至內辭者○解云正以下三十一年晉侯使荀躒唁公于乾侯不言來故也○注不月者例時也者正以經不月故知例然則知下文荀躒唁公之經雖在日月之下不蒙日月可知○公如晉次于乾侯○夏四月庚子叔倪卒○秋七月○冬十月運潰邑不言潰此其言潰何郛國曰潰邑曰叛疏注郛國曰潰邑曰叛○解云即僖四年蔡潰文三年沈潰者是國曰潰之文襄二十六年春衛孫林父入于戚以叛定十一年春宋公之弟辰及仲佗石彄公子地自陳入于蕭以叛是邑曰叛之文郛之也

疏注郛邑郛者郛之邑○解云郛國之但古今異辭也○解云即彼經云叔孫僑如帥師圍棘棘者汶陽之不服邑也其言圍之何不聽也彼注云不聽者叛曷為郛之據成三年棘不言潰也疏注據成至潰也君存焉爾昭公居之故從國言潰明罪在公也不言叛者言之郛之若公失國也不諱者責臣子當憂而納之殺恥不如救危也孔子曰不患寡而患不均不患貧而患不安其本乃由于圍成失大得小而不能節用疏注不言國之言郛之者○解云正以桓七年春焚咸丘之下傳云咸丘者何邾婁之邑也曷為不繫乎邾婁國之也莊二年夏公子慶父帥師伐於餘丘之下傳云於餘丘者何邾婁之邑也曷為不繫乎邾婁國之也然則彼二文皆言國之今言郛之者正以昭公居國裁得國外土地而已故傳言郛之不言國之耳云孔子曰不患寡而患不均不患貧而患不安者論語文言為國家者不患土地人民之寡少而患政令之不均平不患國無儲積而患君臣上下之不能相安而引之者欲道昭公政令失所是以出奔今居小地而復國成擾亂其民令之不安亦以致潰散無所土可居又不得國而卒於外者自自取之者也云其本乃由于圍成者謂成也十六年夏公圍成是也失魯之大而

三十年春王正月公在乾侯月者閔公運潰無尺土之居遠在乾侯故存君書明臣子當憂納之疏注故以存君書者○解云即襄二十九年春王正月公在楚何言乎公在楚正月以存君也彼注云正月歲終而復始臣子喜其君父與無終而復始執贄存之故言在今昭公運潰無尺寸之士可居遠在他邦故以有君書之故云公在乾侯○夏六月庚辰晉侯去疾卒○去起呂反○秋八月葬晉頃公○頃音傾○冬十有二月吳滅徐徐子章禹奔楚至此乃月者所見世始錄夷狄滅小國也不日略兩夷○見賢遍反疏注至此至國也○解云正以二十六年秋楚人滅隗以隗子歸何氏云不月者略夷狄滅微國不至可責也○解云昊滅巢在上十三年冬吳滅巢在上二十四年冬然則州來與巢皆當所見出而不書月以見之至此乃月者正以彼國出奔可責○見州來巢見義者固有復奔其君因責章禹不能死位是以於二國皆不書月也於上經既不書月明其遠同所聞之例故何氏於州來之下注云不月者略兩夷是也

三十有一年春王正月公在乾侯○季孫隱如會晉荀躒于適歷時晉侯使荀躒責季氏不納昭公昭公為此會也季氏負羈謝過自歸以昭公所以書會以昭公出奔在外無君命所以書荀躒不又作躒又作躒亦作躒適丁歷反一音狄歷本又作躒歷鳥路反函去巢反孫音遜疏注季氏負羈至不敢入者○解云春秋說文彼注云負羈者荊之禮也昭公意應季氏不敢入者左傳所謂負羈至尊出至會錄○解云春秋之義待君命然後卒大夫明其君命者不錄之也今昭公不在所以書季孫隱如會晉荀躒于適歷又書黑弓以濫來奔之文又以珠外若從王會錄文故得然不為兩疏有君命也云諱函取邑者即下三十二年取闞傳云闞者何邾婁之邑曷為不繫乎邾婁諱亟也注云亟取邑為亟是也云不卒大夫者即上十五年公孫

齊後叔孫舍卒二十九年叔倪卒之後是也然則春秋之義為君父諱惡春秋之義待君命然後卒大夫然今君不而因而書大夫之卒故須解之然則取闞不繫邾婁乃書大夫之卒者正欲盈足諱奔言遂之義故云盈孫文○夏

四月丁巳薛伯穀卒始卒便名日書葬者薛比滕最小迫後定寅皆當略

疏注始卒便名日書葬者○解云春秋之義小国始卒名日及葬未能悉具會二見之後方始能備即宣九年秋八月滕子卒成十六年夏四月辛未滕子卒昭三年春王正月丁未滕子泉卒五月葬滕成公之院是也言薛比滕最小者正以滕子卒於宣公之篇薛今始卒故云比於滕為小国也而今始卒日即得名葬具書正由於後定寅皆當見略迫此之故是以二注備書矣其定見略者即定十二年春薛伯定卒彼注云不日月者子無道當廢之而以為後未至三年失衆見弑危社稷宗廟禍端在定故略之是也其寅見略者即哀十年夏薛伯寅卒彼注云卒葬略者與杞伯益姑同是也昭六年春王正月杞伯益姑卒彼注云不日者行微弱故略之入所見之責小国詳始録内行也諸侯内行小失不可勝書故於略責之見其義是也○晉侯使荀櫟唁公于乾侯○秋葬

薛獻公○冬黑弓以濫來奔文何以無邾婁據讀言邾婁○黑弓一傳作黑肱濫力甘反又力暫反

疏冬黑弓者謂當時公羊子口讀邾婁黑弓矣

通濫也通濫為国故使無所繫曷為通濫據庶其不通也

疏注據庶其不通也者○解云即襄二十一年春邾婁庶其以漆閭丘來奔是也

賢者子孫宜有地也賢者孰謂謂叔術也叔術者邾婁顏公之弟也或曰搴公子

疏注叔術者邾婁至弟也○解云謂母弟也或曰搴公子謂庶弟也

何賢乎叔術據叔術不書讓國也其讓國柰何當邾婁顏之時顏公時也邾婁女有為魯夫人者則未知其為武公與懿公與孝公幼不知孝公者邾婁外孫邪將妾子邪○武公與音餘下及注皆同顏淫九公子于宮中所與淫公子凡九人

疏注所與至九人○解云謂顏公一人不應並淫九人故以

昭三十一年

父字一本作公

所言之因以納賊則未知其為魯公子與邾婁公子與臧氏之母養公者也君幼則宜有養者大夫之妾士之妻礼也則未知臧氏之母者曷為者也養公者必以其子入養不雜人母子因以娛公也

疏則未知其為魯公子與者○解云為內通于魯公子也○邾婁之公子與者不知為是邾婁公子者與古者諸侯一娶九女二国媵之而邾婁一国以并有九女於魯宮由者蓋所取於邾婁相通為九人不必盡是一人妻矣大夫之妻士之妻○注礼也○解云大夫之妾士之妻礼記内則文故注云礼也○則未知臧氏之母者曷為者也○解云據内則大夫之妾士之妻並陳之謂士妻不吉乃取大夫之妾亦得事不具矣何者乳食一男何假二人乎則未安臧氏之臣為是大夫之妾為是士之妾故曰曷為者

臧氏之母聞有賊以其子易公抱公以逃以身死公則可以其子易公非事夫之義然而於王法當貴以活公為重也賊至湊公寢而弑之弑臧氏子也不知欲弑孝公者納篡邪將利其国也○湊七豆反臣有鮑廣父與梁買子者聞有賊趨而至臧氏之母曰公不死也在是吾以吾子易公矣於是負孝公之周訴天子天子為之誅顏而立叔術反孝公于魯顏夫人者嫗盈女也國色也其言曰有能為我殺殺顏者吾為其妻殺顏者鮑廣父梁買子也婦人以貞一為行云兩非婦也○嫗憩音素本亦作訴為之于為反下為我為之則為並同嫗紆具反一音紆羽反為行下孟反下殺顏者之行亦同

疏嫗盈女也者○解云謂此者嫗是盈姓之女○国色也者解云謂顏色一国之選

叔術為之殺殺顏者而以為妻利其色也有子焉謂之盱夏父者其所為有於顏者也

昭三十一年

臧

為顏公夫人時所為顏公生也○盱許于反又許孤反本或作盱一音旁夏父戶雅反盱及夏父邾顏公之二子疏注叔術至盱者○謂之盱夏父皆至有於顏者也解云謂為顏公妻時所以有之者**盱幼而皆愛之**女皆愛盱**食必坐二子於其側而食之有珍怪之食**珍怪猶奇異也○而食音嗣**盱必先取足焉夏父曰以來**猶曰以彼物來置我前**人未足**自謂也**而盱有餘**言盱所得常多**叔術覺焉**覺悟也知小爭食長必爭國易曰君子見幾而作知幾其神乎幾者動之微者事之先見○長丁丈反見賢遍反下欲見王者同疏注易曰至先見○解云皆出下繫辭仲文云知幾其神乎君子上交不諂下交不瀆其知幾乎幾者動之微吉之先見者也君子見幾而作不俟終日是也**曰嘻此誠爾國也夫起而致國于夏父夏父受而中分之叔術曰不可三分之叔術曰不可四分之叔術曰不可五分之然後受之**五分受其一○曰嘻許其反也夫音扶疏注五分受其一○解云服虔成長義云邾婁本附庸三十里耳而言五分之為六里國也者彼乃左氏之偏辭未足以奪公羊以為邾婁本大國乎春秋之前在名例隱元年何氏有成解之**公扈子者邾婁之父兄也**當夫子作春秋時於邾婁君為父兄之行公扈者氏也○之行戶郎反**習乎邾婁之故**習故事也道所以言也疏注道所至言也○解云謂道下傳所言矣**其言曰惡有言人之國賢若此者乎**惡有猶何有寧有此之類也言賢者寧有反妻嫂殺顏者之行乎○惡有音烏注同**誅顏之時天子死叔術起而致國于夏父**言叔術本欲讓迫有誅顏天子在爾故天子死則讓無妻嫂殺兒爭食之事**當此之時邾婁人常被兵于周曰何故死吾天子**猶曰何故死吾天子違生時命而立夏父乎此天子死則讓之效也夫子本所以知上傳賢者惡少功大也猶

一人有數罪以重者論之春秋滅不言入是也宋叔術妻嫂雖有過惡當絕身無死刑當以殺顏者為重宋繆公以反國與與夷除馮弒君之罪死乃反國不如生讓之大也馮弒與夷亦不輕于殺顏者比其罪不足而功有餘故得為賢傳復記公扈子言者欲明夫子本以上傳通之故公扈子有是言○數所主反復扶又反疏注夫子本所以至惡少功大也者○解云上傳謂五分之然後受之以上矣○云春秋滅不言入是也者即莊十年傳云戰不言伐圍不言戰入不言圍滅不言入書其重者也是云當絕身無死刑者但當絕其身以為不濟不合殺之故曰無死刑然則外內亂鳥獸行則滅之者謂姑姊妹之徒今一則非父子聚麀二則嫂非姑姊妹故也○注當以殺至為重○解云謂犯王命殺魯賢臣故以為重○注宋繆公以反國與至馮弒君之罪○解云宋繆公反國之事在隱三年彼傳文具矣其除馮弒君之罪者即桓二年宋督弒其君之下注云督不氏者起馮當國不舉馮弒為重者繆公讓子而反國得正故為之諱是也注云死乃反國不如生讓之大也者言繆公死乃反國非其全讓之意不如叔術生讓其功大矣注云馮弒與夷亦不輕於殺殺顏者謂馮弒君叔術犯王命皆是惡其罪勢等矣云比其罪不足而功有餘故得為賢者上解云其罪勢等矣而言罪不足者謂犯王命殺魯大夫豈如宋馮弒君乎故以為罪少于馮矣其罪既少其功有餘故得賢之**通濫則文何以無邾婁**據國未有口繫于人疏注據國至于人○解云言若通濫是國宜繫邾婁何故文上無邾婁而已其口仍繫邾婁言之乎故注云據國未有口繫于人**天下未有濫也**欲見天下實未有濫國春秋新通之爾故口繫于邾婁**天下未有濫則其言以濫來奔何**據上說天下實未有濫者言春秋新通之也春秋所通之君文成矣不言濫黑弓來奔而反與大夫竊邑來奔同文疏注而反與大夫竊邑來奔同文者○解云即襄二十一年春邾婁庶其以漆閭丘來奔之徒是**叔術者賢大夫也絕之則為叔術不欲絕不絕則世大夫也**此解不言濫黑弓意叔術者賢大夫也故不口繫邾婁文言濫黑弓來奔則為叔術賢心不欲自絕于國又絕天下實有濫無以起新通之文不可設也如口不繫邾婁文言濫黑弓來奔則嫌氏邑起本邾婁由大夫春秋口繫通之文亦不可施疏注起本邾婁至可施○解

云若曰云邾婁文言濫黑弓來奔則爲大夫氏邑欲起黑弓本是邾婁世大夫曰繫于邾婁欲通之爲世大夫故也大夫之義不得世故於是推而通之也推猶因也因就大夫竊邑奔文通之則入大夫不世叔術賢心不欲自絶兩明矣主書者在春秋前見王者起當追有功顯有德興滅國繼絶世

疏注主書者至繼絶世○解云隱元年注云諸大夫立隱不起者在春秋前明王者受命不追治前事今此追之著春秋之義勸其後功是以上二十年傳曰君子之善善也長惡惡也短惡惡止其身善善及子孫賢者子孫故君子爲之諱是也

○十有二月辛亥朔日有食之是後昭公死外晉大夫執楚犯中國圍蔡也

疏注是後昭公死外者○解云即下三十二年冬公薨于乾侯是也云晉大夫專執者即下三年二月晉人執宋仲幾于京師傳云其言于京師何伯討也不與大夫專執也是云楚犯中國圍蔡者即定四年楚人圍蔡是也直言圍蔡足矣何言楚犯中國欲言日食爲夷狄強諸夏微之象故也

三十有二年春王正月公在乾侯○取闞

闞者何邾婁之邑也曷爲不繫乎邾婁諱亟也與取濫爲亟○闞口暫反亟去冀反注同

疏闞者何○解云欲言是國諸典言是邑文無所繫故執不知問○注與取濫爲亟○解云取亦作受字者二年之間比取兩邑故以爲亟而諱之矣

○夏吳伐越○秋七月○冬仲孫何忌會晉韓不信齊高張宋仲幾衛世叔申鄭國參曹人莒人邾婁人薛人杞人小邾婁人城成周書者起時善其脩廢職有尊尊之意也孔子曰謹權量審法度脩廢官四方之政行焉言成周者起正居實外之○量音亮

疏注書者至意也○解云隱七年夏城中丘傳云何以書以重書也注云以功重故書也當脩京師之城完之至今大弛壞然後發衆城之猥若百姓虛空國家故言城明其功重與始作城無異然則天子之城不時脩理至令大壞方始城之而書者正欲起其當脩之善故也何者當是之時天子陵遲諸侯僭忽能脩其廢職有尊尊之心是以書之故曰起時善云孔子曰謹權量審

行焉者論語文彼注云云言成周者欲起正居實外之正以不言京師而言成周者欲起正居在成周故也言實外之者正以王微弱不能守成周不是小事但苦天下見以不言京師實外天子云云之説在上二十六年

○十有二月己未公薨于乾侯

監本春秋公羊註疏昭公卷第二十四

監本春秋公羊註疏定公卷二十五

釋文何以定公爲昭公子與左氏異　○起元年盡四年

何休學

元年春王定何以無正月 據莊公雖不書即位猶書正月 疏 注据莊至正月。○解云即莊元年經云元年春王正月三月夫人孫于齊是也。案莊公之經上有正月下有三月，今定公亦下有三月而上無正月，故据之。若然，案隱公之經亦云元年春王正月，下云三月公及邾婁儀父盟于眜，亦是上有正月下有三月，而不据之者，正以隱公所承不弒，寧得据之？其閔僖之屬，雖承弒君之後，非已有與定公不類，寧得据之？其所承者皆在位見弒，元年之下復無三月之文，與定不同，故不据之。然則桓公弒于齊，昭公卒于外，亦是不類而得据之者，正以昭公失道爲臣所逐，終死于外，恥與桓同，故據之耳。

正月者正即位也 本有正月者，正諸侯之即位。疏 注本有至即位。○解云案隱元年傳云經言乎王正月大一統也，何氏云統者始也，揔繫之辭，夫王者始受命改制，布政施教於天下，自公侯至於庶人，自山川至於草木昆蟲，莫不一一繫於正月，故云政教之始。以此言之，以書正月者爲大一統也，而言本有正月者正諸侯即位者，兼二義故也。何氏云自公侯以下皆繫正月，即是正月者正諸侯即位之義。

定無正月者即位後也 雖書即位於六月，實當繼莊公有正月，今無正月者，昭公出奔，國當絕，定公不得繼體奉正，故諱爲微辭，使若即位在正月後，故不書正月。疏 定無正月者即位後也。○解云謂定公行即位之礼在正月之後也。○注雖書至正月。○解云依經及傳不以定公即位在正月之後，故無正月。何氏更言昭公出奔國當絕，定公不得繼體奉正者，正以書正月大一統也，明不但一即位而已。且諸侯之法，礼當死位，而昭公不君，棄位出奔，終卒于外，爲季氏所逐，實甚論其罪惡，君臣共有，故知魯國之當絕矣。是以何氏消量作如此注，故諱爲微辭者，謂經與傳直作無即位故無正月之義，其定公當絕之文没而不見，故謂微辭爾。

位何以後 据正月正即位。**昭公在外** 言昭公喪在外。**得入不得入未可知也曷爲未可知** 据已稱元年。疏 得入不得入未可知也者。○解云謂昭公之喪在外得入不得入未可知，不謂据定公之身也。其實定公先在于内，是以上文已稱元年矣。但以君喪未入，未得正行即位礼，是以即位在正月之後。而注据氏以爲喪及壞隤公子宋乃先入者，何氏所不取之。○注据已稱元年。○解云謂已稱元年春，似行即位之礼，訖何言昭公之喪得入不得入未可知也，而即位後乎。

在季氏也 今季氏迎昭公喪而事之，定公得即位；不迎而事之，則不得即位。疏 在季氏也。○解云定公是時雖以先君之喪未入，未行即位之礼，其實爲君之道已成，是以上文得稱元年春矣，但猶微弱，不敢逆其父喪，故云在季氏也。

定哀多微辭 定公有王無正月，不務公室，喪失國寶；哀公有黃池之會，獲麟，故揔言多。疏 注定哀多微辭。○解云定哀二君微辭有五，若然，昭與定哀同是太平之世，所以特言定哀者，昭公之篇無微辭之事，寧可謾言之乎？○注微辭至是也。○解云謂主人習其讀而問其傳，則未知已之有罪焉爾也。○注定公至正月。○解云定公不得繼體奉正，故得爲微辭者，實爲昭公出奔國當絕定，無正月，如似即位在正月之後，是以無正月，然故得謂之微辭。○注不務公室。○解云下二年夏五月壬辰雉門及兩觀災，冬十月新作雉門及兩觀，傳云其言新作之何？脩大也。注云天災之當減損，如諸侯制，而復脩大，僭天子之礼，故言新作以見脩大也。脩舊不書，此何以書？譏。何譏爾？不務乎公室也。注云務猶勉也，不務公室亦可施於久不脩，亦可施于不務公室之礼，微辭也。然則書其新作雉門及兩觀者，主譏其僭天子之礼，可施於久不脩治而錄之，傳云不務公室，亦得助成微辭之義也。○喪失國寶。○解云下八年冬盜竊寶玉大弓，傳云寶者何？璋判白。注云不言璋言玉者，起珪璧琮璜五玉盡亡之。傳特言璋者，所以郊事天，尤重也。書大弓者，使若都以國寶書，微辭也。謂之寶者，世世寶用之辭也。然則特書大弓者，欲通謂之寶，寶即大弓是，可以世世傳保而珠玉之故，謂之寶玉也。○注哀公至言多。○解云黃池之會者，即哀十三年夏公會晉侯及吳子于黃池，傳云吳何以稱子？吳主會也。吳主會則曷爲先言晉侯？不與夷狄之主中國也。其言及吳子何？會兩伯之辭也。不與夷狄之主中國，則曷爲以會兩伯之辭言之？重吳也。曷爲重吳？吳在是則天下諸侯莫敢不至也。彼注云以晉大國尚猶汲汲於吳，則知諸侯莫敢不至也。不書諸侯者，爲微辭，使若天下盡會之，而魯侯蒙俗會之者，惡愈。是也。其獲麟者，即哀十四年春西狩獲麟是也。實爲聖漢將興之瑞，周家當滅之象，今經直言獲麟，不此事若似麟來周王更欲中興之兆得謂之微辭矣主人習其讀而問其傳讀謂經傳謂訓詁主人謂定公言主人者能為主人皆當為微辭非獨定公則未知己之有罪焉爾此假設而言之主人謂定哀也設使定哀習其經而讀之問其傳解詁則不知己之有罪於是此孔子畏時君上以諱尊隆恩下以辟害容身慎之至也疏主人至焉爾○解云主人習其讀謂習其經而讀之也云而問其傳者謂問其夫子口授之傳解詁之義矣云則未知己之有罪焉爾者焉爾猶於是讀其微辭意指難明雖問解詁亦未知己之有罪乎春秋假令讀定元年經而問其傳之解詁云定何以無正月正月者正即位也定無正月者即位後也則無以知其因當絕定公不得繼體奉正之義假令讀定公二年經云新作雉門及兩觀而問其傳之解詁云脩舊不書此何以書譏何譏爾不務乎公室也正以不脩理不以公室為急故書之無以知其借天子是也○注此假設而言至於是○解云當爾之時未有春秋故知主人習其經而讀之者假設而言之也既未有春秋而彊言主人故云此假設而言之云主人謂定哀者正以上言定哀多微辭下文即言主人習其讀故知此主人者宜指定哀言之也○注此孔子至之至也○解云此時君者還指定哀也孔子作春秋當哀公之世定設未幾臣子猶存故亦畏之為之諱惡恩隆於定哀故曰上以諱尊隆恩也若不迴辟其害則身無所容故曰下以辟害容身也尊君卑己故生上下之文耳其傳未行口授弟子而作微辭以辟其害亦是謹慎之甚故此曰慎之至也○三月晉人執宋仲幾于京師仲幾之罪何據言于京師成伯討辭知有罪○幾本或作譏疏仲幾之罪何○解云上言晉人似非伯討言于京師是伯討之文與奪不明故難之不蓑城也若今以草衣城是也礼諸侯為天子治城各有分丈尺宋仲幾不治所主○不蓑素戈反一或作蓑一或音初危反衣于既反為天下倫反下善為同疏不蓑城也○解云謂不以蓑苫城也公羊之義以為昭三十二年城成周者既是城訖故於此處責其不蓑而已不似左氏方始欲城耳○注義若今以草衣城是也衣讀如衣輕裘之衣○注礼諸至主者○解云正以宋人不治所主晉人執而歸之于京師得為伯討之文故知礼有分丈尺之法不謂更有礼文其言于京師何據執言成周執下也疏注據執言成周○解云即昭三十二年冬仲孫何忌會晉韓不信以下城成周是也○注執不地○解云謂春秋上下大夫見執例不書地即下六年秋晉人執宋行人樂祁犂上年秋齊人執衛行人北宮結之屬是也若然成十六年九月晉人執季孫行父舍之于招丘彼傳自有辭執未有言舍之者此其言舍之何仁之也曰在招丘悕矣注云悕悲也仁之者若曰在招丘可悕矣閔録之辭執未有言仁之者此其言仁之何代公執也是也伯討也大夫不得專執執無稱名氏凡伯討例故地以京師明以天子事執之得伯討之義○見賢遍反疏注大夫至之義○解云下傳云大夫之義不得專執故云大夫不得專執若諸侯執人即僖四年傳云稱侯而執者伯討也稱人而執者非伯討也若其大夫不得專執故其執人之時無稱名氏非伯討例雖無其例其執之有理寧得不作其文是故地以京師明以天子事執之見其得伯討之義也伯討則其稱人何據城稱名氏諸侯伯執不稱人也復發此難者弟子未解嫌大夫稱人相執與諸侯同例○復扶又反下同皆同難乃旦反解音蟹疏注據城稱名氏云云○解云即昭三十二年冬仲孫何忌會晉韓不信以下城成周是也○注諸侯伯執不稱人也○解云即僖四年傳云稱侯而執者伯討也稱人而執者非伯討也是也若欲指經言之即成十五年春晉侯執曹伯歸之于京師是也貶故稱人爾不以非伯討故之曷為貶據晉侯伯執稱人以他罪舉疏注據晉至罪舉○解云即僖二十八年晉人執衛侯歸之于京師也云歸之于者罪已定矣此晉侯也其稱人何貶曷為貶衛之禍文公為之也文公為之奈何文公逐衛侯而立叔武使其兄弟相疑放乎殺母弟者文公為之也然則彼乃晉文之執衛侯實得伯討之義而稱人者正由文公惡衛侯太深逆叔武太甚故致此禍是以貶之稱人故曰以他罪舉也今此晉人執仲幾亦得為伯討之義而貶稱人故欲問其稱人之義矣不與大夫專執也曷為不與據伯討實與言于京師是也而文不與文不與者貶稱人是也文曷為不與大夫之義不得專執也大夫不得專相執為諸侯也不言歸者諸侯當決於天子非之惡甚故錄所歸大夫當決於主獄爾非之罪從外小惡不復別也不例不在常書又月者善為天子執之○別彼列反疏文曷為不與○解云據實與但何以省文不據言大夫之義不得專執也曰實與之何一然天子下無方伯天下大夫有為無道

君力能執之則執之可也異僖元年二年救邢城楚丘之文者正以諸侯相執伯者之常事大夫相執例之所略諸夏略卑之義也○注不言至別也○解云正以僖二十八年冬晉人執衛侯歸之于京師成十五年春晉侯執曹伯歸之于京師襄十六年春晉人執莒子邾婁子以歸者是諸侯相執錄其所歸之文所以然者正以諸侯尊貴當决於天子若其犯之甚深大故須錄其歸之所在即執衛侯曹伯歸于京師是其得正執莒子邾婁子以歸其國者失所明矣彼注云錄以歸者甚惡晉也有罪無罪皆當歸京師不得自治之是也若然案襄十九年春晉人執邾婁子亦是諸侯相執而不錄其所歸者正以會上執之即會上釋之實無所歸事得錄之也若執大夫當决於士獄之人耳若其犯之但為小惡故從外小惡例不復分別之也若然所見之世錄外小惡而言從外小惡不復別之者正謂時時錄之以見太平之世諸夏小惡在治之限文不盡錄故得然解○注無例至執之○解云欲道春秋上下更無大夫相執之義即是無其比例不在常書之限今而書之又書其月詳錄之與諸侯相執同例者善為天子執故也知諸侯相執例書月者正以襄十六年三月晉人執莒子邾婁子十九年三月晉人執邾婁子之屬皆書月故也舊云此事所以無歸于以歸之例正由大夫相執不在當書故也既不在當書而書月以執之者善為天子執之故也○**夏六月癸亥公之喪至自乾侯**至自乾侯者非公事齊不事中去之晉竟不見容死于乾侯○**戊辰公即位癸亥公之喪至自乾侯則曷為以戊辰之日然後即位**據癸亥得入已可知**正棺於兩楹之間然後即位**正棺者象既小斂夷於堂昭公死於外不得以君臣禮治其喪故示盡始死之禮禮始死于北牖下浴於中霤飯含於牖下小斂於戶內夷於兩楹之間大斂於阼階殯於西階之上祖於庭葬於墓奪孝子之恩動以遠也禮天子五日小斂七日大斂諸侯三日小斂五日大斂卿大夫二日小斂三日大斂夷而經殯而成服故戊辰然後即位凡喪三日授子杖五日授大夫杖七日授士杖童子婦人不杖不能病故也○小斂力驗反下皆同北墉音容本又作牖霤力又反飯扶晚反含戶暗反阼才故反【疏】注正棺至故也○解云喪大記云小斂主人即位于戶內主婦東面乃斂卒斂主人馮之踊主婦亦如之徹帷男女奉尸夷于堂降拜鄭注夷之言尸也主人主婦以下從而奉之尊敬之心降拜拜賓也是也云故示盡始死之禮者示字亦有作不字者誤也云禮始死于北牖下者即喪大記疾病寢東首於北牖下是也云浴於中霤云云者即坊記云子云賓禮每進以讓喪禮每加以遠浴於中霤飯於牖下小斂於戶內大斂於阼殯於客位祖於庭葬於墓所以示遠也是也而言夷于兩楹之間者即此傳云正棺于兩楹之間是也云奪孝子之恩動以遠也者何氏以意言之也言此者欲陳始死禮云天子五日云云者何氏差約古禮而言之欲道始死之禮五日大斂而殯殯訖成服今欲示盡始死之禮故云公之喪癸亥日至于丁卯殯而成服戊辰之日乃即位矣云凡喪三日云云者即喪服四制云杖者何也爵也三日授子杖五日授大夫杖七日授士杖或曰擔主或曰輔病婦人童子不杖不能病也是也鄭注喪大記云三日者死之後三日也為君杖不同日人君禮大可以見親踈也引之者欲道喪入五日嗣子大夫授杖已訖可以即位正其臣矣**子沈子曰定君乎國**定昭公之喪禮於國**然後即位即位不日此何以日**據即位皆不日**錄乎內也**內事詳錄善得五日變禮或說危不得以踰年正月即位故日主書者重五始也【疏】注詳錄至始也○解云書日所以得變禮者癸亥之日公喪乃至戊辰之日然後君即位象五日殯訖即位之禮故錄日以明之言其變而合禮矣○**秋七月癸巳葬我君昭公○九月大雩**又定公得立尤喜而不恤民之應○**立煬宮煬宮者何**據十二公無煬公○煬餘亮反【疏】煬宮者何○解云正以春秋之內更無煬公之稱而立其宮故執不知問**煬公之宮也**春秋前煬公也**立者何立者不宜立也立煬宮非禮也**不日嫌得禮故復問立也不日者所見之世諱深使若比武宮惡愈故不日【疏】立者何○解云欲言是禮不應言立欲言非禮復不書日故執不知問○立者何至立也○解云隱四年冬衛人立晉之下傳云立者何立者不宜立也成六年春二月辛巳立武宮之下傳云立者何立者不宜立也然則春秋之內三發此文者公子晉之下發之是春秋之首成六年立武宮之下發之嫌立宮與諸侯異例此復發之者正以立武宮書日此不書日故同之昭二十二年秋尹氏立王子朝不復發之者欲立晉之傳可知○不日至立也○解云春秋之例失禮於宗廟例書日故

（疏）不日嫌得礼也注言此者正以成六年已有此傳今復發故解云耳○不日至不日○解云例既書日而不日者正以當所見之世故也若然案莊二十三年秋丹桓宮楹何氏云失礼宗廟例時與向說違者蓋失礼於鬼神例日故隱五年初獻六羽之下何氏云失礼鬼神例日是也若失礼僭於宗廟則例書時即莊二十三年秋丹桓宮楹何氏云失礼宗廟例時是也莊二十四年春王三月刻桓宮桷書月者何氏云月者功重於丹楹是也若其失礼始造宗廟者例書日即成六年春王二月辛巳立武宮是也所以然者刻桷功重於丹楹猶變例以書月況於始造宗廟爲費實深寧不日乎例既宜日而不日者正以當所見之世爲內諱深使若志愈於武宮故也○**冬十月霣霜殺菽何以書記異也**菽大豆時猶殺菽不殺他物故爲異○霣于敏反（疏）注菽殺至爲異○解云知獨殺菽不殺他物者正以此經特舉殺菽傳云記異故也若更殺他物則經直云霣霜不舉殺名傳云記災也即桓元年秋大水傳云何以書記災也彼注云災傷二穀以上是也此則但傷一穀既不成災故謂之異**此災菽也曷爲以異書**据無麥苗以災書（疏）注据無至災書○解云即莊七年秋大水無麥苗傳云何以書記災也是也然則大水殺麥苗傳云記災今此霣霜殺菽傳云記異故据而難之若然向解若更殺他物則經直言霣霜不舉殺名何故莊七年經云秋大水無麥苗者彼傳云何災不書待無麥然後書無苗彼注云明君子不以一過責人水旱螟螽皆以傷二穀乃書而不書殺名至麥苗獨書者民食最重是也然則一災不書今此書者示以早當誅季氏故不得不錄也**異大乎災也**異者所以爲人戒也重異不重災君子所以貴教化而賤刑罰也周十月夏八月微霜用事未可殺菽菽者少類爲稼強季氏象也是時定公喜於得位而不念夫黜逐之恥反爲淫祀立煬宮故天示以當早誅季氏（疏）異大乎災也○解云雖曰但傷一物若以害物言之災而必書者正以異重于災故也何者隱三年注云異者非常而可怪先事而至者隱五年注云災者有害於人物隨事而至者然則正由先事而至可以爲戒若其變改竟不害人物若以君父數戒臣子之義故但謂之異而貴之矣災者隨事而至害於人物雖言變改亦無所及若以刑罰一施不可追更之義故謂之災而不重之故注云重異不重災君子所以貴教化而賤刑罰也然則直是美大此異故言異大於災不論害物與否五行傳云害物爲災不害物爲異亦通於此矣○注菽者至象也○解云菽季不同而得爲其象者正以菽爲第三之稱故爲少類季氏於叔孟爲第亦是少之義故得爲其象菽雖第三爲稼最強季氏雖幼彊於叔孟故曰菽者少類爲稼強季氏之象也○注是時至煬宮○解云何氏以爲定公者昭公之弟與賈復異既爲昭公之子而喜於得位者正以父兄放逐薨於乾侯肆人秉政有年歲矣爲道亦何可知忽然而立寧不喜乎是以志其恥辱欲求福於淫祀天怪其所爲故示之戒也舊云定公爲昭公弟立非其次是以喜之而謂昭公爲父者臣子一例故也云故天示以早當誅季氏也者大戒若曰等欲勞心作淫祀之時不如作意早誅季氏所以然者雖作淫祀終竟無福早誅季氏可以復歸去患故也

定元年

二年春王正月○夏五月壬辰雉門及兩觀災其言雉門及兩觀災何据桓宮僖宮災不言及不但問及者方於下及闡其文問之故先俱張本於上○兩觀工奐反下及注皆同（疏）注据桓至言及○解云即哀三年夏五月辛卯桓宮僖宮災是也**兩觀微也**雉門兩觀皆天子之制門爲其主觀爲其飾故微也（疏）注雉門至微也○解云知如此者正以昭二十五年傳云子家駒曰諸侯僭天子久矣設兩觀云云者此皆天子之礼然則兩觀既爲天子之礼天惡其僭故災之則知雉門與之同災者亦僭明矣故云雉門及兩觀皆天子之制也若然昭二十五年子家駒不言雉門爲僭者正以天子諸侯皆有雉門但形制殊耳若然雉門爲僭於辭爲負矣寧知非是主災兩觀因及雉門而已故子家駒不數雉門爲僭而何氏必言雉門亦如天子之制者正以下文新作雉門及兩觀之下傳云不務公室既言不務如公室之礼則知天子明矣**然則曷爲不言雉門災及兩觀**据下新作雉門及兩觀先言作者**主災者兩觀也**時災從兩觀起**時災者兩觀則曷爲後言之**据欲使言兩觀災及雉門若言宋督弒其君與夷及其大夫孔父**不以微及大也何以書**不復言雉門及兩觀災何以書者上已問雉門及兩觀災故但言何以書○不復扶又反下同（疏）注不復至以書○解云隱三年秋武氏子來求賻傳云武氏子來求賻何以書注云不但言何以書者嫌主覆問上所說二事不問求賻又七年夏城中丘傳云中丘者何內

定二年

時災者或作主災者

原書有殘損

之邑也城中丘何以書注云上言中丘者何指問邑也郛
言何以書嫌但問書中丘欲復言城中丘何以書僖二十年
傳云西宮災何以書然則彼二傳皆舉句而問之今此不
嫌不以微及大何以書而不舉句而問之者正以上傳已云
其言雉門及兩觀災何不能復重言之故省文也**記災也**此本子家駒諫昭公所當先去以自正者昭公
不從其言卒為季氏所逐定公繼其後宜去其所以失之者
故災亦云爾立雉門兩觀不書者但天子不可言雖在春秋
中猶不書○先去起呂反下同**疏**○注此本至云爾○解云在昭二十五年○注立雉至不書○解云知如此者王
以隱五年秋初獻六羽傳云何以書譏何譏爾譏始僭諸公
也始僭諸公昉於此乎前此矣前此則曷為始乎此僭諸公
猶可言也僭天子不可言也是也若然須更脩大還
僭天子而得書之者但作微辭以譏之似自不正言○**秋**

楚人伐吳○冬十月新作雉門及兩觀其言新作之何據俱一門兩觀如故常**疏**○注据俱至如常○解云正以所作與舊俱一門兩觀
以故常無異何言新作之乎**脩大也**天災之當裁損如諸侯制而復脩大僭天子之禮故言新作以見脩
大也○見賢遍反**疏**○注故言至大也○解云莊二十九年作注云繕故曰新有所增益曰作然則此言新者見
其料理舊物言作者見其增益新者皆是還大於諸侯之義故言新作以見脩大矣**脩舊不書此**
何以書據西宮災復脩不書**疏**○注据西至不書○解云在僖二十年**譏何譏爾**
不務乎公室也務勉也不務公室亦可施于久不脩亦可施于不務始公室之禮微辭也月者
久也當即脩之如諸侯禮**疏**○注不務至侯禮○解云即文十三年傳世室屋壞何以書譏何譏爾久不脩也何氏
云簡忽久不以時脩治至令壞敗故譏之然則此文不務公室者亦可以見魯人簡忽五月有災丁月乃作之義故云亦
可施於久不脩也云月者久也者正以莊二十九年春新延廄僖二十年春新作南門皆書時此特月者譏其久不脩故
也舊云如天子之門大不可即成故月以久之

三年春王正月公如晉至河乃復月者內有彊臣之讎外不見答於晉故危之**疏**○注月者至危之○解云正以凡朝例時假有小事亦不書月是以昭二年冬公如晉至河

乃復傳云其言至河乃復何不敢進也注云乃難辭也時聞
晉欲執之不敢往君子榮見與恥見距故諱使若至河河水
有難而反然則彼是小故不足以月今乃令有彊臣之讎外
不見答於晉故書月以危之似若襄二十八年十一月公如
楚何氏云如楚書月者危公朝夷狄之類也而僖十年注云
故如京師善則月榮之如齊晉善則月安之者善惡不嫌假
令同辭亦何傷也**○三月辛卯邾婁子穿卒○夏四月○**
秋葬邾婁莊公○冬仲孫何忌及邾婁子盟
于枝後相犯時者諱公使大夫盟又未踰年君薄父子之恩故為易辭使若義結善事○枝二傳作拔易以豉
反**疏**三月辛卯云云公羊穀梁皆作三月左氏作二月未知孰正○注後相至善事○解云其後相犯者即哀
元年冬仲孫何忌帥師伐邾婁之蠡是也云故為易辭者鄭
莊十三年冬公會齊侯盟于柯傳云何以不日易也何氏云
易猶佼易也相親信無後患之辭是也

四年春王二月癸巳陳侯吳卒○三月公會
劉子晉侯宋公蔡侯衛侯陳子鄭伯許男曹
伯莒子邾婁子頓子胡子滕子薛伯杞伯及
邾婁子齊國夏于召陵侵楚月而不舉重者楚以一裘之故拘蔡昭公
數年然後歸之諸侯雜然侵之會同最盛故善錄其行義兵
也拘不書者惡蔡侯吝一裘而見拘執故匹夫之執歸不書
者從執例○夏戶雅反邵上照反數年所主反雜七合反又如字惡蔡烏路反年未同吝一裘力刃反**疏**陳子
○解云上文二月陳侯吳卒下之六月葬陳惠公然則其父
未葬宜稱子某而言陳子僖九年宋子之下注云宋未葬不
稱子某者出會諸侯非尸柩之前故不名然則今此陳子亦
然但從宋子省文不復注之○注月而至兵也○解云春秋
之義侵伐例時即上二年秋楚人伐吳之屬是也善其義兵
則書月即僖十八年春王正月宋公曹伯以下伐齊注云月
者與襄公之征齊善錄義兵是也若其舉重宜云公會劉子
晉侯以下侵楚不言于召陵也似若成十六年秋公會單子
尹子晉侯齊國佐邾婁子伐鄭之屬今而書月復不舉重者
善錄其行義兵故也若然案僖四年春王正月公會齊侯以

下侵蔡何氏云月者善義兵也然則彼亦是義兵而舉重者正以彼下經云楚屈完來盟于師盟于召陵傳云其言盟于師盟于召陵何師在召陵也師在召陵則曷爲再言盟喜服楚也彼注云孔子曰書之重辭之復嗚呼不可不察其中心有美者焉然則正以下有喜服楚之文爲義兵可知是以不勞具録也而桓公十五年冬十有一月公會齊侯宋公以下于袲伐鄭彼注云月者善諸侯征突善録義兵也不舉伐爲重者用兵重於會嫌月爲伐有危諱不爲義兵録故復録注云之屬當文皆有成解不勞逆說也言楚以一裘之故拘蔡昭公數年然後歸之者即下傳云蔡昭公朝乎楚有美裘焉囊瓦求之昭公不與爲是拘昭公於南郢數年然後歸之是也○注拘不至夫之○解云僖二十一年霍之會執宋公以伐宋之屬皆書其執今此不書故決之所以不直言而已而言四夫之者以楚人執良霄之爲大夫猶書今書賊於大夫故言四夫之○注執歸至執例○解云即僖二十一年注云凡出奔歸書執獲歸不書者出奔已失國還應盗國與執獲者異臣下尚隨君事之未失國不應盗國無爲録也是其被執而歸不書之義今此蔡侯之執經雖不書其實見執故得從其例矣云云之說備于僖二十一年○夏四月庚辰蔡公孫歸姓帥師滅沈以沈子嘉歸殺之爲不會召陵故也不舉滅爲重書以歸殺之者責不死位也日者定哀滅例日定公承黜君之後有彊臣之讎故有滅則危懼之爲定公戒也○公孫歸姓二傳無歸字姓音生又音姓爲不于僞反下爲季爲下爲治爲蔡同 疏 注爲不至故也○解云正以召陵之會蔡爲謀首召陵之經不見沈子而今滅之故知[illegible]然也○注不舉至位也○解云正以襄六年十有二月齊侯滅萊傳云曷爲不言萊君出奔國滅君死之正也彼注云明國不存不書殺萊君者舉滅國爲重然則萊君死位故得舉重而沈子不死位故不得舉滅爲重而書以歸殺之也○注定哀至滅也○解云定哀之時以致太平若有相滅爲罪已重故皆書日以詳其惡即此經及下六年春王正月癸亥鄭游速帥師滅許以許男斯歸之屬是也既言定哀滅例日乃是滅爲例矣而又言定公承黜君之後有彊臣之讎故有滅則危懼之爲定公戒者欲道哀公之篇若有相滅例合日欲充他義者答不書之即哀公八年春王正月宋公入曹以曹伯陽歸實是滅曹但爲人諱同姓之滅而不書之是以亦不書日是也然則定哀公之篇史無其滅之經而知例日者正以文承定公之下定公猶日則哀公明矣定公承黜君之後偏有危

隱是以有滅則書日哀公無此義故諱其滅以沒不救同姓之罪但知例合書其日故何氏云焉○五月公及諸侯盟于浩油再言公者昭公數如晉不見答卒爲季氏所逐定公初即位得與諸侯盟故喜録之後楚復圍蔡不救不日者善諸侯能翕然俱有疾楚之心會同最盛故褒與信辭○浩油戶老反又古老反下音由一音羊又反二傳作皋鼬數所主反楚復扶又反下而復復討同翕許及反 疏 注再言至録之○解云正以僖五年夏公及齊侯以下會王世子于首戴秋八月諸侯盟于首戴九年夏公會宰周公以下于葵丘九月戊辰諸侯盟于葵丘之屬皆不再言公今此再言公故於此解之言昭公數如晉不見答者即昭十二年夏公如晉至河乃復十三年冬公如晉至河乃復十五年冬公如晉十六年夏公至自晉二十一年冬公如晉至河乃復二十三年公如晉至河公有疾乃復之屬是數如晉之文也竟不見晉人來盟之經故云不見答也卒爲季氏所逐者即二十五年九月己亥公孫于齊是也寧知再言公爲喜録之者正以文承祥義兵之下而再言公故知其喜似若僖四年夏楚屈完來盟于師盟于召陵傳云曷爲再言盟喜服楚也之類注云孔子曰書之重辭之復嗚呼不可不察其中必有美者焉義亦通於此○杞伯戊卒于會不日與盟同日○戊音茂又音恤二傳作戍 疏 注不日與盟同日○解云考諸古本日亦有作月者若作日字宜云所見世小國之卒例合書日即上言三月辛卯邾婁子穿卒之屬是也今不日者正以與盟同日文不可施故也何者若言五月甲子公及諸侯盟于浩油杞伯戊卒于會則嫌上會非信辭若言五月公及諸侯盟于浩油甲子杞伯戊卒于會則又與盟別日是以進退不得自也若作月字宜云所見之世則例書日若有內行失亦但月之即昭六年春王正月杞伯益姑卒何氏云不日者行微弱故略之入所見之世責小國詳始錄內行也諸侯內行小失不可勝書故於終畧責之見義是也然則今杞伯亦有內小失宜合書月而不書月三國與盟同月故也○六月葬陳惠公○許遷于容城○秋七月公至自會月者爲下劉卷卒月者重録恩○卷音權 疏 注月者至卷卒○解云正以春秋之義致公例時則指二年冬公至自唐之屬是也今其有危乃合書月即下八年三月公至自侵齊之屬是也若此上會有義兵之録上盟有信辭之美又再言公爲喜文則知公於特無危明矣既無危事而有七月故知其月爲下事

脇者然案桓公十六年秋七月公至自伐鄭何氏云致者善桓公能疾惡同類比與諸侯行義伐鄭致例時此月者善其比與善行義故以致復加月也以月爲善者正以桓是篡賊動作有危而能疾惡脫危而至故致之何氏彼注必言此者欲對桓元年垂會之注云不致之者爲下去王適足以起無王未足以見無于罪之深淺故復奪臣子辭成誅文也以此言之則桓十六年注云以致復加月仍是危文但善其比與義故能脫危而至與此仍不妨矣○注月者重録恩○解云大夫之卒宜又降于微國之君但合書時而已而書月若正以新奉王命主會于召陵於魯有恩故重而録之故云月者重録恩也○劉卷卒。劉卷者何天子之大夫也外大夫不卒此何以卒我主之也劉卷即上會劉子我主之者因上王魯故王之張義也卒者明主會者當有恩禮也言劉卷者主天子大夫卒之亞於天子也不日者此尹氏以天子喪爲主重也此卷主會輕故不日【疏】劉卷者何○解云欲言諸侯未有劉國欲言大夫大夫不卒故孰不知問○注劉卷至義也○解云正以召陵之經劉子爲首今而書卒故知一人也若不然大夫之卒例則不書劉卷何爲獨得録見也今而録見明有恩於魯傳曰我主之亦其一隅矣劉子者天子之大夫奉天子之命致諸侯於召陵召陵之經序之于上此言我之主會明矣此傳宜云外大夫不卒此何以卒主我也而云我主之者正以春秋王魯因魯之文故言我主之不言主我也言張義者欲張魯君爲王之義○注卒者至禮也○解云若主會有恩禮者即違例書卒案僖九年公會宰周公成十六年十七年之時數有公會單子尹子之文而皆不卒言卒等有恩當論遠近蓋在主會之年卒者恩而録之其期外者當從恩殺略之是以尹子單子之徒不見卒文若其喪主王使來會葬之屬其恩差重三年之外方始略之即隱三年夏四月辛卯尹氏卒傳云外大夫不卒此何以卒天王之崩爲諸侯之主也彼注云時天王崩魯隱往奔喪尹氏主儐贊諸侯與隱交接而卒恩隆於王者則加禮録之明當有恩禮也文三年夏五月王子虎卒傳云外大夫不卒此何以卒新使乎我也彼注云王子虎即叔服也新爲王者使來會葬在葬後三年中卒君子恩隆於親親則加報之故卒明當有恩禮也是○注言劉至天子○解云襄十五年劉夏之下傳云劉夏者何天子之大夫也劉者何邑也其稱劉何以邑氏也彼注云諸侯入爲天子大夫不得氏國稱本爵故以所受采邑氏稱子不稱劉子而名者禮逆王后當使三公故貶去大夫明非禮也然則今此劉卷乃是以外諸侯入爲天子大夫所以不言劉子卷[illegible]諸侯之則而言劉卷其但字者正欲起大夫卒之屈於天子[illegible]也○注不日至不日○解云文三年王子虎之下何氏云尹氏卒日此不日者在期外也然則尹氏之主諸侯由其在朝內故日之今此劉卷之主諸侯亦在朝內而不日者正以尹氏之主諸侯乃是天王崩儐贊隱公其恩重矣劉卷之主諸侯乃在召陵之會故不書日見其輕矣知云不日者此尹氏以天子喪爲主重也言劉卷卒所以不書日者若此尹氏之時尹氏以天子喪爲主重故書日劉卷但爲會主其恩輕故不日矣○葬杞悼公。○楚人圍蔡。囊瓦稱人者楚爲無道拘蔡昭公數年而復怨蔡歸有言伐之故貶明罪重於圍【疏】注囊瓦至於圍○解云正以下傳云爲是興師使囊瓦將而伐蔡故知此文楚人者是囊瓦矣言稱蔡昭公數年而復怨蔡歸有言伐之者皆下傳文云故貶明罪重於圍者謂由是之故貶之稱人明其罪重異於凡圍矣其凡常之圍罪不至貶即哀九年楚子以下圍蔡之屬是也○晉士鞅衛孔圄帥師伐鮮虞。圄魚呂反左氏作圍虞本或作吴音虞○葬劉文公。外大夫不書葬此何以書録我主也其實以主我恩録故云爾舉采者禮諸侯入爲天子大夫更受采地於京師天子使大夫爲治其國有功而卒者當益封其子時劉卷以功益封故不以故國以采地書葬起其事因恩以廣義也稱公者明本諸侯也○舉采七代反下采地同【疏】注舉采至也○解云劉卷本是諸侯若正以其葬稱公故也知天子使大夫爲其國者正以此人身在王朝明其本國須有治之者云有功卒者當益封其子若正以父子並得之故謂之益云不以故國者經使無文不知其故國是何云因恩以廣義也者因有主會之恩遂舉采稱公以廣見其本是諸侯之義也稱公者明本諸侯也者正以天子大夫本無稱公之義今葬劉文公乃與葬晉文公之屬相似故也○冬十有一月庚午蔡侯以吳子及楚人戰于伯莒楚師敗績吳何以稱子據滅徐稱國○伯莒左氏作伯舉【疏】注據滅徐稱國○解云即昭三十年冬十二月吳滅徐徐子章羽奔楚是也夷狄也而憂中國言子起憂中國以明爲蔡故也與桓十四年同○

疏注言以至年同○解云桓十四年冬宋人以齊人以下伐鄭傳云以者可行其意也彼注云以已從人曰行言四國行宋意也是也其憂中國奈何伍子胥父誅乎楚挾弓而去楚挾弓者懷格意也礼天子雕弓諸侯彤弓大夫嬰弓士盧弓○挾弓音協又子協反雕下彫反彤大冬反嬰弓於耕反見司馬法盧力吳反○疏注挾弓至意也○解云格猶拒也言所以挾弓者謂其君使人迨之時已所懷拒之意故曰挾弓者懷格意也若以今人謂不順之處為格化之類也或云格來也言所以挾弓者懷欲列來復讎之意○注礼天子至盧弓○解云古礼無文也以干闔廬不待礼見以干欲因闔廬以復讎○禮見賢遍反下不見同闔廬曰士之甚言其以賢士之甚○勇之甚將為之興師而復讎于楚伍子胥復曰諸侯不為匹夫興師必須因事者其義可得因公無事而以匹夫興師討諸侯則不免為亂○將為于偽反下不為也不為匹為是注為子胥同○其臣聞之事君猶事父也虧君之義復父之讎臣不為也於是止蔡昭公朝乎楚有美裘焉囊瓦求之昭公不與為是拘昭公於南郢數年然後歸之於其歸焉用事乎河時北如晉請伐楚因祭河○囊乃郎反郢以井反又以政反○疏為是拘昭公於南郢○解云若以楚於諸夏差而近南故謂之南郢若宣十二年傳云南郢之與鄭相去數千里何氏云南郢楚都之類是也○注時北至祭河○解云正以河非楚祭之閒也曰天下諸侯苟有能伐楚者寡人請為之前列楚人聞之怒見侵後聞蔡有此言而怒疏注見侵至而怒○解云正以上文楚人圍蔡在侵楚之後故也而伐蔡者即下楚人圍蔡是也圍而言伐者卒擬名故也為是興師使囊瓦將而伐蔡蔡請救于吳伍子胥復曰蔡非有罪也楚人為無道君如有憂中國之心則若時可矣猶曰若是時可興師矣激發初欲興師意○將子匠反激古狄反○於是興師而救蔡不書與子胥俱者舉君為重子胥不見於經得為善者以吳義文得成之也雖不舍子胥為非懷惡而討不義君子不得不與也○疏而救蔡○解云不書救蔡者止以蔡為兵故首也○注子胥至成之也○解云案此傳文有善子胥之意子胥不得見於經而得為善之者正以吳得進而稱子是其義文以是之故得成子胥之善故曰以吳義文得成之也○注雖不至與也○解云吳子若夏救蔡討楚而敗之也是其憂中國尊事周室之義但親用子胥之謀兼有為復讎之意是以傳家取而說之遂舉子胥之辭以見之雖舉子胥之辭但非懷惡而討不義是以君子與之昭十一年楚子誘蔡侯之下傳云懷惡而討不義君子不予也故注者取而說之○曰事君猶事父也此其為可以復讎奈何曰父不受誅不受誅罪不當誅也子復讎可也孝經曰資於事父以事君而敬同本取事父之敬以事君而父以無罪為君所殺諸侯之君與王者異於義得去君臣已絕故可也孝經云資於事父以事母而愛同公不得報讎文姜者母所生雖輕於父重於君也易曰天地之大德曰生故得絕不得殺○疏注本取事父以事君○解云何氏之意以資為取與鄭異鄭注云資者人之行也注四制云資猶操也然則言人之行者謂人操行也云云之說具於孝經疏○注莊公至君也○解云即莊元年注云言遜者明但當推逐夫之罪不可誅誅不加上之義是也○注易曰至曰生○解云下繫辭文也○父受誅子復讎推刃之道也子復因非當復討其子一往一來曰推刃○當丁浪反○復讎不除害取讎身而已不得兼讎子復將恐害已而殺之時子胥因吳之衆墮平王之墓燒其宗廟而已昭王雖可得殺不除云○墮許規反去起呂反疏注時子胥至而已○解云春秋說文也彼文又云鞭平王之尸血流至踝此注不言之者省文也案昭二十六年秋九月楚子居卒至今十餘年矣而言血流至踝者非常之事寧可常理言之或者蓋以子胥有至孝之至精誠感天使血流所以快孝子之心也○朋友相衛同門曰朋同志曰友相衛不使為讎所勝時子胥因仕於吳為大夫君臣言朋友者闔廬本以朋友之道為子胥復讎孔子曰益者三友損者三友

友直友諒友多聞益矣友便辟友善柔友便佞損矣○辟婢亦反辟佞如字本亦作便佞 疏 注同門至損矣○解
云出舊論篇文王謂司馬遷云李陵并彼同門之朋同志之
友乎義亦通於此而書傳散宜生等受業於大公大公
知其非常人遂除師弟之禮以友朋之道待之也既除師
弟之禮酌酒切肺約爲朋友然則大公爲師而言朋者盖大
弟之禮連朋言之亦何傷云君臣言朋友者云云即詩云朋
友攸攝攝以威儀注云朋友謂羣臣與成王同志好者義亦
通於此云孔子曰益者三友云云論語文引之者道闔廬子
胥相與益友盖以闔廬爲諒何者謂一許爲之興師終不變
悔是也孟以子胥爲直與多聞何者不敢虧君之義復父之
讎是其直也子胥賢者博古今之事是其多聞矣便辟謂巧
爲譬喻善柔謂口柔面柔辟之屬辯佞辯爲佞矣案今世閒
有一論語音便辟爲便僻者非鄭氏之意通人所不取矣○

而不相迿 迿出表辭猶先也不當先相擊刺所以伸孝子之恩○迿音峻又音迅又玄徧反先悉薦反刺七亦反○ 疏 注迿出至先也○解云依大司馬田獵習戰之時一云爲表百步則一爲二表又五十步爲一表然則
長者謂其戰時旅進旅退之限約迿者謂不顧步伍勉力先
往之意故曰出表辭若然所以伐吳之經不使子胥爲兵首
者盖以吳王討楚兵爲蔡故目宰君爲重是以不得見也

古之道也○楚囊瓦出奔鄭○庚辰吳入楚吳何以不稱子 據狄人盟于邢

有進行稱人○行下孟反 疏 楚囊瓦出奔鄭○解云左氏以爲戰不勝而去上經稱人者賈氏云知見戰伐由己
故懼而出奔盖何氏與之同而戰時稱人者行不進矣○注
據狄至稱人○解云即僖二十年秋齊人狄人盟于邢何氏
云狄稱人者能常與中國也是也○

反夷狄也其反夷狄奈何君舍于君室大夫舍于大夫室盖妻楚王之母也 舍其室因其婦人爲妻日者惡其無義○ 疏 注日者惡其無義也者正以春秋之義入例書時傷害多則月即定
五年夏於越入吳僖二十三年春王正月
秦人入滑之屬是今而書日故須解之

五年春王正月辛亥朔日有食之 是後臣恣曰甚魯失國寶宋大夫叛 疏 注是後至夫叛○解云盖謂下八年秋晉趙鞅帥師侵鄭遂侵衛之文是也云魯失國寶即下八年

定四年

文盜竊寶玉大弓傳云季氏之宰則微者也惡乎得國寶而
竊之是也云宋五大夫叛即下十一年春宋公之弟辰及仲
佗石彄公子地自陳入于蕭以叛秋宋樂大心自
曹入于蕭何氏云不言叛者從叛臣叛可知是也○

夏歸粟于蔡孰歸之諸侯歸之曷爲不言諸侯歸之 據齊人來歸衛寶○ 疏 注據齊至衛寶○解云在莊六年

離至不可得而序故言我也 時爲蔡新被強楚之兵故歸之粟與戎陳同義○爲于僞反○ 疏 注時爲至
之粟○解云即老子云大兵之後必有凶年彼注云言殺其
耕稼是也○注與戍陳同義○解云即襄五年冬戍陳傳云孰
戍之諸侯戍之曷爲不言諸侯戍之離至不可得而序故注
云離至離別前後至也陳坐欲與中國彼強楚之害中國宜
離然同心救之乃解息前後至不序以刺中國之無信故言
我也注云言我者以魯至時書與魯微者同文微者同文者
戍若城楚丘辟魯獨戍之今歸粟于蔡之義亦然故云與戍
陳同義矣然則彼已有傳而復發之者正以歸戍之文異故
同之○

於越入吳於越者何越者何 不言或者嫌兩國○ 疏
於越者何○解云正以越爲國名經典通稱忽加於字故執
不知問○越者何○解云問昭三十二年夏吳伐越之屬矣
正以此文加於字是以單言越者飜然可怪故執不知問○
不言至兩國○解云隱元年傳云曷爲或言會或言及之屬
皆言或今此何故不云曷爲或言於越或言越者弟子之意
本疑於越與越爲兩國是以分別而問之舊云正以僖四年
傳云執者曷爲或稱侯或稱人稱侯而執者伯討也稱人而
執者非伯討也然則彼言或者乃是兩事之辭今此若云曷
爲或言越或言於越則嫌爲兩國是以別之○

於越者未能以其名通也越者能以其名通也 越人自名於越君子名之曰越治國有狀能與中國通者以中
國之辭言之曰越治國無狀不能與中國通者以其俗辭言
之因其俗可以見善惡故云爾赤狄以赤進者狄於此方據
名赤者其別與越異也吳新憂中國士卒罷敝而入之疾罪
重故謂之於越○見賢徧反卒子忽反罷音皮敝音弊亦作敝
皆同 疏 注治國有狀云云○解云此狀謂模
狀也模狀猶規矩若有規矩是得先王之術故謂之
進若無規矩是失治國之法當獲咎禍故謂之退是以此注
云治國有狀云云治國無狀云云凶儀云無狀招禍義亦通

定五年

定五年

㲋此亦有一本狄皆作礼字但非古本是以不能得從之也晉赤狄至異也。解云正以宣十一年秋晉侯會狄于攢函之文直單言狄不言赤矣宣十五年夏晉師滅赤狄潞氏傳云潞子之為善也躬足以亡爾于夷狄是其加赤為進之事也但以者比方之總名乃是鄙賤之號赤者是其別稱故得加之乎以進矣今越者乃是其國名若似齊晉衞之屬諸夏之人亦以礼儀者其國名之上不見加於處唯有越為此文尋撿其事此時入吳與合罪賤故消之○注疾罪至於越○解云夷狄之稱止有七等之名州不若國最其賤者今乃加於見其入吳之疾故以罪重言之○

六月丙申，季孫隱如卒。仲遂以貶起哉是不貶者其逐君者出為重故從季辛起之衞孫甯○甯音○識

疏 注仲遂至孫甯○解云宣八年仲遂卒于垂傳云仲逐者何公子遂也何以不稱公子貶曷為貶為弑子赤貶是其以貶起弑也案公子牽仲遂之類而不据之者以其無卒文故也今此欲道隱如之卒經無貶文故据卒時有貶文者言之也欲舉君出為重者即昭二十五年九月己亥公孫于齊是也言舉其君出為重即隱如之罪已重是以於卒不復貶也言故從季辛起之者即昭二十五年秋七月上辛大雩季辛又雩者彼注云不言下辛言季辛者起季氏不敕下而逐君是也言季辛已起其逐君之義是以於卒不必更貶也言衞孫甯者即襄十四年夏四月己未衞侯衎出奔齊注云不書孫甯逐君者舉君絕為重是也

○秋七月壬子，叔孫不敢卒。○冬，晉士鞅帥師圍鮮虞。

監本附音春秋公羊註疏卷二十五

監本春秋公羊註疏定公卷第二十六 起六年盡十五年

何休學

六年春王正月癸亥，鄭游遬帥師滅許，以許男斯歸。○二月，公侵鄭。者內有彊臣之讎不能討而外結怨故危之 公至自侵鄭。○夏，季孫斯、仲孫何忌如晉。○秋，晉人執宋行人樂祁犂。○冬，城中城。○季孫斯、仲孫忌帥師圍運。此仲孫何忌也，曷為謂之仲孫忌？譏二名。二名非禮也。為其難諱也一字為名令難言而易諱所以長臣子之敬不逼下也春秋定哀之間文致太平欲見王者治定無所復為譏唯有二名故譏之此春秋之制也○為其于偽反令力呈反易以豉反長丁丈反大音泰見賢徧反治直吏反復扶又反○

疏 冬季孫斯仲孫忌○解云古本無何字有者誤也穀梁及賈經皆無何字文哀公十三年經云晉魏多帥師侵衞傳云此晉魏曼多也曷為謂之晉魏多譏二名二名非礼也以此言之則此經無可明矣而賈氏云公羊曰仲孫何忌者盡誤○注此仲孫至之仲孫忌○解云正決上文夏仲孫何忌如晉之文也○注一字至逼下○解云難言者謂言難著既不言君父之名即是臣子之敬故曰長臣子之敬也動不違礼為下之易故曰不逼下也○云春秋定哀之間文致太平者實不太平但作太平文而已故曰文致太平也案春秋説昭公亦為所見之世而此注偏指定哀為太平者正以昭公之時未譏二名故也云唯有二名故譏之者文王之臣散宜生孔子門人必不齊之屬皆親事聖人而以二字為名者謂依古礼若似堯名放勲舜名重華禹名文命宣王之與名子為宮皇之屬是也但孔子作春秋欲改古礼為後王之法是以譏其二名故注即言此春秋之制也然則傳云二名非礼者謂非斷王礼不謂非古礼也○

七年春王正月。○夏四月。○秋，齊侯、鄭伯盟于鹹。鹹音咸○齊人執衞行人北宮結以侵衞。○

定六年

齊侯衛侯盟于沙澤。大雩。先是公侵鄭城中城季孫斯仲孫忌如晉圍運費重不恤民之應。費音秘下同。疏注先是公侵鄭。解云即上六年二月公侵鄭是也。云城中城者即上六年冬城中城是也。云季孫斯仲孫忌如晉者在上六年夏而於城中城之下言之者蓋遂連者先言之故也。云圍運者即上六年冬季孫斯仲孫何忌圍運是。○齊國夏帥師伐我西鄙。九月大雩。承前費重不恤民又重之以齊師伐我我自救之役。重直用反。○冬十月。

八年春王正月公侵齊公至自侵齊。二月公侵齊。三月公至自侵齊。出入月者内有強臣之讎外犯彊齊再出尤危於侵鄭故知入亦當蒙上月。疏春王正月公侵齊。解云侵伐例時而此月者正以内有強臣之讎而外犯彊齊故危之。○公至自侵齊。解云以例言之不蒙上月矣。注出入至上月。解云正以春秋之例有雖在月下而不蒙月者故賈氏云還至不月爲曹伯卒月是也故何氏分疏之云此定公侵齊所以出入月者正以内有強臣之讎不能討而外犯強齊頻煩再出尤危於六年侵鄭之時故知其入亦當蒙月也上六年二月公侵鄭彼注云月者内有強臣之讎不能討而外結怨故危之也下經始云公至自侵鄭則知何氏以爲至不蒙月故此决云再出尤危於侵鄭故知入亦當蒙月也。○曹伯露卒。夏齊國夏帥師伐我西鄙。○公會晉師于瓦公至自瓦。此晉趙鞅之師也但言晉師者君不會大夫之辭也公會大夫不別得意雖得意不致此致者諱公爲大夫所會故使若得意者。別彼列反。疏注此晉至之辭。解云正以下經云晉趙鞅帥師侵鄭遂侵衛故知此言公會晉師是趙鞅之師矣宣元年秋趙盾帥師救陳宋公以下會晉師于斐林伐鄭傳云此晉趙盾之師曷爲不言趙盾之師君不會大夫之辭也今此文勢與彼正同故此何氏取彼傳文以解之。○注公會至不致。解云莊六年作注云公與二國以上出會盟得意致會不得意不致公與一國出會盟得意致地不得意不致然則公與諸侯會同體敵莫肯相下故須別之見其得意與否若與大夫盟會之時尊卑異等得意可知何勞別之乎故僖二十五年冬公會衛子莒慶盟于洮何氏云洮内地公與未踰年君大夫盟不別得意雖在外猶不致也是云此致者諱公爲大夫所會故使若得意者正以公與一國出會盟得意致地不得意不致今此書致故云使若得意者。○秋七月戊辰陳侯柳卒。○晉趙鞅帥師侵鄭遂侵衛。○葬曹靖公。曹諍才井反本亦作靖。○九月葬陳懷公。○季孫斯仲孫何忌帥師侵衛。○冬衛侯鄭伯盟于曲濮。濮音卜。○從祀先公。從祀者何。順祀也。復文公之逆祀。疏從祀者何。解云欲言其祭經無廟之文欲言非祭謂之從祀故執不知問。文公逆祀去者三人。諫不從而去之。疏注謂文至三人。解云謂文二年八月丁卯大事于大廟躋僖公傳云躋者何升也何言乎升僖公譏何譏爾逆祀也其逆祀奈何先禰而後祖也是也。定公順祀叛者五人。諫不以禮而去曰叛去與叛皆不書者微也不書禘者後祫亦順非獨禘也言祀者無已長父之辭不言僖公者閔公亦得其順。疏注諫不至曰叛。解云謂諫君全不以禮不從之而去者謂之叛也。○注不書至禘也。解云何氏之意以爲三年一祫五年一禘謂諸侯始封之年禘祫並作之但夏禘則不礿秋祫則不嘗而已一祫一禘隨次而下其間三五參差亦有禘祫同年時矣若其有喪正可於喪竟其祫禘之年仍自乘上而數之即僖八年禘于大廟之時禘祫同年矣至文二年大事於大廟之下傳云大事者何大祫也何氏云從僖八年禘數知爲大祫是從僖八年禘祫同年數之即文二年爲祫年文五年爲禘祫同年又隨次而數之至今定八年亦禘祫同年矣凡爲祭之法先重而後輕禘大於祫因當先之則知此言從祀先公者是禘明矣故云不書禘者後祫亦順非獨禘也若然既言是禘理宜在夏而在冬下者當之矣。○注言祀至之辭。解云桓八年傳云春曰祠何氏云祠猶食也猶繼嗣也此春物始生孝子思親繼嗣而食之故曰祠因以別死生然則此經何以不言從祭先公或言大事于先公而言祀者見其相嗣不已長父常然故云言祀者無已長父之辭。○注不言至其順。解云閔二年夏五月乙酉吉禘于莊公僖八年秋七月禘于大廟文二年八月丁卯大事于大廟之文皆逆其人今此經文所以不言從祀僖公而言先公者正以閔公亦得其順是以不得特指之。盜竊寶玉大弓。盜者孰謂。謂微者也。微而竊大可怪故問之○疏注微而至問之○解云哀四年傳云弒君賤者窮諸人此其稱盜以弒何賤乎賤者也然則盜是微賤之稱寶玉大弓國之重宝故云微而竊大也。謂陽虎也。陽虎者曷為者也。季氏之宰也。季氏之陪臣為政者疏注季氏至政者○解云季氏之宰於國為陪臣而為政于魯故曰為政也。季氏之宰則微者也。惡乎得國寶而竊之。陽虎專季氏。季氏專魯國。陽虎拘季孫。季氏逐昭公之後取其宝玉藏於其家陽虎拘季孫奪其宝玉季孫取玉不書者季逐君為重○惡乎音烏疏注季氏逐昭公者○解云在昭二十五年秋○孟氏與叔孫氏迭而食之。睋而鍥其板。以爪刻其鑽斂板○迭大結反注同食之音嗣下注佚食同睋而五多反下同鍥本又作鐵七廉反又且審反以爪刻鑽斂板也本或作鍛誤疏注以爪刻至板○解云謂以指爪刻其鑽器之上斂藏衣物之板謂蓋板也○曰某月某日將殺我于蒲圃。力能救我則於是。於是時○圃本又作甫同布古反又音布至乎日若時而出。臨南者陽虎之出也。御之。為季孫御疏至乎日若時○解云謂至于某日如約之時也以此言之則知上文云某月某日宜亦言其時但傳家省去之至此乃言若時以刻日也○臨南至之出○解云姊妹之子謂之出蓋是虎之外生也咸云從其家出而仕于公亦不妨下季氏云世世有子是矣於其乘焉者謂於其上車之時矣○於其乘焉。季孫謂臨南曰。以季氏之世世有子。言我季氏累世有女以為臣○其乘繩證反下皆同女音汝○子可以不免我死乎。以義責之臨南曰。有力不足。臣何敢不勉。陽越者。陽虎之從弟也。為右。為季孫車右實衛之○從才用反下同疏注實衛之○解云謂守衛季孫

諸陽之從者車數十乘。至于孟衢。孟氏衢四達可以橫去○數所主反疏注衢四至橫去○解云即釋宮四達謂之衢李巡云四達各有所至曰衢孫氏曰交道四出是也○臨南投策而墜之。策馬撾也見二家迭食之欲將季孫由孟氏免之恐陽越不聽故詐投策欲使下車○而墜直類反撾竹瓜反陽越下取策。臨南駷馬。駷撾馬銜走○駷本又作搬字書無此字相承用之素動反而由乎孟氏。陽虎從而射之。矢著于莊門。莊門孟氏所入門名○言幾仲季孫顛門閉故著門○射食亦反著直略反注同莊本或作戲亦音莊幾音祈中丁仲反○然而甲起於琴如。甲公斂處父所帥也琴如地名二家知出期故於是時起兵疏注甲公至地名○解云即下傳云既駕公斂處父帥師而至是也○注二家至起兵○解云即上傳云力能救我則於是是也弒不成。卻反舍于郊。皆說然息。說解舍然猶如○弒不音試下同卻反去略反本又作郄然本又作鋭始鋭反又他會反注同說解舍也然猶如也○疏弒不成○解云正以季孫於陽虎為君故謂之弒也卻反舍于郊者謂上文陽虎從而射之時遂之孟氏今而還去舍於郊故曰卻反舍于郊不謂元從郊來○或曰。弒千乘之主。時季氏邑至於千乘而不克。舍此可乎。嫌其近而無所依○陽虎曰。夫孺子得國而已。得免專國家而已○如丈夫何。如猶奈也丈夫大人稱也○稱尺證反睋而曰。彼哉彼哉。望見公斂處父帥而曰彼哉彼哉再言之者切遽意○遽其慮反趣駕。使疾駕○趣七欲反一音七住反○既駕。公斂處父帥師而至。公斂處父孟氏叔孫氏將兵之將○疏注公斂至之將○解云左氏以為孟氏家臣○慬然後得免。自是走之晉。寶者何。璋判白。判半也半圭曰璋白藏天子青藏諸侯魯得郊天故錫以白不言璋言玉者起珪璧琮璜璋五玉盡亡之也傳獨言璋者所以郊事天尤重詩云奉璋峨峨髦士攸宜是也孔注以朝璧以聘琮以發兵璜以發衆璋以徵召○慬其靳

反璋音章琮在宗反璜音黃峨五多反本又作蛾髮音毛 疏 宝者何○解云欲言貴物微者竊之欲言賤物文在弓玉之上故執不知問○注半圭曰璋○解云釋器無文云白藏天子青藏諸侯春秋說文云不言璋言玉者起珪璧琮璜璋五玉尽亡之也者正以玉為揔名故也○注詩云至微召○解云言文玉祭皇天上帝時在助祭者奉此半珪之璋其儀容峨峨盛壯矣尽是俊士之所宜利何氏與鄭同云礼珪以朝璧以聘琮以發兵璜以發衆璋以徵召者時王之礼

弓繡質。○質椹也言欠者力千斤椹芳甫反又方千反 疏 注言大者力千斤○解云千斤之文何氏有所見家語云三十斤為鈞謂之石然則千斤之弓其力八石三斗有餘故左傳云可以威不軌戒不虞也

龜青純。純緣也謂緣甲頓也千歲之龜青髯明于吉凶易曰定天下之吉凶成天下之亹亹者莫善乎蓍龜經不言龜者以先知從宝省文謂之宝者世世宝用之辭此皆魯始封之賜不言取而言竊者正名也定公從季孫假馬孔子曰君之於臣有取無假而君臣之義立主書者定公失政權移陪臣拘其尊卿喪其宝玉無以合信天子交質諸侯當絕之不書拘季孫者辛五玉為重書大弓者使若都以國宝書微辭也○青純之閏反注同純緣悅絹反下同頓而占反疊文匪反著音尸亹息浪反 疏 注千歲之龜青頓○解云以時事知之也○注易曰不著龜也○解云此皆上繫辭文也今易本善作大字為異彼注云凡天下之善惡及沒沒之衆事皆成定之言其廣大無不乃也○注經不言龜至微辭也○解云弓繡質龜青純然則此事皆喪之而經言大弓特不言龜者正以礼器外特牲陳幣之時云龜為前列先知也以其先知故得從宝省文然則龜非珠玉而得從宝省文者以其能定吉凶可以世世保而用之故注云謂之宝者世世保用之辭云此皆魯始封之錫者左傳定四年具有其文也云不言取而言竊者正名也者正所以不言盜取而言竊者盜是卑賤之稱是以不得言取也竊者是其正名是以即引家語以證之定公從季孫假馬孔子曰君之於臣有取無假而君臣之義立者家語文云無以合信天子交質諸侯當絕之者即上注云圭以朝璧以聘今珪璧盡亡故言此也云書大弓者使若都以國宝書微辭也者言大弓與龜皆可保用所以龜得從宝省文而特書大弓不省文使若都以國宝書作微辭之義何者經言盜竊宝玉大弓若似所謂宝玉者即大弓是言可世世傳保而金玉之然故得為微辭也

定八年

九年春王正月。○夏四月戊申，鄭伯蠆卒。蠆勑邁反左氏作蠆

得寶玉大弓。何以書？國寶也。喪之書，得之書。微辭也使若都以重國寶故書不以罪定公皆其寶失之當坐得之當除以竊寶不月知得例不蒙上○喪息浪反 疏 注微辭至故書。○解云寶玉大弓者乃是周公初封之時受賜于周之物而以藏之魯者欲使世世子孫無忘於周而定公失之季氏奪之皆當合絕而上文直言盜竊寶玉大弓此文直云得寶玉大弓傳云何以書國寶也得之書喪之書不見厭之者正言作微辭使若都以重國寶之故而書之文更無刺譏之義也然則此言微辭者仍與上文共為一事以上元年定哀多微辭之下何氏直數喪失國寶而已。○注不已至當除。○解云上文之下有注云無以合信天子交質諸侯當絕今此寧知不復闕絕之者正以得之當除故也杜氏云弓玉魯之分器得之足以為榮失之足以為辱故重而書之義亦通於此云以竊寶不月云云者即上八年經云冬衛侯鄭伯盟于曲濮從祀先公盜竊寶玉大弓是也則知今雖文承四月之下不蒙上月明矣。○六月，葬鄭獻公。

秋，齊侯、衛侯次于五氏。欲伐魯也善魯能却難早故書次而去○郤難起略反下乃旦反 疏 注欲伐至而去。○解云知欲伐魯者正以直書其次上下更無起文乃與莊十年夏六月齊師宋師次于郎公敗宋師于乘丘之文同故知正欲伐魯也故彼傳云其言次于郎何伐也我能敗之故言次也是也彼注云此解本所以不言伐言次意也二國纔止次未成於伐魯即能敗宋師齊師罷而去故不言伐言次也明國君當強折衝當遠魯微弱深見犯至於近邑賴能速勝之故云爾所以強內者是其書次云欲伐魯者其卻難早之文其餘見言次不欲伐魯者皆自有起文即次聶北救邢伐楚次于陘之屬是也。○秦伯卒。○冬，葬秦哀公。

十年春王三月，及齊平。月者頗谷之會齊侯欲執定公故不易○不易以豉反下同 疏 注月者至不易。○解云下十一年冬及鄭平叔還如鄭莅盟則知平例書時而有月者皆見義矣而言不易者即莊十三年冬公會齊侯盟于柯傳云何以不日易也何氏云易猶佼易也相親信無後患之辭然則此書月者頗

定九年

谷之會齊侯欲執定公故不易宣十五年夏五月宋人及楚人平之下何氏云月者專平不易昭七年春王正月曁齊平何氏云月者剌內曁也者皆與鄭辭合。○夏，公會齊侯于頰谷。公至自頰谷。上平為頰谷之會，齊侯作侏儒之樂，欲以執定公，孔子曰：匹夫而熒惑於諸侯者誅。於是誅侏儒，首足異處，齊侯大懼，曲節從教，得意故致也。○頰谷古協反，左氏作夾谷。熒戶扃反。惑音或，一音于偽反。疏 注上平至致也。解云：莊六年何注云：公與一國出會盟，得意致地，不得意不致。即桓二年秋公及戎盟于唐，冬公至自唐之屬是也。今此上平為頰谷之會，不易故月，即此平不得意也，而致地者，正以初雖見脅，終竟得意故也。云頰谷之會至曲節從教，家語及晏子春秋文也。○晉趙鞅帥師圍衛。○齊人來歸運、讙、龜陰田。齊人曷為來歸運、讙、龜陰田？據齊至魯邑。疏 注據齊至魯邑。解云：即宣元年六月齊人取濟西田，哀八年夏齊人取讙及闡之文是也。孔子行乎季孫，三月不違。孔子仕魯，政事行乎季孫，三月之中不見違，過是違之也。不言政行乎定公者，政在季氏之家。疏 孔子至不違。○解云：孔子家語亦有此言，若以家語言之，孔子今年從邑宰為司空，既為大夫，故有行於季孫之義。齊人為是來歸之。齊侯自頰谷會歸，謂晏子曰：寡人獲過於魯侯，如之何？晏子曰：君子謝過以質，小人謝過以文。齊嘗侵魯四邑，請皆還之。歸濟西田不言來，此其言來者，已繼魯不應復得，故從外來常文，與齊人來歸衛寶同。夫子雖欲不受，定公貪而受之，此違之驗。○為于偽反。復得扶又反，年末及十一年同。疏 注齊侯自頰谷至驗之。○解云：皆晏子春秋及家語孔子世家之文。其四邑者，蓋運也、讙也、龜也、陰也。邑而言田者，桓元年傳云田多邑少稱田，然則此等皆是土地，頃畝多，邑內人民少，故稱田。龜亦是邑，此山名，直服其若欲同於賈服，即云上二邑邑內人民多，故舉邑名；龜陰言田者，龜是山名，直得田而不得邑。而言侵魯四邑請皆歸之者，謂雖有此請，齊君不全許，是以但得三邑而已，蓋非何氏之意。○注歸濟至寶同。○解云：宣十年齊人歸我濟西田者，是其不言來之文也。言已繼魯不應復得者，即彼傳云：齊已取之矣，其言我何？未絕于我也。曷為未絕於我？齊已言取之矣。注云：齊已言語許取之，其實未之齊也。注云：其人民貢賦尚屬於齊，實未歸於魯，不言來者，明不從齊來，不當取邑。然則彼以未絕於魯，猶合得之，明其不從齊來，齊人不當坐取邑，故不言來。此言來者，入齊已久，絕于魯，不應復得之，故言來，從外來常文也。言魯不應復得者，止以不能保守先君也邑而失之故也。言與齊人來歸衛寶同者，即莊六年冬齊人來歸衛寶是也。○注夫子至之驗。解云：知夫子雖欲不受者，王以四邑屬齊，年歲淹久，已絕于魯，魯不應得。頰谷之會，討殺侏儒，威劫齊侯，方始歸之，雖曰獲田，君子不貴，故知孔子之意不欲受也。若然，莊十三年曹子手劍而劫桓公，是以齊人歸我汶陽之田，何氏云：劫桓公取汶陽田不書者，諱行詐劫人也。然則此亦威劫齊侯而得田邑，與彼不異，而書不諱者，正以曹子本意行劫以求汶陽之田，君子恥其所為，故不書也。今在頰谷之會，孔子相儀，正欲兩君揖讓，行盟會之禮，阻齊為不道，熒惑魯侯而欲執之，孔子誅之，手足異處，齊侯內懼，歸其四邑以謝焉，於其本情實非劫，非書而不諱，不亦宜乎？言此違之驗者，欲對上傳云孔子行乎季孫三月不違文也。○叔孫州仇、仲孫何忌帥師圍郈。○郈音后。○秋，叔孫州仇、仲孫何忌帥師圍費。○宋樂世心出奔曹。○宋公子池出奔陳。池，左氏作地。疏 □師圍費者。○解云：左氏、穀梁此費字皆為郈，但公羊正本亦費字，與二家異。賈氏不云公羊曰費者，蓋文不備，或所見異也。宋樂世心者，世字亦作泄字者，故賈氏言焉。左氏、穀梁作大字。會于鞌者，左氏、穀梁作安甫，賈氏不云公羊曰鞌者，亦是文不備。穀梁經甫亦有作濮字者。○冬，齊侯、衛侯、鄭游遬會于鞌。○于鞌，左氏作安甫。○叔孫州仇如齊。○宋公之弟辰曁宋仲佗、石彄出奔陳。復出宋者，惡仲佗悉欲帥國人去，故舉國言之。公子池、樂世心、石彄從之皆是也。辰言曁者，明仲佗強與俱出也。三大夫出不目者，舉國危亦見矣。○曁其器反。佗大多反。彄古侯反。惡烏路反。強其丈反。見賢遍反。疏 注復出宋至出也。○解云：如此注者，正以昭二十年冬十月宋華亥、向寧、華定出奔陳，不重言宋向寧也。云公子池、樂世心、石彄從之皆是也者，下十一年經文也。云辰言曁者明仲佗強與俱出也者，正以隱元年傳云會、及、曁皆與也，及我欲之，曁不得已也，然則弟辰是辰意不欲從已而從去，故曰明仲佗強與俱出也。知非辰曁之者，正以莊三十二年公子牙、昭元年招之屬，以其有罪，故去弟以親之。今不去弟，故知仲佗強之矣。○注三大至見矣。○解云：春秋之例，大夫出奔悉書時，即襄二十一年秋晉欒盈出奔楚、二十八年冬齊慶封來奔之屬是也。其衆出奔者於國為危，故書月，即昭二十年冬十月宋華亥、向甯、華定出奔陳，何氏云「月者，危三大夫同時出奔，將為國家患，明當防之」是也。然則彼以三大夫同出奔，是以書月以見危。此亦三大夫同出，不月者，正以舉國見其欲率國人去，其危亦見矣，是以不勞書月以見危也。

十有一年，春，宋公之弟辰及仲佗、石彄、公子池自陳入于蕭以叛。不復言宋仲佗者，本舉國已明矣。辰言及者，後汲汲，當坐重。○復，扶又反。疏注本舉至坐重。○解云：謂奔時舉言宋仲佗，是其欲率國人去已明矣，是以此經不復言宋也。云辰言及者，後汲汲當坐重者，正以隱元年傳云「及，猶汲汲也」，及，我欲之，故知辰言及者，是其汲汲也。而言後汲汲者，欲言初出之時，事不獲已，未及汲汲也。言當坐重者，惡其母弟之親而汲汲於叛，故當合坐重於疏者。○夏，四月。○

秋，宋樂世心自曹入于蕭。不言叛者，從叛臣叛可知。疏注不言至可知。○解云：與上經自陳入于蕭以叛文也。○冬，及鄭平。○叔還如鄭涖盟。

十有二年，春，薛伯定卒。不日月者，子無道，當廢之而以為後，未至三年，失衆見弒，危社稷宗廟，禍端在定，故略之。○見弒音試。疏注不日至略之。○解云：今青之卒，例書日月，即昭三十一年夏四月丁巳薛伯穀卒之屬是也。今不具日月，故解之。言子未三年失衆見弒者，即下十三年冬薛弒其君比是也。春秋之例，稱國以弒者，失衆見弒之辭，故文十八年冬莒弒其君庶其，傳云「稱國以弒者，衆弒君之辭」，何氏云「一人弒君，國中人人盡喜，故舉國以明失衆，當坐絕也」。例皆時者，略之也，故此作注云未至三年失衆見弒也。云禍端在定者，今解從定字，亦有作在是字者，今解從定也。○夏，葬薛襄公。○叔孫州仇帥師墮郈。墮，許規反，下同。○衛公孟彄帥師伐曹。○季孫斯、仲孫何忌帥師墮費。曷為帥師墮郈，帥師墮費？據城費。疏注據城費。○解云：即襄七年城費是也。然則彼時城費，今乃墮之，以其義反，故以為難。孔子行乎季孫，三月不違，曰：家不藏甲，邑無百雉之城。於是帥師墮郈，帥師墮費。郈，叔孫氏所食邑。費，季氏所食邑。二大夫宰吏數叛，患之，以問孔子，孔子曰：陪臣執國命，采長數叛者，坐邑有城池之固，家有甲兵之藏故也。季氏說其言而墮之。故君子時然後言，人不厭其言。書者，善定公任大聖，復古制，弱臣勢也。不書去甲者，舉墮城為重。○吏數，所角反，下同。采長，七丈反，下同。說音悅。厭，於豔反。去，起呂反。疏注孔子行至三月不違。○解云：案上十年齊人來歸邑之下傳云孔子行乎季孫，三月不違，以此言之，三月之外違之明矣，故上有注云定公貪而受之，此違之驗。然則三月之後必似違之，今此傳文復言之者，蓋不違有二。何者？案家語，定十年之時，孔子從邑宰為司空，十一年又從司空為司寇。然則為司空之時，能別五土之宜，咸得其所，為季孫所重，是以三月不違也。齊人遂懼，來歸四邑矣。及作司寇，上時攝行相事，設法而用之，國無姦民，在朝七日誅亂政大夫少正卯，戮之於兩觀之下，尸諸朝三日，政化大行，季孫重之，復不違三月，是以此傳文言其事矣。○家不至之城。○解云：同之左氏，則邑無百雉之城者，亦據侯伯大都已言之，若與之異，則魯凡邑皆然也。○注二大夫宰吏數叛患之者。○解云：即上十年夏叔孫州仇、仲孫何忌帥師圍郈，秋叔孫州仇、仲孫何忌帥師圍費之屬是也。郈、費二邑相因言之，故謂之數耳。○注以問至墮之。○解云：春秋說及史記皆有此言。云故君子時然後言，人不厭其言者，論語文也。云不書去甲者，舉墮城為重者，正以傳云家不藏甲，邑無百雉之城，明其並從二事，而特舉墮城，不書去甲之家之甲者，舉重故也。必知去甲亦合書者，正以成元年三月作丘甲，書之於經，明知去甲亦合書矣。

雉者何？五板而堵，八尺曰板，堵凡四十尺。○堵，丁古反。疏雉者何。○解云：正以傳言邑無百雉之城，經未有其事，須知雉之度數，故執不知問。○五堵而雉，二百尺。百雉而城。二萬尺。凡周十一里三十三步二尺，公侯之制也。禮，天子千雉，蓋受百雉之城十，伯七十雉，子男五十雉。天子周城，諸侯軒城。軒城者，缺南面以受過也。疏注二萬至制也。○解云：公侯方百雉，春秋說文也。古者六尺為步，三百步為里，計一里有千八百尺十里即有萬八千尺更以一里三十三步二尺爲二千尺通前爲二萬尺也故云二萬尺凡周十一里三十三步二尺也云禮天子千雉者春秋說文也云蓋受百雉之城十者謂公侯癸天子十取一之義似若孟子與司馬法云天子周方百里公侯七十里伯七十雉子男五十雉者春秋說文○注天子至過也○解云天子周城諸侯軒城者春秋說文云缺其南面以受過也者正以諸侯軒縣闕南方則知軒城亦宜然案舊古城無如此者蓋但孔子設法如是後代之人不能盡用故也或者但不設射垣以備守故曰缺其南面以受過不妨仍有城○秋大雩 孔子聖澤廢不能事事信用 **疏** 注孔子至澤廢○解云謂三月之後違之○冬十月癸亥公會晉侯盟于黃○十有一月丙寅朔日有食之 是後薛弑其君比晉荀寅士吉射入于朝歌以叛○射食亦反又食夜反朝歌如字 **疏** 注是後至以叛○解云在十三年冬云晉荀寅士吉射入于朝歌以叛者亦在十三年冬晉荀寅士吉射在弑比之前而後言之者正以弑君之變重故先取以應之○公至自黃○十有二月公圍成 成仲孫氏邑圍成月又致者天子不親征下土諸侯不親征叛邑公親圍成不能服不能以一國爲家甚危若從他國來故危錄之 **疏** 注圍成至錄之○解云七年注云凡公出在外致在內不致今此在內而致故解之莊二十即宜十二年春楚子圍鄭之文是今此書月故解之○公至自圍成

之云天子不親征下土者即公羊說云一國叛王自征之若四國皆叛安得四王而征也者是其義也若然桓五年秋蔡人衛人陳人從王伐鄭傳云其言從王伐鄭何從王正也彼注云美其得正義也故以從王征伐錄之然則天子不親征下土而美之者直是美諸侯之得正猶自不言桓王伐鄭之善故彼注又云蓋起時天子微弱諸侯背叛不肯從王者征伐以善三國之君獨能尊天子死節稱人者刺王者也天下之君海內之主當秉綱撮要而親自用兵故見其微弱僅能從微者不能從諸侯猶莒稱人則從不疑也是書亭曰啓與有扈戰于甘之野作甘誓其經曰大戰于甘乃召六卿者何氏以爲啓非至德之主是以親征有扈非春秋所美豈害其義也云諸侯不親征叛邑者正以諸侯於天子亦宜以國爲家猶如天子之有天下也而不能全服親自征之故爲非禮而爲春秋所刺也

定十二年

十有三年春齊侯衛侯次于垂瑕 垂瑕如字又音加二傳作垂葭 ○夏築蛇淵囿○大蒐于比蒲 蒐所求反本又作蒐比音毗 **疏** 夏築蛇淵囿○解云成十八年秋築鹿囿傳云何以書譏何譏爾有囿矣又爲也故注云刺奢泰妨民也然則彼有成說故此數不復解之○大蒐于比蒲○解云桓六年注云五年人簡車徒謂之大蒐是也所以書者即昭八年秋蒐于紅之下傳云蒐者何簡車徒也何以書蓋以罕書也但彼已解訖故此數不復論之○衛公孟彄帥師伐曹○秋晉趙鞅入于晉陽以叛○冬晉荀寅及士吉射入于朝歌以叛○晉趙鞅歸于晉此叛也其言歸何 據叛與出入惡同 **疏** 注據叛至惡同○解云桓十五年傳云復歸者出惡歸無惡復入者出無惡入有惡入者出入惡歸者出入無惡然則書叛者出入惡同不宜書歸作出入無惡之文故難之以地正國也 軍以井田立數故言以地 **疏** 注軍以至以地○解云假令天子六軍方伯二軍之屬皆以井田多少計出其數故曰軍以井田立數也今趙鞅以此井田之兵逐君側之惡人故云以地正國也其以地正國奈何晉趙鞅取晉陽之甲以逐荀寅與士吉射荀寅與士吉射者曷爲者也君側之惡人也此逐君側之惡人曷爲以叛言之無君命也 無君命者操兵鄉國故初謂之叛後知其意欲逐君側之惡人故錄其釋兵書歸赦之君子誅意不誅事晉陽之甲者趙簡子之邑以邑中甲逐之○操七曹反鄉許亮反 **疏** 注君子至誅事○解云君子之人探端知緒但趙鞅意實非逆但以持兵鄉國爲罪是以春秋書歸以舍之故曰誅意不誅事也○薛弑其君比

十有四年春衛公叔戍來奔 戍音恕 ○晉趙陽出奔宋 晉趙陽衛趙陽 **疏** 晉趙陽出奔宋○解云穀梁與此同左氏作衛趙陽字也○二

定十三年

月辛巳楚公子結陳公孫佗人帥師滅頓以頓子牄歸 不別以歸向國者明楚陳以滅人爲重頓子以不死位爲重。公孫佗人大河反一傳作公孫佗人牄七良反二傳作牂別彼列反 疏 以頓子牄歸。解云左氏穀梁皆作頓子牂字賈氏不注文不備。注不別至之重。解云正以上四年滅沈以沈子嘉歸六年以許男斯歸之屬其上文皆直國大夫而已是以其經直言以歸不假分別今此經上載二國其下直言以歸而已似非詳備之義是以解之云明楚陳以滅人爲重者正以二國之御擅相滅獲其過已深假言歸楚不足經陳之罪假言歸陳不足滅楚之惡故曰明楚陳以滅人爲重云頓子以不死位爲重者諸侯之禮當合死位頓子不死其過已深何假書言歸于其乎故云頓子以不死位爲重也。夏衛北宮結來奔。五月於越敗吳于醉李 月者爲下卒出。醉李本又作檇音同爲于僞反 疏 注月者爲下卒出。解云隱六年有注云戰例時偏戰日詐戰月不曰者鄭詠之然則諸侯之例詐戰者月今此兩夷相敗文宜略於諸夏而經書月故知爲下卒文出矣。吳子光卒。公會齊侯衛侯于堅。堅如字本又作掔音牽左氏作牽 公至自會。秋齊侯宋公會于洮。洮他刀反 天王使石尚來歸脤。石尚者何天子之士也。天子上士以名氏通。脤市軫反 疏 石尚者何。解云欲言大夫單名無字欲言微者名氏俱見故執不知問。注天子至氏通。解云傳直云天子之士而知上士者何氏以爲春秋之例天子上士以名氏通中士以官錄下士略稱人今此經書其名氏故知之何氏意必知例然者正以傳云石尚者何天子之士隱元年傳云宰者何官也咺者何名也是以爲以官氏宰士也僖八年傳云王人者何微者也曷爲序乎諸侯之上先王命也然則以此三處之傳言之則知單名繼官不以名氏通單稱王人云者不以名見故隱元年注云天子之上士以名氏通中士以官錄下士略稱人是也。脤者何俎實也。俎實肉也 疏 脤者何。解云欲言天子賜之脤非祭肉不應遠來歸之欲言祭肉不見魯侯助祭之文故執不知問。俎實也者。解云謂以肉實於俎上故注云實俎肉也猶言實俎之肉也。

腥曰脤熟曰燔 禮諸侯朝天子助祭於宗廟然後受俎實時魯不助祭而歸之故書以譏之。燔本亦作膰文作繙音煩 疏 注禮諸侯至譏之。解云正以魯無朝聘宗廟者有受俎實之禮矣論語云祭於公不宿肉者義亦通於此宗伯以脤膰之禮親兄弟之國似不通於異姓者何氏所不取。衛世子蒯聵出奔宋 主書者子雖見逐無去父之義。蒯苦怪反下五經反 疏 注主書至之義。解云父子天倫無相去之義子若大爲惡逆人倫之所不容乃可竄之遠方闇人固守若小小無道當安處之隨宜罪譴令其克改寧有逐之佗國爲宗廟羞且子之事父雖其見逐止可起敬起孝號泣而諫之諫若不入悅則復諫自不避殺如舜與宜咎之徒寧有去父之義乎今大子以小小無道衛侯惡而逐之父無殺已之意大子數而去之論其二三上下俱失衛侯逐子非爲父之道大子去父失爲子之義今主書此經者一則譏衛侯之無恩一則甚大子之不孝故曰子雖見逐無去父之義若其父大爲無道如獻公幽王之類若不迴避以當殺已如此之時寧得陷父於惡是以申生不去失至孝之名宜咎奔申無刺譏之典但衛侯蒯聵無殺子之意是以蒯聵出奔書氏譏之耳。衛公孟彄出奔鄭。宋公之弟辰自蕭來奔。大蒐于比蒲 譏亟也。亟去冀反 疏 宋公至來奔。解云上十年出奔陳十一年春自陳入于蕭以叛至此乃自蕭來奔矣。注譏亟也。解云大蒐之禮五年一爲若數于此則書而譏亟也若緩於此則書而譏罕上十三年夏已大蒐于比蒲今始一年復行此禮故曰譏亟也。邾婁子來會公 書者非邾婁子會人於都也禮入都當循朝禮古者諸侯將朝天子必先會閒隙之地考德行一刑法講禮義正文章習事天子之儀尊京師重法度恐過誤言公者不受于廟。閒隙音閑下去逆反 疏 注書者至于廟。解云曲禮下篇云諸侯相見於隙地曰會今乃會人于都故書而非之云必入都當循朝禮者即桓六年注云諸侯相過至竟必假塗入都必朝所以崇禮讓絕慢易戒不虞也是其義也云古者諸侯將朝天子必先會于閒隙之地者出曲禮也云考德行一刑法者謂考校其德行齊一其刑法也云講禮義者謂習其禮儀也云言公者不受于廟者隱七年夏齊侯使其弟年來聘之下注云不言聘公者禮聘受之於廟孝子謙不敢以已當之歸美於先君且重賓也隱十一年春滕侯薛侯來朝之下注云不言朝公者礼朝受之於大廟與聘同義莊二十三年夏公如齊侯遇於穀蕭叔朝公傳云其言朝公何公在外也彼注云時公受朝於外故言朝公冠公不受於廟然則受朝之礼礼當在廟孝子漏美于先君不敢以已當之若不於廟則言公即蕭叔朝公是也今此會礼不在廟魯侯受之於外故言來會公矣言公者不受于朝也

○城莒父及霄

去冬者是歲蓋孔子由大司寇攝相事政化大行粥羔豚者不飾男女異路道無拾遺齊懼比而事魯饋女樂以間之定公聽季桓子受之三日不朝當坐淫故貶之歸女樂不書者本以淫受之故深諱其本文三日不朝孔子行魯人皆知孔子所以去附嫌近害黜同書猶不書或説無冬者坐受女樂令聖人去冬陰臣之象也○父音甫去起呂反相息亮反粥羊六反閒間廁之間近附近之近

疏 不書。注去冬至云隱六年傳云春秋編年四時具然後爲年今此無冬四時不具故須解之云是歲蓋孔子由大司寇攝相事者即家語始誅篇云孔子爲魯大司寇攝行相事有喜色是也魯之司寇云大者蓋以無司寇之卿是以大夫亦名大也魯有司空卿孔子爲司空不言大者是其一隅也若以家語言之即定九年始爲邑宰十年爲司空十一年爲大司寇從大司寇攝行相事之時年月不明故此注云蓋也云政化大行粥羔豚者不飾男女異路道無拾遺者皆是家語相魯篇文也言不飾者舊説云魯前之時粥羔豚者皆以彩物飾之自孔子爲相此事乃正故曰粥羔豚者不飾也云齊懼比而事魯饋女樂以間之定公聽季桓子受之三日不朝者出孔子世家案彼云定公十四年孔子年五十六由大司寇行攝相事云云齊人聞而懼曰孔子爲政必霸霸則吾地近焉我之爲先并矣盍致地焉犂鉏曰請先嘗沮之沮之而不可則致地庸遲乎於是選齊國中女子好者八十人皆衣文衣而舞康樂文馬三十駟遺魯君陳女樂文馬於魯城南高門外季桓子微服往觀再三將受乃語魯侯爲周道游往觀終日怠於政事子路曰夫子可以行矣孔子曰魯今且郊如致膰乎大夫則吾猶可以止桓子卒受齊女樂三日不聽政郊又不致膰俎於大夫孔子遂行宿乎屯而師己送曰夫子則非罪孔子曰吾歌可夫歌曰彼婦人之口可以出走云云是也云當坐淫故貶之者推尋古礼無女樂之文魯人受之故當坐淫泆之惡既有淫泆之惡去冬以見之其晉悼公受女樂二八而爲霸者左氏之事何氏所不取不得難此矣云魯人皆知孔子所以去者謂皆知魯公受女樂有淫泆之惡所以孔子去之云附嫌近害雖可書猶不書者正以其獲麟之後得端門之命

而制春秋乃自因之即云已之本出由饋女樂之故魯國之人悉知所由若其書之即是附於嫌疑近於禍患是以雖非國家之諱衣例可書于經孔子亦不書之故曰附嫌近害雖可書猶不書○注或説至象也○解云孔子自書春秋而貶去冬失謙遜之心違辟害之義蓋不脩春秋已無無冬字孔子因之遂存不改以爲王者之法宜用聖臣故曰如有用我者朞月則可三年乃有成是也又春秋之説口授相傳違於漢時乃著竹帛去一冬字何傷之有

十有五年春王正月邾婁子來朝。鼷鼠食郊牛牛死改卜牛曷爲不言其所食 据食角 ○漫也

疏 注据食角。○解云即成七年春王正月鼷鼠食郊牛角改卜牛鼷鼠又食其角乃免牛是也 鼷音兮

漫者徧食其身災不敬也不舉牛死爲重復舉食者内災甚矣録内不言火是也。○漫亡半反徧也徧音遍復扶又反下同

疏 注災不敬至是也。○解云言所以災其郊牛者正以魯人不敬故也云不舉牛死爲重云云者春秋之義悉皆舉重食死並書故解之食在死前而言復者正以食輕於死故對重以爲復矣云内録不言火是也者即襄九年春宋火傳云大者曰災小者曰火然則内可以不言火内不言火者甚之也何氏云春秋以内爲天下法動作當先自克責故小有火如大有災也

○二月辛丑楚子滅胡以胡子豹歸。夏五月辛亥郊曷爲以夏五月郊 据魯郊正當卜春三正也又義牲不過三月

疏 二月辛至豹歸○解云僖二十六年秋楚人滅隗何氏云不月者略夷狄滅微國也昭三十年冬十二月吳滅徐何氏云至此乃月者所見世始録夷狄滅小國也然則此亦所見世夷狄滅小國而書日者上四年夏四月庚辰蔡公孫歸生滅沈之下注云日者定哀滅例日定公承黜君之後有滅強臣之讎故有滅則危懼之爲定公戒是也○注据魯至正也○解云即成十七年傳云然則郊曷用郊用正月上辛何氏云魯郊博卜春三月言正月者因見百王正所當用也僖三十一年注云武王既没成王幼小周公居攝行天子事制禮作樂致太平有王功周公薨成王以王禮葬之命魯使郊以彰周公之德非正故上三卜吉則用之不吉則免牲者是其魯郊博卜春三正之之義也何氏必知然者正以哀元年穀梁傳云郊自正月至于三月郊之時夏四月郊不時五月郊不時之文也○注魯

牲不過三月。○解云宣三年傳云帝牲在于滌三月彼注云滌宮名養帝牲三牢之處也謂之滌者取其蕩滌絜清三牢者各主一月取三月一時足以充其天牲是也

三十之運也　運轉也已卜春三正不吉復轉卜夏三月周五月得二吉故五月郊也易曰再三瀆瀆則不告不得其事雖吉猶不當爲也不舉卜者從可知

疏　注復轉卜夏三月。○解云猶言轉卜夏之正也。○注得二至可知。解云必知得吉者正以經有郊文故也若其不吉宜言乃免牲或言乃免牛乃不郊矣知其二吉者正以僖三十一年傳云三卜禮也三卜何以禮求吉之道三彼注云三卜吉凶必有相奇者可以決疑故求吉必三卜也是其得二吉乃可爲事之義今此五月而郊故知得二吉也云易曰再三瀆瀆則不告者蒙卦彖辭文蒙卦曰匪我求童蒙童蒙求我初筮告再三瀆瀆則不告利貞鄭氏云蒙者蒙蒙物初生形是其未開著之名也人幼稚曰童亨者陽也互體震而得中嘉會禮通陽自動其中德於地道之上萬物應之而萌牙生教授之師取象焉脩道藝於其室而童蒙者求爲之弟子非己乎求之也弟子初問則告之以事義不思其三隅相況以反解而筮者此勤師而功寡學者之災也瀆筮則不復告欲令思而得之亦所以利義而幹事是也引之者欲道魯人瀆卜故五月郊之月而得吉非是龜靈厭之不復告其所圖之吉凶故然則卦象之義乃是弟子請問師之事義故言筮以況之今此乃卜也而引著龜筮道同亦何傷乎云不得其事者謂不得其事之宜即五月郊天是也云雖吉猶不當爲也者謂吉凶會以事之善惡爲本郊非其月雖吉亦不得爲何者正以靈龜厭之不復告其吉凶故也云不舉卜者從可知者正以僖三十一年夏四月四卜郊不從云云舉卜今此直言五月辛亥郊不舉卜者正以言郊則知卜吉明矣故曰從可知

○壬申公薨于高寢。○鄭軒達帥師伐宋　軒左氏作罕達

疏　壬申至高寢。○解云說在莊三十二年

○齊侯衛侯次于蘧篨。○蘧篨其君反下直居反

疏　齊侯至蘧篨。○解云左氏作蘧挐字賈氏無說文不備也上九年齊侯衛侯次于五氏注云欲伐魯也善魯能却難早故書次而未然則今此亦然故省文不注而賈氏云欲救宋善恤鄰也者蘧篨與何氏異或者九年之次以其無起文故解爲欲伐魯今此上有軒達伐宋之文下即云齊侯衛侯次于蘧篨此則爲欲救宋明矣不注之者省文何知省文

○邾婁子來奔喪其言來奔喪何　據會葬以禮書歸含且賵不言來。○含戶暗反賵芳鳳反

疏　注據會葬以禮書。解云即文元年天王使叔服來會葬傳云其言來會葬何會葬禮也云歸含且賵不言來者即文五年王正月王使榮叔歸含且賵是也。

奔喪非禮也　但解奔喪者明言來者常文不爲早晚施也禮天子崩諸侯奔喪會葬諸侯薨有服者奔喪無服者會葬邾婁與魯無服故以非禮書禮有不弔者三畏死壓死溺死。○爲于僞反厭於甲反

疏　注但解奔至晚施也。○解云在隱元年。○注禮天子至溺死。解云正以諸侯縣敵而有會葬之礼則天子之尊兩有可知禮記文王世子曰喪紀以服之輕重爲序不奪人親也故知有服無服有差降明矣既有差降奔喪近於會葬故知但以奔與不奔爲異也云禮有不弔者三畏死壓死溺死者奉秋說文案邾婁子來奔喪魯人無此三事而引之者以明不弔之類非謂禮實同也。

○秋七月壬申姒氏卒　姒氏者何　哀公之母也　姒氏杞女哀公之妾子即鄭公之妾子

疏　姒氏卒。○解云穀梁作弋氏字。○弋氏者何。○解云欲言夫人經不書薨欲言其妾謚同於夫故執不知問。○注姒氏杞女者。○解云正以杞女爲姒姓故知之

何以不稱夫人　據母以子貴

疏　注據母以子貴。○解云隱元年傳文彼注云礼妾子立則母得爲夫人夫人成風是也

哀未君也　未踰年不稱公

○八月庚辰朔日有食之　是後衛蒯聵犯父命盜殺蔡侯申鄭陳乞弑其君舍

疏　注是後至君舍。○解云即哀二年夏晉趙鞅帥師納衛世子蒯聵于戚是也云盜殺蔡侯申者在哀四年春云陳乞弑其君舍者在哀六年秋

○九月滕子來會葬。○丁巳葬我君定公　雨不克葬戊午日下昃乃克葬　昃日西也易曰日中則昃是也下昃蓋晡時。○昃音側晡布吴反

疏　注易曰日中則昃。○解云豐卦彖辭也彼云日中則昃月盈則食云云鄭注云言皆有仙已無常盛是也

○辛巳葬定姒　定姒何以書葬　據不稱小君子般

疏　注據不稱小君。○解云正以夫人書葬我小君此不言小君故難之。○注子般不書葬。○解云子般不書葬之事在莊三十二年子般未踰年是以不書葬今定姒之子亦未踰年與子般義同故乃據而難之然則定

般終不成君故略之定姒之子終爲君有即尊之漸用以子貴故書其葬但以今未踰年故其母不稱小君未踰年之君有子則廟廟則書葬者但當連作一勢讀之乃可解未踰年之君也哀未踰年也毋以子貴故以子正之有子則廟廟則書葬姒未踰年君之礼無謚者方當踰年稱夫人曾子問曰並有喪則佑之何先何後孔子曰葬先輕而後重其奠也其虞也先重而後輕礼也疏注姒未至夫人。解云未踰年之君礼則無謚今此定姒姒未踰年君之禮而稱謚者正以方當踰年稱夫人故也。注曾子至禮也。解云案禮曾子問乃亦有喪姒之何何先何後注云並謂父母若親同者同月死孔子曰葬先輕而後重其奠也先重而後輕云云虞也先重而後輕禮也今此何氏欲而引之是以直云其奠也其虞也而已引之者欲道定公五月薨定姒七月卒非其並有喪禮是以先葬定公後葬定姒若其同月當定姒先葬矣。○冬城漆云漆音七

監本附音春秋公羊註疏定公卷二十六

哀元年

監本附音春秋公羊註疏哀公卷二十七 起元年盡十四年

何休學

元年春王正月公即位。○楚子陳侯隨侯許男圍蔡隨微國称侯者本爵俱侯土地見侵削故微爾許男者戍也前許男斯見滅以歸今戍復見者自復斯不死位自復無惡文者滅以歸可知○復見扶又反以下皆倣此疏注隨微國至自復○解云正以入春秋以來不稱爵大夫名氏不得見經故知其微隱五年傳云大國稱侯小國稱伯子男此微國而稱侯故須解之也言本爵俱侯者謂其初封之時與齊晉之屬俱稱侯故曰本爵俱侯也今爲小國者但以土地見侵削故也知非得褒乃得稱侯如滕侯薛侯之類而云本爵爲侯者正以滕薛入桓二年之後或稱子或稱伯故知隱公稱侯由朝新王得褒明矣今此隨侯一無善行可褒二無稱伯子之處故知本爵爲侯也云許男者戍也正以下十三年夏許男戍卒故知之云前許男斯見滅者即定六年春王正月癸亥鄭游速帥師滅許以許男斯歸是也昭十三年秋蔡侯廬歸于蔡陳侯吳歸于陳爲楚所歸皆書之或歸不書故知自復也○注斯不至可知○解云諸侯之礼國當死位斯不死位其國合絕今而自復不爲惡文以見之者正以定六年之時書滅以歸其惡已著是以此處不勞見之○鼷鼠食郊牛[illegible]改卜牛○夏四月辛巳郊○秋齊侯衛侯伐晉○冬仲孫何忌帥師伐邾婁邾婁子猶來奔伐之不諱者期以恩殺惡輕明當與根牟有差○殺所戒反疏注邾婁至有差○解云邾婁子來奔在十五年夏也既來奔魯有恩而魯伐之爲惡明矣內之有惡而不諱者既在期外恩殺惡輕故也奔在去年之夏伐在今年冬故曰期外矣宣九年秋取根牟傳曰曷爲不繫乎邾婁諱亟也注云亟疾也屬有小君之喪邾婁子來加禮未期而取其邑故諱不繫邾婁也然則彼以加禮未期且恩猶重伐之取邑其惡深矣見以諱之今乃期外恩殺惡輕由是不諱故曰當與根牟有差

二年春王二月季孫斯叔孫州仇仲孫何忌帥師伐邾婁取漷東田及沂西田[illegible]

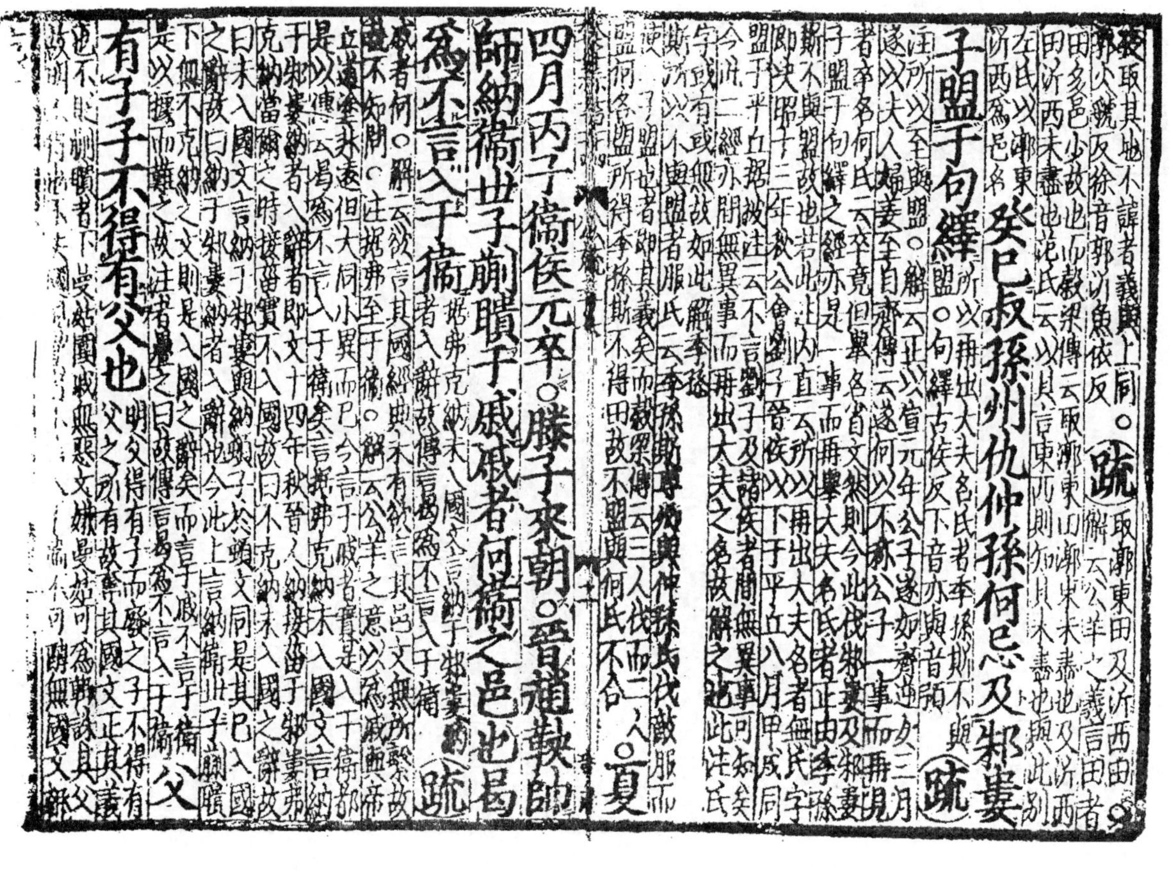

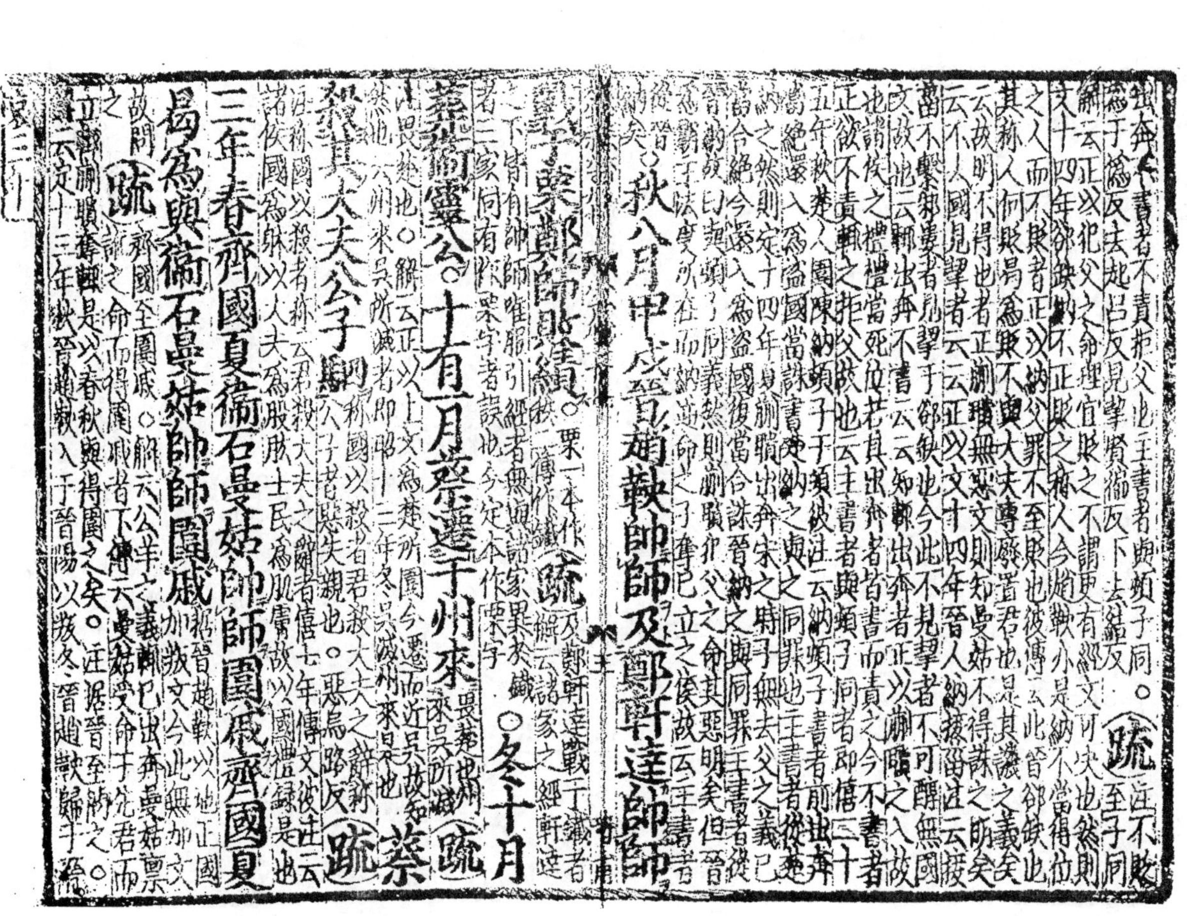

哀三年

此伯討也。

其爲伯討奈何。曼姑受命乎靈公而立輒。以曼姑之義爲固可以距之也。

輒者曷爲者也。蒯聵之子也。然則曷爲不立蒯聵而立輒。蒯聵爲無道。靈公逐蒯聵而立輒。然則輒之義可以立乎。曰可。其可奈何。不以父命辭王父命。以王父命辭父命。是父之行乎子也。不以家事辭王事。以王事辭家事。是上之行乎下也。

〇夏四月甲午。地震。

〇五月辛卯。桓宮僖宮災。此皆毀廟也。其言災何。復立也。曷爲不言其復立。春秋見者不復見也。

閔疏注謂內至省文○解云春秋逆羨諸是內所改作者但從其重處一過見之而已故餘輕處不復見之所以然者正以哀自立之還於哀出災之書惡獨在于哀故得省文矣似若襄三十一年公薨于楚宮不言作楚宮者正以襄自作之還復襄自薨之善惡獨在于襄故得省文之類○云云之說在襄三十一年 何以不言及 據雉門及兩觀○觀工喚反 疏 注據雉門及兩觀○解云即定二年五月壬辰雉門及兩觀災是也 敵也 親過高祖親疏適等 何以書 上已問此皆毀廟其言災何故不復連桓宮僖宮 疏 何以書○注上已至僖宮○解云正以隱三年秋武氏子來求賻傳云其稱武氏子何父卒子未命也何以不稱使當喪未君也武氏子來求賻何以書據彼注云不但言何以書者嫌主譏喪問上所以說二事不問求賻然則今此上文亦有二事之嫌主春秋見者不復見也何以不言及敵也何以書而不復為嫌者正以上傳已云此皆毀廟也其言災何復立也分疏已訖是以不復言桓宮僖宮災何以書矣 記災也 災不宜立 疏 注災不宜立○解云謂其宮不宜立昔曰以其不宜立故災之然 ○季孫斯叔孫州仇帥師城開陽 ○開陽左氏作啓陽開者為漢景帝諱也 ○宋樂髡帥師伐曹 髡苦昆反○ 秋七月丙子季孫斯卒 ○蔡人放其大夫公孫獵于吳 稱人者惡大夫驕蹇作威相放當誅故貶○蹇烏路反 疏 注稱人至故貶○解云知是大夫者正以春秋之例君殺大夫稱國即僖十年晉殺其大夫里克之屬是大夫自相殺稱人即文九年晉人殺其大夫先都之屬是則知稱國以放者君自放之即宣元年晉放其大夫胥甲父之屬是也則稱人以放乃是大夫自相放即此文是矣而言作威者即洪範云唯辟作威是也今此大夫作威故貶之言當誅者謂於王法當誅也言故貶之者正以大夫之貴平常之時合稱名氏故稱人為貶之 ○冬十月癸卯秦伯卒 哀公著治大平之終小國卒葬極於哀公者皆卒日葬月○治直吏反大音泰 疏 注哀公至葬月○解云即此癸卯秦伯卒明年二月葬秦惠公是也案昭元年夏秦伯之弟鍼出奔晉傳曰秦無大夫此何以書仕諸晉也曷為仕諸晉有千乘之國而不能容其母弟故君子謂之出奔也何氏云時秦侵伐自廣大故曰千乘然則秦伯是西方之伯國至于康

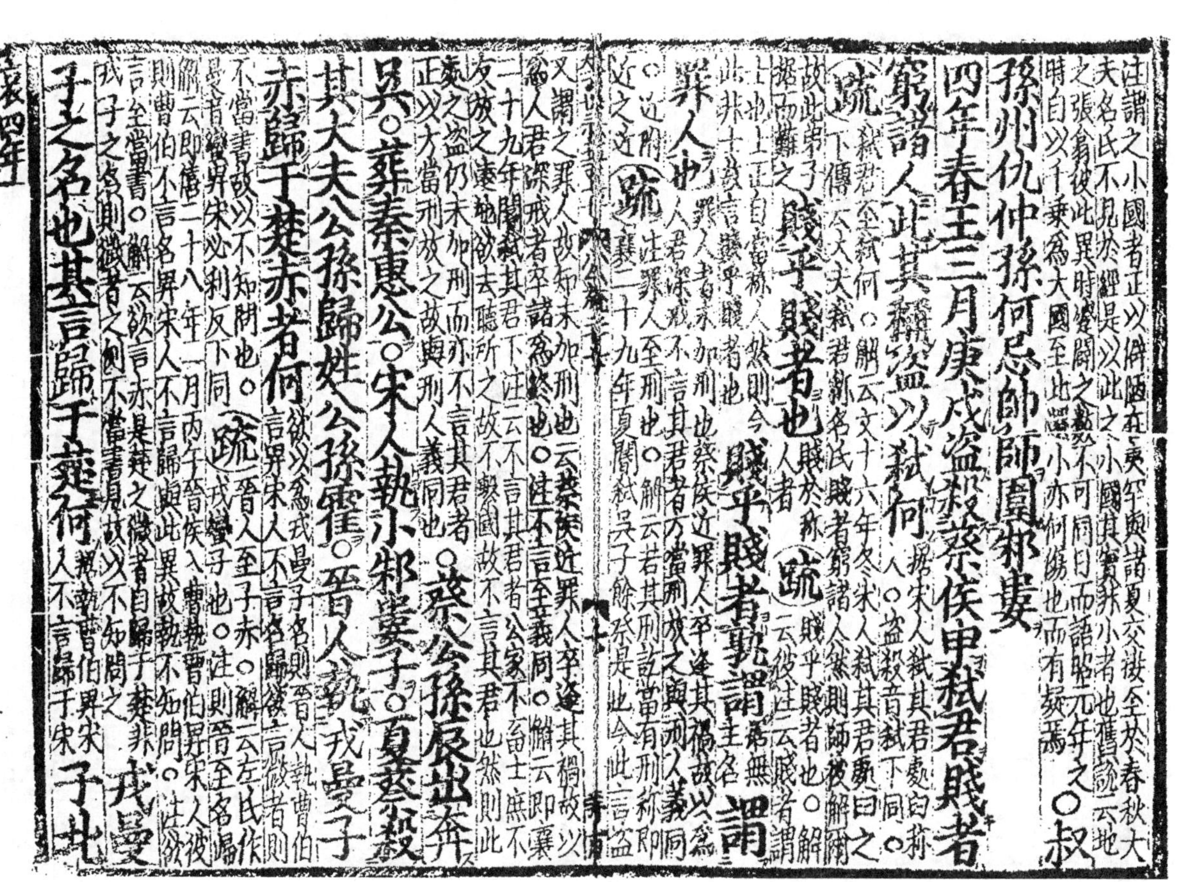
注謂之小國者正以僻陋在夷罕與諸夏交接至於春秋大夫名氏不見於經是以比之小國其實非小者也舊說云地之張翕彼此異時盛衰之勢不可同日而語昭元年之時自以千乘為大國至此還小亦何傷也而有疑焉 ○叔孫州仇仲孫何忌帥師圍邾婁

四年春王三月庚戌盜殺蔡侯申 弒君賤者窮諸人此其稱盜以弒何 據宋人弒其君處臼稱人○盜殺音弒下同○ 疏 注弒君至弒何○解云文十六年冬宋人弒其君處臼之下傳云大夫弒君稱名氏賤者窮諸人然則師彼解之故此弟子據而難之 賤乎賤者也 賤於稱人者 疏 賤乎賤者也○解云上正以上正自當稱人然則今此非士故言賤乎賤者也 賤乎賤者孰謂 主名 謂罪人也 罪人者未加刑也蔡侯近罪人卒逢其禍故以為人君深戒不言其君者方當刑放之與刑人義同○近附近之近 疏 注罪人至刑也○解云若其刑訖當有刑稱即襄二十九年夏閽弒吳子餘祭是也今此言盜又謂之罪人故知未加刑也云蔡侯近罪人卒逢其禍故以為人君深戒者卒諸為終也○注不言至義同○解云即襄二十九年閽弒其君下注云不言其君者公家不畜士庶不友放之遠地欲去聽所之故不繫國故不言其君也然則此蔡之盜仍未加刑而亦不言其君者正以方當刑放之故與刑人義同也 ○蔡公孫辰出奔吳 ○葬秦惠公 ○宋人執小邾婁子 ○夏蔡殺其大夫公孫歸姓公孫霍 ○晉人執戎曼子赤歸于楚 赤者何 欲以為戎曼子名則晉人執曹伯言畀宋人不言名歸欲言微者則不當書故以不知問也○畀必利反下同 疏 晉人至子赤○解云左氏作戎蠻子也○注則晉至名歸○解云即僖二十八年三月丙午晉侯入曹執曹伯畀宋人彼則曹伯不言名畀宋人不言歸與此異故執不知問○注欲言至當書○解云欲言亦是楚之微者自歸于楚非戎子之名則微者之例不當書見故以不知問之 戎曼子之名也其言歸于楚何 據執曹伯畀宋人不言歸于宋 子北

宫子曰辟伯晉而京師楚也 此解出言歸意也則此楚此滅頓胡諸
侯由是畏其威從而圍蔡蔡遷于州來遂張中國京師自置
晉人執戎曼子不歸天子而歸于楚而不名而言歸于楚則
與伯執歸京師同文故辟其文而名之使若晉非伯執而亦
微者曰歸于楚言歸于楚者起伯晉京師楚上書者惡晉背
叛當誅之〔疏〕辟伯至楚也○解云成十五年春晉侯執曹伯歸
于京師是伯討人歸于京師之文今戎曼子不言
名直言晉信執戎曼子歸于楚即是伯者執人歸京師無異
故名戎子以辟之言亦歸于楚者以楚之微者自歸不于戎
子然故曰辟伯晉而京師楚也○注此解至誅之○解云言
亦歸于楚之意也云前此楚此滅頓胡者即定十四年春楚
公子結師師滅頓以頓子牄歸十五年春楚子滅胡以胡子
豹歸是也云從而圍蔡者即上元年春楚子陳侯隨侯許男
圍蔡是云蔡遷于州來者在二年冬云遂張中國者猶言自
盛大于中國也云京師自置者謂作天子自處置也云晉人
執戎曼子不歸天子而歸于楚者謂晉人畏其彊禦之勢若
京師然云而不名而言歸于楚則與伯執歸京師同文者若
言執戎曼子歸于楚則與成十五年晉侯執曹伯歸于京師
同文云故辟其文而名之者爲辟伯執歸京師之文而名戎

公羊注疏卷第二十七

曼子也云使若晉非伯執者僖四年傳云稱侯而執者伯討
也稱人而執者非伯討也今此經云晉人執戎曼子故云使
若晉非伯執也云而亦微者自歸于楚者若似楚之微者名
亦自歸于楚然猶莊二十四年冬赤歸于曹之類云言歸于
楚者起伯晉京師楚者正以僖二十八年晉侯執曹伯以畀
宋人然則諸侯自相執不言歸今言歸者欲起晉人以楚爲
京師故也云上書者惡晉背叛當誅之者言主書此事者正
欲惡晉以楚爲京師背叛天子當合誅絕也若然楚人自是
京師自置寧知不惡之者正以宣十八年秋七月甲戌楚子
旅卒傳云何以不書葬吳楚之君不書葬辟其號也然則吳
楚僭號非一朝之夕已不書葬一譏而已○城西郛 郛芳夫反
自餘京師自置之事理應不譏故以此
反○六月辛丑蒲社災蒲社者何 據鼓用牲于社不言蒲○蒲社
左氏作〔疏〕蒲社者何○解云正以社爲積土非
蒲社〔疏〕火燒之物而反書災故執不知問 亡國之
社也 蒲社者先世之亡國在魯竟〔疏〕注蒲社至魯竟○解云公羊解
以爲蒲者古國之名天子滅之
以封伯禽取其社以戒諸侯使事上今災之者若曰王教絕
云爾左氏穀梁以爲亳社者殷社也武王滅殷遂取其社賜

哀四年

諸侯以爲有國之戒然則與穀梁不同不可爲難案今穀梁
傳皆作亳字范氏云殷都于亳武王克紂而班列其社于諸
侯以爲亡國之戒而賈氏云
公羊曰蒲社也者蓋所見異 社者封也 封土爲社 其言災
何 據封土非火所能燒 亡國之社蓋揜之揜其上而柴
其下 揜柴故火得燒之得柴之者絕不得使通天〔疏〕亡國至其下○解云
地四方以爲有國者戒○揜意撿反
解云公羊子不受于師故言蓋也○注揜柴至四方○解云
即郊特牲云天子之大社必受霜露風雨以達天地之氣也
是故喪國之社屋之不受天陽也薄社北牖使陰明也是也
然禮記作薄社何氏所見與鄭氏異云以爲有國者戒者言
若不事上 蒲社災何以書 記災也 戒社者先王所以
當如此 威示教戒諸侯使
事上也災者象諸侯背天子是後宋事彊吳齊晉前驅滕薛
俠轂魯衛驂乘故天去戒社若曰王教滅絕云爾○俠音夾
轂古洽反下古木反十三年同
乘繩證反十三年同去起呂反〔疏〕蒲社災何以書○解云不直言何以書者
嫌覆問此某其下何以書故復舉句而問之○注是後
至驂乘○解云春秋說文謂下十三年黃池之會時也○秋

公羊注疏卷　九

八月甲寅滕子結卒○冬十有二月葬蔡昭
公 賊已討故書葬也不書討賊者明諸侯得專討士以下也〔疏〕注賊已討故書葬也○解云此蔡昭公即上
盜殺蔡侯申者是隱十一年傳云公薨則何以不書葬春秋君
弑賊不討不書葬以爲無臣子也然則今此蔡侯亦弑而書
其葬故知賊已討也○注不書至以下也○解云孟子曰諸
侯不得專殺大夫是以春秋之內殺大夫不問有罪無罪皆
書而譏之若殺微者例所不録今蔡侯之賊乃微者嗣子殺
之故不書見故云明諸侯得專討士以下也者謂正本何氏
之注盡於此若更有注者衍字矣○葬滕頃公○頃音傾
五年春城比 比本又作毗亦作庇同音毗左氏作毗 ○夏齊侯伐宋
○晉趙鞅帥師伐衛○秋九月癸酉齊侯處
臼卒○冬叔還如齊○閏月葬齊景公閏不
書此何以書 據楚子昭卒不書閏〔疏〕注據楚至書閏○解云即襄二十八年冬十二月甲

哀五年

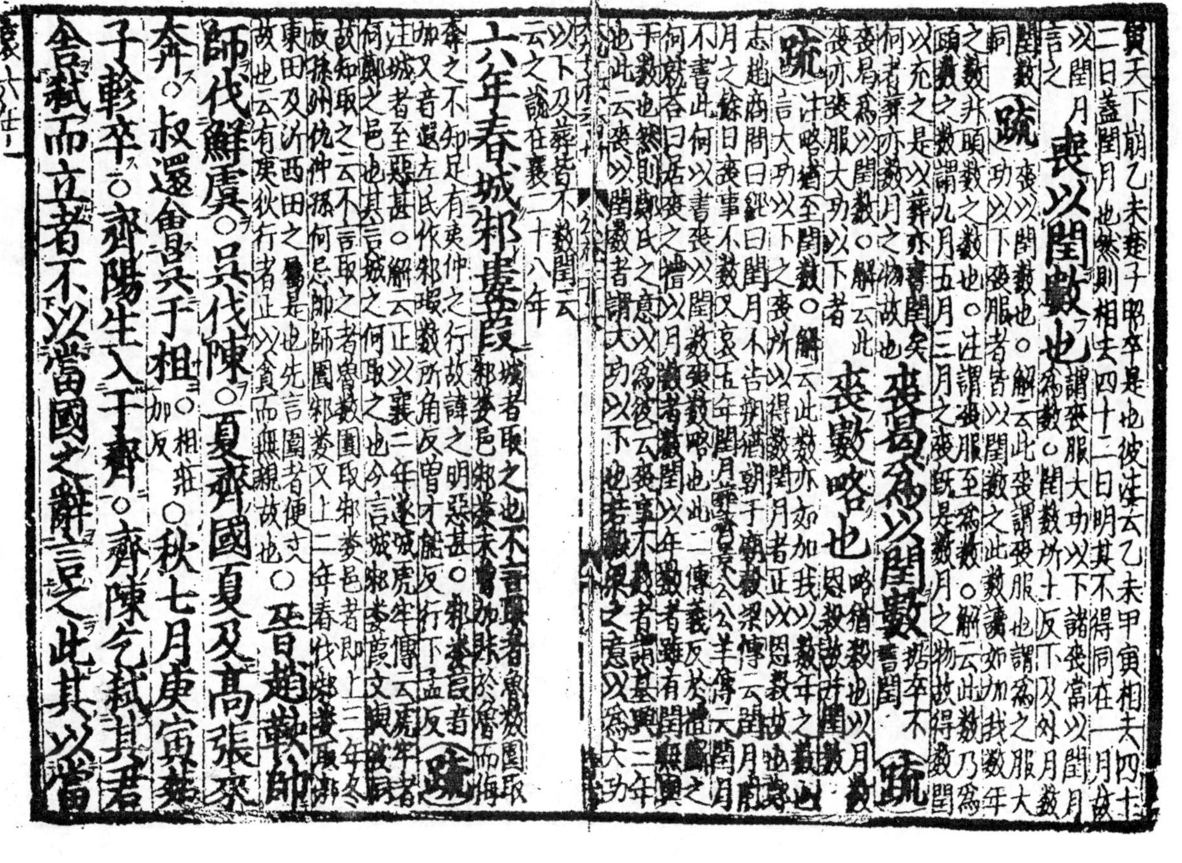
貿天下崩乙未楚子昭卒是也彼注云乙未甲寅相去四十二日蓋閏月也然則相去四十二日明其不得同在一月故以閏月言之

喪以閏數也

謂喪服大功以下諸喪當以閏月爲數○閏數所主反下及注同

喪曷爲以閏數

喪數略也

六年春城邾婁葭

晉趙鞅帥師伐鮮虞○吳伐陳○夏齊國夏及高張來奔○叔還會吳于柤○秋七月庚寅楚子軫卒○齊陽生入于齊○齊陳乞弒其君舍

弒而立者不以當國之辭言之此其以當

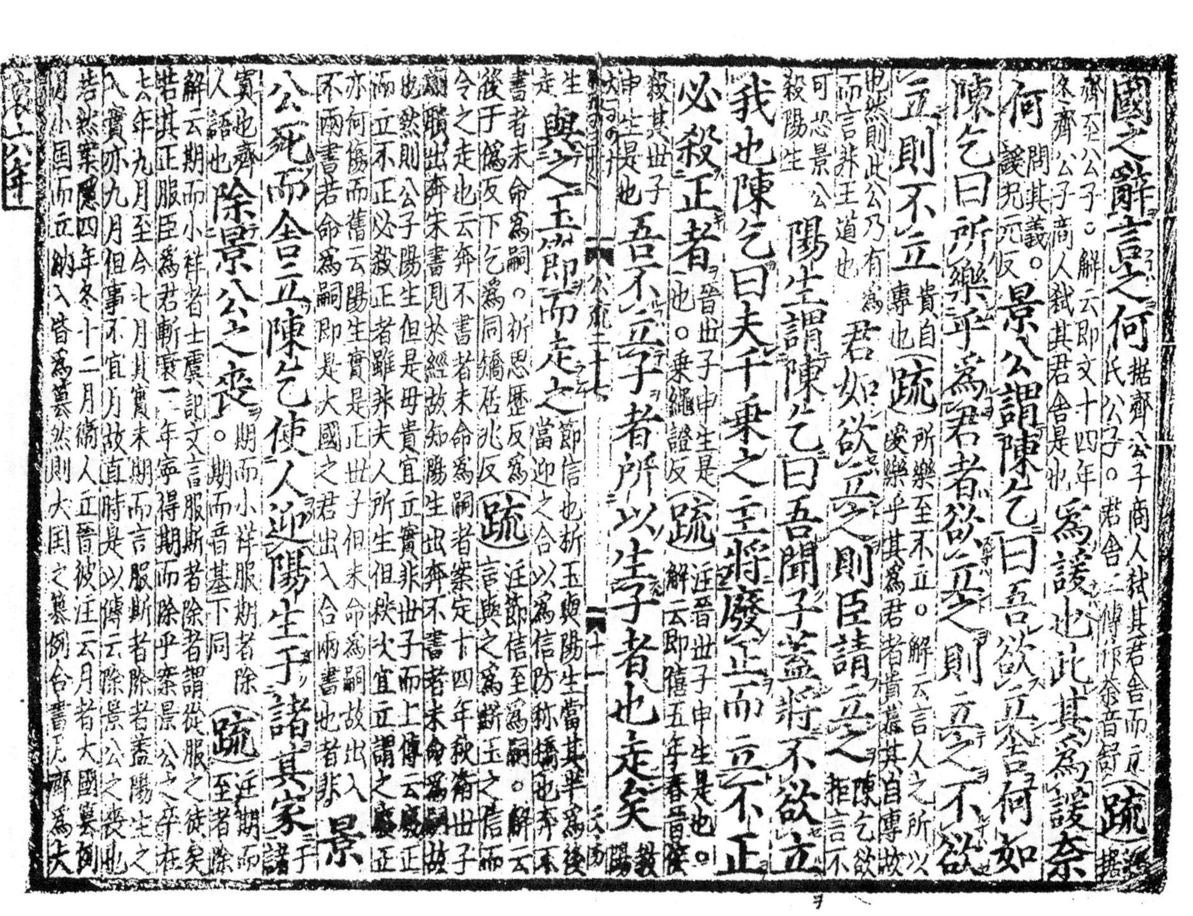
國之辭言之何

據齊公子商人弒其君舍而立

爲諼也此其爲諼奈何

景公謂陳乞曰吾欲立舍何如

陳乞曰所樂乎爲君者欲立之則立之不欲立則不立

君如欲立之則臣請立之

陽生謂陳乞曰吾聞子蓋將不欲立我也

陳乞曰夫千乘之主將廢正而立不正必殺正者

吾不立子者所以生子者也走矣

與之玉節而走之

景公死而舍立陳乞使人迎陽生于諸其家

除景公之喪

國而立事不宜月者正以陽生之篡陳乞爲之故陽生之入然後篡於陳乞故也似若莊九年夏齊小白入于齊何氏云不月者爲惡于魯也之類也然則大國之篡所以月者以其禍大故也既爲惡于陳乞是以不月正得其事之宜矣 諸大夫皆在朝陳乞曰常之母 常陳乞子重難言其妻故云爾○難乃旦反 疏 注常至云爾○解云正以妻者己之私故難言之似若今人謂妻爲兒母之類是也 有魚菽之祭 齊俗婦人首祭事言魚豆者示薄陋無所有 疏 注齊俗至祭事○解云言齊俗者正以王婦設祭之時助設而已其實男子爲首即君牽牲夫人奠酒君親獻夫人薦豆之類是也若其齊俗則令婦人爲首故此傳云常之母有魚菽之祭即其文是矣○注言魚至所有○解云定元年冬十月霣霜殺菽彼注云菽大豆然則彼已訓解故此何氏直以豆言之若依正禮水陸之饌陳而已言魚與豆者示薄陋無所有故也 願諸大夫之化我也 言欲以薄陋餘福共宴飲 疏 願諸至我也○解云桓六年傳云曷爲謂之寔來慢之也曷爲慢之化我也彼注云行過無禮謂之化齊人語也諸侯相過至竟必假塗入都必朝所以崇禮讓絕慢易今州公過魯都不朝魯是慢之爲惡故書寔來見其義也然則彼以州公過魯而無禮故傳謂之化我也今此陳乞亦以魚菽之薄物枉屈諸大夫之貴重亦是無礼相過之義故謂之化我也 諸大夫皆曰諾 於是皆之陳乞之家坐陳乞曰吾有所爲甲 甲鎧○鎧苦代反 疏 吾有所爲甲○解云猶言我有所作得若干甲也 請以示焉 諸大夫皆曰諾於是使力士舉巨囊而至于中霤 巨囊大囊中央曰中霤○囊乃郎反又音託霤力又反 疏 注中央曰中霤○解云案月令中央土云其祀中霤鄭注云中霤猶中室也古者複穴是以名室爲霤云庾蔚云複地上累土穴則穿地也複穴皆開其上取明故雨霤之是以因名中室爲中霤也故此傳云中霤注云中央謂室之中央也 諸大夫見之皆色然而駭 色然驚駭貌○色然如字本或作[illegible]作[illegible]居委反驚駭貌 開之則闖然公子陽生 闖出頭貌○闖丑鴆反又丑甚反一音丑今反說文林云馬出門貌丑廷反

哀六年

也陳乞曰此君也已諸大夫不得已皆逡巡北面再拜稽首而君之爾 時舍未能得衆而陽生今正當立諸大夫以見力士知陳乞有備故不得已遂君之○逡七旬反 自是往弒舍 陽生先詐致諸大夫立於陳乞家然後往弒舍故先書當國起其事也乞爲陽生弒舍不舉陽生弒者讓成于乞也不日者與卓子同 疏 注陽生先書當國起其事也○解云謂書陽生入齊乃在弒舍之前所以起其先入後弒也云乞爲陽生弒舍不舉陽生弒者讓成于乞也者正以舉重略輕春秋之常事今而不書者讓成于乞故也○注不日至子同○解云僖十年春王正月晉里克弒其君卓子何氏云不日者不正遇禍終始惡明故略之然則今此陳乞弒舍所以不日者亦是不正遇禍終始惡明故略之故曰與卓子同若然鄭解云陽生之入實在九月但事不宜月故不書月然則陳乞之事宜云不月而云不日者正以卓子之弒實書月若言不月則與卓子同文不可設故云不日也案陳乞弒舍實不書日謂之不日亦何傷然則陳乞弒舍之事與里克弒卓子相類而不月者正以文承陽生入于齊之下陽生之事既不宜月是以陳乞之事不得月也若然僖九年冬晉里克弒其君之子奚齊注不月者不正遇禍終始惡明故略之然則此亦不月何氏不云不月者與奚齊同義者正以奚齊未踰年之君與舍不類寧得同之乎 ○冬仲孫何忌帥師伐邾婁○宋向巢帥師伐曹

七年春宋皇瑗帥師侵鄭 瑗于眷反 ○晉魏曼多帥師侵衛○夏公會吳于鄫 鄫似陵反 ○秋公伐邾婁八月己酉入邾婁以邾婁子益來 入不言伐此其言伐何 據當舉入爲重 疏 入不至伐何○解云莊十年傳例觕者曰侵精者曰伐戰不言伐圍不言戰入不言圍滅不言入書其重者也然則傳例云戰不言伐入不言圍此云入不言伐者正以此經舉伐言入亦違舉重之例是以据經以難之傳例云者序用兵之次第輕重備言不足怪也 內辭也若使他人然 諱獲諸侯故不舉重而兩書使若魯公伐而去他人入之以來者辟他人來

哀七年

疏注諱獲至來文○解云若其不諱宜舉重云公入邾婁今不舉重而伐入兩書故知諱獲諸侯也云使若魯公伐而去伐人入之以來者以來是詣魯之常文故何氏言來者常文不爲早晚施是也今始若不諱宜云以邾婁子益至自某而經言來故如此解云辭順伐人來文者以上諱獲諸侯故不舉重使若魯人伐而云伐人自入之今云言來作外來詣魯之常文故曰辭順伐人來文也

邾婁子益何以名 据以隗子歸不名○隗九罪反 疏注据以至不名○解云即僖二十六年秋楚人滅隗以隗子歸是也

絕曷爲絕之 据俱以歸

獲也曷爲不言其獲 据獲晉侯言獲 疏注据獲晉侯言獲○解云即僖十五年冬晉侯及秦伯戰于韓獲晉侯是也

內大惡諱也 故名以起之也日者惡魯侮奪邾婁無已復入獲之入不致者得意可知例○惡烏路反復扶又反 疏注故名以起之○解云獲諸侯乃爲大惡是以諱之不言其獲既不言獲故云言其名以起其見獲也所以能起之者諸侯之禮當死位而生見獲書其名起其絕也案隱二年無駭入極之下傳云此滅也其言入何內大惡諱也昭四年取鄫之下傳云滅之則其言取之何內大惡諱也今此又言內大惡諱也重發傳者正以注前二處入取文異今此上經雖亦言入但書名之由事須備釋是以又言○注日者至獲之○解云隱二年注云入例時傷害多則月此書日故須解之言惡魯侮奪邾婁無已即上六年城邾婁葭之下注云魯數圍取邾婁邑邾婁未曾加非於魯而侮奪之不知足今復入其國獲其君故書日以惡內也○注入不至知例○解云莊六年注云公至自伐鄭及獨出用兵得意不致不得意致伐即僖六年公至自伐鄭二十九年公至自圍許之屬是至於入伐國例不書致若正以既能入國得意可知似若僖三十三年公伐邾婁取叢之下注云取邑不致者得意可知例

宋人圍曹○冬鄭駟弘帥師救曹

八年春王正月宋公入曹以曹伯陽歸

曹伯陽何以名 据以隗子歸不名 疏注据以至不名○解云即僖二十六年秋楚人滅隗以隗子歸是也

絕曷爲絕之 据俱以歸

滅也曷爲不言其滅 据楚人滅隗也

諱同姓之滅也 故名以起之 疏注故名以起之○解云諱不得書其滅故書其名所以起其滅矣所以能起之者正以失地之君例合書名即桓七年穀伯綏鄧侯吾離之下傳云曷爲皆名失地之君也是今曹伯陽亦書其名故可起其滅

何諱乎同姓之滅 据衛侯燬滅邢不諱○燬況委反 疏注据衛至不諱○解云即僖二十五年春王正月丙午衛侯燬滅邢是也

力能救之而不救也 以魯上力能獲邾婁而不救曹故責之不日者深諱之定哀滅例日此不日者諱使若不滅故不日 疏注不日至故不日○解云既書入以諱同姓見滅而又日故曰深諱也云定哀滅例日此不日者諱使若不滅故不日云云之說在定四年

○吳伐我 不言鄙者起圍魯也不言圍者諱使若伐而去 疏注不言至魯也○解云正以莊十九年冬齊人宋人陳人伐我西鄙注云鄙者邊垂之辭榮見遠也然則鄙者邊垂之名今不言鄙直言伐我故得起其圍魯矣○注不言至而去○解云國君當彊折衝當遠魯微弱深見犯至于圍國故諱之但言伐者差輕也

○夏齊人取讙及僤

外取邑不書此何以書所以賂齊也曷爲賂齊 据上無戰伐之文○僤昌善反一音昌然反字林作僤左氏作闡 疏取讙及僤○解云左氏穀梁作讙闡字○外取至以書○解云宣元年六月齊人取濟西田之下傳云外取邑不書此何以書注云据曹取之不書然則此傳亦云外取邑不書此何以書者亦据曹取濟西田不書但從彼省文是以不復注解○注据上至之文○解云謂此上經無魯與齊戰伐之文討無所謝無事而賂故難之

爲以邾婁子益來也 邾婁齊與國畏爲齊所怒而賂之恥甚故諱使若齊自取○爲以于僞反 疏注爲以至來也○解云正爲七年以邾婁子益來是以賂齊二邑也○注邾婁齊與國○解云正以魯獲邾婁之君而賂二邑若非齊之與國理不應賂云云之說備于宣元年疏

○歸邾婁子益于邾婁 獲歸不書此書者善魯能悔過歸之嫌解邾婁子益無罪書故復名之○復扶又反 疏注獲歸至歸之○解云正以僖十五年秦獲晉侯後歸不書故曰獲歸不書今此書者善魯能悔過歸之故錄見之○注嫌解至名之○解云桓十五年傳例云歸者出入無惡今此言歸是以嫌其無罪也經既書歸作無罪之文則嫌魯人解

釋邾婁子其罪合除是以書見故復名之見其下至所以書益之名得見魯之有罪者正以上七年以益來之時傳云内大惡諱注云故名以起之然則初書名起見魯罪則知今復名者其不善明矣○秋七月○冬

十有二月癸亥杞伯過卒過古禾反○齊人歸讙及僤 注書者善魯能悔過歸邾婁子益所丧之邑不求自得敢不言來使若不從齊來與歸我濟西田同文○僤者自浪反

(疏) 注書者至同文○解云言所丧之邑不求自得者正以言歸也所者歸者自與之故也若求乃得之者當言取即僖三十一年春取濟西田成二年秋取汶陽之田之屬是也故不言來使若不從齊來者謂若此也元不入齊但以此來欲叛于魯齊人取而歸之然言與歸我濟西田邑同文者即宣十年春齊人歸我濟西田傳云齊已取之矣其言我何言我者未絕于我也曷為未絕于我齊已言取之矣其實未之齊也注云不言來者明不從齊來不當坐取邑是也然則彼以未之齊故不言來今此使若不從齊來是以謂之同文矣然則彼言我者以其未絕于我此不言我者正以讙僤實絕于我故也齊西田未絕齊人不當坐取邑讙僤實絕齊人當坐取邑明矣然則我與不即是不同而言同文者正謂皆不言來以為同文何妨言我與不仍為異乎

九年春王二月葬杞僖公○宋皇瑗帥師取鄭師于雍丘其言取之何 據詐戰言敗也○雍於用反

(疏) 注據詐戰言敗也○解云即莊十年秋荊敗蔡師于莘昭二十三年秋吳敗頓胡沈蔡陳許之師于雞父傳云此偏戰也曷為以詐戰之辭言之不與夷狄之主中国也是也

易也其易奈何詐之也 詐謂陷阱奇伏之類兵者為征不義不為苟勝而已十三年詐反不月知此不蒙上月者略之爾○易也以豉反下同阱才性反為征于偽反

(疏) 注詐謂至之類○解云何氏蓋取礼記中庸云人皆曰予知驅而納諸罟擭陷阱之中而莫之知辟也又言奇伏者奇兵伏兵之謂也○注兵者至之爾○解云下十三年春鄭軒達帥師取宋師于嵒傳云其言取之何易也其易奈何詐反也注云前宋行詐取鄭師今鄭復行詐取之苟相報償不以君子正道故傳言詐反反猶報也然則兵之設也為欲征不義豈欲苟勝而為詐故知春秋疾而略之是皆不書月矣何者春秋之義偏戰者日詐戰者月所以然者正以其行詐略之故也今此二經乃設陷阱奇伏又為詐之甚者是以春秋復深略之○夏楚人伐陳○秋宋公伐鄭○冬十月

十年春王二月邾婁子益來奔 月者魯前獲而歸之今來奔明當尤加礼厚遇之

(疏) 注月者至遇之○解云正以上六年夏齊國夏高張來奔襄二十八年冬齊慶封來奔之屬皆奔來奔魯者例合書時今此書月故如此解文十二年春王月成伯來奔注云月者前為者所戚今來見歸尤當加意厚遇之也者義亦通於此以此言之則知昭二十三年秋七月莒子庚輿來奔月者為下戊辰吳敗頓胡沈蔡陳許之師書莒子之奔離在月下不蒙月何氏所以不注之者正以隱元年冬十二月祭伯來奔之下注云月者為下卒也出奔例時也然則上已有注故至庚輿之下省文從可知

○公會吳伐齊○三月戊戌齊侯陽生卒○夏宋人伐鄭○晉趙鞅帥師侵齊○五月公至自伐齊○葬齊悼公○衛公孟彄自齊歸于衛○薛伯寅卒 卒葬略者與杞伯益姑同○伯寅二傳作伯夷同音以尼反

(疏) 注卒葬至姑同○解云正以所見之世詳録小國卒日葬月是其常文即上四年秋八月甲寅滕子結卒冬十二月葬滕昭公是也今此卒月葬時故解矣言與杞伯益姑同者即昭六年春王正月杞伯益姑卒注云不日者行微弱故略之上城杞已貶復卒略之者入所見世責小國詳始録内行也諸侯內行小失不可勝書故於終略責之見其義然則今比略之者亦為内行小失故曰與杞伯益姑同○秋葬薛惠公○冬楚公子結帥師伐陳吳救陳 救中國不進者陳吳與國救陳欲以備中國故不進

(疏) 注救中至不進○解云正以襄十八年夏狄救齊冬邾人狄人伐衛注云狄稱人者善救齊雖拒義兵猶有憂中國之心故進之不於救時進之者辟襄公不使義兵壅塞也定四年冬蔡侯以吳子及楚人戰于柏舉傳云吳何以稱子夷狄也而憂中国注云言子起憂中国然則夷狄之人能憂中國也皆進之今此稱国不進者正以救陳欲以備中国故不進也知陳是吳之與国者正以吳人救之故也必知欲以備中國者非直見其不進

狄陳於諸夏之時
乃是吳之屬故也

監本春秋公羊註疏哀公卷第二十七

監本春秋公羊註疏哀公卷二十八　起十一年盡十四年

何休學

十有一年春齊國書帥師伐我。夏陳袁頗出奔鄭。頗，破多反。五月公會吳伐齊。甲戌齊國書帥師及吳戰于艾陵。艾，五蓋反。齊師敗績，獲齊國書。戰不言伐，此言伐者，魯與伐而不與戰，不從內與伐而吳爲主者，吳主會，故不與夷狄主中國也。言獲者，能結日偏戰，少進也。與伐音預，下不與伐同。【疏】獲齊國書。解云宣二年春獲宋華元之下何氏云獲者非獨惡華元明恥辱及宋國然則今此獲齊國書者亦然但省文從可知故不注。注戰不至與戰。解云戰不言伐者莊十年傳文而此言伐者當爾之時魯但與其伐而不與其戰故得兩舉之矣。注不從至國也。解云成二年六月癸酉季孫行父云云會晉郤克云云及齊侯戰于鞌齊師敗績注云大夫敵君不貶者隨從王者大夫得敵諸侯也然則郤克之徒得敵齊侯者正以魯人與在隨從王者大夫是以得序于上而主齊侯今亦云魯公與伐而不使吳爲主序齊下者正以吳是時爲主會若其與之而序于齊上即是夷狄之主中國是以退之矣若然案宣十二年晉荀林父帥師及楚子戰于邲林父序于楚子之上亦應是不與夷狄之主中國而注云不與晉而反與楚子爲君臣之禮以惡晉者正以楚莊王撫有鄭國君文成安有王伯之事雖以臣及君不嫌晉直今吳敵國君文不成而序國書之下寧得類乎。注言獲至進也。解云莊十年秋荊敗蔡師于莘以蔡侯獻舞歸傳云曷爲不言其獲不與夷狄之獲中國也又昭二十三年秋吳敗頓胡沈蔡陳許之師于雞父獲陳夏齧傳云不與夷狄之主中國則其言獲陳夏齧何吳少進也注云能結日偏戰行少進故從中國辭治之今經亦然故以言此。

秋七月辛酉滕子虞毋卒。冬十有一月葬滕隱公。衛世叔齊出奔宋。

哀十一年

十有二年春用田賦。何以書。括當賦稅爲何書。爲何于僞反，下爲國同。

宗同譏何譏爾譏始用田賦也田謂一井之田賦者斂取其財物也言用田賦者若今漢家斂民錢以田為率矣不言井者城郭里巷亦有井嫌悉賦之礼稅民公田不過什一軍賦十井不過一乘哀公外慕彊吴空尽国儲故復用田賦過什一○為率音律又音類乘繩證反復扶又反 疏 注田謂一井之田。解云知如此者正以家語政論篇云季康子欲以一井田出賦法焉又曾語下篇云孔子謂冉求曰田一井出稯禾秉芻缶米不是過也案彼二文皆論此經用田賦之事而言一井故知然也○注不言井至賦之○解云凡言田者指塗土之処言井者但是方里之名若言用井賦則嫌城郭里巷之内但有一井之処悉皆賦之故云不言井者城郭里巷亦有井嫌悉賦之○注礼稅至什一○解云即宣十五年傳云什一者天下之中正也什一行而頌聲作矣是也云軍賦十井不過一乘者何氏以為公侯方百里案諸典籍每有千乘之義若不十井為一乘則不合鄭氏云公侯方百里井十則賦出革車一乘者義亦通于此云哀公外慕強吴者即上十一年春公會吴伐齊十一年夏公會吴伐斉此年夏公會吴于槖皋之屬是也云故復用田賦過什一者對常賦以為復矣○夏五月甲辰孟子

卒孟子者何据魯大夫无孟子 疏 孟子者何○解云欲言魯女不言孟姬欲言夫人經不書葬故孰不知問昭公之夫人也其稱孟子何据不称夫人某氏 疏 注据不至某氏○解云即隱二年冬十有二月乙卯夫人子氏薨之屬是也諱娶同姓蓋吴女也礼不娶同姓買妾不知其姓則卜之為同宗共祖亂人倫與禽獸无別昭公既娶諱而謂之吴孟子春秋不繫吴者礼婦人繫姓不繫国雖不諱亦不繫国也不称夫人不言薨不書葬者深諱之 疏 注蓋吴女也○解云公羊子不受于師故疑之○注礼不至无別○解云上曲礼云取妻不取同姓故買妾不知其姓則卜之鄭氏注云為其近禽獸也妾賤或時非媵取之於賤者世无本繫者是也云為同宗共祖乱人倫與禽獸无別者欲取曲礼上云夫唯禽獸无礼故父子聚麀是故聖人作為礼以教人欲人以有礼知自別於禽獸之文乎○注昭公至孟子○解云昭十年注云去冬者蓋昭公娶呉孟子之年故貶之然則其言昭公既娶者謂從昭十年以來也而諱之吴孟子者即論語云君娶于吴為同姓謂之吴孟子坊記云魯春秋尤去夫人之姓曰吴其死曰孟子卒是也○注春秋至国也○解

云諸婦人繫姓不繫国者即隱元年仲子下注云仲字子姓婦人以姓配字不忘本也因示不適同姓也三年夫人子氏之下注云子者姓也夫人以姓配號義與仲子同是言昭公之時諱之不謂之吴姬謂之吴孟子而春秋直謂之孟子不繫吴者正以婦人不繫国故也言雖不諱亦不繫国者正以齊姜穆姜之屬亦不繫国言之故也○注不称至諱之○解云若言夫人若言薨當言夫人姒氏薨若葬當言葬我小君昭姫皆當大悪大悪不可言故曰深諱之也而云孟子卒者若言宋之長女為魯侯之妾而卒之尤姒定十五年秋姒氏卒之類○公會吴于橐皋○橐音柝反一音誥○秋公會衛侯宋皇瑗于運運左氏作鄖○宋向巢帥師伐鄭○冬十有二月螽何以書記異也何異爾不時也螽者與陰殺俱藏周十二月夏之十月不當見故為異此與冊螽者天不能殺地不能理自是之后天下大亂莫能相禁宋国以亡斉并於陳氏晉分為六卿○螽音終本亦作螽注同見賢徧反 疏 注比年再螽○解云即下十三年冬十二月螽是也○注宋国至六卿○解云皆在春秋后考諸舊本宋是宗字然則宗国尤大國言天不能殺地不能理天下大亂莫能相禁是其紀綱之国滅亡之象是故斉并于陳氏晉分為六卿若作宋字何氏更有所見春秋説云陳氏篡斉三年子人合葬故螽蟲冬踊者是其螽為斉亡之一隅也案左氏及史記皆云晉亡分為魏趙韓今云晉分為六卿者蓋其初時晉君失政六卿用事不妨其下滅時但三家分之矣

十有三年春鄭軒達帥師取宋師于嵒其言取之何易也其易奈何詐反也前宋行詐取鄭師今鄭復行詐取之苟相報償不以君子正道故傳言詐反反尤報也○嵒五咸反一音魚及反易以豉反下同鄭復扶又反秋以下注同償時亮反 疏 其言取之何○解云上九年注云据詐戰言敗也故此省文不復言之也○注前宋至鄭師○解云即上九年春宋皇瑗帥師取鄭師于雍丘傳云其言取之何易也其易奈何詐之也是也○夏許男戌卒比陳蔡不當復卒故卒葬略○男戌本亦作成 疏 注比陳至葬略○解云昭八年冬楚師滅陳十一年楚師滅蔡至十三年秋蔡侯廬歸于蔡陳侯吴歸于陳二十年冬十有一月辛卯蔡侯廬卒二十一年春王三月葬蔡平

公定四年春王二月癸巳陳侯吳卒夏六月葬陳惠公定元公許鄭游速滅許以許男斯歸今年夏許男戌卒秋葬許元公然則陳蔡之滅非吳楚之罪及其存時乃爲大國所復但以不受封於天子故書君以見之仍以前君死位非其自復其國合存故許録其卒葬也而許男斯者爲鄭所滅不能死位許國合絶不足存之而成自復罪惡深矣若比之陳蔡不當合録而録之者正欲見其前君不死位后君自復之惡深是以書其卒葬而去其日月以見矣故曰此陳蔡不當復卒故卒葬略之也

○**公會晉侯及吳子于黄池吳何以稱子**據救陳稱国 疏 注據救陳十年冬吳救陳是也。解云

吳主會也言以及也時吳彊而无道敗齊臨菑乘勝大會中国齊晉前驅魯衛驂乘滕薛俠轂而趨以諸夏之衆冠帶之国反背天子而事夷狄恥甚不可忍言故深爲諱辭使若吳大以礼義會天下諸侯以尊事天子故進稱子。背音佩 疏 注以言至而難。解云以經言及吳即知吳主會何者正及者汲汲之辭即僖五年夏公及齊侯宋公以下會王世子于首戴注云言及者因其文可得見汲汲也然則彼云及齊侯齊侯主會則知此言及吳子吳子主會明矣故云以言及也云時吳彊而无道敗齊臨菑乘勝大會中国者即上十一年五月公會吳伐齊甲戌齊国書帥師及吳戰于艾陵齊師敗績諸是敗齊師于臨菑之事正以吳爲夷狄數伐中国而敗之故謂之无道菑字然有作晉字若作晉字以黄池爲近晉晉人畏而會之故曰臨晉云齊晉前驅魯衛驂乘滕薛俠轂而趨者春秋說文也以下傳及注云則天下尽會而春秋說皆举此六国時爲之役故偏举之或言不尽意故也。注以諸至稱子。解云諸夏衆強不復如礼反棄君父而事夷狄恥辱之甚不忍言故深爲諱進吳稱子矣而言冠帶之国者正以夷狄之人不知冠帶故也是以穀梁傳云吳王夫差曰好冠來孔子曰大矣哉夫差未能言冠而欲冠也范氏云不知冠有等差唯欲好冠是也

吳主會則曷爲先言晉侯據申之會楚子主會序上 疏 注據申至序上。解云即昭四年夏楚子蔡侯以下會于申是

不與夷狄之主中國也明其實自以夷狄之彊會諸侯爾不行礼義故序晉於上

其言及吳子何据鍾離之會殊會吳不言及僖五年公及齊侯齊侯主會益明矣 疏 注据鍾至言及。解云即成十五年冬叔孫僑如會晉士燮齊高无咎以下會吳于鍾離是也。注僖五至明矣。解云即僖五年公及齊侯宋公以下會王世子于首戴然則彼經書公及齊侯齊侯主會此云及吳則是吳子主會益明矣何言不與夷狄之主中国乎是以据而難之

會兩伯之辭也晉序上者言會文也吳言及者亦人注爲主之文也方不與夷狄主中国而又事实當見不可醇奪故張兩伯之辭先晉言及吳子使若晉主會爲伯吳亦主會爲伯半抑半起以尊見其事也語在下。當見賢偏反年内皆同 疏 注吳言至文也。解云凡言及者汲汲之辭今言及吳子則似吳子先在是天下之人慕而往事之然故言人往爲主之文。注半抑至在下。解云序晉于上是其抑之言及吳子起其爲伯也故曰半抑半起矣序晉于上是其尊言及吳子亦見其爲伯之事故曰尊見其事

不與夷狄之主中國則曷爲以會兩伯之辭言之據伯主人 疏 注据伯主人。解云謂爲伯者主領會上之人矣

重吳也其实重在吳故言及晉者諱而不盈 疏 注其実至不盈。解云謂其實處權重在于吳故言及吳子作汲汲之文矣經言公會晉侯是其諱爲吳所主也晉侯之下即言及吳子是其不盈偏其諱文也何者晉是大国而汲汲乎吳還是吳爲會主之義也僖二十三年夏宋公慈父卒傳云何以不書葬盈乎諱也注云盈滿也相接足之辭也然則此言諱而不盈

曷爲重吳據常殊吳 疏 注据常殊吳。解云即成十五年冬叔孫僑如會晉士燮以下會吳于鍾離是也

吳在是則天下諸侯莫敢不至也以晉大国尚犹汲汲於吳則知諸侯莫敢不至也不書諸侯者爲微辭使若天下尽會之而魯侯蒙俗會之者悪愈齊桓兼举遠明近此但举大者非尊天子故不得褒也主書者悪諸侯君事夷狄。悪諸烏路反 疏 注不書至悪愈。解云若欲实而其重在吳偏至之辭而已其歷言其侯其侯則实不至者不可空言是以举其最大之国作天下尽會之義矣。注齊桓至褒也。解云僖二年秋九月齊侯宋公江人黄人會于貫傳云江人黄人者何遠国之辭也遠国至矣則中国曷爲獨言齊宋至尔大国言齊宋小国言江黄則以其餘爲莫敢不至也然則齊桓之時非獨举大以明小亦兼举遠以明近今此但举晉者非尊天子不得褒爲遠夷皆至之辭則傳云天下諸侯莫敢不至者指九州之内言之亦得謂之天下矣。注

哀十三年

至書至夷狄。○解云春秋見義非唯一種一則見吳之強暴一則見晉之衰微但主書之情本惡諸侯君事夷狄餘者兼見之矣。○楚公子申帥師伐陳。於越入吳。秋公至自會。有恥致者。順諱文也。疏注有恥至文也。○解云莊六年注云公與二国以上出會盟得意致會不得意不致然則今此冠帶之国斂手從夷乃是可恥之坎而致之者正欲順其諱文使若吳尊事天子以會諸侯諸侯得意以會致之然故曰順諱文也。○晉魏多帥師侵衛。此晉魏曼多也曷為謂之晉魏多。據上七年言曼多。魏多左氏作魏曼多。疏注據上至曼多。○解云即上七年春魏曼多帥師侵衛是也。譏二名二名非禮也。復就晉見者明先自正而后正人正人當先正大以帥小。疏注復就至帥小。○解云定六年冬仲孫忌帥師圍運傳云此仲孫何忌也曷為謂之仲孫忌譏二名二名非礼也注云為其難諱也一字為名令難言而易諱所以長臣子之敬不逼下也春秋定哀之間文致大平欲見王者治定无所復為譏唯有二名故譏之然則彼已於魯見訖今復就晉見之者明先自正而后正人也等是正人而於晉者見當先正大国以帥于小国故也。○葬許元公。九月螽。先是用田賦又有會吳之費。○之費芳味反下同。疏注先是用田賦。○解云在十二年春。○冬十有一月有星孛于東方。孛者何。彗星也。其言于東方何。據比斗言星名。○孛音佩彗星因歲反又息遂反。疏孛者何。○解云欲言是星星名未有欲言非星録為星称故執不知問。○注據比至星名。○解云即文十四年秋七月有星孛入于北斗是也然則彼入于北斗言其所孛之星名今言于東方故難之。見于旦也。旦者日方出時宿不復見故言東方知為旦。疏見于旦也。○解云于字亦有作平字者誤也。○注旦者至為旦。○解云旦者日方出地未相去離之辭故曰旦者日方出當尓之時宿皆不見故曰時宿不復見也星孛仍見餘宿已没是以不復指其孛之星漫道其方而已故言東方知為旦也。何以書。記異也。周十一月夏九月日在房心房心天子明堂布政之庭於此旦見與日爭明者諸侯代主治典法滅絶之象是後周室遂微諸侯相兼為秦所滅燔書道絶。○治直吏反燔扶元反。疏注周十一月夏九月日在房心。○解云堪輿云九月日体在大火故曰日在房心也云房心天子明堂布政之庭以堪輿星經亦云也。○注是后至道絶。○解云春秋說云趨作法孔聖没周姬亡彗東出秦正起胡破術書記散亂孔子不絶也既言周姬亡彗東出故知由此孛是周室遂微也言秦正起亦由此孛是秦本紀云始皇名正以二十六年滅周而并天下故云諸侯相兼為秦所滅也始皇胡亥並焚書聖人之道于斯絶矣故曰燔書道絶。○盜殺陳夏彄夫。陳夏户雅反一本作蘂彄夫苦侯反又古侯反一本作嫗音同二傳作夏區夫。○十有二月螽。黄池之會費重煩之所致。十有四年春西狩獲麟。何以書。記異也。何異爾。非中國之獸也。然則孰狩之。称西言狩尊卑未分无主名。○狩手又反麟力人反。疏何以書記異也。○解云麟者仁獸大平之嘉瑞而言記異者當尓之時周室大衰為天下所𡕒僕高方起堯祚將興者謂之瑞亡者謂之異然則何氏云吉凶不並瑞災不兼之有乎義亦通于此。○非中国之獸也。○解云謂有聖帝明王然后乃來則知不應華夏无矣然則以其非中国之常物故曰非中国之獸不謂中国不合有若似昭二十五年有鸛鵒來巢之下傳云何以書記異也何異爾非中国之禽也之類是也若然皆非中国之物鸛鵒言有來而麟不言有來者正以麟是善物春秋慕之欲其常於中国非今始有非今始來之義是以穀梁傳云其不言來不外麟于中国也其不言有不使麟不恒於中国也是也。○注稱西至未分。○解云西者四時之旅是為卑称狩者天子諸侯之事今乃是尊名故曰称西言狩尊卑未分也必知狩是天子諸侯之事者正以僖二十八年天王狩于河陽桓四年春公狩于郎之屬故也。薪采者也。西者據狩言方地類賤人象也金主芟艾而正以春尽木火當燃之然此為文知庶人采樵薪者。○薪音新芟所銜反艾魚廢反樵在焦反。疏薪采者也。○解云薪采猶言采薪也言是庶人採薪者矣。○注西者至方也。○解云謂據其处道其方之曰西狩也。○注類賤人象也。○解云正以西方為兌兌為少女之位女子之卑草木衰落亦非可貴之義故曰類賤人象也。○注金主至薪者。○解云經言西者賤人象金主芟艾持斧之義而文正以春尽是火當絶木之時今乃牟此為文即知庶人持斧破木燃火之意故曰知庶人采樵薪者似若漢高祖起于布衣之内持三尺之劒而以火德之君臨四海從東鄉西以應周家木德之象也 新采者則微者也曷爲以狩言之 據天子諸侯乃言狩天王狩于河陽公狩于郎是也河陽冬言狩獲麟春言狩者蓋據魯變周之春以爲冬去周之正而行夏之時。去周起呂反行夏户雅反下子夏同 疏 注天王狩于河陽。解云在僖二十八年云公狩于郎者在桓四年春。注河陽至之時。解云若依周之正月乃夏之仲冬得冬獵曰狩之時即大司馬職云仲冬教大閱遂以狩田是也但孔子作春秋欲改周公之舊礼正朔三而反當欲行夏之時取夏之孟冬以爲狩時夏之仲冬不是田狩之月是以桓四年春正月公狩于郎何氏云狩例時此月者譏不時周之正月夏十一月也陽氣始施鳥獸懷任草木萌牙非所以養微者是也然則何陽言狩者周之季冬當夏之十月故得言狩矣案僖二十八年冬天王狩于河陽之時乃冬言狩今獲麟之經春言狩者蓋據魯變周王而改正朔方欲改周之春以爲冬去其周之正月而行夏之時由此之故春而言狩矣 大之也 使若天子諸侯 曷爲大之 據略微 疏 注據略微。解云隱元年九月及宋人盟于宿傳云孰及之内之微者也注云内者謂魯也微者謂士也不名者略微也是然則春秋之道略於微者今而大之故以爲難矣 爲獲麟大之也曷爲爲獲麟大之 據鸛鵒俱非中國之禽无加文。爲獲于僞反下爲獲孰爲注爲誰知爲皆同鸛音權鵒音欲 疏 注據鸛至加文。解云即昭二十五年夏有鸛鵒來巢是也 麟者仁獸也 狀如麕一角而戴肉設武備而不爲害所以爲仁也詩云麟之角振振公族是也。振之人反 疏 麟者仁獸也。解云五行傳云東方謂之仁又云視明礼脩而麟至言人君但當其視能明其礼又脩而麟至也是以春秋説云麟生於火游于中土軒轅大角之獸然則麟爲土畜而言仁獸者正以設武備而不害物所以爲仁而異義公羊説云麟者木精一角赤目爲火候下注亦云麟者木精者正以設武備而不害物有仁之物屬東方赤目爲火候火乃木之子謂之木精亦何傷又鶡冠子云麟者北方玄枵之獸陰之精者正以五行相配言之水爲土妃水土精而上麟得土氣者性似父得水氣者性似母蓋以麟得水氣故云玄枵之獸陰之精也。注狀如至是也。解云釋獸云麐麕身牛尾一角郭氏曰角頭有肉故此云狀如麕一角也廣雅云麟狼額肉角故此注云而戴肉云設武備而不爲害所以爲仁也者欲道中央之畜而傳得謂之仁獸之義云詩云麟之角振振公族是也者在麟趾之篇也引之者欲道麟角末有肉示有武而不用故得謂之仁當時公族皆振振然而信厚亦爲仁之義故得并引之 有王者則至 上有聖帝明王天下太平然後乃至尚書曰簫韶九成鳳皇來儀擊石拊石百獸率舞援神契曰德至鳥獸則鳳皇翔麒麟臻。太平音泰下大平皆同拊芳甫反援音袁麒音其 疏 注上有至乃至。解云若今未大平而麟至者非直爲聖漢將興之瑞亦爲孔子制作之象故先至故孝經説云丘以匹夫徒步以制正法是其賤者獲麟示爲庶人作法之義也。注尚書至率舞。解云咎繇謨之文也彼鄭注云簫韶舜所制樂宋均注樂説云簫之言肅舜時民樂其肅敬而紹堯道故謂之簫韶或云韶舜樂名舜樂者其秉簫乎鄭氏又云樂備作謂之成簫韶作九備而鳳皇乃來儀止巢乘匹擊石拊石百獸率舞者石磬也石獸服不氏所養者謂音聲之道與政通焉引之者欲道上有聖帝明王天下太平瑞物乃來之義。注援神至麒麟臻。解云釋獸云麐驪如馬一角不角者騏舍人云驪如馬而有一角不有角者名騏然則騏麟非直一角不角之異其体亦別雄雌之異 無王者則不至 辟害遠也當春秋時天下散亂不當至而至故爲異 疏 注辟害遠也。解云謂无道之世刳胎殺夭是以瑞物亦不來游也即家語云孔子曰刳胎殺夭則麒麟不至覆巢毀卵則鳳皇不翔是也故云辟害遠也 有以告者曰有麕而角者孔子曰孰爲來哉孰爲來哉 見時无聖帝明王怪爲誰來。有麕本又作麇亦作麏皆九倫反麏也 疏 有以至角者。解云即孔叢云叔孫氏之車子曰鉏商樵于野而獲麟焉衆莫之識以爲不祥棄之五父之衢冉有告孔子曰有麕而肉角豈天下之妖乎夫子曰今何在吾將觀焉遂往謂其御高柴曰若求之言其必麟乎到視之曰今宗周將滅无主孰爲來哉茲日麟出而死吾道窮矣乃作歌曰唐虞之世麟鳳游今非其時來何由麟兮麟兮我心憂是也然則此告者其冉求也若以孔叢合之此傳則鄉云新采者遂是鉏商也而春秋不言之者略微故也不言爲漢獲之者微辭也故春秋説云不言姓名爲匿王宋氏云刘帝未至故云匿王若書姓名時王惡之是其義也。注見時至誰來。解云下注云夫子素案圖録知庶姓刘季當代周見采薪獲麟知爲其出然則夫子素知此事而云孰爲來哉以非之者蓋畏時遠害假爲微辭非其本心注解其語故見時无聖帝明王怪

麟將來矣或者素案圖録知刘季當代周但初見之時手知
薪采獲麟爲之出仍自未明故作此言也乃后詳審方知爲
新采者所獲於是煥然而
瑞是以泣之亦何傷乎　反袂拭面涕沾袍　袍衣前襟也大
子素案圖録知庶聖刘季當代周見薪采者獲麟知爲其出
何者麟者木精薪采者庶人燃火之意此赤帝將代周居其
位故麟爲薪采者所執西狩獲之者從東方王於西也東卯
西金象也言獲者兵戈文也言漢姓卯金刀以兵得天下不
地者天下異也又先是螽蟲冬踊彗金精埽旦置新之象夫
子知其將有六國爭彊從横相滅之敗秦項驅除積骨流血
之虐然后刘氏乃帝深閔民之離害甚久故豫泣也○袂弥
世反衣袖也袂他礼反袍步刀反又步報反衣前襟也襟音
金○王於于況反下火王而王之王同從横子容反驅除直慮反　疏　○反袂拭目○解云目
亦有作面字者云涕沾袍者袍亦有作衿字者以衣前襟言
之袍似得之○注夫子至代周○解云蓋見中候云卯金刀
帝出復堯之常是其案圖録從亭長之任而爲天子故謂之
庶姓矣○注何者至之意○解云春秋説云麟生於火游於
中土軒轅大角之獸然則麟爲土畜而言木精者正以公羊
説云麟者木精一角赤目爲火候既爲火候是木之子謂之
木精亦何傷舊云木生火火生土麟爲土畜亦受氣于祖姓
合人仁故爲木精也庶人采薪本非己意欲燃之故曰采
薪庶人燃火之意也木雖生火火復燒木即漢以火德承周
之后而能滅之故曰此赤帝將代周居其位也云故麟爲薪
采者所執其若不然麟爲異物体形不小豈薪采賤夫寧能輕
獲之乎○注西狩至天下○解云言西狩獲之者即是從東
方而王於西方之象卯在東方金在西方故曰東卯西金象
也言獲者兵戈之文是其有刃之義也故曰言獲卯金刀以
兵得天下言刘季起於豐沛之間提三尺之劍而入秦宮是
其卯金刀從東王于西以兵得天下之事也○注不地至異
也○解云所以不言西狩于其獲麟者正以麟見于魯乃爲
周王將亡之異是以不牢小地之名亦得爲王魯之義故曰
不地者天下異也云又先是螽蟲冬踊者即上十二年冬十
有二月螽十三年冬十有二月螽是也云彗金精埽旦置新
之象者即上十三年冬十有二月有星孛于東方傳云孛者
何彗星也者是孛從西方歷東故曰金精彗者埽除之象歷
晨而見故曰埽旦也然則螽蟲冬踊者乃是天不能殺地不
能埋故爲六国爭強天下大亂之象也金精埽旦乃是秦項
驅除刘氏乃帝之義故何氏云焉○注夫子至之敗○解云
六国者即燕齊楚韓魏趙也當尔之時齊据東番燕是強于

南北韓魏趙居於晋洛之間各自保險迭相征伐故曰六国
爭強也戰国策云秦横有周故謂之横燕楚南北而處故謂
之從蘇秦在東而相六国謂之合從張儀在西而相秦以戎
謂之連横故彼下文從成則楚王横成則秦帝蘇公居趙秦
兵不敢東伐張儀在秦楚兵絶于西是也蘇公既死張儀以
横滅從是從横相滅之敗也○秦項驅除○解云始皇据秦
受命之帝但爲刘氏驅其狐狸除其豺狼而已故曰秦項驅
精滅周之資而殄六国項羽因胡亥之虐而龍括天下皆非
除○注積骨至泣也○解云虐亦有作害者尔時天下土崩
英雄鵲起秦項之君視人如芥殺函之処積骨成山平原之
地血流如海故曰積骨流血之虐也自
此以后高祖乃興故曰然后刘氏乃帝　顏淵死子曰噫
噫咄嗟貌○噫於其反咄丁忽反　疏　注噫咄嗟貌○解云咄嗟尤歎息即
里語曰咄嗟之間也弟子傳云顏淵
少孔子三十歲三十二而卒以此言之則顏淵之生昭十九
年矣及其卒時當哀三年而至此乃言之者傳家追言之亦
何傷　天喪予　予我○喪息浪反予羊汝反我也　疏　天喪予○解云聖人之
道當須輔佐而成是以
家語及穀梁傳云自予得回也門人加親也今而遣命故曰天
喪予而論語云非助我者亦非師徒予其相發起之義蓋
欲顯聰敏非是不助也　子路死子曰噫天祝予　祝斷也天生顏淵子路爲夫子
輔佐皆死者天將亡夫子之証○斷丁管反　疏　子路死至祝予○解云若依左氏則獲麟之后當哀十五年衞
大子蒯聵入国之時子路乃死衞人醢之孔子聞之覆
醢今已言死者公羊子於后言之未足爲妨也自予得由也
惡言不至於耳是其爲輔佐之義也○注祝斷也者言天祝惡
已之道德亦是斷絶之義也○注天生至之証○解云若欲
以理言之則四科十人游夏之徒皆爲夫子之輔佐故孝經
説云春秋屬商孝經屬參是也今特言二人者以其先卒故
也良輔之内二人先死亦非祐
助之義故曰將亡夫子証　西狩獲麟孔子曰吾
道窮矣　加姓者重終也麟者大平之符聖人之類時得麟而死此亦天告夫子將没之徵故云尔　疏
西狩至窮矣○解云麟之來也應於三義一爲周亡之徵即
上傳云何以書記異也是也二爲漢興之瑞即上傳云孰爲
來哉孰爲來哉雖在指斥意在於漢也三則見孔子將没之
徵故此孔子曰吾道窮矣是也○注加姓至云尔○解云注
以上文再發子曰皆不加姓故也云麟者大平之符聖人之
類者以皆有聖帝明王然后乃見故謂之類也注又云時得

麟而死者即孔叢子云麟出而死吾道窮矣是也

春秋何以始乎隱 據得麟乃作

疏 注據得麟乃作。解云正以演孔圖云獲麟而作春秋九月書成是也而撰命篇云孔子年七十歲知圖書作春秋者何氏以為年七十歲者大判言之不妨亦時七十二矣尤如卜世三十卜年七百之類也

祖之所逮聞也 託記高祖以來事可及問聞知者尤曰我但記先人所聞辟制作之害

疏 祖之所逮聞也。解云何氏以為公取十二則天之數故隱元年益師卒之下注云所以二百四十二年者取法十二公天數備足是也今此傳云祖之所逮聞者謂衆有天數之義亦託問聞而知亦取制服三等之義故隱元年注云所以三世者禮為父母期為曾祖高祖父母齊衰三月是也。注託記至之害。解云假託云道我記高祖以來事者謂因已問父得聞昭定哀之事因父問祖得聞文宣成襄之事因祖問高祖得聞隱桓莊閔僖之事故曰託記高祖以來事可及問聞知者以此言之則無制作之義故曰我但記先人所聞辟制作之害也

所見異辭所聞異辭所傳聞異辭 所以復發傳者益師以臣見恩此以君見恩嫌義異於所見之世臣子恩其君父尤厚故多微辭也所聞之世恩王父少殺故立煬宮不日武宮日是也所傳聞之世恩高祖曾祖又殺故子赤卒不日子般卒日是也。傳直專反注傳聞同復扶又反臣見賢遍反下欲見同少殺所戒反下同般音班

疏 注所以復發至義異。解云隱元年冬十有二月公子益師卒傳云何以不日遠也所見異辭所聞異辭所傳聞異辭然則彼已有傳今復發之者正以益師之卒所以不日者以其恩遠孔子所不見欲道當時之君無恩于其臣是以大夫之卒不問有罪與不例皆不日以見之是以須發二辭與辭之言今此西狩獲麟當所見之世已與父時之事欲道當時之臣有恩于其君故為微辭不忍正言其惡是以復發傳道其三代異辭之意然則言益師以臣見恩者言益師之經以臣之故見臣恩之薄厚也云此以君見恩者今此獲麟之經以君之故見臣恩之薄厚其義實異故重發傳桓二年成宋亂之下傳云內大惡諱此其目言之何遠也所見異辭所聞異辭所傳聞異辭何氏云所以復發傳者益師以臣見恩此以君見恩嫌義異也然則桓公之時已發此傳今復發之者正以桓公之時欲見其臣無恩於其君是以不為之諱大惡今時有恩于其君為之諱而作微辭也彼注云嫌義異也此復注云義異是其一隅何氏不解之者從可知省文

也云故多微辭也者即定元年傳云定哀多微辭注云定公有王無正月不務公室喪失國寶哀公有黃池之會獲麟故總言多是也云故立煬宮不日者即定元年秋九月立煬宮是也云武宮日者即成六年二月辛巳立武宮是也正以公羊之義失禮鬼神例日故如此解之也云子赤卒不日者即文十八年冬十月子卒是也云子般卒日是也者即莊三十二年冬十月乙未子般卒是也文十八年子卒之下傳云子卒者孰謂謂子赤也何以不日隱之也何隱爾弒也弒則何以不日不忍言也注云所聞世臣子恩痛王父深厚故不忍言其日與子般異是也

何以終乎哀十四年 據哀公未終也

疏 注據哀公未終也。解云正以哀公之篇未見公薨之文故也且以左氏言之即哀二十七年公遜于越而因卒則知今未終

曰備矣 人道浹王道備必止於麟者欲見撥亂功成於麟猶堯舜之隆鳳皇來儀故麟於周為異春秋記以為瑞明大平以瑞應為效也絕筆於春不書下三時者起木絕火王制作道備當授漢也又春者歲之始能常法其始則無不終竟。浹子協反本作市撥卜末反應應對之應

疏 注人道浹至必止。解云浹亦有作市字者正以三代異辭因父以親祖以祖親曾祖以曾祖親高祖骨肉相親極於此故云人之道浹也云王道備者正以撥亂于隱公功成于獲麟懍懍治之至于太平故曰王道備也云必止至於麟者正以獲麟之后得端門之命乃作春秋但孔子欲道從隱撥亂功成于麟是以終于獲麟以示義似若舜之隆制禮作樂之后簫韶九成鳳皇乃來止巢而乘匹堯舜也云故麟于周為異者即上傳云何以書記異也何異爾非中國之獸也是也云春秋記以為瑞者託記亦有作託者今解從記也云明大平以瑞應為效也者言若不致瑞即太平無驗故春秋記麟為太平之效也。注絕筆至漢也。解云四時具然后為年此乃春秋之常今不書下三時者欲起木應之君將亡欲別起為王是以此処不得記之且獲麟既記制作之道已備當欲以之授于漢帝使為治国之法是以不得記于三時矣。注又春至終竟。解云所以然者始正則僖十六年傳云㓜有事則書無事不書書者義亦通此

君子曷為為春秋 據以定作五經

疏 君子曷為為春秋。解云君子謂孔子曷為今日始為春秋乎嫌其先作於諸典之右。注據以定作五經。解云何氏以緣五經皆在獲麟之前故言此何氏知然者正以論語云孔子曰吾自衛反魯然后樂正雅頌各得其所案孔子自衛反魯在哀十一年冬則知料理舊經不待天命者皆在獲麟

之前明矣而論語直言樂正雅頌文不備矣言料理五經在獲麟之前何故作春秋獨在獲麟之后乎故據五經以難之

撥亂世撥猶治也反諸正莫近諸春秋得麟之后天下血書魯端門曰趨作法孔聖沒周姬亡彗東出秦政起胡破術書記散孔不絶子夏明日往視之血書飛為赤鳥化為白書署曰演孔圖中有作圖制法之狀孔子仰推天命俯察時變却觀未來豫解無窮知漢當繼大乱之后故作撥乱之法以授之○近附近之近又如字演以善反 疏 撥乱至春秋○解云孔子未得天命之時未有制作之意故但領緣舊經以濟當時而已既獲麟之后見端門之書知天命已制作以俟后王于是選理典籍欲為撥乱之道以為春秋者賞善罰悪之書若欲治世反歸于正道莫近于春秋之義是以得天命之后乃作春秋矣即上云治亂之要皆義亦通於此○注得麟至之狀○解云演孔圖文也彼作卞者之法孔氏聖人將欲沒矣周姬將亡是以十三年冬彗星出于東方矣秦始皇名正東方欲起為天子其子胡亥破先王之術當爾之時書契燔盡皆散乱唯有孔氏春秋仁相傳者獨存而不絶孔子聞之使子夏往視其血書其血乃飛為赤鳥其書乃化為白書署之曰此是演孔圖中義皆乃有作之象制法之形狀矣云秦本紀云秦皇為無道周人以讒與非之乃用李斯之謀欲以愚黔首於是燔詩書云然則始皇燔詩書而言胡亥破術者謂始皇燔之不盡胡亥亦燔之耳至之亦何云孔子仰推天命者謂仰推尋天命即端門之命是也云俯察時變者即彗孛見彗星埽旦之象是也欲尊天命故以為俯言之云却觀未來豫解無窮知漢當繼大乱之后故作撥乱之法以授之者謂知其承大乱之后天下不醒故作治乱之法以授之矣君欲就之春秋即所傳聞之世是也故桓三年夏齊侯衛侯胥命于蒲傳云胥命者何相命也何言乎相命近正也此其為近正奈何古者不盟結言而退彼注云善其近正似於古而不相背故書以撥乱也是也

則未知其為是與其諸君子樂道堯舜之道與作傳者謙不敢斥夫子所為作意也堯舜當古歷象日月星辰百獸率舞鳳皇來儀春秋亦以王次春上法天文四時具然后為年以敬授民時崇德致麟乃得稱太平道同者相稱德合者相友故曰樂道堯舜之道○其為于偽反注所為同是與音餘下及注同 疏 則未至是與○解云為孔子謙不敢斥言其所作事而言故依違云則未知其為此春秋可以撥乱世而作之與 其諸至道與○解云其諸辭也即桓六年子公羊子曰其諸以病桓與注云其諸辭也是其君子謂孔子不知為是孔子樂堯舜之道是以述而道之與○注堯舜至之道○解云言堯舜當古歷象日月星辰者堯典文也云百獸率舞者舜典咎繇謨皆有其文也云鳳凰來儀者咎繇謨文也云春秋亦以王次春上法天文四時具然後為年以敬授人時者欲以堯舜當古曆象日月星辰以敬授人時也云崇德致麟乃得稱太平者欲以堯舜百獸率舞鳳凰來儀是也云道同者相稱者謂孔子之道同于堯舜故作春秋以稱述堯舜是也云德合者相友者同志之名言孔子之德合於堯舜是以愛而慕之乃作春秋與其志相似也

末不亦樂乎堯舜之知君子也末不亦樂后有聖漢受命而王德如堯舜之知孔子為制作 疏 末不至子也○解云孔子之道既與堯舜雅合故得與堯舜相對為首末然則指孔子言不亦也堯舜之時預知有已而制道術預知有已而為君子而慕之已亦預制春秋授劉帝是孔子亦愛慕堯舜之知君子而效之

制春秋之義以俟後聖待聖漢之王以為法 疏 制春至后聖○解云制作春秋之義謂制春秋之中賞善罰悪之義也

以君子之為亦有樂乎此也樂其貫於百王而不滅名與日月並行而不息 疏 以君至此也○解云君子謂孔子所以作春秋者亦樂此春秋之道可以永法故也○注樂至不息○解云春秋者賞善罰悪之書有国家者最所急務是以貫通于百王而不滅絶矣故孔子為后王作之云名與日月並行而不息者謂名之曰春秋其合於天地之利生成萬物之義凡為君者不得不爾故曰名與日月並行而不息也

監本附音春秋公羊註疏哀公卷二十八

論語集說

提要

《論語集說》六卷，日本安井息軒撰，日本東京圖書館藏明治五年（一八七二）三都書林刊本。是書每半葉有界欄，十行二十字，注文單行，行二十字，疏文及案語小字雙行，行二十字。白口，四周雙邊。本書順次列舉集疏、集解、朱注、古義、論語征諸說，最後以案的形式徵引清代考證家學說並闡述自己的見解。安井息軒（一七九九—一八七六），日本江戶時代儒學家。諱衡，字仲平，號息軒，日向人，松崎慊堂高足。詩文並佳，學術主古注，以考證為旨，兼采朱注之善。有《海防私議》《左傳輯釋》等著述流傳於世。

論語集說序

息軒安井翁與人談論羣議蒲坐是非未決翁一二言辨晰之衆輙屈服不敢復譁其於釋經子也亦猶是矣翁所著十餘部嚮者豫人某刻管子纂詁并伊氏刻左傳輯釋傳到于清國浙江應寶時序之謂考據精核踰

發前人所未言蓋翁之學刻苦實切造詣深而根柢固故其發乎言者精而不鑿核而不滯必歸諸正而後止宜矣其足以厭服人心也余嘗聞論語集說翁家所用力焉乃請而刻之夫論語一書聖教至理之所寓而前後註家紛紛聚訟翁乃舉千百年未決之疑難一一爲之辨理譬猶子路之片言折獄余於是乎益信應寶時之言蓋非溢美也讀者就是書而求翁之爲人則其嚴毅不拔之氣象亦可以概見矣及刻成爲題卷端

明治壬申秋八月

從五位伊東祐相序

成瀨溫書

論語集説序

聖人之道易啓其源詩書説其義二禮春秋陳其法而論語會萃而融合之大哉道乎非所謂集大成之者耶漢以下注此經者無慮數十家其存於今者何晏集解最古其書專於訓詁經外不敢説道後儒動求備於一經病其簡潔詆以爲陋者不知道在於經義通則明辯經既通左右逢源不在多言也猶此晏割裂衆説以就己諸家之全不復可見然精義奥説猶因其書而存謂之功罪相掩可也至梁皇侃本十三家之説著疏以疏通何解其書錯雜無統時溺於佛老然門戸之見未亡其論質實其言平易精擇而慎取之亦古學之津梁也及宋儒興性理氣質爲學者恒言其説道也自正心迄自公心刻言苟涉事業并爲功利諳之益詳而去道益遠聖人陶治天下之道變爲有體無用之言學者惱惱往而不還其弊至朱明而極矣予幼學於家庭

得與聞我伊物二先生之説固既疑宋學之非竊謂仲尼祖述堯舜而稱堯舜其猶病諸考二者以濟衆安百姓爲言其教育門人各因其所長而成之使之共天下國家之用然則聖人之道豈有他哉始於修身終於濟物不過欲使天下之人盡得其所而已乃不自揣研究古經哲啓有所爲而才與時違老邁轗軻不能一日安其身而頹然既老矣於是絶意於世遂專用力於選述近又得清儒考證之説其發明古學若燭照而數計參以舊所詮録諸家之説意有不滿者贅愚案附之何晏集解之後名曰論語集説舊君伊東公聞而善之將梓以公於世謹序所見以上

明治壬申五月　安井衡自序

樋口觀之書

論語集解敘

魏　何晏　撰

敘曰、漢中壘校尉劉向言、魯論語二十篇、皆孔子弟子記諸善言也、大子大傅夏侯勝、前將軍蕭望之、丞相韋賢及子玄成等傳之、齊論語二十二篇、其二十篇中章句頗多於魯論、瑯琊王卿、及膠東庸生、昌邑中尉王吉、皆以敎授之、故有魯論、有齊論、魯恭王時、嘗欲以孔子宅爲宮、壞得古文論語、齊論有問王、知道、多於魯論二篇、古論亦無此二篇、分堯曰下章子張問以爲一篇、有兩子張、凡二十一篇、篇次不與齊

魯論同、安昌侯張禹本受魯論、兼講齊說、善者從之、號曰張侯論、爲世所貴、苞氏周氏章句出焉、古論唯博士孔安國爲之訓說、而世不傳、至順帝時、南郡大守馬融、亦爲之訓說、漢末大司農鄭玄、就魯論篇章、考之齊古、以爲之注、近故司空陳羣、大常王肅、博士周生烈、皆爲之義說、前世傳受師說、雖有異同、不爲之訓解、中間爲之訓解、至于今多矣、所見不同、互有得失、今集諸家之善說、記其姓名、有不安者、頗爲改易、名曰論語集解、光祿大夫關內侯臣孫邕、光祿大夫臣鄭冲、散騎常侍中領軍安鄉亭侯臣曹羲、侍中臣荀顗、尚書駙馬都尉關內侯臣何晏等上、

皇侃云、論語通曰、論語者、是孔子沒後、七十弟子之門人共所撰錄也、

邢昺云、案漢書藝文志云、論語者、孔子應荅弟子時人、及弟子相與言而接聞於夫子之語也、當時弟子各有所記、夫子既卒、門人相與輯而論纂、故謂之論語、然則夫子既終、微言已絕、弟子恐離居已後各生異見、而聖言永滅、故相與論撰、因採時賢及古明王之語、合成一法、謂之論語也、鄭玄云、仲弓子游子夏等撰定、論者綸也、輪也、理也、次也、

撰也、以此書可以經綸世務、故曰綸也、圓轉無窮、故曰輪也、蘊含萬理、故曰理也、篇章有序、故曰次也、羣賢集定、故曰撰也、鄭玄周禮注云、荅述曰語、以此書所載、皆仲尼應荅弟子及時人之辭、故曰語、而在論下者、必經論撰、然後載之、以示非妄謬也、以其口相傳授、故經焚書而獨存也、

朱熹云、程子曰、論語之書、成於有子曾子之門人、故其書獨二子以子稱、

物茂卿云、果如程說、何廼遺閔冉、且也子思作中庸、字其祖、子何必優於字乎、葢上論成於琴張、而

下論成於原思故二子獨稱名其不成於他人之手者審矣

衡謂推闡論語之義鄭所云綸輪理次撰皆可得而該矣然非所以名書也其名書之意當以鑿文志爲定說鄭云仲弓子游子夏等撰定然曾子少孔子四十六歲於高足弟子中最少而論語載其臨没之言則非三子所撰定也程謂成於有子曾子之門人以二子稱子而斷之物駁之是也然至其自爲說以牢曰子云吾不試故藝爲上論成於琴張以憲問恥爲下論成於原思不知二章乃二子所記門人編輯此書直取其所記而載之耳未足以爲論語成於二子之證也千載邈矣當時既不言編輯者之名今未可的知成於何人之手要之通篇字諸弟子而又記曾子臨没之言則皇侃所云七十弟子之門人所撰録近是

論語集說卷一

日南　安井衡　著

學而第一

皇侃云自學而至堯曰凡二十篇首末相次無別科而以學而最先者言降聖以下皆須學成故學記云玉不琢不成器人不學不知道是明人必須學乃成此書既遍該衆典以教一切故以學而爲先也邢昺云篇中所載各記舊聞意及則言不爲義例或亦以類相從第順次也一數之始也

子曰學而時習之不亦說乎馬融曰子者男子之通稱謂孔子也王肅曰時者學者以時誦習也誦習以時學無廢業所以爲悅懌邢昺云曰者說文云詞也從口乙聲亦象口氣也白虎通云學者覺也學悟所未知也譙周云說深於樂淺也一曰在內曰說在外曰樂言亦者凡外境適心則人心說樂可說可樂之事其類非一此學而時習有朋自遠方來亦說樂之事耳故云亦朱熹云既學而又時時習之則所學者熟而中心喜說物茂卿云論語稱孔子去姓如春秋公魯侯內辭也有朋自遠方來不亦樂乎包咸曰同門曰朋人不知而不慍不亦君子乎何晏曰慍怒也凡人有所不知君子不怒皇侃云此一章分爲三段自此至不亦悅乎爲第一明學者幼少之時也學從幼起故以幼爲先也又從有朋至不亦樂乎爲第二明學業稍成能招朋聚友之由也既學已經時故能招友爲次也悅者懷抱欣暢之謂也悅之與樂俱是歡欣在心常等而貌跡有殊悅則心多貌少樂則心貌俱多第三段明學已成者也人謂凡人也慍怒也君子有德之稱也君子易事不求備於一人故爲教誨之道若人有鈍根不能知解者君子恕之而不慍怒之也何集注皆呼人名唯苞獨云氏者苞名咸何家諱咸故不言也凡注無姓名者皆是何平叔語也物茂卿云人不知謂不知而用之

案、此章孔子勸學之言、而其所遭遇、亦與此章相類、故置之一部論語之首、一章之意、皇說大抵得之、時習朱說是也、如諸家所說、乃時學非時習也、爾雅釋詁、說服也、凡禮樂制度、始不易辨識者、學而時習之、渙然氷釋、怡然理順、故心誠說服之也、朋來、相與講習之、其得益尤深、故樂也、人不知、物氏得之、慍當訓怨、邶風柏舟、憂心悄悄、慍于羣小、傳慍怒也、孔穎達云、言仁人憂心悄悄然、而怨此羣小人在於君側者也、大雅緜、肆不殄厥慍、傳慍恚、孔穎達云、說文慍怨也、恚怒也、有怨必怒之、據此、孔所見毛傳及說文、俱作慍怨也、今皆誤怨、何晏訓怒、蓋據緜傳慍恚之訓、其意謂君子敎誨人有所不知解、而不恚怒之義、理已淺、不足以爲君子、故皇疏一釋、有已學得先王之道、含章內映、而他人不見知、而我不怒之解、諸家皆從之、然也豈有人不知而遽怒之者哉、今訓怨、即中庸遯世不見知而不悔之義、豈不允當哉、蓋君子立身行道、將以輔世拯民、而有命焉、故遯世不見知而無所怨尤、是不亦君子乎、孔子之時、王澤已竭、賢者不用、故以此勸之耳、邢本、諸注家但云鄭曰包曰、不

連言名、敘下疏云、各記姓名、注言包曰馬曰之類是也、注但記其姓、而此連言名者、以著其姓所以名其人、非謂名字之名也、案敘明言記其姓名、安得謂非姓名之名哉、蓋邢所見之本、省去其名、故彊爲此說耳、今從皇本、具記姓名、包皇本作苞、今從邢本、

有子曰、孔安國曰、弟子有若、邢本作孔子弟子有若、阮元云、孔子疑孔曰之誤、論語孔子之家書、言弟子、其爲孔子弟子可知、何必言孔子也、今從皇本、其爲人也孝弟而好犯上者鮮矣、何晏曰、鮮少也、上謂凡在己上者也、言孝弟之人、必恭順、好欲犯其上者少也、不好犯上而好作亂者、未之有也、伊藤源佐曰、亂謂逆理反常之事、君子務本、本立而道生、何晏曰、本基也、基立而後可大成也、孝弟也者、其爲仁之本與、包咸曰、先能事父兄、然後仁道可成也、皇侃云、此更以孝悌解本、以仁釋道也、言孝是仁之本、若以孝爲本、則仁乃生也、故孝經云、夫孝德之本也、教之所由生也、王弼曰、自然親愛爲孝、推愛及物、爲仁、朱熹云、猶曰行仁也、

案、言凡事當專務其本、其本既立、則其道自然滋生、猶培其本而枝葉自蕃茂、此章示初學以學問之方也、因上章孔子之言、而類記之、邢本包咸曰三字無、今從皇本、

子曰、巧言令色、鮮矣仁、包咸曰、巧言、好其言語、令色、善其顏色、皆欲令人說之、少能有仁也、王肅曰、巧言無實、令色無質、

案、皇本作鮮矣有仁、疏云、巧言令色之人、於仁性爲少、非爲都無其分也、故曰鮮矣有仁、包注云、能有仁也、作有仁似是、學以仁爲主、上章以孝悌爲行仁之本、此章擧害仁之事、蓋事親者、當順其辭、怡其色、粗與巧言令色相似、而其實相反、故以此章次之、其所以示學者、可謂至深切矣、仲尼嘗云、剛毅木訥近仁、取以相照、則巧言令色之鮮矣有仁、不待訓釋也、

曾子曰、馬融曰、弟子曾參也、吾日三省吾身、爲人謀而不忠乎、與朋友交而不信乎、傳不習乎、何晏曰、言凡所傳之事、得無素不講習而傳之乎、皇侃曰、省、視也、曾子言我生平戒愼、每一日之中、三過自視察我身有過失否、陸德明曰、三息暫反、又如字、鄭云魯讀傳爲專、今從古、

案、三息暫反、朱注云、曾子以此三者、日省其身、講習其學者、讀三如字、非也、朱注三字、指不忠不信不習、非經文三字也、故揭三者於日省上、三省易知、故省三字、但云日省其身、若朱以經文三字、爲不忠不信不習、當云日以此三者省其身、而今不然、非經文三字可知矣、翟灝云、朱子語錄曰、三字

平去二聲、雖有自然使然之別、然自然者不可去聲、而使然者亦可平聲、故三仕三已、與三黜無以異、而三仕三已無音、三省三思、與三嗅三復皆使然、而集注于省嗅皆闕、凡此之類、二音皆通是也、此書與朱注本不相涉、今因陸音注、聊爲誤讀其書者一及之、毛詩正義云、中心爲忠、人言爲信、此解最爲明快、皇本交下有言字、錢曾謂高麗本亦有言字、

子曰、道千乘之國、馬融曰、道謂爲之政教、司馬法、六尺爲步、步百爲畝、畝百爲夫、夫三爲屋、屋三爲井、井十爲通、通十爲成、成出革車一乘、然則千乘之賦、其地千成、居地方三百一十六里有畸、唯公侯之封乃能容之、雖大國之賦、亦不是過焉、包咸曰、道治也、千乘之國者、百里之國也、古者井田、方里爲井、十井爲乘、百里之國、適千乘也、馬融依周禮、包氏依王制孟子、義疑、故兩存焉、劉逢祿云、春秋述三代之制、大國地方百里、有萬井、十井而賦一乘、故曰千乘、方觀旭云、近時經師從馬氏、竊以泰伯篇曾子曰、可以寄百里之命、謂攝國君之政令、先進篇冉有曰、方六七十、如五六十、謙不敢當千乘之國、則千乘之國、爲百里甚明、以他經解論語、何如以論語證論語、

敬事而信、包咸曰、爲國者、擧事必敬愼、與民必誠信、**節用而愛人、**包咸曰、節用者、不奢侈也、國以民爲本、故愛養之也、**使民以時、**包咸曰、作事使民、必以其時、不妨奪農務、皇侃曰、人是有識之目、愛人則兼指黔黎也、邢昺曰、春秋莊二十九年左氏傳曰、凡土功、龍見而畢務、戒事也、注云、謂今九月、周十一月、火見而致用、水昏正而裁、注云、謂今十月、日至而畢、王制云、用民之力、歲不過三日、周禮均人職云、凡均力

征、以歲上下、豐年則公旬用三日焉、中年則公旬用二日焉、無年則公旬用一日焉、

案、封境廣狹、周禮與左傳孟子殊、故學者多疑周禮爲僞書、若此章、馬包異說、而何不能決、因兩存之、竊謂左氏孟子所記、蓋夏殷之法、周禮所載、乃周公制作之典、武王伐紂、亡國已多、故新創制度、大封懿親功臣、以盛其本、其不期而會者八百諸侯、則旣無大功、又無地以增其封、安得從爵而斥其境哉、然則周家封地之廣狹、兩法並存、各據其一而言之也、至萬乘千乘百乘、夏殷之時、未聞有其稱、則蓋自周始矣、夫稱始於周、則當以周法釋之、且十井九十夫之地也、而其十夫爲公田、則民之共賦役者、不過八十家、今使之出兵車一乘、甲士三人、步卒七十二人、又加之以廝養二十五人、其役民不已重乎、當以馬說爲正、周禮公旬用三日、旬均也、

子曰、弟子入則孝、出則弟、謹而信、汎愛衆、而親仁、行有餘力、則以學文、馬融曰、文者古之遺文也、皇侃云、或問曰、此云行有餘力、則以學文、後云、子以四教、文行忠信、是學文或先或後、何也、答曰、論語之體、悉是應機適會、教體多方、隨須而與、不可一例責也、

案、古學者、先行而後知、人能行此數事、亦可以立世而無愧矣、然猶未免爲常人、故行有餘力、則用學文、以成輔世長民之德、此誘後進之語、故以弟子起之、孟子云、謹庠序之教、申之以孝弟之義、謹庠序之教、即此章親仁以上之事、申之以孝弟之義、即餘力學文之事、後儒暗於此義、遂有學文利害之辨、夫聖人教人、自有次第、豈門人小子而遽望其爲聖賢哉、又按汎訓廣、而其義稍別、汎者如物汎水上、汎汎乎無所繫著限局也、

子夏曰、賢賢易色、孔安國曰、子夏弟子卜商也、言以好色之心好賢則善也、毛奇齡云、易色有二義、一作改易之易、音亦、則色是顏色、謂改容而禮之、程伊川云、變易顏色是也、一作難易之易、音異、則色是女色、謂尊賢則輕女色、漢李尋論

天象有云、少微在前、女宮在後、賢賢易色、取法于此、顏師古所謂尊上賢人、輕略于色是也、事父母能竭其力、事君能致其身、孔安國曰、盡忠節、不愛其身也、與朋友交、言而有信、雖曰未學、吾必謂之學矣、邢昺云、事父母能竭其力者、謂小孝也、言爲子事父、雖未能不匱、但竭盡其力、服其勤勞也、事君能致其身者、言爲臣事君、雖未能將順其美、匡救其惡、但致盡忠節、不愛其身、若童汪踦也、物茂卿云、若有人能此數者、其人或自謙曰、未學、我必謂之既學之人也、

案、此章之意、正與上章夫子之言同、故編輯者類記之、易色與賢賢相對、孔子嘗言少之時、血氣未定、戒之在色、則易訓輕是也、竭力致身、皆非忠孝之至者、後儒或謂學求如是而已、參之子夏問孝章及顏淵問治邦章、學豈求如是而已哉、邢昺以爲小孝小忠、得之、

子曰、君子不重則不威、學則不固、孔安國曰、固、蔽也、

一曰、言人不能敦重、既無威嚴、學又不能堅固識其義理也、焦循云、蔽之義爲闇、曲禮毀朝而顧、君子謂之固、鄭氏注云、固謂不達於禮、不達於禮、是爲蔽塞不通、此固所以爲蔽也、不學故不達於禮、學則達於禮、不固者達於禮也、一曰二字、是何晏存異說、非亦孔安國注、主忠信、無友不如己者、過則勿憚改、鄭玄曰、主親也、憚難也、皇侃云、或問曰、若人皆慕勝己爲友、則勝己者、豈友我耶、或通云、擇友、必以忠信者爲主、不取忠信不如己者耳、不論餘才也、焦循云、按親忠信之人、無友不如己之人、兩相呼應、皇侃解主忠信爲心百行之主、殊鄭義、

案學則不固、二說皆可通、而前說稍優、又右手也重、又爲友、則友本有相助之義、故友必須與己齊等以上者、其不如己者、容而導之、不慕尚以爲友也、

曾子曰、慎終追遠、民德歸厚矣、孔安國曰、慎終者、喪盡其哀也、追遠者、祭盡其敬也、君能行此二者、民化其德、而皆歸於厚也、

子禽問於子貢曰、夫子至於是邦也、必聞其政、求之與、抑與之與、鄭玄曰、子禽弟子陳亢也、子貢弟子、姓端木、名賜、亢怪孔子所至之邦、必與聞其國政、求而得之邪、抑人君自願與之爲治邪、皇侃云、是此也、此邦謂每邦、非一國也、翟灝云、漢石經作意予之與、按徐氏說文繫傳曰、見之于外曰意、意猶抑也、舍其言欲出而抑之也、大戴禮、武王問黃帝顓頊之道存乎、意亦忽不可得與、意音如抑、二字古蓋通用、子貢曰、夫子溫良恭儉讓以得之、夫子之求之也、其諸異乎人之求之與、鄭玄曰、言夫子行此五德而得之、與人求之

異、明人君自與之、皇侃云、夫子即孔子也、禮身經爲大夫者、則得稱爲夫子、敦美潤澤、謂之溫、行不犯物、謂之良、和從不逆、謂之恭、去奢從約、謂之儉、推人後己、謂之讓、

案、子貢言求之者、承陳亢之問也、皇疏敦美、邢引作敦柔、是也、

子曰、父在觀其志、父沒觀其行、孔安國曰、父在、子不得自專、故觀其志而已、父沒、乃觀其行也、三年無改於父之道、可謂孝矣、孔安國曰、孝子在喪、哀慕猶若父存、無所改於父之道也、皇侃云、或問曰、若父政善、則不改爲可、若父政惡、惡教傷民、寧可不改乎、答曰、本不論父政之善惡、自謂孝子之心耳、若人君風聲之惡、則冢宰自行政、若卿大夫之心惡、則其家相邑宰自行事、無關於孝子也、物茂卿云、父在觀其志、父沒觀其行、觀人之法也、然三年無改於父之道、可謂孝矣、則父雖沒、猶有未可觀其行者也、此上二句蓋古語、下二句孔子補其意、

案、父政惡、而子不改之、必至於喪國亡家、故自皇侃、既疑其義、設問以發之、然此章兼天下之爲人子者而言之、而皇唯辨君與大夫之事、其義有所未盡也、至趙宋歐陽脩遂疑此語失孔子本旨、葉適因以三年無改爲句、云終三年之間、而不改其在喪之意、則於事父之道、可謂之孝、其謬益甚、大抵後儒欲以一言該萬事、故紛紛至此、此章之義孔注盡之、而物以觀人法述之、滌得其意矣、但以上二句爲古語、未是、蓋父所行惡、而子哀慕不忍改、不可以爲道、然亦可謂之孝矣、若夫亡國家陷不義者、當父在時、子猶爭之、父怒笞之、號泣而隨之、以必改爲期、況父既沒、安得踵行其惡以覆國家賊民生哉、此則別有其道、非此章所得該也、

有子曰、禮之用和爲貴、先王之道斯爲美、小大由之、有所不行、知和而和、不以禮節之、亦不可行也、馬融曰、人知禮貴和、而每事從和、不以禮爲節、亦不可行、

也、皇侃云、由、用也、若小大之事皆用禮、而不用和、則於事有所不行也、所以言亦者、沈居士云、上純用禮不行、今皆用和、亦不可行也、

案、斯、此也、禮之用和爲貴者、以先王之道以此禮用和爲美也、此二句綱也、下則分說之、之字指禮、小大之事、純由禮而行之、情或不洽、而有所不行、禮之所以用和爲貴也、然知用和之可貴而純用和、不以禮爲之節度、則亦不可行、此先王之所以禮用和爲美也、

有子曰、信近於義、言可復也、何晏曰、復猶覆也、義不必信、信不必義也、以其言可反覆、故曰近義、邢本下不必作非、今從皇本、恭近於禮、遠恥辱也、何晏曰、恭不合禮、非禮也、以其能遠恥辱、故曰近禮也、因不失其親、亦可宗也、孔安國曰、因、親也、言所親不失其親、亦可宗敬也、

案、復猶再也、人欲守信、而其所言近於義、則其言可再也、苟遠於義、則信不可得而守、欲復陳其言、不可得也、恭近於禮、則人亦敬之、故遠恥辱也、若過恭遠於禮、人反侮之、取恥辱之道也、所因親不失其親睦之道、其人必忠厚有恩、此亦可宗敬也、亦亦他行可宗敬者也、此章亦誘初學之言、故以近似者言之、

子曰、君子食無求飽、居無求安、鄭玄曰、學者之志、有所不暇也、敏於事而愼於言、就有道而正焉、可謂好學也已、孔安國曰、敏、疾也、有道、有道德者、正、謂問事是非也、

案、注事諸本作其、今從皇本、韓愈筆解及大平御覽所引、

子貢問曰、貧而無諂、富而無驕、何如、子曰、可也、孔安

國曰、未足多也、邢本無問字、據皇邢兩疏、有問字似是、今從皇本、未若貧而樂、富而好禮者也、鄭玄曰、樂謂志於道、不以貧賤爲憂苦也、子貢曰、詩云、如切如磋、如琢如磨、其斯之謂與、孔安國曰、能貧而樂道、富而好禮者、能自切磋琢磨者也、皇侃云、爾雅云、治骨曰切、治象曰磋、治玉曰琢、治石曰磨、子曰、賜也、始可與言詩已矣、告諸往而知來者、孔安國曰、諸、之也、子貢知引詩以成孔子義、善取類、故然之、往告之以貧而樂道、來答以切磋琢磨、皇侃云、非分橫求曰諂、陵上慢下曰驕、朱熹云、諂、卑屈也、驕、矜肆也、往者其所已言者、來者其所未言者、劉逢祿云、詩止乎禮者也、自脩之功、進而無已、故曰來者、

案皇本樂下有道字按鄭注云樂謂志於道不以貧賤爲憂苦也是鄭所據本無道字告諸往而知來孔注云往告之以貧而樂道是孔所據本有道字孔注古論鄭主魯論而折衷齊古然則有道字者古論也無者魯論也據文有道字似是不知何以舍彼取此也告諸往而知來猶言告故而知新子貢問無諂無驕孔子告以不若樂道好禮子貢於是知學問之功無窮當切磋琢磨以收將來之功引詩質之故孔子美之不必深泥往來字皇本來者下有也字

子曰不患人之不己知患不知人也王肅曰但患己之無能知也翟灝云舊無人字釋文曰患不知也本或作患己不知人也俗本妄加人字阮元云經義雜記云據釋文知古本作患不知也蓋與里仁不患莫己知求爲可知也先進居則曰不吾知也如或知爾則何以哉語意同今邢疏及新注本皆患不知人也人字亦淺人所加

案邢本不載王注今從皇本釋文以不知人之人字爲妄加參之王注古本無人字信矣皇疏雖收王注而其述經則云但患己不知人後人因疏妄加經文人字耳皇本作患己不知人也即釋文所謂或作本也邢本無己字其誤又在唐後

爲政第二皇侃云學記云君子如欲化民成俗其必由學乎是明先學後乃可爲政化民故以爲政次於學而也

子曰爲政以德譬如北辰居其所而衆星共之也包咸曰德者無爲猶北辰之不移而衆星共之陸德明云共求用反鄭本作拱俱勇反

案德得也心所得也仁政出於仁心民之服之譬如衆星向北辰而環繞之其德未至其政雖善乎民或不心服也皇本包咸作鄭玄按德訓無爲非鄭義也今從邢本

子曰詩三百孔安國曰篇之大數皇侃云詩有三百五篇此擧其全數也一言以蔽之包咸曰蔽猶當也曰思無邪包咸曰歸於正邢昺云此詩之一言魯頌駉篇文也詩之爲體論功頌德止僻防邪大抵皆歸於正故此一句可以當之也

案變風變雅多淫奔暴虐之辭若有不正者焉然原詩人之思常出於憂世傷俗之誠故孔子斷之曰思無邪作詩者旣以此學詩者亦當以此

子曰道之以政孔安國曰政謂法教齊之以刑馬融曰齊整之以刑罰民免而無恥孔安國曰免苟免道之以德包咸曰德謂道德齊之以禮有恥且格何晏曰格正也

案此章與首章參看其義自明皇本道作導云謂誘引苟免下有罪也二字今從邢本

子曰吾十有五而志於學三十而立何晏曰有所成立也方觀旭云尚書周傳云王子公卿大夫元士之適子十五入小學二十入大學書傳略說云餘子十五入小學十八入大學並無十五入大學之文十五而志于學是未及十八入大學之期先有志及之耳翟灝云此經自引詩書文外例用於字今此獨變爲于疑屬乎字傳寫誤漢石經論衡作乎皇侃云古人三年明一經從十五至三十是又十五年故通五經之業所以成立也四十而不惑孔安國曰不疑惑也五十而知天命孔安國曰知天命之終始也皇侃云天命謂窮通之分也謂天爲命者言人稟天氣而生得此窮通皆由天所命也天本無言而云有所命者假之言也人年未五十則猶有橫企無涯及至五十始衰則自審已分之可否也孔注終始即是分限所在也六十而耳順鄭玄曰耳順聞其言而知其微旨皇侃云順謂不逆也人年六十識知廣博凡厥萬事不待悉須觀見但聞

其言、即解微旨、是所聞不逆於耳、故曰、耳順也、故王弼云、耳順言心識在聞前也、焦循云、耳順、即舜之察邇言、所謂善與人同、樂取於人以爲善也、順者不違也、舍己從人、故言入於耳、隱其惡、揚其善、無所違也、學者自是其學、聞他人之言、多違於耳、聖人之一以貫之、故耳順也、謂知微旨、此在不惑知天命時已然、不待六十矣、七十、而從心所欲不踰矩、馬融曰、矩法也、從心所欲、無非法者、物茂卿云、傳曰、七十貳膳、杖於國、不俟朝、不與賓客之事、致政唯衰麻爲喪、此雖先王養老之制、然老者所以受異數而自安者、爲其精神筋力皆衰故也、故老後放縱、人之常也、孔子七十、從心所欲、亦放縱耳、秪其不踰矩、所以爲聖人也、

案孔子以謙讓自持、人有稱己者、遜不敢當、此章既老之後、自述十五至七十之事、必不炫耀其德、以示諸人、後儒解此章、率過高妙、恐非孔子之意也、如焦循耳順之解、乃其尤者、晩近學者、益喜高妙之說、故特舉而正之、使後進知好過高之弊、必至於此云、邢本於作于、今從皇本、

孟懿子問孝、孔安國曰、魯大夫仲孫何忌也、懿諡也、子曰、無違、樊遲御、子告之曰、孟孫問孝於我、我對曰、無違、鄭玄曰、恐孟孫不曉無違之意、將問於樊遲、故告之、樊遲、弟子樊須也、皇侃云、御、御車也、謂樊遲時爲孔子御車、樊遲曰、何謂也、子曰、生事之以禮、死葬之以禮、祭之以禮、皇侃云、孟孫三家僭濫違禮、故孔子以每事須禮爲答也、此三事爲人子之大禮、故特舉之也、朱熹云、夫子以懿子未達而不能問、恐其失指而以從親之令爲孝、故語樊遲以發之、方觀旭云、就三家葬祭非禮言之、檀弓云、三家視桓楹、葬僭禮之一端也、八佾篇三家者以雍徹、祭僭禮之一端也、惟是懿子之父仲孫貜、春秋書其卒、在昭二十四年、史記弟子傳樊遲少孔子三十歲、是貜卒時、子遲尚未生、今懿子問孝時、有樊遲御、而夫子備告以生事葬祭者、懿子或尚有母在歟、

孟武伯問孝、子曰、父母唯其疾之憂、馬融曰、武伯懿子之子仲孫彘也、武諡也、言孝子不妄爲非、唯有疾病、然後使父母憂之耳、皇侃云、言人子欲常敬愼自居、不爲非法、橫使父母憂也、若己身有疾、唯此一條、非人所及、可測尊者憂耳、唯其疾之憂也、

案父母之於子、所憂極多、少有湯火之虞、既長有淫逸之虞、子能愼其身、則父母安之、疾病之外、無復所憂、故曰、唯其疾之憂、馬說極精、

子游問孝、孔安國曰、子游弟子、姓言、名偃、子曰、今之孝者、是謂能養、至於犬馬、皆能有養、不敬何以別乎、包咸曰、犬以守禦、馬以代勞、皆養人者、一曰、人之所養、乃至於犬馬、不敬則無以別、孟子曰、食而不愛、豕

畜之也、愛而不敬、獸畜之也、毛奇齡云、今第以養爲能事、若論養、匪特子能之、即犬馬皆能之也、彼所不足者、獨敬耳、此是舊注正說、若人養犬馬、此何晏說之不可從者、或疑犬馬焉能養人、先仲氏曰、養有二義、一是飲食、一是服侍、曾子養曾晳、必有酒肉、此飲食也、若儀禮既夕禮養者皆齊、文王世子、豎言疾、則世子齊玄而養、此侍疾也、世無疾養飲食者、至檀弓事親左右就養、注作扶持、舊嘗疑之、及事君事師、亦曰就養、則未聞君就食于臣、師可往教、如近世延師供膳者、然後知養之爲奉侍、非飲食也、故鄭康成注就養有方、謂不侵官、而孔穎達引春秋欒鍼御晉侯事以明之、謂欒書帥師、雖君車陷淖、而代御救君、謂之侵官、此正釋養最親切處、

案毛說是也、若爲人養犬馬、不唯害於義、能字又不可讀焉、

子夏問孝、子曰、色難、包咸曰、色難者、謂承順父母顏色乃爲難、朱熹云、孝子之有深愛者、必有和氣、有和氣者、必有愉色、有愉色者、必有婉容、故事

親之際、惟色爲難耳、有事弟子服其勞、有酒食先生饌、馬融曰、先生謂父兄、饌飲食也、曾是以爲孝乎、馬融曰、孔子喩子夏曰、服勞先食、汝謂此爲孝乎、未足爲孝也、承順父母顏色、乃爲孝也、王弼云、問同而答異者、或攻其短、或矯其時失、或成其志、或說其行、皇侃云、禮惟呼師爲先生、謂資爲弟子、此言弟子、以對先生、則似非子弟對父兄也、而注必謂先生爲父兄者、其有二意焉、一則既云問孝、孝是事親之目、二則既釋先生爲父兄、欲寄在三事同、師親情等也、邢昺云、曾猶則也、翟灝云、曾如字者乃也、其變音讀層者經也、經是以爲孝、恐於文義不順、

案、色難、包朱二說皆通、而包注稍優、經不言子弟而云弟子、則先生謂師審矣、包爲父兄者、猶言父老、乃先生長者之稱、非謂親父親兄也、曾訓乃爲是、皇訓嘗、邢訓則、皆非也、言弟子服勞先生饌、此即弟子事先生之道而已、汝乃是以爲孝乎、前章舉犬馬養人、此章述弟子事先生之法、皆所以明今所謂孝非眞孝也、

子曰、吾與回言、終日不違如愚、孔安國曰、回弟子也、姓顏、名回、字子淵、魯人也、不違者無所怪問於孔子之言、默而識之如愚者也、翟灝云、論語集注考證曰、吾與回言終日、自集注取李氏之說、始讀爲句絕、前此儒先亦以吾與回言爲句、按李文公集荅王載言書、引子曰吾與回言、不連及下文、退而省其私、亦足以發回也、不愚、孔安國曰、察其退還與二三子說繹道義、發明大體知其不愚也、

案、此顏子始學於孔子、孔子歎其銳敏而稱之也、若孔子熟知顏子之後、必不故爲此抑揚語以讚之、或以爲論顏子終身之業、非此章之旨也、

子曰、視其所以、何晏曰、以用也、言視其所行用、皇侃云、若欲知彼人行、當先視其即日所行用之事也、觀其所由、何晏曰、由經也、言觀其所經從、皇侃云、由者經歷也、又次觀彼人從來所經歷處之故事也、察其所安、人焉廋哉、人焉廋哉、孔安國曰、廋匿也、言觀人終始、安所匿其情、皇侃云、視直視也、觀廣瞻也、察沈吟用心忖度之也、即日所用易見、故云視、而從來經歷處、此即爲難、故言觀、情性所安、最爲深隱、故云察也、

案、太戴禮文王官人篇、考其所爲、觀其所由、察其所安、集注訓以爲爲、蓋本此、義亦可通矣、王釋由爲意之所從來、則大有不然者焉、此章聖人示觀人之法、必就其所易見而教之、故古注釋以皆以行事而言之、安雖由情、然安之與不安、見於色發於辭、比之意中所思念、亦易見也、若每事欲推意之所從來、必至於逆詐憶不信、其不可也必矣、

子曰、溫故而知新、可以爲師矣、何晏曰、溫尋也、尋繹故者、又知新者、可以爲人師矣、皇侃云、溫溫燖也、劉逢祿云、故古也、六經皆述古昔、稱先王者也、知新謂通其大義、以斟酌後世之制作、漢初經師皆是也、

案、故典故故事之故、謂先王政教載簡策者、不必訓古、何訓溫爲尋、亦是溫燖之義、謂研究之、

子曰、君子不器、包咸曰、器者各周其用、至於君子、無所不施也、物茂卿云、學記曰、鼓無當於五聲、五聲弗得不和、水無當於五色、五色弗得不章、學無當於五官、五官弗得不治、師無當於五服、五服弗得不親、君子曰、大德不官、大道不器、大信不約、大時不齊、察於此四者、可以有志於本矣、不器見于此、大抵學以成器、器以性殊、故喩以切磋琢磨、故用人之道、器使之、君子者長民之德、所以用器者也、故曰、不器、器者百官也、君子者君與卿也、譬諸良醫用藥、良匠用推鑿、藥與推鑿者器也、醫匠者君子也、故知包咸所謂無所不施者非矣、

案、不器之君子、即秦誓斷斷兮無他技之人、此章主德而言之、而包以才解之、所以錯也、物說得之、

子貢問君子、子曰、先行其言而後從之、孔安國曰、疾小人多言而行之不周也、翟灝云、夢溪筆談曰、先行當爲句、其言自當後也、

案、先行句是也、其言而後從之、與而後其言從之同、古人有此倒裝法、僖公二十八年左氏傳、旣敗、王使謂之曰、大夫若入、其若申息之老何、子西、孫伯曰、得臣將死、二臣止之、曰君其將以爲戮、及連穀而死、晉侯聞之、而後喜可知也、及宣十二年、士渥濁引此事、以諫晉侯、則曰、及楚殺子玉、公喜而後可知也、史記蘇秦傳、說趙肅侯曰、天下卿相人臣及布衣之士、皆高賢君之行義、皆願奉教陳忠於前之日久矣、雖然、奉陽君妬、君而不任事、蒸字句、君而不任事、即而君不任事也、詳玩法意、亦行字句絕、自皇侃誤以言字句、後儒率皆從之、非也、

子曰、君子周而不比、孔安國曰、忠信爲周、阿黨爲比、

論語集說　卷一　十六

邢昺云、二句魯語文也、

小人比而不周、皇侃云、周是博遍之法、故謂爲忠信、比是親狎之法、故謂爲阿黨耳、若互而言、周名亦有惡、比名亦有善者、故春秋傳云、是謂比周、易卦有比、比則是輔、里仁云、君子義之與比、比則是親、雖非廣稱、文亦非惡、今此文旣言周、以對比、故以爲惡耳、

子曰、學而不思則罔、包咸曰、學而不尋思其義理、則罔然無所得也、皇侃云、學問之法、旣得其文、又宜精思其義、若唯學舊文、而不思義、則臨用行之時、罔罔然無所知也、又一通云、罔、誣罔也、言旣不精思、至於行用、乖僻、是誣罔聖人之道也、思而不學則殆、何晏曰、不學而思、終卒不得、徒使人精神疲殆也、陸德明云、殆依義當作怠、翟灝云、何晏曰徒使精神疲殆、作怠義解、物茂卿云、殆如多見闕殆之殆、

案、罔、皇侃一通是也、殆、物說得之、此就行事而言、徒學古典、而不精其義、不能臨時制宜、有以非爲是之病、是誣罔聖人之道也、若徒思其法、而不學古典、則無所監於成敗、心必危殆之、不能斷而行之、思學兼勤、始可以行聖人之道矣、何晏以殆爲怠假借字、故云疲怠、

子曰、攻乎異端、斯害也已、何晏曰、攻、治也、善道有統、故殊途而同歸、異端不同歸也、皇侃云、攻、治也、古人謂學爲治、故書史載人專經學問者、皆云治某書、治某經也、異端謂雜書也、統、本也、謂皆以善道爲本也、殊途謂詩書禮樂爲教之途不同也、同歸謂雖所明各異、而同歸於善道也、阮元云、高麗本已下有矣字、是也、

案、以攻爲攻伐、訓已爲止、見於任昉王文憲集序孫奕示兒篇、謂如孟子距楊墨、後儒多從之、然一部論語、未見有關異端之言、竊謂此異端、即子夏所謂小道、亦必有可觀者焉、故人或學之、然致遠恐泥、若旁治之、心有所分、而不能深造於聖人之道、於事又有所不達、正足以招害而已矣、子張篇子夏之言、蓋述夫子此語也、皇本已下有矣字、

論語集說　卷一　十七

子曰、由、誨汝知之乎、孔安國曰、弟子、姓仲、名由、字子路、知之爲知之、不知爲不知、是知也、皇侃云、子路有兼人性、好以不知爲知、孔子將欲敎之、故先呼其名也、

案、知子路使門人爲臣、及有民人焉、有社稷焉、何必讀書、然後爲學、有是哉子之迂也、奚其正之類、皆子路以不知爲知之事也、苟以不知爲知、不唯害於事、學又因以不進、故孔子特抑之、

子張學干祿、鄭玄曰、弟子、姓顓孫、名師、字子張、干、求也、祿、祿位也、子曰、多聞闕疑、愼言其餘、則寡尤、包咸曰、尤、過也、疑則闕之、其餘不疑、猶愼言之、則少過、多見闕殆、愼行其餘、則寡悔、包咸曰、殆、危也、所見危者、闕而不行、則少悔、言寡尤、行寡悔、祿在其中矣、鄭玄

曰、言行如此、雖不得祿、得祿之道也、翟灝云、史記弟子傳、作問干祿、
焦循云、樊遲請學稼、則孔子目爲小人、小人不求祿位者也、子張學干祿、孔子即告以得祿之道、聖人以事功爲重、故不禁人干祿、而斥夫學稼者也、
案、學猶問也、史記作問、以訓詁字易之也、聞見言行、皆互文、危殆、心以爲危殆也、尤、人以爲過也、左傳曰、尤而傚之、得祿之道也、邢本作亦同、得祿之道、同字不可讀、今從皇本、

哀公問曰、何爲則民服、包咸曰、哀公、魯君謚、孔子對曰、舉直錯諸枉、則民服、包咸曰、錯、置也、舉正直之人用之、廢置邪枉之人、則民服其上、舉枉錯諸直、則民不服、陸德明云、鄭本錯作措、朱熹云、哀公名蔣、凡君問皆稱孔子對曰、尊君也、孫繼和云、言舉直而加諸枉之上、則民服、舉枉而加諸直之上、則民不服、物茂卿云、諸之乎也、枉與曲不同、枉者材之反張者也、直者材之良者也、蓋以積材之道爲喻、積材之道、以直者置於枉者之上、則枉者爲直者壓、而皆直矣、故他日語樊遲、曰能使枉者直、直謂材之良者、故喻諸善也仁也、枉謂材之不良者、故喻諸惡也不仁也、枉直喻也、故當不拘字義、劉逢祿云、舉正直之人、措之枉曲之上、貴教化也、
案、此章參之樊遲問知之章、錯爲加置甚明、如包注、諸字不可通、非、

季康子問、使民敬忠以勸、如之何、孔安國曰、魯卿季孫肥、康謚、子曰、臨之以莊則敬、包咸曰、莊、嚴也、君臨民以嚴、則民敬其上、孝慈則忠、包咸曰、君能上孝於親、下慈於民、則民忠矣、舉善而教不能則勸、包咸曰、舉用善人、而教不能者、則民勸勉、
案、季康子問、而包以君言之者、蓋謂上之所行、民觀而化、非卿大夫所敢當、孔子欲使康子以此輔

其君、故以君言之耳、然康子執魯國之政、使之行此數事、其民未必不觀感、而其所以事君、亦正在此、故孔子以此告之、不必如包說也、中心爲忠、上孝於親、下慈於民、非盡中心之誠者不能、上既能盡中心之誠、故下化之、亦忠矣、皇本敬上勸上、俱有民字、今從邢本、

或謂孔子曰、子奚不爲政、包咸曰、或人以爲居位乃是爲政、子曰、書云、孝乎惟孝、友于兄弟、施於有政、是亦爲政也、奚其爲爲政、包咸曰、孝乎惟孝、美大孝之辭、友于兄弟、善於兄弟、施、行也、所行有政道、與爲政同、陸德明云、于、如字、一本作孝乎、奚其爲爲政也、一本無一爲字、毛奇齡云、或疑孝乎惟孝不可解、閻潛丘云、此與禮云、禮乎禮、漢語肆乎其肆、韓愈文醇乎其醇、相同、言孝之至也、故曰、美大孝之辭、
案、爲猶行也、其爲如字、孝乎惟孝、逸書也、梅賾本系惟孝以下、以入君陳篇、後儒過信之、以孝乎句非也、施、移也、孝悌之行、施及於有政、則雖家居不仕、亦是行政也、何必爲出仕行政乎、邢本亦爲政下無也字、今從皇本、白虎通、後漢書孝子傳引此文、亦有也字、

子曰、人而無信、不知其可也、孔安國曰、言人而無信、其餘終無可、大車無輗、小車無軏、其何以行之哉、包咸曰、大車、牛車、輗者、轅端橫木、以縛軛、小車、駟馬車、軏者、轅端上曲鉤衡、皇侃云、此爲無信設譬也、言人軏以得行也、若車無輗軏、則車何以得行哉、如人而無信、則何以得立哉、端頭也、古作牛車二轅、不異即時車、但轅頭安梶、與今異也、即時車梶用曲木、駕於牛脰、仍縛梶兩頭著兩轅、古時則先取一橫木、縛著兩轅頭、又別取曲木爲梶、縛著橫木、以駕牛脰也、即時一馬牽車梶猶如此也、衡、橫也、四馬之車、唯中央有一轅、轅頭曲向上、此拘駐於橫、名此曲者爲軏也、所以頭拘此橫者、轅駕四馬、故先橫一木於轅頭、而

縛軛著此橫。此橫既爲四馬所載，恐其不堅，故特置曲軛軛裏，使牽之不脫也。猶即時龍旂車轅端爲龍置橫，在龍頭上曲處也。鄭玄云，輗穿轅端著之，軏因轅端著之。邢昺云，轅從軫以前，稍曲而上，至衡則居衡之上，而轄下鉤之，衡則橫居軥下，是轅端上曲鉤衡者名軏也。

案，輗穿轅端著之者，橫穿兩轅頭，將盡處，貫輗兩端於兩轅穿中，以固之。牛車重載，恐其脫也。軏因轅端著之者，即邢疏所云，轅上曲至衡，則居衡之上，而轄下鉤之是也。小車亦有軛，軛即扼，又名烏冢，上合而下開，狀如烏開口。冢，物縛之衡，以開處扼馬頸，故名扼，與轅端鉤衡者自別。衡長六尺六寸，但容二服馬，其驂則別以靷牽之。餘皇疏大抵得之。

子張問十世可知也，孔安國曰，文質禮變。陸德明云，一本作可知乎，鄭本作可知。子曰，殷因於夏禮，所損益可知也，周因於殷禮，所損益可知也，馬融曰，所因謂三綱五常，所損

益謂文質三統。其或繼周者，雖百世亦可知也。馬融曰，物類相召，世數相生，其變有常，故可預知。皇侃云，後，假令或有繼周而王者，王王相承，至於百世，亦可逆知也。言或者，爾時周猶在，不敢指斥百代，故云其或也。邢昺云，白虎通云，三綱者何，謂君臣父子夫婦也。君爲臣綱，父爲子綱，夫爲妻綱，大者爲綱，小者爲紀，所以張理上下，整齊人道也。物茂卿云，父子相受爲一世，孔子之意，蓋謂王者受命，制作禮樂，非預知數百年之後，不能爲，是可前知之證也。殷因夏禮，周因殷禮，故知有雖萬世不異。今日殷損益夏禮，其所損益者，在夏代可前知。周損益殷禮，其所損益者，在殷代可前知。是三代聖人，建一代之法，使數百年之人守之，則其前知數百年後者審矣。若有聖人繼周而興，則今之所前知，何翅十世乎。雖百世者，請其不止十世也。

案，春秋之末，天下大亂，子張才大有意於制作一代之禮法，謂制禮法以維持後世者，非預知乎世之後不能，故欲知其所宜沿革，而周室猶存，難於發言，故問十世可知也。孔子知其意，故以殷周所損益答之。凡孔門諸子，無不切之問。其或有之，孔子不爲置對，故子路問事鬼神，得未能事人之誚，樊遲請學稼，遇我不如老農之譏。若子張徒欲知十代後之情狀，其爲不切之問大矣，宜在所不答，而孔子告之詳悉無遺，且繼周者一代而已矣，而承之云雖百代可知也，於文爲不詞，於事爲不切，故知其爲制作發也。自皇侃以世爲代，後儒皆襲其謬，獨物氏生於二千載之後，排諸說而復之，孔門之舊，其功偉矣。

子曰，非其鬼而祭之，諂也。鄭玄曰，人神曰鬼，非其祖考而祭之者，是諂求福。見義不爲，無勇也。孔安國曰，義所宜爲而不能爲，是無勇。陳櫟云，此章欲人不惑于鬼之不可知，而惟用力于人道之所宜爲。他日語樊遲曰，務民之義，敬鬼神而遠之，亦以鬼神對義而言。

八佾第三　邢昺云，前篇論爲政，爲政之善，莫善禮樂。禮以安上治民，樂以移風易俗，得之則安，失之則危，故此篇論禮樂得失也。翟灝云，皇氏侃謂此不標季氏，而以八佾名篇者，深責其惡，故書其事也。夫篇名非出自聖人，何嘗有寓褒貶意。惟第十六篇篇首又值季氏字，此因更以下二字命篇耳，其不於後避前，而前若預爲地，蓋以論纂成後，一時標識而然。

案，篇名固不出於聖人，然諸篇相次，自有微意，則此篇名八佾，亦不唯預爲十六篇之地，蓋爲政之要在禮樂，故以此篇次爲政，而八佾乃舞樂之名，故取以名篇，使讀者知治國之次第，因以與十六篇相避，是編輯者之意也。

孔子謂季氏，八佾舞於庭，是可忍也，孰不可忍也。馬融曰，孰誰也，佾列也，天子八佾，諸侯六，卿大夫四，士二，八人爲列，八八六十四人，魯以周公故受王者禮

樂有八佾之舞，季桓子僭於其家廟舞之，故孔子譏之。皇侃云：忍猶容耐也。言若此僭可忍，則天下爲惡之誰復不可忍也。邢昺云：天子八佾，諸侯六，大夫四，士二者，隱五年左傳文也。云八人爲列，八八六十四人者，杜預、何休說如此。其諸侯用六者，六六三十六人；大夫四，四四十六人；士二，二二四人。服虔以用六爲六八四十八人，大夫四爲四八三十二人，士二爲二八十六人。今以舞勢宜方，行列既減，即每行人數亦宜減，故同何杜之說。

案隱五年傳衆仲曰：夫舞所以節八音而行八風，故自八以下。若諸侯以下用六六四四之數，與八音八風自八之八總不相關。又襄十一年鄭人賂晉侯以女樂二八，則舞必用八數，當以服說爲正。或疑士不能畜樂工十六人，不知卿大夫喪祭大禮皆公有司助之。昭二十五年左傳，將禘於襄公，萬者二人，其衆萬於季氏，可見雖大夫亦不畜樂工也。忍字集注屬之季氏，則專論其心術，恐非古義。馬云：孰，誰也。蓋謂季氏此事而可容忍者，誰人所爲而有不可容忍者哉，誠爲允當。

三家者以雍徹。馬融曰：三家謂仲孫、叔孫、季孫。雍，周頌臣工篇名。天子祭於宗廟，歌之以徹祭，今三家亦作此樂。子曰：相維辟公，天子穆穆，奚取於三家之堂。包咸曰：辟公謂諸侯及二王之後，穆穆，天子之容也。雍篇歌此者，有諸侯及二王之後來助祭故也。今三家但家臣而已，何取此義而作之於堂邪。邢昺云：曲禮云：天子穆穆。爾雅云：穆穆，美也。是天子之容貌穆穆然美也。

案容也，邢本作容貌，今從皇本。皇本歌此下有曲字，今從邢本。

子曰：人而不仁，如禮何？人而不仁，如樂何？包咸曰：言人而不仁，必不能行禮樂。皇侃云：此章亦爲季氏出也。季氏僭亂王者禮樂，其既不仁，則奈此禮樂何乎。

案漢儒云：仁，相人偶也。蓋仁於文爲二人，其一己也。後己而先人，即相人偶之義也。禮主讓，樂主和，人苟先己後人，必不能讓且和，是無如禮樂何也。此章汎論，非爲季氏發，然三家潛亂，其不仁甚矣，故以置於八佾雍徹之下，亦編輯者之意也。

林放問禮之本。鄭玄曰：林放，魯人。子曰：大哉問！禮與其奢也寧儉，喪與其易也寧戚。包咸曰：易，和易也。言禮之本意，失於奢不如儉，喪失於和易不如哀戚。皇侃云：或問曰：何不答以禮本，而必言四失何也？答云：舉其四失，則知不失即其本也。其時世多失，故因舉失中之勝以誡當時也。范祖禹云：夫祭與其敬不足而禮有餘也，不若禮不足而敬有餘也；喪與其哀不足而禮有餘也，不若禮不足而哀有餘也。禮失之奢，喪失之易，皆不能反本而隨其末故也。楊時云：禮始諸飲食，故汙尊而抔飲，爲之簠簋籩豆罍爵之飾，所以文之也，則其本儉而已。喪不可以直情而徑行，爲之衰麻哭踊之數，所以節之也，則其本戚而已。周衰，世方以文滅質，而林放獨能問禮之本，故夫子大之，而告之以此。翟灝云：俞琰書齋夜話曰：易字疑是具字。檀弓云：喪具，君子恥具。具與易蓋相似也。

案易，包訓和易。和，順也。喪事順易，謂事物皆具，無闕乏之虞，則易猶具，不必改作具矣。

子曰：夷狄之有君，不如諸夏之亡也。包咸曰：諸夏，中國也。亡，無也。皇侃云：此章重中國，賤蠻夷也。言夷狄雖有君主，而不及中國無君也。故孫綽曰：諸夏有時無君，道不都喪；夷狄強者爲師，理同禽獸。

案此篇專記禮樂，而夷狄無禮樂。又經文夷狄下有之字，其賤夷狄貴中國甚明，皇說得之。諸夏猶諸侯也，時天下大亂，不復宗周，故稱中國爲諸夏耳。

季氏旅於泰山。子謂冉有曰：女不能救與？馬融曰：旅祭名也、禮、諸侯祭山川在其封內者、今陪臣祭泰山、非禮也、冉有弟子冉求、時仕季氏、救猶止也、皇侃云、鄭注周禮云、旅、非常祭也、邢昺云、周禮太宗伯職云、國有大故、則旅上帝及四望、鄭注云、故謂凶裁、旅陳也、陳其祭事以祈焉、禮不如祀之備也、對曰、不能、子曰、嗚呼、曾謂泰山不如林放乎、包咸曰、神不享非禮、林放尚知問禮、泰山之神反不如林放邪、欲誣而祭之也、

案、邢本上不能作弗能、下仍作不能、一問一答、義無輕重、不字不宜岐出、今從皇本、邢本注仕下有於字、亦從皇本、

子曰、君子無所爭、必也射乎、孔安國曰、言於射而後有爭也、揖讓而升下、而飲、王肅曰、射於堂、升及下皆

揖讓而相飲、其爭也君子、馬融曰、多筭飲少筭、君子之所爭也、皇侃云、小人之爭、必攘臂厲色、今此射雖心止不忘中、而進退合禮、更相辭讓、跪授跪受、不乖君子之容、故云其爭也君子也、邢昺云、儀禮大射云、耦進、上射在左、並行、當階、北面揖、及階揖、升堂揖、皆當其物、北面揖、及物揖、射畢、北面揖、揖如升射、是射時升降揖讓也、大射又云、飲射爵之時、勝者皆袒決遂、執張弓、不勝者皆襲說決拾、郤左手、右加弛弓于其上、遂以執弣、揖如始升射、及階、勝者先升、升堂少右、不勝者進、北面坐、取豐上之觶、立卒觶、坐奠於豐下、興、揖、不勝者先降、是飲射爵之時揖讓升降也、陸德明云、爭絕句、揖讓而升下絕句、鄭注詩賓之初筵引此、則云下而飲、翟灝云、詩箋引論語曰、下而飲、其爭也君子、正義曰、此謂飲射爵時、揖讓而升下、意取而飲與爭、故引彼文不盡耳、

子夏問曰、巧笑倩兮、美目盼兮、素以爲絢兮、何謂也、馬融曰、倩笑貌、盼動目貌、絢文貌、此上二句在衛風碩人之二章、其下一句逸也、翟灝云、字鑑曰、美目盼兮、俗作盻、非、盻胡計切、恨視也、說文引素以爲絢兮、不云逸詩、周子醇樂府拾遺曰、孔子刪詩、有刪一句者、素以爲絢是也、史繩祖學齋佔畢曰、詩經秦火之餘、逸此一句、而毛韓諸家不暇證據魯論而增入耳、子曰、繪事後素、鄭玄曰、繪畫文也、凡繪畫先布衆色、然後以素分布其間、以成其文、喻美女雖有倩盼美質、亦須禮以成之、曰、禮後乎、孔安國曰、孔子言繪事後素、子夏聞而解知以素喻禮、故曰禮後乎、皇侃云、刲逸成文、則謂之繢、畫之成文、謂之爲繪也、子曰、起予者商也、始可與言詩已矣、包咸曰、予我也、孔子言子夏能發明我意、可與共言詩、焦循云、起之義同於發、子夏起於當前、顏子發於退後、

案、碩人篇毛傳云、倩好口輔也、盼目黑白分也、與馬注相發、素以爲絢兮、謂衣服之美、敵孔子以繪事後素答之、子夏聞繪事後素之義、即知治定制禮之意、故曰、禮後乎、其敏可驚、故孔子稱之曰、起予者商也、素以爲絢兮、或以爲刪、或以爲逸、或以三句爲逸詩、竊謂爲逸詩近是、

子曰、夏禮吾能言之、杞不足徵也、殷禮吾能言之、宋不足徵也、包咸曰、徵成也、杞宋二國名、夏殷之後、夏殷之禮、吾能說之、杞宋之君、不足以成也、邢昺云、徵成、釋詁文、朱熹云、徵證也、文獻不足故也、足則吾能徵之矣、鄭玄曰、獻猶賢也、我不以禮成之者、以此二國之君文章賢才不足故也、王楙云、據禮運之杞之宋之文、知論語夏禮吾能言、殷禮吾能言、蓋當于言字下點句、之字各連下爲句、

案、中庸曰、上焉者、雖善無徵、無徵不信、不信民弗從、此言不足徵、意與中庸同、集注訓證是也、立言各有當、之字當上屬爲句、王據禮運欲言字絕句、泥矣、

子曰、禘自既灌而往者、吾不欲觀之矣、孔安國曰、禘祫之禮、爲序昭穆、故毀廟之主、及羣廟之主、皆合食於大祖、灌者酌鬱鬯、灌於大祖、以降神也、既灌之後、列尊卑、序昭穆、而魯逆祀、躋僖公、亂昭穆、故不欲觀之矣、皇侃云、列諸主在大祖廟堂、大祖之主在西壁東向、大祖之子爲昭、在大祖之東、而南向、大祖之孫爲穆、對大祖之子、而北向、以次東陳、在北者曰昭、在南者曰穆、所謂父昭子穆也、昭者明也、尊父故曰明也、穆敬也、子宜敬於父也、邢昺云、鄭玄曰、魯禮三年喪畢、而祫於大祖、明年春、禘於羣廟、自爾之後、五年而再殷祭、以遠主初始入祧、新死之主又當與先君相接、故禮因是而爲大祭、以審序昭穆、故謂之

禘、禘者諦也、言使昭穆之次、審諦而不亂也、祫者合也、文二年公羊傳曰、大祫者何、合祭也、其合祭奈何、毀廟之主、陳于大祖、未毀廟之主、皆升合食於大祖、是也、三年一祫、五年一禘、禘所以異於祫者、毀廟之主、陳於大祖、與祫同、未毀廟之主、則各就其廟而祭也、春秋文二年秋八月丁卯、大事於大廟、躋僖公、公羊傳曰、躋者何、升也、何言乎升僖公、譏、何譏爾、逆祀也、方觀旭云、禘爾疋云、大祭也、而禘之爲祭非一、三年喪畢之吉祭、大其事、則曰禘、宗廟五年殷祭、大於常祭、則亦爲禘、南郊配天之祭、又大於殷祭、則亦爲禘、虞夏禘黃帝、殷周禘嚳、又大於南郊、則亦爲禘、而時祭之夏禘、爲夏殷禮、不與焉、論語禘自既灌而往者、吾不欲觀之矣、是言宗廟殷祭也、與禮喪服小記、及大傳所云、不王不禘、王者禘其祖之所自出、以其祖配之、爲南郊祭感生之帝者、別祭感生之帝、始祖配食宗廟、殷祭始祖之上、更無自出之帝、二者確然有辨、王子雍認禮不王不禘之文、爲宗廟五年殷祭、後儒承其謬說、遂解論語之禘、爲魯祭文王於周公之廟、而以周公配之、指爲非禮、謬矣、

案、方說精確、足以雪成王伯禽之冤矣、

或問禘之說、子曰、不知也、孔安國曰、答以不知者、爲魯諱、知其說者之於天下也、其如示諸斯乎、指其掌、包咸曰、孔子謂或人言、知禘禮之說者、於天下之事、如指示掌中之物、言其易了、

案、中庸子曰、武王周公其達孝矣乎、夫孝者善繼人之志、善述人之事者也、春秋脩其祖廟、陳其宗器、設其裳衣、薦其時食、宗廟之禮、所以序昭穆也、序爵所以辨貴賤也、序事所以辨賢也、旅酬下爲上、所以逮賤也、燕毛所以序齒也、踐其位、行其禮、奏其樂、敬其所尊、愛其所親、事死如事生、事亡如事存、孝之至也、郊社之禮、所以事上帝也、宗廟之禮、所以祀乎其先也、明乎郊社之禮、禘嘗之義、治國其如示諸掌乎、即此章注脚也、示字包讀如字、朱熹訓視、示古視字、而鄭玄禮注訓寘、蓋爲同音假借也、參之孟子天下可運於掌、鄭說最長、

祭如在、孔安國曰、言事死如事生也、祭神如神在、孔安國曰、謂祭百神、子曰、吾不與祭、如不祭、包咸曰、孔子或出或病、而不自親祭、使攝者爲之、不致敬於心、與不祭同也、皇侃云、孔所以知前是祭人鬼、後是祭百神者、凡且稱其在、以對不在也、前既直云如在、故則知是人鬼、以今之不在、對昔之在也、後既云祭神如神在、再稱於神、則知神無存沒期之則在也、翟灝云、攢蝨新語、論語中有因古語而爲說者、如祭如在二句、正是古語、其子曰云云、乃孔子因之有感發爲是說也、阮元云、毛本於心誤作其心、疏文可證也、

王孫賈問曰、與其媚於奧、寧媚於竈、何謂也、孔安國曰、王孫賈、衞大夫、奧內也、以喻近臣、竈以喻執政、賈

執政者、欲使孔子求昵之、微以世俗之言感動之也、

子曰、不然、獲罪於天、無所禱也、孔安國曰、天以喻君、孔子拒之、曰如獲罪於天、無所禱於衆神、

案、奧竈譬諭、則天亦譬諭、故孔以爲喻君、且賈以執政事、以竈自譬、若以爲祀五祀之時、則竈亦無事、論不成義、孔說得之、又案賈所引之諺、與竈相韻、故孔子以無所禱荅之、亦賡其韻也、孟子梁惠王下篇、晏子引夏諺、以荅景公、下仍續以韻語、古人言語之道爲爾、但語意自然、人不覺其爲韻語焉爾、

子曰、周監於二代、郁郁乎文哉、吾從周、孔安國曰、監視也、言周文章備於二代、當從之、皇侃云、郁郁文章明著也、翟灝云、說文繫傳彧字下云、論語郁郁乎文哉、本作此彧、假借郁字、彧者川流、有文章之意、宋王彧字景文、又假借彧字、皆非本文、要須彧字爾、

案、時王之禮、天下所循守、而特言吾從周者、亦述制作取舍之意、非今日所行也、

論語集說　卷一　二十八

子入大廟、包咸曰、大廟、周公廟、孔子仕魯、魯祭周公、而助祭也、**每事問、或曰、孰謂鄹人之子知禮乎、入大廟、每事問、**孔安國曰、鄹孔子父叔梁紇所治邑、時人多言孔子知禮、或人以爲知禮者不當復問、皇侃云、大廟中事及物、孔子每事輒問於廟中令長也、物茂卿云、鄹人之子、輕孔子之辭、**子聞之曰、是禮也、**孔安國曰、雖知之、當復問、愼之至也、朱熹云、此蓋孔子始仕之時、入而助祭也、物茂卿云、入大廟、每事問、古必有此禮、故孔子曰、是禮也、

案、凡始仕執事、當每事問之、恐其有錯謬也、故古有此禮、不獨助祭也、

子曰、射不主皮、馬融曰、射有五善焉、一曰和志、體和也、二曰和容、有容儀也、三曰主皮、能中質也、四曰和頌、合雅頌也、五曰興武、與舞同、天子三侯、以熊虎豹皮爲之、言射者不但以中皮爲善、亦兼取和容也、邢昺云、此注二曰和容、衍和字、五曰興武、武當爲舞、聲之誤也、云天子三侯、以熊虎豹皮爲之者、周禮天官司裘職云、王大射、則共虎侯熊侯豹侯、設其鵠、諸侯則共熊侯豹侯、卿大夫則共麋侯、皆設其鵠、注云、侯者其所射也、以虎熊豹麋之皮、飾其側、又方制之以爲𩏑、謂之鵠、著於侯中、所謂皮侯、物茂卿云、鄉射記曰、禮射不主皮、主皮之射者、勝者又射、不勝者降、鄭玄曰、禮射、謂以禮樂射也、大射賓射燕射是矣、不主皮者、貴其容體比於禮、其節比於樂、不待中爲雋也、言不勝者降、則不復升射也、主皮者無侯、張獸皮而射之、主於獲也、尚書傳曰、戰鬭不可不習、故於蒐狩以閑之也、閑之者貫之也、貫之者習之也、凡祭取餘獲陳於澤、然後卿大夫相與射也、中者雖不中也取、不中者雖中也不取、何以然、所以貴揖讓之取、而賤勇力之取、鄕之取也於囿中、勇力之取也、今之取也於澤宮、揖讓之取也、澤習禮之處、非所以行禮、其射又主中、此主皮之射與、朱子能引此、而失其義、蓋疑爲力之爲力役、遂以主皮爲貫革耳、凡言革者、如衽金革及兵革、皆謂甲冑、故貫革者、謂其力穿甲札、

論語集說　卷一　二十九

爲力不同科、古之道也、馬融曰、爲力、力役之事、亦有上中下、設三科焉、故曰、不同科、皇侃云、科、品也、古者役使人、隨其強弱爲科品、使之有上中下三等、周末則一槪使之、無復強弱三科、與古爲異、揚時云、言古之道、所以正今之失、物茂卿云、周禮地官鄕大夫之職、各掌其鄕之政教禁令、正月之吉、受教法於司徒、退而頒之于其鄕吏、使各以教其所治、以攷其德行、察其道藝、以歲時登其夫家之衆寡、辨其可任者、國中自七尺以及六十、野自六尺以及六十有五、皆征之、其舍者、國中貴者賢者能者、服公事者、老者疾者、皆舍、以歲時入其書、三年則大比、攷其德行道藝、而興賢者能者、鄕老及鄕大

夫帥其吏與其衆寡、以禮禮之、厥明、鄉老及鄉大夫
羣吏、獻賢能之書于王、王再拜受之、登于天府、内史
貳之、退而以鄉射之禮五物詢衆庶、一曰和、二曰容、
三曰主皮、四曰和容、五曰興舞、此謂使民興賢、出使
長之、使民興能、入使治之、此馬融
所本、力役與禮射相關者如此矣、
子貢欲去告朔之餼羊、鄭玄曰、牲生曰餼、禮、人君每
月告朔於廟、有祭、謂之朝享、魯自文公始不視朔、子
貢見其禮廢、故欲去其羊、皇侃云、鄭注詩云、熟曰饔
腥曰餼、生曰牽、而鄭今云
牲生曰餼者、當腥與生是通名也、然必是腥送、何以
知然者、猶生養、則子貢何以愛乎、政是殺而腥送、故
賜愛之也、邢昺云、春秋文公六年、經云閏月不告朔、
猶朝于廟、物茂卿云、周禮大史職、頒告朔于邦國、鄭
玄云、天子頒朔于諸侯、諸侯藏之
祖廟、至朔朝于廟、告而受行之、子曰、賜也、汝愛其
羊、我愛其禮、包咸曰、羊存、猶以識其禮、羊亡、禮遂廢、

論語集說　卷一　三十

案、汝、邢本作爾、今
從唐石經及皇本、
子曰、事君盡禮、人以爲諂也、孔安國曰、時事君者多
無禮、故以有禮者爲諂、物茂卿云、孔子未嘗仕佗國、
唯魯衛、則此章之言、爲魯發
矣、三家強、而公室弱、人皆附三家、而輕公室、背以爲
常、故以孔子爲諂者有之、而孔子違俗、而必盡其禮、
亦所以張公
室抑三家也、
案、上章下章、皆魯國之事、則此章所論、亦必魯事
也、凡章旨不明者、編輯者輒以章次明之、讀論語
者以此求之、思過
半矣、物說誠是、
定公問、君使臣、臣事君、如之何、孔安國曰、定公魯君
謚、時臣失禮、定公患之、故問之、孔子對曰、君使臣以
禮、臣事君以禮、

案、祿去公室、三家擅權、急爲之、則亂、棄而不爲、則
亡、國勢至此、唯禮可以裁之、君既使臣以禮、權臣
知所畏焉、自不能不事君以忠、孔子直告君使臣、
臣事君之道、而運用之妙、有如此者、所以爲聖人
之言也、晏平仲答齊景公、以抑陳氏之
術、亦曰、唯禮可以已之、深得此意矣、
子曰、關雎樂而不淫、哀而不傷、孔安國曰、樂不至淫、
哀不至傷、言其和也、皇侃云、李充曰、關雎之興、樂得
淑女以配君子、憂在進賢、不淫
其色、是樂而不淫也、哀窈窕、思賢
才、而無傷善之心、是哀而不傷也、
案、孔云、言其和也、是以音言之、是也、李充襲毛詩
序釋之、則專主乎詞矣、然樂主歌、歌至、音亦從而
至、和之至也、
李說亦是、
哀公問社於宰我、宰我對曰、夏后氏以松、殷人以柏、
周人以栗、曰使民戰栗、孔安國曰、凡建邦立社、各以

論語集說　卷一　三十一

其土所宜之木、宰我不本其意、妄爲之說、因周用栗、
便云使民戰栗、皇侃云、鄭論李云、問主也、夏稱后氏、
殷周稱人者、白虎通曰、夏以揖讓受
禪、爲君、故褒之稱后、后、君也、又重其世、故氏係之也、
殷周以干戈取天下、故貶稱人也、白虎通又云、夏得
禪授、是君與之、故稱后也、殷周從人民之心、而伐取
之、是因人得之、故曰人也、夏居河東、河東宜松、殷居
亳、亳宜柏、周居酆鎬、酆鎬宜栗也、宰我見哀公失德、
民不畏服、無戰栗悚敬之心、今欲微諷哀公、使改德
脩行、故因於答、三代木竟、而又矯周樹用栗之義也、
言周人所以用栗、謂種栗而欲使民戰栗故也、陸德
明云、社如字、鄭本作主、云主田主、謂社也、邢昺云、張
包周本、以爲哀公問主於宰我、先儒或以爲宗廟主
者、杜元凱何休用之以解春秋、翟灝云、孔氏曰、凡建
邦立社、各以其土所宜之木、蓋即以樹木爲社主、而
社爲國社也、孔所注者、古文論語、故公羊疏獨謂古
論爲社、而當時齊魯二論、似亦未與古異、惟周禮大
司徒、有樹之田主、各以其野所宜木、文、鄭據論語注
之、曰所宜木、謂若松柏栗、社與田主、嫌未脗合、鄭乃

更參改此社字爲主、而何氏杜氏遂因其改文、轉說以爲宗廟主、釋文但言鄭本作主、不言其因某讀、又述鄭以齊古讀正魯論、凡五十事、而問主一事、不預數中、則此字爲鄭氏叔改甚彰明也、然以爲田主、已與下使民戰栗語牴牾、以爲宗廟主、違距若尤遠矣、劉氏就規杜過、良非無因、惜其所規之辭、今不可詳也、錢大昕云、周禮小宗伯、大師帥有司、而立軍社、奉主車、社之有主明矣、或曰、周禮載社主之說、朱子嘗與賀孫論之、云古人多用主命、如出行大軍、則用絹帛就廟社請神以往、如今之魂帛、社只是壇、若有造主、何所藏之、曰古者師行、必以遷廟主行、無遷主乃有主命、主命非常例也、宗廟如此、社主可知、社雖壇而不屋、壇旁別有藏主石室、何爲不可乎、**子聞之曰、成事不說、**包咸曰、事已成、不可復解說、**遂事不諫、**包咸曰、事已遂、不可復諫止、**既往不咎、**包咸曰、事已往、不可復追咎、孔子非宰我、故歷言此三者、欲使愼其後、皇侃云、師說云、成事自初成之時、遂是其事既行之日、既往、指其事已過之後也、事初成、不可解說、事正行、不可諫止、事已過、不可追咎、也、先後相配、各有旨也、焦循云、解字明說字、說讀若脫、解脫、脫與諫止互明、事已成、已遂、故不可諫止、即不可解脫、方觀旭云、案斯時哀公與三桓有惡、觀左氏記公出遜之前、遊於陵阪、遇武伯、曰余及死乎、至於三問、是其杌揑不安、欲去三桓之心、已非一日、則此社主之問、與宰我之對、君臣容語、隱衷可想、又社陰氣主殺、甘誓云、不用命、戮于社、大司寇云、大軍旅、莅戮于社、是宰我因社主之義、而起哀公威民之心、本非臆見附會、夫子責之、曰成事不說、遂事不諫、云成事遂事、必指一事、而主緣哀公與宰我、倶作隱語、謀未發洩、故亦不顯言耳、其對立社之旨、本有依據、是以夫子置社主不論、但指其事以責之、蓋已知公將不沒於魯也、

案、夏時諸侯以上稱后、而夏爲天子、故尊稱夏后氏、稱謂已定、後世因而不改、殷周稱人、乃其常耳、非有褒貶及君與人從之意也、社有主、尚書周禮可證、且祭祀必有主、以寓誠敬、社若無主、將徒祭其壇乎、殊非制禮之意、錢謂壇旁置石室以藏主、尤爲達論、尚書逸篇、有大社惟松、東社惟柏、南社惟梓、西社惟栗、北社惟槐之文、見於白虎通社稷篇、周禮大司徒職云、樹之田主、各以其野所宜木、以名其野與田、則古有植木爲田主之事、以其同主地、尚書亦謂之社、與此主別、木爲之者自別、後儒不察焉、遂混而一之、而大社無主之說起、此不可不正矣、春秋雖亂、周禮未全亡、哀公豈不知社主用栗哉、而問之宰我者、其意蓋有在焉、宰我知之、故歷擧三代所用木、因釋周人用栗之義、以答其意、方以爲隱語得之、但以成事遂事、爲別指則未是、蓋孔子恐宰我之言、啓哀公誅三桓之心、以速其亡、故歷言三者以責之耳、後公果欲以越伐魯而去三桓、竟卒於越、

子曰、管仲之器小哉、何晏曰、言其器量小也、皇侃云、器者謂管仲識量也、孫綽云、功有餘而德不足、以道觀之、得不曰小乎、**或曰、管仲儉乎、**包咸曰、或人見孔子小之、以爲謂之大儉、**曰、管氏有三歸、官事不攝、焉得儉、**包咸曰、三歸娶三姓女、婦人謂嫁曰歸、攝猶兼也、禮、國君事大、官各有人、大夫兼幷、今管仲家臣備職、非爲儉、毛奇齡云、禮、諸侯娶三姓女、大夫娶一姓女、如春秋僖二十年西宮災、公羊傳引魯子曰、魯有西宮、以諸侯有三宮也、而何休注、三宮者謂諸侯娶三國女、是時僖公爲齊所脅、以齊媵爲適、而廢楚女于西宮、故云、則是三娶者國君之禮、楚以舊集解疏義亦云、禮大夫雖有妾媵、然適妻則祇娶一姓、今管仲娶三姓女、故曰三歸、其說甚明、故國策則明云、管仲爲三歸之家、漢公孫弘云、管仲相齊桓、娶三歸、而班氏食貨志直云、在陪臣而娶三歸、曰家、曰娶、則斷是娶女、不是築臺審矣、劉向說苑談述仲事、因談解國策所致、按國策、周文君免工師籍、相呂倉、而國人不悅、因曰、宋君奪民時以爲臺、而民非之、無忠臣以掩蓋之也、子罕釋相爲司空、民非子罕、而善其君、齊桓公宮中女市女閭七百、國人非之、管仲故爲三歸之家、以掩桓公非自傷於民也、國策此說謂管仲子罕同一掩蓋君

非之事、故相連引及、非謂宋君築臺、管仲亦築臺也、
宋君之非、在築臺、故子罕以扑築掩之、齊桓之非、在
女市女閭之多、則管仲以三娶掩之、其掩蓋君非、則
一、而築臺娶女、截然兩分、此最明了者、劉向見兩事
並引、且兩事皆掩蓋之事、而三歸之上、不立娶字、遂
疑爲一類、而涸齊于宋、涸仲于罕、涸娶女于築臺、且
公然改三歸之家家字爲臺字、而不顧、則試思齊桓
之非在多女、而仲以築臺掩之、是遮甲而障乙也、可
乎、
然則管仲知禮乎、包咸曰、或人以儉問、故荅以安
得儉、或人聞不儉、便謂爲得禮、**曰邦君樹塞門、管氏**
亦樹塞門、邦君爲兩君之好、有反坫、管氏亦有反坫、
鄭玄曰、反坫反爵之坫、在兩楹之間、人君別內外、於
門樹屛以蔽之、若與鄰國爲好會、其獻酢之禮、更酌
酌畢、則各反爵於坫上、今管仲皆僭爲之、如是是不

知禮、皇侃云、樹塞門、謂立屛以障隔門、別內外、天子
尊遠、故外屛於路門之外、爲之、諸侯尊近、故內
屛、於內門之內、爲之、今黃閣扳障是也、卿大夫以簾
士以帷、又並不得施之門、正當在庭階之處耳、坫者
築土爲之、形如土堆、在兩楹之間、飲酒行獻酬之禮
更酌、酌畢、則各反其酒爵於坫上、故謂此堆爲反坫、
媵與夫人、與大國宜同姓、今雖三國、正應一姓、而云
三姓者、當是誤也、邢昺云、屛謂之樹、樹物茂卿云、曰邦
君爲兩君之好、則有反坫、則可移而
徹之、爲兩君之好則設之、否則徹之、**管氏而知禮、孰**
不知禮、
案、孔子小管仲之器、而不言其所以小、是以學者
紛然言其所以小之、按孟子公孫丑篇、公孫丑問
曰、夫子當路於齊、管仲晏子之功、可復許乎、孟子
曰、子誠齊人也、知管仲晏子而已矣、或問乎曾西
曰、吾子與子路孰賢、曾西蹵然曰、吾先子之所畏
也、曰然則吾子與管仲孰賢、曾西艴然不悅、曰爾
何曾比予於管仲、管仲得君、如彼其專也、行乎國
政、如彼其久也、功烈、如彼其卑也、爾何曾比予於
是、曰管仲曾西之所不爲也、而子爲我願之乎、曰
管仲以其君霸、晏子以其君顯、管仲晏子、猶不足
爲與、曰以齊王、由反手也、孟子迺[illegible]孔子、而其言
如此、孔子亦嘗云、如有用我者、我其爲東周與、然
則其小管仲之意可以見矣、但周室雖衰、天命未
革、故不言所以小之耳、公羊傳曰、一有一無曰有、
經曰、爲兩君之好、則有反坫、則平常無之可知
矣、物又引說文及諸書、以坫爲廟飾屛類、不取、
子語魯大師樂曰、樂其可知也、始作翕如也、何晏曰、
大師樂官名、五音始奏、翕如盛、**從之純如也、**何晏曰、
從讀曰縱、言五音既發、放縱盡其音聲、純純和諧也、
皦如也、何晏曰、言其音節明也、**繹如也、以成、**何晏曰、
縱之以純如、皦如繹如、言樂始作翕如、而成於三、邢昺
云、繹如也者、言其音絡繹然、相續不絕也、

案、翕如衆音並作而盛也、純如聲和如一也、皦如
不相奪倫也、以成、讀如簫韶九成之成、皇本知也
下有已
字、似長、
儀封人請見、鄭玄曰、儀蓋衛邑、封人官名、邢昺云、以左傳衛侯
入於夷儀、疑與此是一、故云蓋衛邑也、周禮封人掌
爲畿封而樹之、鄭玄云、畿上有封、若今時界也、天子
封人職掌封疆、則知諸侯封人亦然也、左傳言
穎谷封人、祭仲足爲祭封人、宋高哀爲蕭封人、**曰君**
子之至於斯也、吾未嘗不得見也、從者見之、包咸曰、
從者、弟子隨孔子行者、通使得見、皇侃云、此封人請見、見之辭也、既欲見
孔子、而恐諸弟子嫌我微賤、不肯爲通、問
故引我恒例、以語諸弟子、使爲我通也、**出曰、二三**
子何患於喪乎、天下之無道也久矣、孔安國曰、語諸
弟子言、何患於夫子聖德之將喪亡邪、天下之無道

已久矣、極衰必盛、邢昺云、儀封人請既見夫子出門、乃語諸弟子、翟灝云、劉敞七經小傳曰、喪讀如問喪之喪、失位爲喪、是時仲尼去大夫、故云喪也、**天將以夫子爲木鐸、**

孔安國曰、木鐸施政教時所振也、言天將命孔子制作法度以號令於天下、皇侃云、鐸以銅鐵爲之、若行文教則用木爲舌、謂之木鐸、若行武教則用銅鐵爲舌、朱熹云、或曰木鐸所以徇于道路、言天使夫子失位、周流四方、以行其教、如木鐸之徇于道路也、

案劉以喪爲失位是也、木鐸譬其施文教、不必言周流四方也、

子謂韶盡美矣、又盡善也、孔安國曰、韶舜樂名、謂以聖德受禪、故盡善、錢大昕云、漢書董仲舒傳引孔子曰、韶盡美矣、又盡善矣、又引武盡美矣、未盡善也、上矣下也、語意不同、當是論語古本、今漢書亦改作也、唯宋景祐本是矣字、西漢策要與景祐本同、

謂武盡美矣、未盡善也、孔安國曰、武武王樂也、以征伐取天下、故未盡善、焦循云、武王未受命、未及制禮作樂、以致太平、不能不有待於後人、故云未盡善、善德之建也、周公成文武之德、即成此未盡善之德也、孔說較量於受禪征伐、非是、

案孔釋善而不釋美、邢謂其聲及舞極盡其美、孔意亦當然、董仲舒策作又盡美矣、於文義爲長、但今本久行於世、不敢訂正、焦說極精、後儒皆惑於孔注、遂至有敝孔子黜武王之說者、而焦能正之、二千年之後、其功偉矣、

子曰、居上不寬、爲禮不敬、臨喪不哀、吾何以觀之哉、

皇侃云、爲君居上者、寬以得衆、而當時居上者不寬也、又禮以敬爲主、而當時行禮者不敬也、又臨喪以哀爲主、而當時臨喪者不哀、此三條之事、並爲乖禮、故孔子所不欲觀、

案此章蓋有爲而言之、然今不可考、

論語集說卷一終

論語集說卷二

日南　安井衡　著

里仁第四

案、人而不仁、禮樂不爲之用、故以次八佾也、

子曰、里仁爲美、鄭玄曰、里者民之所居、居仁者之里、是爲美、擇不處仁、焉得知、鄭玄曰、求居而不處仁者之里、不得爲有知、皇侃云、沈居士曰、言所居之里、尚不處仁道、安得智乎、翟灝云、張衡思玄賦文選注、後漢書張衡傳注引論語、皆擇作宅、劉璠梁典署宅歸仁里、亦用宅字、葉夢得論語釋言曰、以擇爲宅、則里猶宅也、蓋古文云然、今以宅爲擇、而謂里爲所居、乃鄭氏訓解、而何晏從之、當以古文爲正、物茂卿云、里訓居、孟子引此章之言曰、夫仁、天之尊爵也、人之安宅也、又曰、居仁由義、又曰、居天下之廣居、數言而不已、蓋本於此、趙岐注孟子曰、里、居也、可謂善解孟子者已、荀子曰、仁有里、義有門、仁非其里而虛之、非禮也、義非其門而由之、非義也、注虛讀爲居、聲之誤也、

案、毛詩鄭風將仲子篇、無踰我里、傳云、里、居也、是里訓居、不啻於趙岐、其爲古訓可知矣、然參之孟荀、謂身所處爲里、與居字差別、孟又謂所由爲路、荀則爲門、皆與里及宅相對爲文、其義益明、自鄭訓里爲閭里之里、後儒皆從之、物能闢之千載之後、其見卓矣、然猶疑里處異文、遂以里仁爲美爲古語、蓋未達此義也、葉以古文作宅爲正、然孟子引此章、亦作擇不處仁、則其說非也、鄭注民字、邢本作仁、蓋唐人諱民、改爲人字、遂譌爲仁耳、今從皇本、

子曰、不仁者不可以久處約、孔安國曰、久困則爲非、皇侃云、約猶貧困也、不可以長處樂、孔安國曰、必驕溢、皇侃云、樂富貴也、仁者安仁、包咸曰、惟性仁者、自然體之、故謂安仁、知者利仁、王肅曰、知仁爲美、故利而行之、伊藤源佐云、仁者之於仁、猶身之安衣、足之安履、須臾離焉、則不能樂、是之謂安、知者之於仁、猶病者之利藥、疲者之利車、雖不能常與此相安、然深知其爲美而不捨、是之謂利、

案、安仁、猶屨適忘足也、利仁、猶牽車服賈也、

子曰、唯仁者能好人、能惡人、孔安國曰、唯仁者能審人之所好惡、物茂卿云、大學曰、民之所好好之、民之所惡惡之、此之謂民之父母、是也、

案、舜選於衆、舉皐陶、不仁者遠矣、是能好人也、唯仁人放流之、迸諸四海、不與同中國、是能惡人也、雖無其位、苟以是心好惡人、亦仁者之事也、

子曰、苟志於仁矣、無惡也、孔安國曰、苟、誠也、言誠能志於仁、則其餘終無惡、楊時云、苟志於仁、未必無過舉也、然爲惡則無矣、物茂卿云、誠字爲誠實之解、非也、孔曰誠、能審其爲助字矣、

子曰、富與貴、是人之所欲也、不以其道得之、不處也、孔安國曰、不以其道得富貴、則仁者不處也、貧與賤、是人之所惡也、不以其道得之、不去也、何晏曰、時有否泰、故君子履道、而反貧賤、此則不以其道得之、雖是人之所惡、不可違而去之、王若虛云、貧與賤下、當云以其道得之、不字非衍、即誤也、若夷齊求仁、雖至餓死、而不辭、非以其道得貧賤、而不去乎、夫生而富貴、不必言不處、生而貧賤、亦安得去、此所云者、蓋儻來而可以避就者耳、故有以道不以道之辨焉、物茂卿云、得富貴之道、即仁也、得貧賤之道、即不仁也、不仁而得富貴、是不以其道也、仁而得貧賤、是不以其道也、君子去仁、惡乎成名、孔安國曰、惡乎成名者、不得成名爲君

子、皇侃云、此更明不可去正道以求富貴也、惡乎猶於何也、君子無終食之間違
仁、造次必於是、顛沛必於是、馬融曰、造次急遽、顛沛
偃仆、雖急遽偃仆不違仁、邢昺云、造次猶言草次、鄭玄云、倉卒也、皆迫促不暇
之意、故云、急遽、說文云、偃僵也、仆頫也、則偃是仰倒也、仆是踣倒也、
案、其道二字、緊承上文富貴貧賤、而君子以下、極言求仁之意、孟子亦曰、仁則榮、不仁則辱、則物以
得富貴之道爲仁、得貧賤之道爲不仁、是也、王以
不字爲衍、未達此義耳、但謂此所云富貴貧賤、指
儻來可避就者、非生有者、詳味經文不得二字、其
說洵是、但古者諸侯象賢、大夫以下、無生貴者、富
謂祿、貴謂位、所以必言不得、此亦不可不知焉、或
疑富貴不處、有志者皆可能行、至於貧賤、有命在
天、雖以其道得之、安能去之、曰得貧賤之道、不仁
是也、不仁而得貧賤、辱莫大焉、安得不務行仁義
而去之哉、既務行仁義、仍不得去貧賤、是不以其
道得之也、故貧賤不去、謂勉行仁、非謂不以其道
得之去、而求富貴也、又案沛下貌、故雨之降於天、水之就於卑、皆曰沛然、詩云、顛沛惟難、義與此章同、故馬訓偃仆、

論語集解卷二　三十

子曰、我未見好仁者惡不仁者、好仁者無以尚之、孔
安國曰、難復加也、李充云、所好惟仁、無以尚之也、邢昺云、言性好仁者、爲德之最上、他行無以
更加之、惡不仁者、其爲仁矣、不使不仁者加乎其身、
孔安國曰、言惡不仁者、能使不仁者不加非義於己、
不如好仁者無以尚之爲優、邢昺云、言能疾惡不仁者、亦得爲仁、但其行少
劣、故曰、其所爲仁矣也、惟能不使不仁者加乎非義
於己身也、物茂卿云、表記曰、無欲而行仁者、無畏而
惡不仁者、天下一人而已矣、此上等之資質、其於仁
也、皆不假用力能爲之、上章仁者安仁、知者利仁、成
德之人也、此以好惡言之、乃性質之異、其爲仁矣、言其必能爲仁也、有能一日用其力
於仁矣乎、我未見力不足者、孔安國曰、言人無能一
日用其力脩仁者耳、我未見欲爲仁而力不足者、蓋
有之矣、我未之見也、孔安國曰、謙不欲盡誣時人言
不能爲仁、故云、爲能有爾、我未之見也、皇侃云、孔子
恐爲頓誣於世、故追解之云、世中蓋亦當有一日行
仁者、特是自未嘗聞見耳、朱熹云、蓋疑詞、有之、謂有
用力而力不足者、
案、無以尚、邢疏得之、孔以蓋有之、爲有一日用力
於仁之人、朱則兼我未見力不足者、據下句我未
之見、集注似長、皇本之矣作之
乎、注爲能下有仁字、爾作耳、
子曰、民之過也、各於其黨、觀過斯知仁矣、孔安國曰、
黨黨類、小人不能爲君子之行、非小人之過、當恕而

論語集解卷二　四

勿責之、觀過使賢愚各當其所、則爲仁矣、皇侃云、人之有失、各
有黨類、小人不能爲君子之行、則非小人之失也、猶
如耕夫不能耕、乃是其失、若不能書、則非耕夫之失
也、若觀人之過、能隨類而責、不求備一人、則知此觀
過之人、有仁心人也、殷仲堪解少異於此、殷曰、言人
之過失、各由於性類之不同、直者以解邪爲義、失在
於寡恕、仁者以惻隱爲誠、過在於容非、是以與仁同
過、其仁可知、觀過之義、將在於斯者、焦循云、皇疏作
民之過也、與注小人爲合、觀讀如觀其所由之觀、但
見其過、而摭加責焉、非仁也、諦視而察之、則知仁術
矣、各於其黨、即是觀過之法、此爲蒞民者示也、皇侃
云、猶如耕夫不能耕乃是其失、若不能書、則非耕夫
之過也、此說黨字義最明、後漢吳祐傳、以掾私賦民
錢、市衣進父、爲觀過知仁、是以賦錢之過爲仁、異乎
孔注、漢書外戚傳、燕王旦爲丁外人求侯上書、稱子
路妹喪、期而不除、孔子非之、子路曰、由不幸寡兄弟、
不忍除之、故曰、觀過知仁、是當時有此一說、然以蓋
主而侯外人、豈得爲仁、子路親愛其姊、偶愆於禮、夫
子裁之、即時改正、且以此爲觀過知仁、擬非其倫矣、

吳祐所稱、孫性之事、尤足長詐而敝俗、遂因有安丘男子因毋殺人之事矣、孔氏之訓精善、吳祐之見、乖乎聖人、

案、民之有過、不輒罪之、徐觀察其所由、斯知其人爲仁者矣、經注之意當如此、孟子曰、仁之實事親是也、祐意蓋出於此、殷仲堪引表記與仁同過、然後其仁可知、以證此章、然與仁同過者、百不過一二、以此爲知仁之術、險亦甚矣、竟不如孔注精也、邢本民作人、沿唐本避諱耳、今從皇本、

子曰、朝聞道、夕死可矣、何晏曰、言將至死不聞世之有道、朱熹云、道者事物當然之理、苟得聞之、則生順死安、無復遺恨矣、朝夕所以甚言其時之近、物茂卿云、道者先王之道也、子貢曰、文武之道未墜於地、在人、謂孔子之時也、孔子所至訪求、汲汲乎弗已、恐其墜於地也、夕死可矣、孔子自言其求道之心、如是其甚也、翟灝云、漢石經矣作也、

案、經單言道、而古注云有道、礙於文矣、且此章在民之過與士志於道之間、則朱注爲是、但以道爲事物當然之理、乃其家言、非古義也、物說得之、石經矣作也、似長、

子曰、士志於道、而恥惡衣惡食者、未足與議也、

子曰、君子之於天下也、無適也、無莫也、義之與比、何晏曰、言君子之於天下、無適無莫、無所貪慕也、唯義之所在也、范甯云、適莫猶厚薄也、比親也、君子與人無有偏頗厚薄、唯仁義是親也、物茂卿云、華嚴慧苑音義引蜀志諸葛亮曰、事以覆賺易奪爲敓、無適無莫爲平、人情苦親親而疎疎、故適莫之道廢也、漢書注曰、適主也、爾雅曰、莫定也、謂普於一切無偏主親、無偏定疏、澄觀疏曰、無主定於親疏、無量壽經慧苑義疏曰、無適之親、無莫之疏、環與連義述文贊曰、適親也、莫疏也、乃知適莫爲親疎者、古來相傳之說、而邢昺本諸、袪適莫無親疎之義、慧苑引漢書爾雅爲解者、乃論語之意也、毛奇齡云、適者厚也親也、莫者薄也漠然也、比者密也和也、當情爲和、過情爲密、此皆字義之有據者、若曰君子之于天下、何厚何薄、何親何疎、惟義之所在、與相比焉、後漢劉梁著和同論有云、有愛而爲善、有惡而爲美、君子之于天下、無適無莫、直以適莫主愛惡言、若李燮傳、稱燮拜議郎、所交皆舍短取長、成人之美、其時潁川甄邵彪荀爽、雖俱知名、而不相能、燮並交二人、情無適莫、直以無適莫言燮之用情、無厚薄處、則是漢魏解經、先後一轍、不惟論說、兼見行事、

案、適、主也、學而篇主忠信、鄭云主親也、意之所主必親、必厚、皆引伸之義也、莫定也、定靜也、意之所薄、靜而不動、故范甯以爲猶厚薄、厚薄即親疏也、物毛所引證皆不出此義、但諸家主人而言之、獨物以爲語去就之義、果如諸家說、經當云君子之於人也、詳味於天下三字、物說得之、何云無所貪慕、適亦訓主、讀莫爲慕、專以就言之、非也、邢本無何注、今從皇本、

子曰、君子懷德、孔安國曰、懷安也、小人懷土、孔安國曰、重遷、君子懷刑、孔安國曰、安於法、小人懷惠、包咸曰、惠恩惠、

李充云、君導之以德、則民安其居、而樂其俗、鄰國相望而不相與往來、化之至也、齊之以刑、則民懷惠利矣、夫以刑制物者、刑勝則民離、以利望上者、利極則生叛也、物茂卿云、君子小人以位言、懷者思而弗措也、如有安懷之懷、翟灝云、說文刑罰皋也、國之刑罰也、从井刀、以刀守井、刜其情也、論衡四諱篇亦云、刑之字、井與刀也、字義與刑有別、經典相承借用、學齋佔畢、懷刑、乃懷思典刑而則傚之、字形既失、略論遂緣之起矣、

案、刑刑借用既久、此章當以訓罰罪爲正、章意則李物二說盡之矣、

子曰、放於利而行、孔安國曰、放依也、每事依利而行、多怨、孔安國曰、取怨之道、程頤云、欲利於己、必害於人、故多怨、

子曰、能以禮讓爲國乎、何有、何晏曰、何有者言不難、不能以禮讓爲國、如禮何、包咸曰、如禮何者、言不能

用禮、江熙云、范宣子讓、其下皆讓之、人懷讓心、則治國易也、不能以禮讓、則下有爭心、錐刀之末、將盡爭之、唯利是恤、何遑言禮也、

案、讓者禮之實也、能行禮、故曰禮讓、苟不讓、則禮虛文而已、安能用以治國、故曰如禮何、

子曰、不患無位、患所以立、不患莫己知、求爲可知也、包咸曰、求善道而學行之、則人知己、皇侃云、言何患無位、但患己才闇、無德以處立於位耳、

子曰、參乎、吾道一以貫之、曾子曰、唯、孔安國曰、直曉不問、故荅曰唯、皇侃云、貫猶紲也、譬如以繩穿物、有貫紲也、唯猶今應爾也、邢昺云、言我所行之道、唯用一理、以紲天下萬事之理也、子出、門人問曰、何謂也、曾子曰、夫子之道、忠恕而已矣、皇侃云、當是孔子往曾子處、得曾子荅、得竟、後而孔子出戶去、門人、曾子弟子也、忠謂盡中心也、恕謂忖我以度於人也、言孔子之道、更無他法、故用忠恕之心、以己測物、則萬物之理、皆可窮驗也、邢昺云、言夫子之道、唯以忠恕一理、以紲天下萬事之理、更無他法、故云而已矣、

案、夫子之道、忠恕而已矣、本不待解、故孔鄭諸儒不注、後儒疑忠恕是二、不可言一、且嫌其淺、謂孔子所云一者、必別有深意、於是朱晦庵以爲理、伊藤仁齋以爲誠、物徂徠以爲仁、遂謂曾子難言一貫之義、姑舉行之之法、以告門人、然曾子明言忠恕、以示一貫之義、則所云一者、即忠恕也、忠恕雖二、本是一類、盡己而忖人、同施於接物之間、故可合稱一、中庸曰、忠恕違道不遠、子貢問一言而終身可行者、孔子曰、其恕乎、孟子亦曰、強恕而行、求仁莫近焉、聖賢貴忠恕如此、安得嫌其淺哉、且言理言誠言仁、與言忠恕、有何難易、而曾子捨夫子言一之義、姑舉其近似者、以告門人、恐又非聖賢相教誨之道也、

子曰、君子喻於義、小人喻於利、孔安國曰、喻猶曉也、

案、均之錫也、堯見之曰、可以養老、跖見之曰、可以黏鍵、故所志既殊、則所喻必別、不獨堯跖也、

子曰、見賢思齊焉、包咸曰、思與賢者等、見不賢而內自省也、范甯云、顧探諸己、謂之內省也、

子曰、事父母幾諫、包咸曰、幾微也、當微諫納善言於父母、見志不從、又敬而不違、勞而不怨、包咸曰、見志、見父母志有不從己諫之色、則又當恭敬、不敢違父母意而遂己之諫、皇侃云、父母若有過失、則子不獲不致極而諫、雖復致諫、猶當微微納進善言、不使額額也、若見父母志不從己諫、則己仍起敬起孝、且不違距於父母之志也、待父母悅、乃更諫也、故禮記云、父母有過、下氣柔聲、怡色以諫、諫若不入、起敬起孝、說則復諫、是也、若諫又不從、或至千至百、則己不敢辭己之勞、以怨於親也、故禮記云、雖撻之流血、不敢疾怨、是也、

案、見志者、不待發於言也、邢本敬下無而字、今從皇本、

子曰、父母在、不遠遊、遊必有方、鄭玄曰、方猶常也、皇侃云、曲禮云、爲人子之禮、出必告、反必面、所遊必有常、所習必有業、是必有方也、若行遊無常、則貽累父母之憂也、

子曰、三年無改於父之道、可謂孝矣、鄭玄曰、孝子在喪、哀戚思慕、無所改於父之道、非心所忍爲、陸德明云、此章與學而篇同、當是重出、學而是孔注、今此是鄭注、本或二處皆有、集解或有無者、翟灝云、按陸氏謂集解一用孔注、一用鄭注、解說不同、不爲重出也、集解巧言章、亦一用包注、一用王注、而巧言章兩無小異、直謂重出可矣、此逸其半、又與禮坊記注所引論語若合、似不妨兩說而兩存之、

案學而篇論觀人之法此專論孝子之法注家各隨經意而解之故集解兩存之非重出也

子曰父母之年不可不知也一則以喜一則以懼孔安國曰見其壽考則喜見其衰老則懼 陸德明云此章注或云包氏又作鄭玄語辭未知孰是

案知猶識也此章蓋門人小子有不識父母之年者而教之也言喜懼交聚則孝順之心自有不能已者聖人善誘人如此又案此篇多記仁術孝其本也孟子曰仁之實事親是也以上五章連記孝道以此

子曰古者言之不出恥躬之不逮也包咸曰古人之言不妄出口為身行之將不及

案言之不出不出言也躬躬行也

子曰以約失之者鮮矣孔安國曰俱不得中奢則驕佚招禍儉約無憂患 物茂卿云此生於憂患而死於安樂之意古單言約者固約與約束耳

案此約即上章不可以久處約之約彼不仁者故不可久處此則常人故失之者鮮矣編之言之不出與欲訥於言之間者俱有檢束之意故類記之耳

子曰君子欲訥於言而敏於行包咸曰訥遲鈍也言欲遲鈍而行欲疾

案邢本脫下鈍字今從皇本

子曰德不孤必有鄰何晏曰方以類聚同志相求故必有鄰是以不孤 邢昺云方以類聚周易繫辭文也方謂法術性行各以類相聚也坤卦文言曰君子敬以直內義以方外敬義立而德不孤言身有敬義以接於人則人亦敬義以應之是亦德不孤也 物茂卿云鄰如臣哉鄰哉之鄰謂必有助也

子游曰事君數斯辱矣朋友數斯疏矣何晏曰數謂速數之數 程頤云數煩數也 焦循云釋文云何色角反下同謂速數也鄭世主反謂數己之功勞也此以速數之訓屬之何氏皇侃疏有孔安國曰四字若然豈陸德明未見邪詩小雅僭始既涵毛傳云僭數也釋文數音朔與此色角反同鄭箋云僭不信也然則此數宜與僭同事君不信則辱矣朋友不信則疏矣所謂信而後諫不信則以為謗己也

案速疾也疾數猶頻煩也頻煩相見恃其寵與親也其究必至於狎褻失禮所以辱且疏也集注據胡氏以數為屢諫然經單言數其義雖美於文未允當以古注為正

公冶長第五

案以文會友以友輔仁友者所以輔仁也不可不擇焉此篇記門人及古今人物得失乃擇友取人之法也故以次前篇

子謂公冶長可妻也雖在縲紲之中非其罪也以其子妻之孔安國曰公冶長弟子魯人也姓公冶名長縲黑索紲攣也所以拘罪人 皇侃云別有一書名為論釋云公冶長從衛還魯行至二界上聞鳥相呼往清溪食死人肉須臾見一老嫗當道而哭冶長問之嫗曰兒前日出行于今不反當是已死亡不知所在冶長曰向聞鳥相呼往清溪食肉恐是嫗兒也嫗往看即得其兒也已死即嫗告村司村司問嫗從何得知之嫗曰見冶長道如此村官曰冶長不殺人何緣知之囚録冶長付獄主問冶長何以殺人冶長曰解鳥語不殺人主曰當試之若必解鳥語便相放也若不解當令償死駐冶長在獄六十日卒日有雀子緣獄柵上相呼嘖嘖唯唯冶長含笑吏啟主冶長笑雀語是似解鳥語主教問

冶長、雀何所道而笑之、冶長曰、雀鳴嘖嘖唯唯、白蓮水邊、有車翻覆黍粟、牡牛折角、收斂不盡、相呼往啄、獄主未信、遣人往看、果如其言、後又解猪及燕語、屢驗、於是得放、然此語乃出雜書、未必可信、而亦故舊相傳云、冶長解鳥語、故聊記之也、范寧云、公冶名芝、字子長也、邢昺云、案史記弟子傳云、公冶長齊人、而此云魯人、用家語爲說也、張華云、公冶長墓在陽城姑幕城東南五里所、基極高、舊說冶長解禽語、故繫之縲紲、以其不經、今不取也、

案、或謂冶長解禽語、當識其義而已、今雀能爲韻語、奇矣、春秋雀能識沈約韻、更奇、此未足以破其妄也、記云、嘖嘖唯唯、即是雀語、冶長翻之、以爲韻語、古韻雖殊、其理本通、未必盡與今韻相違、不得以此相難、但村字、六朝以下始有之、而記中用之、則其爲好事者僞撰審矣、故皇侃疑之、邢昺刪之、不復須後人辨駁也、而仍載之者、聊博異聞耳、注以長爲名、疏姓公、名冶長、范云、名芝、字子長、以論語書法言之、范說似長、孔云、魯人、與史記違者、蓋有所據、家語王肅僞撰、殆肅承此注、非孔用家語

也、紲、邢本作絏、五經文字曰、絏本文從世、緣廟諱偏傍、今經典準式例變、今從皇本、注公冶長、邢本作冶長、亦從皇本、

子謂南容、邦有道不廢、邦無道免於刑戮、以其兄之子妻之、王肅曰、南容弟子南宮縚、魯人也、字子容、不廢言見用、皇侃云、昔時講說、好評公冶南容德有優劣、故妻有己女兄女之異、侃謂二人無勝負也、卷舒隨世、乃爲有智、而枉濫獲罪、聖人猶然、亦不得以公冶爲劣也、以己女妻公冶、兄女妻南容者、非謂權其輕重、正是當其年相稱而嫁事非一時、在次耳、則可無意其間也、邢昺云、史記弟子傳云、南宮适字子容、鄭注檀弓云、南宮縚孟僖子之子、南宮閱以昭七年左氏傳云、孟僖子將卒、召其大夫云、屬說與何忌於夫子、以事仲尼、以南宮爲氏、故世本云、仲孫獲生南宮縚是也、然則名縚、名适又名閱、字子容、氏南宮、本孟氏之後也、

案、自命士以上、父子異宮、故有東宮、有西宮、有南宮、有北宮、子容處南宮、因氏焉、說閱通、皆有容義、縚耶韜、韜藏也、适、十行本、及史記弟子傳作括、是也、括、包括也、亦皆與容義相近、然則南容四名、其閱說字殊、而音義俱同、蓋初名閱、後有所避、故取字義相近者、改名縚若括耳、

子謂子賤、孔安國曰、子賤魯人、弟子宓不齊、君子哉若人、魯無君子者、斯焉取斯、包咸曰、若人者若此人也、若魯無君子者、子賤安得此行而學行之、

子貢問曰、賜也何如、子曰、女器也、孔安國曰、言女器用之人、曰何器也、曰瑚璉也、包咸曰、瑚璉黍稷之器、夏曰瑚、殷曰璉、周曰簠簋、宗廟之器貴者、邢昺云、明堂位說四代之器云、有虞氏之兩敦、夏后氏之四璉、殷之六瑚、周之八簋、注云、皆黍稷器、制之異同未聞、如記文則

夏器名璉、殷器名瑚、而包咸鄭玄等說此論語、賈服杜等注左傳、皆云、夏曰瑚、或別有所據、或相從而誤也、毛奇齡云、正義所引論語左傳注、此必相從沿誤者、翟灝云、說文解字璉字下云、瑚璉也、徐鍇注曰、今俗作璉非、

案、黍稷、民之天也、盛之於宗廟之上、以享祖先、器之至貴者也、今以喩子貢、則子貢爲廟堂之重器可知矣、子貢周人、不言簠簋而言瑚璉、取其聲無他義也、賈服包鄭皆名儒、況以鄭之精於禮、不容忘明堂位之文、而沿先儒之誤、疑諸儒所見明堂位、作夏后氏之四瑚、殷之六璉、今本誤互易之耳、

或曰、雍也仁而不佞、馬融曰、雍弟子仲弓名、姓冉、子曰、焉用佞、禦人以口給、屢憎於人、不知其仁、焉用佞、孔安國曰、屢數也、佞人口辭捷給、數爲人所憎惡、皇侃云、禦猶對也、邢昺云、佞是口才捷利之名、本非善惡之稱、但爲佞有善惡耳、爲善敏捷、是善佞、祝鮀是也、

爲惡敏捷、是惡佞、即遠佞人是也、但君子欲訥於言而敏於行、言之雖多、情或不信、故云焉用佞耳、鄭玄云、冉雍魯人也、

子使漆彫開仕、對曰、吾斯之未能信、孔安國曰、開弟子、漆彫姓、開名、仕進之道、未能信者、未能究習、子說、鄭玄曰、善其志道深、翟灝云、字鑑曰、雕彫凋三字不同、經典多以鵰雕爲彫、琢以彫琢爲凋瘁、皆傳寫之誤、

案、斯字緊承仕字、故孔訓仕進之道、仕將行道、究道未深、不能自信可仕與未、故曰、斯之未能信、鄭注下句云、善其志道深、是也、非謂別有仕進之道、史記弟子傳云、漆彫開字子開、家語弟子解、字子若、家語王肅僞撰、當以史記爲正、邢本彫作雕、案彫與漆字相熟、今從史記、皇本・陸本・唐宋石經、

子曰、道不行、乘桴浮於海、從我者其由也與、馬融曰、桴編竹木、大者曰栰、小者曰桴、子路聞之喜、孔安國曰、喜與己俱行、子曰、由也好勇過我、無所取材、鄭玄曰、子路信夫子欲行、故言好勇過我、無所取材者、無所取於桴材、以子路不解微言、故戲之耳、一曰、子路聞孔子欲浮海、便喜、不復顧望、故孔子歎其勇、曰過我、無所取哉、言唯取於已、古字材哉同、翟灝云、蘇氏論語拾遺、如鄭氏前說、程子遺書曰、材與裁同、集注因之、

案、邢本於作于、凡論語引詩書外、不用于字、雅爲政篇志於學及此經、邢本作于、而皇本並亦作於、四書通及文選嘯賦注引同、今從之、由也與、邢本無也字、今亦從皇本及漢書地理志注・大平御覽人事部所引、一曰以下、乃何晏注、翟灝以爲鄭說、非也、

孟武伯問子路仁乎、子曰、不知也、孔安國曰、仁道至大、不可全名也、又問、子曰、由也、千乘之國、可使治其賦也、孔安國曰、賦兵賦、不知其仁也、求也何如、子曰、求也、千室之邑、百乘之家、可使爲之宰也、孔安國曰、千室之邑、卿大夫之邑、卿大夫稱家、諸侯千乘、大夫百乘、宰家臣、朱熹云、千室大邑、百乘卿大夫之家、宰邑長家臣之通號、不知其仁也、赤也何如、子曰、赤也、束帶立於朝、可使與賓客言也、馬融曰、赤弟子公西華、有容儀、可使爲行人、不知其仁也、

案、仁道至大、三子才德雖優、未能當全名、然亦非不仁者也、故以不知荅之、千室之邑、公邑也、公邑采地之長、通謂之宰、

子謂子貢曰、女與回也孰愈、孔安國曰、愈猶勝也、對曰、賜也何敢望回、回也聞一以知十、賜也聞一以知二、子曰、弗如也、吾與女弗如也、包咸曰、既然子貢不如、復云吾與女俱不如者、蓋欲以慰子貢也、皇侃云、張封溪曰、一者數之始、十者數之終、顏生體有識厚、故聞始則知終、子貢識劣、故聞始裁至二也、秦道賓曰、爾雅云、與許也、仲尼許子貢之不如也、邢昺云、望謂比視、弗者不之深也、物茂卿云、孔子自言己亦不如也、亦願爲其宰意、聖人好賢之誠也、劉逢祿云、世視子貢賢於仲尼、子貢自謂不如顏淵、夫子亦自謂不如顏淵、聖人溥博如天、淵泉如淵也、若顏子自視、又將謂不如子貢矣、以能問於不能、以多問於寡、有若無、實若虛、聖賢所以日進而不已也、

案、包云、欲以慰子貢、恐非聖賢所以相待之意、桼
道賓因訓與爲許、其義益遠、唯物劉二說、深得此
章之旨矣、

宰予晝寢、孔安國曰、宰予、弟子宰我、翟灝云、李匡義資暇錄曰、寢梁
武帝讀爲寢室之寢、晝作胡卧反、且云、當爲畫字、言
其繪畫寢室、故夫子歎之云云、然亦曲爲穿鑿也、今
人罕知其由、但以爲韓文公所訓解、齊東野語曰、
嘗見侯白所注論語、謂晝當作畫字、侯白隋人、子
曰、朽木不可彫也、包咸曰、朽腐也、彫彫琢刻畫也、糞
土之牆不可杇也、王肅曰、杇鏝也、此二者以諭雖施
功猶不成、邢昺云、釋宮云、鏝謂之杇、李巡曰、塗土之作具也、翟灝云、說文杇所以塗也、從木作
杇、左傳汚人以時塓宮室、音義曰、汚本又作塓、蓋杇其正體、汚則通借、而塓爲續作字也、於予與
何誅、孔安國曰、誅責也、今我當何責於女乎、深責之、

皇侃云、與語助也、言不足責也、即是責之深也、子曰、始吾於人也、聽其言而
信其行、今吾於人也、聽其言、而觀其行、於予與改是、
孔安國曰、改是聽言信行、更聽言觀行、發於宰我之
晝寢、

案、六季之俗、習於放逸、不唯不非晝寢、又且貴之
以爲達、梁武但所見、以夫子責宰我爲刻、因改晝
爲畫、糊繪畫寢室之說、不知大禹惜寸陰、學聖人
之道者、豈容以晝寢廢事哉、其妄不足論也、始吾
以下、語改端、故又以子曰起之、或以爲衍文、非也、
宰我書名者、得罪於夫子、故書名以貶之、邢本彫
作雕、注晝下無也字、今並從皇本、

子曰、吾未見剛者、或對曰、申棖、包咸曰、申棖魯人、邢昺云、鄭云、蓋孔子弟子申續、史記云、申棠字周、家語云、
申續字周、翟灝云、困學記聞曰、後漢王政碑云、有羔羊之潔、無申棠之欲、以振爲棠、子曰、棖也慾、焉得剛、孔安國曰、慾多
情慾、皇侃云、剛人性無求、而申棖性多情慾、多情慾者、必求人、求人則不得是剛、故云焉得剛、物茂
卿云、剛與柔對、以其質果烈言、譬諸物、金剛木柔、而
木有強有弱、火剛水柔、水似弱實強、然不得以水爲
剛矣、是字義各有所當也、

案、剛無所屈撓也、多情慾則屈意狥物、故不得爲剛、

子貢曰、我不欲人之加諸我也、吾亦欲無加諸人、馬
融曰、加陵也、子曰、賜也、非爾所及也、孔安國曰、言不
能止人使不加非義於己、邢昺云、諸於也、

案、加非義、即陵義、馬孔非異解也、不加非義於人、
子貢固能及之、故孔獨解不欲人之加諸我也、孔
子大聖、而嘗畏於匡、其遇宋、桓魋欲殺之、則
止人使不加非義於己、非子貢所能及也、

子貢曰、夫子之文章可得而聞也、何晏曰、章明也、文
彩形質著見、可得以耳目自脩也、夫子之言性與天
道、不可得而聞也已矣、何晏曰、性者人之所受以生
也、天道者元亨日新之道、深微、故不可得而聞也、皇侃
云、子貢此歎、顏子之鑽仰也、但顏既庶幾、與聖道相
鄰、故云、鑽仰之、子貢既懸絕、不敢言其高堅、故自說
聞於典籍而已、文章者六籍也、六籍者有文字章著
煥然、可脩耳目、故云、夫子文章可得而聞也、邢昺云、
易乾卦云、乾元亨利貞、文言曰、元者善之長也、亨者
嘉之會也、利者義之和也、貞者事之榦也、謂天之體
性、生養萬物、善之大者、莫善施生、元爲施生之宗、故
言元者善之長也、嘉美也、言天能通暢萬物、使物嘉
美而會聚、故云、嘉之會也、利者義之和也者、言天能
利益庶物、使物各得其宜而和同也、貞者事之榦也
者、言天能以貞正之氣、成就濟物、使物皆得榦正、此
明天之德也、天之爲道、生生相續、新新不停、故曰日

新也、錢大昕云、經典言天道者、皆以吉凶禍福言、易天道虧盈而益謙、春秋傳、天道多在西北、天道遠、人道邇、竈焉知天道、古文尚書、滿招損、謙受益、時乃天道、天道福善禍淫、史記、天道無親、常與善人、皆此道也、鄭康成注論語云、天道七政變通之占、與易春秋義正同、孟子云、聖人之於天道也、亦謂吉凶陰陽之道、聖人有所不知、故曰命也、否則性與天道、又何別焉、焦循云、自春秋時、易學不明、而梓愼裨竈之流、以七政占驗爲天道、故云、天道多在西北、子產雖正斥之以天道遠人道邇竈焉知天道、而天道之稱、究未能言、孔子贊易乃明之、曰立天之道、曰陰與陽、立地之道、曰剛與柔、立人之道、曰仁與義、於臨曰、大亨以正、天之道也、於謙曰、天道虧盈而益謙、地道變盈而流謙、於恒曰、天地之道恒久而不已也、記載哀公問曰、敢問君子何貴乎天道也、孔子對曰、貴其不已、如日月東西相從而不已也、是天道也、不閉其久、是天道也、無爲而物成、是天道也、已成而明、是天道也、孔子言天道、在消息盈虛、在恒久不已、在終則有始、在無爲而物成、爲挌物致知、正心脩身、齊家治國平天下之本、爲伏羲神農黃帝堯舜文王周公以來、治天

下之要、與七星變占、迥然不同、桓譚知讖緯之謬、而尚緣天道性命聖人所難言也、是不知孔子所言之天道、非伎數巧慧所得挌也、鄭氏以此解論語、淺之乎觀聖人矣、何氏本元亨日新、以論天道、識見之卓、越乎康成、

案、恒久不已、固天道也、然其所以不已、以消息盈虛耳、消息盈虛、即吉凶禍福之所由而生也、誰其本亦唯陰與陽、而變占以起矣、康成主其變、平叔本其常、合二說、天道始全、錢焦各執其一、未免爲偏見、故備舉而論之、邢本無已矣二字、皇本有、翟灝云、漢書眭宏夏侯勝等贊及顏師古匡謬正俗引、亦作不可得聞也已矣、讀書敏求記曰、高麗有何晏集解抄本、此與漢書傳贊適合、蓋子貢寓嗟歎於不可得聞中、故以已矣傳言外微旨、二字似不可脫、是也、

子路有聞、未之能行、唯恐有聞、孔安國曰、前所聞未及行、故恐後有聞不得並行也、皇侃云、子路稟性果決言無宿諾、故前有所聞於孔子、即欲脩行、若未及能行、則不願更有所聞、恐行之不周、故唯恐有聞也、

子貢問曰、孔文子何以謂之文也、孔安國曰、孔文子、衛大夫孔圉、文、諡也、**子曰、敏而好學、不恥下問、是以謂之文也、**孔安國曰、敏者識之疾也、下問、謂凡在己下者、皇侃云、以文爲諡、子貢疑其大高、故問於孔子也、邢昺云、諡法云、勤學好問曰文、

案、敏、疾也、此以才言、故云、識之疾也、下問兼位與年、故云、謂凡在己下者也、

子謂子產、有君子之道四焉、孔安國曰、子產、鄭大夫公孫僑、**其行己也恭、其事上也敬、其養民也惠、其使民也義、**朱熹云、使民義、如都鄙有章、上下有服、田有封洫、廬井有伍之類、

子曰、晏平仲善與人交、久而人敬之、周生烈曰、齊大

夫、晏姓、平諡、名嬰、皇侃云、此善交之驗也、凡人交易絕、而平仲交久、而人愈敬之也、邢昺云、諡法、治而清省曰平、

案、足利古本、皇侃本、作人敬之、邢本脫人字、翟灝謂據皇疏、當有人字、今從皇本、

子曰、臧文仲居蔡、包咸曰、臧文仲、魯大夫臧孫辰、文諡也、蔡、國君之守龜、出蔡地、因以爲名焉、長尺有二寸、居蔡、僭也、邢昺云、諡法、道德博厚曰文、**山節藻梲、**包咸曰、節者栭也、刻鏤爲山、梲者梁上楹也、畫爲藻文、言其奢侈、邢昺云、釋宮云、杗廇謂之梁、其上楹謂之梲、栭謂之楶、郭璞云、梲侏儒柱也、楶即櫨也、此言山節者、謂刻鏤柱頭爲斗拱、形如山也、藻梲者、謂畫梁上短柱爲藻文也、此天子廟飾、而文仲僭爲之、故言其奢侈、物茂卿云、朱注以山節藻梲爲藏龜之室、古者蓍龜皆藏宗廟、故別無藏龜之室、毛奇齡云、史記褚先生說、

今高廟中有龜室藏內室即櫝也又曰置室西北縣
之惟室是櫝故可縣掛季氏篇龜玉毀于櫝中即此
何如其知也孔安國曰非時人謂之爲知
案明堂位曰山節藻棁復廟重檐天子之廟飾也
則山節藻棁亦是僭而包云奢侈者與上注互見
爲
義
子張問曰令尹子文孔安國曰令尹子文楚大夫姓
鬭名穀字於菟皇侃云楚鬭伯比外家是䢵國其還
外家通舅女生子既恥之仍遂擲於
山草中此女之父獵還見虎乳飲小兒因取養之既
未知其姓名楚人謂乳爲穀謂虎爲於菟音烏塗此
兒爲虎所乳故名之曰穀於菟也後知其是伯比子
故呼爲鬭穀於菟也邢昺云楚臣令尹爲長令善也
尹正也言用善
人正此官也
三仕爲令尹無喜色三已之無慍色
舊令尹之政必以告新令尹何如子曰忠矣李充云進無喜
色退無怨色公家之事
知無不爲忠臣之至也曰仁矣乎曰未知焉得仁何
晏曰但聞其忠事未知其仁也李充云子玉之敗子
文之舉舉以敗國不
可謂智也賊夫人之子不可謂仁
陸德明云知如字鄭音智下同
崔子弑齊君陳文
子有馬十乘棄而去之孔安國曰皆齊大夫崔杼作
亂陳文子惡之捐其四十匹馬違而去之皇侃云弑
其君莊公
也下殺上曰弑弑試也下之害上不得即而致殺必
也相試以漸故易曰臣弑君子弑父非一朝一夕之
故其所從來漸矣文子見崔杼殺君而己力勢不能
討故棄四十匹馬而違去此國劉逢祿云春秋不書
出奔者時非執政且
旋反國故不書也
至於他邦則曰猶吾大夫崔子
也違之之一邦則又曰猶吾大夫崔子也違之何如
子曰清矣曰仁矣乎曰未知焉得仁孔安國曰文子

辟惡逆去無道求有道當春秋時臣陵其君皆如崔
子無有可止者杜預云襄公二十五年崔杼弑齊君
是時陳文子出奔二十六年不經見
至二十七年文子在齊有弭兵之說
則文子自出奔復反于齊凡二年
案子文國爾忘家文子舍利取道皆有似於仁故
疑而問之夫子答以未知而後斷以焉得仁者所
以婉其辭也慍字皇訓恚怒邢訓慍懟而李充直
訓怨與學而首章人不知而不慍相參益信慍古
訓怨無怒詁也皇本作之至一邦足利
古本無之字古本似長今且依邢本
季文子三思而後行子聞之曰再斯可矣鄭玄曰季
文子魯大夫季孫行父文謚也文子忠而有賢行其
舉事寡過不必及三思李彪云君子之行謀其始思
其中慮其終然後允合事機
舉無遺筭是以曾子三省其身南容三復白圭夫子
稱其賢且聖人敬慎於教訓之體但當有重耳固無
緣有減損之理也時人稱季孫名過其實故孔子矯
之言季孫行事多闕許其再思則可矣無緣乃至三
思也此蓋矯抑之談
耳非稱美之言也
案李彪所述即鄭說也鄭意謂文子舉事寡過故
人稱之曰三思而後行然其實不必及三思故孔
子矯之曰再斯可矣言能再思則可不能必及三
思也詳味子聞之曰四字其爲駁時人稱季文子
之語審矣邢本及誤乃又引左傳季文子聘于晉
求遭喪之禮以行杜注所謂季文子三思以釋此
章後儒遂謂思至於再則已審三則私意起而反
惑矣窘促可笑夫聖賢貴思歷歷見於經傳豈至
此章獨尤
過再哉
子曰甯武子馬融曰衛大夫甯俞武謚也邢昺云謚
法云剛彊
直理
曰武
邦有道則知邦無道則愚其知可及也其愚不
可及也孔安國曰佯愚似實故曰不可及也毛奇齡
云僖廿

八年，爲衛成三年，而武子之名始見于傳，所謂盟宛濮，職橐饘者，皆在是時，至文四年，爲衛成十二年，然後武子之名一見于經，所謂衛使甯俞來聘，俞武子之名也，是終文之世，武子未嘗仕衛，計其人仕，當在成公元年之後，三年之前，莊子謝事，而後武子得襲位，蓋周制公族世爲大夫，必父老而子繼之，未有其父儼然以上卿蒞盟，而其子執國事者也，又云，左傳文四年，武子來聘，公與之宴，爲賦湛露及彤弓，不辭，亦不答賦，杜預即以此爲愚不可及，又晉衛瓘爲中書郎時，權臣專政，瓘優游其間，無所親疏，甚爲傅嘏所推重，當時稱爲甯武子，則愚亦大槪在賀晉之際浮沈取容，或者成公三十六年間，武子別有事跡如此等，故夫子言之，皆未可知，

案，有道無道，以時與事言，不必限一君一世，武子之愚，集注舉成公失國之時，武子所處以當之，曰此皆智巧之士，所深避而不肯爲也，夫武子之職橐饘，竭智慮患，以救其君，不復顧其身，其忠盛矣，若以智巧之士不肯爲目以爲愚，特後世贊時之言，恐非聖人所以品隲先賢也，甯武子之愚，當時必有其事，而今不可考，如下左傳所載不辭湛露事，蓋亦其一端耳，

子在陳曰，歸與歸與，吾黨之小子，狂簡，斐然成章，不知所以裁之，孔安國曰，簡，大也，孔子在陳，思歸欲去，故曰吾黨之小子，狂者進取於大道，妄作穿鑿，以成文章，不知所以裁制，我當歸以裁之耳，遂歸，皇侃云，吾黨者，謂我鄉黨也，小子者，鄉黨中後生末學之人也，狂者直進無避者也，簡，大也，大謂大道也，斐然，文章貌也，陸德明云，狂簡絕句，鄭讀至小子絕句，邢昺云，再言歸與者，思歸之甚也，焦循云，妄作穿鑿，申解斐然，蓋讀斐爲匪，匪猶非也，非猶不也，下蓋有不知而作之者注，引包曰時人有穿鑿妄作篇籍者，解不知而作，妄即不知，不知即斐然矣，

案，子字簡字並句，孔注狂者，邢本作狂簡者，案上注云，簡，大也，此注狂者進取，以成語釋之，大道即簡字，但簡不訓大道，故上句先訓大，而此直釋爲大道，不當復出簡字而重釋之，邢本誤衍耳，今從皇本，妄作穿鑿，申釋狂簡，成章之義，言狂簡才大，雖妄作穿鑿，亦能斐然成章，特不知所以裁之耳，故孔子欲歸而裁之，非專釋斐然也，焦不通注意，讀斐爲匪，訓匪爲非，轉非爲不，遂以爲不知之義，其妄作穿鑿，更甚於狂簡矣，

子曰，伯夷叔齊，不念舊惡，怨是用希，孔安國曰，伯夷叔齊，孤竹君之二子，孤竹國名，皇侃云，念猶識録也，舊惡，故憾也，孤竹之國，是殷湯正月三日丙寅日所封，其子孫相傳至夷齊之父也，父姓墨台，名初，字子朝，伯夷名允，字公信，叔齊名致，字公達，伯夷大而庶，叔齊小而正，父薨，兄弟相讓，不復立也，邢昺云，春秋少陽篇，伯夷姓墨，名允，字公信，伯，長也，夷，謚，叔齊名智，字公達，伯夷之弟，齊亦謚也，孤竹，北方之遠國名，地理志遼西令支有孤竹城，物茂卿云，舊惡，舊時之惡也，蓋舊時之惡，乃有時去事移，欲改而不可得者，是舊惡也，

案，以孟子論伯夷之言觀之，舊惡之解，物説得之，

子曰，孰謂微生高直，孔安國曰，微生姓，名高，魯人，翟灝云，鮑彪戰國策注曰，尾生再見燕策，蘇代言其名爲高，蓋即論語微生高，莊子盜蹠篇注，漢書人表注俱云，尾生即微生高，微尾字以聲轉通借，**或乞醯焉，乞諸其鄰而與之，**孔安國曰，乞之四鄰，以應求者，用意委曲，非爲直人，

子曰，巧言令色足恭，孔安國曰，足恭，便僻貌，繆協云，足恭者，以恭足於人意，而不合於禮度，斯皆適人之適，而曲媚於物也，邢昺云，注讀足如字，便僻謂便習盤辟其足以爲恭也，一曰，足將樹切，足成也，翟灝云，大戴禮曾子立事篇足恭而口聖，君子弗與也，以足恭口聖兩爲對偶，表記又云，君子不失足于人，不失色于人，不失口于人，失足于人，足恭也，失色于人，令色也，失口于人，巧言也，三者亦並言之，足當如字直讀無疑，其義自爲手

足之足、繆氏以滿足解之、典記無可證、**左丘明恥之、丘亦恥之、**孔安國曰、左丘明魯大史、皇侃云、左丘明受春秋於仲尼者也、**匿怨而友其人、**孔安國曰、心內相怨、而外詐親、**左丘明恥之、丘亦恥之、**案、僞古文尚書冏命、巧言令色便辟、正義曰、前却俯仰、以足爲恭也、與邢疏便習盤辟其足、互相發明、瞿引大小戴記、以證足讀如字、是也、以表記所載、爲即巧言令色足恭、則未是、表記云、不失者、以戒涉不恭者、與此章正相反、

顏淵季路侍、子曰、盍各言爾志、子路曰、願車馬衣輕裘、與朋友共、敝之而無憾、孔安國曰、憾、恨也、皇侃云、卑在尊側曰侍、阮元云、唐石經輕字旁注、案石經初刻本無輕字、車馬衣裘、見管子小匡、及外傳齊語、是子路本

用成語、後人因雍也篇衣輕裘、誤加輕字、甚誤、錢大昕金石文跋尾云、石經輕字宋人誤加、攷北齊書唐邕傳、顯祖嘗解服表鼠皮裘賜邕、云朕意在車馬衣裘與卿共敝、用子路故事、是古本無輕字、一證也、釋文於赤之適齊節、音衣爲于既反、而此衣字無音、是陸本無輕字、二證也、邢疏云、願以己之車馬衣裘、與朋友共乘服、是邢本亦無輕字、三證也、皇疏云、車馬衣裘、共乘服、而無所憾恨也、是皇本亦無輕字、四證也、今注疏與皇本正文有輕字、則後人依通行本增入、非其舊矣、**顏淵曰、願無伐善、**孔安國曰、不自稱己之善、**無施勞、**孔安國曰、不以勞事置施於人、**子路曰、願聞子之志、子曰、老者安之、朋友信之、少者懷之、**孔安國曰、懷歸也、皇侃云、願己爲老人必見撫安、朋友必見期信、少者必見思懷也、若老人安己、己必是孝敬故也、朋友信己、己必是無欺故也、少者懷己、己必有慈惠故也、欒肇云、敬長、故見安、善誘、故可懷也、

案、施以鼓反、移也、言己有勞事、不敢留置、移延使他人爲之、故孔云、不以勞事置施於人也、皇疏至雍也篇子華使於齊章、始釋輕裘、是亦此章無輕字一證、輕字當定爲衍文、懷歸也、皇本作安也、案上經既有安字、不當訓懷爲安、且疏釋懷之曰、少者必見思懷、是其本不作安、今本轉寫誤耳、今從邢本、

子曰、已矣乎、吾未見能見其過而內自訟者也、包咸曰、訟猶責也、言人有過莫能自責者也、皇侃云、已止也、止矣乎者、歎此以下事久已無也、邢昺云、已、終也、言將終不復見、故云已矣乎、案、矣斷辭、乎疑辭、言已矣乎者、猶庶幾見之之辭、

子曰、十室之邑、必有忠信如丘者焉、不如丘之好學也、皇侃云、言十室爲邑、其中必有忠信如丘者焉也、但無如丘之好學耳、一家云、十室中若有忠信如

丘者、則其餘焉不如丘之好學也、言今不好學不忠信耳、故衛瓘曰、所以忠信不如丘者、由不能好學如丘耳、苟能好學、其忠信可使如丘也、案、十室邑之極小者、必言十室者、以見忠信之人易得也、言己生質無以過人、特以好學免爲鄉人耳、謙以誘人也、衛瓘讀焉於虔反、下屬爲句、與經意相反、不可從、

雍也第六

案此篇大意、與前篇同、但前篇多貶責之語、此篇多稱美之言、凡事自粗入精、學亦然、故以次前篇、

子曰、雍也可使南面、包咸曰、可使南面者、言任諸侯可使治國政也、方觀旭云、諸侯聽政、在路寢南面、若然、饔之屬、則在阼階西面、古注言任諸侯治、治字亦不苟下、

案前篇云雍也仁而不佞門人記十哲又置之德行之科荀子數稱仲尼子弓說者以爲仲弓皆足以撫其可使南面矣此八字皇本別爲一章邢本仲弓不提行然南面正義在於仲弓之前則亦以爲別章其不提行者轉寫之誤耳包注邢本作任諸侯治今從皇本

仲弓問子桑伯子王肅曰伯子書傳無見焉虞喜云說苑曰孔子見伯子伯子不衣冠而處弟子曰夫子何爲見此人乎曰其質美而無文吾欲說而文之孔子去子桑伯子門人不悅曰何爲見孔子乎曰其質美而文繁吾欲說而去其文故曰文質脩者謂之君子有質而無文謂之易野子桑伯子易野欲同人道於牛馬故仲尼曰大簡無文繁吾欲說而文之邢昺云鄭以左傳秦有公孫枝字子桑則以此爲秦大夫恐非翟灝云按莊子子桑戶與琴張爲友又子貢以子桑事問孔子胡氏謂此伯子即戶以時論之誠是漢書人表次子桑于六國時不惟于論語違即莊周書亦不合子曰可也簡何晏曰以其簡故曰可也皇侃云簡謂疏大無細行也仲弓曰居敬而行簡以臨其民不亦可乎孔安國曰居身敬肅臨下寬略則可居簡而行簡無乃大簡乎包咸曰伯子之簡大簡子曰雍之言然

案仲弓以仲尼云可也簡因究問簡義非以伯子爲大簡也若伯子大簡仲尼必不言可伯子不可考莊子多寓言說苑欲同人道於牛馬蓋亦戰國間說士所僞撰皆不足據焉可也簡注邢本作孔曰今從皇本

哀公問弟子孰爲好學孔子對曰有顏回者好學不遷怒不貳過不幸短命死矣今也則亡未聞好學者也何晏曰凡人任情喜怒違理顏回任道怒不過分遷移也怒當其理不移易也不貳過者有不善未嘗

復行也邢昺云顏回好學既深信用至道故怒不過其分理也有不善未嘗復行者周易下繫辭文彼云子曰顏氏之子其殆庶幾乎有不善未嘗不知知之未嘗復行也韓康伯注云在理則昧造形而悟顏子之分也失之於幾故有不善得之於貳不遠而復故知之未嘗復行也引之以證不貳過也顏回以德行著名應得壽考而反二十九髮盡白三十二而卒故曰不幸短命死矣

案凡人怒一事延及他事顏淵不然何云怒不過分是也今也則亡者言弟子中今則無好學者也未聞好學者也者言弟子之外亦未聞有好學者也不欲盡誣一世故不言亡而云未聞也據史記顏淵少於孔子三十歲顏淵之卒蓋年四十一說詳於先進篇顏淵死章皇本問下有曰字今從邢本邢本注復行下無也字今從皇本

子華使於齊冉子爲其母請粟子曰與之釜馬融曰子華弟子公西華赤字也六斗四升曰釜皇侃云子華有容儀故爲使往齊國也但不知時爲魯君之使爲孔子之使耳春秋傳昭公三年冬晏子曰齊舊四量豆區釜鍾四升爲豆各自加其四以登於釜釜十則鍾朱熹云使爲孔子使也請益曰與之庾包咸曰十六斗曰庾皇侃云案包注十六斗爲庾與賈氏注國語同而不合周禮周禮旊人職云豆實三而成觳鄭云豆實四升則觳實一斗二升也又陶人職云庾實二觳案如陶旊二文則庾二斗四升矣而包氏注曰十六斗爲庾即是聘禮之籔也聘禮十六斗曰籔不知包何所出耳邢昺云案聘禮記云十斗曰斛十六斗曰籔十籔曰秉鄭注云秉十六斛今江淮之間量名有爲籔者今文籔爲逾是庾逾籔其數同故知然也冉子與之粟五秉馬融曰十六斛曰秉五秉合爲八十斛皇侃云聘禮云十斗曰斛十六斗曰籔十籔曰秉孔子與粟既竟故冉子又自以己粟八十斛與之也物茂卿云按嘉量方徑一尺深一尺容一釜周一尺爲七寸一分九厘六毫三絲以今求周自相乘得五一七八六七三三六九又以深乘之得三七二六七二八七

一六五三三四七、是爲一釜之積、六十四歸之、得五八二三零一三六一九五八三不盡、是一升之積也、今日本之升、除周升、爲八勺九撮八二三八九四六六七不盡、則釜爲五升七合五勺弱、庾爲一斗四升三合七勺微強、冉子以爲少也、可知矣、五秉爲七石一斗八升五合九勺有奇、乃五馬所馱、爲近於人情矣、

子曰、赤之適齊也、乘肥馬、衣輕裘、吾聞之也、君子周急不繼富、鄭玄曰、非冉求與之大多、皇侃云、輕裘、裘之皮精毛軟、及新綿爲著者也、

案、子華爲孔子使齊、道路所須、必既與之、若貧乏應饋粟其母、特以其富不與也、蓋孔子時在魯、冉子爲掌財賄出入之事、以世俗所爲爲道、而不知不繼富之義、故爲其母請粟、孔子不直拒、而少與之者、以冉有所請未爲大失也、及其與五秉、乃言其所以不多與之意、所謂善誘人也、五秉亦孔子之粟、冉有得專之者、以其掌出納耳、馬注公西華之華字當衍、邢本作赤之字、今從皇本、

原思爲之宰、包咸曰、弟子原憲、思字也、孔子爲魯司寇、以原憲爲家邑宰也、與之粟九百、辭、孔安國曰、九百九百斗、辭讓不受、皇侃云、漫云九百、而孔必知少九百斛爲多、故應是斗也、宜與粟五秉亦相類也、物茂卿云、九百、孔安國以爲九百斗、爲日本之八石零八升、一歲爲九十七石、蓋中士之祿也、子曰、毋、孔安國曰、祿法所得、當受無讓、以與爾鄰里鄉黨乎、鄭玄曰、五家爲鄰、五鄰爲里、萬二千五百家爲鄉、五百家爲黨、邢昺云、五家爲鄰、五鄰爲里者、地官遂人職文、案大司徒職云、五家爲比、五比爲閭、四閭爲族、五族爲黨、五黨爲州、五州爲鄉、故知萬二千五百家爲鄉、五百家爲黨也、

案、連記二章者、以示聖人取與之法也、

子謂仲弓曰、犂牛之子、騂且角、雖欲勿用、山川其舍諸、何晏曰、犂雜文、騂赤也、角者角周正中犧牲、雖欲以其所生犂而不用、山川寧肯舍之乎、言父雖不善、不害於子之美、皇侃云、仲弓父劣、當是于時爲仲弓父劣而不用仲弓、故孔子明言之也、范寗曰、謂非必對言也、騂赤色、周家所貴也、周禮牧人職曰、凡陽祀用騂牲毛之、陰祀用黝牲毛之、望祀各以其方之色牲毛之、鄭云、陽祀祭天於南郊及宗廟也、陰祀祭地於北郊及社稷也、望祀五嶽四鎭四瀆也、然今云山川者、越舉言之也、若南方則用赤、是有其方色也、且云山川、則宗廟亦可知、亦互言之也、惠棟云、犂牛耕牛、子其犢也、騂且角、天牲也、仲弓可使南面、故擧天牲以況之、

案、牲色各有所宜、用不可歷言、而赤色周所貴、故特言騂、況南方嶽瀆用騂、固不妨言山川、非互言之也、惠解犂牛爲耕牛、舊注似長、

子曰、回也、其心三月不違仁、其餘則日月至焉而已矣、何晏曰、餘人暫有至仁時、唯回移時而不變、皇侃云、仁是行盛、非體仁則不能、不能者心必違之、能不違者唯顏回耳、既不違、則應終身、而止擧三月者、三月一時、爲天氣一變、一變尚能行之、則他時能可知也、伊藤源佐云、其餘蓋指文學政事之類而言、猶其餘不足觀也已之意、日月至者、謂以日月自至也、物茂卿云、不違仁者、依於仁也、回也、如賜也、呼顏子告之也、安民之德、謂之仁、他德雖衆乎、皆所以輔仁而成之也、故孔子以依於仁教之、謂其心苟能依於仁、則其他衆德、皆自然來集矣、

案、此篇多稱人之言、故何平叔而降、皆謂稱顏淵之德、而以其餘爲餘人、然孔子之於門人、有過則面責之、有善則陰稱之、未有欲美一人而貶餘人者、教育之道固宜然也、以此推之、舊說未穩、獨仁齋以其餘爲餘業、而徂徠補成之、爲呼回語學問之法、得之、如答哀公好學之問、本非況稱、不得不

以實告非此例也

季康子問仲由可使從政也與子曰由也果包咸曰果謂果敢決斷於從政乎何有皇侃云何有言不足有也故衛瓘曰何有者有餘力也邢昺云何有言不難也曰賜也可使從政也與曰賜也達孔安國曰達謂通於物理於從政乎何有曰求也可使從政也與曰求也藝孔安國曰藝謂多才能於從政乎何有案爲政之害莫大於優柔不斷故性果者可以從政如達與藝則固不待言矣

季氏使閔子騫爲費宰孔安國曰費季氏邑季氏不臣而其邑宰數叛閔子騫賢故欲用之閔子騫曰善

爲我辭孔安國曰不欲爲季氏宰託使者作辭說令不復召我也如有復我者孔安國曰復我者重來召我則吾必在汶上矣孔安國曰去之汶水上欲北如齊邢昺云季氏僭禮樂逐昭公是不臣也昭十二年南蒯以費叛又公山弗擾以費叛是數叛也地理志云汶水出泰山萊蕪縣西南入濟在齊南魯北故曰欲北如齊

伯牛有疾馬融曰伯牛弟子冉耕子問之自牖執其手包咸曰牛有惡疾不欲見人故孔子自牖執其手也皇侃云牖南窗也君子有疾寢於北壁下東首今師來故遷出南窗下亦東首令師從戶入於床北得面南也朱熹云孔子不敢當此禮故不入其室而自牖執其手邢昺云惡疾疾之惡者也淮南子云伯牛癩鄭玄云冉耕魯人物茂卿云執手親之也曰亡之孔安國曰亡喪也疾甚故持其手曰喪之翟灝云漢書宣六王傳成帝詔曰夫子所痛曰蔑之命矣夫義門讀書記曰楚王囂傳詔書引此作蔑之是亡字當讀爲無也擇文闕音亡之者言無可以致此疾之道命矣夫斯人也而有斯疾也斯人也而有斯疾也包咸曰再言之者痛惜之甚案包注不欲見人蓋本諸淮南子未若皇侃據禮而斷之也亡訓無與下文有字對於文爲長死人所諱對疾甚者言其將死於情又乖翟說可從足利古本亡之作亡也非

子曰賢哉回也一簞食一瓢飲孔安國曰簞笥也邢昺云鄭注曲禮云圓曰簞方曰笥然則簞與笥方圓異而此云簞笥者以其俱用竹爲之舉類以曉人也在陋巷人不堪其憂回也不改其樂賢哉回也孔安國曰顏淵樂道雖簞食在陋巷不改其所樂皇侃云美其樂

道情篤故始末言賢也

冉求曰非不說子之道力不足也子曰力不足者中道而廢今女畫孔安國曰畫止也力不足者當中道而廢今女自止耳非力極皇侃云言女但學不行之矣若行之而力不足者當中道而廢耳莫發初自誠不能行也案廢身廢不能行也凡無足曰廢儀禮有廢禁是也有足而不能行猶無足也故曰廢表記曰鄉道而行中道而廢忘身之老也不知年數之不足也俛焉日有孳孳斃而後已中庸曰君子遵道而行半塗而廢吾弗能已矣皆與此章相發或解半塗而廢爲半塗廢學謬矣冉有書名者亦以獲罪於孔子也孔注極疲也

子謂子夏曰女爲君子儒無爲小人儒馬融曰君子

爲儒、將以明道、小人爲儒、則矜其名也、皇侃云、儒者濡也、夫習學事久、則濡潤身中、故謂久習者爲濡也、焦循云、儒猶士也、言必信、行必果、硜硜然小人哉、小人儒正指此爾、孔注未是、劉逢祿云、君子儒、所謂賢者識其大者、小人儒、所謂不賢者識其小者、識大者、方能明道、識小者、易於矜名、子游譏子夏之門人小子、是也、荀卿亦以爲子夏氏之陋儒矣、

案、馬注矜其名、蓋本諸戴記、女居西河、使西河之人疑女於夫子、然孔門諸子、才德優美、仲尼既沒、人疑其爲聖人、故陳亢亦謂子貢賢於仲尼、未足以爲子夏矜名之證也、且以子夏之賢、仲尼未必憂其矜名自衒、馬注非也、蓋子夏以文學稱、比於諸子、規模差狹小、仲尼恐其滯於末節而不達於治國之大體、所謂君子小人、以位而言、兼善天下、是君子之儒、獨善其身、是小人之儒、雖命有窮達、君子所志、則在此而不在彼也、故他日又曰、商也不及、先儒謂君子小人、以德而言、此章之意所以不明也、劉引子游譏子夏之門人小子、釋此章、既見其一斑矣、而仍言易於矜名、則猶馬所見耳、荀

卿所謂子夏氏之陋儒、指承其學者、非斥子夏也、此注、邢本作孔安國曰、今從皇本、

子游爲武城宰、包咸曰、武城、魯下邑、**子曰、女得人焉耳乎、**孔安國曰、焉耳乎皆辭、皇侃云、孔子問子游、言女作武城宰、而武城民有好德行之人、爲女所得者不乎、故云、女得人焉耳乎哉、翟灝云、焉耳乎、義疏本作焉爾乎哉、所載孔氏注亦曰焉爾乎哉、皆辭也、張栻論語解、呂祖謙論語說、眞德秀論語集編、暨四書纂疏、四書通、四書纂箋諸本、耳俱作爾、明初監本亦作爾、大平御覽職官居處二部述作爾、集注考證曰、三語助辭、氣似繁、字義、如是爲爾、其辭必有所指、謂女得人焉有如是者乎、按舊經原文爲耳字、玉篇引此語、注于耳字之下、唐石經、宋石經均書耳字、後漢書章帝紀注亦引爲耳、大平御覽作爾者二、而其人事部仍述爲耳、參是觀之、則自唐以前大率皆依舊文、至五季後、乃始有別本作爾、其始猶兩文並、久而習訛者多、正文漸晦、故仁山金氏欲以爾爲實解、而應城周氏且以耳爲異文也、今集解集注二本、已俱復爲耳、或者反以轉訛疑之、爲溯其輾轉大略如此、**曰、有澹臺滅明者、行不由徑、非公事、未嘗至偃之室也、**包咸曰、澹臺姓、滅明名、字子羽、言其方且公、皇侃云、公、謂非公事不至偃室、方、謂不由徑、邢昺云、史記弟子傳云、澹臺滅明、武城人、字子羽、少孔子三十九歲、注不言弟子者、從可知也、

案、治邑以得人材爲先、故仲尼問之、焉耳乎猶言矣乎、皆意以爲然而未決之辭、但矣乎差重於焉耳乎、此其別也、後世耳訛爾、因訓爲如是、穿鑿可笑、皇本哉字、當定爲衍文、今從邢本、

子曰、孟之反不伐、孔安國曰、魯大夫孟之側、與齊戰、軍大敗、不伐者、不自伐其功、**奔而殿、將入門、策其馬、曰、非敢後也、馬不進也、**馬融曰、殿在軍後、前曰啓、後曰殿、孟之反賢而有勇、軍大奔、獨在後爲殿、人迎功

之、不欲獨有其名、曰、我非敢在後拒敵也、馬不能前進耳、邢昺云、案哀十一年左傳記此事云、齊師伐我、及清、孟孺子洩帥右師、冉求帥左師、及齊師戰于郊、右師奔、齊人從之、孟之側後入以爲殿、抽矢策其馬曰、馬不進也、文不同者、各據所聞而記之也、翟灝云、按莊子稱孟之反爲子反、閣本注疏遂誤之反爲子反、爲之側之字、古人字上、例以子爲挈、則亦似可通、

案、左氏記事極繁、故獨載馬不進也、而非敢後之意自見矣、此章專稱之反不伐之美、故詳載其言、乃文章繁簡之法、非所聞有異也、毛本多誤、此作子反、亦誤寫耳、不必強爲之說、馬注也字耳字、邢本俱無、今從皇本、

子曰、不有祝鮀之佞、而有宋朝之美、難乎免於今之世矣、孔安國曰、佞口才也、祝鮀衞大夫子魚也、時世

貴之、宋朝宋之美人、而善淫、言當如祝鮀之佞、而反如宋朝之美、難乎免於今之世害也、皇侃云、當于爾時、貴佞重淫、此二人並有其事、故得寵幸、而免患難、故孔子曰、言人若不有祝鮀佞、反宜有宋朝美、若二者並無、則難免今世之患難也、故范甯曰、祝鮀以佞諂被寵於靈公、宋朝以美色見愛於南子、無道之世、並以取容、孔子惡時民濁亂、唯佞色是尚、忠正之人、不容其身、故發難乎之談、將以激亂俗、亦欲發明君子全身遠害也、一本云、反如宋朝之美也、通者云、佞與淫異、故云反也、邢昺云、春秋定四年、會于召陵、盟于皐鼬、左傳曰、將會、衞子行敬子言於靈公曰、會同難、嘖有煩言、莫之治也、其使祝鮀從、公曰、善、乃使子魚、是祝鮀即子魚也、傳又曰、及皐鼬、將盟、將長蔡於衞、衞侯使祝鮀私於萇弘、文多不載、萇弘說、告劉子與范獻子謀之、乃長衞侯於盟、是時世貴之也、定十四年左傳曰、衞侯爲夫人南子召宋朝、杜注云、南子宋女也、朝宋公子、舊通於南子、在宋呼之、是朝爲宋之美人、而善淫也、物茂卿云、祝鮀宋朝、皆衞大夫、是必孔子論衞靈

公、次及他國之事、其臣無祝鮀之才、而雅有宋朝之美、故孔子論其不免於患難耳、翟灝云、黄氏日抄曰、范氏說、無鮀之佞、而獨有朝之美、協於經、晦菴以巧言令色不得分輕重、而去其說、且以無虗[illegible]獨而畏高明、比此句之句法、然書是一句、而平下兩事、兩事相比也、此二句、而兼下兩事、兩事相反也、句法似亦不類、集注考證曰、而字猶與字、古書兩事相兼者、每以而字中之、阮元云、皇本及作反、案釋文出及如云一本及字作反、義亦通、

案、范說即孔注之義也、集注則本於皇疏、而稍易之、然一不字管二有、於文竟爲不順、又仲尼嘗稱祝鮀曰、祝鮀治宗廟、其褒之爲如何、而至此忽斥爲巧言、與宋朝令色並稱、何聖言之前後相矛盾也、以此推之、皇疏不攻自破、孔注以佞字句、是也、但其義有未盡者焉、故皇侃而下、多不從其說、獨徂徠爲因論衞靈公、次及他國之事、尤近得此章之意、但爲及他國之事、未必然、今案此直論衞靈公耳、言衞國若不有祝鮀之才、而獨有宋朝之美、南子必竊權進姦、難免於死亡之患、幸有祝鮀之身、故得免其難也、云今之世者、政教陵遲、時多弑逆之禍也、孔注及字、今本義疏亦作反、然據疏中一本云云、則其本作及矣、詳味孔注、作反似長、

子曰、誰能出不由戶、何莫由斯道也、孔安國曰、言人立身成功、當由道、譬猶出入要當從戶、皇侃云、道、先王之道也、

子曰、質勝文則野、包咸曰、野如野人、言鄙略也、文勝質則史、包咸曰、史者文多而質少、邢昺云、言文多勝於質、則如史官也、物茂卿云、文謂禮樂、史掌文書、故朝廷制度、朝會聘問儀節、莫不通曉、而德行不必皆有也、文質彬彬、然後君子、包咸曰、彬彬文質相半之貌、翟灝云、說文引此論語、文質份份、阮元云、彬份古今字、

子曰、人之生也直、馬融曰、言人所生於世而自終者、

以其正直也、罔之生也、幸而免、包咸曰、誣罔正直之道、而亦生者、是幸而免、

案、誣罔正直爲邪曲、其所爲必邪、當獲罪戮死、然猶能令終者、是幸而免耳、不宜以其不獲罪、而儌其所爲也、或訓罔爲無、嘗聞不直、未聞無直、非也、

子曰、知之者不如好之者、好之者不如樂之者、包咸曰、學問、知之者、不如好之者篤、好之者不如樂之者深、皇侃云、樂謂歡樂之也、好有盈厭、故不如性歡而樂之、

案、知之、謂知道、當學、譬之飲食、知之者、知其可以養生者也、好之者、嗜之者也、樂之者、不得則憂者也、

子曰、中人以上、可以語上也、中人以下、不可以語上

也、王肅曰、上謂上知之所知也、兩舉中人、以其可上可下也、皇侃云、此謂爲教化法也、師說云、就人之品識、大判有三、謂上中下也、細而分之、則有九也、兩舉中人、以其可上可下也者、若分九品、則第五以上、可以語上、第五以下、不可語上、今但應云中人以上可以語上、以下不可語上、而復云中人以下、是也、若中人之上、可以語上、中人之下、不可語上、故再言中人也、

案、中人謂才學處上下之中者、中人之中、自有二品、其有志識者、可以語上、無志識者、不可以語上、故注云、以其可上可下也、上中下、大判爲三等、亦可、細分爲九等亦可、但聖人之言、不必屑屑乎分毫之間、判爲三等、似長、

樊遲問知、子曰、務民之義、王肅曰、務所以化道民之義、敬鬼神而遠之、可謂知矣、包咸曰、敬鬼神而不黷

論語集說　卷十　三十五

皇侃云、瀆猶數近也、陸德明云、瀆今作黷、阮元云、瀆黷古今字、問仁、子曰、仁者先難而後獲、可謂仁矣、孔安國曰、先勞苦而後得功、此所以爲仁、翟灝云、按樊遲凡三問仁、兩兼問知、夫子荅之絕不同、夫子固因材施教、而一人一問、時或有前後之殊、材未必變易之速、三荅均可終身由之、遲尤不應見少而屢黷也、大約遲之進問、猶有餘辭、而其辭有別、夫子乃各就問辭荅之、纂語者重在夫子之荅、略其問辭、但渾括之、曰問仁問知焉耳、各篇中凡諸弟子同所問、而夫子異荅之、宜兼以此意隅反之、

案、裁制事物、各得其宜之謂義、民義、謂人所宜爲、此與鬼神對、故變人曰民、非下民也、爲政篇曰、非其鬼而祭之、諂也、見義不爲、無勇也、與此互相發、仁於文爲二人、其一我也、故先人而後己、爲仁、先難即先人也、後得即後己也、樊遲三問、以夫子所荅推之、蓋其言也認最先、此章次之、愛人在後、何以言之、以其所荅漸深也、邢本問仁下無子字、今從皇本、

子曰、知者樂水、包咸曰、知者樂運其才知以治世、如水流而不知已、仁者樂山、何晏曰、仁者樂如山之安固自然不動、而萬物生焉、知者動、包咸曰、自進、故動也、仁者靜、孔安國曰、無欲故靜、知者樂、鄭玄曰、知者自役得其志、故樂、仁者壽、包咸曰、性靜者多壽考、皇侃云、此章極辨智仁之分、凡分爲三段、自知者樂水仁者樂山、爲第一、明智仁之性、又智者動仁者靜、爲第二、明智仁之用、先既有性、性必有用也、又智者樂仁者壽、爲第三、明智仁之功、已有用、用宜有功也、翟灝云、慈湖家記曰、音釋家樂水樂山、並五教反、尤爲害道、夫五教反者、好樂切著之謂也、孔子無得而形容姑託諭于山水而已、聖人尚不得言、豈好樂切著之可言哉、

案、樂音洛、性與之合也、釋文五教反、則尚不免有希望之意、其義反淺、此章狀知仁之性、致極詳悉、

論語集說　卷十　三十六

未見仲尼不能形容仁知、姑託諭于山水之意、翟灝引慈湖家記、以五教反爲好樂切著之義、謂孔子無得而形容仁知、是不唯駁陸音、并駁聖人、可謂無忌憚之甚矣、包注自進、邢本作日進、今從皇本、正文知字、皇本作智、今從邢本、

子曰、齊一變至於魯、魯一變至於道、包咸曰、言齊魯有大公周公之餘化、大公大賢、周公聖人、今其政教雖衰、若有明君興之、齊可使如魯、魯可使如大道行之時、皇侃云、禮記云、孔子曰、吾捨魯何適邪、明魯猶勝餘國也、

案、此論風俗也、風俗者、政事之田地、風俗善、則政教易成、齊有霸者之餘風、俗尚權詐、故王者有興、不若魯易成也、

子曰、觚不觚、馬融曰、觚禮器、一升曰爵、二升曰觚、觚

哉觚哉、何晏曰、觚哉觚哉、言非觚也、以喩爲政不得其道則不成、皇侃云、觚禮酒器也、禮云、觚酌酒、一獻之禮、賓主百拜、此則明有觚之用也、當于爾時、用觚酌酒、而沈酒無度、故孔子曰、觚不觚也、故王肅曰、當時沈湎于酒、故曰觚不觚、言不知禮也、蔡謨曰、王氏之說是也、邢昺云、異義韓詩說、一升曰爵、爵盡也、足也、二升曰觚、觚寡也、飲當寡少、三升曰觶、觶適也、飲當自適也、四升曰角、角觸也、不能自適、觸罪過也、五升曰散、散訕也、飲不自節、爲人謗訕、總名曰爵、其實曰觴、觴餉也、觥亦五升、所以罰不敬、觥廓也、所以著明之貌、君子有道、廓然著明、非所以餉、不得名觴、物茂卿云、以日本之量求之、爵受八勺九觚受一合七勺八、觶受二合六勺七、角受三合六勺弱、散與觥受四合五勺弱

案說文、觚、鄕飲酒之爵也、孔子嘗云、我觀於鄕而知王道之易易也、今失其禮、飲酒過度、故歎之、或以觚爲木簡、失之遠矣、又案驗之今人、一飲罄三四合酒者、十人中不過一二人、蓋古酒薄醲、又以犹醲之、非我酒芳烈之比、故人能飲之耳、不得以今疑其爵之大、

宰我問曰、仁者雖告之曰井有仁焉、其從之也、孔安國曰、宰我以仁者必濟人於患難、故問有仁人墮井、將自投下從而出之不乎、欲極觀仁者憂樂之所至、

翟灝云、義疏本作井有仁者焉、疏曰、有人告仁者曰、彼處有仁者墮井、而仁者當自投入井救取之邪、或問曰、仁人救物、一切無偏、何不但云井中有人、而必云有仁者邪、答曰、仁者能好人、能惡人、其雖惻隱濟物、若聞惡人墮井、亦不往也、案皇氏疏雖若迂僻、而孔注已云有仁人墮井、則古本仁下當有者字、物茂卿云、宰我井仁之問、慮孔子陷禍、而以微言諷之也、古注新注、其義甚淺無味、宰我之智、豈不知之、仁者暗指孔子也、井有仁焉、假設之言、蓋言險難之中、有可爲仁之事也、子曰、何爲其然也、君子可逝也、不可陷也、孔安國曰、逝往也、言君子可使往視之耳、不肯自投從之、可欺也、不可罔也、馬融曰、可欺者、可使往也、不可罔者、不可得誣罔令自投下、皇侃云、君子不逆詐、故可以暗昧欺、大德居正、故不可以非道罔也、物茂卿云、可逝也不可陷也者、據井有仁言之、可欺也不可罔也者、言其所以然之故也、言此以安宰我之心也、

案曰有仁焉、曰其從之也、即仁下無者字、謂井中有仁君矣、徂徠以此章爲宰我慮孔子陷於禍、而微諷之、又以井爲險難、皆是也、但以有仁爲有可爲仁之事、則失之、蓋聖人所爲雖賢者有不能測者焉、故孔子欲赴於佛肸公山弗擾之召、子路不悅、宰我蓋亦見有是類之事也、是以有此問、子路性剛、故直諫之、宰我在言語之科、故其言婉而成章、其所以忠於孔子一也、集注云、仁者雖切於救人、而不私其身、不應如此之愚、是以宰我爲愚也、然觀於孔子答語丁寧詳悉、無少貶詞、而編輯者又字而不名、則孔子未嘗以宰我之問爲愚也、

子曰、君子博學於文、約之以禮、亦可以弗畔矣乎、鄭玄曰、弗畔、不違道、皇侃云、言君子廣學六籍之文、又用禮自約束、能如此者、亦可得不違背於道理也、陸德明云、一本無君子字、兩得、

案文、六籍之文、禮時王之禮也、先王之道、百世同之、禮則從世而沿革、故君子廣學先王之道、以蓄其德、而其所行、則一從時王之禮、合者是博文約禮之義也、約與博對、則寡約之義、皇訓約束、非也、

子見南子、子路不說、夫子矢之曰、予所否者、天厭之、天厭之、孔安國曰、舊以南子者衞靈公夫人、淫亂、而靈公惑之、孔子見之者、欲因以說靈公、使行治道、矢

誓也、子路不說、故夫子誓之、行道既非婦人之事、而弟子不說、與之呪誓、義可疑焉、繆播云、應物而不擇者道也、兼濟而不辭者聖也、靈公無道、蒸庶困窮、鍾救於夫子、物困、不可以不救、理鍾、不可以不應、應救之道、必明有路、路由南子、故尼父見之、涅而不緇、則處汙不辱、無可無不可、故兼濟而不辭、以道觀之、未有可猜也、賢者守節怪之宜也、或以亦發孔子之答、以曉衆也、否、不也、言體聖、而不爲聖者之事、天其厭塞此道耶、王弼云、案本傳孔子不得已而見南子、猶文王拘羑里、蓋天命之窮會也、子路以君子宜防患辱、是以不說也、否泰有命、我之所屈不用於世者、乃天命厭之、言非人事所免也、重言之者、所以誓其言也、蔡謨云、矢、陳也、尚書序曰、皐陶矢厥謨也、春秋經曰、公矢魚于棠、皆是也、夫子爲子路矢陳天命、非誓也、李充云、男女之別國之大節、聖人明義教、正內外者也、而乃廢常違禮、見淫亂之婦人者、必以權道有由然、而子路不說、固其宜也、夫道消運否、則聖人亦否、故曰、所否者、天厭之、天厭之、厭亦否也、明聖人與天地同其否泰耳、豈

論語集說　卷二　三十九

區區自明於子路而已、陸德明云、否、鄭玄繆播、方有反、王弼李充備鄙反、朱熹云、孔子至衛、南子請見、孔子辭謝、不得已而見之、蓋古者仕於其國、有見其小君之禮、否、謂不合於禮、不由其道也、厭、棄絕也、聖人道大德全、無可無不可、其見惡人、固謂在我有可見之禮、則彼之不善、我何與焉、然此豈子路所能測哉、故重言以誓之、欲其姑信此而深思以得之也、

案、此章之義、自孔安國既疑之、故歷舉諸說以觀其歸、而朱說最穩、然猶有未盡者焉、孟子曰、仲尼不爲已甚者、故陽貨之欲見孔子、孔子不見、及其饋蒸豚、乃往而謝之、禮不得不往謝也、其見南子、亦猶如是耳、其不詳告子路者、禮在是國、不非其大夫、況於小君乎、若詳告之、言必及南子、故不告也、而子路之忠誠、不可不答、故且與之誓、使子路思而得之也、否與然對、即不然也、不然不是也、言予所見南子不是者、天厭棄之也、

子曰、中庸之爲德也、其至矣乎、民鮮久矣、何晏曰、庸

小雅巧言篇、匪其止共、箋云、不共其職事、是古止事通、事當訓止、前說失之、衛再考、

常也、中和可常行之德、世亂、先王之道廢、民鮮能行此道久矣、非適今也、

案、中和可常行之德、先王之世、皆能行之、非德之至者也、而近古之民、鮮能行之、今已久矣、則其德其至矣乎、矣決辭、乎疑辭、已云至矣、而又加乎字者、深歎中庸之德不難能、而世人鮮能之也、

子貢曰、如有博施於民而能濟衆、何如、可謂仁乎、子曰、何事於仁、必也聖乎、堯舜其猶病諸、孔安國曰、若能廣施恩惠、濟民於患難、堯舜至聖、猶病其難、邢昺云、言君能濟衆、何止事於仁、謂不啻於仁、夫仁者己欲立而立人、己欲達而達人、能近取譬、可謂仁之方也已、孔安國曰、更爲子貢說仁者之行、方道也、但能近取譬於己、皆恕己所欲而施之於人、

案、事、立也、猶言止、立、立於位也、謂仕位於朝、達、通也、謂通顯於文、二人爲仁、其一我也、仁者先人而後己、故己欲立而先立人、己欲達而先達人、能近取譬、即恕也、強恕而行、求仁莫近焉、故曰、仁之方也、孔子稱堯舜其猶病諸者二、皆濟衆安百姓之事、乃學問之極功也、苟志於聖人之道、當以斯語爲準的、然才性異稟、不能人爲堯舜、當各成性所近、以爲斯世之用、上之爲稷契皐龍、中之爲歷代名臣、下之不失爲一邑循吏、乃亦聖人之徒也、自學失其方、儒者專講理氣、談性命、自高於一世之上、苟有用心於實用者、斥爲功利之學、此人才之所以日降也、學術之弊、乃至於此、悲哉、皇本有作能衆、下有者字、注恕己所欲而施之於人、作皆恕己所不欲、而勿施人也、皆非、孔注若能、邢本作君能、今從皇本、

論語集說　卷二　四十

述而第七　邢昺云、此篇皆明孔子之志行也、以前篇論賢人君子及仁者之德行、成德有

漸、故以聖人次之、

子曰、述而不作、信而好古、竊比於我老彭、包咸曰、老彭殷賢大夫、好述古事、我若老彭、但述之耳、皇侃云、述者傳舊章也、作者新制作禮樂也、夫得制禮樂者、必須德位兼並、德爲聖人、尊爲天子者也、孔子是有德無位、故述而不作也、老彭亦有德無位、但述而不作、信而好古、孔子欲自比之、而謙不敢灼然、故曰竊比也、朱熹云、我親之之辭、物茂卿云、大戴禮虞戴德篇、子曰丘於君唯無言、言必盡於他人則否、公曰、教他人則如何、子曰、否、丘則不能、昔商老彭及仲傀、政之教大夫、官之教士、技之教庶人、揚則抑、抑則揚、綴以德行、不任以言、以此觀之、老彭、古之善教人者也、而孔子以教學爲事、故以自比之也、文王世子、凡學春釋奠于其先師、秋冬亦如之、鄭注、若漢禮有高堂生、樂有制氏、詩有毛公、書有伏生、億可以爲之也、又曰、凡釋奠者、必有合也、有國故則否、鄭注、國無先聖先師、則所釋奠者、與鄰國合也、按彭城近魯、則魯必祀老彭爲先師、故孔子竊以尊之、我以親之也、

案、邢云、以前篇論賢人君子及仁者德行、成德有漸、故以聖人次之、是也、但前篇有博賢人君子之不過之意、孔子有德而不得位、不能行道於天下、僅以祖述自終、此篇以此章居首、亦猶前篇之意也、凡一部論語、次篇第章、皆有微意、學者詳之、物云、魯必祀老彭爲先師、理或有之、然既竊比以尊之、則不妨稱我以親之、不必取無稽之事以實之也、

子曰、默而識之、學而不厭、誨人不倦、何有於我哉、鄭玄曰、無是行於我、我獨有之、皇侃云、云人無有是行者、言天下人皆無此三行也、云於我我獨有之也、釋於我哉也、言由我獨有之、故天下貴有於我也、毛奇齡云、近人有以何有訓不難者、如子言於從政乎何有、能以禮讓爲國乎何有、孟子於答是也、何有類、但可謂云爾、爲公西華說學不厭教不倦、爲子貢說、皆答詞也、今無故而忽自誇、又無是理、劉台拱云、第七篇所記、多夫子自道之辭、述而不作、信而好古、自道也、此二章語勢一例、何有於我、何所有於我也、時人推尊夫子、以爲道德高深、不可窺測、故夫子自言、我之爲人、不過如是而已矣、有何道德於我哉、出則事公卿、入則事父兄、喪事不敢不勉、不爲酒困、何有於我哉、語意亦如此、朱注解何有於我、爲何者能有於我、此說用劉原父、似亦可通、然夫子以不厭不倦自居、與門弟子言之屢矣、至是又辭而不居、何也、喪事不敢不勉、猶曰有所不足、不敢不勉、承當之辭、非遜謝之辭、聖人之言、遠如天、近如地、語其遠、不可及也、語其近、亦不可謙也、語默之宜、辭飽之節、曰非我所能、其可乎、學者詳之、

案、默而記識之、所以蓄其德也、否則道聽塗說、所謂口耳之學耳、何有於我、劉說盡之矣、仁齋亦嘗有見於此、而其說未盡、故今收劉說、毛引近人說以何有爲不難之義、得於辭、而未通於意、故疑其忽自誇、蓋不難即易、易即輕、於從政乎何有、能以禮讓爲國乎何有、皆易之之辭、何有於我、自輕其身之辭、意雖微異、其義自通也、何晏注、於從政乎何有、曰言不難也、是釋何有爲不難、不難於近人

然何至此、取鄭注、則亦不能融會彼此而通其義也、鄭注不可通、據皇疏、原作人無有是行、今本脫人字有字耳、

子曰、德之不脩、學之不講、聞義不能徙、不善不能改、是吾憂也、孔安國曰、夫子常以此四者爲憂、皇侃云、孔子自謂也、言孔子恒憂世人不爲上四事也、邢昺云、學須講習、

案、此篇所載、多謙虛之辭、注謂夫子自以爲憂、於義爲長、

子之燕居、申申如也、夭夭如也、馬融曰、申申夭夭、和舒之貌、皇侃云、燕居者、退朝而居也、申申者、心和也、夭夭者、貌舒也、鄉黨云、居不容、故當燕居時、所以心和而貌舒也、又云、申申、心申暢故和也、貌舒緩、故夭夭也、詩云、桃之夭夭、灼灼其華、即美舒貌、

子曰、甚矣吾衰也、久矣吾不復夢見周公、孔安國曰、

孔子衰老、不復夢見周公、明盛時夢見周公、欲行其道也、陸德明云、本或無復字、非、臧琳云、據陸氏所見本、知經無復字、乃後人援注所增、以經云、久矣、吾不夢見、先時曾夢見、故注云、不復夢見、復字正釋久矣字、陸氏及以無復字爲非、不審之甚、倅顧炟云、案文選劉琨重贈盧諶詩、吾衰久矣夫、何其不夢周、劉所見本、亦當無復字、

案、孔子盛時、屢夢周公、故云、不復夢見、不復夢見既久、故云、久矣、經有復字、感慨更深、故陸以無復字爲非也、詩限字數、既言何其不夢周、自不著得復字、若據劉詩爲經無復字之證、詩又無見字、亦可據以爲經無見字之證乎、可謂瞽說矣、

子曰、志於道、何晏曰、志慕也、道不可體、故志之而已、據於德、何晏曰、據杖也、德有成形、故可據、依於仁、何晏曰、依倚也、仁者功施於人、故可倚、游於藝、何晏曰、藝六藝也、不足據倚、故曰游、皇侃云、游者履歷之名也、邢昺云、周禮保氏云、掌養國子、教之六藝、一曰五禮、二曰六樂、三曰五射、四曰五馭、五曰六書、六曰九數、注云、五禮、吉凶軍賓嘉也、六樂、雲門、大咸、大韶、大夏、大濩、大武也、五射、白矢、參連、剡注、襄尺、井儀也、五馭、鳴和鸞、逐水曲、過君表、舞交衢、逐禽左也、六書、象形、會意、轉注、指事、假借、諧聲也、九數、方田、粟米、差分、少廣、商功、均輸、方程、贏不足、旁要也、物茂卿云、志謂心所存主、道者先王之道也、先王之道大、豈一旦所能得哉、故曰、志於道、據者、如據地而作、據城而戰之據、德者己之德也、德人人殊、各以其性所近而成焉、虞書九德、周禮六德、可以見已、我性之德、守而不失、可以進取、故曰、據於德、依者違之反、不相違離也、如聲依永、謂絲竹之聲與歌詠相上下、不相離、仁者長人安民之德、先王之道、爲安民設之、故其道主仁、故凡道之在行者、始於孝悌、推而達諸天下、一皆以生之成之長之養之之心行之、而不與此心相離、是謂之依於仁、游猶遊旅、有時乎游、可以娛我耳目、發其意智也、人之於藝亦然、有游則有息、不于常之謂也、

論語集說　卷二　四十三

案、此章之旨、唯徂徠先生得之、但解游於藝、未是、六藝有禮樂、豈唯有時乎游、以娛我耳目而已哉、蓋游者玩物適情之名、六藝皆物也、我往而游之、非仁與道德、蓄之心之比、故曰游耳、徂徠所著論語徵、多無用之辯、今取其意而節錄之、非敢刪改也、讀者詳之、

子曰、自行束脩以上、吾未嘗無誨焉、孔安國曰、言人能奉禮、自行束脩以上、則皆教誨之、皇侃云、束脩、十束脯也、古者相見、必執物爲贄、贄至也、表己來至也、上則人君用玉、中則卿羔、大夫鴈、士雉、下則庶人執鶩、工商執雞、其中或束脩壺酒一犬、悉不得無也、束脩最是贄之至輕者也、邢昺云、書傳言束脩者多矣、皆十脡脯也、檀弓曰、其以乘壺酒、束脩、一犬賜人、穀梁傳曰、束脩之問、不行竟中、是知古者持束脩以爲禮、然此是禮之薄者、其厚則有玉帛之屬、故云以上以包之也、方觀旭云、集注云、十脡爲束、本之邢疏、案檀弓少儀、穀梁傳所云束脩、但言賜人問人、不言爲贄、脯脩則是婦人相見之物、男贄無之、嘗以爲疑、及見鄭注、云謂年十五以上、恍悟邢疏之謬、蓋古人稱束脩、有指束身脩行言者、列女傳、秋胡婦云、束髮脩身、鹽鐵論、桑弘羊曰、臣結髮束脩、得宿衛、後漢延篤傳曰、且吾自束脩以來、馬援杜詩二傳、又並以束脩爲年十五、俱是鄭注佐證、書傳云、十五入小學、始行束脩時矣、鄭注見延篤傳注、

案、詳味孔注、讀自爲自己之自、言奉持禮節、自行束脩以上之人、則皆教誨之、聖人善誘、能盡人之才、然人不自束脩、則無受教之地、誨之不但無益、反受煩瀆之誚、故不誨也、意正與鄭同、憤悱自厲之甚者、比束脩有加焉、故編輯者以下章次之、其意可見矣、其解爲脯者、自皇侃始、非孔意也、

子曰、不憤不啓、不悱不發、擧一隅不以三隅反、則不復也、鄭玄曰、孔子與人言、必待其人心憤憤、口悱悱、乃啓發爲說之、如此、則識思之深也、說則擧一隅以語之、其人不思其類、則不復重教之、皇侃云、憤謂學者之心、思義未

論語集說　卷二　四十四

得而憤憤然也、啓開也、悱謂學者之口、欲有所諮而未能宣、悱然也、發發明也、倅願煊云、擧一隅、皇侃本、孟蜀石經、文選西京賦李善注引、隅下俱有而示之三字、案集解鄭曰、説則擧一隅以語之、鄭本亦當有而示之三字、

案、經文高簡、擧字中含有示之義、故鄭加以語之三字以釋之、非其本有以示之三字也、三字有無、義本兩通、但無者近古、當以今本爲正、

子食於有喪者之側、未嘗飽也、何晏曰、喪者哀戚、飽食於其側、是無惻隱之心、邢昺云、此章言孔子助喪家執事時、故得有食、飢而廢事、非禮也、飽而忘哀亦非禮、故食而不飽、

子於是日哭、則不歌、何晏曰、一日之中、或哭或歌、是褻於禮容、范甯云、是日、即弔赴之日也、禮歌哭不同日也、故哭則不歌、

案、皇本此章與上章合爲一章、而無此章何注、

子謂顏淵曰、用之則行、舍之則藏、唯我與爾有是夫、孔安國曰、言可行則行、可止則止、唯我與顏淵同、子路曰、子行三軍、則誰與、孔安國曰、大國三軍、子路見孔子獨美顏淵、以爲己勇、至於夫子爲三軍將、亦當唯與己俱、故發此問、子曰、暴虎馮河、死而無悔者、吾不與也、孔安國曰、暴虎徒搏、馮河徒涉、必也臨事而懼、好謀而成者也、皇侃云、余以爲子路聞孔子許顏之遠、悦而慕之、自恨己才之近、唯強而已、故問子行三軍則誰與、言必與許己也、言許己以麤近也、故夫子因慰而廣之、言若在三軍、如暴虎馮河、則可賤而不取、謂世之麤勇也、若懼而能謀抑亦仁賢之次流、謂子路也、如此三軍、則不獨麤勇也、天子六軍、大國三軍、小國一軍、軍一萬二千五百人也、爾雅云、暴虎、徒搏也、郭注云、空手執也、又云、馮河、徒涉也、郭云、無舟檝也、邢昺云、詩傳云、馮、陵也、然則空涉水、陵波而渡、故訓馮爲陵也、焦循云、邢疏以成爲成功、義殊不了、成猶定也、定即決也、好謀而成、即是好謀而能決也、

案、孔門諸子、皆能自知、又皆欲出其所得、以輔世濟民、觀諸子自言其志、與孔子稱之、可以見矣、子路於三達德、得勇、自謂仕於一小國、患難薦至、治之三年、足使民有勇、且知方、而未知孔子許之否、故因其美顏淵、擧其志以質之、孔子亦欲因其材而成之、擧勇之粗者與精者以示之、非抑之、實誘之也、有沈居士者曰、子路不平與顏淵、而尚其勇鄙昧也已甚、孔子以之比暴虎馮河、醜詆子路極矣、後世讀此章者、雖未至如此其甚、亦皆有輕視子路之意、是以小人之腹、度君子之心、多見其不知量耳、成者成所臨之事也、事成則功成矣、邢疏未可非、孔注亦當唯與己俱、邢本作當誰與己同、誰字誤耳、章首注孔安國、邢本誤孔子、今皆從皇本、

子曰、富而可求也、雖執鞭之士、吾亦爲之、鄭玄曰、富貴不可求而得之、當脩德以得之、若於道可求者、雖執鞭之賤職、我亦爲之、若不可求、從吾所好、孔安國曰、所好者古人之道、皇侃云、周禮有條狼氏、職掌執鞭以趨避、王出入、則八人夾道、公則六人、侯伯四人、子男二人、鄭言趨而避行人、若今卒避車之爲也、邢昺云、序官云、條狼氏下士、故云、執鞭賤職也、焦循云、而與如通、而可求、即如可求、如可求則爲之、如不可求、則不爲、聖人之言、明白誠實如此、若以富而可求爲設言之虛語、此滑稽者所爲、曾以是擬孔子乎、執鞭爲條狼氏之職、孔子爲委吏乘田、正所謂吾亦爲之者矣、

案、富謂祿也、而如字自通、不必訓如、條狼氏賤矣、然有命焉、從道求之、亦有不能得者焉、故擧至賤者、喻富之不可必得、孔子嘗言不學詩、無以言、言語之道、不得不抑揚以悉其情、其爲委吏乘田、乃

少年養親時之事、德爲聖人、而欲爲求富爲執鞭之吏、吾不信焉、

子之所慎、齊戰疾、孔安國曰、此三者人所不能慎、而夫子獨能慎之、皇侃云、齊者先祭之名也、將欲祭祀、則先散齊七日、致齊三日也、齊之言齊也、人心有欲、散漫不齊、故將接神、先自寧靜、變食遷坐、以自齊絜也、時人慢神、故於齊不慎、而孔子慎之也、

案、庸人慢神、局於所見也、至於後世、無鬼之論、薰涂其心、遂寓其名於造化之跡、不復謂有鬼神、其不能慎齊、固勿論耳、乃若戰與疾、死生存亡之所係、而勇者輕之、怯者懼之、能慎而齊之者、不聞其人也、然後知聖人之用心、不可得而及、而編輯者之録此章、亦能窺其心也、

子在齊聞韶、三月不知肉味、周生烈曰、孔子在齊聞習韶樂之盛美、故忽於肉味、曰、不圖爲樂之至於斯

也、王肅曰、爲作也、不圖作韶樂至於此、此齊、范甯云、夫韶乃大虞盡善之樂、齊諸侯也、何得有之乎、曰陳舜之後也、樂在陳、陳敬仲竊以奔齊、故得僭之、皇侃云、斯此也、此指齊也、孔子言實不意虞奏作聖王之韶樂、而來至此齊侯之國也、邢昺云、孔子適齊聞韶三月、不知肉味、曰不圖爲樂之至於斯、美之甚也、朱熹云、史記三月上有學之二字、物茂卿云、子在齊聞韶三月、句、聞韶者學韶也、揚升庵云、不意齊之爲樂至此耳、如今之說、則孔子之視舜劣而小之甚矣、爲是、翟灝云、湛囦靜語云、此章諸家說不一、皆不若以子在齊爲一句、聞韶三月爲一句、不知肉味爲一句、義自明白、釋文曰、爲本或作嬀、音居危反、非、

案、仲尼曰、樂其可知也、始作翕如、僖二十四年左傳、富辰曰、糾合宗族于成周、而作詩、謂歌常棣詩、是古者謂奏樂爲作、故王訓爲爲作、而皇以奏作釋之、王恐後人以斯爲指舜樂、故云此齊、言此謂齊奏樂之善、不謂舜樂之美、邢疏得之、王注簡輿、故後儒多不能解焉、史記有學之二字者、添句釋聞韶之義、非經文本有是二字、物說是也、斷句當以湛囦靜語爲正、蓋齊深於韶樂、景公作徵招角招、招即韶、蓋亦取其聲節也、

冉有曰、夫子爲衛君乎、鄭玄曰、爲猶助也、衛君者謂輒也、衛靈公逐大子蒯聵、公薨而立孫輒、後晉趙鞅納蒯聵於戚、衛石曼姑帥師圍之、故問其意助輒不乎、皇侃云、靈公以魯哀公二年夏四月薨、而立蒯聵之子輒爲君、孔子時在衛、爲輒所賓接、哀公三年、衛輒之臣石曼姑帥師圍戚、子貢曰、諾、吾將問之、入曰、伯夷叔齊何人也、曰、古之賢人也、曰、怨乎、曰、求仁而得仁、又何怨乎、孔安國曰、夷齊讓國遠去、終於餓死、故問怨邪、以讓爲仁、豈有怨乎、皇侃云、所以不問助輒不而問夷齊者、不欲斥言衛君事、故以

微理求之也、邢昺云、初心讓國、求爲仁也、君子殺身以成仁、夷齊雖終於餓死、得成於仁、豈有怨乎、故曰又何怨、朱熹云、君子居是邦、不非其大夫、況其君乎、故子貢不斥衛君、而以夷齊爲問、出曰、夫子不爲也、鄭玄曰、父子爭國惡行、孔子以伯夷叔齊爲賢且仁、故知不助衛君明矣、

案、孟子曰、孔子於衛孝公、公養之仕也、說者以爲出公輒是也、蓋輒避父出奔、故衛人謚孝公、然不終於位、其謚不顯、故世本不載、史遷不參考孟子、直書出公耳、孔子既享其養、故冉有疑其爲之、不自問者、蓋冉求時仕衛、避嫌不敢問、且子貢長於言語、故就與之謀也、邢本戚下有城字、何怨下無乎字、左傳納蒯聵於戚、無城字、哀三年正義、文選江淹雜詩注、史記伯夷傳索隱、皆引此文、有乎字、與皇本合、今從之、皇本曰古上有子字、鄭注明矣、作明也、今從邢本、

子曰、飯疏食飲水、曲肱而枕之、樂亦在其中矣、孔安

國曰、疏食菜食、肱臂也、孔子以此爲樂、皇侃云、肘前曰臂、肘後曰肱、通亦曰臂、陸德明云、疏本或作蔬、翟灝云、詩彼疏斯稗箋云、疏麤也、謂糲米也、禮主人辭以疏、一訓菜食、周禮聚斂疏材、釋文但云菜也、疏兼有麤菜二義、故孔氏解此爲菜食、朱子注爲麤飯、**不義而富且貴、於我如浮雲、**鄭玄曰、富貴而不以義者、於我如浮雲、非己之有、皇侃云、富與貴是人之所欲、不以其道得之、不處也、不義而富貴、於我如天之浮雲也、所以然者、言浮雲自在天、與我何相關、如不義之富貴、與我亦不相關也、

案凡云在其中者、謂本無其事、而自然有來至其中者、如飯疏飲水、曲肱而枕之、本非可樂之事、然仰不愧天、俯不恥人、學先王之道、以蓄其德、雖飯疏飲水之窶、不能以移其心、樂孰大於此、故曰樂在其中矣、孔云、孔子以此爲樂、未免微誤、皇本疏作蔬、即陸所云一本也、疏訓麤爲是、孔本或作蔬、故訓菜食、與程瑤田謂疏食稷也、庶民所食、五穀中最賤、故曰疏食、今案哀十三年左傳、公孫有山

曰、粱則無矣、麤則有之、麤與粱對、似亦指稷爲麤矣、如浮雲、諸說紛然、詳玩於我二字、孔子述視之之意、非泛論不義之富貴、則鄭注皇釋、實得其義矣、

子曰、加我數年、五十以學易、可以無大過矣、何晏曰、易窮理盡性、以至於命、年五十、而知天命、以知命之年、讀至命之書、故可以無大過也、皇侃云、當孔子爾時、年已四十五六、故云加我數年五十而學易也、邢昺云、謙不敢自言盡無其過、故但言可以無大過矣、朱熹云、劉聘君見元城劉忠定公、自言嘗讀他論、加作假、蓋加假聲相近而誤讀、愚案此章之言、史記作假我數年、若是我於易則彬彬矣、物茂卿云、言學易比至五十、乃始有成也、掩言易之難學也、無大過、即史記之彬彬、謂其於易無大謬也、毛奇齡云、古者五十以後、不復親學、故養老之禮、以五十始、如五十養鄉、六十養國、五十異粻、六十宿肉、五十杖家、六十杖國、五十不從力征、六十不與服戎、五十而爵、六十不親學、是四十五十、

本親學與養老一大界限、故曰、四十五十而無聞焉、斯亦不足畏也已、蓋五十以前、尚可爲學、五十以後、無復學理、所謂六十不親學、明明指定也、內則、古十三、學樂誦詩、十五以上學射御、二十以上學禮博學不教、三十猶學不教、至四十而仕矣、故曰、四十始仕、五十命爲大夫、服官政、七十致事、此爲學與入仕之次第也、故學以五十爲斷、至五十而老至、不學矣、故曰、養老之禮、自五十始、夫子不知老將至、衞武公耄而好學、此非常例、不足難也、如三十壯有室、將過此絕婚娶乎、翟灝云、風俗通義窮通卷引、孔子曰、假我數年乎、加亦作假、釋文曰、魯讀易爲亦、今從古、

案、加爲假、有史記風俗通可證、當從之、假我數年、謂天假我數年之命也、物云、學易比至五十、乃始有成也、得之、如古注、是待至五十、始學易、聖人豈有此拘泥之言哉、其所以言五十、皇疏毛說盡之、無大過、古注是也、於易則彬彬矣、乃史遷解論語之言、未必得經旨也、

子所雅言、孔安國曰、雅言正言也、**詩書執禮、皆雅言**

也、鄭玄曰、讀先王典法、必正言其音、然後義全、故不可有所諱、禮不誦、故言執、皇侃云、若讀書避諱、則疑誤後生、故禮云、教學臨文不諱、詩書不諱、是也、物茂卿云、子所雅言詩書、句、執禮皆雅言也、句、文王世子曰、春誦夏弦、大師詔之瞽宗、秋學禮、執禮者詔之、冬讀書、典書者詔之、禮在瞽宗、書在上庠、是古稱教禮之官爲執禮、言不唯孔子、凡執禮者皆雅言、以此證上句也、翟灝云、程子經說、世俗之言、失正者多矣、如吳楚失于輕、趙魏失于重、既通于衆、君子正其甚者、不能盡違也、說雅字尤詳明確當、古經典如小雅大雅爾雅、雅俱訓正、史記注別訓素、因素轉常、則始于集注、陸深傳疑錄曰、執本埶字、埶藝古字通、執禮之文無再見、況子不語怪力亂神、與此章互相發、各是四字、古稱六經、謂之六藝、此之雅言、或是詩書禮樂、蓋樂亦一藝也、按禮文王世子、執禮者詔之、此執禮文之再見者也、陸深謂埶藝古通、雖本自徐氏新脩字義、而古文執作埶、藝作埶、或省作執、兩形頗不同、方觀旭云、王伯厚曰、石林解執禮云、猶執射執御之執、記曰、秋學禮、執禮者詔

之、蓋古者謂持禮書以治人者、皆曰執、周官大史、大祭祀、宿之日、讀禮書、祭之日、執書以次位常、凡射事執其禮事、以證此經執禮、爲執禮書、爲解甚確、愚案盧子幹注王藻篇臨文云、謂禮文也、禮執文行事、盧氏說亦可移解論語執禮、劉台拱云、雅言正言也、鄭注謂正言其音者得之、但以爲詩書不諱、臨文不諱之義、則非是、執猶掌也、執禮、謂詔相禮事、文王世子曰、秋學禮、執禮者詔之、雜記曰、女雖未許嫁、年二十、而笄、婦人執其禮、是也、夫子生長於魯、不能不魯語、惟誦詩讀書執禮三者、必正言其音、所以重先王之訓典、謹末學之流失也、

案方劉皆本於葉說、而劉說最精、翟亦有此解、文繁不錄、物徂徠解執禮爲執禮者、於皆雅言極穩、然此章記孔子之行、舉執禮者以証其事、於義未協、當以劉說爲正、

葉公問孔子於子路、子路不對、孔安國曰、葉公名諸梁、楚大夫、食采於葉、僭稱公、不對者未知所以答、

曰、女奚不曰其爲人也、發憤忘食、樂以忘憂、不知老之將至云爾、朱熹云、未得則發憤而忘食、已得則樂之而忘憂、以是二者、俛焉日有孳孳、而不知年數之不足、

案葉公當時楚國第一流之人、觀其討白公之亂可見矣、豈有不知孔子聖德之崇之理哉、而故意問之者、蓋恃其名位、有輕侮孔子之意、故子路不答、非不知所以答也、孔子知之、故謙以承之、告以其平生所自任好學之意、聖人所以接人、觀此思過半矣、爾、然也、然、如是也、猶言當云如是、

子曰、我非生而知之者、好古、敏以求之者也、鄭玄曰、言此者、勸人學、伊藤源佐云、當時之人、有以夫子爲生知不由學者、故言此以曉人、

案敏疾也、此固勸人學之言、然亦必承時人稱夫子之言而言之、仁齋得之、

子不語怪力亂神、王肅曰、怪、怪異也、力、謂若奡盪舟烏獲舉千鈞之屬、亂謂臣弑君、子弑父、神謂鬼神之事、或無益於教化、或所不忍言、皇侃云、或問曰、易文言、孔子所作、云臣殺君子殺父、並亂事、而云孔子不語之何也、答曰、發端曰言、答述曰語、此云不語、謂不稱答耳、非云不言也、子路問事鬼神、孔子曰、未能事人、焉能事鬼、是不答也、三十斤曰鈞、

案喜怪而不喜常、人之情也、古今人情不相遠、故古亦有志怪之書、力亦常人所貴、而亂世尤甚、孔子之時、天下大亂、必亦有舉其事而問之者矣、聖人以神道設教、而以卜筮時日鬼神惑人者殺、蓋鬼神之事、人情所不能絕、而其理微妙難知、故聖人寓之禮、而不語其理、其假以惑人者、殺之無赦、人不能窺其際、雖以子路之賢、亦不免問之、則時人數問之可知矣、此四者、皆當時切要之事、編輯者知後世亦必有此弊、故謹錄以垂教也、皇疏引李充曰、力不由理、斯怪力也、神不由正、斯亂神也、蓋未通此義也、

子曰、三人行、必得我師焉、擇其善者而從之、其不善者而改之、何晏曰、言我三人行、本無賢愚、擇善從之、不善改之、故無常師也、陸德明云、我三人行、一本無我字、必得我師、本或作必有、翟灝云、義疏本唐石經本作我三人行、必得我師焉、與釋文合、史記世家、有作得、穀梁傳僖公二十七年范甯注曰、我三人行、必有我師、

案善者與不善者、并我爲三人、故注疏加我字以解之、非經有我字、本或有我字者、後人依注增之耳、今從邢本、公羊傳曰、一有一無曰有、然是因偶至者而言之、其實有是一定之名、得則出於意外、三人行、本非有一定之師、其善不善、皆得於意料之外、作得是也、今從皇本、

子曰、天生德於予、桓魋其如予何、包咸曰、桓魋宋司馬也、天生德於予者、謂授我以聖性也、合德天地、吉

而無不利、故曰、其如予何、江熙云、小人爲惡、以理喻之、則愈凶強、晏然待之、則更自處、亦猶匡人聞文王之德、而兵解也、邢昺云、案孔子世家、孔子適宋、與弟子習禮大樹下、宋司馬桓魋欲殺孔子、拔其樹、孔子去、弟子曰、可速矣、故孔子發此語、朱熹云、言不能違天害己、物茂卿云、德謂有德之人也、天命孔子、教育英才、而有德之人由孔子生、

案、桓魋欲殺孔子、而畏害聖之名、拔樹倒之、欲令如自壓死者、其不能違天害孔子亦明矣、孔子知之、故言此以安門弟子之心、然小人爲惡、日增月長、有不可預測者焉、故微服過宋、不專委之天、其自信與處宜、並行不相悖如此、江物二說、皆非此章之義、聊收之以博異聞、邢本性下無也字、合德作德合、今從皇本、皇本馬下有黎字、注末有也、今從邢本、

子曰、二三子以我爲隱乎、吾無隱乎爾、包咸曰、二三子謂諸弟子、聖人知廣道深、弟子學之不能及、以爲有所隱匿、故解之、皇侃云、爾、女也、物茂卿云、不憤不啓、不悱不發、舉一隅不以三隅反、則不復也、故二三子以孔子爲隱也、吾無隱乎爾、乎爾語助辭、如孟子無有乎爾、則亦無有乎爾、人多於此章解爾爲女、於孟子訓然、皆非矣、吾無行而不與二三子者、是丘也、包咸曰、我所爲、無不與爾共之者、是丘之心、物茂卿云、言吾所行、必與二三子共之、莫有所隱而獨行者、蓋欲二三子默而識之也、先王之教、禮樂不言、舉行與事而示之、天何言哉、四時行焉、百物生焉、皆在默而識之、

案、古人之教、先行而文言、故孔子之於門人、必待憤悱而後啓發之、故又曰予欲無言、欲其思而得之也、然人之喜知而略行、古猶今、雖孔門諸子、或不免於此、至有以孔子爲隱者、故孔子諭之曰、我之所爲、必與二三子共之、未嘗有獨行於冥暗之中者、二三子常見之矣、而以我爲隱、特不用心熟察之耳、其誘之可謂深切著明矣、包注云、無不與爾共之者、則亦訓爾爲女矣、皇本爲隱下有子字、行而上有所字、今從邢本、

子以四教、文行忠信、何晏曰、四者有形質、可舉以教、李充云、其典籍辭義、謂之文、孝悌恭睦、謂之行、爲人臣則忠、與朋友交則信、此四者、教之所先也、故文以發其蒙、行以積其德、忠以立其節、信以全其終也、邢昺云、行謂德行、在心爲德、施之爲行、

案、中心爲忠、言爲人謀必盡其心也、人言爲信、言不如馬嘶狗吠之聲絕即已也、

子曰、聖人吾不得而見之矣、得見君子者、斯可矣、何晏曰、疾世無明君、子曰、善人吾不得而見之矣、得見有恒者、斯可矣、亡而爲有、虛而爲盈、約而爲泰、難乎有恒矣、孔安國曰、難可名之爲有常、皇侃云、當時澆亂、人皆誇張、指無爲有、說虛爲盈、家貧約而外作奢泰、皆與恒反、物茂卿云、善人齊桓秦穆之倫、故曰不踐迹、謂其不拘先王之舊也、是有大作用者、亦世不恒有、故曰、不得而見之、善人以下、異日之言、以其相類、故同居一章、子曰何必衍也、翟灝云、毛詩賓之初筵正義、論語曰、聖人吾不得而見之、得見君子者斯可矣、又曰、善人吾不得而見之、得見有恒者、斯可矣、按善人以下、別爲一章、故加子曰字、而詩正義引之、亦間以又曰二字、

案、善人、物謂不踐迹不入室之人、後經解經是也、其以善人以下別爲一章、又是也、蓋聖人章傷世無明君、何解得之、善人章則汎論當時之人、故舉無而爲有以下、以證有恒之難、故孔安國直云、難可名之爲有常、絕不及人君之事、明其爲二章也、若合爲一章、因不得見遂下其等、自聖人以至有恒者、聖人之言、無乃失於大煩乎、故知當斷爲二章也、

子釣而不綱、弋不射宿、孔安國曰、釣者一竿釣、綱者爲大綱、以橫絕流、以繳繫釣、羅屬著綱、弋、繳射也、宿

宿鳥、皇侃云、繳繩也、以小繩係釣而羅列屬著大繩也、鄭玄注周禮司弓矢云、結繳於矢、謂之矰、矰高也、詩云弋鳧與雁、司弓矢又云田弋充籠箙矢、共矰矢、注云、籠竹箙也、矰矢不在箙者、爲其相撓亂、將用乃共之也、侃案鄭意則繳射是細繩係箭而射也、邢昺云、說文云、繳生絲爲繩也、

案釣不必擇、而孔言一竿釣者、釣與綱對、欲以見綱之爲衆釣、故言一竿釣耳、綱義孔注皇疏盡之矣、但孔注繫釣、皇疏係釣之釣、皆當爲鈎字之誤也、蓋一竿釣、一擧只獲一魚、綱則細繩繫鈎、羅列屬著於大繩、一擧輒獲數十尾、今都下漁人所謂長繩者即其遺法也、自邢昺誤解孔注羅字爲羅網、後儒多襲其謬、甚者以綱爲網字之譌、失之遠矣、弋繫生絲於箭而活結之、又係礴於絲末、矢中鳥、則礴奮絲解、以纏繞鳥翼、弋加之飛鳥、若不施繳、雖能中之、鳥帶矢而去、墜於數百步之外、故必施繳也、必用生絲者、爲其易解也、漢書司馬遷傳名家苛察繳繞、如淳云、繳繞猶纏繞也、是弋繳名繳之義也、說文、宿止也、此宿謂集於木、弋加飛鳥、恒矢射集鳥、飛鳥難加、見加之鳥、有薄命之分、

集鳥易中、然見入則驚擧、射之有貪獲掩不意之嫌、故弋焉而不射宿也、皇邢解射宿爲夜射棲鳥、不知言弋以見飛鳥、言射宿以見恒矢、本以互文出之、其義甚明、且古禁宵行、春秋雖亂、其法猶存、觀柳下惠媼不逮門之女可見矣、況鳥之夜棲、必擇茂樹密林、以避他害、蔭翳難見、欲射之、必擧炬穿林、動爲人所疑怪、雖孺豎庸夫、猶不敢爲、而稱爲聖人之美行、有此理乎、可謂不思甚矣、其釣弋者集注引洪氏云、孔子少貧賤、爲養與祭而爲之、是也、

子曰、蓋有不知而作之者、我無是也、包咸曰、時人有穿鑿妄作篇籍者、故云然、**多聞擇其善者而從之、多見而識之、知之次也、**孔安國曰、如此次於生知之者也、皇侃云、若因多所見、則識錄也、多見不云擇善者、與上互文、亦從可知也、

案知之次、與不知而作之之知同、皆謂知道、孔解知之次爲生知、失之、多聞擇其善者而從之、多見而識錄之、雖未能作、猶勝夫不知而妄作者、可以爲知道之次也、邢本孔注、作如此者次於天生知之、今從皇本、

互鄉難與言、童子見、門人惑、鄭玄曰、互鄉、鄉名也、其鄉人言語自專、不達時義、而有童子來見孔子、門人怪孔子見之、皇侃云、琳公曰、章首八字、通爲一句、言此鄉有一童子難與言耳、非一鄉皆專惡也、**子曰、與其進也、不與其退也、唯何甚、**孔安國曰、教誨之道、與其進、不與其退、怪我見此童子、惡惡一何甚、**人絜己以進、與其絜也、不保其往也、**鄭玄曰、往猶去也、人虛己自絜而來、當與其進之、亦何能保其去後之行也、皇侃云、往謂已過之行、言其既絜[illegible]而來猶進之、是與其絜也、而誰保其往日之所行

邪、何須惡之也、顧歡曰、往謂前日之行也、鄭注云、去後之行、亦謂今日之前、是已去之後也、伊藤源佐云、聖人待物之仁、猶天地之造化萬物、生者自生、殺者自殺、而生物之心、自無息於其間、何其大哉、孟子曰、往者不追、來者不拒、苟以是心至、斯受之而已矣、可謂能發夫子之道、而詔之萬世者也、物茂卿云、邢疏朱注、皆以往爲前日之義、而保字不可得而解矣、

案惠琳以章首八字爲一句、其意謂無一鄉之人皆難與言之理、然風俗之移人、猶飽肆不知臭、且難與言、擧大略而言之、不謂無一人可與語者也、惠棟以互鄉爲鄉愿之屬、云交互向人、其謬不足辨也、人絜己三句、說與其進之意、非有闕文誤字、以往爲前日、始於顧歡、而皇邢從之、皇又誣鄭注爲亦謂今日之前、然鄭明言往猶去也、亦何能保其去後之行、其謂童子見孔子既去後之行甚明、夫保任也、保任可以言後、不可以言前、如未見以前之行、雖聖人安能保任之、不言可知矣、此章之義、仁齊先生引孟子證明之、得之、孔注一何甚也、皇本作何一甚也、一字解唯字、何一誤倒、今從邢

本、鄭注當與其進之、邢本作當與之進、
案、舊本蓋作當與其進、皇本衍之字耳、

子曰、仁遠乎哉、我欲仁、斯仁至矣、包咸曰、仁道不遠、行之即是、皇侃云、世人不肯行仁、故孔子引之也、問言仁道遠乎也、言其不遠也、但行之由我、我行即是、此非出自遠也、故云我欲仁而斯仁至也、
案、包注即是、皇本作則是至也、然疏云、我行即是、則其本原亦作即是、今本誤衍耳、今從邢本、

陳司敗問昭公知禮乎、孔安國曰、司敗、官名、陳大夫也、昭公、魯昭公也、邢昺云、文十一年左傳云、楚子西曰、臣歸死於司敗也、杜注云、陳楚名司寇爲司敗也、**孔子對曰、知禮、孔子退、揖巫馬期而進之、曰、吾聞君子不黨、君子亦黨乎、君娶於吳、爲同姓、謂之吳孟子、君而知禮、孰不知禮、**孔安國曰、巫馬期、弟子也、名施、相助匿非曰黨、魯吳俱姬姓也、禮同姓不昏、而君娶吳、當稱吳姬、諱曰孟子也、皇侃云、古人欲相見、前進皆先揖之也、陸德明云、娶本今作取、翟灝云、巫馬子名施、說文云、施、旗貌、齊欒施、鄭豐施皆字子旗、古人爲字使人聞其字而知其名、率多如此、此當以旗爲正、期字通借、**巫馬期以告、子曰、丘也幸、苟有過、人必知之、**孔安國曰、以司敗之言告也、諱國惡、禮也、聖人道弘、故受以爲過也、
案、孔注大夫下、昭公下、邢本無也字、經文作孔子曰、無對字、今從皇本、皇本官名下有也字、道弘上有智深二字、今從邢本、又案、邢本注作而君取之、皇本作而娶吳之、疏云、而昭公娶其吳之女、據此、皇本注舊娶吳之女、今本誤脫女字、而吳之二字不可通、邢以吳字爲衍、遂刪之耳、惜無別本可證、今且作娶吳、仍存其說於疏中、

子與人歌而善、必使反之、而後和之、何晏曰、樂其善、故使重歌、而後自和之也、皇侃云、若彼人歌善、合於雅頌者、則孔子欲重聞其音曲、故必使重歌也、
案、注後字、也字、邢本俱無、今從皇本、

子曰、文莫吾猶人也、何晏曰、莫、無也、文無者、猶俗言文不也、文不吾猶人者、言凡文皆不勝人也、朱熹云、莫、疑辭、猶人、言不能過人、而尚可以及人、物茂卿云、升庵外集曰、晉書欒肇論語駁曰、燕齊謂勉強爲文莫、陳騤雜識云、方言侔莫、強也、凡勞而勉、若云努力者、謂之侔莫、故文莫黽勉也、**躬行君子、則吾未之有得、**孔安國曰、身爲君子、己未能也、
案、毛奇齡、劉台拱亦引二書、說與物同、劉又云、說文忞、強也、慔、勉也、忞讀若旻、文莫即忞慔假借字也、[illegible]雅又云、文、勉也、黽勉、密勿、蠠沒、文莫皆一聲之轉、文莫行仁義也、躬行君子、由仁義行也、按文莫之解、欒肇發其端、諸儒成之、而劉氏文莫即忞慔假借之說最精、其以文莫爲行仁義、以躬行爲由仁義行、亦至當不易、當以爲此章正解、

子曰、若聖與仁、則吾豈敢、孔安國曰、孔子謙、不敢自名仁聖、晁以道云、當時有稱夫子聖且仁者、以故夫子辭之、**抑爲之不厭、誨人不倦、則可謂云爾已矣、公西華曰、正唯弟子不能學也、**馬融曰、正如所言、弟子猶不能學、況仁聖乎、皇侃云、爲猶學也、爲之不厭、謂雖不敢云自有仁聖、而學仁聖之道不厭也、物茂卿云、唯、是也、是、如是也、正唯、如後世政爾、故馬融解以正如所言也、
案、徂徠蓋讀唯爲濟河惟兗州之惟、惟又訓伊、鄭箋毛詩轉伊爲是、故云唯是也、竊謂唯應辭、猶言

然、故後世有重然諾之言、可見唯義與然通、馬云、正如所言、蓋亦訓唯為然耳、

子疾病、子路請禱、包咸曰、禱、禱請於鬼神也、疾甚曰病、孔子疾甚也、陸德明云、子疾、一本云子疾病、皇本同、鄭本無病字、翟灝云、集解於子罕篇始釋病字、則此有病字非、**子曰、有諸、**周生烈曰、言有此禱請於鬼神之事乎、**子路對曰、有之、誄曰、禱爾于上下神祇、**孔安國曰、子路失旨也、誄禱篇名也、皇侃云、孔子言死生有命、不欲有禱、故反問子路有此禱請之事乎、心不許也、天曰神、地曰祇、邢昺云、誄、累也、累功德以求福、子路失孔子之旨、故曰有之、又引禱篇之文以對也、伊藤源佐云、誄古作讄、說文曰、禱也、累功德以求福、尚書金縢之詞是也、爾當作祠、周禮曰、禱祠于上下神祇、物茂卿云、爾語辭、如假爾泰筮有常之爾、士喪禮、疾病、行禱五祀、子路所以不引此而引誄者、蓋此時孔子在他邦、而無家、故無五祀可禱也、翟灝云、周禮小宗伯禱祠于上下神祇、鄭康成注引讄曰、禱爾于上下神祇、又大祝作六辭、其六曰誄、鄭注曰、誄謂積累生時德行以錫之命、春秋傳孔子卒、哀公誄之、或曰誄、論語所謂誄曰禱爾于上下神祇、說文解字曰、讄禱也、論語云、讄曰、禱爾于上下神祇、按說文玉篇廣韻等誄讄皆各為訓、至毛晃增脩韻略始言誄讄同、據周禮小宗伯大祝二注不同、大祝注直以論語所稱為誄、是當鄭氏時、已兩文並傳、**子曰、丘之禱久矣、**

孔安國曰、孔子素行合於神明、故曰丘之禱久矣、欒肇云、案說者徒謂無過可謝、故止子路之請、不謂上下神祇非所宜禱也、在禮天子祭天地、諸侯祭山川、大夫奉宗廟、此禮祀典之常也、然則禱爾于上下神祇、乃天子禱天地之辭也、子路以聖人動應天命、欲假禮所禱二靈、孔子不許直言絕之也、曰丘之禱久矣、此豈其辭乎、欲卒舊之辭也、自知無過可謝、而云丘之禱久、豈其辭乎、夫聖行無違、凡庸所知也、子路豈誣夫子於神明哉、以為祈福自不主以謝過為名也、若以行合神明、無所禱請、是聖人無禱請之禮、夫知如是、則禮典之言棄、金縢之義廢矣、物茂卿云、上下

論語集説　卷二　五十九

天地也、唯天子祭天地、然禱與祭殊、如號泣于旻天于父母、人窮呼天、雖士庶必有禱天之禮也、丘之禱久矣、是止子路之禱、而安慰其心也、

案、誄當從說文及小宗伯注作讄、詳考大祝職經文作誄、故注引左傳哀公誄孔子事證之、而其意未安、蓋謂死喪之事、喪祝掌之、大祝所掌皆禱讓之事、而誄讄同音、疑其當為讄、故又引論語而證之、若二書俱作誄、左傳一證足矣、何須再引論語、況小宗伯注引論語明作讄曰、同引一章而讄誄岐出、二鄭必無此粗謬、是大祝注亦作讄曰甚明、今本作誄曰者、後人依誤本論語改之耳、翟云、當鄭氏時已兩文並傳、未之思也、爾訓女、為告死者之辭、於禱辭未安、故徂徠為語助、然爾于連用、亦未見其例、此亦當從周禮作祠、小宗伯大祝二注作爾者、亦後人依誤本論語改之耳、否則二鄭當辨祠爾之殊、不直引之也、仁齊得之、孔安國曰、孔子素行合於神明、故曰丘禱久矣、自外人言之、洵然、謂孔子以此心答子路、恐非聖人卑謙自牧之意、欒肇駁之是也、其混禱祭而一之、則亦失之、夫他人為己累功德以求福、不若己自省過脩德以禱于天、故詩云、永言配命、自求多福、孔子之禱、蓋謂此耳、陸本無病字、翟以子罕篇始注病字從之、然子路請禱、其疾不輕、有病字是也、皇本經禱下有之字、注作丘禱之久矣、今從邢本、

子曰、奢則不遜、儉則固、與其不遜也寧固、孔安國曰、俱失之、奢不如儉、奢則僭上、儉則不及禮耳、固陋也、邢昺云、孫順也、翟灝云、義疏本孫作遜、阮元云、釋文出不孫云、音遜、按依說文當作愻、論語多假孫為之、遜乃遜適字、

案、邢本無耳字、今從皇本、

子曰、君子坦蕩蕩、小人長戚戚、鄭玄曰、坦蕩蕩寬廣貌、長戚戚多憂懼、皇侃云、坦蕩蕩心貌寬廣、無所憂患也、君子內省不疚故也、江熙云、

論語集説　卷二　六十

小人馳競於榮利耿介於得喪故長爲愁府也

案君子知命所遇而安故其心平易而貌寬廣小人競榮求利過失日多故常抱憂懼

子溫而厲威而不猛恭而安 皇侃云溫和順也厲嚴也陸德明云一本子作子曰厲作列皇本作君子按此章說孔子德行依此文是物茂卿云溫而厲即之也溫聽其言也厲威而不猛望之嚴然翟灝云依釋文則皇侃本作君子溫而厲今所見侃義疏但與監本同文後子張篇君子有三變義疏曰所以前卷云君子溫而厲也可爲其脫漏之確證

案曰字君字皆衍陸說是也其義則徂徠得之恭肅也在貌曰恭恭者不敢縱其體所憂在不安聖人心與貌一故恭而安

論語集說卷三

日南　安井衡　著

泰伯第八

邢昺云此篇論禮讓仁孝之德賢人君子之風勸學立身守道爲政歎美正樂鄙薄小人遂稱堯舜及禹文王武王以前篇論孔子之行此篇首末載聖賢之德故以爲次也

案首末載聖賢之行而中間所論皆脩己治人勉禮贊樂之事以見孔子獲位其所取舍損益亦與二帝三王同所以次前篇也

子曰泰伯其可謂至德也已矣三以天下讓民無得而稱焉 王肅曰泰伯周大王之長子次弟仲雍少弟季歷季歷賢又生聖子文王昌昌必有天下故泰伯以天下三讓於王季其讓隱故無得而稱言之者所以爲至德也

皇侃云或通云泰伯實應傳諸侯今讓者諸侯位耳而云讓天下者是爲天下而讓今即之有階故云天下也邢昺云鄭玄注云泰伯周大王之長子次子仲雍次子季歷季歷賢又生文王有聖人表故欲立之而未有命大王疾泰伯因適吳越採藥大王沒而不返季歷爲喪主一讓也季歷赴之不來奔喪二讓也免喪之後遂斷髮文身三讓也三讓之美皆隱蔽不著故人無得而稱焉伊藤源佐云以天下讓謂讓其國蓋因周有天下而追稱之聖賢之心皆爲天下而不爲己泰伯之讓季歷蓋爲斯民計也而其後文武之道大被於天下民陰受其賜而不知實爲泰伯之德此夫子所以歎其至德也物茂卿云邢疏所引鄭注以禮爲說非後人所及祇左傳泰伯端委以治周禮不與此同則亦難從焉要之古書殘缺不的指其事可也以天下讓者言其讓爲天下故也顧炎武云僖五年傳宮之奇曰大伯虞仲大王之昭也大伯不從是以不嗣按不從者謂大伯不在大王之側爾史記述此文曰大伯虞仲大王之子也大伯亡去是以不嗣以亡去爲不從其義甚明與魯頌誇張之詞實屬風馬牛李惇云金仁山

云、案詩大王實始翦商、不過謂周家翦商之業自大王基之、且遷岐在小乙之世、至高宗、而殷道中興者六十年、歷祖庚祖乙祖甲二十八祀、而生文王、其時商未衰也、安得有翦商之志哉、況大王方奔國於狄人侵豳之時、而乃欲取天下於商家未亂之日、決無是理、

案、三讓、當以鄭注爲正說、其斷髮文身者、一時權宜、以成其讓、季歷既立、乃端委以治周禮、始不相悖也、大伯不從、顧說得之、若不從大王翦商之志、則是不得已而出奔、安得謂之讓哉、詳考此章之旨、季歷賢而又有聖子昌、大伯知其父欲立之、而殷道亦漸衰、大伯謂撥亂反之正、非聖人不能、今從父意、讓於季歷、以及子昌、昌天下若亂、必能匡救之、是其意專在救天下後世、而世人不知其意所在、故孔子標而出之、曰以天下讓、言以天下之故讓其國也、後儒以武王誅紂有天下、遂以讓天下解之、不特害於文、於義理情勢皆失之、不可從、又案父病、不嘗藥、而自採之數千里之外、父沒而不奔喪、免喪、斷髮文身、以毀父母之遺體、皆非禮也、泰伯犯三非禮、以成其讓、所以民無得而稱也、釋文得一本作德、非、皇疏今即之有階、今當爲令字之誤也、

子曰、恭而無禮則勞、愼而無禮則葸、何晏曰、葸、畏懼之貌、言愼而不以禮節之、則畏懼、物茂卿云、博雅曰、葸、愼也、荀子曰、諰諰然常恐天下之一合而軋己、漢刑法志曰、鰓鰓常恐天下之一合而共軋己、赤蛟篇曰、靈禗禗、左思魏都賦曰、臨焦原而弗怳、誰勁捷而無猥、言城地高峻、使人莫敢近也、魯靈光殿賦曰、魂悚悚其驚斯、心猥猥以發悸、言殿堂北入、而西廂東序、深邃不測、見者悚警也、是葸猥禗鰓諰皆通、勇而無禮則亂、直而無禮則絞、馬融曰、絞、絞刺也、皇侃云、直若有禮、則自行不邪曲、若不得禮、對面譏刺他人之非、必致怨恨也、陸德明云、絞古卯反、馬云、刺也、又七肆反、鄭云、急也、翟灝云、兩音與馬鄭兩訓似互差、君子篤於親、則民興於仁、故舊不遺、則民不偷、包咸曰、興、起也、君能厚於親屬、不遺忘其故舊、行之美者也、則民皆化之、起爲仁厚之行、不偷薄、吳棫云、君子當自爲一章、乃曾子之言也、物茂卿云、君子篤於親以下、吳氏謂當自爲一章、是矣、又曰、曾子之言也、何以知其非孔子之言、可謂妄矣、翟灝云、四書辨疑曰、兩節文勢事理、皆不相類、分此自作一章、實爲愜當、而以爲曾子之言、卻是過慮、此無言者姓名、蓋闕文耳、又案漢書平帝紀、元始五年詔、引上二句、師古注曰、此論語載孔子之辭也、禮記少儀注、齊語正月之朝篇注、俱題孔子曰字、鄭康成、韋宏嗣、顏師古皆指實此爲孔子辭、吳氏以屬曾子、出自臆斷、恐不足據、

案、絞如絞死之絞、訓急是也、言責人急切、不少假借也、篤於親、故舊不遺、皆禮教所致、上論無禮之害、下述有禮之效、其言相反、而其意實通、故漢唐諸儒、皆以爲同章、絕無異論、吳才老強爲聰明、喜斷割舊章、乃其陋習、不可從、

曾子有疾、召門弟子曰、啓予足、啓予手、鄭玄曰、啓、開也、曾子以爲受身體於父母、不敢毀傷、故使弟子開衾而視之也、詩云、戰戰兢兢、如臨深淵、如履薄冰、孔安國曰、言此詩者、喻己常戒愼、恐有所毀傷、皇侃云、戰戰、恐懼、兢兢、戒愼也、如臨深淵、恐墜也、如履薄冰、恐陷也、而今而後、吾知免夫、小子、周生烈曰、乃今日後、我自知免於患難矣、小子、弟子也、呼之者、欲使聽識其言、

案、公羊傳云、而乃之急言、故周以乃易而、言此、邢本作此言、今從皇本、

曾子有疾、孟敬子問之、馬融曰、孟敬子、魯大夫仲孫捷、曾子言曰、鳥之將死、其鳴也哀、人之將死、其言也善、包咸曰、欲戒敬子、言我將死、言善可用、君子所貴

乎道者三、動容貌、斯遠暴慢矣、正顏色、斯近信矣、出辭氣、斯遠鄙倍矣、鄭玄曰、此道謂禮也、動容貌、能濟濟蹌蹌、則人不敢暴慢之、正顏色、能矜莊嚴栗、則人不敢欺詐之、出辭氣、能順而說之、則無惡戾之言入於耳、皇侃云、就凡人相見、先覩容儀、容儀故先也、次見顏色、顏色故爲次、辭氣、言語音聲也、既見顏色、次接言語也、無惡戾之言入於耳者、惡、鄙醜也、戾、背也、禮記云、言悖而出、亦悖而入、若出能不悖、故鄙戾不入於耳也、籩豆之事、則有司存、包咸曰、敬子忽大務小、故又戒之以此、籩豆、禮器、皇侃云、竹曰籩、木曰豆、豆盛菹醢、籩盛果實、並容四升、柄尺二寸、下有跗也、

案、三者下句、康成以效言、朱子以自脩言、二說皆通、然曰遠曰近、皆非語自脩之道、鄭說似長、自言

曰言、敬子恐言語害於疾、不敢問、而曾子自告之、故云言曰、說苑脩文篇曰、曾子有疾、孟儀往問之、曾子曰、鳥之將死、必有悲聲、君子集大辟、必有順辭、禮有三儀、知之乎、君子脩禮以立志、則貪欲之心不來、思禮以脩身、則怠惰慢易之節不至、脩禮以仁義、則忿爭暴亂之辭遠、若夫置尊俎、列籩豆、此有司之事也、君子雖不能可也、同述此事、而文義大異、蓋西漢之時、古書猶多、劉向別有所據也、籩豆之柄、謂上下間細可執者、有跗者、防其倒也、

曾子曰、以能問於不能、以多問於寡、有若無、實若虛、犯而不校、包咸曰、校、報也、言見侵犯不報、皇侃云、多謂識性之多也、昔者吾友、嘗從事於斯矣、馬融曰、友謂顏淵、

案、有無以道言、虛實以德言、

曾子曰、可以託六尺之孤、孔安國曰、六尺之孤、幼少之君、邢昺云、鄭玄注此云、六尺之孤、年十五已下、鄭知六尺年十五者、以周禮鄉大夫職云、國中自七尺、以及六十、野自六尺、以及六十有五、皆征之、以其國中七尺爲二十、對六十、野云六尺、對六十五、晚校五年、明知六尺與七尺、早校五年、故以六尺爲十五也、阮元云、玉篇人部引託作侂、案託與侂古字通、經義雜記云、據玉篇所引、則論語舊是侂字、蓋从言者以言託寄之、从人者以人託寄之、義各不同、今从言、蓋通借耳、可以寄百里之命、孔安國曰、攝君之政令、皇侃云、幼孤云託、敎令云寄者、有以故也、託是長憑無反之言、寄是暫寄有反之目也、臨大節而不可奪也、何晏曰、大節、安國家、定社稷、奪者、不可傾奪之也、朱熹云、其才可以輔幼君、攝國政、其節至於死生之際、而不可奪、可謂君子矣、君子人與、君子人也、陸德明云、君子也、一本作君子人也、

案、何晏以大節爲大事、朱子改屬人爲節操、詳味臨字、何解爲長、陸本無人字、今本是也、邢本何注

者之也字並無、今從皇本、

曾子曰、士不可以不弘毅、任重而道遠、包咸曰、弘、大也、毅、強而能斷也、士弘毅、然後能負重任、致遠路、皇侃云、丈夫居世、必使德弘大、而能果斷也、朱熹云、弘、寬廣也、毅、強忍也、仁以爲己任、不亦重乎、死而後已、不亦遠乎、孔安國曰、以仁爲己任、重莫重焉、死而後已、遠莫遠焉、

案、爾雅釋故、弘、大也、疏、弘者含弘之大也、是包訓大以量而言、仁道廣大、器量不寬弘、不能受任、經不言大者、此以負重行遠爲喻、大者必重、故變大言重耳、

子曰、興於詩、包咸曰、興、起也、言脩身、當先學詩、皇侃云、言人學先從詩起、後乃次諸典也、所以然者、詩有夫婦之法、人倫之本、近之事父、遠之事君故也、又江熙曰、

覽古人之志、可起發其志也、伊藤源佐云、詩出於人情、而其美刺亦足以感人、故可以興、立於禮、包咸曰、禮者所以立身、成於樂、包咸曰、樂所以成性、

案、興者興發其志也、立猶定也、心行定立、不爲物所移動也、成者德之成也、樂主和、和順積乎中、德之所以成也、

子曰、民可使由之、不可使知之、何晏曰、由、用也、可使用、而不可使知者、百姓日用、而不能知、臧琳云、後漢書方術列傳引鄭玄注曰、由、從也、言王者設教、務使人從之、若皆知其本末、則愚者或輕而不行、文意周浹、遠勝何解、深得聖人不可二字之旨、若知何說、不能使知之矣、

案、此論爲政教之法、之字指政教、鄭說洵是、何以爲指道、豈易鄭耳、

子曰、好勇疾貧、亂也、包咸曰、好勇之人、而患疾己貧

賤者、必將爲亂、人而不仁、疾之已甚、亂也、包咸曰、疾惡大甚、亦使其爲亂也、

案、此章亦教人以御世之法、故以次前章也、

子曰、如有周公之才之美、使驕且吝、其餘不足觀也已矣、孔安國曰、周公者周公旦、皇侃云、其餘謂周公之才技也、言人假令有才能如周公旦之美、而用行驕吝、則所餘如周公之才技、亦不足復可觀者、以驕沒才也、邢昺云、以春秋之世、別有周公、此孔子極言其才美、而云周公、恐與彼相嫌、故注者明之、惠棟云、周書寤儆篇、周公曰、不驕不悋、時乃無敵、此周公生平之學、所以裕制作之原也、夫子因及其語以誡後世之爲人臣者、

子曰、三年學、不至於穀、不易得也已、孔安國曰、穀、善也、言人三歲學、不至於善、不可得、言必無也、所以勸

人學、孫綽云、穀、祿也、云三年學、足以通業、可以得祿、雖時不得祿、得祿之道也、不易得已者、猶云不易已得也、教勸中人以下也、陸德明云、穀、公豆反、孔云善也、易、孫音亦、鄭音以豉反、朱熹云、至疑當作志、物茂卿云、不曰祿而曰穀、如邦有道穀、皆謂祿之薄者、蓋廩俸也、

案、此與邦有道貧且賤焉恥也連章、孫綽訓穀爲祿是也、其讀易音亦、失之、朱子疑至當作志、或問曰、此處解不行、作志稍通耳、是疑不能決也、而李其學者、皆株守其說、亦阿其所好耳、此章言三年學、其才德不至於可得祿、頑鈍如此者、不易多得也、諸儒疑不易得之爲望得之辭、故紛然聚訟、不知言其難得、乃勸勉人學之辭、古人立言、不嫌美惡同辭也、邢本作易也、無巳字、孫綽云、不易得巳者、猶云不易巳得也、則其本無也字、今從皇本、

子曰、篤信好學、守死善道、危邦不入、亂邦不居、天下有道則見、無道則隱、包咸曰、言行當常然也、危邦不

入、謂始欲適、亂邦不居、今欲去、亂謂臣弑君、子弑父、危者將亂之兆、皇侃云、寧爲善而死、不爲惡而生、故云、守死善道也、天下謂天子也、朱熹云、天下、擧一世而言、邦有道、貧且賤焉、恥也、邦無道、富且貴焉、恥也、皇侃云、國君有道、則宜運我才智、佐時出仕、宜始得富貴、而己獨貧賤、則是才德淺薄、不會明時、故爲可恥也、國君無道、而己出仕、招致富貴、則是己亦無道、得會惡逆之君、故亦爲可恥也、

案、皇云天下謂天子、蓋習見郡縣之世、故爲此說耳、是時周室衰弱、其無道亦甚、而孔子周流天下、欲以行其道、是天子無道、未嘗隱也、朱子謂擧一世而言是也、或云、危重於亂、則亦不然、古稱危國、謂將亂之國、稱亂國、謂既亂之國、其云不入者特謂不入其境耳、非兼居而不去之義、不入不居之義、考之左傳、昭然明晰、此不具論、邢本注然下無也字、今從皇本、

子曰、不在其位、不謀其政、孔安國曰、欲各專一於其

職、

案、此爲在位者言也、舍其田、而芸人之田、古今通病、是以妄費思慮、而其職荒矣、孔云、欲各專一於其職、各字可味矣、

子曰、師摯之始、關雎之亂、洋洋乎盈耳哉、鄭玄曰、師摯魯大師之名、始猶首也、周道衰微、鄭衛之音作、正樂廢而失節、魯大師摯識關雎之聲、而首理其亂者、洋洋盈耳、聽而美之、皇侃云、前篇孔子語魯大師樂曰、樂其可知、始作翕如之屬、而其受孔子言、而理之得正也、朱熹云、亂、樂之卒章也、史記曰、關雎之亂、以爲風始、洋洋美盛意、物茂卿云、詩大序、關雎麟趾、鵲巢騶虞、是謂四始、始與亂、皆樂中名目、蓋言師摯之奏四始也、其關雎之亂最盛美也、劉台拱云、謹案始者樂之始、亂者樂之終、樂記曰、始奏以文、復亂以武、又曰、再始以著往、復亂以飭歸、皆以始亂對擧、其義可見、凡樂之大節、有歌有笙、有閒有合、是爲一成、始於升歌、終於合樂、是故升歌謂之始、合樂謂之亂、周禮大師職、大祭祀、帥瞽登歌、儀禮燕及大射、皆大師升歌、摯爲大師、是以師摯之始也、合樂周南關雎葛覃卷耳、召南鵲巢采蘩采蘋、凡六篇、而謂之關雎之亂者、擧上以該下、猶之言文王之三、鹿鳴之三云爾、升歌言人、合樂言詩、互相備也、洋洋盈耳、總歎之也、自始至終、咸得其條理、而後聲之美盛可見、言始亂、則笙閒在其中矣、孔子還魯正樂、其效如此、

案、樂記曰、弦匏笙簧、會守拊鼓、始奏以文、復亂以武、注云、會猶合也、皆也、言衆皆待擊鼓乃作、文謂鼓也、武謂金也、凡樂有鐘鼓、乃謂之奏、大師升歌、鐘鼓未作、故特謂之升歌、記云會守拊鼓、又云始奏以文、始之爲合奏之始明矣、劉據以解此章、始爲升歌、未若物據詩序訓四始之明且確也、

子曰、狂而不直、孔安國曰、狂者進取、宜直、皇侃云、狂者用行宜其直趣、無廻不俟於善惡、而當時狂者、不復直也、故下卷則云、古之狂也肆、今之狂也蕩、物茂卿云、狂者有大志而不拘常度、若多詐、則一妄男子、不可得而教之矣、

侗而不愿、孔安國曰、侗未成器之人、宜謹愿也、皇侃云、侗、籠侗未成器之人、物茂卿云、書顧命、在後之侗、敬迓天威、嗣守文武大訓、孔安國訓穉、揚子法言、倥侗顓蒙、莊子、侗乎其無識、皆童蒙之義、故注未成器之人、**悾悾而不信、**包咸曰、悾悾愨也、宜可信、皇侃云、悾悾謂野愨也、物茂卿云、愨謂愿朴無文、禮器、七介以相見也、不然則已愨、檀弓、殷既封而弔、周反哭而弔、孔子曰、殷已愨、吾從周、**吾不知之矣、**孔安國曰、言與常度反、故我不知也、朱熹云、吾不知之者、甚斷之之辭、亦不屑之教誨也、物茂卿云、吾不知之矣者、謂不可教也、孔子以教人自任、故曰不知之矣、

案、不知之者、不知所以教之也、朱說其意、物解其文、皆通、

子曰、學如不及、猶恐失之、何晏曰、學自外入、至熟乃可長久、如不及、猶恐失之耳、皇侃云、言學之爲法、急務取得、恒如追前人、欲取必及、故云如不及也、

案、學當如追逃者、而不能及、然猶恐失之、言不可斯須解惰也、之字指學、時過而學、則扞格而難入、是失之也、邢本無耳字、今從皇本、

子曰、巍巍乎舜禹之有天下也、而不與焉、何晏曰、美舜禹也、言己不與求天下、而得之、巍巍高大之稱、汪流云、王莽傳、引孔子云云、師古注曰、舜禹治天下、委任賢臣、以成其功、而不身親其事也、此讀與爲預、與集注不同、毛奇齡云、言任人致治、不必身預、所謂無爲而治是也、漢王莽傳、大后詔曰、選忠賢、立四輔、羣下勸職、孔子曰、舜禹之有天下也、而不與焉、晉劉寔作崇讓論、有云、舜禹有天下、不與、謂賢人讓于朝、小人不爭于野、以賢才化無事、至道興矣、已仰其成、何與之有、王充論衡云、經云、上帝引逸、謂虞舜也、舜承安

繼治、任賢使能、恭己無爲、而天下治、故孔子曰、巍巍乎舜禹之有天下也、而不與焉、是漢後儒者、皆如此說、且此直指任賢使能、爲無爲而治之本、正可破王何西晉老氏虛無之學、觀者詳之、

案、舜受於堯、禹受於舜、其有天下之功、巍巍如山、而不敢用其智、政因其舊、人用其故、己無所預、其舍己從人之德、古今莫大焉、故不預之稱、唯二聖當之、孔子嘗稱無爲而治者其舜也與、正與此章相發、

子曰、大哉堯之爲君也、巍巍乎、唯天爲大、唯堯則之、孔安國曰、則法也、美堯能法天而行化、邢昺云、言大哉堯之爲君也、聰明文思、其德高大、巍巍然、有形之中、唯天爲大、萬物資始、四時行焉、唯堯能法此天道、而行其化焉、翟灝云、韓李筆解兩唯字皆作惟、說苑至公篇後漢書班固傳注文選公讌詩注引皆作惟、按舊本論語例用唯字、孟子用惟字、此當以唯爲正、明末刻注疏、上唯从心、下唯从口、今坊本又或上唯从口、下唯

从心、兩文並施、謬尤甚、蕩蕩乎、民無能名焉、包咸曰、蕩蕩廣遠之稱、言其布德廣遠、民無能識名焉、焦循云、按謚法孟子言大而不可知之謂神、殺之而不怨、利之而不庸、民日遷善、而不知爲之者、故君子所過者化、所存者神、不可知、故無能名、巍巍乎其有成功也、何晏曰、無爲而治、故不可知、功成化隆、高大巍巍、煥乎其有文章、何晏曰、煥明也、其立文垂制、又著明、山井鼎云、一本章下有也字、翟灝云、漢書儒林傳敍傳論衡齊世篇陳書文學傳序唐文粹柳冕答孟判官書引文章下俱有也字、

案、舜禹之有天下而不與、以堯功德如此也、故以此章次前章、乃編輯者之微意也、何注云、立文垂制、則亦以文章爲禮教制度矣、易曰、黃帝堯舜垂衣裳而天下治、禮教雖盛於黃帝、然其道至堯大備、故以此稱之、邢本唯天作惟天、無識名作無識其名、今並從皇本、一本章下有也字、與漢書論衡諸書所引合、似長、今且依今本、

舜有臣五人、而天下治、孔安國曰、禹稷契皐陶伯益、邢昺云、稷名棄、帝嚳之子也、契亦帝嚳之子、皐陶字廷堅、顓頊之後、伯益皐陶之子、武王曰、予有亂十人、馬融曰、亂治也、治官者十人、謂周公旦召公奭大公望畢公榮公大顛閎夭散宜生南宮适、其一人謂文母、陸德明云、予有亂十人、本或作亂臣十人、非、王伯厚云、論語釋文、予亂十人、左傳叔孫穆子亦曰武王有亂十人、劉原父謂子無臣母之理、然本無臣字、舊說不必改、惠棟云、原父又云、或云、古文無臣字、如此則不成文、尤謬、王伯厚已辨之、翟灝云、輔廣論語答問曰、荀卿子曰、治亂謂之亂、猶治汚謂之汚也、亂訓治、由來久矣、集注考證曰、古文尚書德惟乱、否德𤔔、二字正與集注合、按金氏引古文尚書爲亂作乱之證、而古文亂臣十人、正作否德𤔔之𤔔字、轉覺其義不可通、又云、搭村語錄曰、舜

有臣二句、亦是夫子語、如微子篇逸民節亦然、記者提起作案、不然、此語何來、如今史中論贊、尚是此體、焦循云、官小臣也、十人治官者也、馬以官字解臣字、邢疏解作治官之臣、非、是錢大昕云、堯娶散宜氏、則散宜是姓、生、蓋其後也、

孔子曰、才難、不其然乎、唐虞之際、於斯爲盛、有婦人焉、九人而已、孔安國曰、唐者堯號、虞者舜號、際者堯舜交會之間、斯此也、此於周也、言堯舜交會之間、比於周、周最盛多賢才、然尚有一婦人、其餘九人而已、人才難得、豈不然乎、皇侃云、季彪難曰、舜之五臣、一聖四賢、八元八凱、十有六人、據左氏明文、或稱齊聖、或云明哲、雖非聖人、抑亦其次也、周公一人、可與禹爲對、大公召公、是當稷契、自畢公以下、恐不及元凱、就復強相攀繼、而數交少、何故唐虞人士、反不如周室之盛也、邪、彪以爲斯此也、蓋周也、今云唐虞之際於此爲盛、言唐虞之朝、盛於周室、周室雖隆、不及唐

虞由來尚矣故曰巍巍蕩蕩莫之能名今更謂唐虞人士不如周室反易舊義更生殊說無乃攻乎異端有害於正訓乎朱熹云稱孔子者上係武王君臣之際記者謹之才難蓋古語而孔子然之也吳程云唐虞至爲盛作一句

三分天下有其二以服事殷周之德其可謂至德也已矣包咸曰殷紂淫亂文王爲西伯而有聖德天下歸周者三分有二而猶以服事殷故謂之至德邢昺云鄭玄詩譜云於時三分天下有其二以服事殷故雍梁荆豫徐揚之人咸被其德而化之鄭既引論語三分有二故據禹貢州名指而言之

案舜有二句翟引榕村語錄爲亦孔子之語是也此二句是古語才難以下孔子又引古語而判之故多孔子曰置於十人下古書常有此體不唯論語爲然孟子亦有之如子産以其乘輿濟人於溱洧屬是也論語左傳皆當以無臣字爲正唐石經原刻無臣字而後人旁增今本左傳亦有臣字皆

後人據僞泰誓文而妄增之也馬注治官者十人經單言亂徙訓治其意未周故云治官者十人言治官事者有十人也焦云馬以官解臣經本無臣字馬安得解之唐虞至爲盛爲一句得此節之意而未得於文此言唐虞之際人才嘗盛自夏殷皆不能及於此周復盛古文簡以一盛字㮣二代故其文如此若是一句下不當獨言有婦人矣凡讀書當先求主意所在前章不與湯蕩皆因得人才而致之故此章歎人才難得其五人十人舉舜與武王之言而稱之非謂二代人才之優劣也言有婦人焉九人而已者以爲人才難得之證不謂周劣於唐虞也孔安國謂周家賢才盛於唐虞李彪則謂唐虞之朝盛於周室試思此章所主在才難得乎辨二代人才之優劣乎則紛紛之說可以已矣顧炎武謂婦人必不與軍旅之事不必并數之以足十人之數遂以婦人二字爲轉寫之誤案此節直數人才難得始不論軍旅之事顧蓋誤會亂字爲撥亂反正之人故生此疑耳然則下文九人而已豈亦衍文邪可謂妄矣邵在陬則云衞氏古文作有殷人焉而韓退之直指爲膠鬲似可從者衞氏古文予未見之韓氏筆解本係僞書今本又無之即如其說既已降周本雖殷人亦可謂之周何必以其不生於酆鎬而殊之哉其爲妄人僞造無疑三分有二以服事殷爲至德矣誅一夫紂以濟天下爲仁德矣聖人應世時措之宜而後聖稱之各舉其美言豈一端而已哉後儒或據此以駁彼非通論也

子曰禹吾無間然矣孔安國曰孔子推禹功德之盛美言己不能復間厠其間皇侃云間猶非覗也朱熹云間罅隙也謂指其罅隙而非議之也物茂卿云孔子之於古聖人深尊而敬之豈望間厠其間哉朱子曰間罅隙也與閔子騫章字義相同爲是

菲飲食而致孝乎鬼神馬融曰菲薄也致孝鬼神祭祀豐潔皇侃云此以下皆是禹不可間之事也共有三事一是飲食飲食爲急故最先也二是衣服衣服緩於飲食故爲次也三是居室居室緩於衣服故最後也邢昺云飲食鬼神所享

故云致孝祭服備其采章故云致美溝洫人功所爲故云盡力也

惡衣服而致美乎黻冕孔安國曰損其常服以盛祭服邢昺云黻是蔽膝也祭服謂之黻其他謂之韠俱以韋爲之制同而色異韠各從裳色黻其色皆赤尊卑以深淺爲異天子純朱諸侯黄朱大夫赤而已江永云黻者裳之一章舉後以該前若蔽膝之韍從韋觀左傳袞冕韍珽與火龍黼黻分二字可見

卑宮室而盡力乎溝洫包咸曰方里爲井井間有溝溝廣深四尺十里爲成成間有洫洫廣深八尺邢昺云考工記匠人爲溝洫耜廣五寸二耜爲耦一耦之伐廣尺深尺謂之甽田首倍之廣二尺深二尺謂之遂九夫爲井井間廣四尺深四尺謂之溝方十里爲成成間廣八尺深八尺謂之洫方百里爲同同間廣二尋深二仞謂之澮

禹吾無間然矣皇侃云美禹既深故再云無間然也

案間然皇朱二說皆通皇李爾雅間俔也俔覗通非覗謂疑其非而覗之朱本說文間隙也參之閔

子騫章朱說差穩𢽾冕孔云祭服則蔽膝裳章皆通但此作𢽾當以江說爲長

子罕第九 邢昺云此篇皆論孔子之德行也故以次泰伯堯禹之至德

子罕言利與命與仁 何晏曰罕者希也利者義之和也命者天之命也 段玉裁云此當是用董子命者天之令也 仁者行之盛也寡能及之故希言也 邢昺云利者義之和也者乾卦文言文也言天能利益庶物使物得其宜而和同也物茂卿云子罕言利絕句與命與仁蓋孔子言利則必與命俱與仁俱焦循云古所謂利皆以及物言至春秋時人第知利己其能及物遂謂之義故孔子贊易以義釋利謂古所謂利今所謂義也孔子言義不多言利故云子罕言利若言利則必與命並言之與仁並言之利與命並言與仁並言則利即是義子罕言三字呼應兩與字味其詞意甚明 案物焦二家之說不謀而合深得此章之意矣求之論語富而可求之章與命並言者也己欲立而

立人己欲達而達人與仁並言者也

達巷黨人曰大哉孔子博學而無所成名 鄭玄曰達巷者黨名也五百家爲黨此黨之人美孔子博學道藝不成一名而已 翟灝云禮曾子問篇孔子曰昔吾從老聃助葬于巷黨注謂巷黨黨名此所謂達巷黨或即一地不然既云巷又云黨不𥳑詞複乎史遷謂黨人即項橐七歲而爲孔子師故意加童子二字然不本自正典不足信焦循云無所成名即民無能名孔子以民無能名贊堯之則天故門人援達巷黨人之言以明孔子與堯舜同大哉孔子即大哉堯之爲君博學無所成名即蕩蕩乎民無能名孔子之學即堯舜之學也 子聞之謂門弟子曰吾何執執御乎執射乎吾執御矣 鄭玄曰聞人美之承之以謙吾執御欲名六藝之卑也

案不以一道成名者古今唯堯與孔子故皆以大哉贊之其餘則學成性所得以輔世濟民如舜五臣孔門四科之屬皆是也後世儒者高自標置必欲爲聖人其志可尚矣而終不能成一道以供天下國家之用抑亦不自知之過也

子曰麻冕禮也今也純儉吾從衆 孔安國曰冕緇布冠也古者績麻三十升布以爲之純絲也絲易成故從儉 皇侃云禮謂周禮也周禮有六冕以平板爲主而以三十升麻布衣板上玄下纁故云麻冕禮也今謂周末孔子時也陸德明云純順倫反鄭作緇側基反黑緇也邢昺云鄭注喪服云布八十縷爲升翟灝云禮記玉藻大夫純組綬鄭注云純當爲緇古文緇字或糸旁才正義曰鄭讀純爲緇其例有異若經文絲帛分別而色不見者以黑色解之即讀爲緇如論語云麻冕禮也今也純儉稱古用麻今用純則絲可知也以色不見故讀純爲緇若色見而絲不見則不破純字以義爲絲昏禮女次純衣注云純衣絲

衣如此之類是也 拜下禮也今拜乎上泰也雖違衆吾從下 王肅曰臣之與君行禮者下拜然後升成禮時臣驕泰故於上拜也今從下禮之恭也 邢昺云案燕禮君燕卿大夫之禮也其禮云公坐取大夫所媵觶興以酬賓賓降西階下再拜稽首公命小臣辭賓升成拜鄭注升成拜復再拜稽首也先時君辭之於禮若未成然

案此章載孔子制作之微意也使孔子得位以行道禮樂制度撰範於後世必有什伯於今所傳者可勝惜哉然就此章而言之教儉制驕亦聖人御世之一班也讀者其可不用心乎哉邢本脫注升字今從皇本

子絕四毋意 何晏曰以道爲度故不任意 陸德明云意如字或於力反非也朱熹云毋史記作無是也翟灝云毋必儀禮士昏禮鄉射禮既夕禮三疏引文皆作無毋必

何晏曰、用之則行、舍之則藏、故無專必、期必也、朱熹云、必、期必也、**毋固、**何晏曰、無可無不可、故無固行、朱熹云、固、執滯也、**毋我、**何晏曰、述古而不自作、處羣萃、而不自異、唯道是從、故不有其身、伊藤源佐云、無我者、善與人同、舍己從人、

案、意如禮運非意之也之意、心所無思慮、而妄意其信僞成敗也、必、朱子訓期必、是也、孔子無可無不可、故無必也、固、執一不通也、孔子曰、非敢爲佞也、惡固也、我、己稱也、仁齊謂舍己從人、是也、必固我三者相似、但毋必、以所爲而言、毋固、以所守而言、毋我、以與人相接者而言、是其異也、今本史記作毋意、與此文同、蓋後人依論語改之耳、

子畏於匡、包咸曰、匡人誤圍夫子、以爲陽虎、陽虎嘗暴於匡、夫子弟子顏剋、時又與虎俱往、後剋爲夫子御、至於匡、匡人相與共識剋、又夫子容貌與虎相似、故匡人以兵圍之、邢昺云、子畏於匡者、謂匡人以兵圍孔子、記者以衆情言之、故云子畏於匡、其實孔子無所畏也、史記世家、拘焉五日、匡人拘孔子益急、弟子懼、孔子曰以下、文與此正同、陸德明云、嘗暴本或作曾、顏剋、諸書或作顏亥、**曰、文王既沒、文不在茲乎、**孔安國曰、茲、此也、言文王雖已沒、其文見在此、此自此其身也、**天之將喪斯文也、後死者不得與於斯文也、**孔安國曰、文王既沒、故孔子自謂後死、言天將喪此文者、本不當使我知之、今使我知之、未欲喪也、**天之未喪斯文也、匡人其如予何、**馬融曰、其如予何者、猶言奈我何也、天之未喪此文、則我當傳之、匡人欲奈我何、言其不能違天以害己也、衞瓘云、若孔子自明非陽虎、而懼害賢、所以免也、非言若是、匡人是知非陽虎、而懼害賢、所以免也、

案、此孔子知天命之言也、衞以常情度之、淺乎其言之也、然常人遇無妄之禍、此意亦不可不知焉、邢本嘗作曾、往作行、沒作死、自此作自謂身、下無也字、今皆從皇本、注將喪此文、皇本作斯文、下注仍作此文、案注作此文者、以訓詁字易之也、皇本誤、今從邢本、

大宰問於子貢曰、夫子聖者與、何其多能也、孔安國曰、大宰大夫官名、或吳或宋、未可分也、疑孔子多能於小藝、欒肇云、周禮百工之事、皆聖人之作也、明聖人兼才備藝過人也、是以大宰見其多能、固疑夫子之聖也、邢昺云、鄭云、是吳大宰嚭也、以左傳哀十二年、公會吳于橐皋、吳子使大宰嚭請尋盟、公不欲、使子貢對、又子貢嘗適吳、故鄭以爲是吳大宰嚭也、方觀旭云、史記孔子世家、吳客聞夫子防風氏

骨節專車及僬僥氏三尺之語、於是曰、善哉聖人、是前此固有以夫子之多能爲聖者、亦吳人也、此可由語氣之同悟大宰之吳大宰也、**子貢曰、固天縱之將聖、又多能也、**孔安國曰、言天固縱大聖之德、又使多能也、皇侃云、固、故也、將、大也、朱熹云、縱、猶肆也、言不爲限量也、將、殆也、謙若不敢知之辭、聖無不通、多能乃其餘事、故言又以兼之、翟灝云、說苑善說篇、子貢見大宰、大宰嚭問曰、孔子何如、對曰、臣不足以知之、集注謙若不敢知之辭、似泥說苑而云、此將字只合訓大、爾雅云、將大也、孔氏注云、天縱大聖之德、是也、**子聞之曰、大宰知我乎、吾少也賤、故多能鄙事、君子多乎哉、不多也、**包咸曰、我少小貧賤、常自執事、故多能爲鄙人之事、君子固不當多能、欒肇云、言不以多能爲君子也、謂君子不當多能也、明兼材者自然多能、多能者非所學、所以先道德後伎藝耳、非謂多能必不聖也、

案、孔謂大宰以孔子多能、疑其非聖、與子貢荅語不相應、欒駁之是也、大宰鄭以爲吳、而邢引左傳證之、又有說苑可參考、當定爲大宰嚭、縱如縱觀之縱、不禁禦之之辭、才有所限、如禁禦之然、故曰天縱、將有漸之辭、子貢不敢自斷爲既聖矣、期之將來、故曰將聖、荅問師之辭、固宜然也、

牢曰、子云、吾不試、故藝、鄭玄曰、牢、弟子子牢也、試、用也、言孔子自云、我不見用、故多技藝、邢昺云、家語弟人也、字子開、一字子張、吳棫云、弟子記夫子此言之時、子牢因言昔之所聞、有如此者、其意相近、故并記之、

案、鄭云牢弟子子牢也、凡編輯者記門人、自非獲罪於孔子、必字而不名、故鄭據莊子則陽篇長梧封人問子牢之文、以牢爲字也、然記者字門人、必以子字若五十字配之、其有同字者、配氏以別之、如顏淵原思樊遲之屬、未有單稱二十字者、王肅知其非、僞撰家語、因以牢爲琴張之名、蓋亦無稽之言耳、然求之文、牢必是名非字、今案一部論語、唯此及憲問恥章單舉門人名、蓋兩章二人者所自記、故自書其名、編輯者仍舊不改、故異他章耳、物徂徠因謂上論成於琴張、下論成於原思、亦失之、集注依吳說、與上合爲一章、是也、

子曰、吾有知乎哉、無知也、何晏曰、知者知意之知也、知者言未必盡、今我誠盡、皇侃云、知意、謂故用知爲知也、聖人忘知、故無知知意也、有鄙夫問於我、空空如也、我叩其兩端而竭焉、孔安國曰、有鄙夫來問於我、其意空空然、我則發事之終始兩端以語之、竭盡所知、不爲有愛、陸德明云、空空、鄭或作悾悾、同、音空、物茂卿云、蓋孔子平日荅門弟子問、不憤不啓、不悱不發、舉一隅不以三隅反、則不復也、門弟子或以爲隱、故孔子又有此言、鄙夫問於我、則竭兩端、門人則否、教誨之道也、空空與悾悾同、博雅、悾悾

誠也、焦循云、此兩端、即中庸舜執其兩端、用其中於民之兩端也、鄙夫來問、必有所疑、惟有兩端、斯有疑也、故先叩發其兩端、謂先還問其所疑、而後即其所疑之兩端、而窮盡其意、使知所向焉、蓋凡事皆有兩端、如楊朱爲我、無君也、乃曾子居武城、寇至則去、墨子兼愛、無父也、乃禹手足胼胝、至於偏枯、是故一旌善也、行之則詐僞之風起、不行又無以使民知勸、一伸枉也、行之則刁詐之俗甚、不行又無以使民知懲、一理財也、行之則頭會箕斂之流出、不行則度支或不足、一議兵也、行之則生事無功之說進、不行則國威將不振、凡如是皆兩端也、而皆有所宜、得所宜則爲中、

案、戴記樂記曰、叩之以小者、則小鳴、叩之以大者、則大鳴、謂此問而彼應、是叩有問義、端首也、兩端猶言異端多端、謂殊端緒者、焦解叩兩端爲孔子反問鄙夫所疑、即孔注之義也、此章之義、時人以孔子爲無所不知、故孔子謙以承之、言己無所知、但嘗有鄙夫來問、其意甚誠、我憫其愚誠、反問其所欲爲、爲甲爲乙之意、然後竭盡其是非成敗之理以告之、人或以此謂我無所不知也、然我所爲告者特鄙夫耳、非能有爲賢者所發明也、徂徠云、門弟子或以爲隱、故孔子又有此言、似是而非、足以惑人、故舉而正之、

子曰、鳳鳥不至、河不出圖、吾已矣夫、孔安國曰、聖人受命、則鳳鳥至、河出圖、今天無此瑞、吾已矣夫者、傷不得見也、河圖、八卦是也、邢昺云、此章言孔子傷時無明君也、

案、孔子賢於堯舜、若得位以行其道、巍煥之功、必有大於堯舜者矣、而終身栖栖、老於羇旅、故此篇載孔子盛德之事、以次前篇堯舜禹文之後、而置此章及欲居九夷章、在川上章於篇中、編輯者慨歎悼惜之意、千載之下、猶可以想見矣、

子見齊衰者、冕衣裳者與瞽者、包咸曰、冕者冠也、大夫之服、瞽者盲者也、皇侃云、言與者、盲者卑、故加與字以別之也、陸德明云、冕鄭本

作弁、魯讀弁爲絻、今從古、鄉黨篇亦然、物茂卿云、子見齊衰者句、冕衣裳者與瞽者見之句、有喪者多不來見人、故以見諸他處爲辭、不言斬衰者、以輕包重也、見之雖少必作、過之必趨、包咸曰、作起也、趨疾行也、此夫子哀有喪、尊在位、恤不成人、翟灝云、問辨錄曰、雖夜必興、不言寢、而寢可知也、變色而作、不言坐、而坐可知也、今既謂之作、則坐何待言、邊是雖少必作、于理爲得、

案、鄉黨篇見齊衰者與見冕者與瞽者、分別言之、凶服者式之、式負版者、同式之、而亦別言之、古人吉凶不同日、蓋其於文辭亦然、故分別言之耳、且如舊注、見字重複、殊覺無理、徂徠見齊衰者爲句、是也、皇本少下有者字、非、史記作雖童子、以訓詁字易之也、

顏淵喟然歎曰、何晏曰、喟歎聲、仰之彌高、鑽之彌堅、何晏曰、言不可窮盡、孫綽云、有限之高、雖嵩岱可陵、有形之堅、雖金石可鑽、若乃彌高彌堅、非鑽仰所逮、故知絕域之高堅、未可以力至也、邢昺云、彌益也、瞻之在前、忽焉在後、何晏曰、言忽怳不可爲形象也、陸德明云、忽怳、本今作恍惚、夫子循循然善誘人、何晏曰、循循次序貌、誘進也、言夫子正以此道勸進人、有次序、翟灝云、三國志步騭傳、孟子明堂章章指、後漢書趙壹傳李膺傳引語、俱作恂恂、景祐集韻曰、恂亦音旬、恂恂善誘也、阮元云、趙壹傳注、恂恂恭順貌、疑鄭注、蓋作循者古論、作恂者魯論、鄭從魯論、故字作恂、博我以文、約我以禮、欲罷不能、既竭吾才、如有所立卓爾、雖欲從之、末由也已、孔安國曰、言夫子既以文章開博我、又以禮節節約我、使我欲罷而不能、已竭我才矣、其有所立、則又卓然不可及、言已雖蒙夫子之善誘、猶不能及夫子

之所立也、皇侃云、卓高遠貌、末、無也、朱熹云、卓立貌、

案、無上事而歎、所歎在下也、非有深意、仰之彌高、鑽之彌堅、贊孔子之德也、德高而在中、故曰、仰之鑽之、瞻之在前、忽焉在後、贊孔子之言行也、孔子所言行、顏子瞻以爲當在前、乃忽焉在後、言凡事出於顏子意料之外也、夫子善誘不倦、既竭吾才、則非復前日不知方向之比、於是如見夫子有所立處、而卓然高絕之狀、因雖欲從之、而終無由就之也已、歎其竟不可及也、忽焉、邢本作忽然、足利古本、皇本、唐石經、及諸書引此語、並作忽焉、今從之、恂恂訓恭順、乃不倦之意、此二字在善誘上、比循循訓次序、似長、但古本皇本以下、俱作循、姑從之、注忽怳、邢本作恍惚、勸進人有次序、作進勸人有所序、今並從皇本、

子疾病、包咸曰、疾甚曰病、子路使門人爲臣、鄭玄曰、孔子嘗爲大夫、故子路欲使弟子行其臣之禮、病間、曰、久矣哉由之行詐也、無臣而爲有臣、吾誰欺、欺天乎、孔安國曰、病少差曰間、言子路久有是心、非唯今日也、皇侃云、謂少差爲間者、若病不差、則病病相續無間斷也、若少差、則病勢斷絕、有間隙也、當孔子病困時、不覺子路爲立臣、至於少差、乃覺而歎子路行詐也、言子路有此行詐之心、非復一日、故曰、久矣也、我實無臣、今汝詐立之、持此詐欲欺誰乎、天下之人、皆知我無臣、則人不可欺、此正是遠欲欺天、故云欺天乎、且予與其死於臣之手也、無寧死於二三子之手乎、馬融曰、無寧寧也、二三子門人也、就使我有臣而死其手、我寧死於弟子之手乎、皇侃云、臣禮就養有方、有方則隔、弟子無方、無方則親、且予縱不得大葬、孔安國曰、君臣禮葬、予死於道路乎、馬融曰、就使我不得以君臣禮葬、有二

三子在、我寧當憂棄於道路乎、

案男子不死於婦人之手、凡有臣者、死於臣之手、禮也、孔子而有臣、必不嫌死於其手、而云無寧死於二三子之手者、此臣謂子路所爲立者、實非臣也、二三子、門人、不爲臣者也、皇侃謂門人親於臣、故欲死於其手、夫死生之際、古人尤愼之、春秋僖三十三年、公薨于小寢、傳釋之曰、就安也、況以孔子之聖、豈敢違禮、而爲就安求便之事哉、然馬融旣云就使我有臣、而死其手、則其謬不專歸於皇侃也、經文寧願辭、注我寧當、訓何、

子貢曰、有美玉於斯、韞匵而藏諸、求善賈而沽諸、馬融曰、韞、藏也、匵、匱也、謂藏諸匱中、沽、賣也、得善賈、寧肯賣之邪、皇侃云、子貢欲觀孔子聖德藏用何如、故託事以諮衰否也、韞、裹之也、善賈、貴賈也、陸德明云、匵本又作櫝、賈音嫁、一音古、子曰、沽之哉、沽之哉、我待賈者

也、包咸曰、沽之哉、不衒賣之辭、我居而待賈、王弼云、重言沽之哉、賣之不疑也、故孔子乃聘諸侯、以急行其道也、

案物徂徠云、善賈者、賈人之善者也、音古、案釋文音古、疑鄭讀也、但古人引此文者、賈多作價、則皆從音嫁之說矣、音嫁、則善賈爲貴爵重祿、音古、則爲明君知聖德者、此語本譬喩非正意所在、然求之道、音古似得聖人之意、沽之哉、王說得之、皇疏諮衰否、衰疑是字誤、

子欲居九夷、馬融曰、九夷東方之夷有九種、皇侃云、東有九夷、一玄菟、二樂浪、三高麗、四滿飾、五鳧臾、六索家、七東屠、八倭人、九天鄙、邢昺云、案東夷傳云、夷有九種曰畎夷、于夷、方夷、黃夷、白夷、赤夷、玄夷、風夷、陽夷、物茂卿云、竊疑九夷必是一夷、猶大湖名五湖、不爾欲居九夷、何其言之慢也、且此必孔子經過其地、因欲居之、不爾、當欲適九夷、而曰欲居九夷、其非遂望者審矣、翟灝云、說文解字、孔子曰、道不行、欲之九夷、或曰、陋如之何、子曰、君子

居之何陋之有、馬融曰、君子所居則化、翟灝云、聖人旨在託意激世、或遂謂將實居、其人未可與莊論也、故不復遠申己意、而但即東夷戲言之、山海經云、海外東方、有君子國、其人皆衣冠帶劍、好讓不爭、子乃謂東方所居能有如是之國、何可槪謂其陋、此亦如捋材匏瓜之荅、不必以化夷爲夏泥言、

案伊東仁齋謂九夷之國、嘗有君子而居、讀居字與翟同、但翟以爲戲言、仁齋以爲實語、翟說爲長、然此章兩居字相呼爲文、當以馬注爲正、說文句首、增孔子曰道不行六字、居作之、文不相承、蓋欲見此章與浮海之歎同、非有異文也、徂徠據居字以九夷爲地名、不知居必適之、適必居之、居之與適、爭些前後耳、故言居猶言適、且過其地、而欲居之、而或謂之陋、孔子豈愛其幽僻邪、此亦與斯道何所關係、而編輯者錄之也、粗笨可笑、

子曰、吾自衞反魯、然後樂正、雅頌各得其所、鄭玄曰、

反魯、哀公十一年冬、是時道衰樂廢、孔子來還、乃正之、故雅頌各得其所、皇侃云、孔子以魯哀公十一年、從衞還魯、而刪詩書、定禮樂、故樂音得正、所以雅頌之詩、各得其本所也、雅頌是詩義之美者、美者旣正、則餘者正亦可知也、

案此章論正樂之事、故止言雅頌各得其所、二南亦播之樂、而此不言者、用之房中、用之鄕黨、用之燕樂、人皆肆之、未失其所也、雅頌唯天子用之、諸侯雖亦用雅、然必祭祀賓客之事、而始奏之、又不得盡用之、世亂道衰、肆之者益少、所以失其所也、皇侃兼詩而說之、故云雅頌旣正、則餘者正亦可知、蓋未達此義也、

子曰、出則事公卿、入則事父兄、喪事不敢不勉、不爲酒困、何有於我哉、邢昺云、未嘗爲酒亂其性也、

案言我止能行此四事而已、餘無可稱也、若謂此四事亦不能行、則聖人之言、恐近於不情、必不然

矣何有於我哉詳見於述而篇

子在川上曰逝者如斯夫不舍晝夜包咸曰逝往也言凡往也者如川之流孫綽云川流不舍年逝不停時已晏矣而道猶不興所以憂歎也

案春秋之末天下大亂人不聊其生孔子欲輔明君以拯之而世主不能用歲月如流孔子亦已老矣偶見川流之一去不反於是乎喟然以歎而發此言也此篇所載大抵孔子晚年之言而於其不能得位以行二帝三王之政數致意焉如鳳鳥章美玉章九夷章及此章皆是也或曰徐子問仲尼所以取於水孟子荅曰源泉混混不舍晝夜盈科而後進放乎四海有本者如是是之取爾宋儒取以解此章於是乎道體之說起矣今予不取之何也荅曰逝者如斯夫自是歎一去不反之辭若以爲川流相續不斷必寓來者續於逝者中是上可以兼下東可以包西聖語之艱險不亦甚乎孟子徐子章云水哉水哉是美水之言與此章歎逝之義始不相涉故孟子推其意述學當務本序進之義所謂本者乃學問根本多識前言往行以蓄其德是也不必以彼此俱有不舍晝夜之語而牽合之且古無道體之說唯其近似者易天行健及詩維天之命於穆不已其此而已然此皆謂四時推遷以生成萬物乃天之德非道之體也故中庸以文王之德之純配之而結之曰純亦不已言能純則亦不已也學者思之

子曰吾未見好德如好色者也何晏曰疾時人薄於德而厚於色故發此言朱熹云史記孔子居衞靈公與夫人同車使孔子爲次乘招搖市過之故有此言物茂卿云好德者好有德之人也

子曰譬如爲山未成一簣止吾止也包咸曰簣土籠也此勸人進於道德爲山其功雖已多未成一籠而中道止者我不以其前功多而善之見其志不遂故不與也皇侃云言人作善垂足而止則善事不成如爲山垂足唯少一籠土而止則山不成此是建功不篤與不作無異則吾亦不以其前功多爲善如爲善不成吾亦不美其前功多也故云吾止也朱熹云言山成而但少一簣其止者吾自止耳譬如平地雖覆一簣進吾往也馬融曰平地者將進加功雖始覆一簣我不以其功少而薄之據其欲進而與之皇侃云譬於平地作山山乃須多土而始覆一籠一籠雖少交是其有欲進之可嘉如人始爲善善乃未多交求進之志可重吾不以其功少而不善之善之有勝於垂成而止者故云吾往也朱熹云平地而方覆一簣其進者吾自往耳翟灝云荀子宥坐篇孔子曰如垤而進吾與之如丘而止吾已矣

案荀子之言正述此章之意注疏止字進字句是也人動物也不進必退未成一簣止是其意既倦

其山必終崩壞覆一簣少也然其意則進進而不止其地必盡平此孔子所以決去就也平地與爲山對謂地有凸凹而平之之覆一簣覆之凹處也義疏云於平地作山是加作山二字其義始通非也集注止進二字下屬爲句語意反晦

子曰語之而不惰者其回也與何晏曰顏淵解故語之而不惰餘人不解故有惰語之時

案顏子不惰即得一善則拳拳服膺而弗失之矣餘人不解亦必究問之或質之朋友不徒止也但信道或未篤是以有惰語之時耳

子謂顏淵曰惜乎吾見其進也未見其止也包咸曰孔子謂顏淵進益未止痛惜之甚皇侃云顏淵死後孔子有此歎也云見進未見止惜其神識猶不長也

案、孔子是時、蓋七十一、刪定詩書禮樂、無復仕進之意、斯道之任、專在顏子、而今又死矣、則天下之亂、未見其所止、所以痛惜也、皇本包咸作馬融、

子曰、苗而不秀者有矣夫、秀而不實者有矣夫、孔安國曰、言萬物有生而不育成者、喻人亦然、皇侃云、又爲譬也、萬物草木、有苗稼蔚茂、不經秀穗、遭風霜而死者、又亦有雖能秀穗、而値沴焊氣、不能粒實者、故並云有矣夫也、

案、爾雅釋草、木謂之華、草謂之榮、不榮而實者、謂之秀、榮而不實者、謂之英、鄭風出其東門、有女如荼、鄭箋荼茅秀、茅至七八月間吐穗、長七八寸、絜白如雪、謂之茅秀、未吐穗未實、與之相似、故亦謂之秀、皇邢二疏及漢以下引此文者、皆以爲悼顏淵、然顏子則秀而實矣、故朱子易之、爲勉學之言、似矣、但以苗秀實、喩於學問深淺、未若喩其壽之長短之感慨尤深也、故此章之義、唯孔注盡之矣、

孔子嘗曰、才難、而世之有才者、又未必壽、故發此歎也、其意與前章相近、故編輯者以類相次、而又以後生可畏章次之耳、

子曰、後生可畏、焉知來者之不如今也、何晏曰、後生謂年少、邢昺云、言年少之人、足以積學成德、誠可畏也、安知將來者之道德、不如我今日也、四十五十而無聞焉、斯亦不足畏也已矣、物茂卿云、四十曰彊、仕、五十而爵、故四十五十、德立名彰之時也、翟灝云、大戴禮曾子立事篇、三十四十之間、而無藝即無藝矣、五十而不以善聞、則不聞矣、

案、皇疏分後生與來者爲二、如此、則可畏、專屬後生、不如今、專屬來者、文義支離不相貫、非也、來者猶言來日、孟子曰、願比死者、一洒之、言比至死日、一洒之也、邢疏訓將來、得之也已矣、邢本作也已、今從皇本、

子曰、法語之言、能無從乎、改之爲貴、孔安國曰、人有過、以正道告之、口無不順從之、能必自改之、乃爲貴、巽與之言、能無說乎、繹之爲貴、馬融曰、巽、恭也、謂恭孫謹敬之言、聞之無不說者、能尋繹行之、乃爲貴、皇侃云、言有彼人不遜、而我謙遜與彼恭言、故云、孫與之言也、邢昺云、謂以恭遜謹敬之言、教與之、當時聞之、無不喜說者、伊藤源佐云、巽與、遜順而與也、說而不繹、從而不改、吾末如之何也已矣、

案、與如吾與點之與、黨也、從也、巽與恭孫而與之、如楚子革與靈王語、曰畏君王哉、與君王哉之類是也、賢者不敢與己莊論其意、必有在焉、當尋繹其意所在、而改我過、今說而不繹、自以爲賢者也、從而不改、知其非而遂之者也、是自棄其身、無復進善求益之志、雖聖人亦無如之何也已、

子曰、主忠信、毋友不如己者、過則勿憚改、何晏曰、愼其所主所友、有過務改、皆所以爲益者也、皇侃云、此事再出也、所以然者、范甯云、聖人應於物作教、一事時或再言、弟子重師之訓、故又書而存焉、邢昺云、主猶親也、

案、不如己者、容而論之、不慕尚以爲友、詳見於學而篇、

子曰、三軍可奪帥也、匹夫不可奪志也、孔安國曰、三軍雖衆、人心不一、則其將帥可奪而取之、匹夫雖微、苟守其志、不可得而奪也、皇侃云、此明人能守志、雖獨夫亦不可奪、若其心不堅、雖衆必傾、故三軍可奪、匹夫無回也、謂爲匹夫者、言其賤、但夫婦相匹而已也、又云、古人質、衣服短狹、二人衣裳、唯共用一匹、故曰匹夫匹婦也、物茂卿云、此爲人君而言之、欲其不侮匹夫匹婦焉、

案、匹夫、義疏前說是也、志士不忘在溝壑、爲人君者、不奪其志、隨器而用之、天下之士、可得而網羅

矣、是此章之義也、

子曰、衣敝縕袍、與衣狐貉者立、而不恥者、其由也與、孔安國曰、縕、枲著、陸德明云、弊本今作敝、貉依字當作貈、皇侃云、枲麻也、以碎麻著袰也、碎麻曰縕、故絮亦曰縕、王藻曰、縕爲袍是也、李惇云、王藻纊爲繭、縕爲袍、鄭注云、衣有著之稱、纊今之新綿、縕今之纊及舊絮、案爾雅𢆶即袍也、蓋有表有裏、又有著之衣、若今人綿袍也、但古無木棉、著皆以絮爲之、絮、絲餘也、蓋絲之亂者、如今之絲綿是也、鄭謂纊爲今之新綿、縕爲今之纊及舊絮者、指漢末而言、古以新綿爲纊、舊絮爲縕、漢則以精者爲綿、而粗者爲纊、古今語異也、集注以縕爲枲、蓋本漢蒯通傳束縕請火之說、然以枲爲著、恐其大寒、不如仍從許鄭諸儒之說、以爲舊絮也、不忮不求、何用不臧、馬融曰、忮、害也、臧、善也、言不忮害、不貪求、何用爲不善、疾貪惡忮害之詩、陸德明云、忮、之豉反、韋昭漢書音義音洎、皇侃云、孔子更引疾貪惡忮之詩、證子路德美也、言子路之爲人、身不害物、不貪求、德行如此、何用不謂之爲善乎、言其善也、子路終身誦之、子曰、是道也、何足以臧、馬融曰、臧、善也、尚復有美於是者、何足以爲善、顏延之云、懼其伐善也、物茂卿云、不忮不求、當別爲一章、子路誦此詩、而孔子抑之也、孔子之於子路、或稱或抑、所以成材也、故聯而記之、俾學者知孔子教育英材之意、

案、集注枲著、襲孔注耳、古人有以枲爲著者、經云敝縕袍、則其著必又粗惡、故孔以爲枲著、而朱子從之、非不知縕爲舊絮也、徂徠以不忮以下爲別章是也、詳玩馬注、未見孔子引詩稱子路之意、亦以爲別章也、其合爲一章、蓋自皇侃始矣○頃偶讀孔廣森經學卮言、亦以不忮以下爲別章、而其言更詳、因錄之、以備後人參考、曰、不忮不求、當別爲一章、言子路終身常誦不忮不求、何用不臧二言、亦猶南容三復白圭之玷、子以其所取於詩者小、故語之曰、不忮不求、是或一道也、然止於是而

已、則亦何足以臧哉、尋省舊注、絕不與上衣敝縕袍相蒙、作疏者始以引詩爲美子路、又以終身誦之爲聞譽自足、朱子亦承其誤、既重賢者、且夫子先既取詩辭、何用不臧、而後頓抑之、謂何足以臧、是自異其言、枘鑿不可通也、集注本三十章、注疏本唐棣之華、合於未可與權、而牢曰自爲一章、故亦三十章、唯釋文則云、三十一章、竊疑陸所見古本、多一章者、正分不忮不求以下矣、

子曰、歲寒、然後知松柏之後凋也、何晏曰、大寒之歲、衆木皆死、然後知松柏小凋傷、平歲則衆木亦有不死者、故須歲寒而後別之、喩凡人處治世、亦能自脩整、與君子同、在濁世、然後知君子之正不苟容、陸德明云、後彫、依字當作凋、

案、邢本作彫、今從皇本、

子曰、智者不惑、包咸曰、不惑亂、孫綽云、智能辨物、故不惑也、仁者不憂、孔安國曰、不憂患也、皇侃云、內省不疚、故無憂患也、邢昺云、仁者知命、故無憂患、勇者不懼、繆協云、見義而爲、不畏強禦、故不懼也、物茂卿云、此孔子稱成德之人、與中庸三達德不同、達德者、謂德之通衆人皆有之者、非謂知者仁者勇者也、

案、智仁勇三者、論其至極、則仁爲大德、而智次之、勇又次之、然此云不惑不憂不懼、則就中人以上有三德者而言之、辨析事理者、其功及物、不憂不懼者、事止一己、所以智者處仁者上也、且智仁賢聖之屬、古人之恒言、不始因言之先後、以定等級也、後儒專貴議論、其言益密、而其道益荒、乃如此章、集注以爲學之序、然仲尼言智者仁者勇者、是論其質、不謂學當兼三德也、邢本智作知、今從皇本、

子曰、可與共學、未可與適道、何晏曰、適之也、雖學、或

得異端、未必能之道、朱熹云、可與者、言其可與共爲此事也、可與適道、
未可與立、何晏曰、雖能之道、未必能有所立、皇侃云、立謂謀議之立事也、
可與立、未可與權、雖能有所立、未必能權量
其輕重之極也、王弼云、權者道之變、變無常體、神而明之、存乎其人、不可豫設、尤至難者
也、程頤云、可與權、謂能權輕重、使合義也、伊藤源佐云、漢儒以經對權、謂反經合道爲權、非也、權字當以
禮字對、不可以經字對、孟子曰、男女授受不親、禮也、嫂溺、援之以手者權也、蓋禮有一定之則、而權制其
宜者也、毛奇齡云、公羊傳曰、權者何、權者反乎經者也、反乎經、然後有善也、反經之語、實始于此、其後相
習成說、著爲師傳、惟唐陸贄論替換李楚琳狀有云、權之爲義、取類權衡、衡者秤也、權者錘也、故權在于
衡、則物之多少可準、權施于事、則義之輕重不差、若以反道爲權、以任數爲智、歷代之所以多衰亂、而長
姦邪由此誤也、此不過一時一人有爲之言、據贄本論、以權衡立義、亦正是相將之物、淮南子曰、溺則捽

論語集說　卷三　三十

父、祝則名君、勢不得不然也、此之所設也、故孔子曰、可與立、未可與立、未可與權、夫惟以捽父名君爲非
常之事、故惟于溺與祝時、一偶施之、唐棣之華、偏其反而、豈不爾思、室
是遠而、何晏曰、逸詩也、唐棣、移也、華反而後合、賦
此詩者、以言權道反而後至於大順、思其人而不自
見者、其室遠也、以言思權而不得見者、其道遠也、邢昺
云、唐棣移也、釋木文也、舍人曰、唐棣、一名移、詩召南云、唐棣之華、陸璣云、奧李也、一名雀梅、亦曰車下李、
所在山皆有、其華或白或赤、六月中熟、大如李子、可食、朱熹云、唐棣、郁李也、偏、晉書作翩、然則反亦當與
翻同、言華之動搖也、伊藤源佐云、拨角弓之詩、又有翩其反矣之句、則從晉書爲是、翟灝云、春秋繁露竹
林第三篇、引此章文、唐作棠、棠上有詩云二字、文選廣絶交論注、引論語棠棣之華、宋祁筆記曰、詩有常
棣之華、逸詩有唐棣之華、世人多誤以棠棣爲唐棣、子曰、未之思也、夫何遠之

有、何晏曰、夫思者當思其反、反是不思、所以爲遠、能
思其反、何遠之有、言權可知、唯不知思耳、思之有次
序、斯可知矣、張憑云、此言學者漸進階級之次耳、始志於學、求發其蒙、而未審所適也、既向
方矣、而信道未篤、則所立未固也、又既固、又未達變通之權也、明知反而合道者、則日勸之業、亹亹之功、
其幾乎此矣、陸德明云、未或作末者非、夫何遠一讀以夫字屬上句、朱熹云、唐棣以下、別爲一章、不連上
文、范氏蘇氏、已如此說、但以爲思賢之詩、則未必然、武億云、釋文云、一讀以夫字屬上句、據此始覺聖人
釋詩、有咏歎淫液之趣、古人釋詩之詞、多以夫字屬句末、左傳僖二十四年、詩曰、彼己之子、不稱其服、子
臧之服不稱也夫、宣十四年、詩曰、亂離瘼矣、爰其適歸、歸于怙亂者也夫、成八年、詩曰、愷悌君子、遐不作
人、求善也夫、襄二十四年、詩曰、樂只君子、邦家之基、有德也夫、上帝臨女、無貳爾心、有令名也夫、
案學者共師同窻、有問難切磋之義、故獨言與共、可與共學者、有志者也、可與適道者、信道篤者也、

論語集說　卷三　三十一

是二者、謂學、何晏訓立爲能有所立、蓋謂立事業、果如其說、加事業二字、其義始通、故程子易之、爲
篤志固執而不變、然篤志固執在己、不待與人共、則其說亦未是、竊謂立、立於朝也、古者立位義通、
學然後入官、故此以下謂仕、可與立者、國爾忘家者也、鄙夫不可與事君、故亦擇可與立者也、權之
名起於稱錘、物有輕重、權之然後輕重定、而輕重前定者不與焉、故公羊訓反乎經然後有善、經常
也、聖人依常道以制禮、人由以行、故又謂之道、然事有出於非常者、若亦固執常禮以應之、是嫂溺
泥男女不授受之禮、而立視其死也、故犯男女不授受之過輕、立視嫂死之罪重、權其輕重、援之以
手、所謂反經合道也、故權不可預設、而亦不可廢、唯能通常道、然後可臨變以制權、乃學問之極功
也、故載之篇末、以終孔子盛德之事焉、自世有權變權數之目、學者諱言權、遂謂權即是經、或至有
云自非聖人、權不可行者、然事有大小、權亦從之、若常人不得行權、是嫂溺而立視其死也、而可乎、
要當別孔孟所謂權、非權變權數之權耳、朱子從范蘇二氏、分唐棣以下爲別章、是也、此詩興也、偏

翩之假借反猶背也翩以反而猶彼此各居一方相反背不得就見也言久反背不相見者非不思安也特以室遠不能親相就耳夫字上屬爲句是也孔子論此詩爲巧辭文過者所作因遂删之無深意也而置此章於此篇之終者孔子至於是邦必聞其政是當時之君非不思之而終不能用之與此章之意實相類故次之上章以明孔子不能降二帝三王之澤者因世主無深思而用之者以以終此篇與鄉黨篇末載山梁雌雉章同乃編輯者之微意也

鄉黨第十

陸德明云此篇凡一章

案中庸九經首脩身蓋取人以身身不脩天下國家不可得而治子罕篇備載仲尼聖德之盛故此又備載躬行之美以次之以終上論亦編輯者之微意也篇名鄉黨亦取於篇首二字皇邢二疏以爲鄉黨中之事非也

孔子於鄉黨恂恂如也似不能言者王肅曰恂恂溫

恭貌也邢昺云凡言如也者皆謂如此義也**其在宗廟朝廷便便言唯謹爾**鄭玄曰便便言辨貌雖辨而謹敬也**朝與下大夫言侃侃如也**孔安國曰侃侃和樂貌也**與上大夫言誾誾如也**孔安國曰誾誾中正貌也朱熹云許氏說文侃侃剛直也誾誾和說而諍也翟灝云史記世家與上大夫二句處與下大夫二句前讀書通曰後漢樊準奏讌會則論難衎衎袁安誾誾衎衎得禮之容**君在踧踖如也與與如也**馬融曰君在者君視朝也踧踖恭敬貌也與與威儀中適之貌也皇侃云與與猶徐徐也

案許氏說文訓詁精確其侃侃誾誾朱子取之而物徂徠駁之言上大夫而和說下大夫而剛直大似勢利之人其言亦有理焉今案樊準論難衎衎依此文立言則古論蓋作衎或讀侃爲衎衎樂也故孔訓和樂閔子侍側誾誾如也恐不可訓和說而諍孔訓中正亦是也此當以孔注爲正此節注皇邢多異今皆從皇本

君召使擯鄭玄曰君召使擯者有賓客使迎之也皇侃云擯者爲君接賓也謂有賓來君召己迎接之**色勃如也**孔安國曰必變色**足躩如也**包咸曰盤辟貌也皇侃云既被召不敢自容故速行而足盤辟故江熙云不暇閒步躩速也邢昺云足容盤辟躩然不敢懈慢也**揖所與立左右手衣前後襜如也**鄭玄曰揖左人左其手揖右人右其手一俛一仰衣前後襜如也皇侃云若公詣公法也賓至主人大門外西邊而向北去門九十步而下車面向北而倚賓則九副在賓北而東向邐迤而西北在四十五步之中主人出門東邊南向而倚主人是公則五擯是侯伯則四擯是子男則三擯不隨命數主人謙並用強半數也公陳

擯在公之南而西向邐迤而東南亦在四十五步中使主人下擯與賓下介相對而中間相去三丈六尺列賓主介擯既畢主人語上擯使就賓請辭問所以來之意於是上擯相傳以至於下擯下擯進前揖賓之下介而傳語問之下介傳問而以次上至賓賓荅語使上介傳以次而下至下介下介亦進揖下擯下擯傳而上以至主人凡相傳雖在列位當授受言語之時皆半轉身戾手相揖既並立而相揖故曰揖所與立也若揖左人則移其手向左若揖右人則移其手向右故云左右其手也既半廻身左右廻手當使身上所著之衣必襜襜如有容儀也故江熙云揖兩手衣裳襜如動也朱熹云襜整貌江永云言左右手則夫子爲承擯**趨進翼如也**孔安國曰言端正也皇侃云徐趨衣裳端正如鳥欲翔舒翼時也翟灝云說文解字趨字下云趨進躚如也徐鍇繫傳曰今論語作翼字假借也**賓退必復命曰賓不顧矣**鄭玄曰復命白君賓已去矣邢昺曰案聘禮行聘享私覿禮畢賓出公再拜送賓不顧鄭注云公既拜客趨辟君命上賓送賓出

反告賓不顧矣、於此君可以反路寢矣、

案、趨進、謂送賓出門時、翼、說文作趩、正字也、義亦如皇疏所釋、凡人情有所疑慮、必回顧、白賓不顧者、明其心充足以去、不再反入、故君反路寢也、左右手、承賓也、復命上擯也、此節雜記凡孔子爲擯之法、非一時之事也、江永謂承擯而兼上擯之事、非也、邢本包注盤辟上、有足躩二字、孔注端正作端好、今皆從皇本、

入公門、鞠躬如也、如不容、孔安國曰、斂身也、阮元云、躬又作窮、儀禮聘禮記、執圭入門、鞠窮焉、如恐失之、釋文作窮、云劉音弓、本又作躬、羣經音辨云、鞠躬容謹也、鄭康成說禮、孔子之執圭、鞠窮如也、是鄭陸所據本作窮、但字雖作窮、讀仍如躬、躬蓋鞠躬本雙聲字、史漢中凡三見、皆訓謹敬貌、蓋鞠躬同見毋、猶踧踖同精毋、皆雙聲字也、**立不中門、行不履閾、**孔安國曰、閾、門限也、皇侃云、立不中門者、謂在君門倚立時、中門謂棖闑之中

也、門中央有闑、闑以碳門兩扇之交處也、門左右兩楗邊各豎一木、名之爲棖、棖以禦車過、恐觸門也、闑東是君行之道、闑西是賓行之道、而臣行君道、示係屬於君也、臣若倚門立時、則不得當所行振闑之中央、當中是不敬、故云不中門也、若出入之時、則不得踐君之門限也、所以然者、其義有二、一則忽上升限、似自高矜、二則人行跨限、己若履之、則汚限、汚限則汚跨者之衣也、**過位、色勃如也、足躩如也、**包咸曰、過君之空位也、邢昺云、謂門屏之間、人君宁立之位、**其言似不足者、**皇侃云、既入過位、漸以近君、故言語細下、不得多言、如言不足之狀也、**攝齊升堂、鞠躬如也、屏氣似不息者、**孔安國曰、皆重愼也、衣下曰齊、攝齊者摳衣也、皇侃云、齊裳下縫也、既至君堂、當升之、未升之前而摳提裳前、使齊下去地一尺、曲禮云、兩手摳衣、去齊尺、是也、邢昺云、衣謂裳也、對文則上曰衣、下曰裳、散則可通、摳提挈也、江永云、人君每日視朝、在治朝、惟與羣臣揖見而已、議論政事、皆在路寢之朝、故

視朝退適路寢、則治朝之位虛、如君不視內朝、則羣臣各就官府治事、無過位之事、玉藻所謂君使人視大夫、大夫退、然後適小寢釋服者也、如有政事可議、而視內朝、則羣臣皆入路門、而朝於內朝、於是有過位升堂之事、玉藻所記君聽政於路寢、不視治朝者也、鄉黨所記先視治朝、後視內朝者也、視治朝何以不言其議、上章君在踧踖如、已言之、故不復言也、天子外屏、在應門之外、諸侯內屏、在雉門之內、而路門內無屏、宁在門屏之間、謂治朝在路門之外、屏之內也、

出降一等、逞顏色、怡怡如也、孔安國曰、先屏氣、下階舒氣、故怡怡如也、皇侃云、逞、申也、邢昺云、出下階一級、則舒氣、故解其顏色、怡怡然和說也、**沒階趨進、翼如也、**孔安國曰、沒盡也、下盡階也、陸德明云、沒階趨、一本作沒階趨進、誤也、臧琳云、集注引陸氏曰、趨下本無進字、俗本有之、誤、案史記孔子世家、作沒階趨進、儀禮聘禮注引與論語同、曲禮帷薄之外不趨正義、儀禮士相見禮疏引並有進字、然則自兩漢以至唐初、皆作沒階趨進、趨進者趨前

之謂也、進字不作入字解、舊有此字、非誤、孫志祖云、說文引此文、亦有進字、見走部趨字注、**復其位、踧踖如也、**孔安國曰、來時所過位、李惇云、復其位、復過君之虛位也、若泥定其字、以爲己之位、又何必踧踖乎、

案、公門謂皐門、故次言過位、宁蓋在皐門內、鞠躬雙聲、訓斂身、訓謹敬、皆是也、皇邢訓曲身、是求之義、而不知求之聲、非也、諸侯三門、止言一門者、餘同可知也、立者猶早、立以待時也、不中門、立於門東邊也、此則唯皐門、雉路二門無此事也、其言似不足者、蓋與同朝者語也、彼與我言、我不得不應之、然荅而不詳、如不足者也、齊足利本作齋、正字也、逞邢訓解是也、臧云、自漢至唐初、皆作趨進、有進字是、然陸唐初人、而云一本作趨進者誤、則唐初兩文並行、其有進字者、疑涉上章誤衍耳、初入過位、勃如、躩如、始見君位也、復其位、踧踖如、既見君而退、不復變色也、皇云、宁人君揖賓之處、江以爲治朝、未是、此節記孔子見君之儀、江以爲內朝論政之時、尤謬、

執圭鞠躬如也、如不勝、包咸曰、爲君使、聘問鄰國、執持君之圭、鞠躬者、敬慎之至、皇侃云、周禮五等諸侯、各受王者之玉、以爲瑞信、公桓圭九寸、侯信圭七寸、伯躬圭七寸、子穀璧五寸、男蒲璧五寸、五等若自執朝王、則各如其寸數、若使其臣出聘鄰國、乃各執其君之玉、而減其君一寸也、邢昺云、凡圭廣三寸、厚半寸、剡上、左右各寸半、其諸侯之臣、聘天子、及聘諸侯、其聘玉及享玉、降其君瑞一等、故玉人云、瑑圭璋八寸、璧琮八寸、以頫聘、是也、**上如揖、下如授、勃如戰色、足蹜蹜如有循、**鄭玄曰、上如揖、授玉宜敬也、下如授、不敢忘禮也、戰色、敬也、足蹜蹜如有循、擧前曳踵行也、邢昺云、言擧足狹數蹴蹴如也、朱熹云、上如揖、下如授、謂執圭平衡、手與心齊、高不過揖、卑不過授也、物茂卿云、執圭時高時卑、不敬也、按曲禮、執天子之器、則上衡、是如揖也、執國君之器、則平衡、是如授也、**享禮有容色、**鄭玄曰、

享獻也、聘禮、既聘而享、則用圭璧、有庭實、物茂卿云、享用圭璧、非也、享用璧而已矣、觀禮庭實唯國所有、鄭玄云、初享或用馬、或用虎豹之皮、其次享三牲魚腊籩豆之實、龜也、金也、丹漆絲纊竹箭也、其餘無常貨、此物非一國所能有、分爲三享、皆以璧帛致之、江永云、聘君用圭、聘夫人用璋、享君用璧、享夫人用琮、禮有明文、若小行人合六幣、圭用馬此公侯享于天子之禮、舊注誤、而集注言享用圭璧、亦承其誤、**私覿愉愉如也、**鄭玄曰、覿見也、既享、乃以私禮見、愉愉顏色和也、皇侃云、私非公也、晁以道云、孔子定公九年仕魯、至十三年適齊、其間絕無朝聘往來之事、疑使擯執圭、但孔子嘗言其禮當如此爾、江永云、孔子仕魯時、君大夫無朝聘往來之事、而鄉黨有使擯執圭兩章何也、凡卿有事出境及他國之卿來、則書於春秋、大夫則不書、晏子嘗聘魯、而春秋不書、晏子未爲卿也、孔子爲司寇、亦是大夫、其傳辭君用交擯、臣用旅擯、而言左右手、則夫子爲承擯、兼傳出入之命、是用交擯矣、大夫聘爲小聘、不享、而執圭璋有享、則

似大聘矣、蓋春秋時、事大國尚侈靡、不能如禮制也、晁氏謂孔子嘗言其禮當如此者、其說不然、案禮無圭璧並用之法、以鄭康成之精於禮、不容不知之、且注云則用、則異上之辭、聘用圭、享用璧、故云享則用璧、明舊本無圭字、轉寫者誤增之耳、其解上下爲升降、解如授爲如升時、失於牽強、集注改爲執圭高卑之度、是也、但不言其所以上下、故徂徠駁之、謂聘天子上衡、聘諸侯平衡、然二句平序、而一以爲聘天子、一以爲聘諸侯、其謬不待論、蓋執圭高卑、禮有常度、上下謂此耳、案聘禮、賓受圭於門外、自入門至升堂、有三揖三讓三退之事、若執圭如揖、不得更爲揖、疑此時執圭平衡、於事便也、授圭於兩楹間、與主國之君相接、乃執之上衡、詳考禮意、恐當如此、圭、皇邢以爲瑑圭、是也、集注爲命圭、失之、春秋定十年、公會齊侯于夾谷、十二年、公會齊侯盟于黃、會與朝殊、然必不率然相見、蓋始亦粗依朝禮爲之、召使擯之事、豈在是時與、其聘鄰國、經傳無其事、晁氏謂孔子嘗言其禮當如此、是也、但孔子之教禮、不徒言其義、并肄其容、子所雅言、詩書執禮、即其事也、史記世家又

云、孔子去曹適宋、與弟子習禮大樹下、由此言之、孔子不雅言其義、并習其容可知矣、夫既習禮容、雖未嘗擯聘、猶之擯聘也、故載之此篇而已、江氏以鄉黨所載、爲皆孔子所嘗行、謂孔子爲大夫聘、小聘也、故經傳不言之、然小聘無享、自知其不通、乃又云、春秋時、事大國尚侈靡、不能如禮制、一部論語、垂教於萬世、果不能如禮制、孔子安肯行之、而弟子亦豈詳記之以誤後世哉、謬甚、

君子不以紺緅飾、孔安國曰、一入曰緅、飾者不以爲領袖緣也、紺者齊服盛飾、以爲飾、似衣齊服也、緅者三年練、以緅飾衣、爲其似衣喪服、故皆不以飾衣也、皇侃云、禮家三年練、以縓爲深衣領緣、不云用緅、且撿考工記、三入爲纁、五入爲緅、七入爲緇、則緅非復淺絳明矣、故解者相承、皆云孔此注誤也、錢大昕云、爾雅一染謂之縓、即孔所云一入也、檀弓云、練、練衣黃裏縓緣、注云、小祥練冠練中衣、以黃爲裏、縓爲飾、即孔所云三年練以飾衣者也、然則孔經注皆當作

緅不作緅矣、攷工記鍾氏、三入爲纁、五入爲緅、緅今禮俗文作爵、言如雀頭色也、先鄭司農以論語君子不以紺緅飾、證五入爲緅之文、則先鄭所受論語本作緅、與孔本異也、

紅紫不以爲褻服、王肅曰、褻服、私居服、非公會之服、皆不正、褻尚不衣、正服無所施、皇侃云、後卷惡紫之奪朱也、鄭玄注云、紺緅紫玄之類也、紅纁之類也、玄纁所以爲祭服、等其類也、紺緅木染、不可爲衣飾、紅紫草染、不可爲褻服而已、侃案五方正色、青赤白黑黃、五方間色、綠爲青之間、紅爲赤之間、碧爲白之間、紫爲黑之間、緇爲黃之間也、故不用紅紫、言是間色也、物茂卿云、當孔子之時、朝祭之服、皆有先王之禮、故不須言、褻服獨宜若從俗然、故云爾、此本文所以止言褻服而義自足也、

當暑袗絺綌、必表而出、孔安國曰、暑則單服、絺綌葛也、必表而出、加上衣也、皇侃云、表加上衣也、古人冬則衣裘、夏則衣葛也、若在家、則裘葛之上、亦無別加衣、若出行接賓、皆加上衣、故云、必表而出也、翟灝云、義

疏本出下無之字、所載孔注、亦無之字、依皇氏說、句末當無之字、且加是說之、則袗亦褻服、而所表猶裼衣、與上下所記尤成類、廣韻云、袗單衣、或作縝、同、又云、袗單也、是袗與縝、不僅音同、古實通用、若今文袗字、說文解爲玄、玉篇訓緣也、儀禮兄弟畢袗玄、鄭注云、同也、孟子衣袗衣、趙氏注云、畫衣也、古並未有訓爲單者、雖自唐以前、傳文已然、反不若作縝較得、阮元云、皇本袗作縝、石經作袗、釋文出袗字云、本又作袗、單也、五經文字云、袗、論語作袗、禮記作振、按段玉裁云、曲禮注引論語作袗、孔安國曰、暑則單服、玉藻振絺綌不入公門、鄭云、振讀爲袗、袗、單也、是袗爲正字、振袗爲假借、縝爲俗字、說文、袗玄服、據曲禮玉藻、當云袗單也、

緇衣羔裘、素衣麑裘、黃衣狐裘、褻裘長、短右袂、孔安國曰、服皆中外之色相稱也、私家裘長、主溫也、短右袂、便作事也、皇侃云、緇、染黑七入者也、玄則六入色也、羔者烏羊也、緇衣服者、玄冠十五升緇布衣素積也、此是諸侯日視朝服也、諸侯視朝與羣臣同服、郊特牲云、皮弁素服而祭、以送終也、注云、素服衣裳皆素也、郊特牲云、黃衣黃冠而祭、注云、祭謂既蜡臘先祖五祀也、又云、論語云、黃衣狐裘、江永云、古人行禮、有裼襲之儀、袒而有衣曰裼、謂袒去上服之左袖、露其裼衣之左袖、裼衣必象裘色、不袒、則謂之襲、又云、虞人反裘而負薪、愛其毛、傷其皮、則毛將安傅、以此推之、知古人服裘、毛向外也、向外則褻、故裘外必有裼衣、

必有寢衣、長一身有半、孔安國曰、今之被也、朱熹云、齊主於敬、不可解衣而寢、又不可著明衣而寢、故別有寢衣、其半蓋以覆足、程子曰、此錯簡、當在齊必有明衣布之下、愚謂如此、則此條與明衣變食、既得以類相從、而褻裘狐貉、亦得以類相從矣、

狐貉之厚以居、鄭玄曰、在家以接賓客也、皇侃云、家主溫、故厚爲之也、

去喪無所不佩、孔安國曰、去、除也、非喪則備佩所宜佩也、邢昺云、玉藻云、古之君子、必佩玉、右徵角、左宮羽、凡帶必有玉、唯喪則否、佩玉有衝牙、君子無故、玉不去身、君子於玉比德焉、天子佩白玉、而玄組綬、世子佩瑜玉、而綦組綬、

士佩瓀玟、而縕組綬、孔子佩象環五寸、而綦組綬、是非居喪則備佩所宜佩也、朱熹云、觿礪之屬皆亦佩也、物茂卿云、集注據本文無所不、孔注備字、而遂及觿礪之屬耳、然觿礪乃子弟事父母之禮、豈君子所必佩乎、

非帷裳必殺之、王肅曰、衣必有殺縫、唯帷裳無殺也、邢昺云、謂朝祭之服、上衣必有殺縫、在下之裳則亦有裁縫、故深衣之制、要縫半下、齊倍要、喪服之制、裳內削幅、注云、削猶殺也、

羔裘玄冠不以弔、孔安國曰、喪主素、吉主玄、吉凶異服、故不相弔也、邢昺云、檀弓云、奠以素器、以生者有哀素之心、注云、哀素、言哀痛無飾、凡物無飾曰素、

吉月必朝服而朝、孔安國曰、吉月、月朔也、朝服、皮弁服也、皇侃云、凡言朝服、唯是玄冠緇布衣素積裳、今此云、朝服謂皮弁十五升白布衣素積裳也、所以亦謂爲朝服者、天子用之、以日視朝、今云朝服、是從天子受名也、諸侯用之、以視朔、孔子魯臣、亦得與君同

服、故月朔必服之也、然魯自文公不視朔、故子貢欲去告朔之餼羊、而孔子是哀公之臣、應無隨君視朔之事、而云必服之者、當是君雖不視朔、而孔子月朔必服而以朝、是我愛其禮也、

齊必有明衣布、孔安國曰、以布爲沐浴衣也、邢昺云、將祭而齊、則必沐浴、浴竟而著明衣、所以明絜其體也、

案、錢大昕謂緅、孔本經注皆作縓、是也、孔經學精深、不當訓緅以縓義、案孔注古論、鄭據魯論、參以齊古、則古作縓、魯作緅、今本經從魯論、注取孔義、故致此誤耳、袗釋文五經文字皆作紾、又有廣韻可據、是唐初本皆作紾、其作袗者、釋文所云又作本、禮注多誤字、今本作袗、安知不原作紾哉、未可據以爲正、段說非也、必表而出之、皇本經注皆無之字、案孔注必表而出云、加上衣也、加上衣、釋表字、出爲出行、不待釋、若有之字、文義稍艱、不容不釋之、明經本無之字、皇本是也、江永謂裼衣上又有正衣、然緇衣羔裘、即下文羔裘玄冠、玉藻云、羔裘緇衣以裼之、不言裼衣上別有衣、冠與衣同色

朝服以冠表衣、明緇衣上服、又謂之裼衣、裼衣上不別加服也、褻裘長、則禮褻蓋與衣齊、褻裘其至膝與、必有寢衣、朱子從程說、謂當在必有明衣布之下、是也、凡人皆有寢衣、齊亦被之而寢、唯孔子別制齊時之寢衣、嫌其褻也、故云必有寢衣、雖唯齊被之、其長與平日所被同、故又云長一身有半、子之所愼齊戰疾、蓋謂此類也、毛奇齡謂人皆有寢衣、但其長與身齊、一身有半、孔子所獨也、恐未盡、狐貉之厚、皇云厚爲之、案皇雍也篇衣輕裘疏云、輕裘之皮精毛軟、及新綿爲著者、則此云厚爲之、亦謂厚爲之著、皇梁人、去古未遠、說裘當不謬、以毛深釋厚、於義未安、無所不佩、言禮所宜佩、無所棄廢也、不謂凡物盡佩之、孔云、備佩所宜佩、是也、

齊必變食、孔安國曰、改常食也、朱熹云、變食、謂不飲酒、不茹葷、物茂卿云、膳夫職曰、以樂侑食、膳夫授祭、品嘗食、王乃食、卒食、以樂徹于造、王齊日三舉、玉府職曰、王齊、則共食玉、鄭司農云、王齊當食玉屑、曲禮曰、齊者不樂、不弔、陸氏樂音洛、按曰王齊日三舉、則天子之齊、日三大牢、又有供王膳之事、但不奏樂、不飲酒、不茹葷爲異耳、羣下之齊、未聞也、然亦當盛膳、此所謂變食也、

居必遷坐、孔安國曰、易常處也、皇侃云、於祭前、先散齊於路寢門外七日、又致齊於路寢中三日也、

食不厭精、膾不厭細、食饐而餲、孔安國曰、饐餲、臭味變也、邢昺云、牛與羊魚之腥、聶而切之、爲膾、皇侃云、饐謂飲食經久而腐臭也、餲謂經久而味惡也、李惇云、不厭二字、祇作以是爲善解、便足、不必又周旋必欲如是一層也、

魚餒而肉敗、不食、孔安國曰、魚敗曰餒、皇侃云、餒謂魚臭壞也、魚敗而餒餒然、爾雅云、肉謂之敗、魚謂之餒、李巡云、肉敗久則臭、魚餒肉爛、阮元云、皇本此注作孔安國曰、案史記孔子世家集解、亦作孔曰、疑此有脫誤、

色惡不食、臭惡不食、失飪不食、孔安國曰、失飪、失生熟之節也、

不時不食、鄭玄曰、不時非朝夕日中時也、江熙云、不時、謂生非其時、若冬梅李實也、朱熹云、五穀不成、果實未

熟之類、物茂卿云、王制曰、五穀不成、果實未熟、不粥於市、故君子不食也、食醫職曰、食醫掌和王之六食、六飲、六膳、百羞、百醬、八珍之齊、凡食齊眂春時、羹齊眂夏時、醬齊眂秋時、飲齊眂冬時、凡和、春多酸、夏多苦、秋多辛、冬多鹹、調以滑甘、毛奇齡云、漢召信臣傳云、不時之物、有傷於人、不宜以奉供養、後漢鄧皇后詔、引論語不時不食、謂穿掘萌芽、鬱蒸強熟、味無所至、而夭折生長、此單指蓏蔬之類、如冬月生瓜、方春薦蓼、予謂此節以經解經、當如禮運曰、飲食必時、指春秋朝暮之節、仲尼燕居曰、味得其時、謂春秋朝暮又各有所宜之物、故舊注以朝夕日中爲三時、方觀旭云、禮內則云、孺子食無時、則成人以上、食必有時也、詩蝃蝀傳云、從旦至食時、爲終朝、孟子云、朝不食、夕不食、淮南子云、臨於曾泉、是謂蚤食、次於桑野、是謂晏食、並是食時之證、

割不正不食、不得其醬不食、馬融曰、魚膾非芥醬不食、皇侃云、古人割肉必方正、若不方正割之、故不食也、江熙云、殺不以道、爲不正也、邢昺云、割不正不食者、謂折解牲體、脊脇臂臑之屬、禮有正數、若解割不得其正、則不食也、物茂

卿云、馬注舉一例、其餘已、內則曰、濡鷄醢醬實蓼、濡魚卵醬實蓼、濡鼈醢醬實蓼、魚膾芥醬、麋腥醢醬、

肉雖多、不使勝食氣、唯酒無量、不及亂、沽酒市脯不食、不撤薑食、孔安國曰、撤去也、齊禁葷物、薑辛而不薰、故不去也、皇侃云、勝猶多也、食謂他饌也、酒不自作、則未必清淨、脯不自作、則不知何物之肉、故沽市所得、並所不食也、邢昺云、氣、小食也、言肉雖多、食之不可使過食氣也、沽賣也、酒當言飲、而云不食者、因脯而并言之耳、物茂卿云、邢疏氣小食也、是解氣爲餼、蓋邢昺時他古注尚存、而取其說耳、據其說、則食爲食饗之食、餼爲餼牢之餼、言肉雖多、不得過食餼之數也、唯酒無量不及亂、按燕禮、大射禮、鄉射禮、鄉飲酒禮、其終皆無算爵無算樂、以至執燭、是古禮爲然、沽酒市脯不食者、王制曰、衣服飲食、不粥於市、此君子所以不食、先王之道爲爾、沽、邢訓賣是也、沽之哉、亦訓賣、食撤而獨留薑、蓋孔子嗜薑、如文王嗜昌歜、曾晳嗜羊棗、人之生所不免也、故孔子亦有所嗜、然不多食、所以爲君子是而已矣、自後世儒者論尚苛刻、乃始諱有所嗜以爲欲也、豈人情乎、程瑶田云、論語不使勝食氣、說文氣作既、釋之曰、小食也、引論語以證之、蓋古文氣息字作气、加米、則爲氣稟字、與既字相通、然後世於氣字、無不讀爲氣息者、不有說文、則論語食氣二字、難通其義矣、不多食、孔安國曰、不過飽也、邢昺云、自此以上、皆蒙齊文、物茂卿云、齊豈飲酒、朱注爲勝、閻若璩云、不多食、諸家俱不承薑說、予謂不撤薑、不多食、正與唯酒無量不及亂一例語耳、通不食、俱專指一物、何獨此而忽泛及邪、亦不倫矣、祭於公不宿肉、周生烈曰、助祭於君、所得牲體、歸則以班賜、不留神惠也、祭肉不出三日、出三日不食之矣、鄭玄曰、自其家祭肉、過三日不食、是褻鬼神之餘也、物茂卿云、鄭意謂自其家祭肉而外、以至鄉里所饋、皆不出三日、食不語、寢不言、雖疏食菜羹瓜祭、必齊如也、孔安國曰、齊嚴敬貌、三物雖薄、祭之必敬、皇侃云、言是宜出己語、是答述也、食須加益、故許言、而不許語、語則口可惜、亦不敬也、寢是眠臥、須靜、若言、則驚鬧於人、故不言也、陸德明云、瓜祭、魯讀瓜爲必、今從古、邢昺云、祭謂祭先也、案玉藻云、唯水漿不祭、又云、瓜祭上環、江永云、聖人於飲食、非有揀擇、如割不正不食、不得其醬不食、亦須得聖人氣象、非若過責庖人、過求備物、使人難供、七箸者比也、食肉惟取其方正者、則不正之割、自不來前矣、醬有烹調時之醬、有配食之醬、此謂配食之醬、如醯醢之類、不得其醬、如當用醢而設醯、當用醯而設醢、或醯醢皆不設、此家人進食者之小過、夫子偶一不食、微示其意、後自知設醬得宜矣、凡此皆未嘗形於言、怒於色、庶幾不失聖人氣象、

案、居蒙上齊文、故不復言齊、孔注是也、此節記飲食之事而言居必遷坐者、遷坐亦是齊事、故與齊必變食對舉、猶下文寢不言、亦非飲食之事、但以言語一類、故與食不語對舉、以便文也、齊文止此二句、以下則泛記飲食之法、不時不食、康成謂朝夕日中時、然上下不食、皆在物失宜、訓時物似長、割不正不食、皇訓方正、非也、古人折肉以骨爲主、貴者得貴骨、賤者得賤骨、故有脊脇臂臑等之名、欲方正割之、固不可得、如肝、則又絕祭之、其細長可知矣、邢謂禮有正數、解割不得其正、則不食、是也、物性相制、又有所宜、得其醬、則增其美、而去其害、故君子尚之、人或疑此二句大拘、謂他人設之而已、不敢下箸、非禮也、是以常人悻悻之心窺聖人也、此節所記、居家之法、若他人燕饗之時、自無腐敗失正之物、即有之、嘗而不食、未爲非禮也、食氣之解、說文邢疏是也、唯酒無量者、酒量人殊、以醉不及亂爲度也、沽訓賣、訓買、皆通、詩無酒沽我、買也、子罕篇沽之哉、賣也、但此與市脯對、訓賣爲是、不撤薑食、薦羞盡撤、而獨留薑也、徂徠以爲孔子所嗜、是也、唯此一句、便可曉此節爲居家之法矣、不多食、閻以爲食薑、上云不撤薑、嫌於多食、故又添此句、閻說得之、據釋文、魯論亦作瓜、特讀爲必耳、集注引陸氏云、魯論瓜作必、謬矣、皇疏口可惜、當作可憎、字之誤也、

席不正、不坐、鄉人飲酒、杖者出、斯出矣、孔安國曰、杖

者老人也、鄉人飲酒之禮、主於老者、老者禮畢出、孔子從而後出也、皇侃云、舊說云、鋪之不周正、則不坐之也、故范甯云、正席所以恭敬也、或云、如禮所言諸侯之席三重、大夫再重、是各有其正者也、禮五十杖於家、六十杖於鄉、故呼老人爲杖者也、邢昺云、凡爲席之禮、天子之席五重、諸侯之席三重、大夫再重、席南鄉北鄉、以西方爲上、東鄉西鄉、以南方爲上、如此之類、是禮之正也、翟灝云、史記世家述此句、在割不正不食下、墨子非儒篇曰、孔某席不端弗坐、割不正弗食、新序節士篇、孔子席不正不坐、割不正不食、說文解字同、韓詩外傳九卷、孟子母曰、吾始是子席不正不坐、割不正不食、按上雖記飲食之節、而如寢不言、即以食不語連類並及、此句據史記、墨子、韓詩外傳、新序、說文五書、俱與割不正相儷、今析兩處、致此句孤出于上下文、莫得其類、疑錯簡也、事文類聚述上段不時不食、不得其醬不食、中間無割不正句、或其時流傳本、尚有如是者邪、方觀旭云、案鄉飲酒義正義、謂凡有四事、一則三年賓賢能、二則鄉大夫飲國中賢者、三則州長習射飲酒、四則黨正蜡祭飲酒、此論語鄉人飲酒、當何屬乎、蓋黨正蜡祭飲酒也、所以知然者、此經云、杖者出、斯出矣、是主於敬老、周官黨正職云、國索鬼神而祭祀、則以禮屬民而飲酒於序、以正齒位、鄉飲酒義第五節云、六十者坐、五十者立侍、以聽政役、所以明尊長也、六十者三豆、七十者四豆、八十者五豆、九十者六豆、所以明養老也、注以黨正正齒位之禮解、與此經有杖者同、是敬老之事、故知此鄉人飲酒、爲黨正蜡祭飲酒也、雜記云、子貢觀於蜡、曰一國之人皆如狂、是既醉而出之時、不復有先後之次、此夫子杖者出斯出矣、所以爲異於人、

案翟說鑿鑿有據、但今本行世既久、姑依原文、而存其說於疏中焉、席不正、士而再重、大夫而三重、皆不正也、必辭而去之、鋪席向隅、亦不正也、必命而正之、然此謂行禮之時、若燕居之時、則或亦有不正、故下文云、君賜食、必正席先嘗之、

鄉人儺、朝服而立於阼階、孔安國曰、儺、驅逐疫鬼也、

恐驚先祖、故朝服立廟之阼階也、皇侃云、儺者逐疫鬼也、爲陰陽之氣、不即時退、疫鬼隨而爲人作禍、故天子使方相氏、黃金四目、蒙熊皮、執戈揚楯、玄衣朱裳、口作儺儺之聲、以敺疫鬼也、一年三過爲之、三月、八月、十二月也、月令季春云、命國儺、至仲秋又云、天子乃儺、至季冬又云、命有司大儺、今云鄉人儺、是三月也、陸德明云、於阼、本或作於阼階、

問人於他邦、再拜而送之、孔安國曰、拜送使者、敬之也、邢昺云、問猶遺也、謂因問有物遺之也、

案、必言他邦者、同國之人、事件重大、必親相見、雖時有問遺、其事必輕、故不拜使者、他邦之人、不能相見、拜使者即拜所問之人、若親見之然也、

康子饋藥、拜而受之、包咸曰、遺孔子藥也、曰、丘未達、不敢嘗、孔安國曰、未知其故、故不敢嘗、禮也、邢昺云、凡受人饋遺、可食之物、必先嘗而謝之、孔子未達其藥之故、不敢先嘗、故曰、丘未達、不敢嘗、物茂卿云、故、故實也、謂禮也、未知其故、故不敢嘗、是解孔子之言也、禮也者、言孔子所以言者禮也、醫師職曰、醫師掌醫之政令、聚毒藥以共醫事、是古之藥多毒藥、所以無饋藥之禮也、康子饋藥、孔子以爲非禮、而卻之不恭也、不恭亦非禮也、故曰丘未達也、言必有是禮、然丘未之聞也、故時人雖嘗、而丘不敢嘗焉、不斥其非禮、而謙以己之未學、既不傷其心、亦不踐非禮、故孔安國曰、禮也、贊孔子也、

案物說是也、但藥物多毒、今猶古、物云、古之藥多毒藥、是其微誤、

廄焚、子退朝、曰、傷人乎、不問馬、鄭玄曰、重人賤畜、退朝者、自魯之朝來歸也、

君賜食、必正席先嘗之、孔安國曰、敬君惠也、既嘗之、乃以班賜也、君賜腥、必熟而薦之、孔安國曰、薦、薦其

先祖也、皇侃云、賜熟食不鷹者、熟爲褻也、陸德明云、腥、說文字林並作胜、翟灝云、五經文字曰、胜先丁反、腥先定反、今經典通用腥爲胜字、並先丁反、**君賜生必畜之、**皇侃云、生謂活物也、得所賜活物、當養畜之、待至祭祀時、充牲用也、陸德明云、魯讀生爲牲、今從古、**侍食於君、君祭先飯、**鄭玄曰、於君祭則先飯矣、若爲君嘗食然、皇侃云、禮、食必先取食種種、出片手、置俎豆邊地、名爲祭、祭者報昔初造此食者也、君子得惠不忘報、故將食而先出報也、

疾君視之、東首加朝服拖紳、包咸曰、夫子疾也、處南牖之下、東首、加其朝服、拖紳、紳、大帶也、不敢不衣朝服見君也、皇侃云、病者欲生、東是生陽之氣、故眠頭首東也、故玉藻云、君子之居、恒當于戶、寢恒東首者是也、陸德明云、拖徒我反、又勑佐反、本或作拕、翟灝云、喪大記、疾病寢東首于北牖下、徹褻衣、

加新衣、注曰、或爲北牖下、

案、寢東首、猶死北首、陰陽之義也、然平時有從便者、曲禮、少事長上、內則、子婦事舅姑、皆請衽何趾、弟子職、先生將息、弟子皆起、敬奉枕席、問所何趾、俶衽則請、有常則否是也、君視必東首者、戶在牖東、君將自戶入、不敢趾之也、餘集注盡之、喪大記北牖誤也、牖窻也、墉壁也、室北無窻、蓋原本經作北墉下、注作或爲北牖下、鄭知北牖爲誤、而舉之者、蓋其愼也、今本經注互易耳、

君命召、不俟駕行矣、鄭玄曰、急趨君命也、出行、而車既駕隨之、皇侃云、玉藻云、君命召以三節、一節以趨、二節以走、在宮不俟屨、在家不待駕、是也、

入大廟每事問、鄭玄曰、爲君助祭也、大廟、周公廟也、皇侃云、舊通云、前是記孔子對或人之時、此是錄平生常行之事、故兩出也、邢昺云、廟中禮儀祭器、雖知之、猶每事復問、愼之至也、

案、邢本脫鄭注、今從皇本、

朋友死無所歸、曰於我殯、孔安國曰、重朋友之恩也、無所歸、無親昵也、物茂卿云、此謂朋自遠方來者也、斯邦之人、必有親戚也、古人必歸葬其鄉、故不曰葬而曰殯也、檀弓曰、賓客至、無所館、夫子曰、生於我乎館、死於我乎殯、其爲他邦人審矣、

朋友之饋、雖車馬、非祭肉不拜、孔安國曰、不拜者、有通財之義、邢昺云、祭肉則拜之、尊神惠也、

寢不尸、包咸曰、偃臥四體、布展手足、似死人、**居不容、**孔安國曰、爲室家之敬難久也、陸德明云、居不客、客苦百反、本或作容、倅顧煊云、集解孔曰、爲室家之敬難久、大戴禮衛將軍文子篇、在貧如客、說文、愙敬也、皆謂客爲敬、則作居不客本是、臧琳云、居不客、言居家不以客禮自處、集解載孔注云、爲室家之敬難久、謂因一家之人難久

以客禮敬己也、邢疏云、不爲容儀、夫君子物各有儀、豈因私居廢乎、是當從陸氏作客、段玉裁云、居不客者、嫌其主之類於賓也、寢不尸者、惡其生之同於死也、

案、開成石經亦作客、客字是也、不客者、不如客也、申申夭夭燕居之容也、不得言居不容、

子見齊衰者、雖狎必變、孔安國曰、狎者素相親狎也、**見冕者與瞽者、雖褻必以貌、**周生烈曰、褻謂數相見也、必當以貌禮之、皇侃云、以貌、變色對之也、變重貌輕、親狎重、故言變、卑褻輕、故以貌也、

凶服者式之、式負版者、孔安國曰、凶服者、送死之衣物也、負版、持邦國之圖籍者也、皇侃云、鄭司農注宮伯職云、版名籍也、以版爲之、今時鄉戶籍、謂之戶版、鄭康成注內宰云、版謂宮中閽侍之屬、及其子弟錄籍也、朱熹云、人惟萬物之靈、而王者之天也、故周禮獻民數於王、王拜受之、況其下者、敢不敬乎、**有盛饌必**

變色而作、孔安國曰、作起也、敬主人之親饋也、迅雷
風烈必變、鄭玄曰、敬天之怒也、風疾雷爲烈也、皇侃云、王藻云、若疾風迅雷甚雨、則必變、雖夜必興、衣服冠而坐、是也、朱熹云、迅疾也、烈猛也、
案、謂之冕者、非褻服也、故周釋褻爲數相見、是也、凶服者負版者同式之、而異其句者、亦猶齊衰者與冕者瞽者異句、吉凶不同文也、迅雷風烈、朱說是也、迅雷有震擊之虞、風烈有飄倒之慮、不預警之、若有意外之變、或不免失措、夫子必變、不獨敬天怒也、
升車、必正立執綏、周生烈曰、正立執綏、所以爲安也、皇侃云、綏牽以升車之繩也、
車中不內顧、包咸曰、車中不內顧者、前視不過衡軛、傍視不過輢轂、陸德明云、車中不內顧、魯讀車中內顧、今從古、皇侃云、輢竪在車箱兩邊、三分居前之一、承較者也、轂在箱外、當入兩邊、故云、旁視不過輢轂也、邢昺云、曲禮云、立視五巂、式見馬尾、顧不過轂、注云、立平視也、巂猶規也、謂輪轉之度、案車輪一周爲一規、乘車之輪高六尺六寸、徑一圍三、三六十八、得一丈八尺、又六寸爲一尺八寸、總一丈九尺八寸、五規爲九十九尺、六尺爲步、總爲十六步半、則在車得視前十六步半也、而此注云、前視不過衡軛者、禮言中人之制、此記聖人之行、故前視但不過衡軛耳、

不疾言不親指、皇侃云、疾高急也、在車上言易高、故不疾言、爲驚於人也、車上既高、亦不得手有所親指點、爲惑下人也、
案、視衡軛差低於平視、所見可及十六步之外、包注謂目視高低之度、曲禮謂所視遠近之法、似異實同、包改五巂爲衡軛者、欲與輢轂相偶、非謂衡軛之前不得視也、軛、曲木縛於衡、以夾服馬之頸、如烏啄物之狀、故又謂之烏啄、
色斯舉矣、馬融曰、見顏色不善、則去之、翔而後集、何晏曰、迴翔審觀而下止也、曰山梁雌雉、時哉時哉、子路共之、三嗅而作、何晏曰、言山梁雌雉得其時、而人不得時、故歎之、子路以其時物、故共具之、非其本意、不苟食、故三嗅而作、作起也、皇侃云、梁者以木架水上、可踐渡水之處也、獨云雌者、因所見而言也、虞氏贊曰、色斯舉矣、翔而後集、此以人事喩於雉也、雉之爲物、精警難狎、譬人在亂世、去危就安、當如雉也、曰山梁雌雉時哉、以此解上義也、時者是也、供猶設也、言子路見雉在山梁、因設食物以張之、雉性明警、知其非常、三嗅而作去、不食其供也、陸德明云、時哉、一本作時哉時哉、共九用反、又音恭、本又作供、朱熹云、晁氏曰、石經嗅作戛、謂雉鳴也、劉聘君曰、嗅當作狊、古闃反、張兩翅也、見爾雅、愚案、如後兩說、則共字當爲拱執之義、然此必有闕文、不可彊爲之說、姑記所聞、以俟知者、伊藤源佐云、時哉、言雉之舉集得其時也、共與衆星共之之共同、向也、瞿灝云、義門讀書記曰、色斯舉矣二句、集解中本不與下雌雉相屬、朱子亦據胡氏、謂雉之飛也決起、其止也下投、無翔集之狀、故雖與下通爲一節、

注中仍謂二句上下必有闕文、其謂色斯舉翔集即雉、移山梁雌雉一句冠于首、則辭意尤明者、始于惠定宇也、集注所云石經、蜀石經也、晁氏有石經考異、此引其說、劉氏云見爾雅者、須屬文鳥曰狊是也、狊古闃反、从目、不从自、與臭字形聲俱別、舊本嗅或無口、五經文字言之、故其形得與戛狊相似、呂氏春秋季秋紀云、子路揜雉、得而復釋之、似先秦人已解此共爲拱執之義、
案、邢本分色舉二句、與山梁雌雉爲別節、皇本則合之、據注、末始分爲二節、皇本是也、古人舉事而論之、先記其事、然後下判語、論孟尤多此例、若論語舜有臣五人章、孟子子產以其乘輿濟人於溱洧章之屬皆是也、此節色斯舉矣、翔而後集、先記孔子所見也、曰山梁雌雉、時哉時哉、記其所歎美也、正與上所引同一文法、始無可疑者、或欲移山梁雌雉冠於此節、是混所見與所言而一之也、凡讀古書、當先求其主意所在、乃若此節、所主在色舉翔集、若山梁雌雉、不過載地與物、而色舉翔集之爲始集山梁之雌雉、自然明白、實文法之至妙者、何闕文錯句之有、若移雌雉冠於此節、時哉時

哉、不緊承雌雉文義、可謂不善讀古書矣、雉無翔集之狀、其常也、心有所疑懼、則亦有迴翔審視之頃、胡蓋未之詳也、仁齋訓共爲向、似矣、然如其說、不得不改嗅爲戛、漢儒及陸氏釋文、不言嗅有異文、五經文字云、嗅作臭、字雖異、而音義實同、獨孟蜀石經作戛、據他書所引、其書訛謬尤多、未足以爲據也、此節諸說紛然、獨皇疏所載虞氏之說、得其近似、而未盡焉、今案色斯擧矣、見幾而作、不俟終日也、翔而後集、察其無患、而後就之也、孔子處亂世、終身遑遑、不暇寧居、雉之色擧翔集、有深契於去就進退之意、故見之歎曰、山梁雌雉、深得去就之時哉、子路聞孔子美之、欲更見其擧動、乃投其所嚮之糧而供之、雉不敢食、三嗅其氣而作、亦似君子不爲利留之意、有足美者焉、故門人并記之也、編輯者知微意所在、因載之篇末、以終上論、遂與開卷人不知而不慍、不亦君子乎、照應、其旨深矣、

論語集說卷三終

論語集說卷四

日南　安井衡　著

先進第十一

邢昺云、前篇論夫子在鄕黨、聖人之行也、此篇論弟子賢人之行、聖賢相次、亦其宜也、

子曰、先進於禮樂、野人也、後進於禮樂、君子也、孔安國曰、先進後進、謂仕先後輩也、禮樂因世損益、後進與禮樂俱、得時之中、斯君子矣、先進有古風、斯野人也、皇侃云、此孔子將欲還淳反素、重古賤今、故稱禮樂有君子野人之異也、先進後進者、謂先後輩人也、先輩謂五帝以上也、後輩謂三王以還也、進於禮樂者、謂其時輩人進行於禮樂者也、野人質朴之稱也、君子會時之目也、孔子言以今人文觀古人質、而今文則能隨時之中、此故爲當世之君子也、質則朴素而違俗、是故爲當世之野人也、翟灝云、孔安國曰、後進與禮樂俱、得時之中矣、似所據古論語於字爲與、阮元云、皇本高麗本無孔曰字、又皇本仕作士、案釋文出先進云、包云謂仕也、是陸又以此注爲包注、

如用之、則吾從先進、包咸曰、將移風易俗、歸之淳素、先進猶近古風、故從之、皇侃云、如猶若也、若比方先後二時、而用爲敎、則我從先進者也、所以然者、古爲淳素、故可從式、江永云、時人所謂先進之禮樂爲野人、後進之禮樂爲君子、意其指殷以前爲野人、周以後爲君子、孔子從先進、正欲去繁文而尚本質耳、又曰、行夏之時、乘殷之輅、便是有意損周之文、從古之朴矣、然則從先進、非從周初之先進、

案周公之制禮、尚文以變殷質、則周初之俗、必質勝文矣、周道已衰、至孔子之時、文日勝而質衰、孔子欲反之周初之盛、故發此言、則所云先進後進、以周人言之、若謂指殷以前爲野人、是周公不知制禮之道、且指殷以前爲先進、於文又不詞、江說非也、此君子與野人對、則指在位者而言之、大抵

士大夫、衣冠端正、威儀閑習、一見知其爲在位者、即此章所謂君子也、周初質勝、雖在位者、或未免有朴野之狀、所以有野人之目也、此章專說外貌威儀、未及論心術、集注士大夫上加一賢字、便與經旨相乖矣、上注與禮樂俱、自君子二字上立說、非經於作與也、若下於作與、上於仍作於、不詞、上於亦作與、經注皆不可讀、翟說殊謬、皇本注仕作士、案仕字解進字、邢本是也、據釋文、陸所據本上注孔安國曰、皇本則爲何晏注、今詳注意、皇本似是、姑從邢本、此注邢本爲何晏、今從皇本、

子曰、從我於陳蔡者、皆不及門也、鄭玄曰、言弟子之從我而厄於陳蔡者、皆不及仕進之門、而失其所、朱熹云、孔子嘗厄於陳蔡之間、弟子多從之者、此時皆不在門、故孔子思之、蓋不忘其相從於患難之中也、焦循云、堯典詢于四岳、闢四門、鄭氏注云、卿士之職、使爲己出政教於天下、言四門者、亦因卿士之私朝在國門、魯有東門襄仲、宋有桐門右師、是後之取法於前也、詩緇衣正義 孔穎達用孔傳、而正義引此文、云論語云、從我於陳蔡者、皆不及門也、門者行之所由、故以門言仕路、孔以闢門爲求賢之路、與鄭異、鄭以門爲卿士之家、則及門者、謂仕於卿大夫之私朝也、

案、及至也、朱子以門爲孔子之門、是也、孔子厄於陳蔡之間、魯哀公四年也、時年六十一、此數蓋在七十以後、時門人從於陳蔡者、死散殆盡、無復至孔子之門者、故思而歎之也、鄭注之意、孔氏尚書正義盡之矣、焦云、謂仕於卿大夫之私朝、鑿矣、皇本門下有者字、今從邢本、

德行顏淵閔子騫冉伯牛仲弓、言語宰我子貢、政事冉有季路、文學子游子夏、皇侃云、此章初無子曰者、是記者所書、並從孔子印可、而錄在論中也、按四科次第、立德行爲主、乃爲可解、而言語爲次者、言語君子之樞機、爲德行之急、故次德行也、言語謂賓主相對之辭也、陸德明云、鄭玄以合前章、皇別爲一章、朱熹云、弟子因孔子之言、記此十人、而并目其所長、分爲四科、孔子教人、各因其材、於此可見、毛奇齡云、史記弟子列傳、孔子曰、受業身通者、七十二人、皆異能之士、下即接德行顏淵至子游子夏三十字、則此一節、本弟記七十二人中之最異能者、非從陳蔡人也、況此時伯牛閔子騫輩俱不可考、即冉求一人、明明于哀公三年、爲季康子所召、又一年、而後及陳蔡之難、其時冉求正仕魯、至哀公十一年、尚爲季氏帥師戰清、見于左傳、則此一人顯然不從陳蔡者、故康成以爲此節與前節不連爲一章、而皇氏亦云、各爲一章、翟灝云、史記弟子傳、政事二人列前、言語二人列後、鹽鐵論殊路章、七十子皆諸侯卿相之才、政事冉有季路、言語宰我子貢、亦以政事處言語上、

案、孔子有皆不及門之歎、故編輯者記門人中最翹楚者十人、以次前章、不始謂十人從陳蔡、又不謂孔門賢才止此十人也、蓋十人者、各有所專長、其餘或兼二三科、而所長不及十人、故特擧十人、以著孔門賢才之盛、因以示夫子教人之法耳、邢氏嫌曾子子張輩不在十哲中、謂唯擧從陳蔡者、今案弟子列傳又云、子夏少孔子四十四歲、子游少孔子四十五歲、陳蔡之厄、在哀四年、孔子年六十、則子夏時年十六、子游十五、二子雖早成、恐亦未得以文學稱、此亦編輯者記十子成德之一證、毛氏辨之是也、但云康成此節與前節不連爲一章、則陸邢皆云、鄭以合前章、未知何所據、史記鹽鐵論、政事在言語上、於義似長、此章無注、轉寫者或失其次耳、或云、言行相將、故言語次德行、亦通、

子曰、回也非助我者也、於吾言無所不說、孔安國曰、助猶益也、言回聞言即解、無發起增益於己、邢昺云、說解也、師資問荅、以相發起、若與子夏論詩、子曰、起予者商也、如此是有益於己也、

子曰、孝哉閔子騫、人不間於其父母昆弟之言、陳羣曰、言子騫上事父母、下順兄弟、動靜盡善、故人不得有非間之言、皇侃云、言子騫至孝、事父母兄弟、盡於美善、故凡人物論、無有非間於子騫者也、朱熹云、胡氏曰、父母兄弟、稱其孝友、人皆信之、無異詞者、蓋其孝友之實、有以積於中而著於外、故夫

子歎而美之、夫子于弟子、未嘗稱字、或集語者之語、蔡清云、或曰、夫子蓋以閔子賢、出羣弟子之右、故特字之而不名、如春秋季子來歸之例、然孔門弟子、莫賢於回、夫子所稱、亦莫盛於回、今其見於諸書者、未嘗一以字稱、閔子雖賢、未及顏子、夫子亦安得獨字之哉、翟灝云、亢倉子順道篇、閔子騫問孝于仲尼、退而事之于家、三年、人無間于父母兄弟之言、焦循云、漢書杜鄴傳、舉方正對曰、昔曾子問從令之義、孔子曰、是何言與、善閔子騫守禮、不苟從親、所行無非理者、故無可間也、後漢范升傳、升奏記王邑曰、升聞子以人不間於其父母爲孝、臣以下不非其君上爲忠、又云、知而從令、則過大矣、二者皆引以爲不從令之證、蓋以從令而致親於不義、則人必有非間其父母昆弟之言、唯不苟於從令、務使親所行、均合於義、人乃無非間其親之言、是乃得爲孝、然則閔子之孝、在人無間於其父母昆弟之言、人所以無間於其父母昆弟之言者、以其不苟從親令也、陳注動靜盡善、或即指此、藝文類聚孝部引說苑云、閔子騫兄弟二人、母死、其父更娶、復有二子、子騫爲其父御車失轡、父持其手、衣甚單、父則歸呼其後母兒、持其手、衣甚厚

溫、即謂其婦曰、吾所以娶汝、乃爲吾子、今汝欺我、去無留、子騫前曰、母在一子單、母去四子寒、其父默然、故曰、孝哉閔子騫、一言其母還、再言三子溫、太平御覽四百一十三引師覺授孝子傳云、閔損字子騫、以德行稱、早失母、後母遇之甚酷、損事之彌謹、損衣皆槁枲爲絮、其子則綿纊重厚、父使損御、冬寒失轡、後母子御、則不然、父怒詰之、損默然而已、後視二子衣、乃知其故、將欲遣妻、損諫曰、大人有一寒子、猶上垂心、若遣母、有二寒子也、父感其言、乃止、依此事、閔子不從父令、則後母不遣、是其上事父母、兩弟溫煖、無慍心、而恐母遣、而兩弟寒、是下順兄弟、於是父感之、其後母兩弟、亦感之可知、則此一不從父令而諫、一家孝友克全、尤非尋常不苟從令可比、孔子稱其孝、兼言兄弟、正指此事、是所謂動靜盡善也、後母之酷可間、二子獨綿纊可間、父不能察後妻可間、一諫而全家感化、父母不失其慈、二子不失其悌、使可間化而爲無可間、閔子之孝、不啻大舜之乂不格姦、若恭世子不肯傷公之心、不言志而死、非可言孝也、不字作無字解、自明人無非間之言、不是無非間閔子之言、乃無非間其父母昆弟之言也、

案、論語成於衆門人之手、次篇第章、書名稱字、皆有深意、非造次所成、當書名而書字、非小誤也、閔子書字、果係誤筆、不容衆人不改之、漢儒亦未嘗議及之、蓋以書字爲當然也、夫孝大德、而閔子至孝、能使人不間其父母昆弟、故特稱其字而襃之、或說與春秋書季子來歸一例者是也、集注所載胡說、於文似順、然父母昆弟、稱其子之孝、而人不非之、今世粗善事親者皆然、孔子稱孝哉、恐閔子之孝不止于此也、故漢人皆以言屬他人、焦氏申之極是、但解不爲無、未穩、竊謂古人用字、當置於上、而移之於下、必用之字、以斡施之、淺之爲丈夫、爲淺丈夫也、小人之使治國家、使小人治國家也、此之謂、謂此也、此文當言不間言於父母昆弟、而加一之字、置言字於下、今人讀之、似謂父母昆弟之言、唯漢儒猶通於古言、故直以爲他人之言、不復辨其義耳、

南容三復白圭、孔安國曰、詩云、白圭之玷、尚可磨也、斯言之玷、不可爲也、南容讀詩至此、三反復之、是其

心愼言也、邢昺云、此大雅抑篇、刺厲王之詩也、**孔子以其兄之子妻之、**刑昺云、此即邦有道不廢、邦無道免於刑戮者、弟子各記所聞、故又載之、

季康子問、弟子孰爲好學、孔子對曰、有顏回者、好學、不幸短命死矣、今也則亡、皇侃云、此與哀公問同、而荅異者、舊有二通、一云、緣哀公遷怒貳過之事、故孔子因荅以箴之也、康子無此事、故不煩言也、又一云、哀公是君之尊、故須具荅、而康子是臣、爲卑、故略以相酬也、陸德明云、康子一本作季康子、鄭本同、邢昺云、季康子魯執政大夫、故言氏稱對、

案、皇疏後通是也、不遷怒不貳過、唯顏子當之、季康子安能無此事、鄭本有季字是也、皇本則亡下、有未聞好學者五字、今從邢本、

顏淵死、顏路請子之車以爲之椁、孔安國曰、顏路、顏

淵之父也。家貧，故欲請孔子之車，賣以作椁。子曰：才不才，亦各言其子也。鯉也死，有棺而無椁，吾不徒行以爲之椁。以吾從大夫之後，不可徒行也。孔安國曰：鯉，孔子之子伯魚也。孔子時爲大夫，故言吾從大夫之後，不可以徒行，謙辭也。皇侃云：才謂顏淵也，不才謂鯉也。言才與不才，誠當有異，若各本天屬，於其父則同是其子也。邢昺云：案孔子世家，定公十四年，孔子年五十六，由大司寇攝行相事。魯受齊女樂，不聽政三日，孔子遂適衛，歷至宋、鄭、陳、蔡、晉、楚，去魯凡十四歲，而反乎魯，然魯終不用孔子，孔子亦不求仕，以哀公十六年卒。今案顏回少孔子三十歲，三十二而卒，則顏回卒時孔子年六十一，方在陳蔡矣。伯魚年五十，先孔子卒，則鯉也死時，孔子蓋年七十左右，皆非在大夫位時，而此注云時爲大夫，未知何所據也。杜預曰：嘗爲大夫而去，故言後也。據其年則顏回先伯魚卒，而此云顏回死，顏路請

子之車以爲之椁，子曰鯉也死，有棺而無椁，又似伯魚先死者。毛奇齡云：先仲氏謂從大夫後，與爲大夫不同，不問在位不在位，即陳恒弑君章，子曰以吾從大夫之後，明明在哀公十四年，夫子去位之後，亦不是爲大夫後，蓋從隨也，與爲字迥別，隨大夫，解作爲大夫謬矣。又云：伯魚之死，據史記當在夫子七十歲時，距顏淵之死，已九年矣，與論語所記鯉死在前不合。予嘗參考諸書，知其間原有誤者，顏淵之死，斷不在夫子六十一時，何也？夫子五十六，仕魯在定公十四年，然仕魯去魯，亦總在一年之間，自此適衛，適陳，凡兩往返，而復至于衛，實哀公之三年，是年夫子已六十矣。明年自陳適蔡，爲六十一，又明年自蔡遷葉，爲六十二，又明年去葉返蔡，爲六十三，然而是年當陳蔡之厄，爾時子路慍見，子貢色作，作匪兕之歌，獨顏淵能解之，則是夫子六十三時，顏子依然在也。即自是以後，自楚返衛，自衛返魯，凡論語所記顏子言行，可與世家參考者，則多在夫子六十以後，七十以前，豈有其人已死，而尚見行事，且載其言語者？嘗考顏淵之死，公羊傳及史記世家所載年月，則實在哀公十四年春狩獲麟之際，夫子是時已泣麟矣，而顏淵子路同時俱死，因連呼喪予、祝予，而有道窮之歎，則是顏淵之死，在夫子七十一歲，非六十一歲，在哀公十四年，非四年。家語云：夫子年十九，娶宋之上官氏，又一年而生伯魚，則伯魚之生，在夫子已二十歲矣。史記云：伯魚年五十，先孔子死，以二十加五十，正當夫子七十歲，爲哀公之十三年，是魚死在七十歲，淵死在七十一歲，先後相距，剛值一年，鯉死之論，引痛正切。翟灝云：禮記曲禮正義曰：許慎以爲論語稱鯉也死，時實未死，假言死耳。鄭康成以論語云有棺無椁，是實死未葬已前也，故鄭駁許慎云：設言死，凡人于恩猶不然，況聖賢乎？按史記云：顏子年二十九，髮盡白，蚤死。二十九乃其髮白之年，非死之年，其死年無所記，但云蚤耳。旁考之，則顏子之死，乃在哀公十四年獲麟之後，其次年子路亦死，故公羊傳連識之曰：有以麟告者，孔子反袂拭面，涕沾袍，顏淵死，子曰：噫，天喪予；子路死，子曰：天祝予。公羊子去聖較近，所傳述定得本真。顏子後伯魚死二年，時當四十一，而孔子言其短命者，仁者宜壽，雖四十亦短命耳。許慎偶爾帶述，尚未回護，一經駁正，可不致害於經。王肅僞造家語，摭拾史文，於蚤死上妄增三十一三字，知與

論語抵牾，更自妄注，謂論語錯誤，後之儒者，往往于家語一書，不辨眞僞，而輕信之。小司馬氏注史記，遂過引其說，而邢氏復轉取之，以疏此論語，甚矣，王肅僞造家語之害于經者大也。

案：顏子死年，毛、翟二家之說盡之矣。但毛未知家語爲王肅僞造，其言猶有可議者焉，當以翟說爲正。又案：孔子自衛反魯，魯人雖不能用，猶尊崇聖德，待以國老，其位蓋次大夫。哀十二年左傳，冉求曰：子爲國老，待子而行，若之何子之不言，是也。故夫子自稱從大夫之後者，皆在自衛反魯之後，是亦顏子死在夫子歸魯後之一證。邢本椁作槨，今從皇本。皇本吾不下有可字，不可上有吾以二字，句末無也字，今從邢本。

顏淵死。子曰：噫！包咸曰：噫，痛傷之聲也。天喪予！天喪予！何晏曰：天喪予者，若喪己也。再言之者，痛惜之甚。案：時孔子既老，不復求仕，斯道之任，在顏子，而顏子則死，是孔子之道，終不行於天下也。道不行於

天下、與己死同、故曰、天喪予、

顏淵死、子哭之慟、馬融曰、慟哀過也、從者曰、子慟矣、曰、有慟乎、孔安國曰、不自知己之悲哀過、皇侃云、從者謂諸弟子、非夫人之為慟而誰為、翟灝云、讀四書叢說曰、顏淵死四章、以次第言之、當是天喪第一、哭之慟第二、請車第三、厚葬第四、蓋門人雜記夫子之言、故不計前後也、案、四章次第、當如叢說所說、而記請車於前者、若連記請車厚葬、恐後人為孔子不與車、其意在禁厚葬、故進之在前、皇本誰為下有慟字、今從邢本、

顏淵死、門人欲厚葬之、子曰、不可、何晏曰、禮貧富各有宜、顏淵家貧、而門人欲厚葬之、故不聽也、皇侃云、顏淵之門徒、見師貧、而己欲厚葬之也、一云、是孔子門人、欲厚葬朋友也、門人厚葬之、子曰、回也、視予猶父也、予不得視猶子也、非我也、夫二三子也、馬融曰、言回自有父、父意欲聽門人厚葬之、我不得制止也、非其厚葬、故云爾、案、孔子云、夫二三子也、孔子常稱衆門人為二三子、此門人亦指孔門諸子耳、鯉也死、有棺而無槨、而回則門人厚葬之、是不得視猶子也、邢本上注無家字也字、此注制字作割、爾字作耳、今皆從皇本、皇本云爾下有也字、今從邢本、

季路問事鬼神、子曰、未能事人、焉能事鬼、曰、敢問死、曰、未知生、焉知死、陳羣曰、鬼神及死事難明、語之無益、故不答也、邢昺云、對則天曰神、人曰鬼、散則雖人亦曰神、故下文獨以鬼答之、子路問承事鬼神、其理何如、案、云未能未知、則既能既知之後、固將語之、子路地位未至於此、欲其用力於人事之所急、故不以告、此蓋子路初見之言、

閔子侍側、誾誾如也、子路行行如也、冉有子貢侃侃如也、子樂、鄭玄曰、樂各盡其性也、行行剛強之貌、朱熹云、樂得英才而教育之、曰、若由也、不得其死然、孔安國曰、不得以壽終也、邢昺云、然猶焉也、朱熹云、洪氏曰、漢書引此句、上有曰字、或云、上文樂字即曰字之誤、孫奕示兒編曰、子樂必當作子曰、聲之誤也、始以聲相近、而轉曰為悅、繼又以義相近、而轉悅為樂、知由也不得其死、則何樂之有、翟灝云、按漢書無引此文、處集注仍洪氏為說、洪當誤憶師古漢書注為漢書耳、然皇氏義疏本、自有曰字、何宋代諸儒竟無見者、致煩紛紛擬議、不得已取證及史注耶、此可知皇氏疏、自宋南渡時已佚、案、子樂、樂門人各成其才、若由也不得其死然、慮他日或遇禍、而預戒之、二者並行而不相悖、孫說非也、何本無曰字、今從皇本、

魯人為長府、閔子騫曰、仍舊貫如之何、何必改作、鄭玄曰、長府藏名也、藏財貨曰府、仍因也、貫事也、因舊事則可、何乃復更改作也、邢昺云、布帛曰財、金玉曰貨、仍因貫事、皆釋詁文、物茂卿云、史漢謂舊例為故事、舊貫亦謂舊例也、翟灝云、按魯人改作長府、因季氏惡昭公也、左傳昭公二十五年、公居長府、伐季氏、入之、孟氏、叔孫氏共逐公徒、公遜于齊、長府蓋魯君別館、稍有畜積扞禦、可備騷警之所、季氏惡公恃此伐己、故于已事、率魯人卑其閈閎、俾後此之為魯君者、不復有所憑恃、其居心寧可問乎、閔子無諫諍之責、能為怨言諷之、則自與聖人強公弱私之心、深有契矣、如此說經、似尤覺聖賢見義之大、含旨之深、羅氏路史禪通紀曾旁論及是、而語焉未詳、竊申而備之、子曰、夫人

不言、言必有中、王肅曰、言必有中者、善其不欲勞民改作、

案、若璩說、事當在定公初年、定元年、公之喪至自乾侯、傳曰、季孫使役如闞公氏、將溝焉、是其餘怒及死君、其備生君、必無所不至、定公元年、孔子年四十二、閔子騫少孔子十五歲、則爲二十七、亦能爲此言矣、

子曰、由之鼓瑟、奚爲於丘之門、馬融曰、子路鼓瑟不合雅頌、門人不敬子路、子曰、由也升堂矣、未入於室也、馬融曰、升我堂矣、未入於室耳、門人不解、謂孔子言爲賤子路、故復解之、皇侃云、若近而言之、即以屋之堂室爲喻、若推而廣之、亦謂聖人妙處爲室、麤處爲堂、故子路得堂、顏子入室、故下章說善人云、亦不入於室、是也、

案、堂接賓客、行禮樂之處、室其奧也、以喻道之邃、言子路可使從政、特未達禮樂之源耳、與善人不踐跡者、亦自別、邢本無鼓字、今從皇本、

子貢問、師與商也孰賢、子曰、師也過、商也不及、孔安國曰、言俱不得中也、曰、然則師愈與、子曰、過猶不及、何晏曰、愈猶勝也、朱熹云、子張才高意廣、而好爲苟難、故常過中、子夏篤信謹守、而規摸狹隘、故常不及、物茂卿云、師也過、如堂堂乎張也、可者與之、其不可者拒之、可以見耳、

案、師也過、商也不及、今考之論語、多聞闕疑、愼言其餘、則寡尤、多見闕殆、愼行其餘、則寡悔、師也辟、吾友張也、爲難能也、然而未仁、堂堂乎張也、難與並爲仁矣、此孔子及朋友稱子張者也、而其自言則曰、在邦必聞、在家必聞、我之大賢與、於人何所不容、十世可知也、是也、女爲君子儒、無爲小人儒、無欲速、無見小利、是孔子之誨子夏者也、而其自言則曰、其可者與之、其不可者拒之、雖小道必有可觀者、君子信、而後勞其民、未信、則以爲厲己也、信而後諫、未信、則以爲謗己也、是也、合諸章而觀之、二子之氣象、躍然而出矣、

季氏富於周公、孔安國曰、周公天子之宰、卿士也、皇侃云、周公天子臣、食采於周、爵爲公、故謂爲周公也、蓋周公旦之後也、天子之宰、即謂冢宰也、冢宰是有事之職、故云、卿士也、而求也爲之聚斂、而附益之、孔安國曰、冉求爲季氏宰、爲之急賦稅也、郝敬云、哀公十一年、季孫欲以田賦、使冉有訪諸仲尼、仲尼曰、丘不識也、三發、卒曰、子爲國老、待子而行、若之何子之不言也、仲尼不對、而私於冉有曰、君子之行也、度於禮、施取其厚、事舉其中、斂從其薄、如是、則以丘亦足矣、若不度於禮、而貪冒無厭、則雖以田賦、將又不足、且子季孫若欲行而法、則周公之典在、若欲苟而行、又何訪焉、翟灝云、說文富備也、一曰厚也、此富祇合訓厚、以與下薄稅斂之薄反對、季氏之用賦、厚於周公典籍、故云富於周公也、魯自宣公

稅畝、而田賦倍、已富厚於周公矣、及此、而冉有復爲季氏訪問田賦、即所謂爲聚斂而附益也、夫子既以正告冉有、仍不勸救季氏、卒用田賦、夫子所以欲絕之也、此事又詳著于外傳魯語、以證論語、似最允協、若依舊說、則周公勳貴有之、曷嘗以之致富、而乃與富人相衡量哉、物茂卿云、季氏至附益之十七字、亦孔子之言、故曰求也、子曰在中、古文宜如是、大宰純云、冉求獲罪於孔子、故記者書其名、子曰、非吾徒也、小子鳴鼓攻之可也、鄭玄曰、小子門人也、鳴鼓聲其罪以責之、王充云、攻者責也、責讓之也、阮元云、皇本無而字、論衡順鼓篇引、亦無而字、

案、冉有聚斂之事、郝氏引左氏哀十一年傳而證之、然詳彼傳賦謂增兵、非加稅也、冉有附益、別有其事、今不可考焉、翟氏云、備厚也、季氏之用賦、厚於周公典籍、周公勳貴有之、曷嘗以之致富、而乃與富人相衡量哉、此大不然、古所謂富、多指祿言之、此亦謂其邑入耳、且經云、爲之聚斂而附益之、

其爲附益季氏之富甚明、孔注周公天子之宰卿
士、皇疏推其意、爲周公旦之子孫、爲時王卿士者
是也、孔子必言周公者、舉天子卿士之尊、以影魯
大夫之富溢、見其不可附益、所以深責冉有、其意
不在衡量二家之富、未可以後世注家之誤、妄易
經文字義也、據哀十一年傳、田賦之舉、本出於季
孫之意、而孔子深責冉有者、亦虎兕出於柙、龜玉
毀於櫝中之意、冉有爲之宰、不得辭其責也、物徂
徠云、季氏至附益之、亦孔子之言是也、大宰氏說
得之、宰予晝寢、然宰予并姓而稱之、明爲記者之
言、此單稱名、爲孔子之言無疑矣、附益之、皇本之
作也、今從邢本、邢本鼓下有而字、論衡引無而字、
今從皇本、

柴也愚、何晏曰、弟子高柴字子羔、愚愚直之
愚也、王弼云、愚好仁過也、朱熹云、家語記其
足不履影、啓蟄不殺、方長不折、執親之
喪、泣血三年、未嘗見齒、避難而
行、不徑不竇、可以見其爲人矣、參也魯、孔安

論語集說　卷四　十二

國曰、魯鈍也、曾子性遲鈍、王弼云、魯、質勝文也、師也辟、馬
融曰、子張才過人、失在邪辟文過、王弼云、辟飾過差也、朱熹
云、辟便辟也、謂習於容止、少誠實也、由也喭、鄭玄曰、子路之行、失於
畔喭、王弼云、喭剛猛也、陸德明云、喭本今作畔、邢昺
云、字書喭失容也、言子路性行剛強、常喭喭
失於禮容也、吳棫云、此章之首、脫子曰二字、或疑下
章子曰、當在此章之首、而通爲一章、物茂卿云、此章
與賜也達、由也果、求也藝者殊焉、彼稱諸外、故揚其
善、此稱諸內、故言其失、以使自知之、或使朋友傳之
耳、阮元云、書無逸正義引喭作諺、說文有諺無喭、喭
乃諺之俗字、廣韻二十九換、喭喭失容、據此、則字不
當作
畔、

子曰、回也其庶乎、屢空、賜不受命、而貨殖焉、億則屢
中、何晏曰、言回庶幾聖道、雖屢空匱、而樂在其中、賜

不受教命、唯財貨是殖、億度是非、蓋美回所以勵賜
也、一曰、屢猶每也、空猶虛中也、以聖人之善道、教數
子之庶幾、猶不至於知道者、各內有此害、其於庶幾
每能虛中者、唯回懷道深遠、不虛心、不能知道、子貢
雖無數子之病、然亦不知道者、雖不窮理、而幸中、雖
非天命而偶富、亦所以不虛心也、皇侃云、記者上列四子病重於先、自
此以下、引孔子更舉顏子精能於後、解此義者、凡有
二通、一云、庶、庶幾也、屢、每也、空、窮匱也、顏子庶慕於
幾、故遺忽財利、所以家常空貧、而簞瓢陋巷也、故王
弼云、庶幾慕聖、忽忘財業、而數空匱也、又一通云、空
猶虛也、言聖人體寂、而心恒虛無累、故幾動即見、而
賢人不能體無、故不見幾、但庶幾慕聖、而心或時而
虛、故曰屢空、其虛非一、故屢名生焉、賜不受命而貨
殖焉、亦有二通、一曰、不受命者、謂子貢性動不能信

論語集說　卷四　十三

天任命、是不受命也、而貨殖者、財物曰貨、種藝曰殖、
子貢家富、不能清素、所以爲惡也、又一通云、殷仲堪
云、不受矯君命、江熙云、賜不榮濁世之祿、亦庶幾道
者也、雖然有貨殖之業、恬愉不足、所以不敢望回耳、
賜雖不虛心、如顏而億度事理、必亦每中也、故左傳
邾隱公朝魯、執玉高、其容仰、魯定公受玉卑、其容俯、
子貢曰、以禮觀之、二君皆有死亡焉、君爲主、其先亡乎、
是歲定公卒、仲尼曰、賜不幸而言中、是使賜多言者
也、此億中之類也、王弼云、命爵命也、憶憶度也、子貢
雖不受爵命、而能富、雖不窮理、而幸中、蓋不逮顏之
庶幾、輕四子所病、故稱子曰以異之也、陸德明云、或
分爲別章、今所不用、焦循云、此文簡奧、宜以不受命
三字爲之提、謂顏子不受祿命、則貧而至於屢空、子
貢不受祿命、則貨殖而屢中、相較、回也其庶幾乎、貨
殖上用一而字、明從屢空作轉、同一不受祿命、回不
貨殖、故屢空、賜貨殖、而屢中、故不屢空、兩屢字亦相
呼應、先提起其庶乎三字、下文倒裝互發、周
秦之文、往往如此、而此文尤其靈妙者也、
案、家語雖王肅僞撰、未必盡出於架空、朱子所引
子羔之事、蓋近得其實矣、辟、朱子訓便辟、蓋嫌馬

注邢、辟、不類孔門諸子之氣象、其意甚美、然便辟雙聲、二字連用、乃為威儀習熟之義、未有訓辟字為威儀習熟者、蓋邪僻謂子張之行不盡出於中正、故承之云、文過未必為子張忌也、此章評四子、皆只一字、而皆稱其名、則為孔子之言明矣、故章首不署子曰、回也以下、則涉議論、故有子曰二字、書法各有當也、然此必異日之言、記者以其同評門人、合為一章耳、屢空與貨殖對、明是謂窮乏、何注一說、乃老佛之見耳、不可從、不受命、焦說盡之矣、若為不受孔子教命、豈不受孔子禁止貨殖之命邪、抑謂孔子命他人貨殖、而未命子貢邪、皆不可通、屢中與貨殖自別、如皇疏所引、定十五年子貢評魯邾二君之類是也、皇本辟作僻、今從邢本、邢本喭作畔、今從皇本、

子張問善人之道、子曰、不踐迹、亦不入於室、孔安國曰、踐循也、言善人不但循追舊迹而已、亦多少能創業、然亦不能入於聖人之奧室、陸德明云、迹本亦作跡、物茂卿云、善人孔子嘗以聖人並言、可見豪傑之士、如管仲輩是也、故孔安國以創業言之、子曰、論篤是與、

論語集說　卷四　十四

君子者乎、色莊者乎、何晏曰、論篤者謂口無擇言、君子者謂身無鄙行也、色莊者不惡而嚴、以遠小人者也、言此三者皆可以為善人、皇侃云、此亦答善人之道也、當是異時之問、故更稱子曰、俱是答善、故共在一章也、邢昺云、篤厚也、所論說皆重厚、是善人與、君子者乎者、言身無鄙行之君子、亦是善人乎、色莊者乎者、言能顏色莊嚴、使小人畏威者、亦是善人乎、孔子謙不正言、故言與乎以疑之也、朱熹云、言但以其言論篤實而與之、則未知其為君子者乎、為色莊者乎、言不可以言貌取人也、

案、朱子分子曰以下為別章、與訓黨與、皆是也、莊猶厲也、色莊者謂色厲而內荏者、多少邢本無多字、按孔注無貶善人之意、故云亦能多少創業、今從皇本、邢本作不入、無能字、疏仍有能字、注誤脫耳、亦從皇本、

子路問聞斯行諸、包咸曰、賑窮救乏之事也、子曰、有父兄在、如之何其聞斯行之也、孔安國曰、當白父兄、不得自專、冉有問聞斯行諸、子曰、聞斯行之、公西華曰、由也問聞斯行諸、子曰、有父兄在、求也問聞斯行諸、子曰、聞斯行之、赤也惑、敢問、孔安國曰、惑其問同而答異、子曰、求也退、故進之、由也兼人、故退之、鄭玄曰、言冉有性謙退、子路務在勝尚人、各因其人之失而正之、伊藤源佐云、由求之問、未必同時、亦未必互問、但問同而答異、故子華偶見而疑之、物茂卿云、大戴禮虞戴德、昔商老彭及仲傀、政之教大夫、官之教士、技之教庶人、揚則抑、抑則揚、綴以德行、不任以言、孔子蓋以是道也、

論語集說　卷四　十五

案、父兄指宗族長者、公西華少子路三十三歲、雖未知此問在何時、亦應在既冠之後、則子路年已在五十四五左右、觀子路負米之歎、蓋其父母早沒、是時死既久、非親父親兄也、包氏賑窮之說、本於白虎通、凡人脩身行義、資於師友、不必問於宗族長者、但周人以宗法收族、族人不得自專其財、然小施微惠、亦得自行之、至大散其財、不可不稟於宗族長者、冉有退、雖小事亦或問之、故曰、聞斯行之、子路兼人、慮雖大施或不稟、故曰有父兄在、故白虎通以為賑窮救乏之事、而包氏從之、

子畏於匡、顏淵後、孔安國曰、言與孔子相失、故在後、子曰、吾以女為死矣、曰、子在、回何敢死、包咸曰、言夫子在、己無所敢死、邢昺云、言夫子若陷於危難、則回必致死、今夫子在、己則無所敢死、言不敢致死也、

季子然問、仲由冉求可謂大臣與、孔安國曰、子然季氏子弟、自多得臣二子、故問之、子曰、吾以子爲異之問、曾由與求之問、孔安國曰、謂子問異事耳、則此二人之問、安足爲大臣乎、皇侃云、曾猶則也、朱熹云、曾猶乃也、所謂大臣者、以道事君、不可則止、今由與求也、可謂具臣矣、孔安國曰、言備臣數而已、曰、然則從之者與、孔安國曰、問爲臣皆當從君所欲邪、子曰、弑父與君、亦不從也、孔安國曰、言二子雖從其主、亦不與爲大逆、孫綽云、二子者皆政事之良也、而不出具臣之流、所免者唯弑之事、其罪亦豈少哉、夫抑揚之教、不由乎理、將以深激子然、以重季氏之責也、繆協稱中正曰、所以假言二子之不能盡諫者、以說季氏雖知貴其人、而不能敬其言也、

案、曾訓則、訓乃、皆古義也、而此訓乃差長、異猶他也、異之問、問異也、由與求之問、問由與求也、說見於閔子騫章、孔子言二子不可而不止、故子然反詰之云、然則從之者乎、蓋慍之也、者字指二子、時季康子之父既死、必兼言父者、若不爲季氏發、然此章之問、當在聚斂顓臾之後、故其言也厲、所以陰責季氏、而厲二子也、安足爲大臣乎、邢本無爲字、今從皇本、

子路使子羔爲費宰、子曰、賊夫人之子、包咸曰、子羔學未熟習、而使爲政、所以爲賊害、皇侃云、季子邑宰叛、而子路欲使子羔爲季氏邑宰也、賊猶害也、夫人之子指子羔也、孔子言子羔習學未習熟、若使其爲政、則必乖僻、乖僻則爲罪累所及、故云、賊夫人之子也、子路曰、有民人焉、有社稷焉、何必讀書、然後爲學、孔安國曰、言治民事神、於是而習、亦學也、子曰、是故惡夫佞者、孔安國曰、疾其以口給應、遂己非、而不知窮、

案、子路以口給應師、其過固不待論焉、然以有民社爲學、則古所謂學者可知矣、後儒專求之心、苟言涉民社、斥爲功利之學、終爲有體無用之長物、亦子路之罪人也、邢本習下有之字、今從皇本、

子路曾皙、孔安國曰、皙曾參父、名點、冉有公西華侍坐、子曰、以吾一日長乎爾、毋吾以也、孔安國曰、言我問女、女無以我長故難對、居則曰、不吾知也、孔安國曰、女常居云、人不知己、如或知爾、則何以哉、孔安國曰、如有用女者、則何以爲治、子路卒爾而對、何晏曰卒爾先三人對、皇侃云、禮侍坐於君子、君子問更端則起而對、及宜顧望而對、而子路不起、又不顧望、故云卒爾對也、卒爾謂無禮儀也、翟灝云、率字諸字書訓義頗多、獨未有以輕遽爲訓、若卒之讀倉末切者、廣韻却訓急遽、皇本作卒爾、與孟子梁襄王卒然義正相合、今之作率、似因形近致訛、

曰、千乘之國、攝乎大國之間、加之以師旅、因之以饑饉、包咸曰、攝迫也、迫於大國之間、焦循云、荀子禮論云、其立哭泣哀戚也、不至於隘懾傷生、楊倞注、隘窮也、懾猶戚也、此戚即蹙字、窮蹙與迫同、楚辭哀時命、衣攝葉以儲與兮、王逸章句云、攝葉不舒貌、迫蹙故不舒、朱熹云、因仍也、邢昺云、穀不熟爲饑、蔬不熟爲饉、由也爲之、比及三年、可使有勇且知方也、何晏曰、方義方、物茂卿云、義方出左傳、夫子哂之、馬融曰、哂笑也、求、爾何如、對曰、方六七十、如五六十、何晏曰、求性謙退、言欲得方六七十如五六十里小國治之而已、朱熹云、如猶或也、求也爲

之比及三年可使足民如其禮樂以俟君子孔安國曰求自云能足民而已謂衣食足也若禮樂之化當以待君子謙也赤爾何如對曰非曰能之願學焉宗廟之事如會同端章甫願爲小相焉鄭玄曰我非自言能願學爲之宗廟之事謂祭祀也諸侯時見曰會殷覜曰同端玄端也衣玄端冠章甫諸侯日視朝之服小相謂相君之禮點爾何如朱熹云四子侍坐以齒爲序則點當次對以方鼓瑟故夫子先求赤而後及點也鼓瑟希孔安國曰思所以對故音希鏗爾舍瑟而作對曰異乎三子者之撰孔安國曰置瑟起對撰具也爲政之具鏗者投瑟之聲皇侃云起

對者禮也點獨云起則求赤起可知也點起而對云己所志者異於路求赤三子之志所具也所具即千乘之國等是也子曰何傷乎亦各言其志也孔安國曰各言己志於義無傷曰莫春者春服既成冠者五六人童子六七人浴乎沂風乎舞雩詠而歸包咸曰莫春者季春三月也春服既成衣單袷之時我欲得冠者五六人童子六七人浴於沂水之上風涼於舞雩之下歌詠先王之道而歸夫子之門皇侃云暮春謂建辰者近月末也月末其時已暖也邢昺云杜預云魯城南自有沂水此是也雩者祈雨之祭也鄭玄曰雩者吁也吁嗟而請雨也春官女巫職曰旱暵則舞雩因謂其處爲舞雩舞雩之處有壇墠樹木可以休息故云風涼於舞雩之下也朱熹云浴盥濯也今上巳祓除是也沂水名地志以爲有温泉焉理或然也閻若虛云曲阜亦有温泉但在縣南七里流入于沂非沂水有温泉也夫子喟然歎曰吾與點也周生烈曰善點之獨知時也物茂卿云蓋曾點所志乃伊呂之事方其未出則釣渭耕莘若欲終其身者也待明王興而出出則道大行於天下制作禮樂以陶冶天下焉是其志安可言哉且孔子其人也故不言其志而言已今之時則志自可知耳比諸南容則曾點大類利南容所言亦曾點之志但露其機故孔子不答曾點類悟以不言而言之所以深與之也焦竑云三子所言者爲政之具具猶器也聖人以道運器則時行焉故與點也邢昺云與點爲善其不求爲政以知時爲生值亂時志在潔身浴德詠懷樂道皆失之三子者出曾晳後曾晳曰夫三子者之言何如子曰亦各言其志也已矣曰夫子何哂由也曰爲國以禮其言不讓是故哂之包咸曰爲國以禮禮貴讓子路言不讓故笑之也皇侃云哂笑

子路非笑其志也正是笑其卒爾不讓故耳夫爲國者必應須禮讓而子路既願治國而卒爾其言無所謙讓故笑之耳朱熹云夫子蓋許其能特哂其不遜唯求則非邦也與安見方六七十如五六十而非邦也者唯赤則非邦也與宗廟會同非諸侯而何孔安國曰明皆諸侯之事與子路同徒笑子路不讓赤也爲之小孰能爲之大孔安國曰赤謙言小相耳誰能爲大相

案千乘大國也當孔子之時如齊楚晉秦地兼數圻則又大矣故云攝乎大國之間卒爾急遽貌謂不顧望而對皇云不起而對子路孔門高足其失禮必不至此公西華承冉有禮樂待君子之餘故云非曰能之願學焉凡古書學時而不揭月者皆以夏時言此不言季春而云暮春者皇云近月末是也韓李筆解改浴爲沿王充論衡讀風爲諷皆以三月未熱不宜浴洗風涼也於是又有沂水有

温泉之義、均未達此章之義也、浴不必裸體入水、盥濯面手、亦可謂之浴矣、風謂披襟當風、春暮温暖、步生微熱、二者皆郊遊佳境、蓋曾晳狂者、不欲小用其才、優遊養德、以待明王興、其志可嘉尚、故孔子與之也、子路所言、天下之至難、蓋極其力所能爲而言之、毫無謙讓之意、孔子許其能、而少其無謙讓之意、故曰、其言不讓、是故哂之也、唯獨也、語勢從由而來、故曰唯、言獨求所言非邦也與、蓋怪其不笑之也、赤也爲之小、孰能爲之大、擧子華謙虛之美、而子路所以見笑自明、聖語之妙如此、邢本卒作率、今從皇本、皇本冠上童上各有得字、宗廟會同、作宗廟之事如會同、小下大下、各有相字、今從邢本、

顏淵第十二

邢昺云、此篇論仁政明達、君臣父子辨惑折獄、君子文爲、皆聖賢之格言、仕進之階路、故次先進也、

案、下論多載弟子及外人之問荅、先進多貶責悲傷之言、此篇多褒稱誘掖之語、自粗入精、亦猶上論編次之意、此篇所以次先進也、

顏淵問仁、子曰、克己復禮爲仁、馬融曰、克己約身也、孔安國曰、復反也、身能反禮、則爲仁矣、邢昺云、劉炫云、克訓勝也、己謂身也、身有嗜慾、當以禮義齊之、嗜慾與禮義戰、使禮義勝其嗜慾、身得歸復於禮、如是乃爲仁也、復反也、言情爲嗜慾所逼、己離禮而更歸復之、今刊定云、克訓勝也、己謂身也、謂能勝去嗜慾、反復於禮也、毛奇齡云、馬融以約身爲克己、從來說如此、夫子是語、本引成語、春秋昭十二年、楚靈王聞祈招之詩、不能自克、以及於難、夫子聞之歎曰、古也有志、克己復禮仁也、楚靈王若能如是、豈其辱于乾谿、據此、則克己復禮、本屬成語、夫子一引之、以歎楚靈、一引之、以告顏子、此問無解、而在左傳、則明有不能自克、作克己對解、克者約也、抑也、己者自也、後漢陳仲弓誨盜曰、觀君狀貌、不似惡人、宜深尅己反善、別以克字作尅字、正以捨尅損削、皆深自損抑之義、焦循云、孔與馬異、孔訓克爲能、故云身能反禮、邢疏解爲能約身、非孔義、

一日克己復禮、天下歸仁焉、馬融曰、一日猶見歸、況終身乎、皇侃云、言人君若能一日克己復禮、則天下之民咸歸於仁君也、范甯云、亂世之主、不能一日克己、故言一日也、爲仁由己、而由人乎哉、孔安國曰、行善在己、不在人也、顏淵曰、請問其目、包咸曰、知其必有條目、故請問之、子曰、非禮勿視、非禮勿聽、非禮勿言、非禮勿動、鄭玄曰、此四者、克己復禮之目、顏淵曰、回雖不敏、請事斯語矣、王肅曰、敬事斯語、必行之、皇侃云、敬達也、事猶用也、朱熹云、事如事事之事、

案、克、皇本作尅、尅是捨尅、謂減削民財爲捨尅、馬克己訓約身、則亦讀克爲尅也、邢疏引劉炫克訓勝云、勝身之嗜慾、若可通然、然克己之己、即下文由己之己、若解下文云、行仁由身之嗜慾、斷不可

通、其說非也、爲仁亦即下文爲仁、爲當訓行、古志云、克己復禮仁也、孔子以行仁之道告顏淵、故改仁也爲爲仁、先王制禮、以道天下、事有則、物有儀、而一以讓爲本、故禮也者卑謙自牧、先人以後己、苟能約身反禮、行仁之道莫近焉、故曰、爲仁、一日猶一旦也、人或不能克己復禮、一旦奮然改志、能克己復禮、人不復議往日之過、天下翕然歸服其仁矣、仁安民之德也、人不知而用之、其澤不及於物、爲仁若由人然、故又申之曰、爲仁由己、而由人乎哉、言克己復禮、雖不施於有政、不妨其爲行仁也、況其心既仁、人或知女、則仁政之行、沛然不可禦也、

仲弓問仁、子曰、出門如見大賓、使民如承大祭、孔安國曰、爲仁之道、莫尚乎敬、皇侃云、傳稱臼季言、出門如賓、承事如祭、仁之則也、邢昺云、大賓公侯之賓也、大祭禘郊之屬也、伊藤源佐云、出門所謂出則事公卿也、己所不欲、勿施於人、在邦無怨、在家無怨、包咸曰、在邦爲諸侯、

在家爲卿大夫、仲弓曰、雍雖不敏、請事斯語矣、伊藤源佐云、孔門諸子、於仁之義、知之熟矣、然於爲仁之方、則或未也、故弟子之所問、夫子之所答、皆其爲仁之方、而一無論仁之義者、譬諸種花、仁則花也、爲仁之方、則其灌漑培植之法也、凡弟子之所問、夫子所答、皆其灌漑培植之法、而未嘗有言形狀色芳者也、後儒專從論語家面、求仁之理、是以灌漑培植之法、想像花之形狀色芳也、故其於仁、或流于虛靜、或陷于把捉、蓋以此也、及孟子時、道衰學廢、天下之人、不惟不得其方、亦且併與其名義、而不知之、故孟子爲之諄諄然指示之、曰、惻隱之心、仁之端也、羞惡之心、義之端也、又曰、人皆有所不忍、達之於其所忍仁也、人皆有所不爲、達之於其所爲義也、故欲求爲仁之道者、當本之論語、而欲明其義者、參之孟子可矣、物茂卿云、出門二句言敬、己所不欲二句言恕、敬行仁之本、恕行仁之要、克己復禮與此章、皆古語、故皆曰、請事斯語、孔子非先王之法言不敢道者、可以見焉、阮元云、孔門弟子所述、半爲古人之恒言、故孝經中語、每見於左傳、世人以其出於孔子則重之、出於子革晉臣則忽之、豈知此皆夏商以來相傳之言、孔子且奉爲準繩、

案、在邦在家、參之子張問達章、在邦謂仕諸侯、在家謂仕卿大夫、包注未是、

司馬牛問仁、子曰、仁者其言也訒、孔安國曰、訒難也、牛宋人、弟子司馬犁、陸德明云、訒字或作仞、下同、曰、其言也訒、斯謂之仁已乎、子曰、爲之難、言之得無訒乎、孔安國曰、行仁難、言仁亦不得不難、邢昺云、牛意嫌孔子所言其言也訒、便謂仁已乎、史記弟子傳曰、司馬耕字子牛、多言而躁、問仁於孔子、孔子曰、仁者其言也訒是也、

案、行不掩言、非仁者也、故曰、剛毅木訥近仁、皇本斯下有可字、已乎作已矣乎、今從邢本、

司馬牛問君子、子曰、君子不憂不懼、孔安國曰、牛兄桓魋將爲亂、牛自宋來學、常憂懼、故孔子解之、曰、不憂不懼、斯謂之君子已乎、子曰、內省不疚、夫何憂何懼、包咸曰、疚病也、內省無罪惡、無可憂懼、皇侃云、牛嫌君子之行不啻不憂懼而已、故又諮之、內省謂反自視己心也、

案、孔子之教人、各隨其所急而勸戒之、牛多言、而方憂懼其兄爲亂、故及其問仁與君子、以二者荅之、仁者與君子之事、實不止於此、牛之疑而問之固宜、然推而言之、仁者君子之事、亦不外於此、所以爲聖人之言也、皇本斯下有可字、今從邢本、

司馬牛憂曰、人皆有兄弟、我獨亡、鄭玄曰、牛兄桓魋行惡、死亡無日、我獨爲無兄弟也、子夏曰、商聞之矣、死生有命、富貴在天、君子敬而無失、與人恭而有禮、

四海之內、皆爲兄弟也、翟灝云、文選蘇子卿古詩注引論語、兄弟上有爲字、下無也字、鹽鐵論和親章引此節文、作皆爲兄弟也、君子何患乎無兄弟也、包咸曰、君子疏惡而友賢、九州之人、皆可以禮親也、皇侃云、同是天命、而死生云命、富貴云天者、亦互之、不可逃也、死生於事爲切、故云命、富貴比死生者爲泰、故云天、天比命則天爲緩也、李惇云、案向魋既奔衛、牛致邑與珪、而適齊、及魋復奔齊、牛復致邑而適吳、吳人惡之、而反、趙簡子召之、陳成子亦召之、因過魯、而卒於魯郭門之外、此憂想當其時、故死生富貴子夏以解其意、未幾而卒、則或以憂而死矣、

案、前章孔子以牛有憂懼之心、舉內省不疚之義而教誘之、內省不疚、而或不免死喪飢寒之患、即所謂天也命也、故及其憂不能自寬、則子夏舉此二者以喻之、其師友相教誨之狀、千載之下、宛然在目、使人欽慕不能自已、猗與盛矣、天命互言、然命出於天、故天多以遭遇言、命則死生存亡、無所

不兼若聖人之於天道命也是也、皆爲兄弟也、邢本無爲字、鄭注我獨爲無兄弟、邢本無獨字、今並從皇本、

子張問明、子曰、浸潤之譖、膚受之愬、不行焉、可謂明也已矣、鄭玄曰、譖人之言、如水之浸潤、漸以成之、馬融曰、膚受之愬、皮膚外語、非其內實、皇侃云、膚者人肉皮上之薄縵也、愬者相訴訟讒也、拙相訴者亦易覺也、若相訴害者、亦日日積漸稍進、爲如人皮膚之受塵垢、當時不覺、久久方覩不淨、故謂能訴害人者、爲膚受之愬也、朱熹云、膚受謂肌膚所受、利害切身、如易所謂剝牀以膚、切近災者也、愬愬己之冤也、物茂卿云、明者爲人上之德也、故古言明者、以爲人上者言之、此章是也、大抵人君喜察察之明者、必疑其大臣、而不任、以近習爲其耳目、古今通弊也、故孔子以不蔽於近臣、爲人君之明、可謂萬世之至言已、浸潤之譖、譖之巧者也、膚受之愬、恃寵者也、受冤之淺輒愬諸君、狎恩所使也、近臣不狎恩、不得用其譖、人君之明也、中庸曰、敬大臣則不眩、正與此相表裏、浸潤之譖、膚受之愬、不行焉、可謂遠也已矣、馬融曰、無此二者、非但爲明、其德行高遠、人莫能及之也、顏延之云、斥言其功、故曰明、極言其本、故曰遠也、楊時云、遠則明之至也、

案、孔子以譖愬不行爲明、則以爲人上者言之矣、古者五十命爲大夫、則人臣亦有爲譖愬所惑之患、故孔子以此告之、膚受皮膚所受、謂害之淺者、譖不可受、有志者皆能知之、唯其巧者不行焉、而後以爲明也、冤不可不伸、有志者亦能知之、然小少之冤而必欲伸之、則國日多事、而健訟之俗起、故其淺者不行焉而後以爲明也、學者知譖之不可受、冤之不可不伸、浸潤膚受之義自明矣、明以智言、遠以慮言、智在目今、故曰明、慮及後日、故曰遠、邢本馬注無之也二字、今從皇本、

子貢問政、子曰、足食足兵、民信之矣、子貢曰、必不得已而去、於斯三者何先、曰去兵、子貢曰、必不得已而去、於斯二者何先、曰去食、自古皆有死、民無信不立、孔安國曰、死者古今常道、人皆有之、治邦不可失信、陸德明云、一讀而去於斯爲絕句、物茂卿云、是子貢爲邊邑宰而問政、故孔子告以此、民無信不立者、上無信、則民不立也、

案、凡諸人問政問仁問孝之屬、孔子皆以其所急而荅之、此章徂徠爲子貢爲邊邑宰而問政、是也、立住也、謂堅立不動、若上無信、民心動搖、或棄其地而去、雖有兵食、亦將如之何、故曰、民無信不立、

棘子成曰、君子質而已矣、何以文爲、鄭玄曰、舊說云、棘子成衛大夫也、子貢曰、惜乎夫子之說君子也、駟不及舌、鄭玄曰、惜乎夫子之說君子也、過言一出、駟馬追之不及舌也、皇侃云、夫子謂乎子成爲夫子也、言汝所說君子用質不用文、爲過失之甚、故云惜乎夫子說君子、文猶質也、質猶文也、虎豹之鞹、猶犬羊之鞹、孔安國曰、皮去毛曰鞹、虎豹與犬羊別、正以毛文異耳、今使文質同者、何以別虎豹與犬羊邪、皇侃云、更爲子成解汝所說君子用質不用文、所以可惜之理也、將欲解之、故此先述其意也、言汝意云文猶質質猶文、故曰、何用文爲者耳、朱熹云、言文質等耳、不可相無、若必盡去其文、而獨存其質、則君子小人無以辨矣、翟灝云、說文解字引論語虎豹之鞹、法言脩身篇犂牛之鞹與玄騂之鞹有以異乎、小變論語之文、字亦不省邑、作鞹、

案、文猶質二句、朱說是也、子成以文爲無用、故子貢先言文、言文之不可無、猶質之不可無、質之不可無、猶文之不可無、若以質而已矣、虎豹之鞹、猶犬羊之鞹、其不可也必矣、慮子成不解、故反復喻

之、邢本鄭作韓、今從皇本、

哀公問於有若曰、年饑用不足、如之何、有若對曰、盍徹乎、鄭玄曰、盍、何不也、周法什一而稅、謂之徹、徹通也、爲天下之通法、邢昺云、漢書食貨志云、井田方一里、是爲九夫、八家共之、各受私田百畝、公田十畝、是爲八百八十畝、餘二十畝爲廬舍、諸儒多用彼爲義、如彼所言、則家別一百一十畝、是爲十外稅一也、鄭玄詩箋云、井稅一夫、其田百畝、則九而稅一、其意異於漢書、不以志爲說也、又孟子對滕文公曰、請野九一而助、國中什一使自賦、鄭玄周禮匠人注、引孟子此言、乃云、是邦國亦異外內之法、則鄭玄以爲諸侯郊外郊內、其法不同、郊內什一、使自賦其一、郊外九而助一、是爲二十而稅二、故鄭玄又云、諸侯謂之徹者、通其率、以十一爲正、言郊外郊內相通、其率爲十稅一也、曰、二吾猶不足、如之何其徹也、孔安國曰、二謂什二而稅、皇侃云、魯起宣公而十稅二、至于哀公、亦猶十二、賦稅既重、民飢國乏、由於十二、故有若荅云、今依舊十一、故云何不徹也、李惇云、案宣公十五年、初稅畝、公穀皆以爲履畝而稅、蓋以民不肯盡力於公田、故擇其精者征之、惟左傳有穀出不過藉之說、杜氏因以爲蹈其餘畝、復十取其一、亦不知其餘畝何指、集注因下文二字、復以爲逐畝十取其一、不知十分取二、是哀公時事、未必宣公時已然也、得毋自宣公積漸而致也與、對曰、百姓足、君孰與不足、百姓不足、君孰與足、孔安國曰、孰誰也、楊時云、仁政必自經界始、經界正、而後井地均、穀祿平、而軍國之需、皆量是以爲出焉、故一徹而百度擧矣、上下寧憂不足乎、以二猶不足、而教之徹、疑若迂矣、然什一天下之中正、多則桀、寡則貉、不可改也、後世不究其本、而唯末之圖、故征斂無藝、費出無經、而上下困矣、又惡知盍徹之當務而不爲迂乎、

案、哀公之時、魯政在三家、衰亦甚矣、然周公典型猶存、救荒之政、未必全廢也、哀公欲周濟飢民、而

不知薄稅之爲救民急務、故有若以盍徹啓之、哀公欲惠必出於己、而又慮其私用不足、於是有若以君民一體之理告之、或謂是時三家三分公室、而各有其一、魯公如民寄食於三家、安暇論徹與二、此大不然、案襄十一年傳曰、正月作三軍、三分公室、而各有其一、三子各毀其乘、季氏使其乘之人、以其役邑入者無征、不入者倍征、孟氏使半爲臣、若子若弟、叔孫氏使盡爲臣、不然不舍、則所謂三分公室、而各有其一者、乃特有其人耳、其地租則自以役邑入季氏外、依然在公、安有寄食於三家之事哉、

子張問崇德辨惑、包咸曰、辨別也、邢昺云、崇充也、辨別也、言欲充盛道德、袪別疑惑、何爲而可也、子曰、主忠信、徙義、崇德也、包咸曰、徙義、見義則徙意而從之、愛之欲其生、惡之欲其死、既欲其生、又欲其死、是惑也、包咸曰、愛惡當有常、一欲生之、一欲死之、是心惑也、皇侃云、中人之情、不能忘於愛惡、若有人從己、己則愛之、當愛此人時、必願其生活於世也、猶是前所愛者、而彼忽違己、己便憎惡、憎惡之既深、便願其死也、猶是一人、而愛憎生死、起於我心、我心不定、故爲惑矣、物茂卿云、愛之欲其生、惡之欲其死、人之情也、非惑、詩曰、君子萬年、又曰、投畀豺虎、惑者無定見、而爲人眩惑也、善人當愛、不善人當惡、是其人之善不善素定、然彝所愛之人、今則惡之、是我無定見、而爲物眩惑、故孔子極言愛惡之至、以明之、愛之甚、欲其生、惡之甚、欲其死、是愛惡豈可遽變乎、可見其爲物眩惑、是孔子之意也、誠不以富、亦祇以異、鄭玄曰、此詩小雅也、祇適也、言此行誠不可以致富、適足以爲異耳、取此詩之異義以非之也、皇侃云、引詩證爲惑、人之言生死不定之人、誠不足以致富、而只以爲異事之行耳、邢昺云、此詩小雅我行其野之篇、彼誠作成、鄭箋云、女不以禮爲室家、成事不足以得富也、女亦適以此自異於人道、言可惡也、此引詩斷章、

故不與本義同也、程頤云、誠不以富二句、本不在是惑也之後、乃在齊景公有馬千駟之上、文誤也、案、崇德即明德、春秋傳曰、明德、務崇之也、大戴禮曾子主事篇、喜怒異慮、惑也、蓋述孔子愛之云云、可以爲此節正解矣、凡人之眩惑者、怒與愛憎尤甚、故孔子告子張以愛憎、告樊遲以一朝之忿、蓋亦各因其性所偏而戒之也、季氏篇齊景公有馬千駟、死之日、民無德而稱焉、伯夷叔齊餓于首陽之下、民到於今稱之、其斯之謂與、凡言其斯之謂與者、必有所引以證之、而彼文無所引證、明有脫文矣、誠不以富二句、與上文意不接續、明爲衍文矣、若移此就彼、兩章文義完全、伊川說洵是也、皇本、崇德下無也字、兩生下、死下、並有也字、今從邢本、正平本、縮臨本、

齊景公問政於孔子、孔子對曰、君君、臣臣、父父、子子、孔安國曰、當此時、陳恒制齊、君不君、臣不臣、父不父、子不子、故以此對也、朱熹云、齊景公名杵臼、魯昭公末年、孔子適齊、是時景公失政、

而大夫陳氏厚施於國、景公多內嬖、而不立太子、其君臣父子之間、皆失其道、故夫子告之以此、翟灝云、孔子對景公八字、亦非無本、國語晉勃鞮曰、君君臣臣、是謂明訓、曾先孔子述之、而稱曰明訓、必周先王之典訓也、公曰、善哉、信如君不君、臣不臣、父不父、子不子、雖有粟、吾豈得而食諸、孔安國曰、言將危也、陳氏果滅齊、陸德明云、吾焉得而食諸、本亦作吾焉得而食諸、今本作吾得而食諸、翟灝云、史記世家作吾豈得而食諸、漢書武五子傳、壺關三老上書曰、父不父、則子不子、君不君、則臣不臣、雖有粟、吾豈得而食諸、師古注引論語文、亦有豈字、大平御覽治道部、作吾惡得而食諸、案、孔注陳恒、當作陳桓、蓋指桓子無宇、無宇乞之父、正當孔子適齊之時、陳恒乃乞之子、哀十四年弑簡公者、當時猶應爲孩孺、皇本邢本俱作陳恒非也、又案昭公二十五年、孔子適齊、景公問政、蓋在是時、景公以哀五年卒、上距問政時二十有八年矣、明年陳乞廢荼、而立陽生、鮑子謂陳乞曰女忘君之爲孺子牛而折其齒乎、而背之也、乞亦曰、以齊國之困、困又有憂、少君不可以問、是以求長君、曰孺子、曰少君、則荼立爲君時、其年甚少、恐孔子答問之時、荼猶未生、大全引哀五年傳、以實朱注粗矣、案襄二十五年左傳曰、叔孫宣伯之在齊也、叔孫還納其女於靈公、嬖、生景公、宣伯即僑如、成十六年奔齊、下距昭公二十五年孔子適齊爲五十有九年、叔孫還未即以是年納女、即納之、亦未即以是年生景公、假令納二三年生之、當見孔子時、亦必五十五六左右、故又有吾老矣不能用之語、則朱注不立太子云云、固無不可、但引荼嬖之事、則未可耳、釋文吾焉得而食諸、本亦作焉得而食諸、下焉蓋豈誤、史記焉作豈、漢書同、焉豈義近、或容有異文、是舊文有無吾字者、未有無豈焉者也、皇本有豈字、今從之、邢本無焉字、誤脫耳、

子曰、片言可以折獄者、其由也與、孔安國曰、片猶偏也、聽訟必須兩辭以定是非、偏信一言以折獄者、唯

子路可也、皇侃云、一云、子路性直、情無所隱者、若聽子路之辭、亦則一辭亦足也、故孫綽云、謂子路心高而言信、未嘗文過以自衞、聽訟者便宜以子路單辭爲正、不待對驗而後分明也、非謂子路聞人片言、而便能斷獄也、焦循云、按呂刑今天相民、作配在下、明清于單辭、正義云、單辭謂一人獨言、未有與對之人、訟者多直己以曲彼、搆辭以誣人、孔子美子路曰、片言可以折獄者、其由也與、片言即單辭也子路行直、聞於天下、不肯自道己是、妄稱彼短、得其單辭、即可以斷獄者、惟子路耳、凡人少能然、故難聞也此說甚明、與下子路無宿諾一貫、無宿諾者、不輕諾也、子路篤信不欺、故其單辭必無誣妄、孔子假訟辭之不信、以明子路之信、非謂子路有與人訟之事也、若子路聽訟、雖極明決、亦必兩造至、然後聽之、不待兩造至、據單辭以爲明決、恐無是理、且與無宿諾何涉、無宿諾、自爲不欺、單辭折獄、自爲明決、明決者不必不欺、不欺者不必明決也、

子路無宿諾、何晏曰、宿猶豫也、子路篤信、恐臨時多故、故不豫諾也、邢昺云、或分此別爲一章、今合之、

案孔注、偏信一言、以折獄者唯子路可。一言自左傳千乘之國不信其盟、而信子言來、一言即子路一言。若爲子路聽他人單辭而能斷之、則注當言不待兩造、以能折獄者唯子路。今曰偏信一言、曰唯子路可、而折獄上不言能、可見孔意亦爲稱譽子路之信也。古注簡奧、後儒不能解耳。子路無宿諾、弟子記平日所見、以證片言可以折獄之義。故合爲一章、猶牢云與大宰問子貢合爲一章也。文選江淹雜詩注引此句、上題子曰、然不書名而稱字、明是弟子所記、非孔子語也。凡先儒引論語文、輒加子曰字、雖是弟子語、以本皆出於孔子耳。此亦然、非舊本有子曰字也。

子曰、聽訟吾猶人也、包咸曰、與人等。必也使無訟乎。王肅曰、化之在前。

子張問政、子曰、居之無倦、行之以忠。王肅曰、言爲政之道、居之於身、無得解倦、行之於民、必以忠信。皇侃云、言

身居政事、則莫懈倦。陸德明云、無倦亦作卷。惠棟云、案卷當作券。漢涼州刺史魏君碑云、施舍不券。鄭氏攷工記注云、券今倦字也。

子曰、博學於文、約之以禮、亦可以弗畔矣夫。鄭玄曰、弗畔、不違道也。皇侃云、能以禮約束也。陸德明云、博學於文、一本作君子博學於文。

案約與博對、則非約束也。於博學中、擇與時王之禮合者以行之、故云約之。皇本有君子二字、今從邢本。

子曰、君子成人之美、不成人之惡、小人反是。皇侃云、美與己同、故成之也。惡與己異、故不成之也。翟灝云、說苑君道篇、哀公曰、善哉、君子成人之美、不成人之惡。微孔子、吾焉得聞斯言哉。穀梁隱公元年傳曰、春秋成人之美、不成人之惡。

季康子問政於孔子、孔子對曰、政者正也、子帥而正、孰敢不正。鄭玄曰、季康子魯上卿、諸臣之帥也。皇侃云、帥猶先也。翟灝云、禮記哀公問篇、公曰、敢問何謂爲政。孔子對曰、政者正也。君爲正、則百姓從政矣。儀禮鄉飲酒注曰、已帥而正、孰敢不正。疏曰、此論語孔子言、彼言子帥、指季康子、爲子。此言已帥、指司正爲已。書君牙篇、爾身克正、罔敢弗正。孔子本書文告康子也。上文政者正也、別見孝經緯及管子法法篇。蓋亦古之成語。此篇中舉成語甚多、觀周書及說苑哀公言、則知諸怨不行、成人之美、皆不仿自孔子。

案而正、邢本作以正、今從皇本。

季康子患盜、問於孔子、孔子對曰、苟子之不欲、雖賞之不竊。孔安國曰、欲多情慾也。言民化於上、不從其所令、從其所好也。陸德明云、情慾本今作欲。

案不欲與無欲異。不欲、制欲不敢肆也。無欲則絕祛之不復存於心。聖人知情欲之不可絕也、故曰

不欲、而未嘗言無欲焉。孔云、民化於上、是固然。然亦未盡其理。蓋多欲必多求、多求必厚斂、厚斂則民窮而竊矣。季氏富於周公、而求也爲之聚斂、而附益之、民之窮且盜、不亦宜乎。然則所云不欲、責其厚斂也。胡氏以康子之欲爲奪嫡之事、是孔子以不可悔之事責康子也。豈其然乎。假令康子薄稅斂、省徭役、以撫養其民、民猶尤奪嫡、強爲盜竊、以自陷於罪辟乎。不思之甚也。大抵宋儒刻於議論、而闇於事情、皆此類也。學者少而習焉、爲其說所錮、不知聖人之言爲治民之表準、人材之所以益下也。悲哉。邢本多情欲下、及所好下、俱無也字、今從皇本。

季康子問政於孔子曰、如殺無道、以就有道、何如。孔安國曰、就成也。欲多殺以止姦也。皇侃云、康子問孔子而言、爲政欲并殺無道之人、而成就爵祿有道者、其事好不、故云何如也。孔子對曰、子爲政、焉用殺。子欲善而民善矣。君子之德風也、小人之德草也、

草尚之風必偃、孔安國曰、亦欲令康子先自正也、偃
仆也、加草以風、無不仆者、猶民之化於上也、皇侃云、言汝自
爲政、爲政由汝、焉用多殺乎、君子人君也、小人民下
也、尚猶加也、陸德明云、草尚本或作上、翟灝云、漢書
董仲舒傳引孔子云云、風草下各有也
字、說苑政理篇述此章文、亦各有也字、
案、邢本風草下俱無也
字、尚作上、今皆從皇本、
子張問、士何如斯可謂之達矣、子曰、何哉爾所謂達
者、皇侃云、達謂身命通達也、孔子知子張意非、故
反質問之也、言汝意謂若爲事是達、而問之也、子
張對曰、在邦必聞、在家必聞、鄭玄曰、言士之所在、皆
能有名譽也、皇侃云、在邦謂仕諸侯也、在家謂仕卿大夫也、子曰、是聞也、非
達也、夫達也者、質直而好義、察言而觀色、慮以下人、

馬融曰、常有謙退之志、察言語、觀顏色、知其所欲、其
念慮常欲以下人也、郝敬云、聖人處世、不貴剛強、故
鄉愿襲其似、以亂中行、鄉愿不
可爲、而世儒遂以剛直爲士氣、又非也、
此章所謂聖人定之以中正仁義者也、在邦必達、在
家必達、馬融曰、謙尊而光、卑而不可踰、邢昺云、此周易謙卦彖辭
也、言尊者有謙而更光明盛大、卑者有謙而
不可踰越、引證士有謙德、則所在必達也、夫聞也
者、色取仁而行違、居之不疑、馬融曰、此言佞人假仁
者之色、行之則違、安居其僞、而不自疑、在邦必聞、在
家必聞、馬融曰、佞人黨多、沈居士云、聞者達之名、達
者聞之實、有實者必有名、
有名者不必有實、達
深乎本、聞浮於末也、
案、聞是聞於世、則達是達於時、此及己欲達、皆當
爲窮達之達、子張問達、猶如其問行學干祿之意、

後儒忌言利祿、故沈居士而下、以達爲德立行成
之名、不知士之志於學、本欲以治國安民、故曰、不
仕無義、而孔子於子張之三問、皆諄諄乎教諭之、
未嘗少貶之、以其心在義而不在利也、後世利心
益熾、陽忌其名、而陰謀其實、以此解經、安得不謬
哉、夫達夫聞下、皇本無也字、今從邢本、念慮邢本
作志慮、今
從皇本、
樊遲從遊於舞雩之下、包咸曰、舞雩之處有壇墠樹
木、故其下可遊也、邢昺云、封土爲壇、除地爲墠、言
雩壇在所除地中、故連言壇墠、曰、
敢問崇德脩慝辨惑、孔安國曰、慝惡也、脩治也、治惡
爲善也、子曰、善哉問、先事後得、非崇德與、孔安國曰、
先勞於事、然後得報、皇侃云、先事謂先爲勤勞之事
也、後得謂後得祿位、已勞也、
攻其惡、無攻人之惡、非脩慝與、一朝之忿、忘其身、以

及其親、非惑與、
案、崇德脩慝辨惑、皆脩身之要、故孔子善之、崇德
辨惑、與子張問同、而答不同者、亦以其所急告之
也、先事後得、戴記儒行篇曰、先勞而後祿、正此章
注脚也、或以後得爲不計其功、非是、皇本無作毋、
今從邢本、邢本包注作故下可遊焉、
孔注爲善下無也字、今皆從皇本、
樊遲問仁、子曰、愛人、問知、子曰、知人、樊遲未達、子曰、
舉直錯諸枉、能使枉者直、包咸曰、舉正直之人用之、
廢置邪枉之人、則皆化爲直、伊藤源佐云、遲於仁則
德不止於知人也、物茂卿云、舉直錯諸枉、蓋古語、言
積材之道者也、直者材之良者也、枉者材之不良者
也、謂舉直而措之乎枉之上、枉者爲直者所厭而自
直也、以木材之良不良、喩人材焉、不爾曲直豈足語
皐陶伊尹乎、且衆枉豈可悉廢乎、樊遲蓋疑人
之不可悉知也、猶如仲弓焉知賢才而舉之也、樊遲

退見子夏曰、鄉也吾見於夫子而問知、子曰、舉直錯諸枉、能使枉者直、何謂也、子夏曰、富哉言乎、孔安國曰、富盛也、陸德明云、鄉也又作嚮、阮元云、皇本高麗本作嚮、嚮俗字、鄉正字、鄉假借字、舜有天下、選於衆舉皐陶、不仁者遠矣、湯有天下、選於衆舉伊尹、不仁者遠矣、孔安國曰、言舜湯有天下、選擇於衆、舉皐陶伊尹、則不仁者遠矣、仁者至矣、

案、凡讀論語、精究答語、則問意自明、孔子答以舉直錯諸枉、則知樊遲之疑、在人之不可悉知、子夏告以舜湯舉伊皐之事、則知舉直錯諸枉、本譬諭、而其義則爲舉直者置之於枉者之上、蓋愛人是悉愛之、故樊遲疑知人之爲悉知之耳、自聖教既出、人皆知知賢者而舉之之爲知、遂疑樊遲未達、於是鑿而深之、有仁知相妨之說、不知孔子未語子夏未告之前、人未能通其義、樊遲之未達、不亦

宜乎、枉撓也、謂扱之反張者、唯其反張、故置直者於上、能使之直也、包以直枉爲人材之稱、然古人稱直、特語其性、未有爲有德之稱者、至枉字、則又不聞有以稱性者、且果言人之材性、樊遲不容不達、故知其爲譬諭也、不仁者指在官者、遠矣謂罷去、仁者進、而不仁者退、則小材卑職、爲時俗所枉撓者、皆復其本、乃所云能使枉者直也、皇本問知作智、言上有是字、今從邢本、

子貢問友、子曰、忠告而善道之、不可則止、毋自辱焉、包咸曰、忠告以是非告之、以善道導之、不見從則止、必言之、或見辱、朱熹云、盡其心以告之、善其說以道之、伊藤源佐云、其人不可、則暫止不言、亦俟其自悟、

案、善道與忠告對、朱子是也、皇本善上有以字、不可作否、毋作無、今皆從邢本、

曾子曰、君子以文會友、孔安國曰、友以文德合、以友輔仁、孔安國曰、有相切磋之道、所以輔成己之仁、陸德明云、有相切磋、本今作友、

案、皇本作友有相切磋之道、邢本無有字、案孔上注云、友以文德合、此承上注、不當復有友字、今從陸本、

子路第十三

邢昺云、此篇論善人君子爲邦教民、仁政孝悌、中行常德、皆治國脩身之要、大意與前篇相類、且回也入室、由也升堂、故以爲次也、

案、邢云、大意與前篇同、故以爲次是也、其言以入室外堂爲次、則失之、凡論語編次、或以行事次序、或以自粗入精、或以大意相類、未有以首章姓字爲次第者也、

子路問政、子曰、先之勞之、孔安國曰、先導之以德、使民信之、然後勞之、易曰、說以使民、民忘其勞、陸德明云、勞孔如字、鄭力報反、邢昺云、

此周易兌卦彖辭文也、請益、曰、無倦、孔安國曰、子路嫌其少、故請益、曰無倦者、行此上事、無倦則可、

案、二之字指民、先之、以民事爲先、勞、勞之來之之勞、謂慰勞民、鄭力報反是也、言爲政之道、在先民而後公、在勞慰之也、

仲弓爲季氏宰、問政、子曰、先有司、王肅曰、言爲政當先任有司、而後責其事、皇侃云、有司謂彼邑官職屬吏之徒也、言爲政之法、未可自逞聰明、且先委任其屬吏、責以舊事、赦小過、舉賢才、曰、焉知賢才而舉之、曰、舉爾所知、爾所不知、人其舍諸、孔安國曰、女所不知者、人將自舉其所知、則賢才無遺、

案、先有司、猶先之之先、言以擇有司爲先務也、赦小過、舉賢才、乃申說先有司之法也、

子路曰、衛君待子而爲政、子將奚先、包咸曰、問往將何所先行也、子曰、必也正名乎、馬融曰、正百事之名、皇侃云、韓詩外傳云、孔子侍坐季孫、季孫之宰通曰、君使人假馬、其與之不乎、孔子曰、君取臣、謂之取、不謂之假、季孫悟、告宰通曰、今日以來、云君有取、謂之取、無曰假也、故孔子正假馬之名、而君臣之義定也、鄭注云、正名謂正書字也、古者曰名、今世曰字、禮記曰、百名以上、則書之於策、孔子見時教不行、故欲正其文字之誤、朱熹云、衛君謂出公輒也、是時出公不父其父、而禰其祖、名實紊矣、故孔子以正名爲先、謝氏曰、正名雖爲衛君而言、然爲政之道、皆當以此爲先、毛奇齡云、輒之得罪在拒父不在禰祖、而人之罪之、當責實不當正名、又云、考祭法、黄帝正名百物、以明民共財、而漢藝文志謂名家者流、蓋出于禮官、古者名位不同、禮亦異數、孔子曰、必也正名乎、子路曰、有是哉、子之迂也、奚其正、包咸曰、迂猶遠也、孔子之言、疏遠於事也、皇侃云、子路聞孔子以正名爲先、以爲不是、故云有是哉、邢昺云、子路言豈有若是哉、夫子之言遠於事也、何其正名哉、陸德明云、迂鄭本作于、云于往也、物茂卿云、有是哉子之迂也、蓋時人有以孔子爲迂者、子路始以爲不然、今聞孔子之言、而謂有如時人之言者也、子曰、野哉由也、孔安國曰、野猶不達也、君子於其所不知、蓋闕如也、包咸曰、君子於其所不知、當闕而勿據、今由不知正名之義、而謂之迂遠、名不正則言不順、言不順則事不成、事不成則禮樂不興、禮樂不興則刑罰不中、孔安國曰、禮以安上、樂以移風、二者不行、則有淫刑濫罰、刑昺云、禮以安上、樂以移風者、孝經廣要道章文、禮運云、禮者所以治政安君也、政不正、則君位危、君位危、則大臣倍、小臣竊、刑肅而俗敝、則法無常、又樂記曰、五刑不用、百姓無患、天子不怒、如此則樂達矣、故禮樂二者不行、

則刑罰淫濫而不中也、刑罰不中、則民無所措手足、故君子名之必可言也、言之必可行也、王肅曰、所名之事、必可得而明言、所言之事、必可得而遵行、陸德明云、錯本又作措、邢昺云、緇衣曰、可言也、不可行、君子弗言也、可行也、不可言、君子弗行也、君子於其言無所苟而已矣、

案、門人問孔子仕衛者二、一冉有曰、夫子爲衛君乎、子貢曰、諾、我將問之、入曰、伯夷叔齊何人也、曰、古之賢人也、曰、怨乎、曰、求仁而得仁、又何怨、出曰、夫子不爲也、鄭玄云、爲猶助也、衛君者謂輒也、衛靈公逐太子蒯聵、公薨而立孫輒、後晉趙鞅納蒯聵於戚城、衛石曼姑帥師圍之、故問其意助輒不乎、子貢不敢問衛君、而問夷齊、蓋孔子時在衛、子貢爲衛君諱、故不敢正言、鄭以爲謂輒、洵是、據史記、哀公二年、衛侯輒立、是歲六月、蒯聵入于戚、明年、季康子召冉求、時孔子在陳、以及哀七年孔子至衛、冉求未嘗如衛、故史遷不載是語於孔子世家、然詳味文意、爲在衛時之事甚明、蓋季氏召冉求、在孔子適衛之後、史記謬耳、一即此章是也、馬融注正名云、正百事之名、及孔包王諸儒注此章者、亦未嘗一言及輒、蓋以衛君爲靈公也、今詳問答之意、正大明白、毫無所隱諱、而禮樂不興、刑罰不中之類、皆治國之大經大法、未見有非父子爭國之意、其說蓋不謬也、但孔子世家以此章爲魯哀七年孔子至衛時之事、云是時衛君輒父不得立、在外、諸侯數以爲讓、而孔子弟子多仕於衛、衛君欲得孔子爲政、子路云云、其意以謂孔子非輒拒父矣、諸儒不據以爲說者、子貢問夷齊以知孔子不爲衛君、而今則欲爲之以正名、彼此矛楯、義不可通、且考之左氏春秋、自輒以哀二年即位、及十六年出奔、晉伐之者四、其二傳云、以范氏之故、其二則無傳、然左氏之於經、一再則釋之、數則否、則其無傳者、亦討其與范氏也、吳子藩衛侯之舍者一、傳云、責其緩來、是終輒之世、諸侯未有讓輒拒父者也、至哀三年、齊國夏帥師圍戚、不唯不讓、又助之以攻蒯聵矣、而史遷則云諸侯數以爲讓、其

爲誣妄甚明、故漢儒不取耳、至朱子始云、輒不父其父、而禰其祖、名實紊矣、故孔子以正名爲先、蓋本於史記而精之、其說若可聽、然蒯聵父子之名、正之極難、於是又引胡氏、必將具其事之本末、告諸天王、請于方伯、命公子郢而立之之說、以爲正名之策、則有大不然者焉、勿論其迂腐無益於事、果如其說、待子而爲政者、非出公輒邪、輒之待子爲政、豈有他哉、亦欲治國以安身耳、孔子惡其不義、若不仕乎、苟仕之、亦當盡其道以輔之、不宜仕即廢待己者、以立他公子、果如所言、父子之名或可正矣、獨奈君臣之義何、易曰、機事貴密、君不密喪其臣、臣不密喪其身、今身猶未仕、而先與門人議廢所待己之君、不唯違明哲保身之義、其操心之險、實甚於莽操、稍有人心者、猶不忍言、而謂聖人爲之邪、且夫廢立大事也、衞國雖衰、猶有巨室世家、孔子以羇旅之臣、一旦欲廢其君父兄羣臣、豈肯俯首聽之乎、此皆理勢之顯然者、而千載之下、不聞有一人辨其非者、抑亦何也、疏遠於事、邢本作遠於事、今從皇本、

樊遲請學稼、子曰、吾不如老農、請學爲圃、曰、吾不如老圃、馬融曰、樹五穀曰稼、樹菜蔬曰圃、陸德明云、圃布古反、又音布、邢昺云、弟子樊須、請於夫子學播種之法、欲以教民也、翟灝云、史記弟子傳無爲字、樊遲出、子曰、小人哉樊須也、上好禮則民莫敢不敬、上好義則民莫敢不服、上好信則民莫敢不用情、孔安國曰、情情實也、言民化於上、各以實應、邢昺云、謂其不學禮義而學農圃、故曰小人也、夫如是則四方之民襁負其子而至矣、焉用稼、包咸曰、禮義與信、足以成德、何用學稼以教民乎、負子之器曰襁、皇侃云、襁者以竹爲之、或云、以布爲之、今蠻夷猶以布帊裹兒、負之背也、陸德明云、襁又作繈、同、段玉裁云、古繈繦字從糸、不從衣、說文襁字、乃淺人不得其解而妄增之、

案、樊遲蓋憂民貧力乏、田圃多荒、欲學農圃以教之、觀孔子所答、其意自見矣、爲治也、種之曰稼、種菜曰圃、稼屬人功、故稼上不言爲、圃係田名、故圃上言爲、史記無爲字非也、皇本爲圃下有子字、今從邢本、負子之器曰襁、今本作負者以器、今從仲尼弟子列傳集解所引、

子曰、誦詩三百、授之以政不達、使於四方不能專對、雖多亦奚以爲、何晏曰、專猶獨也、皇侃云、不用文、背文而念曰誦、詩有三百五篇、云三百、舉全數也、達猶曉也、詩有六義、國風二雅、並是爲政之法、袁氏曰、古人使賦詩而答對、物茂卿云、聘禮記曰、辭無常、鄭玄注、大夫使受命不受辭、是使四方所以貴能專對也、

案、治閨門之道在二南、富民之道在邠風、平天下接諸侯待羣臣之道在大小雅頌、乃功成治定之事、而得失治亂之情、變風變雅悉之、此皆爲政之師也、凡詩婉而成章、言之者無罪、聽之者足以戒、資以爲言語之法、達意解紛不難、故誦詩三百、可以達政、亦可以專對也、

子曰、其身正、不令而行、其身不正、雖令不從、何晏曰、令教令也、

子曰、魯衞之政兄弟也、包咸曰、魯周公之封、衞康叔之封、周公康叔既爲兄弟、康叔睦於周公、其國之政、亦如兄弟、皇侃云、周公康叔是兄弟、當周公初時、則二國風化政、亦俱能治化、如兄弟、至周末、二國風化俱惡、亦如兄弟、故衞瓘曰、言治亂略同也、

案、魯衞之政兄弟、據當時而言、包言周公康叔者、推本其初、非謂并論周初也、皇本無也字、今從邢本、皇疏周初時與周末對、公字疑衍、

子謂衞公子荊善居室、王肅曰、荊與蘧瑗史鰌、並爲君子、皇侃云、吳公子札出聘于上國、適衞、說蘧瑗史狗史鰌公子荊公子叔公子朝、曰、衞多君子、未

有患也、邢昺云、善居室者、言居家理也、物茂卿云、居者如居貨之居、室者如左傳奪其室之室、蓋謂家財也、凡百器財、服玩車馬奴僕、合名爲室、翟灝云、金文淳蛾術編曰、春秋末、魯亦有公子荊、哀公庶子也、左氏哀二十五年傳、公子荊之母嬖、公立爲夫人、而以荊爲大子、國人始惡之、其人蓋無足取、論語記孔子稱公子荊、特加衞字、嫌與魯公子同、故別白之耳、按春秋時公孫朝亦不僅衞有之、魯有成大夫公孫朝、見昭二十六年傳、楚有武城尹公孫朝、見哀十七年傳、鄭子產有弟曰公孫朝、見列子楊朱篇、記語者、公孫朝上亦系以衞、豈得云無意乎、**始有、曰苟合矣、少有、曰苟完矣、富有、曰苟美矣、**皇侃云、此是善居室之事、始有謂爲居初有財帛時也、曰猶云也、苟、苟且也、苟且非本意也、于時人皆無而爲有、虛而爲盈、奢華過實、子荊初有財帛、不敢言己才力所招、但云是苟且遇合而已、朱熹云、苟聊且粗略之謂、合聚也、完備也、言其循序而有節、不以欲速盡美累其心、

子適衞、冉有僕、孔安國曰、孔子之衞、冉有御也、**子曰、庶矣哉、**孔安國曰、庶衆也、言衞民衆多也、**冉有曰、既庶矣、又何加焉、曰富之、曰既富矣、又何加焉、曰教之、**

范甯云、衣食足、當訓義方也、

案、足利古本教之下、有王肅曰民富然後教義也、衣食足後知辱、十六字、冉有僕、皇本作冉子、

子曰、苟有用我者、朞月而已可也、三年有成、孔安國曰、言誠有用我於政事者、朞月而可以行其政教、必三年乃有成功也、皇侃云、苟誠也、朞月謂年一周也、可者未足之辭也、

案堯典曰、三載考績、三考黜陟幽明、治職三年、其人能否功罪可得而考、故古者三載一考、此云三年有成、蓋亦據古法而言之、

子曰、善人爲邦百年、亦可以勝殘去殺矣、王肅曰、勝殘者、勝殘暴之人、使不爲惡也、去殺者、不用刑殺也、**誠哉是言也、**孔安國曰、古有此言、孔子信之、皇侃云、勝殘謂政教理勝、而殘暴之人不起也、去殺謂無復刑殺也、

案、此必有所指矣、今不可考、徂徠云、豈謂楚先君乎、恐未然、勝殘暴之人、邢本脫勝字、今從皇本、孔子信之、皇本作故孔子信之、今從邢本、

子曰、如有王者、必世而後仁、孔安國曰、三十年曰世、如有受命王者、必三十年仁政乃成、皇侃云、必須世者、舊被惡化之民已盡、新生之民、得三十年、則所稟聖化易成、故顏延之曰、革命之王、必漸化物、以善道漆亂之民、未能從道爲化、不得無威刑之用、則仁施未全、改物之道、必須易世、使正化德教、不行暴亂、則刑罰可措、仁功可成、

案、古者四十而仕、七十致事、故三十年曰世、仁者謂仁澤滿四海、一民無不得其所、與三年有成、自有間焉、故非經三十年之久、雖聖人亦有所不能也、

子曰、苟正其身矣、於從政乎何有、不能正其身、如正人何、皇侃云、苟誠也、言誠能自正其身、則爲政不難、故曰何有、

案、政者正也、故曰、如正人何、

冉子退朝、周生烈曰、謂罷朝於魯君也、皇侃云、冉子爾時仕季氏、且上朝於魯君、當是季氏、冉有從之朝魯君也、邢昺云、鄭玄以冉有臣於季氏、故以朝爲季氏之朝、翟灝云、周應賓九經考異曰、內府本作冉有、韓氏筆解同、集說集編纂誥三本、俱作冉有、按此章與適衞章、並當以作冉有爲是、而魏書高閭傳、詩鄭風緇衣正義、禮記少儀正義、文選吳質荅魏大子牋注引文、亦爲

冉子、集解釋文石經諸本、均未有別作冉有者。**子曰、何晏也。對曰、有政。**馬融曰、政者有所改更匡正。**子曰、其事也。**馬融曰、事者凡所行常事。邢昺云、昭二十五年左傳曰、爲政事、庸力行務以從四時、杜預曰、在君爲政、在臣爲事、杜意據此文。毛奇齡云、北魏帝問高閭、論語稱冉子退朝、曰有政、子曰其事也、何者爲政、何者爲事、對曰、政者上之所行、事者下之所綜也。**如有政、雖不吾以、吾其與聞之。**馬融曰、如有政非常之事、我爲大夫、雖不見任用、必當與聞之。欒肇云、按攝政事冉有季路、未有不知其名辭、若以家臣無與政之理、則二三子爲宰、而問政者多矣、未聞夫子有譏焉。伊藤源佐云、古者大夫雖致仕、國有大政、必與聞之、物茂卿云、按司馬與邦政、則爵賞刑罰、田獵出師之類、凡大事皆謂之政也。毛奇齡云、左傳哀十一年、季孫欲以田賦、仲由冉有訪于仲尼、曰丘不識也、三問、曰子爲國老、待子而行、若之何子之不言也、此即與聞之證。

案、哀十一年左傳、齊人伐魯、季孫使冉求從於朝、俟於黨氏之溝、武叔呼而問戰焉、戰爭大事、孟孫叔孫、又不欲戰、季孫特使冉求從於朝、而猶不敢造於朝、則陪臣平日不朝於公可知矣。鄭玄以爲季氏之私朝、是也。顏魯請子車以爲之鄰、陳成子弑簡公、孔子皆云、以吾從大夫之後、以其爲國老也、則魯雖不用孔子、猶以大夫待之也、鄉飲酒禮、遵者降席、席東南面、注、遵者謂此鄉之人仕至大夫者也、主人所榮而遵法、因以爲名、常人猶然、況於孔子乎。然公朝之事、無大小必與聞之、與仕者何分。且朝未有不議事者、孔子問何晏、而冉求荅以有政、明非常事也、故馬融以爲有改更匡正、其說洵是也。孔子言此者、季氏議大政於私朝、而不問之當問之人、其專擅可知矣。而冉求不以爲非、故以諭之、且以戒季氏也。

定公問、一言而可以興邦、有諸。孔子對曰、言不可以若是其幾也。王肅曰、以其大要一言不能正興國也。幾近也、有近一言可興國也。皇侃云、若是者、猶如此也、答曰、豈有出一言而興得邦國乎、言不可得頓如此也、幾近也、然一言雖不可即使興、而有可近於興邦者、故云、其幾也。朱熹云、幾期也、詩曰、如幾如式、言一言之間、未可以如此、而必期其效。翟灝云、論語辨惑曰、幾近也、即下文不幾乎之幾耳、其幾也三字、自爲一句、一言得失、何遽至於興喪、然有近之者、此意甚明。**人之言曰、爲君難、爲臣不易。如知爲君之難也、不幾乎一言而興邦乎。**孔安國曰、事不可以一言而成、如知此、則可近也。**曰、一言而可以喪邦、有諸。孔子對曰、言不可以若是其幾也。人之言曰、予無樂乎爲君、唯其言而莫予違也。**孔安國曰、言無樂於爲君、所樂者唯樂其言而不見違也。翟灝云、義疏本莫予違上、更有樂字、據孔氏注所樂者、惟樂其言而不見違、似此句當更有樂字。

若其善而莫之違也、不亦善乎。如不善而莫之違也、不幾乎一言而喪邦乎。孔安國曰、人君所言善、無違之者、則善也、其所言不善、而無敢違之者、則近一言而喪國也。翟灝云、韓非子難篇、晉平公與羣臣飲、飲酣、喟然歎曰、莫樂爲人君、惟其言而莫之違、師曠侍坐于前、援琴撞之、曰啞、是非君人者之言也、夫子舉平公成言、以爲定公戒也、上文興邦之言、亦即大禹謨后克艱厥后、臣克艱厥臣二語之變、足以相明。

案、朱子引詩、幾訓期、於其幾極穩、然其幾之幾即不幾之幾、上云不可期、下云可期、語意相觸、孔訓近似長、邢本作一言而喪邦、無可以二字、今從皇本、皇本莫予違上有樂字、翟據孔注、以有樂字爲是、按孔注補經意、故惟下加樂字、如經有樂字、亦當在唯下、不應在而下、皇本衍耳、今從邢本、爲君難、爲臣不易、當時有此言也、故孔子引之、翟以爲大禹謨后克艱厥后、臣克艱厥臣之變語、不知大禹謨僞書、取此章而妄撰之、非孔子取彼語而變之也、凡古書問人言有諸者、皆舉所傳聞而質之也、則一言興喪、當時亦有此言也、一言而可以喪邦、邢本無以字、朱本可以二字倶無、今從皇本、

葉公問政、子曰、近者悅、遠者來、皇侃云、言爲政之道、若能使近民懽悅、則遠人來至也、朱熹云、被其澤則說、聞其風則來、然必近者說、而後遠者來也、

案、楚方與吳力爭諸侯、務欲致遠人、故孔子以此告之耳、

子夏爲莒父宰問政、鄭玄曰、舊說云、莒父魯下邑、郝敬云、春秋定公十四年、城莒父、蓋公邑也、子曰、無欲速、無見小利、欲速則不達、見小利則大事不成、孔安國曰、事不可以速成、而欲其速、則不達矣、見小利、妨大事、則大事不成、林希

元云、譬如十日之程、必照程行、一日一程、得盡時自然到、得今不照程行、一二日就要到、必徹車隤馬傷足、而反不得到、故曰不達、

葉公語孔子曰、吾黨有直躬者、孔安國曰、直躬、直身而行、陸德明云、躬鄭本作弓、云直人名弓、倅頤煊云、案呂氏春秋當務篇、異哉直躬之爲信也、淮南氾論訓、直躬其父攘羊、而子證之、高誘注、直躬楚葉縣人也、誘盧植門人、植與鄭同師馬融、故誘亦以直人名躬、與鄭注同、其父攘羊、而子證之、周生烈曰、有因而盜曰攘、孔子曰、吾黨之直者異於是、父爲子隱、子爲父隱、直在其中矣、皇侃云、今王法則許朞親以上得相爲隱、不問其罪、蓋合先王之典章、

案、稱人性直、一直字足矣、不必加身字、故孔子云吾黨之直者、不復言躬、可見直是直者、躬是其名、況有韓非淮南可證、鄭注洵是、父子相爲隱、非直也、而直之義存焉、故曰、直在其中矣、凡言在其中者、皆倣此、

樊遲問仁、子曰、居處恭、執事敬、與人忠、雖之夷狄、不可棄也、包咸曰、雖之夷狄無禮義之處、猶不可棄去而不行也、皇侃云、樊遲問仁者、問孔子行仁之道也、物茂卿云、居處恭、執事敬、與人忠、猶如以敬恕告仲弓也、孔子非謂之仁、言行仁政、先脩其身也、

子貢問曰、何如斯可謂之士矣、子曰、行己有恥、孔安國曰、有恥、有所不爲也、使於四方、不辱君命、可謂士矣、李充云、居正情者當遲退、必無者其唯有恥乎、是以當其宜行、則恥己之不及、及其宜止、則恥己之不免、爲人臣、則恥其君不如堯舜、處濁世、則恥獨不爲君子、將出言、則恥躬之不逮、是故孔子之稱丘明、亦貴其同恥義、苟孝悌之先者也、古之良使者、受命不受辭、事有權宜、則與時消息、排患釋難、解紛挫銳

者、可謂良也、朱熹云、此其志有所不爲、而其材足以有爲者也、曰、敢問其次、曰、宗族稱孝焉、鄉黨稱弟焉、朱熹云、此本立而材不足者、故爲其次、曰、敢問其次、曰、言必信、行必果、硜硜然小人哉、抑亦可以爲次矣、鄭玄曰、行必果、所欲行必敢爲之、硜硜者小人之貌也、抑亦其次、言可以爲次也、皇侃云、硜硜堅正難移之貌也、抑語助也、凡事欲強使相關、亦多云抑也、言此小行、亦強可爲士之次也、李充曰、言可覆、而行必成、雖爲小器、取其能有所立、翟灝云、孟子悻悻然見於其面、章句引論語悻悻然小人哉、爲證、孫氏音義曰、悻字或作硜、然論語音鏗、曰、今之從政者何如、子曰、噫、斗筲之人、何足算也、鄭玄曰、噫、心不平之聲、筲竹器、容斗二升、算數也、陸德明云、算本或作筭、伊藤源佐云、子貢以行己有恥、不辱君命、難其人、以爲以此爲士、則自此以下者

不足爲主、然則人或有乘封、故再問其次、至於今之從政者何如、蓋擧其所不滿意者、而質之夫子也、孔門之學者不敢自是己意、輕可否人也如此、

子曰、不得中行而與之、必也狂狷乎、包咸曰、中行行能得其中者、言不得中行、則欲得狂狷者、狂者進取、狷者有所不爲也、包咸曰、狂者進取於善道、狷者守節無爲、欲得此二人者、以時多進退、取其恒一者也、江熙曰、狂者知進而不知退、知取而不知與、狷者急狹、能有所不爲、皆不中道也、然率其天眞、不爲僞也、季世澆薄、言與實違、背心以惡、時飾詐以誘物、是以錄狂狷之一法也、

案、此章之義、孟子釋之詳矣、江熙分進取而二之、非也、有所不爲、卽孟子所謂不屑不絜、包咸云、守節無爲、亦非、

子曰、南人有言曰、人而無恒、不可以作巫醫、孔安國曰、南人、南國之人也、鄭玄曰、言巫醫不能治無常之人也、皇侃云、巫接事鬼神者、醫能治人病者、南人舊有言、云人若用行不恒者、則巫醫爲治之不差、故云不可作巫醫也、一云言不可使無恒之人爲巫醫也、善夫、包咸曰、善南人之言也、不恒其德、或承之羞、孔安國曰、此易恒卦之辭也、言德無常、則羞辱承之也、皇侃云、言人若爲德不恒、則必羞辱承之、羞辱必承而云或者、或常也、言羞辱常承之也、何以知或是常、按詩云、如松栢之茂、無不爾或承、鄭玄曰、或常也、老子曰、湛兮似或存、河上公注云、或常也、子曰、不占而已矣、鄭玄曰、易所以占吉凶也、無恒之人、易所不占也、皇侃云、禮記云、南人有言、曰人而無恒、不可以爲卜筮、古之遺言與、龜筮猶不能知也、而況於人乎、是明兩人有兩時兩語、故孔子兩稱之、而禮記論語亦各有所錄也、張栻云、不占謂理之必然、不待占決而可知也、物茂卿云、不恒其德以下、當別爲一章、

案、不可以作巫醫、皇疏一通、本於衞瓘、失之遠矣、易所以占吉凶、不恒其德、其凶決矣、故不占而已矣、物徂徠謂不恒其德以下、當別爲一章、是也、兩章意相類、故編輯者連記、後誤合爲一章耳、善哉諸本作善夫、今從足利學宋本、

子曰、君子和而不同、小人同而不和、何晏曰、君子心和、然其所見各異、故曰不同、小人所嗜好者同、然各爭其利、故曰不和也、郝敬云、晏子言和、主于不同、君子所謂和、不論同不同、論其理、理同、都俞和也、理不同、吁咈亦和也、

子貢問曰、鄉人皆好之、何如、子曰、未可也、鄉人皆惡

之、何如、子曰、未可也、不如鄉人之善者好之、其不善者惡之、孔安國曰、善人善己、惡人惡己、是善善明、惡惡著也、

案、足利古本、句末惡之下有也字、似長、

子曰、君子易事而難說也、孔安國曰、不責備於一人、故易事、說之不以道、不說也、及其使人也、器之、孔安國曰、度才而官之、小人難事而易說也、說之雖不以道、說也、及其使人也、求備焉、瞿灝云、先聽齊講錄曰、君子厚重簡默、苟於義分不宜說、有相對終日不出一言者、似乎深沈不可測、而使人平易、絕無苛求、小人喋喋然、論議蠭發、非義所當說、亦說之、而一經使人、便苛求不已、讀說始悅、及按二十篇所有說字、義疏多从心作悅、獨此六

說字俱同、監本从言、古之師傳、應有讀此說爲始悅反者矣、然說與事對待反覆讀始悅、則甚不融洽、

子曰、君子泰而不驕、小人驕而不泰、何晏曰、君子自縱泰、似驕而不驕、小人拘忌、而實自驕矜、焦循云、泰者通也、君子所知所能、放而達之於世、故云、縱泰似驕、然實非驕也、小人所知所能、匿而不露、似乎不驕、不知其拘忌、正其驕矜也、君子不自矜、而通之於世、小人自以爲是、而不據通之於人、此驕泰之分也、邢疏不能詳、今拜乎下、泰也、此泰乃忲之借、

案、縱泰、拘忌之反、縱如縱之純如也之縱、泰大也、故何晏以縱釋泰、言君子縱爲其所當爲、無所畏忌、其狀似驕、而實非驕、焦說未是、

子曰、剛毅木訥近仁、王肅云、剛無欲也、毅果敢也、木質樸也、訥遲鈍也、有此四者近於仁、皇侃云、剛者性無求欲、仁者靜、

故剛者近仁也、毅者性果敢、仁者必有勇、周窮濟急殺身成仁、故毅者近仁也、木者質樸、仁者不尚華飾、故木者近仁也、訥者言語遲鈍、仁者慎言、故訥者近仁也、邢昺云、仁者其言也訒、訥者遲鈍、故訥近仁也、物茂卿云、剛毅木訥、蓋古之成言、剛毅之人、多是質樸、而拙於言、故曰剛毅木訥、猶如巧言必帶令色言之、而所重在巧言耳、焦循云、巧言令色鮮矣仁、此質樸遲鈍所以近仁也、唐書刑法志云、仁者制亂而弱者縱之、然則剛強非不仁、而柔弱者仁之賊也、此果敢所以近仁也、

案、剛毅木訥、與巧言令色正相反、剛毅者必不令色、木訥者不能巧言、知巧言令色之鮮矣仁、則知剛毅木訥之近仁矣、不必毋字釋其近仁也、

子路問曰、何如斯可謂之士矣、子曰、切切偲偲怡怡如也、可謂士矣、朋友切切偲偲、兄弟怡怡如也、馬融曰、切切偲偲、相切責之貌、怡怡和順之貌、皇侃云、言爲士之道須有切磋、又須和從也、翟灝云、義疏本怡怡下有如也二字、文選曹植求通親親表注、引論語兄弟怡怡如也、初學記、藝文類聚、太平御覽述文、皆有如也二字、

案、朋友亦有怡怡之時、兄弟或不免有切切偲偲、此擧其所主而言之耳、邢本作兄弟怡怡、無如也二字、今從皇本、

子曰、善人教民七年、亦可以即戎矣、包咸曰、即戎就兵、可以攻戰也、江熙云、子曰、苟有用我者、朞月而已可也、三年有成、善人之教、不逮機理、倍於聖人、亦可有成、六年之外、民可用也、皇侃云、亦可者、未全好之名、朱熹云、教民者教之孝弟忠信之行、務農講武之法、民知親其上、死其長、故可以即戎、

案、僖二十七年左傳曰、晉侯始入、而教其民二年、欲用之、子犯曰、民未知義、未安其居、於是乎出定襄王、入務利民、民懷生矣、將用之、子犯曰、民未知信、未宣其用、於是乎伐原以示之信、民易資者不

求豐焉、明徵其辭、公曰、可矣乎、子犯曰、民未知禮、未生其共、於是乎大蒐以示之禮、作執秩以正其官、民聽不惑、而後用之、出穀戍、釋宋圍、一戰而霸、文之教也、二十八年城濮之戰、晉侯登有莘之虛以觀師、曰少長有禮、其可用也、是忠信禮義戰之本也、然特教其本、而不知其法、未可以即戎、故先王因四時田獵、教民以金鼓旌旗之節、坐作擊刺之法、然則此及下章教民云者、必兼忠信禮義與進退分合坐作擊刺而言之、自文武分科、儒者忌言兵、不知古之賢士大夫、入相出將、未有不材兼文武者、故冉有教季氏守禦之法、雖古名將不能出其右、遂能以偏師入齊師、不素習而能乎、孔子言軍旅之事未之學者、特有爲而言焉耳、

子曰、以不教民戰、是謂棄之、馬融曰、言用不習民、使之攻戰、必破敗、是謂棄之也、皇侃云、民命可重、故孔子慎戰、所以教至七年、猶曰亦可、若不經教戰、而使之戰、是謂棄擲民也、

論語集說卷四終

論語集說卷五

日南　安井衡　著

憲問第十四

皇侃云、憲者、弟子原憲也、問者、問於孔子進仕之法也、所以次前者、顏路既允文允武、則學優者宜仕、故憲問次於子路也、邢昺云、此篇論三王二霸之迹、諸侯大夫之行、爲仁知恥、脩己安民、皆政之大節也、故以類相聚、次於問政也、翟灝云、侃敘篇次、自云受自師業、問恥之恥、似說爲仕、而經文仍正作恥、疏亦不以仕爲義、侃所宗凡十三家、此或其一家之別傳、故但存其說、不遽易其文耳、

案、先進至子路、多論門人才學德行、此篇多論列國士大夫之言、論語、孔子家書、先門人而後他人、又學而入官、古之道也、故以此篇次於子路、例與上論同、邦有道穀、仕進之法也、故又以憲問恥章首篇、皇侃云問進仕之法者、蓋謂經中穀字、非讀恥爲仕也、此章原思所自記、故書名、子罕篇牢曰章、琴張所自記、故書其名云牢曰、胡氏謂此篇原思所記、物徂徠謂下論成於原思、不知論語成於衆門人、論定篇次章第、有一定之法、無一人記一篇之理、況於全記下論乎、

憲問恥、子曰、邦有道穀、孔安國曰、穀、祿也、邦有道、當食其祿、皇侃云、將言可恥者、先舉不恥者也、物茂卿云、穀與祿殊、士曰穀、廩穀也、大夫以上曰祿、食土毛也、故王制曰、論定、然後官之、任官、然後爵之、爵位定、然後祿之、爵非大夫不稱、是以知之、然亦有通用者、不必拘焉、**邦無道穀、恥也、**孔安國曰、君無道、而在其朝、食其祿、是恥辱也、方觀旭云、謹以泰伯篇子曰、邦有道、貧且賤焉、恥也、邦無道、富且貴焉、恥也之文例之、邦有道穀、正是不貧且賤、何反得恥、若謂恥不能有爲、而但知食祿、則竊驗之往古、有道之世、君子在位、尸位素餐之輩、必不能倖位於朝、何有但知食祿之人也、故泰伯篇兩加恥也字、是二

事俱可恥、此憲問恥、子於邦有道穀下、無恥也一語、是推邦無道一語爲可恥矣、邦無道穀、即是富且貴也、彼此互證、孔注良是、

克伐怨欲不行焉、可以爲仁矣、馬融曰、克好勝人也、伐自伐其功也、怨忌小怨也、欲貪欲也、

子曰、可以爲難矣、仁則吾不知也、包咸曰、此四者行之難者、未足以爲仁也、皇侃云、仁者必不伐、不伐必有仁、顏淵無伐善、夷齊無怨、老子曰、少私寡欲、此皆是仁也、公綽之不欲、孟之反不伐、原憲蓬室不怨、則未及於仁、故云、不知也、焦循云、董子論仁曰、其事易、此孔子之恉也、我欲仁斯仁至矣、有能一日用其力於仁矣乎、我未見力不足者、皆以仁爲易也、故易傳云、易則易知、簡則易從、呂覽察微云、子貢贖人於諸侯、來而讓不取其金、孔子曰、賜失之矣、自今以往、魯人不贖人矣、取其金則無損於行、子路拯溺者、其人拜之以牛、子路受之、孔子曰、魯人必拯溺者矣、讓不取金、不伐不欲也、而贖人之路遂窒、孟子稱公劉好貨、大王好色、與百姓同之、使有積倉而無怨曠、孟子之學、全得諸孔子、此即己達達人、己立立人之義、必屏妃妾、減服食、而於百姓之肌寒、仳離漠不關心、則堅執也、故克伐怨欲不行、苦心絜身之士、孔子所不取、不如因己之欲、推以知人之欲、即己之不欲、推以知人之不欲、絜矩取事不難、而仁已至矣、絕己之欲、而不能通天下之志、非所以爲仁也、

案、穀祿之別、祿可以包穀、而穀不可以包祿也、焦以克伐怨欲不行焉、爲苦心絜身之士、是也、以難爲仁之反、則未是、可以爲難矣、謂行之不易、乃贊辭、非貶辭也、阮元云、克伐怨欲以下、毛本及朱子集注、別爲一章、今案克伐怨欲、毛本雖提行、其載邢疏、在包注未足以爲仁之下、則偶然筆誤、非別爲兩章也、

子曰、士而懷居、不足以爲士矣、何晏曰、士當志道不求安、而懷其居、非士也、皇侃云、懷居猶居求安也、君子居無求安、士也、若懷居非

爲士、物茂卿云、懷居、謂求安其居也、男子生而有四方之志、故懸弧於門、禮也、

案居謂家居、家居人所便安也、士當厲志脩身、以爲斯世之用、而柔惰無立、專懷家居、婦女之事也、安足以爲士哉、

子曰、國有道危言危行、包咸曰、危厲也、邦有道可以厲言行也、皇侃云、君若有道、必以正理處人、故民可以得嚴厲其言行也、邦無道危行言遜、何晏曰、遜順也、厲行不隨俗、順言以遠害也、江熙云、孔子曰、諾、吾將仕矣、此遜辭以遠害也、

案厲、磨厲也、磨厲利劍、小觸則傷、可謂危矣、故包訓危爲厲、士之磨厲言行亦當如此、故曰危言危行、皇以爲嚴厲之義、失之、

子曰、有德者必有言、何晏曰、德不可以憶中、故必有言也、皇侃云、既有德、則其言語必中、故必有言也、有言者不必有德、仁者必有勇、勇者不必有仁、皇侃云、殺身成仁、故必有勇也、

案、有言與有德對、謂有善言也、有善言、而直云有言者、猶謂有賢子爲有子、稱有人才云有人耳、何注憶中、用憶則屢中之語、言有德者、其言必中、若憶中、則不足以爲有德者、皇邢二疏、皆謂德不可以無言憶中、非何意也、

南宮适孔安國曰、适南宮敬叔、魯大夫也、陸德明云、适本又作括、邢昺云、此即南宮縚也、字子容、鄭注檀弓云、敬叔、魯孟僖子之子仲孫閱是也、問於孔子曰、羿善射、奡盪舟、孔安國曰、羿有窮國之君也、篡夏后相之位、其臣寒浞殺之、因其室而生奡、奡多力、能陸地行舟、爲夏后少康所殺、邢昺云、說文云、羿帝嚳射官也、賈逵云、羿之先

祖、世爲先王射官、故帝嚳賜羿弓矢、使司射。淮南子云、堯時十日並出、堯使羿射九日而落之。楚辭天問云、羿焉彃日、烏解羽。歸藏易亦云、羿彃十日。說文云、彃者射也。此三者言雖不經、難以取信、要帝嚳時有羿、堯時亦有羿、則羿是善射之號、非復人之名字。信如彼言、則不知此羿名爲何也。云篡夏后相之位者、襄四年左傳曰、昔有夏之方衰也、后羿自鉏遷於窮石、因夏民以代夏政。云其臣寒浞殺之、因其室而生奡、傳又曰、寒浞、伯明氏之讒子弟也。伯明后寒棄之、夷羿收之、信而使之、以爲己相。浞行媚于內、而施賂于外、愚弄其民、而虞羿于田、樹之詐慝、以取其國家、內外咸服。羿猶不悛、將歸自田、家衆殺而烹之。浞因羿室生澆及豷、是也。澆即奡也、聲轉字異、故彼此不同。云爲夏后相所殺者、哀元年左傳曰、昔有過澆殺斟灌以伐斟尋、滅夏后相、后緡方娠、逃出自竇、歸于有仍、生少康焉。爲仍牧正、惎澆能戒之。澆使椒求之、逃奔有虞、爲之庖正、以除其害。虞思於是妻之以二姚、而邑諸綸、有田一成、有衆一旅、能布其德、而兆其謀、以收夏衆、撫其官職。使女艾諜澆、使季杼誘豷、遂滅過戈、復禹之績。是也。過、澆國。戈、豷國。如彼傳文、當是

羿遂出后相、乃自立爲天子、相依斟灌斟尋、夏祚猶尚未滅、蓋與羿並稱王也。及寒浞殺羿、因羿室而生澆。澆已長大、自能用師、始滅后相、相死之後、始生少康。少康生杼、杼又年長、已堪誘豷、方始滅浞而立少康。計大康失邦、及少康紹國、向有百載、乃滅有窮。李惇云、陸地行舟、事之所無、說者多以罔水行舟傅會、不知是孔傳之謬。案、鄭注云、丹朱見洪水時人乘舟、今水已治、猶居舟中、頟頟使人推行之。蓋即從流忘反之意。又案、汲郡紀年載、奡與斟鄩戰、覆其舟。說與楚詞天問同、乃所謂盪舟也。**俱不得其死然。**孔安國曰、此二子者皆不得以壽終。邢昺云、然猶焉也。**禹稷躬稼、而有天下。夫子不答。**馬融曰、禹盡力於溝洫、稷播百穀、故曰躬稼。禹及其身、稷及後世、皆王。适意欲以禹稷比孔子、孔子謙、故不答也。**南宮适出。子曰、君子哉若人、尚德哉若人。**孔安國曰、賤不義而貴有德、故曰君子。皇侃云、若人、如此人也。

案、羿多諸說、孔氏取左傳而注之、其見卓矣。南宮适即仲孫閱、古者自命士以上、父子異宮、蓋适居南宮、故以爲氏。适一名閱、閱容同義、故名閱、字子容。邢以爲南宮縚、縚又作韜、韜、藏也、亦與閱義相近。蓋一人而三名也。奡盪舟、李說是也。紀年雖不足信、要出於戰國時、亦有可取者、此類是也。

子曰、君子而不仁者有矣夫、未有小人而仁者也。孔安國曰、雖曰君子、猶未能備。皇侃云、未能圓足、時有不仁。

子曰、愛之能勿勞乎、忠焉能勿誨乎。孔安國曰、言人有所愛、必欲勞來之、有所忠、必欲教誨之。陸德明云、勞力報反。

案、集注引蘇氏勞讀如字、是也。

子曰、爲命、裨諶草創之、孔安國曰、裨諶、鄭大夫氏名

也。謀於野則獲、謀於國則否。鄭國將有諸侯之事、則使乘適野、而謀作盟誓之辭。陸德明云、創、依說文是創夷字。刱制之字、當作刱。乘以、本今作乘車以。邢昺云、襄三十一年左傳云、子產之從政也、擇能而使之。馮簡子能斷大事、子大叔美秀而文、公孫揮知四國之爲、而辨於大夫之族姓、班位、貴賤、能否、而善爲辭令。裨諶能謀、謀於野則獲、謀於邑則否。鄭國將有諸侯之事、子產問四國之爲於子羽、且使多爲辭令、與裨諶乘以適野、使謀可否、而告馮簡子使斷之、事成、乃授子大叔使行之、以應對賓客、是以鮮有敗事。翟灝云、漢書人表卑湛、即裨諶。羣經音辨引鄭康成曰、卑諶草創之。阮元云、後漢書皇后紀下卑整、注引風俗通義云、卑氏、鄭大夫卑諶之後。是古本作卑也。漢書古今人表作卑湛、湛諶古字通用。依說文、當作煁、草創乃艸刱二字之假借。

世叔討論之、行人子羽脩飾之、東里子產潤色之。馬融曰、世叔、鄭大夫游吉也。討、治也。裨諶既造謀、世

叔復治而論之、詳而審之也、行人掌使之官也、子羽、公孫揮也、子産居東里、因以爲號、更此四賢而成、故鮮有敗事、物茂卿云、脩飾潤色、其義不同、蓋裨諶作草、世叔討論、而未定、經子羽之手、而後定、於是乎文成矣、故曰脩飾、子産之潤色、乃在文成之後也、斃其罪曰討、討論者駁其非之謂也、翟灝云、集注考證曰、古語世字與大字通用、如大子亦稱世子、衞大叔亦作世叔也、案、左傳云、應對諸侯則命辭命也、世叔即子大叔、世與大通、考證所引之外、猶有數條、今不贅焉、

或問子産、子曰、惠人也、孔安國曰、惠愛也、子産古之遺愛、皇侃云、子産卒、仲尼聞之、出涕曰、古之遺愛也、事在魯昭公二十年冬傳也、問子西、曰、彼哉彼哉、馬融曰、子西鄭大夫、彼哉彼哉、言無足稱也、或曰、楚令尹子西也、毛奇齡云、盧東原曰、春秋有二子西、其一鄭子駟之子公孫夏、子産之同宗兄弟也、其一楚公子申、則楚昭王之庶兄也、或人以子西與子産連問、且與上爲命節連記、則必是鄭之子西、可知、而先仲氏亦嘗曰、或人方物、當不出齊晉魯衞之鄉、荊楚曠遠、焉得連類、況其人皆在定哀以前、風徽未沫、可知論隣楚申、後夫子而死、安能及之、其說甚確、又云、埤倉曰、彼者邪也、彼者省作彼字、而廣韻集韻遂各收彼字、在上紙韻、且各引論語彼哉彼哉爲證、于是傅會之家、遂謂魯論舊本原是彼字、然按公羊定八年、陽虎謀弑季氏、不得、見公斂處父之甲、瞰而曰、彼哉彼哉、則彼本如字、且陽虎時未有魯論、此必古成語、而夫子引以作荅者、問管仲、曰、人也、鄭玄曰、猶詩言所謂伊人也、奪伯氏駢邑三百、飯疏食、沒齒無怨言、孔安國曰、伯氏、齊大夫、駢邑地名、齒年也、伯氏食邑三百家、管仲奪之、使至疏食、而沒齒無怨言、以當其理也、皇侃云、伯氏名偃、大夫、時伯氏有罪、管仲相齊、削奪伯氏之地三百家也、

朱熹云、蓋桓公奪伯氏之邑、以與管仲、伯氏自知己罪、而心服管仲之功、故窮約以終身、而無怨言、荀卿所謂與之書社三百、而富人莫之敢拒者、即此事也、伊藤源佐云、家語載子路問管仲之爲人如何、子曰、仁也、則人字本仁字之誤明矣、孔廣森云、子國曰、管仲奪之、此奪義如八挩之奪、蓋伯氏有罪、管仲削其駢邑、非奪以自益之謂也、漢晉春秋曰、昔管仲奪伯氏駢邑三百、沒齒而無怨言、聖人以爲難、諸葛亮之使廖立垂泣、李平致死、豈徒無怨言而已哉、習氏引喩正合經旨、駢邑者、即春秋齊襄公所取於紀之郱也、續漢郡國志臨朐有古郱邑、應劭云、伯氏邑也、凡土地字从邑、多後人所加、焦循云、君云、聖人以爲難、則連下貧而無怨爲一章、方觀旭云、孔注云、伯氏食邑三百家、鄭注云、三百家、齊下大夫之制、今證之易、訟卦云、其邑人三百戶、鄭注謂下大夫采地方一成、其定稅三百家、則伯氏齊下大夫也、國語吳語曰、寡人其達王於甬句東、夫婦三百、有夫有婦、然後爲家、亦是三百家也、可以爲此食邑三百之證、論語鄭注見宋本禮記疏、案、子西當以鄭大夫爲正、人也、家語作仁也、仁齊從之、不知家語王肅僞撰、肅忌康成之精博、務欲排之、而力不能及焉、於是僞撰家語孔叢子之屬、託諸古人、以破之、此作仁也、亦其所臆造耳、此注邢本爲何晏、今從皇本、皇云、伯氏有罪、管仲相齊、削奪伯氏之地三百家、其言極是、若桓公奪之以與管仲、不當謂之管仲奪之、且以人情言之、伯氏若怨、當怨奪邑者、不宜怨受所奪之邑者、管仲受伯氏之邑於桓公、則伯氏之無怨言、未足以爲管仲之美也、

子曰、貧而無怨難、富而無驕易、王肅曰、貧者善怨、富者善驕、二者之中、貧者人難使不怨也、江熙云、顔原無怨、不可及也、若子貢不驕、猶可能也、案、此章諸本並無注、唯足利古本載此注、今且從之、

子曰、孟公綽爲趙魏老則優、不可以爲滕薛大夫也、

孔安國曰、公綽魯大夫、趙魏皆晉卿、家臣稱老、公綽性寡欲、趙魏貪賢、家老無職、故優、滕薛小國、大夫職煩、故不可爲、

子路問成人、子曰、若臧武仲之智、馬融曰、魯大夫臧孫紇也、皇侃云、齊侯將爲臧紇田、臧孫聞之、見齊侯、與之言伐晉、對曰、多則多矣、抑君似鼠、夫鼠晝伏夜動、不穴於寢廟、畏人故也、今君聞晉之亂而後作焉、寧將事之、非鼠如何、乃弗與田、臧孫知齊侯將敗、不欲受其邑、故以比鼠、欲使怒而止、仲尼曰、智之難也、有臧武仲之智、謂能避齊禍、而不容於魯國、抑有由也、作不順、而施不恕也、夏書曰、念茲在茲、順事恕施也、此是智也、公綽之不欲、馬融曰、魯大夫孟公綽也、卞莊子之勇、周生列曰、卞邑大夫也、皇侃云、莊子能獨格虎、一云、卞莊子與家臣卞壽途中見兩虎共食一牛、莊子欲前以劍揮之、家臣曰、牛者虎之美食、牛盡、虎之未飽、二虎必鬬、大者傷、小者亡、然後可以揮之、信而從之、果如卞壽之言也、孔廣森云、卞莊子始末、不見于左傳、疑即孟莊子也、襄十六年、齊侯圍成、孟孺子速徼之、齊侯曰、是好勇、去之、以爲之名、速遂塞海陘而還、是孟莊子有勇名、或嘗食采于卞、因以爲號、若合左師、菅成叔之比、荀子云、齊人欲伐魯、忌卞莊子、不敢過卞、與上事亦相似、鄭注以爲秦大夫、誤矣、卞本魯邑、檀弓、卞人有其母死而孺子泣者、即此卞也、按左傳齊歸弁孟穆伯之喪、卞人以告、則卞爲孟氏之私邑、非無稽云、冉求之藝、文之以禮樂、孔安國曰、加之以禮樂文成也、亦可以爲成人矣、皇侃云、言備有上四人之才、賀又須加禮樂以文飾之也、亦可未足之辭、伊藤源佐云、言若四子之長、皆足以立世成名、而復以禮樂文之、則救偏補闕、足以當成人之名、舊注以謂兼四子之長、非也、是蓋聖人所不能、豈可望之於學者乎、物茂卿云、仁齊先生可謂善解論語已、但救偏補闕、是仁齊亦不識禮樂也、文之以禮樂、納諸先王之道也、文之云者、非以丹青塗其

撲之謂、養之成器、而後煥然可觀也、是豈但救偏補闕之謂哉、曰、今之成人者何必然、見利思義、馬融曰、義然後取、不苟得也、皇侃云、曰者謂也、向之所答、是說古之成人耳、若今之成人、亦不必然也、翟灝云、經傳中同一段言、別起曰字、往往有之、不必定謂之衍、見危授命、久要不忘平生之言、亦可以爲成人矣、孔安國曰、久要舊約也、平生猶少時也、

案、皇侃而下、皆以成人爲兼四人之長、而文之以禮樂、仁齊破之、其見卓矣、但救偏補急之說、實不知禮樂之效、徂徠駁之是也、今之成人以下語、更端、故以曰字起之、本無足疑者、或以爲衍文、或以爲子路之言、均之無稽之談耳、孔廣森以卞莊子爲孟孺子速、予亦嘗於左傳有此說、是也、

子問公叔文子於公明賈曰、信乎夫子不言不笑不取乎、孔安國曰、公叔文子衛大夫公孫拔也、文謚也、陸德明云、公孫拔皮八反、阮元云、禮記檀弓下、公叔文子卒、鄭君注、文子、衛獻公之孫、名拔、拔或作發、疏引世本、亦作拔、各本並誤拔、獨皇本作拔、不誤、公明賈對曰、以告者過也、夫子時然後言、人不厭其言、樂然後笑、人不厭其笑、義然後取、人不厭其取、子曰、其然、豈其然乎、馬融曰、美其得道、嫌其不能悉然、皇侃云、然、如此也、言今女所說者、當如此也、豈其然乎者、謂人所傳三事、不言不笑不取、豈容如此乎、一云、其然、是驚其如此、豈其然乎、其不能悉如此也、袁氏云、其然、然之也、此則善之者、恐其不能、故設疑辭、

案、皇本言下笑下取下、俱有也字、今從邢本集注、公孫枝、朱子原本亦作公孫拔、吳程音皮八反、見于錢大昕養親錄、

子曰、臧武仲以防求爲後於魯、雖曰不要君、吾不信

也、孔安國曰、防武仲故邑也、爲後立後也、魯襄公二十三年、武仲爲孟氏所譖、出奔邾、自邾如防、使爲以大蔡納請曰、紇非能害也、智不足也、非敢私請、苟守先祀、無廢二勳、敢不避邑、乃立臧爲、紇致防而奔齊、此所謂要君也、皇侃云、二勳是臧文仲宣叔也、物茂卿云、孔安國孝經傳曰、要約勒也、

子曰、晉文公譎而不正、鄭玄曰、譎者詐也、謂召天子而使諸侯朝之、仲尼曰、以臣召君、不可以訓、故書曰、天王狩於河陽、是譎而不正也、皇侃云、譎詭詐也、物茂卿云、奇變百出、謂之譎、堂堂正正、謂之正、奇變百出、求勝於人者也、堂堂正正者、求不見勝者也、齊桓公正而不譎、馬融曰、伐楚、以公義責包茅之貢不入、問昭王南征不還、是正而不譎也、邢昺云、昭王、成王之孫、南巡狩涉漢、船壞而溺、禹貢、荊州、包匭菁茅、郊特牲云、縮酌用茅、鄭玄云、涉之以茅、縮去滓也、周禮甸師、祭祀共蕭茅、鄭興云、蕭字或爲莤、莤讀爲縮、束茅立之、祭前沃酒其上、酒滲下去、若神飮之、故謂之縮、縮浚也、特令荊州貢茅、必當異於餘處、但更無傳說、沈氏云、大史公封禪書云、江淮之間、一茅三脊、舊說皆言漢濱之人、以膠膠船、故得水而壞、昭王溺焉、不知本出何書、顧炎武云、問昭王不還者、蓋齊侯以爲楚罪而問之、翟灝云、漢書鄒陽傳引孔子曰、齊桓公法而不譎、風俗通義皇霸卷、孔子曰、齊桓正而不譎、晉文譎而不正、上下易置、又省兩公字、

案、桓文之事、具見於左氏傳、合而觀之、正之與譎、用兵行事皆有之、馬鄭擧温之會、與伐楚之役者、標其大者也、然二霸以力假仁、則正譎之辨、於用兵上稍多、朱子引伐衛以致楚之事、以證文公之譎、則亦以爲用兵解矣、

子路曰、桓公殺公子糾、召忽死之、管仲不死、曰未仁乎、孔安國曰、齊襄公立無常、鮑叔牙曰、君使民慢、亂將作矣、奉公子小白、出奔莒、襄公從弟公孫無知殺襄公、管夷吾召忽奉公子糾、出奔魯、齊人殺無知、魯伐齊納子糾、小白自莒先入、是爲桓公、乃殺子糾、召忽死之、皇侃云、桓公是齊僖公之庶子、名小白也、子糾是桓公之庶兄、召忽是子糾之傅、子糾見殺、故召忽赴敵而同死、一云、召忽投河而死、翟灝云、四書辨疑曰、曰字羨文、子曰、桓公九合諸侯、不以兵車、管仲之力也、如其仁、如其仁、孔安國曰、誰如管仲之仁、皇侃云、史記云、兵車之會三、乘車之會六、穀梁傳云、衣裳之會十一、范寧注云、十三年會北杏、十四年會鄄、十五年又會鄄、十六年會幽、二十七年又會幽、僖元年會檉、二年會貫、三年會陽穀、五年會首戴、七年會甯母、九年會葵丘、凡十一會、鄭不取北杏及陽穀爲九會、毛奇齡云、九合是九數、與下章一匡天下一數作對、如呂覽一匡天子、九合諸侯、王逸注楚詞、九合諸侯、一匡天子、兩作對語、可驗、若據左傳僖二十六年、齊伐我北鄙、公使展喜搞師、曰桓公糾合諸侯而謀其不協、則九與糾字、果是相通、然此是九通糾、非糾通九也、翟灝云、案自公穀以來、俱謂九爲實數、周秦兩漢人、以九合一匡作偶語者、又如此之多、(越絕書、韓非子、韓詩外傳、大戴禮、[illegible]　風俗通、論衡、中論、百三名家集、[illegible])(一匡作對語、凡二十二條、詳見四書考異、文長不載、)釋文中九字無音、則凡朱子前諸儒、俱如字讀、未有因左傳一據、遂欲改文爲糾者也、左傳亦嘗見九合字、襄公十一年、晉侯謂魏絳曰、子教寡人、八年之中、九合諸侯、蓋晉悼公復有九合之事、而先儒亦按實訓之、國語載晉悼謂魏絳作七合諸侯、昭公元年、祁午謂趙文子、則曰子相晉國、以爲盟主、再合諸侯、三合大夫、再三與七、斷必爲數、則九字尤無可疑焉、

案、凡論孟擧事實而論之、論上必置曰字、此當言子路曰、以其爲弟子問師之語、事實上先置子路

曰、故下不復言子路、特置曰字、以別事實與議論、曰字非衍、下章以議論起之、故子貢曰外、別無曰字、不得以此相難、案左傳桓公凡十四會、范寗所舉之外、猶有僖十三年鹹之會、十五年牡丘之會、十六年淮之會、十三年傳云、夏會于鹹、淮夷病杞故、且謀王室也、十五年傳云、盟于牡丘、尋葵丘之盟、且救徐也、十六年傳云、會于淮、謀鄫、且東略也、則是三會必有兵車、故范不數之、鄭不取北杏及陽穀者、莊十三年傳云、春會于北杏、以平宋亂、冬宋人背北杏之盟、僖三年傳云、秋會于陽穀、謀伐楚也、則是二會疑亦有兵車、餘適爲九合、二十六年傳、桓公是以糾合諸侯、而謀其不協、彌縫其闕、而匡救其災、昭舊職也、是糾合自下不協中生、毛謂通九、非也、如其仁、孔云、誰如管仲之仁、案說文、誰何也、子路以管仲不死糾、爲未仁、則以召忽死之爲仁矣、孔子承其意而荅之、言召忽之於糾、殺身以爲仁矣、然未如管仲佐桓公九合諸侯、不以兵車之仁、徧被天下也、故孔注之云、誰如管仲之仁、言召忽死糾之仁、何如管仲九合諸侯之仁也、自邢昺訓誰爲孰、後儒爲其說所囿、意嫌孔子過許管仲、於是仁人仁功之說、紛然並興、千載而未已、一字謬解、遺誤後世、如此、可不慎乎、

子貢曰、管仲非仁者與、桓公殺公子糾、不能死、又相之、子曰、管仲相桓公、霸諸侯、一匡天下、馬融曰、匡正也、天子微弱、桓公率諸侯、以尊周室、一正天下、鄭玄云、天子衰、諸侯興、故曰霸、霸者把也、言把持王者之政教、故其字或作伯、或作霸也、民到于今受其賜、何晏曰、受其賜者、謂不被髮左衽之惠也、微管仲、吾其被髮左衽矣、馬融曰、微無也、無管仲、則君不君、臣不臣、皆爲夷狄、皇侃云、被髮不結也、左衽衣前從右來向左也、豈若匹夫匹婦之爲諒也、自經於溝瀆、而莫之知也、王肅曰、經經死於溝瀆之中也、管仲召忽之於公子糾、君臣之義未正成、故死之、未足深嘉、不死、未足多非、死事既難、亦在於過厚、故仲尼但美管仲之功、亦不言召忽不當死也、皇侃云、諒信也、溝瀆小處、非宜死之處也、君子直而不諒、事在濟時濟世、豈執守小信、自死於溝瀆、而世莫知者乎、喻管仲存於大業、不爲召忽守小信、而或云、召忽投河而死、故云溝瀆、或云、自經自縊也、白虎通云、匹夫匹婦者、謂庶人也、言其無德及遠、但夫婦相爲配匹而已、物茂卿云、孔子之取管仲、以其仁而已矣、必以小白兄子糾弟者、不知道者也、蓋以子糾爲弟者、自薄昭始、其言出於一時諱避之爲、而後人弗之察已、子糾兄、而小白弟、章章乎明哉、毛奇齡云、春秋傳書、齊小白入于齊、書齊人取子糾殺之、而公羊曰、子糾貴、宜爲君者也、公羊曰簒、穀梁曰不讓、皆以糾兄白弟之故、故經又穀梁以爲病魯不能庇糾而存之、皆以兄弟次第爲言、故荀卿有云、桓公殺兄以反國、又云、前事則殺兄而爭國、史記又云、襄公次弟糾、次弟小白、杜元愷作左傳注、亦云、小白僖公庶子、公子糾小白庶兄、即管

子自爲書、其所著大匡篇首曰、齊僖公生公子庶兒、公子糾、公子小白、鮑叔傅小白、辭疾不出、以爲棄我、蓋以小幼而賤、鮑叔不欲爲傅故也、觀此、則糾兄白弟明矣、

案、霸、說文、月始生霸然也、玉篇今作魄、目能視物、耳能聽聲、口能辨味、鼻能齅臭、皆謂之魄、尚書又有旁死魄之文、皆明義也、則霸謂月中明處、王者位權偕具、譬猶日、五伯有權而無位、譬猶月、故謂之霸、與自僞古文安造哉生明之語、遂以魄爲月中黑處、故後儒不喻霸字之義耳、春秋成二年傳、五伯之霸也、是伯與霸別、蓋伯以位而言、霸以權而言、其事則同、而其所以得名則殊矣、經死見於古書、唯此與國語、先儒相承、訓經爲縊、然徧檢字書、未見經有縊義、皇侃疏此經云、或云、自經、自縊也、晉語云、申生乃雉經於新城之廟、韋昭云、雉經、頭搶而縣死、釋名云、屈頸閉氣曰雉經、如雉之爲也、皆解文義、而不釋經所以訓縊、今案周禮地官封人、凡祭祀飾其牛牲、置其絼、鄭司農云、絼著牛鼻繩、所以牽牛者、今時謂之雉、與古者名同、是雉與絼通、其長蓋三丈、故城地三丈、亦謂之雉、經蓋

與頸通、雉經即縊頸之假借、謂以繩縛頸、而縣死、劉熙雖誤解、亦轉經爲頸、可見經爲頸之假借也、此雖無縊字、下云溝瀆、則亦自縊、非刎頸也、此章舍小節而取大功、聖意甚明、宋儒嫌其涉功利、遂主張薄昭諱避之言、至云若使桓弟而糾兄、聖人之言、無乃害義之甚、啓萬世反覆不忠之亂乎、不知當時無管仲、夷狄蹂躪、禹域之民、殆無孑遺、聖人之仁、天覆地載、豈忍惡失一節、而沒其功哉、況糾與小白、俱爲庶子、皆未立爲太子、兄弟有友于之義、即令兄殺弟、其罪差末減云爾、安得爲非君讎哉、孔子不言管仲無罪、而專稱其功、又不言召忽不當死、實萬世不易之法、而謂害義而啓不忠之源、豈非無忌憚之甚邪、

公叔文子之臣大夫僎、與文子同升諸公、孔安國曰、大夫僎本文子家臣、薦之、使與己並爲大夫、同升在公朝、邢昺云、諸、之也、皇侃云、諸、於也、**子聞之曰、可以爲文矣、**孔安國

曰、言行如是、可諡爲文也、邢昺云、孔子聞其行如是、故稱之曰、可以諡爲文矣、以諡法錫民爵位曰文故也、伊藤源佐云、文子之薦僎、纔一事之善耳、然其得美諡如此、則忘己薦賢之爲美德、從而可知矣、

案、小爾雅、諸之乎也、諸字有之於及之乎三訓、此訓於爲是、

子言衞靈公之無道也、康子曰、夫如是、奚而不喪、孔子曰、仲叔圉治賓客、祝鮀治宗廟、王孫賈治軍旅、夫如是、奚其喪、孔安國曰、言君雖無道、所任者各當其才、何爲當亡乎、陸德明云、子曰衞靈公、一本作子言、鄭本同、朱熹云、喪、失位也、仲叔圉即孔文子也、

案、孔易喪爲亡、蓋亦謂失位出奔、何則衞亦千乘之國、康叔武侯之德猶存、雖一君無道、未至遽亡其國也、皇邢二疏、釋亡爲亡國、非孔意也、皇本作子曰衞靈公之無道久也、今從邢本、

子曰、其言之不怍、則爲之也難、馬融曰、怍、慙也、內有其實、則言之不慙、積其實者、爲之難、王弼云、情動於中、而外形於言、情正實、而後言之不怍、朱熹云、大言不慙、則無必爲之志、而不自度其能否矣、欲踐其言、豈不難哉、

案、朱義美矣、然解不怍爲慎言之義、於辭未妥、且特慮爲之之難、以慎其言、恐亦非有志者也、古注使人勉爲之之難、以至言之不慙、似長、

陳成子弒簡公、孔子沐浴而朝、告於哀公曰、陳恆弒其君、請討之、馬融曰、陳成子、齊大夫陳恆也、將告君故先齊、齊必沐浴、皇侃云、此告哀公之事也、哀公言齊爲齊弱久矣、子之伐之、將若之何、對曰、陳恆殺其君、民不與者半、以魯衆加齊之半可克、是孔子對曰也、陸德明云、弒本又作殺、同、音試、

公曰、告夫三子、孔安國曰、謂三卿也、**孔子曰、以吾從大夫之後、不敢不告也、君曰告夫三子者、**馬融曰、我禮當告君、不當告三子、君使我往、故復往、邢昺云、嘗爲大夫、而去、故云從大夫之後、**之三子告、不可、孔子曰、以吾從大夫之後、不敢不告也、**馬融曰、孔子由君命之三子告、不可、故復以此辭語之而止、陸德明云、之三子、本或作二三子非也、邢昺云、左傳錄此事、與此小異、此云沐浴而朝、彼云齊而請、此云公曰告夫三子、彼云公曰子告季孫、禮齊必沐浴、三子季孫爲長、各記其一、故不同耳、此又云之三子告、彼無文者、傳是史官所錄、記其與君言耳、退後別告三子、惟弟子知之、史官不見其告、故傳無文也、物茂卿云、朱注所引胡氏所謂先發後聞可也、本在胡傳宋公陳侯蔡人衞人伐鄭之事、引孔子此事、而繼之曰、鄰有弒逆、聲罪致討、雖先發後聞可也、詳其文、非謂孔子而

朱子剿其說載此、可謂謬矣、毛奇齡云、孔子請討事見左傳、陳恒弑其君壬于舒州、孔子三日齊、而請伐齊三、公曰、魯爲齊弱久矣、子之伐之、將若之何、對曰、陳恒弑其君、民之不與者半、以魯之衆、加齊之半、可克也、公曰、子告季孫、孔子辭退而告人、曰吾以從大夫之後也、故不敢不告、魯史記當時在朝問對、與魯論所載相爲表裏、第魯爲齊弱一段、論語無之者、朝堂語算、私記所略也、之三子告一段、魯史無之者、退有後言、史官未聞也、其兩相得體如此、若夫子所云民之所與、暨以衆加半諸語、則正答魯爲齊弱一問、有解君之疑、振君之怯、忻君之利、誘君之瞻顧、而予以可特一舉而數善備者、此正大聖人經術不迂濶、處夫君臣主客、各有膈膜、在哀公強弱一問、裁計彼此、此不必盡庸君退諉之言、設果欲與師、則此時愼重、量己量敵、正非易事、必以三綱大義拒之、則不惟理勢難辨、且于子之伐之一問、告東指西、不相當矣、入縱不詔君、亦何可使問答不當如此、方觀旭云、之三子告、當出就三子之朝位而語之、非至其家也、攷周官禮、宰夫掌治朝之法、以待諸臣之復萬民之逆、司士正朝儀之位、王南鄉、三公北面東上、孤東面北上、卿大夫西面北上、王入內朝、皆退、又禮玉藻云、朝辨色始入、君日出而視之、退適路寢聽政、使人視大夫、大夫退、然後適小寢釋服、據此則孔子告哀公討陳恒、先與諸臣朝於路寢門外之治朝、俟君退、乃由宰夫復於路寢、陳言討罪之事、斯時大夫未退、故孔子出就其位而告之、國政議於朝也、不然、孔子嘗曰、其事也、以私家不宜圖國政、何屑至其家而謀邪、

案、孔子雖致仕、魯人尊其聖德、猶待以大夫、故云從大夫之後、詳見于顏淵篇、章中三子、皇本皆作二三子、二三子不指定之辭、此明指三家、今從邢本、此章本無可疑者、自朱子集注引程胡二氏之說、駁之者環視而起、而其義未悉、今試論之、程子云、上告天子、下告方伯、而率與國以討之、宋儒討罪之策、常不出於此數語、然當時天子微弱、吳晉方爭、而又有於越之難、宋衛鄭諸國、亦各有內亂外寇、殆不暇自救、三家猶不肯聽孔子之言、假令孔子告之天子方伯、果肯從其言而討齊乎、即不聽、將中止而待其首肯而出師乎、抑不顧成敗利鈍、獨率魯國之師而討之乎、夫戰大事也、國之存

亡、人之死生係焉、故聖人尤愼之、若謀其義、而不謀其力、雖師敗國危、猶必聲其罪而討之、無乃重討鄰國之賊、而輕其君之社稷乎、胡氏云、弑君之賊、人得而討之、是在其臣子、固宜然、若他邦之人、力能討則討之、否則教民脩備、以待可討之機、必不輕舉妄發以敗其君事也、至於先發後聞可也、不唯侮聖人之言、殆有不可解者焉、是時孔子年七十餘、致仕無職、雖欲先發後聞、無士卒可率、豈欲其率門人、致死於齊、而伸討賊之義邪、孔子明言以吾從大夫之後、不敢不告、則令孔子不從大夫之後、意雖欲討、亦不敢告、其意甚明、而以不先發後聞爲孔子之過、雖曰非僭妄、吾不信焉、故左氏所記、哀公之問、孔子之荅、在當時尤爲切要之言、學者思之、

子路問事君、子曰、勿欺也、而犯之、孔安國曰、事君之道、義不可欺、當能犯顏諫爭也、皇侃云、事君當先盡忠、而不欺也、君若有過、則必犯顏而諫之、禮云、事君有犯而無隱、事親有隱而無犯、

案、新書道術篇、仁義脩立、謂之任、反任爲欺、皇云、當先盡忠、而不欺、盡忠即任也、子路之賢、不憂欺詐其君、但性好勇、有時以不知爲知、是以思慮不周悉、於事或有所未盡、此亦欺君也、故孔子以此誨之、

子曰、君子上達、小人下達、何晏曰、本爲上、末爲下、皇侃云、上達者、達於仁義也、下達謂達於財利、物茂卿云、表記曰、事君不下達、不尚辭、非其人弗自、小雅曰、靖共爾位、正直是與、神之聽之、式穀以女、是蓋以事君言之、與上章相比、達如圭璋特達之達、謂通於君也、致諸儀禮、昏禮下達、納采用鴈、鄭注、將欲與彼合昏姻、必先使媒氏下通其言、女氏許之、乃後使人納其采擇之禮、是謂內通爲下達也、蓋君子之通於君以禮、故曰上達、小人則無通於君之禮、故私通於君、以禮、

案、物說是也、但以小人爲細民、則未是、上達猶顯達也、下達猶陰達也、昏禮下達者、未知女氏肯否、

故先使媒氏陰通合昏之意、故謂之下達、小人之求仕、媚於竈、諂於內、使陰通求仕之意於君、然後始能得官、所謂乞哀暗夜、誇人白日、故亦謂之下達、言其所爲、猶媒氏合二姓之好也、君子之仕也、不由左右、直達於君、其事顯明、無所隱匿、否則不敢進、故謂之上達、凡爲君者、於人臣求仕之際、以是二者察之、君子小人之辨、不待任事而知之矣、國之治亂、由君子小人之消長、故孔子標之、以示於後世爲君相者、聖人之憂世、可謂至深切矣、

子曰、古之學者爲己、今之學者爲人、孔安國曰、爲己、履道而行之、爲人、徒能言之也、焦循云、荀子、入乎耳、著乎心、爲己也、入乎耳、出乎口、爲人也、入耳出口、故徒能言之、北堂書鈔引新序云、齊王問墨子曰、古之學者爲己、今之學者爲人、何如、對曰、古之學者、得一善言、以附其身、今之學者、得一善言、務以悅人、

案、皇侃釋爲人云、爲人、言己之美、爲字雖粗通、仍是爲己、特有名實之異而已、孔注爲字極穩、又與荀墨合、唯古人能識古言、故其言如合符節矣、

蘧伯玉使人於孔子、孔子與之坐而問焉、孔安國曰、伯玉、衛大夫蘧瑗也、曰、夫子何爲、對曰、夫子欲寡其過而未能也、何晏曰、言夫子欲寡其過、而未能無過、使者出、子曰、使乎使乎、陳羣曰、再言使乎、善之也、言使得其人、毛奇齡云、伯玉見于春秋、在襄十四年、衛孫林父甯殖將逐君、問于蘧伯玉、伯玉不對而出、則此時已爲大夫、且爲逆臣所敬憚如此、此必在強仕之年、可知矣、乃後此九年、而夫子始生、又六十餘年、當定公十四年、夫子去魯之後、再三適衛、始主伯玉家、則此時伯玉已百年餘矣、蔡邑釋謚云、蘧瑗保生、此長年之證、

子曰、不在其位、不謀其政、曾子曰、君子思不出其位、孔安國曰、不越其職也、皇侃云、誠人各專己職、不得濫謀圖他人之政也、毛奇齡云、舊本合爲一章、惟夫子既言位分之嚴、故曾子引夫子贊易之詞、以爲證、此與牢曰、子云、吾不試故藝、正同、其不署子云者、以彼有大宰子貢諸語、故加子云以別之、此不必也、自後儒分作兩章、則曾子突引此詞、無謂、

案、孫志祖、翟灝、阮元諸人、亦同毛說、然孔子之言何待證明、牢云引夫子之言、以證大宰所以稱多能、與此自別、朱子分爲兩章、似長、或疑艮卦象辭多以字、不知象辭自卦象出、故皆以以字承卦象、此無所承、故無以字耳、

子曰、君子恥其言之過其行也、皇侃云、君子之人、顧言愼行、若空出言、而不能行過、是言過其行也、君子恥之、邢昺云、君子言行相顧、若言過其行、謂有言而行不副、君子所恥也、阮元云、皇本高麗本而作之、行下有也字、潛夫論交際篇、孔子疾夫言之過其行者、亦作之字、

案、此章無注、以其不待解也、若之作而、文義差暌、漢儒不容不注、且詳皇邢二疏、分明是之字、邢本作而者、後人轉寫之誤耳、今從皇本、

子曰、君子道者三、我無能焉、仁者不憂、智者不惑、勇者不懼、子貢曰、夫子自道也、皇侃云、孔子曰無、而實有也、故子貢曰、孔子自道說、江熙云、聖人體是極於冲虛、是以忘其神武、遺其靈智、遂與衆人齊其能否、故曰、我無能焉、子貢識其天眞、故曰、夫子自道也、

案、聖人知德無窮、自視常歉然、故曰、我無能焉、此其所以日進不止也、自子貢視之、三德盡備、故曰、夫子自道也、言仁者不憂、智者不惑、勇者不懼、皆夫子所能、是自道說其身也、

子貢方人、孔安國曰、比方人也、皇侃云、子貢以甲比乙、論彼此之勝劣者也、陸德明云、鄭本作謗、謂言人之過惡、子曰、賜也賢乎哉、夫我則不暇、

孔安國曰、不暇比方人也、

案、賢乎哉、皇本作賢乎我夫哉、然疏中釋經則云、故抑之云、賢乎哉、是其經原與邢本同、今本誤寫耳、今從邢本、

子曰、不患人之不己知、患己無能也、王肅曰、徒患己之無能也、

案、邢本作患其不能也、然注及疏中釋經、並作己無能、今從皇本、

子曰、不逆詐、不億不信、抑亦先覺者是賢乎、孔安國曰、先覺人情者、是寧能爲賢乎、或時反怨人也、李充云、物有似眞而僞、亦有似僞而眞者、信僭則懼及僞人、詐濫則懼及眞人、寧信詐、則爲教之道弘也、人而無信、不知其可也、然閑邪存誠、不在善察、若見失信於前、必億其無信於後、則容長之風虧、而改過之路塞矣、億音憶、皇侃云、言若逆詐及億不信者、此乃是先少覺人情者耳、寧可謂是爲賢者之行乎、朱熹云、逆未至而逆之也、億未見而意之也、詐謂人欺己、不信謂人疑己、抑反語辭、言雖不逆不億、而於人之情僞、自然先覺、乃爲賢也、

案、孔氏謂不逆詐、不億不信、以至誠待物、聖人之道也、抑亦以先覺人之情僞者爲是賢乎、此特好察察之明者耳、非賢者也、其義誠然、然未若朱說最得此章之意也、不信、李充爲無信、朱子爲不信己、朱說亦是、

微生畝謂孔子曰、丘何爲是栖栖者與、無乃爲佞乎、包咸曰、微生、姓也、畝、名也、陸德明云、丘何或作丘何爲、鄭作丘何是、本今作丘何爲是、皇侃云、微生畝見孔子東西遑遑、屢適不合、故呼孔子名而問之也、言丘何是爲此栖栖乎、將欲行詐佞之事於時世乎、邢昺云、栖栖猶遑遑也、朱熹云、畝名呼夫子、而辭甚倨、蓋有齒德而隱者、鄭曉云、

微生畝、微生高一人、畝名、高字也、翟灝云、栖字漢人多通作棲、班固荅賓戲云、棲棲遑遑、孔席不煖、後漢書蘇竟云、仲尼棲棲、墨子遑遑、孔子曰、非敢爲佞也、疾固也、包咸曰、病世固陋、欲行道以化之、

案、佞、口才也、微生畝隱者、見孔子東西栖栖、疑尚辭以干時君、心非之、故云、無乃爲佞乎、固、執滯不通也、孔子知畝意、乃荅云、我非敢爲佞、以干時君、若知道不行、而棄世絕物、是執滯不通也、我疾其害仁、是以栖栖不已耳、畝言甚倨、而孔子荅之甚恭、蓋鄉先生、而與孔子素相識者、參之衍黃原壞等之章、其義自明、

子曰、驥不稱其力、稱其德也、鄭玄曰、德者調良之謂、皇侃云、驥者馬之上善也、于時輕德重力、故孔子引譬抑之也、

案、皇本作謂調良之德也、今從邢本、

或曰、以德報怨、何如、子曰、何以報德、何晏曰、德、恩惠之德也、朱熹云、或人所稱、今見老子書、翟灝云、道德經恩始章、大小多少、報怨以德、以直報怨、以德報德、

案、直以待怨耳、非所謂報也、而必言報者、承或人報怨之詞也、古人問荅之道爲爾、

子曰、莫我知也夫、子貢曰、何爲其莫知子也、何晏曰、子貢怪夫子言、何爲莫知己、故問、皇侃云、子貢怪夫子有此言、云何謂莫知子乎、何爲猶若何也、子曰、不怨天、不尤人、馬融曰、孔子不用於世、而不怨天、人不知己、亦不尤人也、下學而上達、孔安國曰、下學人事、上知天命、物茂卿云、下謂今、上謂古也、謂學先王之詩書禮樂、而達先王之心也、大宰純云、下學猶下問也、戰國策云、不愧下學、義亦同耳、上達言其所知、上

達於先聖王之道也、知我者其天乎、何晏曰、聖人與天地合其德、故曰、唯天知己也、邢昺云、此易乾卦文言文也、合其德者、謂覆載也、引之者、以證天知夫子者、以夫子聖人、與天地合德故也、物茂卿云、不怨天、不尤人、下學而上達、是孔子自道也、其爲人也、若是、故天命孔子、以傳先王之道於後世、而不使行道於當世、是天之知孔子也、

案、莫我知也夫、孔子歎世主無知己而用之也、子貢以爲謂凡人無知己、而當時天下之人、皆知孔子爲大聖人、故云、何謂其無知子也、下學、大宰純謂猶下問、是也、他日子貢荅衞公孫朝曰、文武之道、未墜於地、在人、賢者識其大者、不賢者識其小者、莫不有文武之道焉、夫子焉不學、而亦何常師之有、即所謂下學而上達之事也、不怨天、不尤人、君子不遇世者之事、而下學而上達、益明其德、以使傳斯道於萬世、是天知孔子而命之以此也、故曰、知我者其天乎、

公伯寮愬子路於季孫、馬融曰、愬譖也、伯寮魯人、弟子也、翟灝云、說文寮作竂、九經字樣曰、竂、字上從穴、下從火、論語承隸省作寮、子服景伯以告、馬融曰、魯大夫子服何忌也、告告孔子、阮元云、左傳哀十三年、吳人將以公見晉侯、子服景伯對使者、吳人乃止、既而悔之、將囚景伯、景伯曰、何也立後於魯矣、杜注云、何景伯名、然則景伯單名何、而此注云何忌、誤也、曰、夫子固有惑志、孔安國曰、季孫信讒恚子路、於公伯寮也、吾力猶能肆諸市朝、鄭玄曰、吾勢力猶能辨子路之無罪於季孫、使之誅伯寮而肆之、有罪既刑陳其尸曰肆、皇侃云、景伯既告孔子、曰季氏猶有惑志、而又此讒助子路、使子路無罪、而伯寮致死、言若於他人誣有豪勢者、則吾力勢不能誅耳、若於伯寮者、則吾力勢是能使季孫審子路之無罪而殺伯寮於市朝也、邢昺云、應劭曰、大夫已上於朝、士已下於市、子曰、道之將行也與、命也、道之將廢也與、

命也、公伯寮其如命何、朱熹云、言此以曉景伯、安子路、而警伯寮耳、

案、以告、以寮愬子路之事告孔子也、故舊注以惑志斷句、朱子以有惑志於公伯寮、爲以告之言、故寮字斷句、舊注是也、又案此章以道之行廢爲命、益信上章知我者其天乎、亦以命言之、

子曰、賢者避世、孔安國曰、世主莫得而臣之也、其次避地、馬融曰、去亂國適治邦、其次避色、孔安國曰、色斯舉矣、其次避言、孔安國曰、有惡言乃去、子曰、作者七人矣、包咸曰、作爲也、爲之者凡七人、謂長沮、桀溺、丈人、石門、荷蕢、儀封人、楚狂接輿也、皇侃云、王弼曰、七人、伯夷、叔齊、虞仲、夷逸、朱張、柳下惠、少連、鄭康成云、伯夷、叔齊、虞仲避世者、荷蓧、長沮、桀溺避地者、柳下惠、少連避色者、荷蕢、楚狂接輿避言者也、七當爲十、字之誤也、李侗云、作、起也、言起而隱去者今七人矣、不可知其誰何、必求其人以實之、則鑿矣、翟灝云、四書辨疑曰、古注本通上爲一章、注文分之之意、以上有子曰字也、子曰當爲衍文、

案、作者七人、古注合上爲一章、是也、分爲別章、亦不得不承上章爲說、何以分爲、有子曰者、以語更端也、非衍文、說見于前、作訓爲、是也、七人、王弼以伯夷叔齊等實之、今雖不可的知其爲誰、然是七人者孔子嘗以逸民稱之、其言近是、物徂徠引作者謂之聖、以七人爲堯舜禹湯文武周公、夫一部論語、篇次章第、自有定法、必不以七聖人間於避世晨門之間、失之遠矣、

子路宿於石門、晨門曰、奚自、何晏曰、晨門者閽人也、皇侃云、石門地名也、一云、石門者魯城門外也、晨門守昏晨者也、閻若璩云、或曰、石門齊地、隱公三年、齊鄭會處、即此、非也、讀大平寰宇記、古魯城凡有七門、次南第二門名石門、案論語子路宿於石門注云、魯城外門、蓋郭門也、因悟孔子轍環四方、久、使子路歸魯視其家、甫抵城、而門已闔、只得宿於外之郭門、次

日晨興、伺啓門入、掌啓門者、訝其大蚤、曰汝何從來乎、若城門既大啓後、往來如織、焉得盡執人而問之、此可想見一、自孔氏、言自孔氏處來也、夫不曰孔某而曰孔氏、以孔子爲魯城中人、舉其氏、輒可識、不必如荅長沮之問爲孔某、此可想見二、是知其不可而爲之者與、分明是孔子正栖栖皇皇、歷聘於外、若已息駕乎洙泗之上、不必作此語、此可想見三、總從魯郭門三字悟出情蹤、誰謂地理不有助於經學與、

子路曰、自孔氏、曰是知其不可而爲之者與、包咸曰、言孔子知世不可爲而強爲之、

案、晨門亦作者之流、其識孔子、適足以見聖人之大、故以次前章也、又案闇人蓋分掌晨昏、此欲見子路早來、故言晨門也、皇本疊石門二字、今從邢本、

子擊磬於衞、有荷蕢而過孔子之門者、曰有心哉擊磬乎、何晏曰、蕢草器也、有心謂契契也、皇侃云、蕢織草爲器、可貯物也、契契謂心別有所志也、詩云、契契寤歎、邢昺云、毛傳契契憂苦也、

既而曰、鄙哉硜硜乎、莫己知也、斯已而已矣、何晏曰、此硜硜徒信己而已、言亦無益也、皇侃云、言聲中硜硜、有無知己也、又言孔子硜硜、不肯從世變、唯自信己而已矣、邢昺云、硜硜鄙賤貌、朱熹云、硜硜石聲、亦專確之意、錢大昕云、今人讀斯已而已、兩曰字皆如以考唐石經、莫己斯己、皆作人己之己、而已作已止之已、釋文莫己音紀、下斯己同、與石經正合、集解此硜硜者徒信己而已、皇疏申之云、言孔子硜硜不肯隨世變、唯自信己而已矣、是唐以前論語斯已字皆不作止解、由於經文作己不作已也、己與已、絕非一字、宋儒誤讀斯己爲以、未免改經文以就己說矣、段玉裁云、硜堅確之意、

深則厲、淺則揭、包咸曰、以衣涉水爲厲、揭揭衣、言隨世以行己、若遇水必以濟、知其不可則當不爲也、皇侃云、爾雅云、繇膝以下爲揭、繇膝以上爲厲、邢昺云、以衣涉水厲、揭揭衣也、爾雅釋水文、孫炎曰、衣涉濡褌也、

子曰、果哉、末之難矣、何晏曰、未知己志而便譏己、所以爲果也、末無也、無難者、以其不能解己道也、皇侃云、言彼未解我意、而便譏我、此則爲果敢之甚也、故曰果哉、但我道之深遠、彼是中人、豈能知我、若就彼中人求無譏者、則爲難矣、陸德明云、難如字、或乃旦反、朱熹云、果哉、歎其果於忘世也、聖人心同天地、視天下猶一家、中國猶一人、不能一日忘也、故聞荷蕢之言、而歎其果於忘世、且言人之出處、若但如此、則亦無所難矣、

案、子路篇、言必信、行必果、硜硜然小人哉、則硜硜堅確不遷意、孔子欲行道於當世、以救天下之民、而世莫己知、其意自然形於磬聲、荷蕢聞而知之、故云、硜硜乎莫己知也、云斯已而已矣者、言如此徒信己而已矣、不復知世有否泰也、故引詩以證進退宜隨時也、以衣涉水曰厲、諸說紛然、今案揭衣之衣、兼裳而言之、以衣則專指在上者、水深脫裳、只有其衣、故云以衣涉、爾雅又有繇帶以上曰厲之文、可見以衣謂脫裳也、果哉末之難矣、朱注盡之、

子張曰、書云、高宗諒陰、三年不言、何謂也、孔安國曰、高宗殷之中興王武丁也、諒信也、陰猶默也、皇侃云、殷家三十帝、水德王、六百二十九年、高宗是第二十二帝也、前帝小乙之子也、或呼倚廬爲諒陰、或呼梁闇、或呼梁庵、各隨義而言之、邢昺云、禮記作諒闇、鄭玄以爲凶廬、翟灝云、毛詩商頌譜正義、引鄭氏無逸注、諒闇轉作梁闇、楣謂之梁、闇廬也、禮記喪服四制、高宗諒闇三年、注云、諒古作梁、闇讀如鶉鵪之鵪、李淳云、儀禮翦屏柱楣、鄭注云、所謂梁闇也、

子曰、何必高宗、古之人皆然、君薨、百官總己、馬融曰、己、己百官也、以聽於冢宰三年、孔安國曰、冢宰天官卿、佐王治者也、三年喪畢、然後王自聽政、皇侃云、謂人君之喪、其子得不言之由、若君死、則羣臣百官、不復諮詢於君、而各總束己

之事、故云總己也、冢宰、上卿也、百官束己職、三年聽冢宰、故嗣王君三年不言也、邢昺云、諸侯死曰薨、爾雅曰、冢、大也、冢宰、大宰也、變冢言大、進退異名也、百官總焉、則謂之冢、列職於王、則稱大、冢、大之上也、山頂曰冢、

案、諒陰假借字、故或作梁闇、或作涼闇、或作諒闇、或作諒瘖、而其義皆爲梁庵、即諸侯以上凶廬也、鄭讀闇如鶉鴿之鴿、擬其音耳、鶉鴿之鴿、與庵同音、天子諸侯始死、其子居倚廬、既葬、拄所倚之木以起之、翦齊其茅、謂之梁庵、儀禮所云翦屏拄楣是也、孔氏依字訓信默、則與下文不言相複、非也、

子曰、上好禮則民易使也、何晏曰、民莫敢不敬、故易使也、

子路問君子、子曰、脩己以敬、孔安國曰、敬其身、皇侃云、身正則民從、故君子自脩己身、而自敬也、**曰如斯而已乎、曰脩己以安人、**孔安國曰、人謂朋友九族也、皇侃云、子路嫌其少、故重更諮問孔子、如此而已乎、**曰如斯而已乎、曰脩己以安百姓、脩己以安百姓、堯舜其猶病諸、**孔安國曰、病猶難也、

案、仲尼祖述堯舜、而稱堯舜其猶病諸者二、雍也篇子貢曰、如有博施於民而能濟衆、何如、可謂仁乎、子曰、何事於仁、必也聖乎、堯舜其猶病諸、及此章是也、二者皆仁之極功、學者當以此爲宗、外乎此而語學、非聖人之學也、

原壤夷俟、馬融曰、原壤、魯人、孔子故舊、夷、踞、俟、待也、踞待孔子、皇侃云、壤聞孔子來、而夷踞豎膝、以待孔子之來也、邢昺云、說文云、踞、蹲也、蹲即坐也、禮揖人必違其位、今原壤坐待孔子、故孔子責之也、邢昺云、原壤魯人、檀弓云、孔子之故人曰原壤、是也、**子曰、幼而不孫弟、長而無述焉、老而不死、是爲賊、**

何晏曰、賊謂賊害、皇侃云、言壤年已老、而未死、行不敬之事、所以賊害於德也、**以杖叩其脛、**孔安國曰、叩、擊也、脛、脚脛、皇侃云、膝上曰股、膝下曰脛、

案、踞、坐、臀豎脛、故脛可叩也、坐則脛著席、安得叩其脛、邢云、蹲即坐、非也、或以踞爲箕踞、然箕踞者坐、臀伸兩脚、其形如箕、故曰箕踞、與踞又別、皇本作遜弟、今從邢本、

闕黨童子將命、馬融曰、闕黨之童子將命者、傳賓主語出入、皇侃云、五百家爲黨、此黨名闕、故云闕黨也、**或問之曰、益者與、子曰、吾見其居於位也、**何晏曰、童子隅坐無位、成人乃有位也、**見其與先生並行也、非求益者也、欲速成者也、**包咸曰、先生、成人也、並行、不差在後也、違禮欲速成者也、則非求益者也、皇侃云、禮、父之齒隨行、兄之齒雁行、此童子行不讓於長、故云與先生並行也、朱熹云、禮、童子隅坐隨行、孔子言吾見此童子、不循此禮、非能求益、但欲速成爾、故使之給使令之役、觀長少之序、習揖遜之容、蓋所以抑而教之、非寵而異之也、伊藤源佐云、此因上章而類記之、猶前篇公冶長可妻及子華使於齊章之意、蓋原壤嚴以誨之也、童子寬以育之也、又云、夫子之於童子、豈無甚過寬乎、蓋聖人之教人也、以開導誘掖爲務、而不以束縛羈紲爲事、譬諸種樹、屈幹蟠枝者、雖足悅其觀、然不見其達材、生於岑蔚間者、不煩人力、自有棟梁之材、所謂如時雨化之者是也、夫子之於童子、欲長育其材、而不欲強成之也、實造化涵育之功、不可以過寬目之也、物茂卿云、曲禮曰、問士之子、長曰能典謁矣、幼曰未能典謁也、童子將命、亦古之道也、

衛靈公第十五

案、此篇雜記夫子不遇之事、及脩身處世之法、多悼衰世之意、故以次前篇也、

衛靈公問陳於孔子、孔安國曰、軍陳行列之法也、陸德

明云、陣直刃反、注同、本今作陳、翟灝云、顏氏家訓曰、陳字當用陳鄭之陳、夫行陳之義、取於陳列耳、此六書爲假借也、蒼雅及諸字書、皆無別字、惟王羲之小學章、獨阜旁作車、按陣爲晉以後人所改、在古經實與今同文也、

孔子對曰、俎豆之事則嘗聞之矣、孔安國曰、俎豆、禮器也、軍旅之事未之學也、鄭玄曰、萬二千五百人爲軍、五百人爲旅、軍旅末事、本未立、不可教以末事也、

皇侃云、孔子武文自然兼能、今抑靈公、故云、唯嘗聞俎豆事也、周禮小司徒職云、五人爲伍、五伍爲兩、四兩爲卒、五卒爲旅、五旅爲師、五師爲軍、邢昺云、左傳哀十一年、孔文子之將攻大叔也、訪於仲尼、仲尼曰、胡簋之事、則嘗學之矣、甲兵之事、未之聞也、其意亦與此同、軍旅甲兵、治國之具也、彼文子以非禮欲國內用兵、此以靈公空問軍陳、故並不荅、非輕甲兵也、

案陳字從阜東聲、若作阜旁車、則無所得聲、晉人創意造字、蓋以古者車戰、遂改東爲車、而不知不可讀爲直刃反、其妄可笑、

明日遂行、在陳絕糧、從者病、莫能興、孔安國曰、從者、弟子、興、起也、孔子去衞如曹、曹不容、又之宋、遭匡人之難、又之陳、會吳伐陳、陳亂、故乏食也、

陸德明云、絕糧音粮、鄭本作粻、邢昺云、注孔子去衞如曹以下、皆以孔子世家文以知也、翟灝云、史記衞靈公使孔子次乘、孔子醜之、去由曹適宋、宋桓魋欲殺之、乃適于陳、居三歲、復至衞、靈公仍不用其言、且問兵陳、孔子又行、如陳、是歲夏靈公卒、後二歲、孔子自陳遷蔡、遷蔡三歲、然後有絕糧事、孔氏注如曹如宋、乃先一次去衞、事在問陳前、于論語不相應、朱子直云、去衞適陳、其說得矣、然問陳絕糧二事、首尾相距五年、雖即後一次去衞說之、亦不應經文連絡、便云類列、還宜別分爲章、劉逢錄云、孟子曰、君子之厄于陳蔡之間、無上下之交也、去衞已久、故絕糧、史記載陳蔡大夫發兵圍孔子事、誤也、

子路慍見曰、君子亦有窮乎、子曰、君子固窮、小人窮斯濫矣、何晏曰、濫、溢也、君子固亦有窮時、但不如小人窮則濫溢爲非也、

皇侃云、子路心恨君子行道、乃至如此困乏、故便慍色、而見孔子也、

案孔注云、又之陳、會吳伐陳、陳亂、故乏食也、與孟子言無上下之交粗合、蓋其家有世傳夫子之遺事、而世不及知者矣、當以爲正說、邢昺云、孔注皆以孔子世家文而知也、案世家云、武生延年及安國、安國爲今皇帝博士、至臨淮大守、蚤卒、則史記之成、安國卒已久、而謂安國據史記以注此經乎、況史記記絕糧之事、與此注絕殊、可謂疏忽矣、慍、皇侃訓恨、古義也、詳見于學而篇首章、至邢昺則遂訓怒矣、蓋據誤本說文也、經五季之亂、字義之失、古者亦多、學者不可不精究焉、糧、皇本作粮、俗、今從邢本、

子曰、賜也、女以予爲多學而識之者與、對曰、然、孔安國曰、然、謂多學而識之也、非與、孔安國曰、問今不然邪、曰、非也、予一以貫之、何晏曰、善有元、事有會、天下殊途而同歸、百慮而一致、知其元、則衆善舉矣、故不待多學一以知之也、

皇侃云、元猶始也、會猶終也、元者善之長、故云善有元也、事各有所終、故云事有會也、天下殊途而同歸者、解事有會也、百慮而一致者、解善有元也、邢昺云、天下殊塗而同歸、百慮而一致、周易下繫辭文也、孔廣森云、此章與告曾子吾道一以貫之語大殊、彼以道之成體言、此以學之用功言也、聖人固自多學、但不取強記耳、子之問子貢、非以多學爲非、以其多學而識爲非也、子貢正專事於識者、故始而然之、但見夫子發問之意、似爲不然、故有非與之請、此亦質疑常理、必以爲積久功深、言下頓悟、便涉禪解、予一以貫之、言予之多學、乃執一理、以貫通所聞、推此而求彼、得新而證故、必如是、然後學可多也、若一一識之、則其識既難、其忘亦易、非所以爲多學之道矣、焦循云、繫

辭傳云、天下何思何慮、天下同歸而殊途、一致而百慮、韓康伯注云、少則得、多則惑、塗雖殊、其歸則同、慮雖百、其致不二、苟識其要、不在博求、一以貫之、不慮而盡矣、與何晏說同、易傳言同歸而殊塗、一致而百慮、何氏倒其文、爲殊途而同歸、百慮而一致、則失乎聖人之旨、莊子引記曰、通於一、而萬事畢、此何韓之說也、夫通於一而萬事畢、是執一之謂也、非一以貫之也、孔子以一貫語曾子、曾子即發明之云、忠恕而已矣、忠恕者何、成己以成物也、孟子曰、大舜有大焉、善與人同、舍己從人、樂取於人以爲善、舜於天下之善、無不從之、是眞一以貫之、以一心而同萬善、所以大也、一貫則爲聖人、執一則爲異端、

案一者忠恕也、所學之事、皆以忠恕貫之、故要而易識、非殊塗異端之事、一一識之、而精究其義也、孔子之於曾子、直以一貫告之、故答曰唯、子貢則以爲多學而識之者、與問之、子貢初以爲然、故答曰然、然孔子之言、似以爲不然、故反問非與、言語之道宜然、其於一貫之言、當時諸子皆能解、非若有深淺之殊也、

子曰、由、知德者鮮矣、王肅曰、君子固窮、而子路慍見、故謂之少於知德者也、皇侃云、如注意、則孔子此語、爲問絕糧而發之者也、朱熹云、由、呼子路之名而告之也、物茂卿云、謂人多不知有德之人也、

案王說原於孔子世家、非也、說又互見於子張章、

子曰、無爲而治者、其舜與、夫何爲哉、恭己正南面而已矣、何晏曰、言任官得其人、故無爲而治也、蔡謨曰、謨昔聞過庭之訓於先君、曰堯不得無爲者、所承非聖也、禹不得無爲者、所授非聖也、今三聖相係、舜居其中、承堯授禹、又何爲乎、夫道同而治異者時也、自古以來、承至治之世、接三聖之間、唯舜而已、故特稱之焉、邢昺云、案舜典命禹宅百揆、棄后稷、契作司徒、皐陶作士、垂共工、益作朕虞、伯夷作秩宗、夔典樂、教胄子、龍作納言、并四岳十二牧、凡二十二人、皆得其人、故舜無爲而治也、

案孔子曰、才難、不其然乎、唐虞之際、於斯爲盛、則禹之得人才、不如唐虞也、堯不得無爲者、時有洪水之患、又未能黜四凶而舉元凱、故唯舜得無爲也、

子張問行、子曰、言忠信、行篤敬、雖蠻貊之邦行矣、言不忠信、行不篤敬、雖州里行乎哉、鄭玄曰、萬二千五百家爲州、五家爲鄰、五鄰爲里、行乎哉、言不可行、邢昺云、周禮大司徒職云、五家爲比、五比爲閭、四閭爲族、五族爲黨、五黨爲州、是二千五百家爲州也、今云萬二千五百爲州、誤也、五家爲鄰、五鄰爲里、遂人職文也、立則見其參於前也、在輿則見其倚於衡也、夫然後行、包咸曰、衡、軛也、言思念忠信、立則常想見參然在目前、在輿則若倚車軛、皇侃云、參猶森也、言若敬德之道行、己立在世間、則自想見忠信篤敬之事、森森滿亙於己前也、陸德明云、參所金反、韓愈云、參古驂字、朱熹云、參讀如毋往參焉之參、言與我相參也、子張書諸紳、孔安國曰、紳、大帶也、邢昺云、以帶束腰、垂其餘以爲飾、謂之紳、翟灝云、先儒疑首三章爲一時之言、因史世家文也、若然、則據弟子傳、此章亦一時言矣、陳蔡之厄、孔子年六十三、子張少孔子四十八歲、時才十五歲耳、先進篇備錄從陳蔡者十人、未有子張、史文可盡信哉、

案康成氏精於禮、豈不知州之爲二千五百家哉、今本轉寫誤耳、軛即烏啄、與衡別、但縛於衡、以壓服馬之頸、故以軛明衡耳、參於前者、忠信篤敬、若我爲參、朱子讀如毋往參焉之參、良是、皇本作參然於前、然疏中則云參猶森、不言參然、然字誤衍耳、今從邢本、

子曰、直哉史魚、孔安國曰、衛大夫史鰌也、邦有道如矢、邦無道如矢、孔安國曰、有道無道、行直如矢、言不曲、君子哉蘧伯玉、邦有道則仕、邦無道則可卷而懷

也。包咸曰：卷而懷，謂不與時政，柔順不忤於人也。朱熹云：卷，收也；懷，藏也。如於孫林父、甯殖放弒之謀，不對而出，亦其事也。案諸本也作之，今從唐石經。

子曰：可與言而不與之言，失人；不可與言而與之言，失言。知者不失人，亦不失言。何晏曰：所言皆是，故無所失者也。阮元云：閩本、北監本、毛本不與下有之字，朱子集注本亦有之字。案唐石經、皇本、高麗本、石經考提要引岳珂本俱無之字，疏述經文本無之字，則十行本是。皇本有注，各本並無。案所言皆是，則所不言亦是，可知矣。故注獨解所言，非闕誤也。

子曰：志士仁人，無求生以害仁，有殺身以成仁。孔安國曰：無求生而害仁，死而後成仁，則志士仁人不愛

其身也。繆播云：仁居理足，本無危亡，然賢而圖變，變則理窮，窮則任分，所以有殺身之義，故比干割心，孔子曰殷有三仁也。焦循云：殺身成仁，皇、邢兩疏比干、夷齊，固矣，乃殺身不必盡甘刀鋸鼎鑊也。舜勤眾事而野死，冥勤其官而水死，爲民禦大菑，捍大患，所謂仁也。以死勤事，即是殺身成仁。

子貢問爲仁。子曰：工欲善其事，必先利其器。居是邦也，事其大夫之賢者，友其士之仁者。孔安國曰：言工以利器爲用，人以賢友爲助也。皇侃云：問爲仁人之法，大夫貴，故云事，士賤，故云友也。大夫言賢，士言仁，互言之也。物茂卿云：爲仁謂行仁政也。案有才學者，或輕人自用，則必有忌怨僭訢之患，羇旅之臣最甚，故欲有爲者，在先獲人之歡心。然則事其大夫之賢者，友其士之仁者，不獨切磋以成其德，亦所以爲仁之道也。

顏淵問爲邦。子曰：行夏之時。何晏曰：據見萬物之生，以爲四時之初，取其易知也。皇侃云：謂用夏家時節，朔服色雖異，而田獵祭祀播種，以行事也。三王所尚正並用夏時，夏時得天之正故也。乘殷之輅。馬融曰：殷車曰大輅。左傳曰：大輅越席，昭其儉也。皇侃云：周禮，天子自有五輅，一曰玉輅，二曰金，三曰象，四曰革，五曰木。五輅並多文飾，用玉輅以郊祭，而殷家唯有三輅，一曰木輅，二曰先輅，三曰次輅，而木輅最質素，無飾，用以郊天。陸德明云：輅本亦作路。服周之冕。包咸曰：冕，禮冠也，周之禮文而備也，取其黈纊塞耳，不任視聽也。邢昺云：世本云，冕，黃帝作。宋仲云：冕，冠之王之五冕，皆玄冕朱裏，止言玄朱而已，不言所用之物。子罕篇云：麻冕，禮也，蓋以木爲幹，而用布衣之，上玄下朱，取天地之色，其長短廣狹，則經傳無文。阮諶三禮圖、漢禮記制度云：冕制皆長尺六寸，廣八寸，天子以下皆同。沈引董巴輿服志云：廣七寸，長尺二寸。應劭漢舊儀：廣七寸，長八寸。沈又云：廣八寸，長尺六

寸者，天子之冕；廣七寸，長尺二寸者，諸侯之冕；廣七寸，長八寸者，大夫之冕。但古禮殘缺，未知孰是，故備載焉。司馬彪漢書輿服志云：孝明帝永平二年，初詔有司采周官、禮記、尚書之文，制冕，皆前圓後方，朱裏玄上，前垂四寸，後垂三寸。天子白玉珠十二旒，三公諸侯青玉珠七旒，卿大夫黑玉珠五旒，皆有前無後。此則漢法耳。其古禮，鄭玄注弁師云：天子袞冕，以五采繅，前後十二斿，斿有五采玉十有二；鷩冕，前後九斿；毳冕，前後七斿；希冕，前後五斿；玄冕，前後三斿，斿皆五采，玉十有二。上公袞冕，三采繅，前後九斿，斿有三采，玉九。侯伯鷩冕，三采繅，前後七斿，斿有三采，玉七。子男毳冕，三采繅，前後五斿，斿有三采，玉五。孤卿以下，皆二采繅，二采玉焉。蓋以繅采玉，其旒又五，各依命數耳。謂之冕者，冕，俛也，以其後高前下，有俛仰之形，故因名焉。蓋以在上位者失於驕矜，欲令位彌高而志彌下，故制此服，令貴者下賤也。皇侃云：黈，黃色也；纊，新綿也。當兩耳垂黃綿，綿之下又係玉，名爲瑱也。樂則韶舞。何晏曰：韶，舜樂也，盡善盡美，故取之。放鄭聲，遠佞人。鄭聲淫，佞人

危。孔安國曰，鄭聲佞人，亦俱感人心，與雅樂賢人同而使人淫亂危殆，故當放遠之也。案顏淵問爲邦，而孔子告以制作禮樂之法者，周室衰替已甚，正當革命之時，而唯顏子堪當制作之任，故孔子告之以此也。鄭聲，鄭國所創之樂，蓋繁絃急管，足以蕩人心。佞，口才也，其辯能變黑白，皆小人所甚喜，而禍亂所由起也，故戒放遠之。注感字邢本誤惑，今從皇本。

子曰，人無遠慮，必有近憂。王肅曰，君子當思患而預防也。邢昺云，此周易既濟象辭也。案皇本作人而，石經無而字，邢本同，今從之。注患作慮，今亦從邢本。

子曰，已矣乎，吾未見好德如好色者也。物茂卿云，此主人君言之，不爾，豈有已矣乎三字哉。案邢本作已矣乎，語勢差緩，今從皇本。此篇所載，多不遇之事，徂徠謂主人君言之，是也。

子曰，臧文仲其竊位者與，知柳下惠之賢而不與立也。孔安國曰，柳下惠展禽也，知其賢而不舉爲竊位也。邢昺云，案魯語展禽對臧文仲云，獲聞之，是其人氏展名獲字禽，柳下是其所食之邑名，謚曰惠。列女傳，柳下惠死，門人將誄之，妻曰，夫子之謚，宜爲惠乎，門人從以爲謚。莊子云，柳下季者，季是五十字，禽是二十字。物茂卿云，孔子以臧文仲爲竊位者，其譏之至矣，是乃孔叔文子可以爲文意，李惇云，案臧氏世爲司寇，文仲當已爲之，或爲司空，而兼司寇也。柳下惠爲士師，正其屬官，無容不知。此與文子同升事正作一反照。方觀旭云，集注范氏說若難定，文仲果知柳下惠與否，不知展喜犒齊師，使受命於展禽，正臧孫辰爲政之時，見內傳，展禽譏文仲祀爰居，文仲曰，是吾過也，季子之言，不可不法也，使書之以爲三筴，見外傳，並是文仲知柳下惠之證，聖人責人，豈肯臆坐以知賢不舉之罪哉。

子曰，躬自厚而薄責於人，則遠怨矣。孔安國曰，自責己厚，責人薄，所以遠怨咎也。皇侃云，蔡謨曰，儒者之說，雖於義無違，而於名未安也。何者，以自厚者爲責己，文不辭矣，厚者謂厚其德也，而人又若己所未能，而責物以能，故人心不服，若自厚其德，而不求多於人，則怨路塞，責己之美雖存乎中，然自厚之義，不施於責也。侃案，蔡雖欲異孔而終不離孔，辭孔辭亦得爲蔡之釋也。案後儒解經，則從聖言矣，及其自爲說，則以薄責爲不忠，甚焉至有訐以爲直者，不唯以自處，亦以此責人，此亦學者之大患也。

子曰，不曰如之何，如之何者，孔安國曰，不曰如之何者，猶言不曰奈是何也。如之何者，吾末如之何也已矣。孔安國曰，如之何者，言禍難已成，吾亦無如之何也。皇侃云，不曰猶不謂也。如之何，謂事卒至非己力勢可奈何者也。言人生常思慮卒有不可如何之事，逆而防之，不使有起，若無慮而事欻起，是不曰如之何事也。李充云，謀之於其未兆，治之於其未亂，何當至於臨難而方曰如之何也。朱熹云，如之何如之何者，熟思而審處之辭也。案重言如之何者，見每事而愼重之也。孔注拆如之何爲二句，近鑿矣。

子曰，羣居終日，言不及義，好行小慧，難矣哉。鄭玄曰，小慧謂小小才智也，難矣哉，言終無成。陸德明云，魯讀慧爲惠，今從古。邢昺云，言人羣朋共居，終竟一日，所言不及義事，但好行小小才知，以陵誇於人，難有所成矣哉，言終無成也。翟灝云，按漢昌邑王淸狂不惠，列子達氏有子，少而惠，義並通慧，又韓非說林，惠子作慧子，王應麟云，篆文惠與慧同，然則魯古之文雖異，實仍無異。案物徂徠謂慧不可言行，因以作惠爲是，解爲恩惠，然羣居終日，正是士子之事，訓知爲切，孟子曰，

如智亦行其所無事、則智亦大矣、是知亦未嘗不可言行也、皇本注成下、有功也二字、今從邢本、

子曰、君子義以爲質、禮以行之、孫以出之、信以成之、君子哉、鄭玄曰、義以爲質、謂操行、孫以出之、謂言語、

陸德明云、義以爲質、一本作君子義以爲質、鄭本略同、

案、皇疏云、義、宜也、質、本也、人識性不同、各以其所宜爲本、不言君子、而云人、是其本亦無君子二字、今本依邢本妄增耳、此章亦以與人接者而言之、上章說與人接之失、此章說與人接之善、事正相反、而其意益明、故連類書之、凡與人接者、非信不成、故以信以成之而終之、

子曰、君子病無能焉、不病人之不己知也、包咸曰、君子之人、但病無聖人之道、不病人之不知己也、皇侃云、病猶患也、物茂卿云、能謂才能、

子曰、君子疾沒世而名不稱焉、何晏曰、疾猶病也、皇侃云、沒世謂身沒以後也、物茂卿云、沒世終身也、荀子曰、末世窮年、末世即沒世也、

案、聖賢未嘗惡名、其惡之、則老莊之徒耳、彼輩隱居放言、恐名致害、故務避不敢近焉、聖賢則不然、故孝經曰、揚名顯父母、論語曰、四十五十而無聞焉、斯亦不足畏、孟子曰、好名之士、能讓千乘之國、及如此章皆是也、後世有因名以求利者焉、故儒者或忌言名、然此利爾、非名也、故身死未冷、名滅而臭存、安得因此以忌聖賢所貴之眞名哉、徂徠訓沒世爲終身、是也、

子曰、君子求諸己、小人求諸人、何晏曰、君子責己、小人責人、皇侃云、求、責也、君子自責己德行之不足、不責人也、

案、責人、凡事不利於己、不以爲己非、而盡以責諸人也、

子曰、君子矜而不爭、羣而不黨、孔安國曰、黨助也、君子雖衆、不相私助、義之與比、皇侃云、君子自矜莊己身而已、不與人爭也、江熙云、君子以道相聚、聚則爲羣、羣則似黨、羣居所以切磋成德、非於私也、

案、凡人矜莊者、或少和氣、少和氣者、有時而爭、君子矜不失和、所以不爭也、羣說文輩也、玉篇朋也、小雅或羣或友、荀子君羣也、是羣有相和聚之義、和聚者或有比黨之過、君子義之與比、故不黨也、

子曰、君子不以言舉人、不以人廢言、包咸曰、有言者不必有德、故不可以言舉人、王肅曰、不可以無德而廢善言、李充云、詢于芻蕘、不恥下問也、

案、雖小人或亦有善言、李充專以位言、未盡、皇本無王注、今從邢本、

子貢問曰、有一言而可以終身行之者乎、子曰、其恕乎、己所不欲、勿施於人、何晏曰、言己之所惡、勿加施於人、皇侃云、恕謂忖內以處物、

案、徂徠以己所不欲勿施於人、爲舊解入正文、謂孔子何必解恕字、恕在孔子時、豈待解乎、似矣、然孔安國之前、未聞有注論語者、何晏搜羅諸家以作集解、果係舊解、不容不知其爲解、而更自解之、可謂妄耳、此蓋子貢初見孔子所問、故孔子并解恕字以答之與、皇本無注、今從邢本、

子曰、吾之於人、誰毀誰譽、如有所譽者、其有所試矣、包咸曰、所譽輒試以事、不虛譽而已矣、皇侃云、平等一心、不有毀譽、然君子掩惡揚善、善則宜揚、而我從來若有所稱譽者、皆不虛妄、必先試驗其德、而後乃譽之耳、故云、其有所試矣、

斯民也、三代之所以直道而行也、馬融曰、三代、夏殷周也、用民如此、無所阿私、所以云直道而行

也、朱熹云、斯民者、今此之人也、

案、其有所試矣、皇疏是也、斯民朱注是也、毀稱其惡也、譽揚其善也、若謂毀譽過其實、下文云、若有所譽者、是孔子亦揚善過其實也、必不然矣、此章大意言、斯民即三代之民、雖相距久遠、秉懿之性、未有所變、治而導之、皆良民也、故吾之於人、無所毀譽、其或譽之、以嘗有所試驗而知其善已、皇本所譽誤可譽、疏中仍作所譽、今從邢本、

子曰、吾猶及史之闕文也、包咸曰、古之史、於書字有疑則闕之、以待知者、有馬者借人乘之、今亡矣夫、包咸曰、有馬不能調良、則借人乘習之、孔子自謂及見其人如此、至今無有矣、言此者以俗多穿鑿也、焦循云、包注以闕文借人兩事平列、孔子自謂云云總承上兩事言之、不闕文、馬不調、不假人調之、皆自妄逞聰明、不知妄作也、邢疏謂有馬借人爲擧喩、非是、借猶藉也、僖二十八年、先軫曰、使宋舍我而賂齊秦、藉之告楚、釋文藉、借也、杜注云、報借齊秦、使爲宋請、宣十二年楚子告唐惠公曰、敢藉君靈以濟楚師、杜注云、藉猶假借也、我有馬不能服習、藉人之能服習者、乞其代己調良、此謹篤服善之事也、與子路以車馬衣裘公諸朋友不同、史闕文屬書、借人乘屬御、此孔子爲學六藝者言也、

案、此章經注、自古難讀之、自焦氏闡明之、注意始明、注意既明、經無復可疑、學者固貴審思哉、

子曰、巧言亂德、小不忍則亂大謀、孔安國曰、巧言利口、則亂德義、小不忍、則亂大謀、朱熹云、小不忍、如婦人之仁、匹夫之勇、皆是、物茂卿云、巧言亂德、亂德言也、巧言似德言、故曰亂、

案、孟子曰、惡莠、恐其亂苗也、惡佞、恐其亂義也、惡鄭聲、恐其亂雅樂也、惡紫、恐其亂朱也、惡鄉原、恐其亂德也、凡亂云者、謂使人惑亂不喩其非、則巧言亂德、亦謂人以爲有德之言耳、小不忍似仁、故亦惑亂人主、使大謀不遂、故曰、亂大謀也、朱子兼匹夫之勇言之、非也、

子曰、衆惡之、必察焉、衆好之、必察焉、王肅曰、或衆阿黨比周、或其人特立不羣、故好惡不可不察也、衛瓘云、賢人不與俗爭、則莫不好愛也、俗人與俗同好、亦則見好也、凶邪害善、則莫不惡之、行高志遠、與俗違忤、俗亦惡之、皆不可不察也、

案、皇本無王肅曰三字、今從邢本、

子曰、人能弘道、非道弘人也、王肅曰、才大者、道隨大、才小者、道隨小、故不能弘人、

案、中庸曰、文武之道、布在方策、其人存、則其政擧、其人亡、則其政息、正與此章相表裏、

子曰、過而不改、是謂過矣、皇侃云、人有過能改、如日食之明、人皆仰之、所以非過、過而不改、則成過也、

子曰、吾嘗終日不食、終夜不寢、以思、無益、不如學也、皇侃云、寢眠也、

案、寢臥也、此章之義、多疑非實事、然云吾嘗則少時嘗有此事、故語以誨門人小子耳、聖人生知、謂其知通神、如禮樂制度、亦必學而後知之、特其所謂學、不如常人所爲耳、

子曰、君子謀道不謀食、耕也、餒在其中矣、學也、祿在其中矣、君子憂道不憂貧、鄭玄曰、餒、餓也、言人雖念耕而不學、故飢餓、學則得祿、雖不耕而不飢餓、勸人學也、皇侃云、謀猶圖也、董仲舒曰、遑遑求仁義、常恐不能化民者、大人之意也、遑遑求財利、常恐匱乏者、小人之意也、此君子小人謀之不同者也、邢昺云、言人雖念耕而不學則無知、歲有凶荒、故飢餓、學

則得祿、雖不耕而不餒、是以君子但憂道德不成、不憂貧乏也、然耕也未必皆餒、學也未必皆得祿、大判而言、故云爾、

案、君子小人、各有所當務、君子務於學、小人務於耕、故以君子起之、孔子之時、蓋有志於學而憂貧念耕者、故以此警之也、凡云在其中者、皆謂不求而至焉、

子曰、知及之、仁不能守之、雖得之必失之、包咸曰、知能及治其官、而仁不能守、雖得之必失之、邢昺云、得位由知、守位在仁、

知及之、仁能守之、不莊以涖之、則民不敬、包咸曰、不嚴以臨之、則民不敬從其上、

知及之、仁能守之、莊以涖之、動之不以禮、未善也、王肅曰、動必以禮、然後善、皇侃云、李充曰、夫智及以得、其失也蕩、仁守以靜、其失也寬、莊涖以威、其失也猛、故必須禮、然後知之、以禮制智、則精而不蕩、以禮輔仁、則溫而不寬、以禮御莊、則威而不猛、故安上治民、莫善於禮也、顏特進云、智以通其變、仁以安其性、莊以安其慢、禮以安其情、化民之善、必備此四者也、朱熹云、動之、動民也、猶曰鼓舞而作興之云爾、伊藤源佐云、此專言爲君之道、責成於上也、知爲君之難也、不幾乎一言而興邦乎、所謂知及之也、聖人之大寶曰位、何以守之曰仁、所謂仁守之也、能盡此二者、則爲君之道得焉、然守身無度、則民慢而令不行、故不莊以涖之、則民不敬也、禮以辨上下、定民志、故動之不以禮、則亦未善也、毛奇齡云、盧東原曰、此爲有天下國家者言、易曰、何以守位、曰仁、孟子曰、天子不仁、不保四海、諸侯不仁、不保社稷、皆此意也、下文涖之不以莊、動之不以禮、皆有位者之事、文理接貫、不可移易、其言甚辨、夫顯諸仁、藏諸用、夫子之原文也、漢書食貨志曰、守位以仁、蔡邕釋誨曰、故以仁守位、以財聚人、古之引經者、未嘗乏也、

案、此章大旨、伊盧二家得之、但仁齊以知爲知爲君之難、則失之、知去聲、皇本作智、知及之、謂知慮

及居君位之道、及之守之之、指君位而言、涖之動之之、指民而言、何以知之、不涖之以莊、下言民不敬、則其指民審矣、涖之既指民、而下不變文、則動之仍亦指民矣、動、作也、謂用之、禮不下於庶民、而云動之以禮者、人君用民以禮、民自然感化興禮也、

子曰、君子不可小知、而可大受也、小人不可大受、而可小知也、王肅曰、君子之道深遠、不可以小了知、而可大受也、小人之道淺近、可以小了知、而不可大受也、皇侃云、君子之道深遠、不與凡人可知、故云不可小知也、德能深潤物、物受之深、故云而可大受也、朱熹云、知、我知之也、受、彼所受也、蓋君子於細事、未必可觀、而材德足以任重、小人雖器量淺狹、而未必無一長可取、物茂卿云、此章蓋用人之法也、大受者、大用之也、小知者、小用之也、

案、朱子是也、但我知之而後用之、我用之而後彼受之、則徂徠云用人之法是也、邢本脫以字、今從皇本、

子曰、民之於仁也、甚於水火、馬融曰、水火與仁、皆民所仰而生者、仁最爲甚也、水火吾見蹈而死者矣、未見蹈仁而死者也、馬融曰、蹈水火、或時殺人、蹈仁、未嘗殺人也、皇侃云、甚猶勝也、若無水火及飲食、則必死、無以立世、三者並爲民人所急也、然就三者之中、仁最爲勝、故云甚於水火也、王弼云、民之遠於仁、甚於遠水火也、見有蹈水火死者、未嘗見蹈仁死者也、

案、王弼而下、以此章爲學者之事、故以水火爲害己之物、蓋本孟子拯民於水火之中也、然水火民所仰以生、一日無之、不能自存、自古至今、未嘗有惡而遠之者也、但投其中、皆能殺人、故孟子云水火之中、而此亦言蹈也、然則此章謂仰之、非謂遠之也、且經不言士君子、而云民、益信仁謂仁政、不謂

身行仁也、若必以爲身行仁、則君子有殺身以成仁、龍逢比干而下、世不乏其人、孔子何言未見蹈水火、謂居水火之中、則蹈仁亦謂身居仁政之中也、邢本與作及、今從皇本、

子曰、當仁不讓於師、孔安國曰、當行仁之事、不復讓於師言行仁急也、

子曰、君子貞而不諒、孔安國曰、貞正也、諒信也、君子之人、正其道耳、言不必有信也、皇侃云、君子權變無常、若爲事苟合道、得理之正、君子爲之、不必存於小信自經於溝瀆也、

案、孔子嘗曰、言不必信、行不必果、義之與比、又曰、言必信、行必果、硜硜然小人哉、抑亦可以爲次、學者以經解經、不待多言矣、

子曰、事君敬其事而後其食、孔安國曰、先盡力、然後

論語集說　卷五　四十二

食祿、

子曰、有教無類、馬融曰、言人在見教、無有種類、

案、類、繆播以爲知愚、皇侃以爲貴賤、朱子以爲氣習之殊、仁齋以爲世類之美惡、今案類字之義、當兼四者而習俗之移人尤甚、孔子見互鄉之童子、即其事也、邢本注在字上有所字、衍耳、

子曰、道不同、不相爲謀、皇侃云、若道同者共謀、則精審不誤、若道不同、而與共謀、則方圓義鑿枘事不成也、

案皇疏有誤脫、蓋謂方圓異義、鑿枘不入耳、

子曰、辭達而已矣、孔安國曰、凡事莫過於實足也、辭達則足矣、不煩文艷之辭也、皇侃云、言語之法、使辭足宣達其事而已、不須美奇其事以過事實也、物茂卿云、聘禮記曰、辭無常、孫而說、辭多則史、少則不達、辭苟足以達義之至也、按言之成文、謂之辭、此辭謂辭命也、春秋時爲辭命者率虛誇成俗、競以文飾相高、兩國之情、因以不達、故孔子云爾、

案、徂徠以辭爲辭命、是也、後儒以著述爲不朽盛事、遂以此章爲脩文辭之法、孔子豈以此爲教哉、皇以爲言語之法、失之益遠、

師冕見、孔安國曰、師樂人、盲者也、名冕、及階、子曰、階也、及席、子曰、席也、皆坐、子告之曰、某在斯、某在斯、孔安國曰、歷告以座中人姓名及所在處、皇侃云、孔子見瞽者必作、師既起、則弟子又隨而起、冕至席已坐、故孔子亦坐、弟子並坐、故云皆坐也、師冕出、子張問曰、與師言之道與、子曰、然、固相師之道也、馬融曰、相道也、鄭玄云、相、扶也、皇侃云、向與師冕言之、是禮不與也、方觀旭云、少儀云、其未有燭、而後至

論語集說　卷五　四十三

者、則以在者告、道瞽亦然、注謂爲其不見、意欲知之也、道瞽即是相師、子曰、相師之道、少儀云道瞽亦然、知此是古禮矣、

案、論語章旨少類者、多收之篇末、此章及邦君之妻章之屬是也、若色斯舉矣章、則撰寫孔子終身所遭之狀、以終鄉黨篇、與此別、

季氏第十六、皇侃云、所以次前者、既明君惡、故據臣凶、故以季氏次衛靈公也、

案前篇所記、多聖賢不遇、及衰世之事、此篇記其尤甚者、凡論語篇第、自微至著、自淺往深、故以次前篇也、集注載洪氏說云、此篇或以爲齊論、蓋以其每章稱孔子曰、而三友三樂三愆三戒三畏九思等、不與他篇相類也、然三論之殊、何晏集解序述之甚悉、未嘗以此篇爲齊論也、每章稱孔子曰者、此篇所載除首章之外、皆汎論人事、無與弟子語者、故加姓以別、首章雖與弟子語、事關季氏、而事體重大、故亦加姓書之、其三友三樂之屬、隨類彙集、欲使學者知所當

從事而勿陷於不善、篇名季氏、次衛靈公、陽貨又次季氏者、從貴賤而次之、亦編輯者之意也、

季氏將伐顓臾、冉有季路見於孔子曰、季氏將有事於顓臾、孔安國曰、顓臾宓犧之後、風姓之國、本魯之附庸、當時臣屬魯、季氏貪其地、欲滅而有之、冉有與季路、爲季氏臣、來告孔子、邢昺云、僖二十一年左傳云、任宿、須句、顓臾、風姓也、實司大皡與有濟之祀、朱熹云、案左傳史記、二子仕季氏不同時、此云爾者、疑子路嘗從孔子自衛反魯、再仕季氏、不久而復之衛也、伊藤源佐云、蓋二子必有不安者、故特來報孔子也、孔子曰、求、無乃爾是過與、孔安國曰、冉求爲季氏宰、相其室、爲之聚斂、故孔子獨疑求教也、夫顓臾、昔者先王以爲東蒙主、孔安國曰、使主祭蒙山、皇侃云、蒙山在東、故云東蒙主也、且在邦域之中矣、孔安國曰、魯七百里封、顓臾爲附庸、在其域中、陸德明云、邦或作封、邢昺云、明堂位曰、成王以周公爲有勳勞於天下、是以封周公於曲阜、地方七百里、革車千乘、鄭注云、曲阜魯地、上公之封、地方五百里、加魯以四等之附庸、方百里者二十四、并五五二十五、積四十九、開方之、得七百里、惠棟云、漢書王莽傳云、封域之中、依孔注、邦當作封、古時邦封同、下文邦內、鄭本作封內、明此邦域亦當作封域也、是社稷之臣也、何以伐爲、孔安國曰、已屬魯、爲社稷之臣、何用滅之爲、冉有曰、夫子欲之、吾二臣者、皆不欲也、孔安國曰、歸咎於季氏、孔子曰、求、周任有言曰、陳力就列、不能者止、馬融曰、周任古之良史、言當陳其才力、度己所任、以就其位、不能則當止、皇侃云、人生事君、當先量後入、若計陳我才力所堪、乃後就其

列、次治其職任耳、若自量才不堪、則當止而不爲也、危而不持、顚而不扶、則將焉用彼相矣、包咸曰、言輔相人者、當能持危扶顚、若不能、何用相爲、郝敬云、扶瞽曰相、字從木目、無目扶以木也、且爾言過矣、虎兕出於柙、龜玉毀於櫝中、是誰之過與、馬融曰、柙檻也、櫝匱也、失虎毀玉、豈非典守之過邪、邢昺云、兕似牛、郭璞云、一角、青色、重千斤、說文云、兕如野牛、青色、其皮堅厚可制鎧、交州記曰、兕出九德、有一角、角長二尺餘、形如馬鞭柄是也、冉有曰、今夫顓臾、固而近於費、馬融曰、固謂城郭完堅、兵甲利也、費季氏邑、今不取、後世必爲子孫憂、陸德明云、必爲子孫憂、本或作後世必爲子孫憂、孔子曰、求、君子疾夫、孔安國曰、疾如女之言、舍曰欲之、而必爲之辭、孔安國曰、舍其貪利之說、而更作他辭、是所疾也、丘也聞有國有家者、不患寡而患不均、孔安國曰、國諸侯、家卿大夫、不患土地人民之寡少、患政治之不均平也、翟灝云、春秋繁露度制篇引、孔子曰、不患貧、而患不均、魏書張普惠傳亦引孔子曰、不患貧而患不均、不患貧而患不安、孔安國曰、憂不能安民耳、民安則國富、蓋均無貧、和無寡、安無傾、包咸曰、政教均平、則不貧矣、上下和同、不患寡矣、小大安寧、不傾危矣、皇侃云、上云、不患寡、患不均、不患貧、患不安、則下應云均無寡、安無貧、今云、均無貧、和無寡、又長云安無傾者、並相互爲義、由均和、故安無傾也、夫如是、故遠人不服、則脩文德以來之、既來之、則安之、今由與求也、相夫子、遠人不

服而不能來也、邦分崩離析、而不能守也、孔安國曰、民有異心曰分、欲去曰崩、不可會聚曰離析、而謀動干戈於邦內、孔安國曰、干、楯也、戈、戟也、陸德明云、邦內、鄭本作封內、吾恐季孫之憂、不在顓臾、而在蕭牆之內也、鄭玄曰、蕭之言肅也、牆謂屏也、君臣相見之禮、至屏而加肅敬焉、是以謂之蕭牆、後季氏家臣陽虎、果囚季桓子、皇侃云、天子外屏、諸侯內屏、大夫以簾、士以帷、季氏是大夫、應無屏、而云蕭牆者、季氏皆僭爲之、蔡謨曰、冉有季路、並以王佐之姿、處彼相之任、豈有不諫季孫、以成其惡、所以同其謀者、將有以也、量己揆勢、不能制其悖心於外、順其意以告夫子、實欲致大聖之言、以救斯弊、是以夫子發明大義、以酬來感、弘舉治體、自救時難、引喻虎兕、爲以罪相者、雖文譏二子、而旨在季孫、既示安危之理、又抑強臣擅命、二者

兼著、以寧社稷、斯乃聖賢同符、相爲表裏者也、

案、子路長於冉有、而此先書冉有者、顓臾之事、季氏專與冉有謀、故門人先書冉有、以明夫子專責冉有之意、至下文孔子呼二子、乃先由而後求、從其齒也、孔注謂冉求爲季氏聚斂、故孔子獨疑求教此、大不然、門人先書冉有、則二子雖同見、必冉有告之、孔子知其專與謀、故獨責冉有耳、不爾、聖人豈以所疑妄責人哉、吾二臣者皆不欲、非文過以歸咎於季孫、陳其情也、顓臾固而近費、舉其所疑而質諸孔子也、唯有此疑、故見以告之也、若如舊說、冉有文過匿情之人、何足以爲聖門高弟哉、陳力就列、馬曰、當陳其才力、度己所任、以就其位、是陳力在就列之前、蓋謂自陳列其才力、計度能任是事與否、然後就其位、故皇侃釋之云、計陳我才力所堪、朱子云、陳、布也、是陳力在就列之後、以文求之、馬注是也、疏家疾夫斷句、今詳考孔注、解夫字爲如女之言、故夫下插注、其實亦讀君子至之辭十四字爲一長句、故下注結之曰、是所疾也、所疾之疾、即經文疾夫之疾、其意可見矣、故遂至安之、言所以服遠人之道、今由至守也、責由求不能然、總與伐顓臾事不相關、何以知之、上文云、顓臾在邦域之中、下文云、謀動干戈於邦內、而冉有則又云、固而近費、是其不可以遠人目甚明、遠人不服、蓋指季康子伐邾之屬、季康子患盜、問孔子、是民有異心曰分也、哀十五年、公孫叔以成叛于齊、是欲去曰崩也、離析謂費宰老數叛也、蕭牆之憂、鄭君以爲陽虎囚季桓子之事、朱子以爲哀公以越伐魯之事、蕭牆、唯諸侯以上有之、大夫以簾、季氏不得有蕭牆、朱子似長、然季氏強臣、不知有君、今與其臣語、以其憂在魯君蕭牆之內、恐開其弒逆之心、聖人知微通神、恐必不然、當以鄭說爲正、其季氏得有蕭牆者、皇侃云、僭爲之、是也、邦內、陸云、鄭本作封內、上文邦域、孔注魯七百里封顓臾爲附庸、在其域中、分經文封域而注之、則其本亦作封矣、當以作封爲正、

孔子曰、天下有道、則禮樂征伐自天子出、天下無道、則禮樂征伐自諸侯出、自諸侯出、蓋十世希不失矣、

孔安國曰、希、少也、周幽王爲犬戎所殺、平王東遷、周始微弱、諸侯自作禮樂、專行征伐、始於隱公、至昭公十世、失政死於乾侯矣、邢昺云、諸侯自作禮樂、謂僭爲天子之禮樂、若魯昭公之比也、案、昭二十五年公羊傳云、子家駒曰、諸侯僭於天子、大夫僭於諸侯久矣、昭公曰、吾何僭矣哉、子家駒曰、設兩觀、乘大輅、朱干玉戚、以舞大夏、八佾以舞大武、是也、隱公名息姑、昭公名稠、二十五年、孫於齊、三十二年、卒於乾侯、皇侃云、十世者、隱一、桓二、莊三、閔四、僖五、文六、宣七、成八、襄九、昭十也、伊藤源佐云、齊桓公、晉文公、皆爲諸侯之盟主、然齊至悼公、晉至惠公、皆十世、國已微弱、政在大夫、自大夫出、五世希不失矣、孔安國曰、季文子初得政、至桓子五世、爲家臣陽虎所囚、皇侃云、五世者、文子一、武子二、悼子三、平子四、桓子五、是也、陪臣執國命、三世希不失矣、馬融曰、陪、重也、謂家

臣陽氏爲季氏家臣至虎三世而出奔齊天下有道則政不在大夫孔安國曰制之由君天下有道則庶人不議孔安國曰無所非議物茂卿云以議政爲罪乃周厲秦始之法也師曠曰大夫規誨士傳言庶人謗是古之道也所以不議者特以其無可議也方觀旭云以上經天下有道則禮樂征伐自天子出下經天下有道則政不在大夫之語推之此經即是一例語庶人者又在大夫下若陪臣者是也議者圖議國政倘云私議君上之得失則庶人傳語正是先王之制王者斟酌焉而事行不悖豈得謂非有道蓋庶人有凡民有府史胥徒之屬凡民可以傳語府史胥徒不當與謀國政

案禮樂征伐自諸侯出謂諸侯以己意擅用禮樂征伐邢疏以僭釋之是也注云諸侯自作禮樂禮樂豈諸侯所能作哉蓋亦謂僭用之然云自諸侯出則不惟自僭之并以施之人也此章汎論古今理勢孔注舉魯國君臣而實之非也必求其事仁齋以齊桓晉文當之近之自大夫出蒙上文禮樂

征伐則謂如晉六卿中執政者也大夫於天子亦陪臣而下別云陪臣以一國言故云執國命此云執國命則上自大夫出者以天下言可知矣天下無道權日移於下至其極也處士議得失以與上抗即孟子所謂處士橫議是也方引國語庶人傳語以駁古注以不議爲不與謀國政然與謀國政其人必非庶人謂之庶人則非與謀國政也蓋議與謗別謗者情所非則騰之口也議者謀議其是非以與上相持也同是說上非而其心有邪正順逆之殊故謗則取之議則爲天下無道之事孟子宗孔子者也處士橫議蓋亦述此議耳邢本注陽氏作陽虎今從皇本

孔子曰祿之去公室五世矣鄭玄曰言此之時魯定之初魯自東門襄仲殺文公之子赤而立宣公於是政在大夫爵祿不從君出至定公爲五世矣政逮於大夫四世矣孔安國曰文子武子悼子平子馮景云孔安國注文子武子悼子平子朱子集注乃以武悼平桓爲四世孔注則有文無桓朱注則有桓無文將何說之從馮子曰悼子非卿也非卿則未執政故其卒也不書於經非文武平桓比悼子先武子卒平子以孫繼祖觀孔子世家信然左傳樂祁曰政在季氏三世矣杜注文武平又曰魯君喪政四公矣杜注宣成襄昭夫君必失政而後臣得專政今朱子於祿之去公室五世則云魯自文公薨公子遂殺子赤立宣公而君失其政歷成襄昭定凡五公既從鄭說亦合杜注乃五世斷自宣公而四世則自武子武子立在襄五年上溯宣公八年凡三十有四年此三十四年中政安歸乎故知專政自文子始決無可疑者故夫三桓之子孫微矣孔安國曰三桓謂仲孫叔孫季孫三卿皆出桓公故曰三桓也仲孫氏改其氏稱孟氏至哀公皆衰

案上章汎論此舉魯事而實之蓋同時之言也四世馮辨極是毛奇齡閻若璩方觀旭諸人亦有此說馮與毛同時未必攘其說毛說大長故此取馮

孔子曰益者三友損者三友友直友諒友多聞益矣友便辟馬融曰便辟巧辟人之所忌以求容媚陸德明云辟婢亦反翟灝云辟字馬融讀避鄭康成讀譬班固讀變俱不讀婢亦反而陸氏僅著婢亦一音則其他之多或未備由可知矣友善柔馬融曰面柔也友便佞損矣鄭玄曰便辯也謂佞而辯物茂卿云便佞說文引論語作諞佞阮元云五經文字云諞見周書與便巧之便同

案便辟馬鄭二家皆通但下文有便佞訓避似長善猶巧也面從而背毀柔之最巧者故馬以面從釋之

孔子曰益者三樂損者三樂陸德明云三樂五教反物茂卿云樂皆音洛翟

灝云、四書湖南講曰、樂當如字讀、下皆同、**樂節禮樂、**何晏曰、動得禮樂之節、**樂道人之善、樂多賢友、益矣、樂驕樂、**孔安國曰、恃尊貴以自恣、**樂佚遊、**王肅曰、佚遊出入不節、**樂宴樂、損矣、**孔安國曰、宴樂沈荒淫瀆也、三者自損之道也、

邢昺云、書微子云、沈酗於酒、言人以酒亂、若沈沒於水、故以耽酒爲沈也、荒者廢也、謂有所好樂而廢所掌之職事也、書云、酒荒於厥邑、淫訓過也、言耽酒爲過差也、瀆者媟慢也、言無復禮節也、

案、五教反、即今魚教切、心有所愛好也、湖南講云、讀如字、音殊而義同、然自古有五教反、不必求異也、物云音洛、義亦可通、然終不如訓愛好之爲允也、

孔子曰、侍於君子有三愆、孔安國曰、愆過也、皇侃云、卑侍於尊、有三事爲過失也、**言未及之而言、謂之躁、**鄭玄曰、躁不安靜也、陸德明云、魯讀躁爲傲、今從古、翟灝云、荀子勸學篇曰、未可與言而言、謂之傲、可與言而不言、謂之隱、不觀顏色而言、謂之瞽、君子不傲、不隱、不瞽、按荀卿所用論語文、與魯讀同、爲傲字、可見魯論所傳、得未經秦厄之眞也、**言及之而不言、謂之隱、**孔安國曰、隱匿不盡情實也、**未見顏色而言、謂之瞽、**周生烈曰、未見君子顏色所趣向、而便逆先意語者、猶瞽者也、

案、魯亦作躁、讀爲傲耳、未嘗作傲、疑習荀子者、改其讀、躁字自通、不煩易字、皇本作言及之不言、今從邢本、

孔子曰、君子有三戒、少之時、血氣未定、戒之在色、及其壯也、血氣方剛、戒之在鬭、及其老也、血氣既衰、戒之在得、孔安國曰、得貪得也、皇侃云、少謂三十以前也、爾時血氣猶自薄少、

不可過慾、過慾則爲自損、老謂年五十以上也、年五十始衰、得貪得也、老人好貪、故戒之也、方觀旭云、邢疏老謂五十以上、是又望經文衰字爲說、不用曲禮七十曰老之義矣、其實王制云、五十始衰、則方衰之始、尚非既衰、斯時正古命爲大夫服官政之年、豈國家用既衰之人、或及迨人貪得之際而用之乎、孔穎達禮疏云、六十至老境而未全老、可謂無五十以上爲老之說、孟子梁惠王篇云、七十者衣帛食肉、又云、老者衣帛食肉、亦足明老是七十也、

案、血氣未定、浮躁輕率、易爲物所動、物之動人、莫色若焉、而少之時最甚、故於易少男少女相遇爲咸、若不深戒、或陷於淫蕩矣、皇邢二疏皆云、過慾則自損、然此章所戒、在行而不在病、其說非也、

孔子曰、君子有三畏、畏天命、何晏曰、順吉逆凶、天之命也、皇侃云、心服曰畏、天命謂作善降百祥、作不善降百殃、從吉逆凶、是天之命、故君子畏之、不敢逆之也、朱熹云、畏者嚴憚之意也、天命者天所賦之正理也、**畏大人、**何晏曰、大人即聖人、與天地合其德者也、皇侃云、大人、聖人也、見其含容、而曰大人、見其作教正物、而曰聖人也、今云畏大人、謂居位爲君者也、邢昺云、乾卦文言云、夫大人者、與天地合其德、與日月合其明、與四時合其序、與鬼神合其吉凶、此獨舉與天地合其德者、舉一隅也、**畏聖人之言、**何晏曰、深遠不可易、則聖人之言也、皇侃云、聖人之言、謂五經典籍、聖人遺文也、**小人不知天命而不畏也、**何晏曰、恢疏、故不知畏也、皇侃云、天網恢恢、疏而不失、小人見天命不切、切之急、謂之不足畏也、**狎大人、**何晏曰、直而不肆、故狎之也、皇侃云、肆猶經威毒也、大人但用行不邪而不加威毒也、**侮聖人之言、**何晏曰、不可小知、故侮之也、皇侃云、經籍深妙、非小人所知、故云不可小知也、

案、天命、何晏以爲遭遇之命、朱子以爲正理之命、皆可通、然下文云、小人不知天命而不畏、正理之

命、孔子五十、始能知之、而一概責之小人、非聖人所以教人也、但遭遇之命、中人以上、皆能知畏之、何注似長、大人、皇侃以爲有德位者、然下文云、狎大人、凡小人之性、有位者必敬之、不復論其有德與否、則此當以爲有德之稱、大人聖人、孟子區而別之、細推之、固當有別、然若文言所說、全與聖人同、蓋其身尚存、見其道德之大、故稱之大人、論未定也、其身既沒、而其言猶存、見其理無所不通、故稱之聖人、論既定也、要之其德既大、雖未至聖人、亦可以稱大人矣、皇疏云、理皆深遠、不可改易、是皇讀何注易如字、則字下屬爲句、邢本注作不可易知測、疏同、是讀易以豉反、其文既殊、義又覺別、今案皇疏以行言、故讀則如字、後因深遠之文、有讀則爲測者、因遂加知字耳、

孔子曰、生而知之者、上也、學而知之者、次也、困而學之、又其次也、孔安國曰、困謂有所不通也、邢昺云、人本不好學、因其行事有所困屈不通、發憤而學之者、復次於賢人也、困而不學、民斯爲下矣、

皇侃云、既不好學、而困又不學、此是下愚之民也、

孔子曰、君子有九思、視思明、聽思聰、色思溫、貌思恭、言思忠、事思敬、疑思問、忿思難、見得思義、皇侃云、一朝之忿、忘其身、以及其親、是謂難也、江熙云、義然後取也、

孔子曰、見善如不及、見不善如探湯、吾見其人矣、吾聞其語矣、孔安國曰、探湯喻去惡疾也、隱居以求其志、行義以達其道、吾聞其語矣、未見其人也、伊藤源佐云、隱居求志、如伊尹耕于有莘之野、而樂堯舜之道是也、行義即君臣之義也、行義達道者、如幡然而起、應湯之聘幣也、孔門若顏曾閔冉之徒、可以當之、而夫子曰、未見其人者、蓋夫子泛論當世人材、而至於其門人、則每不論及之也、物茂卿云、志謂古志記也、求云者、謂求先王之道於其書也、孟子所謂處畎畝之中、由是以樂堯舜之道是也、行義者謂仕也、子路曰、君子之仕、行其義也、達其道者、達其道於天下也、翟灝云、論語集說以此合後章爲一、其說曰、見善如不及、謂見善矣、又若不及見之也、見不善如探湯、謂見不善矣、猶未免於嘗試之也、求之于今、則齊景公其人矣、隱居以求其志、志於求仁者也、行義以達其道、行吾得爲之義、以達夫當然之道於天下後世者也、求之于今、則未見其人也、求之于古、則夷齊其人也、景公知夫子之聖、而不能用、善晏子之言、而不能行、是見善如不及也、田氏不之正、而倖公室之僅存、嗣君不之定、而幸晏子之得立、是見不善如探湯也、悠悠於善惡之間、故雖擁千乘之富、而無一德之稱、夷齊兄弟遜立、捨國而逃、是隱居以求其志也、扣馬而諫、恥食周粟、是行道以達其道也、即夫人心之安、循夫天理之正、雖餓死首陽、而到于今稱之、即是人以證是語、故曰、其斯之謂與、按如蔡氏說、不惟上章文勢不見斷續、下章章首無子曰字、不必疑而誠不以富二句、亦無煩移就、可謂洞徹千古、有功聖經之務論、特詳識之、

案、如不及、如追逃者而不及、恐失之也、如探湯、恐不速去之、其爛手也、求其志、求其所志也、謂堯舜之道、行義與隱居對、仁齊徂徠、皆以爲謂仕、是也、凡讀書當先求大頭腦、此章二節、皆庶幾見賢人之言、而自淺入深、上節見其人矣、喜得見之詞、未見其人也、恐不得見之詞、求之全文、無可疑者、蔡欲與下合爲一章、以如不及爲如不及見善、如探湯爲嘗試之、不能斷然從事、以爲謂景公果爾、吾見其人矣、謂見惡人、當時諸侯卿大夫、滔滔皆此等人、不知孔子何所奇、而舉以語人也、翟氏持論極平、而此取蔡說者、不過欲使下章無闕字、無錯簡耳、大抵清儒詳於文、而忽於義、讀者不可不察焉、

齊景公有馬千駟、死之日、民無德而稱焉、孔安國曰、千駟、四千匹、翟灝云、義疏本作民無得稱焉、論語集注本、四書大全本、皆德作得、方觀旭云、春秋哀五年、齊侯杵臼卒、八年傳、鮑牧又謂羣公子曰、使女有馬千乘乎、注有馬千乘、使爲君也、此即景

公之千駟矣、**伯夷叔齊餓于首陽之下、**馬融曰、首陽山在河東蒲坂縣華山之北、河曲之中、皇侃云、夷齊反首陽山、責身不食周粟、唯食草木而已、後遼西令支縣祐家白張石虎往蒲坂採材、謂夷齊曰、女不食周粟、何食周草木、夷齊聞言、即遂不食、七日餓死、**民到于今稱之、其斯之謂與、**王肅曰、此所謂以德爲稱者也、朱熹云、胡氏曰、程子以爲第十二篇錯簡、誠不以富、亦祇以異、當在此章之首、今詳文勢、似當在此句之上、言人之所稱、不在富而在異也、愚謂此說近是、而章首當有孔子曰字、蓋闕文耳、孔廣森云、此自弟子之言、故別爲一章、而附繫於前章之下、因末綴其斯之謂與一句、言如伯夷叔齊者、乃所謂隱居以求其志、行義以達其道之人與、蓋夷齊自行其志耳、然後民稱之、使君臣之義、終古不墜、其道固已達矣、

案、凡論語之例、擧古事古禮者、章首皆無孔子曰字、至其下斷語、始置之、此章及下文邦君之妻章、微子篇柳下惠章、周有八士章之屬、序而不論、故章中亦不著子曰字、非闕文也、朱子取程胡說、謂十二篇誠不以富、亦祇以異八字、當在其斯之謂與上、其說至當不易、而後儒猶云云者、失之偏見耳、

陳亢問於伯魚曰、子亦有異聞乎、馬融曰、以爲伯魚孔子之子、所聞當有異、翟灝云、說文解字曰、論語有陳亢、段玉裁云、亢字子禽、與爾雅亢鳥嚨詁訓相合、作伉似非也、**對曰、未也、嘗獨立、**孔安國曰、獨立謂孔子、**鯉趨而過庭、曰、學詩乎、對曰、未也、不學詩、無以言、鯉退而學詩、**皇侃云、言詩有比興、荅對酬酢、人若不學詩、則無以與人言語也、物茂卿云、詩書者義之府、而詩又悉人情、凡言語之道、詩盡之矣、**他日又獨立、鯉趨而過庭、曰、學禮乎、對曰、未也、不學禮、無以立、鯉退而學禮、**皇侃云、禮是恭儉莊敬、立身之本、人有禮則安、無禮則危、若不學禮、則無以自立身也、**聞斯二者矣、陳亢退而喜曰、問一得三、聞詩聞禮、又聞君子之遠其子也、**范甯云、孟子曰、君子不教子何也、勢不行也、教者必以正、以正不行、繼之以忿、繼之以忿、則反夷矣、父子相夷、惡也、

案、詩婉而成章、言之者無罪、聞之者足以戒、乃言之至善者也、故不學之、無以言、

邦君之妻、君稱之曰夫人、夫人自稱曰小童、邦人稱之曰君夫人、稱諸異邦曰寡小君、異邦人稱之、亦曰君夫人、孔安國曰、小君君夫人之稱、對異邦謙、故曰寡小君、當此之時、諸侯嫡妾不正、稱號不審、故孔子正言其禮也、

論語集說卷五終

論語集說卷六

日南　安井衡　著

陽貨第十七

皇侃云、所以次前者、明於時凶亂、非唯國臣無道、至於陪臣賤亦並凶惡、故陽貨次季氏也、

案、此篇所載、多衰世無道之事、比前篇更甚、故以次季氏篇也、

陽貨欲見孔子、孔子不見、孔安國曰、陽貨陽虎也、季氏家臣、而專魯國之政、欲見孔子使仕、歸孔子豚、孔安國曰、欲使往謝、故遺孔子豚、陸德明云、歸如字、鄭本作饋、閻若璩云、此與歸女樂注並云、歸如字、一作饋、按歸如字解、則云入也還也、杜預解歸者不及之辭、此于蒸豚女樂何涉乎、自當作饋、孟子正作饋、孔子世家作遺、魯君女樂文馬、饋餉也、遺餉贈也、康成注以物有所餉遺是也、

孔子時其亡也、而往拜之、遇諸塗、孔安國曰、塗道也、於道路與相遇、陸德明云、塗字當作途、皇侃云、孔子聖人、所以不計避之、而在路相遇者、其有所以也、若遂不相見、則陽虎求召不已、既得相見、則其意畢耳、但不欲久與相對、故造次在塗路也、一家通云、餉豚之時、孔子不在、故往謝之也、然於王藻中爲便、而不勝此集解通也、劉台拱云、王藻曰、大夫親賜士、士拜受、又拜於其室、又曰、敵者不在、拜於其室、說者謂大夫賜士、士拜受於家、又就拜於大夫之家、是爲再拜、敵者之賜、但拜受於家而已、不得受於家、然後就拜於其家、則一拜也、由是言之、陽貨饋豚、而瞯孔子之亡、正欲以敵者之禮致孔子、而孔子亦以敵者之禮拜貨、是故貨不爲驕、孔子不爲屈、孟子以一拜爲大夫賜士之禮、與王藻不合、以事理論之、則王藻是也、不然、貨非大夫、而以大夫自處、其妄甚矣、而孔子因即以大夫之禮禮之、何以爲孔子、

謂孔子曰、來、予與爾言、曰、懷其寶而迷其邦、可謂仁乎、曰、不可、馬融曰、言孔子不仕、是懷寶也、知國不治而不爲政、是迷邦也、好從事而亟失時、可謂知乎、曰、不可、孔安國曰、言孔子棲棲好從事、而數不遇失時、不得爲有知、日月逝矣、歲不我與、馬融曰、年老歲月已往、當急仕、皇侃云、逝速也、日月不停、速不待人、孔子曰、諾、吾將仕矣、孔安國曰、以順辭免、郭象云、聖人無心、仕與不仕、隨世耳、陽虎勸仕、理無不諾、不能用我、則無自用、此直道而應者也、然免遜之理、亦在其中也、毛奇齡云、明儒郝京山有云、前兩曰字、皆是貨口中語、自爲問答、以斷爲必然之理、孔子曰以下、纔是孔子語、孔子答語祇此耳、故記者特加孔子曰三字以別之、千年夢夢、一旦喚醒、可爲極快、

案、定公八年、陽虎奔於齊、時孔子年四十九、虎欲見孔子、不知的在何年、然以事情考之、恐在五年囚季桓子之後、孔子時未仕、故其語甚驕、孔子不避於途者、所謂不爲已甚也、郝以兩曰字爲虎自

爲問答、而毛奇齡翟灝諸人以其說爲是、然今詳語勢、爲孔子答語、無可疑者矣、蓋兩答如響、屬之孔子、嫌其屈於虎、故據下孔子曰三字、斷屬之虎耳、不知聖人行事、一度之禮、當往而往、不當避而不避、當答而答、皆循禮而爲之、何屈之有、時其亡者、虎矙孔子之亡、欲其相稱也、兩曰不加孔子者、語勢方急、而答語只云不可、故不加之以逗文勢、下則虎語既終、而答語又稍長、故特加孔子字、以明上兩曰皆爲孔子答語也、劉引王藻以孟子以虎爲大夫、爲謬、似矣、然孟子距孔子僅百年、虎之爲大夫與否、必有所詳聞矣、且虎爾孔子、其貴於孔子可知矣、蓋虎本季氏家臣、及其囚桓子、桓子不得已、舉以爲大夫、大夫耳、春秋書盜者、大夫不書於經、且書其實也、杜預謂家臣故書盜、失之、一去不反曰逝、歲不我與者、言己安命待時、而日月逝去、不與我共留處、身將老也、

子曰、性相近也、習相遠也、孔安國曰、君子愼所習也、

子曰、唯上知與下愚不移、孔安國曰、上知不可使爲

惡、下愚不可使強賢、者、皇侃云、性者人所稟以生也、習事也、人俱稟天地之氣以生、雖復厚薄之有殊、而同是稟氣、故曰相近也、及至識、若值善友、則相効爲善、若逢惡友、則相効爲惡、善惡既殊、故曰相遠也、

案、稟性之義、二章相須而始全、故連書之、必載於此者、雖叛亂如陽虎者、其始亦不與入相遠、因其習不善、終至亡其身耳、若教之以道、自非下愚、未有不移者也、因又以武城弦歌次之、

子之武城、聞弦歌之聲、孔安國曰、子游爲武城宰、皇侃云、聞弦歌之聲、其則有二、一云、孔子入武城堺、聞邑中人家家有絃歌之聲、由子游政化和樂故也、繆播曰、子游宰小邑、能令民得其可弦歌以樂也、又一云、謂孔子入武城、聞子游身自絃歌以教民也、故江熙曰、小邑但當令足衣食教敬而已、反教歌詠先王之道也、**夫子莞爾而笑、**何晏曰、莞爾小笑貌、陸德明云、莞本今作莧、惠棟云、周易夬夬、虞翻注云、莧、悦也、讀如夫子莧爾而笑之莧、是漢以來皆作莧、唐石經仍作莞、非也、廣雅曰、莧笑也、疑莧字之誤、莧亦訓笑、故何晏云、莧爾小笑貌、**曰、割雞焉用牛刀、**孔安國曰、言治小何須用大道、皇侃云、譬如武城小邑之政、可用小才而已、用子游之大才、是才大而用小也、故繆播曰、惜其不得導千乘之國、如牛刀割雞、不盡其才也、**子游對曰、昔者偃也聞諸夫子、君子學道則愛人、小人學道則易使也、**孔安國曰、道謂禮樂也、樂以和人、人和則易使、**子曰、二三子、**孔安國曰、從行者、**偃之言是也、前言戲之耳、**孔安國曰、戲以治小而用大道、

案、弦歌、皇疏前通是也、割雞牛刀、孔以爲大道治小邑、皇以爲邑小而才大、今案兩說相須、其義始備、孔子美其能行道、故莞爾而笑、惜其才大而治小、故曰割雞焉用牛刀、子游以爲謂已以禮樂治

小邑、孔子不可面言其大才治小邑、故不復辨其意、直以前言爲戲耳、

公山弗擾以費畔、召子欲往、孔安國曰、弗擾爲季氏宰、與陽虎共執季桓子、而召孔子、邢昺云、案定五年左傳曰、六月、季平子行東野、還未至、丙申卒于房、陽虎將以璵璠斂、仲梁懷弗與、曰改步改玉、陽虎欲逐之、告公山不狃、不狃曰、彼爲君也、子何怨焉、既葬、桓子行東野、及費、子洩爲費宰、逆勞於郊、桓子敬之、勞仲梁懷、仲梁懷弗敬、子洩怒、謂陽虎、子行之乎、九月乙亥、陽虎囚季桓子、是其事也、至八年、又與陽虎謀殺桓子、陽虎敗而出、至十二年、季氏將墮費、公山不狃、叔孫輒率費人以襲魯、國人敗諸姑蔑、二子奔齊、翟灝云、史記世家、定公九年、孔子年五十、公山不狃以費畔季氏、使人召孔子、孔子欲往、按左傳史記各與論語事不同、左傳之畔、在定公八年、時公山不狃雖未著畔迹、而與季寤等共因陽虎、則季氏亦已料其畔矣、因於次年使人召孔子圖之、孔子未果往、而不狃盤踞於費、季氏無如之何也、十二年、孔子爲魯司寇、建墮費策、不狃將失所倚恃、遂顯與叔孫輒襲魯犯公、孔子親命申句須樂頎伐之、公室以之平、季氏之召、終亦以之應矣、如此說之、則左史兩家所載、得以相通、而於事理亦可信、論語召字上原無主名、舊解推測子路語意、謂是公山氏召、實大誤也、揆子路語意、當介於季氏之平素勞跡、而云何必因公山氏之之、以從畔伐畔也、上之謂往、下之謂季氏、所書經屢寫、句內偶脫一字、乃致與左史文若矛盾耳、先儒承舊解、謂此聖人體道之大權、夫權之爲喩、或輕或重、審物以濟變也、如論季氏之平素、召不當往、而不狃之罪、更有重焉、則不妨於應季氏、此正所謂權矣、若併不狃之悖亂、略不審擇、則枉道而已、烏得謂之權乎、

子路不說曰、末之也已、何必公山氏之之也、孔安國曰、之、適也、無可之則止、何必公山氏之適、**子曰、夫召我者、而豈徒哉、如有用我者、吾其爲東周乎、**何晏曰、興周道於東方、故曰東周、皇侃云、徒、空也、言夫欲召我者、豈容無事空然而召我乎、

必有以也、魯在東、周在西、云東周者、欲於魯而興周道、故云吾其爲東周也、一云、周室東遷洛邑、故曰東周、翟灝云、詩黍離正義、引鄭論語注、曰敬王去王城、而遷於成周、自是以後、謂王城爲西周、成周爲東周、孔子設此言時、在敬王居成周後、故云、爲東周乎、爲字實、當作去聲讀、如述而篇爲衞君之爲、猶言助也、

案、孔以公山叛、爲定五年陽虎囚季桓氏時之事、史記以爲九年、史記似長、左傳不載者、不狃陪臣、而事未至亂也、翟據史記、謂季氏召孔子、而子路之語、不可解、爲止之季氏、遂言論語召字上、原無主名、何必下脫因字、上之謂往、下之謂季氏、以求與左氏合、今詳史記文、不狃爲費宰、費季氏之邑、故云以費畔季氏、翟以畔字句、季氏連下讀、此其所據先誤、又删補論語文、以求與之合、可謂牽強之甚矣、然則孔子不見陽虎、而欲赴公山氏之召、何也、曰此不難辯、左氏記陽虎之事甚詳、定五年、季平子卒、虎將以璵璠斂、仲梁懷不與、其言甚正、即欲逐之、至九月囚季桓子、六年強使孟懿子往晉以辱之、又盟魯公及三桓於周社、七年齊人歸陽關、虎居焉以專之、八年兵敗而奔竊寶玉大弓、請師於齊以伐魯、曰三加必取之、齊人惡其又亂齊、遂執之、虎欲西奔晉、乃請囚於東、又借邑人之車、而鍥其軸、遂奔晉、適趙氏、仲尼曰、趙氏其世有亂乎、從又助趙氏、納蒯聵於戚、以兆衞國之亂、其所爲無非譎詐僭亂之事、孔子所以絕之也、公山不狃則異於此、虎之欲逐仲梁懷也、不狃曰、彼爲君也、子何怨焉、哀八年、不狃在吳、吳將伐魯、問於叔孫輒、輒勸之、退而告不狃、不狃曰、非禮也、君子違不適讎國、未臣而有伐之、奔命焉死之可也、所託也則隱、且夫人之行也、不以所惡廢鄉、今子以小惡而覆宗國、不亦難乎、吳子問於不狃、對曰、魯雖無與立、必有與斃、諸侯將救之、未可以得志焉、晉與齊楚輔之、是四讎也、夫魯齊晉之唇、唇亡齒寒、君所知也、不救何爲、及其率吳師、故道險從武城、其人如此、是其畔季氏、蓋欲張公室、有可爲之機、所云夫召我者而豈徒哉是也、而公士大夫之衆臣、爲其君布帶繩屨、與天子諸侯之臣不同、季氏又不臣、其臣畔之、其罪可從末減、因以得治魯國、而爲東周、天下可得而平矣、與其辭而不赴之義、孰重孰輕、彼此計較、棄輕取重、故孔子欲適而

終不往者、以其不足與有爲也、其於佛肸亦然、史遷知之、故特於畔下加季氏二字、以示孔子欲往之意、而翟反以二字下屬、謂季氏召孔子、以圖不狃、舛矣、爲東周、春秋傳序疏云、鄭玄注論語以東周爲成周、翟云、爲讀如夫子爲衞君乎之爲、猶助也、何注似勝、皇本弗作不、

子張問仁於孔子、孔子曰、能行五者於天下爲仁矣、請問之、曰恭寬信敏惠、恭則不侮、孔安國曰、不見侮、**寬則得衆、信則人任焉、敏則有功、**孔安國曰、應事疾則多成功、皇侃云、敏、疾也、人君行事不懈而能進疾、則多成功、疾則事以成而多功也、焦循云、僖四年、遂伐楚次于陘、公羊傳云、其言次于陘何、有俟也、孰俟、俟屈完也、注云、生事有漸、故敏則有功、疏云、敏審也、言舉事敏審、則有成功矣、是敏之義爲審、僖二十三年左傳、辟不敏也、注云、敏猶審也、三十三年左傳、禮成而加之以敏、注云、敏審當於事、亦以敏爲審、若徒以疾速便捷爲敏、非其義矣、**惠則足以使人、**皇侃云、人君有恩惠加於民、民則以不憚勞役也、故江熙曰、有恩惠則民忘勞也、物茂卿云、子張才大、故孔子以行仁於天下告之、孔子以天下告者、惟顏子子張耳、欲行仁政於天下、必行此五者、然後仁可得而行也、爲仁、與克己復禮爲仁同義、訓爲爲謂者非矣、

案、孔敏訓疾、意與勉同、謂勉焉而不置、非疾速便捷之義也、皇云、行事不懈而能進疾是已、此訓疾爲長、郝京山謂記者記此于公山佛肸之間、見聖道變通可行、放之皆準、惟其仁耳得之、

佛肸召、子欲往、孔安國曰、晉大夫趙簡子邑宰也、**子路曰、昔者由也聞諸夫子、曰親於其身爲不善者、君子不入也、**孔安國曰、不入其國、皇侃云、不入其家也、朱熹云、不入其黨也、**佛肸以中牟畔、子之往也如之何、**皇侃云、佛肸身爲不善而今夫子若爲往之、故云如之何也、邢昺云、如前言何、**子曰然、有是言也、不曰堅乎、磨**

而不磷、不曰白乎、涅而不緇、孔安國曰、磷薄也、涅可以涅皁、言至堅者磨之而不薄、至白者涅之於涅而不黑、喻君子雖在濁亂、濁亂不能汚、皇侃云、天下至堅之物、磨之不薄、至白之物、涅之不黑、是我昔亦有此二言、汝今那唯憶不入、而不憶亦入乎、故曰、不曰堅乎、磨而不磷、不曰白乎、涅而不緇、言我昔亦經有曰也、故云不曰乎以問之、邢昺云、涅水中黑土、可以涅皁、焦循云、淮南齊俗訓云、素之質白、涅之以涅則黑、傲眞訓云、今以涅涅緇、則黑於涅、高誘注云、涅礬石也、西山經、女牀之山、其陰多石涅、郭注云、即礬石也、楚人名爲涅石、秦人名爲羽涅也、本草經亦名曰涅石也、其可以涅皁、蓋指今之皁礬、吾豈匏瓜也哉、焉能繫而不食、何晏曰、匏瓠也、言瓠瓜得繫一處者、不食故也、吾自食物、當東西南北、不得如不食之物繫滯一處、皇侃云、一通云、匏瓜星名也、言

人有才智、宜佐時理務爲人所用、豈得如匏瓜係天、而不可食邪、物茂卿云、匏瓜爲星名、得之、以星爲喻、如維南有箕、不可以簸揚、維北有斗、不可以挹酒漿、三代以上亡論士大夫、雖閭巷兒女輩能識星緯、故時俗有是諺、而孔子引之、石氏星經、史記隋書、或曰、瓜瓠、或曰瓠瓜、或曰匏瓜、其星近須女、須女賤女象、掌果蓏蔬菜事、凡星皆以類相從、毛奇齡云、孔云我是食物者、言我是可食之物、非謂能食之物也、能食之物、不得稱食物、埤雅云、匏苦瓠甘、甘可食、苦不可食、故匏之爲物、但可繫之以渡水、而不足食者、國語叔向曰、苦匏不材于人、供濟而已、韋昭注亦曰、不材、不可食也、

案、如之何、皇疏是也、涅、焦引山海經淮南子爲礬石、得之、匏瓜、何注皇疏皆通、徂徠以爲當時俗語、拯是、皇疏前通解焉能繫而不食、爲東西求食、最屬諺解、又案磨而不磷涅而不緇、亦是當時俗諺、故上云不曰乎、皇疏以爲孔子經言、失之、皇本佛作胇、

子曰、由也、女聞六言六蔽矣乎、何晏曰、六言六蔽者、謂下六事仁知信直勇剛也、王弼云、蔽不自見其過也、物茂卿云、六言六蔽蓋古語也、其他如請問其目、行五者於天下、三樂三友、三畏、三愆、古人以條目教之、以條目守之、對曰、未也、曰居、吾語女、孔安國曰、子路起對、故使還坐、邢昺云、居猶坐也、好仁不好學、其蔽也愚、孔安國曰、仁者愛物、不知所以裁之則愚、朱熹云、愚若可陷可誣之類、好知不好學、其蔽也蕩、孔安國曰、蕩無所適守、好信不好學、其蔽也賊、孔安國曰、父子不知相爲隱之輩也、物茂卿云、信之賊、謂任俠之輩也、好直不好學、其蔽也絞、皇侃云、絞猶刺也、好譏刺人之非、以成己之直也、邢昺云、絞者絞切也、正人之曲曰直、若好直不好學、則失於譏刺大切、好勇不好學、其蔽也亂、邢昺云、勇謂果敢、好剛不好學、其蔽也狂、孔安國

曰、狂妄抵觸人、皇侃云、狂謂抵觸於人無廻避者也、物茂卿云、剛謂性不柔順者、

案、凡事有可爲之策、必竭知慮而爲之、不復顧道義、故知者之蔽也蕩、孔云、無所適守、洵是、言必信、雖害人賊物之事、亦必爲之、故其蔽也賊、絞、急切也、繞繩於頸、急引之以殺人、謂之絞、直者之責人、其急切亦猶是也、

子曰、小子何莫學夫詩、包咸曰、小子門人也、皇侃云、莫無也、夫語助也、邢昺云、莫不也、詩可以興、孔安國曰、興引譬連類也、物茂卿云、興者任其自取、展轉弗已是也、可以觀、鄭玄曰、觀觀風俗之盛衰也、物茂卿云、觀者黙而存之、情形在目是也、可以羣、孔安國曰、羣居相切磋也、焦循云、詩之教溫柔敦厚、學之則輕薄嫉忌之習消、故可以羣居相切磋、可以怨、孔安國曰、怨刺上政也、皇侃云、言之者無罪、聞之者足以戒、故可以怨也、邇之

事父、遠之事君、孔安國曰、邇、近也、皇侃云、詩有凱風白華、相戒以養、是有近事父之道也、又雅頌、君臣之法、是有遠事君之道也、多識於鳥獸草木之名、

案、莫兼無有二字之義、猶言何無有學夫詩也、以物喩人事、謂之興、本有定義、而亦可斷章取義、故云引譬連類也、凡詩所美刺、必關國家盛衰治亂、以此觀於今日、亦可知其所以盛衰治亂、故云可以觀也、三百篇中、可以事父者、不唯凱風白華、可以事君者、不唯雅頌、皇特擧其一二以示人耳、

子謂伯魚曰、女爲周南召南矣乎、人而不爲周南召南、其猶正牆面而立也與、馬融曰、周南召南、國風之始、得淑女以配君子、三綱之首、王教之端、故人而不爲、如向牆而立也、皇侃云、爲猶學也、牆面、面向牆也、若不學者、則如人面正向牆而倚立、終無所瞻見也、

案、二南之詩、多言夫人之化、夫人所以能化、以文王型于寡妻也、其家不可教、而能治國家者、未之有、欲教其家、先脩其身、其身不脩、盛衰治亂之道、一無所見、猶向牆而立、是此章之義也、

子曰、禮云禮云、玉帛云乎哉、鄭玄曰、玉、璋珪之屬、帛、束帛之屬、言禮非但崇此玉帛而已、所貴者乃貴其安上治民也、皇侃云、當乎周季末之君、唯知崇尚玉帛、而不能安上治民、故孔子歎之云也、

樂云樂云、鐘鼓云乎哉、馬融曰、樂之所貴者、移風易俗也、非謂鐘鼓而已也、王弼云、禮以敬爲主、玉帛者敬之用飾也、樂主於和、鐘鼓者樂之器也、于時所謂禮樂者、厚贄幣而所簡於敬、盛鐘鼓而不合雅頌、故正言其義也、繆播云、玉帛禮之用、非禮之本、鐘鼓者樂之器、非樂之主、假玉帛以達禮、禮達則玉帛可忘、借鐘鼓以顯樂、樂顯則鐘鼓可遺、

案、此章之義、注疏盡之矣、但皇邢二疏、不解云字、蓋以爲助辭也、公羊莊二十四年傳、然則曷用棗栗云乎、服脩云乎、何休注云、云乎辭也、疑其所本、今案、此蓋擧聖賢常語、以正時失、言聖賢常云禮禮、未嘗云玉帛、常云樂樂、未嘗云鐘鼓、今不正禮樂之本、而專貴玉帛鐘鼓之末、惑矣、禮必假玉帛、樂必假鐘鼓、繆云、禮達則玉帛可忘、樂顯則鐘鼓可遺、乃老莊之見、非聖人之意也、

子曰、色厲而內荏、孔安國曰、荏、柔也、謂外自矜厲、而柔佞、譬諸小人、其猶穿窬之盜也與、孔安國曰、爲人如此、猶小人之有盜心也、穿、穿壁也、窬、窬牆也、皇侃云、小人爲盜、或穿人屋壁、或踰人垣牆、當此之時、外形恒欲進爲取物、而心恒畏人、常懷退走之路、是形進心退、內外相乖、如色外矜而心內柔佞者也、陸德明云、踰本又作窬、阮元云、孔注云、窬、窬牆也、則字當作踰、

案、窬、戈朱反、又音豆、說文、穿木戶也、一曰、空中、蓋窬與竇同、故一音豆、圭竇必在宮牆、故孔云窬牆、謂穿宮牆、非踰義也、皇疏云、踰人垣牆、則其本作踰矣、荀子針賦曰、不盜不竊、穿窬而行、作窬訓穿、似長、

子曰、鄉原德之賊也、周生烈曰、所至之鄉、輒原其人情、而爲己意以待之、是賊亂德者也、一曰、鄉、向也、古字同、謂人不能剛毅、而見人輒原其趣向、容媚而合之、言此所以賊德也、皇侃云、言賊害其德也、張憑云、鄉原、原壤也、孔子鄉人、故曰鄉原、朱熹云、鄉者鄙俗之意、原與愿同、荀子原慤、注讀作愿是也、鄉原、鄉人之愿者也、蓋其同流合汙以媚於世、故在鄉人之中、獨以愿稱、夫子以其似德非德、而反亂乎德、故以爲德之賊、而深惡之、詳見孟子末篇、

案、孟子引此章而釋之曰、惡鄉原、恐其亂德也、凡亂云者、謂惑亂人視聽、使之認非爲是焉、鄉原似

德、而其同俗合汙、有深契於衰世、世主悅之、則眞德之人、因不能以進、是害德之大者也、故曰、德之賊也、餘集注得之、

子曰、道聽而塗說、德之棄也、馬融曰、聞之於道路、則傳而說之、江熙云、今之學者不為己者也、況乎道聽者哉、逐末愈甚、棄德彌深也、邢昺云、此章疾時人不習而傳之也、

案、德之賊、賊德也、德之棄、棄德也、凡字當在下、而移之置上、則必加一之字以勻之、斯之謂、卽謂斯、淺之為丈夫、卽為淺丈夫、小人之使治國家、卽使小人治國家、皆是也、此章荀子所云、小人之學也、入乎耳、出乎口、口耳之間、財四寸耳、曷足以美七尺之軀者、是自棄其德也、皇邢二疏云、為有德者所棄、失之、

子曰、鄙夫可與事君也與哉、孔安國曰、言不可與事君也、陸德明云、本或作無哉、翟灝云、後漢書李芳傳曰、鄙夫可與事君乎哉、其未得之、患得之、何晏曰、患得之者、患不能得之也、楚俗言、翟灝云、潛夫論愛日篇、孔子病夫未得之也、患不得之、既得之、患失之者、焦循云、古人文法有急緩、不顯、顯也、此緩讀也、公羊傳、如勿與而已矣、注云、如卽不如、齊人語也、此急讀也、以得為不得、猶以如為不如、何氏謂之楚語、孔子魯人、何為效楚言也、既得之、患失之、苟患失之、無所不至矣、鄭玄曰、無所不至者、言邪媚無所不為也、

案、菅氏本、正平本、無也與二字、皇疏云、故云可與事君哉、疑其本亦無此二字、今本後人依邢本妄增耳、釋文本或作無哉、作字疑衍、患得之、焦說是也、

子曰、古者民有三疾、今也或是之亡也、包咸曰、言古者民疾、與今時異、皇侃云、亡、無也、言今之澆民、無復三疾之事也、江熙云、今之民無古者之疾、而疾過之也、朱熹云、氣失其平、則為疾、故氣稟之偏者、亦謂之疾、昔所謂疾、今亦亡之、傷俗之益衰也、物茂卿云、或者有也、或是之亡也者、無有是也、古之狂也肆、包咸曰、肆極意敢言、皇侃云、恒肆意所為、好在抵觸、今之狂也蕩、孔安國曰、蕩無所據、邢昺云、謂無依據、大放浪也、古之矜也廉、馬融曰、有廉隅、皇侃云、矜、莊也、古人自矜莊者、好大有廉隅、朱熹云、矜者持守大嚴、今之矜也忿戾、孔安國曰、惡理多怒、皇侃云、言今人既惡、則理自多怒物、邢昺云、忿戾者、謂忿怒而多咈戾、古之愚也直、今之愚也詐而已矣、

案、莊以持己曰矜、矜持惡理、必與物逆、故多怒、孔意當如此、

子曰、巧言令色鮮矣仁、王肅曰、巧言無實、令色無質、邢昺云、此章與學而篇同、弟子各記所聞、故重出之、倅顯熇云、唐石經此章先無、而添注、蔡邕石經陽貨篇末題云、凡廿六章、今集解本此章在內、共廿四章、似蔡邕石經僅分子曰唯上知與下愚不移于謂伯魚曰女為周南召南矣乎、各自為一章、故云廿六、太平御覽卷三百八十八引論語陽貨曰、巧言令色鮮矣仁、是漢魏舊本皆有此章、後人刪之、非也、

案、義疏本及足利學校宋本及古本、皆無此章、今姑從今本、

子曰、惡紫之奪朱也、孔安國曰、朱正色、紫間色之好者、惡其邪好而奪正色也、邢昺云、皇氏云、謂青赤黃白黑、五方正色、五方間色、綠紅碧紫騮黃是也、江永云、玄冠紫緌、自魯桓公始、此尚紫之漸、齊桓公有敗紫、欲賣之、先自服之、國人爭買、其價十倍、春秋末、衛渾良夫紫衣狐裘、大子數其罪而殺之、注紫衣君服、則當時競尚紫矣、故曰惡紫之奪朱、惡鄭聲之亂雅樂也、包咸曰、鄭聲淫聲之哀者、惡其亂雅樂也、惡利口之覆邦家者、孔安國曰、利口

之人多言少實苟能悅媚時君傾覆國家案皇本者作也聲色是實利口是主作者似長今從邢本

子曰予欲無言子貢曰子如不言則小子何述焉何晏曰言之爲益少故欲無言子曰天何言哉四時行焉百物生焉天何言哉陸德明云魯讀天爲夫今從古翟灝云兩天何言哉宜有别上一句似從魯論所傳爲勝

案孔子敬天而此以天自比疑其與平生之言不相類故魯讀天爲夫耳然四時行焉百物生焉皆天所爲若讀天爲夫語意不全況此舉人所與見以證事效不在言始無比德於天之嫌不必爲孔子諱也論語文例丁寧教示者多首末兩言之若讀上天爲夫與文例乖翟說亦非

孺悲欲見孔子孔子辭以疾將命者出戶取瑟而歌

使之聞之何晏曰孺悲魯人也孔子不欲見故辭之以疾爲其將命者不已故歌令將命者悟所以令孺悲思之李充云聖人不顯物短使無自新之塗故辭之以疾猶未足以誘之故絃歌以表旨使抑之而不彰挫之而不絶則矜鄙之心頹而思善之道長也孔穎達云孺悲欲見孔子不由介紹故孔子辭以疾邢昺云將猶奉也奉命者主人傳辭出入人也

案孔子不見孺悲孔仲遠以爲不由介紹蓋漢儒有爲此說者而仲遠從之也將命者出戶取瑟而歌使孺悲思之必是細故孔說蓋不誣也雜記云恤由之喪哀公使孺悲之孔子學士喪禮豈孺悲特君命不由介紹直欲見孔子孔子疾其無禮故辭以疾與取瑟而歌李說得之何氏謂爲其將命者不已將命者必是門人小子既辭以疾何不已之有孔說見儀禮士相見禮疏皇本辭下有之字今從邢本

宰我問三年之喪期已久矣陸德明云期音基一本作其翟灝云史記弟子傳作不已久乎君子三年不爲禮禮必壞三年不爲樂樂必崩舊穀既沒新穀既升鑽燧改火期可已矣馬融曰周書月令有更火之文春取榆柳之火夏取棗杏之火季夏取桑柘之火秋取柞楢之火冬取槐檀之火一年之中鑽火各異木故曰改火也皇侃云禮云壞樂云崩者禮是形化形化故云壞壞是漸敗之名樂是氣化氣化無形故云崩崩是墜失之稱也穀沒又升火鑽已遍故有喪者一期亦爲可矣改火之木隨五行之色而變也榆柳色青春是木木色青故春用榆柳也棗杏色赤夏是火火色赤故夏用棗杏也桑柘色黃季夏是土土色黃故季夏用桑柘也柞楢色白秋是金金色白故秋用柞楢也槐檀色黑冬是水水色黑故冬用槐檀也惠棟云隋牛弘云蔡邕王肅云周公作周書

有月令第五十三即此也又云周書月令論明堂之制殿垣方在內水周在外水內徑三百步尚書正義引月令云三日曰朏唐大衍歷議曰七十二候原于周公時訓月令雖頗有增益然先後之次則同然則月令篇歷隋唐猶在也子曰食夫稻衣夫錦於女安乎曰安曰女安則爲之夫君子之居喪食旨不甘聞樂不樂居處不安故不爲也今女安則爲之孔安國曰旨美也責其無仁恩於親故再言女安則爲之邢昺云言禮爲父母之喪既殯食粥居倚廬斬衰三年期而小祥食菜果居堊室練冠縓緣要絰不除今女既期之後食稻衣錦於女之心得安否乎宰我出子曰予之不仁也子生三年然後免於父母之懷馬融曰子生未三歲爲父母所懷抱夫三年之喪天下之通喪也孔安國曰自天子達於

庶人、予也有三年之愛於其父母乎、孔安國曰、言子之於父母、欲報之恩、昊天罔極、而予也有三年之愛乎、

繆播云、爾時禮壞樂崩、而三年不行、宰我大懼其往、以爲聖人無微旨以戒將來、故假時人之謂、啓憤於夫子、義在屈己以明道也、皇侃云、孔子目四科、則宰我冠言語之首、安有知言之人、而發違情犯禮之問乎、將以喪禮漸衰、孝道彌薄、故起斯問、以發其責、則所益者弘多也、尹焞云、短喪之說、下愚且恥言之、宰我親學聖人之門、而以是爲問者、有所疑於心、而不敢誣焉爾、物茂卿云、孔子時當革命之秋、孔子之道大行於天下、必改禮樂、宰我之智、蓋窺見其意、故有期可已矣之問、是非己欲短喪也、言若制作禮樂、則期可已矣耳、不然、三年之喪、先王之制也、當世遵奉之不敢違、況宰我之在聖門、豈無故而有此問乎、

案、宰我聖門高足、而有短喪之問、故人皆疑之、至有云故發繆問、以喩後世者、果爾、宰我爲機巧之人、而孔子不知其意、近於迂、知而和之、則足以煩聖德、其繆益甚、唯尹氏謂有所疑於心、而不敢誣焉、徂徠謂問制作之意、稍近得其實、案三年問曰、將由夫患邪淫之人與、則彼朝死而夕忘之、然而從之、則是曾禽獸之不若也、夫焉羣居而不亂乎、將由夫脩飾之君子與、則三年之喪、二十五月而畢、若駟之過隙、然而遂之、則是無窮也、故先王焉爲之立中制節、壹使足以成文理、則釋之矣、然則何以至期也、曰至親以期斷、是何也、曰天地則已易矣、四時則已變矣、其在天地之中者、莫不更始焉、以是象之也、然則何以三年也、曰加隆焉爾也、焉使倍之、故再期也、是先王制禮本有以期斷之法、宰我見禮俗日壞、不復行三年之喪、謂若制作禮樂、與其存虛名、不若務實行之爲勝、故本先王制禮之意、欲以期斷也、孔子抑之者、父母之恩至大至重、雖倍之再期、未足以盡孝子之心、若患禮俗日壞、短喪以與之宜、終將至禽獸之不若、大非先王制禮加隆之意、故痛責不置也、若宰我欲短己喪、孔子雖聖不得位、安得專許之、云女安爲之乎、以此知其問制作之意也、期已久矣者、言以期

斷、爲日已久、不必三年也、三年之愛、承上三年免於父母之懷、謂三年爲父母所懷抱、言宰我欲短三年之喪、豈亦有三年爲父母所懷抱之恩乎、所以深責之也、邢本曰、安下無曰字、馬注作子生於三年、今皆從皇本、

子曰、飽食終日、無所用心、難矣哉、不有博弈者乎、爲之猶賢乎已、馬融曰、爲其無所據樂善生淫欲、皇侃云、夫人若飢寒不足、則心情所期於衣食、所期於衣食、則無暇思慮他事、若無事而飽衣食終日、則必思計爲非法之事、故云、難矣哉、言難以爲處也、邢昺云、博、說文作簙、局戲也、六箸十二棊也、古者烏曹作簙、圍棊謂之弈、說文弈從廾、言竦兩手而執之、棊者所執之子、以子圍而相殺、故謂之圍棊、圍棊稱弈者、又取其落弈之義也、

案、小人閒居爲不善、無所不至、蓋述此章之義也、難矣哉者、言難以免禍殃也、

子路曰、君子尚勇乎、子曰、君子義以爲上、君子有勇而無義爲亂、小人有勇而無義爲盜、邢昺云、言在位之人、有勇而無義則爲亂逆、在下小人、有勇而無義、必爲盜賊、

案、言君子亦尚勇、然以合義爲上、故下歷言有勇而無義之害、非謂舍勇取義也、子路好勇、而未詳其是非、故質之也、集注引胡氏、爲子路初見時問荅、蓋不誣也、

子貢問曰、君子亦有惡乎、子曰、有惡、惡稱人之惡者、包咸曰、好稱說人之惡、所以爲惡、惡居下流而訕上者、孔安國曰、訕、毀謗、皇侃云、又憎惡爲人臣下、而毀謗其君上者也、故禮記云、君臣之禮、有諫而無訕是也、物茂卿云、居下流、再見子張篇、彼謂身爲逋逃藪、辟諸衆流所歸、此亦謂身爲衆惡人所歸會者、大抵訕上者、冀有以規箴挽回上意也、若其身既爲衆惡所歸湊者、是衆所賤也、雖有所

謗訕、亦不足以規箴挽回上意、徒以扇動民怨、以生禍亂耳、故不言下位、而言下流耳、惠棟云、蔡邕石經無流字、當因子張篇惡居下流、涉彼而誤、鹽鐵論、大夫曰、文學居下而訕上、漢書朱雲傳云、小臣居下訕上、是漢以前皆無流字、

惡勇而無禮者、惡果敢而窒者、馬融曰、窒、窒塞也、皇侃云、又憎惡好爲果敢、而窒人道理者也、朱熹云、窒不通也、果敢而窒則妄作、陸德明云、魯讀窒爲室、惠棟云、案韓勅脩孔廟後碑、亦以窒爲室、漢書功臣表、有清簡侯室中同、史記作室中、徐廣曰、室一作窒、知室與窒通、

曰、賜也亦有惡也、皇侃云、子貢聞孔子說有惡已竟、故云、賜亦有所憎惡也、故江熙云、己亦有所賤惡也、

惡徼以爲知者、孔安國曰、徼抄也、惡抄人之意、以爲己有也、皇侃云、言人生發謀出計、必當出己心義、乃得爲善、若抄他人之意以爲己有、則子貢所憎惡也、

惡不孫以爲勇者、

惡訐以爲直者、包咸曰、訐謂攻發人之隱私、

案、舊注不釋流字、皇疏云、爲人臣下、而謗其君上、是其本亦無流字也、唐石經有流字、今本襲其誤耳、徂徠以下流爲衆惡所歸、貪蓋懲厲王使衞巫監謗者也、不知下上二字緊對、謂爲人臣下而不諫、退則毁謗之者、不謂凡民、且身既爲衆惡所歸湊、其可惡不必待訕上、此章所惡、皆似而非者、稱人之惡似直者、居下而訕上、似憂國者、勇而無禮、似不懼強禦者、果敢而窒者、似見義必爲者、常人或不能辨識、故夫子特明之、子貢所惡、大抵亦同、但孔子惡有是疾者、子貢惡以無爲有者、是其異也、窒、朱子訓不通、馬意亦當然、皇云、窒人道理、則分屬果窒於彼此、非也、有惡也、石經作有惡乎、邢本同、然疏中云、曰賜也亦有惡乎者、子貢言賜也亦有所憎惡也、則其本亦作有惡也、標經作乎者、後人依誤經改之耳、抄略取也、徼訓循、訓遮繞、訓要、訓求、義皆與略取近、故訓抄耳、邢本子貢下無問字、今從皇本、

子曰、唯女子與小人爲難養也、近之則不孫、遠之則怨、皇侃云、女子小人、並稟陰閉氣多、故其意淺促、所以難可養立也、

案、此章警後世治家者也、此二者常人多輕之、不以爲意、然人家之禍、往往由此而起、不容不愼焉、近猶寵也、遠猶疏也、皇本怨上有也字、今從邢本、

子曰、年四十而見惡焉、其終也已、鄭玄曰、年在不惑、而爲人所惡、終無善行、

微子第十八

皇侃云、所以次前者、明天下並惡、則賢宜遠避、故以微子次陽貨也、邢昺云、以前篇言羣小在位、則必致仁人失所、故以此篇次之、

案、先進至憲問、載孔子與門弟子及外人所語古先聖王之道、自粗入精、亦與上論同、衞靈公至陽貨、載當時諸侯大夫無道之事、亦自淺至深、以見孔子雖聖、竟不能得位濟世之意、於是孔子所遭遇粗備、故至此篇、載古今賢哲逢亂世者、率避世絕物之事、以影出孔子雖不遇、猶

汲汲於濟世、乃所以爲大聖也、此皆編輯者之微意、所謂論者、論定此義也、故讀論語者、求之篇次章第、思過半矣、

微子去之、箕子爲之奴、比干諫而死、馬融曰、微箕二國名、子爵也、微子紂之庶兄、箕子比干、紂之諸父、微子見紂無道、早去之、箕子佯狂爲奴、比干以諫見殺、

孔子曰、殷有三仁焉、馬融曰、仁者愛人、三人行異而同稱仁、以其俱在憂亂寧民、皇侃云、微子觀國必亡、宜存係嗣、故先去殷投周、早爲宗廟之計、故云去之、邢昺云、鄭玄以爲微與箕俱在圻內、微子名啓、呂氏春秋仲冬紀云、紂之母生微子啓與仲衍、其時猶尚爲妾、已而爲妻、後生紂、紂之父欲立微子啓爲大子、大史據法而爭、曰有妻之子、不可立妾之子、故立紂爲後、徧撿書傳、不見箕子之名、惟司馬彪注莊子云、

箕子名胥餘、不知出何書也、焦循云、孔子曰、有殺身以成仁、死而成仁、則死爲仁、死而不足以成仁、則不必以死爲仁、仁不在死、亦不在不死、總全經而互證之、可見也、三人之仁、非指去奴死爲仁也、商紂時、天下不安甚矣、而微箕比干、皆能憂亂安民、故孔子歎之、謂商之末有憂亂安民者三人、而紂莫能用、令其去、令其奴、令其死也、

案、焦說是也、諸家率求仁於去奴死、雖其言可聞、非此章之旨也、尚書微子篇云、商今其有災、我興受其敗、商其淪喪、我罔爲臣僕、詔王子、出迪、我舊云刻子、王子弗出、我乃顛隮、馬注云、言刻侵刻也、爲孔云、子今若不出逃難、我殷家宗廟、乃隕隊無主、又云自清、孔本作靖、今從驟本、清繫蛉也、人自獻于先王、我不顧行遯、鄭注上文父師若曰云、少師不答、志在必死、則以父師爲箕子、以少師爲比干矣、蓋三人同心竭力、欲安民以保宗社、而紂惡益甚、知其不可救、微子帝乙之弟、見於孟子、殷家有兄終弟及之義、故去以存宗祀、宗祀已存、則二人之死、不足自惜、故皆以諫死自任、然而箕子不死者、紂囚而未殺、武王適至而釋之、既已見釋、無爲徒死也、然不居禹域而逃於朝鮮者、猶行無爲臣僕之志也邪、

本此注不著名、皇本作馬融曰、今從之、

柳下惠爲士師、孔安國曰、士師典獄之官、皇侃云、柳下惠展禽也、邢昺云、士師、司寇之屬、有士師、鄉士、皆以士爲官名、鄭玄云、士察也、**三黜、人曰、子未可以去乎、曰、直道而事人、焉往而不三黜、**孔安國曰、苟直道以事人、所至之國、俱當復三黜也、**枉道而事人、何必去父母之邦、**

案、此章無子曰字者、以無斷語也、無斷語者、義明不待斷也、論語孔子家書、其所載爲孔子之言、可知矣、故記而不論者、皆不著子曰字、他皆傚此、風俗通別卷曰、柳下惠三黜不去、孔子謂之不恭、或以爲孔子斷之之言、此蓋錯引孟子、或孟字訛孔耳、不爾、孔子豈以不去爲不恭哉、

齊景公待孔子曰、若季氏則吾不能、以季孟之間待之、孔安國曰、魯三卿、季氏爲上卿、孟氏爲下卿、不用事、言待之以二者之間、邢昺云、世家云、魯昭公奔齊、頃之魯亂、孔子適齊、景公數問政、景公說、將以尼谿田封孔子、晏嬰諫而止之、異日景公止孔子、曰奉子以季氏、吾不能、以季孟之間待之、齊大夫欲害孔子、孔子聞之、景公曰、吾老矣、弗能用也、孔子遂行、反乎魯、是其事也、伊藤源佐云、舊說據史記世家、以此爲魯昭公二十五年之事、此時孔子年三十五、名位未顯、想無景公以季孟待之之理、恐他日之事、**曰、吾老矣、不能用也、孔子行、**何晏曰、以聖道難成、故云老矣不能用也、皇侃云、景公初雖云待之、於季孟之間、而末又悔、故自託吾老、不復用孔子也、

案、昭七年傳云、孟僖子將死、召其大夫曰、吾聞將有達者、曰孔丘、孟僖子之死、在昭二十四年、時孔子年三十四、僖子魯人、而云吾聞將有達者、則其名未甚顯、然古今人情、多輕鄉人、不保無魯人始聞之、而他邦人喧傳之、如所謂東家丘者、案襄二十五年傳曰、叔孫宣伯之在齊也、叔孫還納其女於靈公、嬖、生景公、宣伯即僑如、成十六年奔齊、下距昭公二十五年、孔子適齊時、爲五十九年、但傳云在齊也、不知其納女在何年、然昭公二十五年即景公三十一年、又二十八年至哀五年、景公始卒、則疑尚未及五十、恐不應云吾老矣不能用、史遷據昭七年孟僖子之言、以其二子事孔子、爲孔子十七之時、不知傳終言之、故云及其將死也、而遷忘之、謂二子當年即事孔子、其粗如此、據吾老矣之言、此亦必非昭二十五年之事也、

齊人歸女樂、季桓子受之、三日不朝、孔子行、孔安國曰、桓子季孫斯也、使定公受齊之女樂、君臣相與觀之、廢朝禮三日、邢昺云、世家、定公十四年、孔子年五十六、由大司寇行攝相事、於是誅魯

大夫亂政者少正卯、與聞國政三月、鬻羔豚者弗飾賈、男女行者別於塗、塗不拾遺、四方之客至乎邑者、不求有司、皆予之以歸、齊人聞之而懼、曰孔子爲政必霸、霸則吾地近焉、我之爲先并矣、盍致地焉、犂鉏請先嘗沮之、沮之而不可、則致地庸遲乎、於是選齊國中女子好者八十人、皆衣文衣、而舞康樂、文馬三十駟、遺魯君、陳女樂文馬於魯城南高門外、季桓子微服往觀再三、將受、乃語魯君爲周道游、往觀終日、怠於政事、子路曰、夫子可以行矣、孔子曰、魯今將郊、如致膰於大夫、則吾猶可以止、桓子卒受齊女樂、三日不聽政、郊又不致膰俎於大夫、孔子遂行、翟灝云、韓非子內儲說、景公令黎且以女樂六遺哀公、哀公樂之、果怠于政、仲尼諫不聽、去而之楚、孔子爲政于魯、在定公時、韓非以爲哀公誤也、當歸女樂時、孔子必嘗極諫、觀齊人不敢直陳魯庭、桓子不公行魯國、可以意會其故、論語孟子、俱不專於紀事、各見一邊、理無嫌也、

楚狂接輿歌而過孔子、孔安國曰、接輿楚人、佯狂而

來歌、欲以感切孔子、皇侃云、接輿、楚人也、姓陸、名通、字接輿、昭王時政令無常、乃被髮佯狂不仕、時人謂之爲楚狂也、方觀旭云、案戰國策范雎對秦王曰、箕子接輿、漆身而爲癘、被髮而爲狂、則不惟傳其名、並傳其行矣、戰國去孔子未遠、當足爲據、鄭康成注孔子下云、下堂出門也、莊子人間世云、孔子適楚、楚狂接輿遊其門、曰鳳兮鳳兮云云、則過非過車前、何得云因其接輿而歌、遂彊名之、

曰鳳兮鳳兮、何德之衰、孔安國曰、比孔子於鳳鳥也、鳳鳥待聖君乃見、非孔子周行求合、故曰衰也、往者不可諫、孔安國曰、已往所行、不可復諫止也、來者猶可追、孔安國曰、自今以來、可追自止、避亂隱居也、已而已而、今之從政者殆而、孔安國曰、已而者言世亂已甚、不可復治也、再言之者傷之甚也、孔子下、欲與之言、趨而辟之、不得與之言、包咸曰、下、下車也、鄭玄云、下堂出門、

案、接輿姓陸名通、見於皇甫謐高士傳、謐多妄言、不足據信、方觀旭引戰國策、以接輿爲名、是也、足利古本、宋板注疏本、及菅氏本、正平本、俱孔子下有之門二字、故康成以下爲下堂、詳玩孔注來歌二字、其本蓋亦有之門二字、唯下堂出門、故接輿得趨而避之、若是下車、即與接輿相接、接輿雖狂、恐不得趨避、包本無之門二字、故云下車、當以有之門爲正、皇本辟作避、衰下、諫下、追下、言下皆有也字、今從邢本、

長沮桀溺耦而耕、孔子過之、使子路問津焉、鄭玄曰、長沮桀溺、隱者也、耜廣五寸、二耜爲耦、津、濟渡處也、邢昺云、耜廣云云、周禮考工記文也、鄭注云、古者耜一金、兩人併發之、今之耜岐頭兩金、象古之耦也、

長沮曰、夫執輿者爲誰、子路曰、爲孔丘、曰、是魯孔丘與、對曰、是也、曰、是知津矣、馬融曰、言數周流、自知津處、皇侃云、執、猶執轡也、子路初在車上、即爲御、御者執轡、今既下車、而往問津渡、則廢轡與孔子、問於桀溺、桀溺曰、子爲誰、曰、爲仲由、曰、是魯孔丘之徒與、對曰、然、曰、滔滔者天下皆是也、而誰以易之、孔安國曰、滔滔者周流之貌也、言當今天下治亂同、空舍此適彼、故曰、誰以易之、皇侃云、天下皆是、謂一切皆惡也、桀溺又云、孔子何是周流者乎、當今天下、治亂如一、捨此適彼、定誰可易之者乎、言皆惡也、陸德明云、滔滔、鄭本作悠悠、朱熹云、滔滔、流而不反之意、以猶與也、言天下皆亂、將誰與變易之、翟灝云、滔滔、史記亦作悠悠、世家注引孔安國曰、悠悠者周流之貌也、文選晉紀總論注、亦引孔氏論語注、曰悠悠周流之貌、今集解本所用孔

注、已改隨正文作滔滔。倖願媗云、滔滔當作慆慆、魯論作慆慆、古論作悠悠、文選幽通賦、滔招路以從己兮、謂孔氏猶未可安、慆慆而不能兮、卒隕身乎世禍、曹大家注、慆慆亂貌、漢書叙傳小顏注、引論語慆慆者天下皆是也。且而與其從辟人之士也、豈若從辟世之士哉。何晏曰、士有辟人之法、有辟世之法、長沮桀溺謂孔子爲士、從辟人之法、己之爲士、則從辟世之法。耰而不輟。鄭玄曰、耰覆種也、輟止也、覆種不止、不以津告也。皇侃云、覆種者植穀之法、先散後覆也、江永云、耰摩田器也、孟子曰、麰麥播種而耰之、是耰在播種之後、問諸北方農人、日播種之後、以土覆之、是摩而平之、使種入土、鳥不能啄也、翟灝云、漢石經作擾不輟、無而字、說文解字引論語耰而不輟、五經文字曰、擾音憂、見論語、今經典及釋文皆作耰。子路行以告。夫子憮然。何晏曰、爲其不達己意而便非己也。邢昺云、憮失意貌。曰、鳥獸不可與同羣。孔安國曰、隱居於山林、是與鳥獸同羣也。吾非斯人之徒與而誰與。孔安國曰、吾自當與此天下人同羣、安能去人從鳥獸居乎。天下有道、丘不與易也。何晏曰、言凡天下有道者、丘皆不與易也、己大而人小故也。朱熹云、天下若已平治、則我無用變易之、正爲天下無道、故欲以道變易之耳。

案滔滔、倖據文選幽通賦漢書序傳注、改作慆慆、又引曹大家注訓亂貌、是也、孔鄭皆從古論作悠悠、訓周流貌、蓋本上文是知津矣、以周流爲長、故從古論也、今本正文從魯論慆、又誤滔、而用孔注附之、殆不可讀、考其誤所由、蓋轉寫者不知古魯之別、正文從魯作慆、而慆不可訓周流、遂改從水作滔耳、今推文義、當以作慆訓亂貌爲正、讙以易之、孔意謂以彼易此、義亦可通、然以下文丘不與易推之、不若朱子訓變易之爲允當也、末句注、皇本作孔安國、然訓易爲交易、義甚淺短、又與此注違、今從邢本、皇本同羣下有也字、亦從邢本、邢本脫注居字及鳥獸字、今從皇本。

子路從而後、遇丈人以杖荷蓧。包咸曰、丈人、老者也、蓧竹器名也。陸德明云、荷何可反、又音何、蓧本又作莜、邢昺云、說文作莜、云田器也、翟灝云、說文玉篇引論語、皆作莜、阮元云、史記孔子世家引包氏注、蓧草器名也、字當從艸無疑、今包注作竹器、竹乃艸字之訛、皇本竟改从竹作蓧、并云籮簏之屬、誤益甚矣。子路問曰、子見夫子乎。丈人曰、四體不勤、五穀不分、孰爲夫子。包咸曰、丈人云、不勤勞四體、不分殖五穀、誰爲夫子而索之邪。皇侃云、分播種也、陸德明云、分如字、鄭扶問反。植其杖而芸。孔安國曰、植倚也、除草曰芸。皇侃云、丈人答子路竟、至草田而豎其所荷蓧之杖、當挂蓧於杖頭而植豎之、竟而芸除田中穢草也、一通云、杖以爲力、以一手芸草、故云植其杖而芸也、陸德明云、植音值、又市力反、芸多耘字、惠棟云、蔡邕石經云、置其杖而耘、案商頌那詩、置我鞉鼓、箋云置讀曰植、正義云、金縢云植璧秉圭、鄭注云、植古置字、然則古者置植字同、說文曰、植或作櫃、从置、阮元云、耘爲本字、芸乃假借字、江永云、植其杖而芸、似謂植杖於他處、然今人耘田以足必扶杖乃能用足、則植杖正所以耘、猶云拄杖也。子路拱而立。何晏曰、未知所以荅也。皇侃云、拱沓手也。留子路宿、殺雞爲黍而食之、見其二子焉。皇侃云、丈人知子路是賢、故又以丈人二兒見於子路也。明日、子路行以告。子曰、隱者也。使子路反見之。至則行矣。孔安國曰、子路反至其家、丈人出行不在也。子路曰、不仕無義。鄭玄曰、留言以語丈人之二子也。皇侃云、此以下之言、悉是孔子使子路語丈人之言也、焦循云、案皇甫謐

論語集說　卷六　二十三

論語集說　卷六　二十四

高士傳引論語至至則行矣而止蓋謂子路復至而丈人已先避去如後世蘇雲卿呂徽之流若然則子路之言向誰發之邪觀其稱長幼之節不可廢爲向二子說無疑前云見其二子正爲子路此言張本然則丈人亦偶出不在耳陳天祥四書釋疑云丈人既欲自滅其跡則不當止子路宿於其家而又見其二子也又云子路乃路行過客既已辭去安能知其必復來也斯言得之 **長幼之節不可廢也君臣之義如之何其廢之** 孔安國曰言女知父子相養不可廢反可廢君臣之義乎 皇侃云女知見女二子是識長幼之節 **欲潔其身而亂大倫** 包咸曰倫道也理也 **君子之仕也行其義也道之不行已知之矣** 包咸曰言君子之仕所以行君臣之義也不必自己道得行也孔子道不見用自已知之 皇侃云爲行義故仕耳濁世不用我道而我亦反自知之也陸

德明云己音紀一音以 案五穀多說當以黍稷稻粱麻爲正分謂分科植之苗始生尨茸密植分科移植之乃能成熟即後世所謂分秧也皇云播種失之朱子謂猶言不辨菽麥蓋丈人有才德而隱者故孔子稱之爲隱者使子路反見之若忽遇路人罵之以不辨菽麥恐非有才德者之言而孔子亦奚取之哉丈人將耘故以不勤不分譏切子路耳江云今人耘田必扶杖乃能用足則植杖正所以耘今案孔訓植爲倚者爾雅釋宮植謂之傳傳付也傳倚義近故訓植爲倚言身倚杖以耘可謂善寫老態之狀矣皇疏一通云杖以爲力以一手耘草是也若植其杖於他處與耘絕不相涉不必言也呂氏春秋曰耨柄尺其長六寸所以間稼是古者耘用耨其不以足明矣江說非也不仕無義以下皇疏以爲孔子使子路語丈人之言孔子使子路反見之必亦略示其意然使於他邦授意不授辭況子路之賢豈特述孔子之辭已哉若孔子果授辭當有諭丈人之言而子路舉長幼之節以責君臣之義可見子路以丈人不在故以此諭二子因使之語其父而猶謂受辭於孔子邪凡偏旁從侖皆爲二物相交之義故從言爲論從糸爲綸從水爲淪從車爲輪五倫亦然君臣父子夫婦昆弟朋友兩兩相配其間各有道名之爲倫五者之中君臣之義最大故謂之大倫耳已音以似長皇本作如之何其可廢也不行下有也字今並從邢本邢本道下無也字今從皇本

逸民伯夷叔齊虞仲夷逸朱張柳下惠少連 何晏曰逸民者節行超逸也包咸曰此七人皆逸民之賢者 陸德明云朱鄭作侏音陟留反朱熹云逸遺逸民者無位之稱虞仲即仲雍與泰伯同竄荊蠻者夷逸朱張不見經傳少連東夷人毛奇齡云案史記大伯無子仲雍繼立即爲吳仲雍三傳至周章是時武王克殷求大伯仲雍之後得周章周章已君吳因而封之乃又封周章之弟虞仲于虞則虞仲初本名仲而以其封虞始名虞仲蓋周章之弟仲雍之孫也左傳哀七年子服景伯稱泰伯端委以治周禮仲雍嗣之但稱仲雍並不稱虞仲惟僖五年宮之奇曰大

伯虞仲大王之昭也此追原虞仲封國所始以爲此虞之封國雖大王之昭故也其所指虞仲即仲雍之孫不指仲雍然而亦曰大王之昭者此猶魯公封周公未嘗封魯也而左傳曰魯衞毛聃文之昭也正同魯公始封魯而可曰文昭則虞仲始封虞而可曰大王之昭此以封言不以人言故傳之上文明云周公監二代之不咸大封同姓以翼我周室而遂曰魯衞毛聃云云若魯指周公豈周公又封魯乎此極明白者焦循云莊子田子方篇顏淵問於仲尼曰夫子步亦步夫子趨亦趨夫子馳亦馳夫子奔逸絕塵而回瞠若乎後矣後漢書逸民傳序云蓋錄其絕塵不反則以逸民爲民之奔逸絕塵所謂超逸也阮元云鄭氏不以朱張爲人姓名故讀朱如周朱周一聲之轉書譸張爲幻本或作侜張亦作侏張此言逸民之行皆不合於正故云侏張 **子曰不降其志不辱其身伯夷叔齊與** 鄭玄曰言其直己之心不入庸君之朝 皇侃云夷齊隱居餓死是不降志也不仕亂朝是不辱身也 **謂柳下**

惠少連降志辱身矣言中倫行中慮其斯而已矣孔安國曰但能言應倫理行應思慮如此而已皇侃云此二人心逸而跡不逸也並仕魯朝而柳下惠三黜則是降志辱身也朱熹云慮思慮也少連事不可考然記稱其善居喪三日不怠三月不解期悲哀三年憂則行之中慮亦可見矣謂虞仲夷逸隱居放言包咸曰放置也不復言世務身中清廢中權馬融曰清純絜也遭世亂自廢棄以免患合於權陸德明云廢鄭作發訓動貌我則異於是無可無不可馬融曰亦不必進亦不必退唯義所在皇侃云或問曰前七人而此唯評於六人不見朱張何乎答曰王弼曰朱張字子弓荀卿以比孔子今序六人而闕朱張者明取舍與己合同也◎案逸民何晏以為節行超逸包咸云此七人皆逸民之賢者若以為超逸必不言賢者則其意謂遺

論語集說　卷六　二十七

逸之民也推末句之意孔子亦以逸民自居包說是也憲問篇作者七人王弼以伯夷以下當之則亦從包說矣虞仲毛辨非仲雍是也宮之奇亦舉周同姓之國仲雍嗣大伯有吳不用兄弟並舉況仲雍未嘗稱虞仲班虎誤解宮之奇之言以虞仲為仲雍朱子偶襲其謬耳下文謂虞仲夷逸隱居放言則虞仲封于虞必不隱居放言則此虞仲別是一人毛以此虞仲為仲雍之孫亦失之朱張鄭作侏張蓋以孔子不評朱張之行謂非姓名讀為侏張為幻之義柳下惠之事互見於論孟左傳而檀弓載孔子稱少連善居喪之言故此亦云行中倫則二人斷非侏張為幻之人也王弼云朱張字子弓未知何所據古人名字相配疑以荀子並稱孔子子弓傅撰其字以成其說耳今案正文首舉七人之名從時世先後下分評其行從才德優劣而次之朱張在夷逸之下柳下惠之上而孔子先評柳下惠少連次評虞仲夷逸則朱張才德在虞仲夷逸之下故不復評之耳或以其行同虞仲夷逸省以便文或夷逸下本有朱張而今本脫之亦未可知但朱張是人姓名非侏張之義其才德在六人之下非所取舍與孔子同而闕其評此則斷然無疑耳皇本其身下有者字今從邢本

大師摯適齊亞飯干適楚孔安國曰亞次也次飯樂師也摯干共名也皇侃云大師樂師也周禮大司樂王朔望食乃奏樂日食不奏也夏殷則日奏也故王制及玉藻皆云然也三飯繚適蔡四飯缺適秦包咸曰三飯四飯樂章名也各異師繚缺皆名也物茂卿云亞飯之亞如亞獻之亞每食皆有亞飯三飯四飯特牲饋食禮曰尸三飯告飽者三合為九故鄭玄云士九飯大夫十一飯其餘有十三飯十五飯疏謂諸侯十三飯天子十五飯今有亞飯而無初飯則知初飯不用侑也鼓方叔入於河包咸曰鼓擊鼓者方叔名也入謂居其河內也播鞀武入於漢孔安國曰播搖也武名也陸德明云鞀亦作鞉鄭玄云鞀如鼓而小有兩耳持其柄搖之旁耳還自擊翟灝云義疏本鞀作鞀案鞀鞉鞀字別義同下管鞀鼓作鞀詩置我鞉鼓作鞉月令命樂師脩鞀鞞鼓淮南子武王有戒慎之鞀並作鞀據諸訓文抵是一物少師陽擊磬襄入於海孔安國曰

論語集說　卷六　二十八

魯哀公時禮壞樂崩樂人皆去陽襄皆名也毛奇齡云大師摯諸樂官是殷紂時人舊引漢書禮樂志云殷紂斷棄先祖之樂乃作淫聲用變亂正聲以悅婦人樂官師瞽抱其器而犇散或適諸侯或入河海顏師古注以為即論語所記大師摯之屬是也但志文此段實本尚書大誓文史記乃作大誓告于衆庶即載此文而漢志亦云此書序之言則此明係尚書與書序之可據者故董仲舒對策亦云紂逆天暴物殺賢知守職之人皆奔走逃亡入于河海而古今人表則以摯干繚缺等八人列于伯夷叔齊之下文王之上則明是殷紂時人而世多不解祇以適齊適蔡皆周時國名或用致疑殊不知尚書序祇言諸侯不指定何地而注魯論者始以今地實之師古所云迸繫其地是也況齊蔡諸地本是舊名在商時已有之周但因其地而封國焉耳故周成王封熊繹于楚蠻孝王

封非子爲附庸而邑之𥘸皆先名其地而後封之者
況蔡爲包犧著蔡之地、因以名蔡、國語、文王諏于蔡
原、注蔡公殷臣、大公封齊、有旅人、謂齊地營丘、難得
易失、大公遂急行、而于是果有萊侯之爭、則強齊之
名、著在周前、

案逸民以下四章、皆孔子所嘗語門弟子、故弟子
連類載之於此篇、其無子曰者、以不斷辭也、若
是哀公時人、人皆知之、孔子何爲爲門人語之哉、
漢志以爲殷紂時人是也、孔安國以齊楚蔡秦皆
是周時國名、而孔子嘗有師摯之始之言、爲哀公
時人、而後儒從之、蓋未達此義也、毛好闕朱子、固
多辯論、然此章之言、實得其正矣、亞飯三飯等未
知奏何樂、包以爲樂章名、恐未然、孔注亞次也、次
飯樂師也、次飯當作始飯、聲之誤也、樂師即大師
而大師摯不言飯、次言亞飯干、故知始飯之樂大
師奏之、文承亞次之下、轉寫者遂誤始作次耳、皇
本三於皆作于、案論語有於無于、今本偶有作于
者、諸善本亦皆作於、今從邢本、

周公謂魯公、孔安國曰、魯公周公之子伯禽也、封於
魯、曰君子不施其親、孔安國曰、施易也、不以他人之
親、以易其親也、陸德明云、弛舊音絁、又詩紙反、又詩
豉反、孔云以支反、一音勑紙反、落也、
並不及舊音、本今作施、翟灝云、周禮遂人與其施舍、
注云、施讀爲弛、禮記孔子閒居、引詩弛其文德、注弛
作施、施弛兩字古多通用、然坊記言君子弛其親之
過、而敬其善、此云不弛、雖語意各殊、終嫌其文之戾、
不使大臣怨乎不以、孔安國曰、以用也、怨不見聽用
也、故舊無大故則不棄也、無求備於一人、孔安國曰、
大故謂惡逆之事、邢昺云、伯禽封於魯、
將之國、周公戒之也、
案弛弓解也、其訓放訓置、訓舍緩釋壞、皆引伸之
義也、釋詁又訓易、注云、相延易、則與施字通矣、諸
訓中、唯施易之義、於此章最切、故子國用之、蓋他
人賢、必愛而用之、親戚愚、亦置而不任、然親之之

情、則不以彼易此、所以親親也、伯禽之賢、不必慮
遺棄其親、孔注深得周公所以戒伯禽之意矣、

周有八士、伯達、伯适、仲突、仲忽、叔夜、叔夏、季隨、季騧、
包咸曰、周時四乳生八子、皆爲顯士、故記之耳、皇侃
云、乳
猶俱生也、有一母四過生、生輒雙二子、四生、故八子
也、何以知其然、就其名兩兩相隨、似是雙生者也、邢
昺云、鄭玄以爲成王時、劉向馬融皆以爲宣王時、毛
奇齡云、一母四乳、見于董仲舒春秋繁露、有云四產
得八男、皆君子雄俊、此天之所以興周也、此或當時
去古未遠、師承有據之言、孔穎達云、逸周書和寤篇
曰、王乃厲翼于尹氏八士、武寤篇曰、尹氏八士、大師
三公、是八士皆尹氏、爲武王時人、有明徵也、或疑十
亂之南宮适、即此伯适、又克殷篇曰、乃命南宮忽振
鹿臺之財、巨橋之粟、乃命南宮百達史佚、遷九鼎三
巫、古者命士以上、父子皆異宮、故禮曰、有東宮、有西
宮、有南宮、有北宮、蓋達、适、忽、尹氏之子、別居南宮者、
猶南宮敬叔本孟氏子、而以所居稱之耳、國語、文王
詢于八虞、賈侍中云、周八士皆在虞官、君奭言文王

之臣、有若南宮适、然則八士且逮事文王矣、惠棟云、
案周有叔液鼎、即八士之叔夜也、古文液或省作夜、
尚書大傳曰、思之不容、是謂不睿、時則有脂夜
之妖、鄭康成注云、夜讀爲液、是古液字作夜、
案清儒江惠毛翟諸人、皆以八士爲尹氏、其說李
於張公亮、而孔氏語之最詳、故今采之、四乳生八
子、據其字推之、似當從矣、郝京山云、記三仁于篇
首、見殷所以亡也、記八士於篇終、見周所以興也、
意或然矣、包注顯士、邢
本作顯仕、今從皇本、

子張第十九

案此篇所載、皆弟子之言、詳味其意、孔子沒後、
述遺教以誘其門人、及朋友相切磨之言、以其
能發明聖意、記者輯以爲一篇、置之聖語之後、
無顏淵子路等之語者、以其先孔子而沒也、

子張曰、士見危致命、孔安國曰、致命不愛其身也、邢昺
云、士者有德之稱、自卿大夫以下皆是、翟灝云、後漢
書獨行傳注、引論語君子見危授命、文選殷仲文解

尚書表注、引論語子張問士、子曰見危授命、**見得思義、祭思敬、喪思哀、其可已矣、**江熙云、但言如是自可也

案君子猶上也、弟子之語、本出於孔子、故諸引論語弟子之語者、率以爲孔子之言、致作授者、以訓詁字易之、非有異文也、

子張曰、執德不弘、信道不厚、焉能爲有、焉能爲亡、孔安國曰、無所輕重也、皇侃云、弘、大也、厚、篤也、亡、無也、人執德能至弘大、信道必使篤厚、此人於世、乃爲可重、若雖執德而不弘、雖信道而不厚、此人於世、不足可重、如有如無、故云焉能爲有、焉能爲亡也、

案執猶守也、執德不弘者、執守小德、以自是也、執德信道、似有道德者矣、然不弘不厚、則亦竟無有道德、不可以定其有無、故云焉能爲有、焉能爲無、雖有無並言、然所主在無上、爲人如此、雖有執德信道之名、其人不足貴、故注云、無所輕重、皇侃謂於世不足爲輕重、恐非注意也、

論語集說　卷六　三十一

子夏之門人問交於子張、孔安國曰、問與人交接之道、**子張曰、子夏云何、**皇侃云、子張反問子夏之門人、云、汝師何所道、故曰、云何也、

對曰、子夏曰、可者與之、其不可者拒之、子張曰、異乎吾所聞、君子尊賢而容衆、嘉善而矜不能、我之大賢與、於人何所不容、我之不賢與、人將拒我、如之何其拒人也、包咸曰、友交當如子夏、汎交當如子張、陸德明云、距本今作拒、下人將距我、如之何其距人也同、皇侃云、鄭玄曰、子夏所云、倫黨之交也、子張所云、尊卑之交也、王肅曰、子夏所云、敵體交、子張所云、覆蓋交也、欒肇曰、聖人體備、賢者或偏、以偏師備、學不能同也、故準其所資而立業焉、猶易云仁者見其仁、智者見其智、寬則得衆、而遇濫、偏則寡合、而身孤、明各出二子之偏性、亦未能兼弘夫子度也、孔廣森云、蔡邕正交論曰、子夏之門人、問交於子張、而二子各有聞乎夫子、商也寬、故告之以拒人、師也褊、故訓之以容衆、各從其行而矯之、物茂卿云、大抵論語記諸子問荅者、皆荅者爲是、記者之意爾、

案二子之言、皆本於聖語、子夏守無友不如己者之語、子張主博愛衆而親仁之意、各從其性所近而奉之也、其義則鄭包二家盡之矣、蔡邕謂商也寬、師也褊、故孔子訓之、各從其行而矯之、此正與師也過、商也不及相反、非也、善與不能對、謂善其事也、皆以才能而言、徂徠謂指人有善行者、失之、矜當作矜、憐也、字從矛令、說詳於孟氏使陽膚爲士師之章、

子夏曰、雖小道必有可觀者焉、何晏曰、小道謂異端、皇侃云、小道謂諸子百家之書也、一往看覽、亦微有片理、故云必有可觀者焉、**致遠恐泥、**包咸曰、泥難不通、**是以君子不爲也、**皇侃云、爲猶學也、

論語集說　卷六　三十二

案此子夏述孔子攻乎異端斯害也已之語也、異端亦有可觀者焉、故人或攻之、孔子直云斯害也已、不言其所以害、人或不能喩、故子夏以致遠恐泥釋之也、

子夏曰、日知其所亡、孔安國曰、日知其所未聞也、皇侃云、亡、無也、無謂從來未經所識者也、**月無忘其所能、可謂好學也已矣、**皇侃云、此即是溫故而知新也、日知其所亡、是知新也、月無忘其所能、是溫故也、可謂好學、是謂爲師也、

翟灝云、大平御覽述文、忘字作亡、

案此與溫故而知新別、溫故知新、溫故以知新也、此謂聞所未聞耳、孔子之門、羣賢咸萃焉、故稱不遷怒、不貳過爲好學、子夏所教則率多常人、故稱常人所能爲好學、非故貶其道以就人、勢不得不爾、譬諸草木之區以別、亦此意也、

子夏曰、博學而篤志、孔安國曰、廣學而厚識之也、物茂

卿云、孔安國訓志爲記、蓋志先而學後、今先學於志、故云爾、切問而近思、何晏曰、切問者、切問於己所學而未悟之事也、近思者近思於己所能及之事也、若汎問所未學、遠思所未達、則於所學者不精、於所思者不解也、皇侃云、切猶急也、若有所未達之事、宜急諸問取解、故云切問也、程頤云、學不博則不能守約、志不篤則不能力行、切問近思在己者、則仁在其中矣、仁在其中矣、

案周易大畜象曰、君子以多識前言往行、以畜其德、子國之解、蓋本於此也、孟子曰、知者無不知也、當務之爲急、堯舜之知、而不徧物、急先務也、荀子亦曰、無用之辨、不急之務、君子不爲也、學者多以無不知爲學、故多不急之問、孟子又曰、道在爾、而求諸遠、聖人之道、在於人情卑近之中、思而得之、爲政猶視諸掌、而學者多求之高遠、若多識前言往行以畜其德、又能切問先務、而求之人情卑近之中、他日得位爲政、恤民之道、不可勝用、故云、仁在其中矣、

子夏曰、百工居肆以成其事、君子學以致其道、包咸曰、言百工處其肆、則事成、猶君子學以致其道也、皇侃云、先爲設譬、百工者、巧師也、言百者舉全數也、江熙云、亦非生巧也、居肆則是見廣、見廣而巧成、君子未能體足也、學以廣其思、思廣而道成也、邢昺云、審曲面勢、以飭五材、以辨民器、謂之百工、五材各有工、言百、衆言之也、肆謂官府造作之處也、物茂卿云、致者使先王之道自然來集也、

案皇侃解肆爲居常所作物器之處、然獨處學藝其事未必巧、中庸曰、既稟稱事、所以來百工也、則古者官府有造作之處、以處百工、邢疏爲長、致讀如致人而不致於人之致、先王之道、布在方策、學而致之、使來至於己身、故云致其道、徂徠是也、

子夏曰、小人之過也必文、孔安國曰、文飾其過、不言其情實也、

案古本必上有則字、皇本作必則文、殆不可讀、今從邢本、菅氏本、正平本、並與邢本同、

子夏曰、君子有三變、望之儼然、即之也溫、聽其言也厲、鄭玄曰、厲嚴正也、陸德明云、儼本或作嚴、音同、儼、皇侃云、君子正其衣冠、嚴然人望而畏之也、即就也、袁氏注曰、溫和潤也、雖見其和潤而出、言甚嚴正也、所以前卷云君子溫而厲是也、李充曰、厲清正之謂也、君子敬以直內、義以方外、辭正體直、而德容自然發、人謂之變耳、君子無變也、伊藤源佐云、望之儼然、禮之存也、即之也溫、仁之著也、聽其言也厲、義之發也、

子夏曰、君子信而後勞其民、未信則以爲厲己也、王肅曰、厲病也、陸德明云、厲鄭讀爲賴、恃賴也、信而後諫、未信則以爲謗己也、邢昺云、此章論君子使下事上之法也、

案同言而信、信在言前、故君子忠信以爲質、脩身以文之、道之所以孚於上下也、君子指卿大夫、邢疏使下事上、從經文而釋之、毛本上下易置、今從十行本、

子夏曰、大德不踰閑、孔安國曰、閑猶法也、小德出入可也、孔安國曰、不能不踰法、故曰出入可也、朱熹云、大德小德、猶言大節小節、閑闌也、所以止物之出入、言人能先立乎其大者、則小節雖或未盡合理、亦無害也、物茂卿云、晏子春秋以此爲晏子之言、大德小德、作大者小者、蓋古語、晏子誦之、子夏亦誦之、蓋古者以德爲教、事父曰孝、事兄曰弟之類大德也、如色容厲肅、視容清明、是小德也、皆以在己者爲教、是所謂德也、翟灝云、韓詩外傳二卷曰、孔子遭程本子于剡之間、傾蓋而語終日、有間顧子路曰、束帛十匹、以贈先生、子路曰、由聞之夫子、士不中道相見、孔子曰、大德不踰閑、小德出入可也、據外傳此本孔子言、而子夏述也、述其言、而略其本事、致覺其言之不能無弊也、荀子王制篇文引孔子曰、大節是也、小德一出焉、一入

焉、中君也、亦與此意同、參觀
之、尤悉其言之本末有弊、
案、晏子僞書、其言未足據、荀子則鑿鑿可據矣、其
言與此異者、古人引語取意、而不必取辭也、後儒
以爲脩己之法、故覺其有弊、若以爲觀人之法、即
賢者不求備於人之意、此而不許、則責人無已者
所爲、豈聖人待
人之意乎哉、

子游曰、子夏之門人小子、當洒埽應對進退則可矣、抑末也、本之則無、如之何、包咸曰、言子夏弟子、但當
對賓客脩威儀禮節之事則可、然此但是人之末事
耳、不可無其本、故云本之則無、如之何、陸德明云、洒
色買反、又所
綺反、正作灑、埽今作掃、末或作未、非也、皇侃云、本謂
先王之道也、惠棟云、說文曰、洒、古文以爲灑埽字、周
禮隷僕、掌埽除糞洒、先鄭以爲洒當爲灑、後鄭據古
文論語定爲洒、經傳中如毛詩弗洒弗埽、洒埽穹窒、

於粲洒埽、洒埽庭內、晉語
供備洒埽之臣、皆古文也、**子夏聞之曰、噫、**孔安國曰、
噫心不平之聲也、**言游過矣、君子之道、孰先傳焉、孰
後倦焉、**包咸曰、言先傳業者、必先厭倦、故我門人先
教以小事、後將教以大道、皇侃云、君子之道、謂先王
之道也、孰誰也、言先王大
道、即既深且遠、而我知誰先能傳而後能倦懈者邪、
故云孰先傳焉、孰後倦焉、既不知誰、故先歷試小事、
然後乃教以大道也、毛奇齡云、倦即古券字、傳與券、
皆古印契傳信之物、以傳與券、彼此授受、一如教者
之與學人兩相印契、故借其名、曰傳曰券、券即傳也、
說文徐注曰、今用傳字、無復作券、可驗也、周禮考工
記輈人左不券、後鄭注謂
券字即今倦字、可驗也、**譬諸草木、區以別矣、**馬融
曰、言大道與小道殊異、譬如草木異類區別、言學當
以次也、**君子之道、焉可誣也、**馬融曰、君子之道、焉可

使誣言我門人但能洒埽而已、皇侃云、君子大道既
深、故傳學有次、故可
發初使誣罔其儀、而并學之乎、惠棟云、漢書薛宣傳
云、君子之道、焉可憮也、蘇林曰、憮、同也、兼也、晉灼曰、
憮音誣、師古曰、論語載子夏之言、謂行業不同、所守
各異、唯聖人爲能體備之、家君曰、蘇解得之、焦循云、
說文言部云、誣、加也、加之義正與同兼義近、憮字說
文訓愛、毛詩巧言傳訓大、爾雅則訓傲、漢書憮字、乃
誣字假借耳、誣字本義自通焉、
以誣爲欺妄、則非誣字本義、**有始有卒者、其唯聖
人乎、**孔安國曰、終始如一、唯聖人耳、皇侃云、唯聖人
始終如一、可謂
永無先後之異耳、邢昺云、言人之學道、靡不有初、鮮
克有終、能終始如一、不厭倦者、其唯聖人耳、朱熹云、
倦如誨人不倦之倦、言君子之道、非以其末爲先而
傳之、非以其本爲後而倦教、但學者所至、自有淺深、
如艸木之有大小、其類固有別矣、若不量其淺深、不
問其生熟、而槩以高且遠者強而語之、則是誣之而
已、君子之道、豈可如此、若夫始終本末、一以
貫之、則唯聖人爲然、豈可責之門人小子哉、

案、皇云、君子之道、謂先王之道、是也、朱子以倦字
屬之師、文義似順、然章末云、有始有卒者、其唯聖
人乎、有卒即是不倦、則屬之弟子爲長、孰先傳焉、
孰後倦焉、意中商量之詞、言先王之道、有大小本
末、而學之者有長短淺深、教之之法、當討其器所
受而授之、故意中商量衆門人、曰誰應先傳此事、
誰應傳此道而後倦、如草木異類者、從區域以分
別、若不問其人材何如、一槩教之以大者深者、則
以不能爲能、是誣之也、而可乎、始卒以道言、始謂
洒埽應對之屬、卒謂治國平天下之類、孔訓始卒
爲終始、蓋以上文言倦耳、然古之賢者、皆克有終、
不唯聖人也、且成德之士、而皆靡克有終、亦何貴
於夫學哉、故知有始有卒者、以道而言也、唯本多
作惟、論語有唯無惟、今從十行本、周禮隷僕注、大
戴禮衞將軍文子篇注引此文、並無小子二字、案
子夏門人年稍長者、亦能學本、子游所譏、特其小
子而已、故於門人下、又加小子二字、而子夏亦以
草木區別辨之、注家未達此義、以門人小子爲重
複、故削之耳、毛轉倦爲券、訓爲傳義、然鄭以券爲
倦古文耳、未嘗訓倦爲券也、且考工記从力作券、

故鄭云倦古文其券契之字則從刀作券毛泥而一之遂轉倦爲券契可謂強說矣

子夏曰仕而優則學而優則仕馬融曰行有餘力則以學文學皇侃云優謂行有餘力也翟灝云王篇引論語學句寘仕句前

案或疑學句當在仕句前王篇是也今案學而優則仕士子之常也人皆知之旣仕雖行有餘力多不復學子夏意所主在斯故以仕句寘前耳又案檀弓載曾子責子夏之言曰吾與爾事夫子於洙泗之間退而老於西河之上使西河之民疑女於夫子爾之罪一也其教育之盛可想矣此篇載弟子之言而子夏最多豈以其教育之盛與

子游曰喪致乎哀而止孔安國曰毀不滅性也邢昺云言人有父母之喪當致極哀感不得過毀以至滅性孔注孝經之文也注云不食三日哀毀過情滅性而死皆虧孝道故聖人制禮施教不令至於殞滅

案此章言居喪之情未及其文注疏盡之矣

子游曰吾友張也爲難能也然而未仁包咸曰言子張容儀之難及焦循云此文但言難能未言所以難能者何在故下連載曾子之言堂堂知堂堂爲難能即知難能指堂堂此論語自相發明之例也廣雅堂堂容也漢書儒林傳魯徐生善爲頌蘇林曰漢舊儀有二郎爲此頌貌威儀事有徐氏徐氏後有張氏不知經但能盤辟爲禮容天下郡國有容史皆詣魯學之師古曰頌讀與容同子張善爲容故云師也辟辟即盤辟也又論語自相發明之例也

曾子曰堂堂乎張也難與並爲仁矣鄭玄曰言子張容儀盛而於仁道薄也皇侃云江熙曰堂堂德宇廣也仁行之極也難與並仁蔭人上也然江熙之意是子張仁勝於人故難與仁也

案此章與上然而未仁連載則難與並爲仁亦謂不可與並爲仁鄭注是也凡論語義涉兩端者以上下章推之其義自明也

曾子曰吾聞諸夫子人未有自致者也必也親喪乎馬融曰言人雖未能自致盡於他事至於親喪必自致盡也皇侃云致極也物茂卿云言人於他事皆假禮而後誠至焉敬至焉若必求其能自致者則親喪而已是獨雖不假先王之禮尚可能使己之哀情自然來至也

案致訓極自通自致謂性能極之凡百善行必學然後成唯親喪人人自能致之或謂親喪之外賢哲亦不能自己致極之則事君治民亦皆不致極其心豈聖人教人之意哉

曾子曰吾聞諸夫子孟莊子之孝也其佗可能也其不改父之臣與父之政是難能也馬融曰孟莊子魯大夫仲孫速也謂在諒闇之中父臣及父政雖有不善者不忍改之也

案趙宋奸臣據此章及三年不改父道之章以防司馬諸賢改紹述之政是以宋儒說三年章及此章者嘖有煩言然聖人之言亦各有當豈得執一以廢百哉禹改鯀治水之法謂之能掩父過未聞有以爲不孝者大抵聖人語常而不語變而處變之法則存於常經之中所謂反經合道是也故能熟悉經法乃知處變之法所恨學者拘泥而不能達觀之耳皇本作難也無能字今從邢本

孟氏使陽膚爲士師包咸曰陽膚曾子弟子也士師典獄官也皇侃云孟氏使陽膚爲己家獄官也**問於曾子曾子曰上失其道民散久矣如得其情則哀矜而勿喜**馬融曰民之離散爲輕漂犯法乃上之所爲非民之過也當哀矜之勿自喜能得其情也朱熹云民散謂情義乖離不相維繫臧庸云唐沙門

慧苑華嚴經音義、特垂矜念、毛詩傳矜、憐也、謂偏獨憂憐也、案說文字矝、矜、怜也、皆從矛令、若從今者、音巨斤反、矛柄也、案王篇二字、皆從矛令、無從矛今者也、以慧苑上諧爾雅釋訓、矜憐撫掩之也、矜憐爲疊韻、詩鴻雁爰及矜人、傳矜、憐也、箋云、王曰當及此可憐之人、謂貧窮者、欲賙餼之、及說文字矝、訓矜爲憐、皆取聲韻相同也、又云、據慧苑所引、知唐本說文矛部矜下有憐也一訓、而今本惟有矛柄之義、後世字書韻學混淆、致改玉篇誤從今、唐以來字書、遂無有作矜者矣、猶幸慧苑書引毛詩傳、及說文字矝玉篇、皆可藉以考正、而慧苑又分矜矝二字、當由習見作矜、故強爲區別耳、王引之云、矜之從令聲、證以三百篇用韻、至確矣、

案、敬不自檢束也、上失其道、則仰不足以事父母、俯不足以養妻子、終年勤苦、而不免飢寒、其心懵焉、不復檢束其身、故輕犯邪辟也、文選枚乘曰、蔓草芳苓、李善謂苓古蓮字、漢書丁零羌、讀如顚連、凡字從令者、率與從連并者同聲、聲同則義通、故假矜爲怜、怜乃憐俗字也、菅氏本菅原道眞藏本、

正平本南朝正平年中所刻、其本最善、而俱作哀矜、今從之、

子貢曰、紂之不善、不如是之甚也、是以君子惡居下流、天下之惡皆歸焉、孔安國曰、紂爲不善、以喪天下、後世憎甚之、皆以天下之惡、歸之於紂也、皇侃云、下流、謂爲惡行而處人下者也、言紂不遍爲衆惡、而天下之惡事皆云是紂所爲、故君子立身、惡爲居人下流、若一居下流、則天下之罪并歸之也、蔡謨曰、聖人之化、由羣賢之輔、闇主之亂、由衆惡之黨、是以有君無臣、宋襄以敗、衞靈無道、夫奚其喪、言一紂之不善、其亂不得如是之甚、身居下流、天下惡人皆歸之、是故亡也、朱熹云、下流地形卑下之處、衆流之所歸、喻人身有汚賤之實、亦惡名之所聚也、翟灝云、漢石經貢作贛、下凡貢字做此、不如是之甚、作如是其甚、

案、君子以位而言、此蓋曉當時卿大夫之語、下流、皇疏云、謂爲惡行而處人下者、處人下、謂其行處衆人之下、意與朱注同、但朱子語之甚詳、故並舉之、天下之惡皆歸焉、孔注是也、人以衆惡歸之、人情最所惡、故以此曉之、使勢居上流也、蔡謂天下惡人皆歸之、是亦理勢所必至、然果若其說、專論紂德、而未減其罪、況君子之惡居下流、不必待惡人歸之、故知其爲曉當時卿大夫之語也、皇本不善下有也字、今從邢本、小戴禮樂記、子貢作子贛、贛、賜也、子貢名賜、古人名字相配、先儒以作贛爲是、蔡邕石經之作其、於文似長、

子貢曰、君子之過也、如日月之食焉、過也人皆見之、更也人皆仰之、孔安國曰、更、改也、

案、此章述孔子過則勿憚改之語也、皇本食焉作蝕也、今從邢本、

衞公孫朝馬融曰、朝、衞大夫也、問於子貢曰、仲尼焉學、子貢曰、文武之道、未墜於地、在人、賢者識其大者、

不賢者識其小者、莫不有文武之道焉、夫子焉不學、孔安國曰、文武之道、未墜落於地、賢與不賢、各有所識、夫子無所不從學也、而亦何常師之有、孔安國曰、無所不從學、故無常師也、翟灝云、案孝經疏云、劉瓛尼者和也、孔子有中和之德、故謚曰仲尼、又檀弓魯哀公誄孔子注云、尼父因其字、以爲之謚、疏云、尼則謚也、中和之說、稍近穿鑿、魯哀公事則甚信而可徵、論語一書、惟此以下四章稱仲尼、四章連次篇末、且有其死也哀之文、必俱孔子既卒後語、今中庸孝經之稱謂、觀則尼誠孔子謚矣、今人藉口三經、謂弟子子孫、皆可呼其師與父祖之字、殆未深考、

案、隱八年左傳、載衆仲之言、曰諸侯以字爲謚、因以爲族、檀弓注、因其字以爲之謚、是也、此篇所載、皆孔子沒後、弟子教誘其門人、及與朋友時人論辨之言、詳味文意、其義自明、以其能發明聖意、故

編輯者聚以繼聖語之後、不必待稱孔子諡而後知爲聖師沒後之言也。公孫朝、言衞者、同時魯亦有公孫朝也。諡見於前、莫不有文武之道焉者、賢不賢所識、皆有文武之道也。檀弓注、其字當作且字、且薦也、且字謂二十曰、冠而字之字、五十加伯仲字於二十字之上、故稱二十字爲且字耳、

叔孫武叔語大夫於朝、馬融曰、魯大夫叔孫州仇也、武諡也。曰子貢賢於仲尼、子服景伯以告子貢、邢昺云、景伯亦魯大夫、子服何也。子貢曰譬之宮牆、翟灝云、漢石經作辟諸宮牆、方觀旭云、聞之丁希曾先生、此宮牆宮字、是爾雅大山宮小山之宮、謂圍繞之、觀旭案禮記曰、君爲廬宮之、又曰儒有一畝之宮、康成云、宮爲牆垣也、是其切證、左傳曾人或夢衆君子立社宮、社非喪國不屋、則無宮室、而禮云君南鄉於北墉下、則有牆垣、是社宮亦爲牆、古者以牆爲宮、故築牆曰宮之矣、賜之牆也及肩、窺見室家之好、陸德明云、闚、素規反、好、如字、舊呼報反、阮元云、五經文字云、窺與闚同。夫子之牆數仞、不得其門而入、不見宗廟之美、百官之富、得其門者或寡矣、包咸曰、七尺曰仞、陸德明云、仞一作刃、音同、阮元云、古多假刃爲仞、如書旅獒爲山九仞、左氏昭三十二年傳、仞溝洫、釋文並云、仞一作刃。夫子之云、不亦宜乎、包咸曰、夫子謂武叔、

案宮宅園也、周匝之曰宮、牆未央一宮中、有三十六殿、可見宮爲妤名、非居室之名也、周禮內宰六宮注、婦人稱寢爲宮、宮者隱蔽之言、婦人所處、每寢築周牆而隱蔽之、故稱六宮、腐刑曰宮、亦刑之隱蔽之地、自說文宮訓室、此義遂晦、後儒往往以爲家室之稱、以宮牆之宮、別爲一義、殆未深考耳、漢儒皆云、七尺曰仞、獨王肅以仞爲八尺、今案度幅負曰尋、度高深曰仞、是皆取人身尺以爲名、度幅負者伸左右手、又加胷廣、故尋八尺也、度高深者、上下其手、短於尋一胷廣、故仞七尺也、考工記匠人爲溝洫、同間廣二尋、深二仞、謂之澮、若仞與尋同長短、必不廣深異文、王小人喜駁漢儒、欲以見

己長、不復顧其說之抵捂不通、此特其一端而已、朱子注孟子用王說、而此從漢儒、蓋疑不能定也、皇本窺作闚、與漢石經釋文合、今且從邢本、皇本上夫子上有夫字、而入下有者字、下夫子下無之字、背氏本、正平本、並與邢本同、今皆從邢本、

叔孫武叔毀仲尼、子貢曰、無以爲也、邢昺云、言無用爲此毀讟、仲尼不可毀也、他人之賢者丘陵也、猶可踰也、仲尼日月也、無得而踰焉、人雖欲自絕、其何傷於日月乎、多見其不知量也、何晏曰、言人雖自絕棄於日月、其何能傷之乎、適足自見其不知量也、皇侃云、若有識之士、覩於女、則多見女愚暗、不知聖人之度量也、邢昺云、據此注意、似訓多爲適、所以多得爲適者、古人多祇同音、多見其不知量、猶襄二十九年左傳云、多見疏也、服虔本作祇見疏、解云、祇、適也、晉宋杜本皆作多、張衡西京賦云、炙炮夥、清酤多、皇恩溥、洪德施、施與多爲韻、此類多矣、故以多爲適也、

案依何注、見形甸反、露也、言適足自顯露己不知量、量者謂量己與聖人之德、皇疏云、不知聖人之分量、朱子謂不自知其分量、恐俱失之、

陳子禽謂子貢曰、子爲恭也、仲尼豈賢於子乎、皇侃云、此子禽必非陳亢、當是同姓名之子禽也、子貢曰、君子一言以爲知、一言以爲不知、言不可不慎也、夫子之不可及也、猶天之不可階而升也、夫子之得邦家者、孔安國曰、謂爲諸侯若卿大夫、所謂立之斯立、道之斯行、綏之斯來、動之斯和、其生也榮、其死也哀、如之何其可及也、孔安國曰、綏、安也、言孔子爲政、其立教則無不立、道之則

莫不興行安之則遠者來至動之則莫不和睦故能生則榮顯死則哀痛皇侃云動謂勞役之也悅以使從也來歸附也動謂鼓舞之也和所謂於變時雍大㒃也朱熹云立之謂植其生也道引也謂教之也行宰純云立之以下六句蓋古語故云所謂

案道之綏之動之皆明指民立之不當獨指立教孔注恐未是立蓋如民無信不立之立民知義方立定脚根不爲惡俗弊風所移動是之謂立耳道皇本作導古字通用行如字從上所導而行往也綏之斯來孔安國爲遠者來至是也動之如動之不以禮未善之動謂使之作事作事必以禮故和也陳亢在孔門不當云仲尼不能賢於子貢故皇疏以爲別是一子禽然孔門諸賢盛德光輝超絕一時孔子既沒則益見不可及不唯西河之人疑子夏於孔子乃如子夏子游之賢欲以所事孔子事有若況於陳子禽乎則此子禽當定爲陳亢矣

堯曰第二十　邢昺云此篇記二帝三王及孔子之語明天命政化之義皆是聖人之道可以垂訓將來故殿諸篇非所次也翟灝云按古論堯曰篇僅此一章此蓋是論語後序故專爲篇而文今不全故覺其難通解也周易序卦與詩書之序舊俱列篇第數中而退居于策尾今詩書序分題于各篇章傳注家所移置耳周秦兩漢書籍如莊子天下篇史記自序淮南子要略越絕書敘外傳記潛夫論敘錄鹽鐵大論文心彫龍序志篇皆屬斯例如漢書之敘傳華陽國志之序志後語大序後復有小序也論衡以對作篇爲序其後更有自紀一篇則附傳也參同契以自作啓後章爲序其後更有補塞遺脫一章則補遺也呂氏春秋專以紀時令故十二紀畢隨序其意而八覽六論乃所附見者也荀子當以非十二子篇爲序今大第六乃唐楊倞作注時誤移倞自序言其篇第頗有移易是也由是類觀則此章及孟子由堯舜章之爲一書後序夫何疑邪子張問以下古原別分爲篇蓋于書成後續得附篇故又居後序之後

案前篇記孔子沒後門人訓其子弟及與朋友時人相切磋問答之語而編子貢推尊孔子之章於篇末故此篇記孔子所嘗語二帝三王之事以次之意謂夫子之得邦家亦猶二帝三王之平治天下也次編子張章示夫子所以平治天下之大法也次編不知命章示孔子終不得天命不能與二帝三王同其功以應開卷人不知而不慍不亦君子乎之語其篇次章第周密如此非七十子之徒斷不能爲也翟以此篇爲同孟子由堯舜章是也而援周秦漢古書以爲一部後序蓋未之思焉耳

堯曰咨爾舜天之曆數在爾躬　何晏曰曆數謂列次也皇侃云咨咨嗟也所以數而命之者言舜之德美兼合用我命也天天位也曆數謂天位列次也

允執其中四海困窮天祿永終　包咸曰允信也困極也永長也言爲政信執其中則能窮極四海天祿所以長終也　皇侃云中謂中正之道也若內正中國外被四海則天祚祿位長卒竟汝身也閻若

璩云四海困窮是儆辭天祿永終是勉詞四海當念其困窮天祿當期其永終毛奇齡云金縢惟永終是圖周易歸妹象詞君子以永終知敝則永終二字原非惡詞故漢魏用經語者班彪王命論傳不疑謂暴勝之語韋賢傳匡衡語靈帝立皇后詔凡用此語者無不以永長爲辭自新莽以後魏晉五代皆用堯曰文作禪位之冊而策書引經而後頗異此考之列史而詔然者漢獻禪位于魏冊曰允執其中天祿永終云云及三國以後魏志山陽公深識天祿永終之運禪位文皇帝又曰山陽公昔知天命永終于己深覩厤數久在聖躬因詔禪位于晉而嗣後宋齊梁陳其文一轍是皆以其中爲厤中以天祿永終繼困窮之後爲知絕天之辭而于是策書改即論語亦俱改矣此實經籍文體升降前後一大關節而注其書者安可姑置之不一察也

舜亦以命禹　孔安國曰舜亦以堯命己之辭命禹

曰予小子履敢以玄牡敢昭告于皇皇后帝

孔安國曰、履殷湯名、此伐桀告天之文、殷家尚白、未
變夏禮、故用玄牡也、皇大、后君也、大大君帝謂天帝
也、墨子引湯誓、其辭若此、程顥云、曰字上少一湯字、
翟灝云、墨子兼愛下篇、夫
兼相愛、交相利、不惟禹誓爲然、雖湯說亦猶是也、湯
曰、惟予小子履、敢用玄牡、告于上天后、今天大旱、即
當朕身履、未知得罪于上下、有善不敢蔽、有罪不敢
赦、簡在帝心、萬方有罪、即當朕身、朕身有罪、無及萬
方、即是湯誓也、國語內史過引湯誓、余一人有辠、無
以萬夫、萬夫有辠、在余一人、韋昭注曰、今湯誓無此、
則已散亡矣、按此章歷序古帝王受命大略、孔安國、
班固、杜祐皆以此一節爲湯伐桀告天之文、義最當
也、墨之所述、乃湯禱雨之辭、別稱湯說、並未謂之湯
誓、呂氏春秋亦述之、爲桑林禱雨辭、孔氏云、墨引湯
誓如此、邢氏但望注爲疏、不遽舉兼愛篇文、以質其
實、墨子非僻書、邢豈不得見乎、亦以其爲旱禱之辭、
不合此章義例、而又名
說名誓之兩不同耳、有罪不敢赦、包咸曰、順天奉

論語集說　卷六　四十五

法、有罪者不敢擅赦、帝臣不蔽、簡在帝心、何晏曰、言
桀居帝臣之位、有罪過、不可隱蔽、以其簡在帝心故、
邢昺云、言居帝臣之位、罪過不可隱蔽、以其簡閱在
天心故也、鄭玄云、簡閱在天心、言天簡閱其善惡也、
朱熹云、此引商書湯誥之辭、蓋湯既放桀而告諸侯
也、言桀有罪、己不敢赦、而天下賢人、皆上帝之臣、己
不敢蔽、簡在帝心、惟帝所命、此
述其初請命而伐桀之辭也、朕躬有罪、無以萬方、
萬方有罪、在朕躬、孔安國曰、無以萬方、萬方不與也、
萬方有罪、我身之過、皇侃云、若萬方百姓有罪、則由
我身也、我爲民主、我欲善、而民
善、故有罪、則歸責於我也、朱熹云、又言君有罪非民
所致、民有罪、實君所爲、見其厚於責己、薄於責人之
意、此其告諸侯之辭也、翟灝云、漢石經朕躬有罪、毋
以萬方、萬方有在朕躬、皇氏義疏本、萬方有下少一
罪字、與漢石經正符、周有大賚、善人是富、何晏曰、周、周家、賚、賜

也、言周家受天大賜、富於善人、有亂臣十人是也、皇侃
云、言周家受天大賜、故富足於善人也、或云、
周家大賜財帛於天下善人、善人故是富也、雖有周
親、不如仁人、孔安國曰、親而不賢不忠、則誅之、管蔡
是也、仁人謂箕子微子、來則用之、邢昺云、周書泰誓
仁人、是武王往伐紂、次河朔之辭也、孔傳云、雖有周親、不如
周至也、言紂至親雖多、不如周家之少仁人、百姓有
過、在予一人、謹權量、審法度、脩廢官、四方之政行矣、
包咸曰、權秤也、量斗斛、皇侃云、案湯伐桀辭皆云天、
故知是告天也、周伐紂文句
句稱人、故知是誓人也、治故曰脩、若舊官有廢者則
更脩立之也、江熙云、自此以下、所脩之政也、翟灝云、
也、自此以上至大賚、周告天之文、
公三十二年注引此全節文、亦冠孔子曰字、興滅國、
繼絕世、舉逸民、天下之民歸心焉、所重民食喪祭、孔

論語集說　卷六　四十六

安國曰、重民國之本也、重食民之命也、重喪所以盡
哀、重祭所以致敬、皇侃云、國以民爲本、故重爲先也、
民以食爲活、故次重食也、有生必
有死、故次重喪也、喪畢爲之宗廟、以鬼享之、故次重
祭也、興滅國、若有國爲前人非理而滅之者、新王當
更爲興起之也、繼絕世、若賢人世被絕不祀者、當爲
立後係之、使得仍享祀也、舉逸民、若民中有才行超
逸不仕者、則躬舉之於朝廷、爲官爵也、朱熹云、興滅
繼絕、謂封黃帝堯舜夏禹之後、舉逸民、謂釋箕子之
囚、復商容之位、三者皆人心之所欲也、武成曰、重民
五教、惟食喪祭、翟灝云、公羊傳宣公十七年注引、全
節文上冠孔子曰、自謹權量以
下數節、漢唐人通以爲孔子言、寬則得衆、信則民任
焉、敏則有功、公則民說、孔安國曰、言政公平、則民說
矣、凡此二帝三王所以治也、故傳以示後世、翟灝云、
案四語
與上文絕不蒙、與前論仁章文、惟公說二字殊、慢、秦
以前疑子張問仁一章、原在古論子張篇首、而此爲

脫亂不盡之文、古書簡盡則止、不以章節分簡、故雖大半脫去、猶得餘其少半、連絡于下章也、下章子張問政、孔子約數以示、俟子張請目、然後詳晰言之、與問仁章文勢畫一、顯見其錄自一手、又二十篇中、惟張問以下、別爲一篇、與前季氏篇爲別記者所錄、稱此二章、以子荅弟子之言、加用孔字、蓋古分堯曰子孔子、是其大例、故知命章首、舊本亦有孔字、今以問仁章、亂入陽貨篇、既嫌其大例不符、而公山佛肸連類並載之間、橫隔以此、亦頗不倫、論語後十篇多脫誤、朱子嘗言之、堯曰顚倒失次、東坡又嘗言之、民食喪祭以上、似輯自殘斷之餘、以下、則竟全脫一簡、敘羣聖畢、宜更有孔子論斷、或弟子贊孔子、若祖述憲章之類、今已脫去矣、恭寬信敏惠之本、獨舍此句、未足該歷帝王爲治之要也、阮元云、漢石經、皇本高麗本並無信則民任焉句、案此句疑因陽貨篇子張問仁章誤衍、

案、困窮惡詞、永終嘉語、二句相連爲文、故古來注家皆難其解、然如包說、必加仁澤二字、然後其義始通、召誥云、天既遐終大國殷之命、遐終即永終、則古亦有爲惡詞者、朱子訓永絕是也、曰上無湯

字者、上蒙堯曰文、下有小子履、其爲湯曰可知、故不言湯、非脫字也、國語內史過引湯誓、有余一人有罪、無以萬夫之語、而其詳不如墨子所引、眞古文湯誓見存、而無所陳之文、故孔子國引墨子書當之也、但其爲伐桀告天文、則恐未然、今案三有罪字、上下相呼、若以有罪不敢赦、爲桀有罪、已不敢赦、則下二有罪字、絕不相涉、故朱子據僞書湯誥、爲既伐桀之後、告諸侯之言、然上以曰字起之、必是同日之言、且內史過之時、尚書未焚、過不引湯誥而引湯誓、今本湯誥、豈足據哉、若依墨子爲桑林禱雨之言、則三有罪字、上下相呼、極爲允當、今試解之、有罪不敢赦者、言凡有罪者、已不敢赦也、帝臣不蔽者、言凡有善者、已不敢蔽也、是二者簡閱在帝心、帝必熟悉之、謂之帝臣者、天工人其代之、故凡居官者皆可稱帝臣也、朕躬有罪、無以萬方者、言大旱七年、萬方盡病、若我身有罪、當直罰我身、無徒苦萬方爲也、萬方有罪、在朕躬者、言若萬方有罪、降大旱以病之、萬方之罪、即我教化不至之所致、其罪亦在我、當罪我、而無以大旱病萬方也、味朕躬有罪、無以萬方二句、其爲禱雨之

辭甚明、孔子國說爲伐桀告天文、王肅之徒、僞撰古文尚書、采此語以入之湯誥中、而儒者之惑、終不可解、甚焉、有據僞書而疑此文者、豈不可痛哉、其文不與墨子所引同者、古人引書、取其意、而不泥其文、呂氏春秋亦引此文、云湯克夏、而天大旱、湯以身禱於桑林、曰余一人有罪、無及萬夫、萬夫有罪、在余一人、無以一人之不敏、使上帝鬼神傷民之命、同是一事、而其文不同如此、可以見古人檃括之法矣、故愚以此章、爲孔子所嘗爲門人語也、周有大賚以下、孔子掇文武周公之事、而雜陳之、故以周字糾之、雖如零碎無糾、意實貫通、善人是富、孔氏爲亂臣十人是也、周室人才之盛、與唐虞並稱、乃平治天下之大本也、或以散巨橋之粟、鹿臺之財、爲大賚、亦雖盛德之事、中主或能爲之、未足以稱聖王也、且謂之散、必周施之萬民、未必專賜善人也、雖有周親、不如仁人、此述所以善人是富之意、文武周公、用意如此、所以富於善人也、此汎指文武之事、孔氏以周親爲管蔡、以仁人爲箕微、拘矣、百姓有過以下、則武王之事也、而周公與焉、興滅國、朱子是也、繼絕世、舉逸民、皇疏是也、

但不以爲武王所行之事、則失之、大誥曰、今翼日、民獻有十夫、予翼以于敉寧武圖功、多士曰、予一人惟聽用德、肆予敢求爾于天邑商、則成王周公所舉逸民亦多、箕子紂諸父、時又在囚奴中、商容或謂使行殷禮、或以爲人姓名、然直云式其閭、而朱子以舉逸民當之、恐未是、寬則得衆三句、孔子述二帝三王之所以治也、萬方有罪、在朕躬、百姓有過、在余一人、寬也、而四海困窮、天祿永終、告行寬之意也、允執其中、有罪不敢赦、帝臣不蔽、雖有周親、不如仁人、皆公也、敏、勉也、孔前訓疾、亦勉義、凡事不敢勉、則無功、二帝三王、事事皆勉、故章中雖無其事、亦言之、此章不幸爲僞書者所掇拾、散入其所造大禹謨、湯誥、泰誓、武成等之中、後儒遂信僞而疑眞、蘇東坡而下、多謂顚倒失次、不可復考、所重民食喪祭、朱子引武成、民字絕句、亦爲僞書所誤也、獨我仁齊先生疑古文尚書、以此章爲眞、其見卓矣、然未能詳語其故、故特詳之、行矣、邢本作行焉、得衆下、邢本有信則民任焉一句、阮元云、漢石經、皇本、高麗本、並無此句、疑因陽貨篇子張問仁章誤衍、是也、公則民說、唐石經、邢本無民

字、蓋石經邢本衍信則民任焉一句、覺兩民相礙故削此民字耳、今皆從皇本、翟灝引公羊傳注、謹按量上、與滅國上、皆有孔子曰、以二節爲別章、不知彼引兩節解傳、若直擧原文、恐後世不知爲何書、故以孔子曰冠之、古人引書率然、非原文有孔子曰三字也、餘詳于篇題下、

子張問於孔子曰、何如斯可以從政矣、子曰、尊五美屏四惡、斯可以從政矣、孔安國曰、屏、除也、皇侃云、此章第二明孔子同於堯舜諸聖之法也、翟灝云、漢平都相蔣君碑、遵五迸四、隸釋曰、後漢傳有遵五迸四之文、此碑亦然、蓋漢人傳魯論、有如此者、阮元云、說文無迸字、古多假屏爲之、唯禮記大學、迸諸四方、作迸、釋文引皇云迸猶屏也、又尊乃遵字之省文、宗敬則率循也、義亦相近、子張曰、何謂五美、子曰、君子惠而不費、勞而不怨、欲而不貪、泰而不驕威而不猛、子張曰、何謂惠而不費、子曰、因民之所利

而利之、斯不亦惠而不費乎、王肅曰、利民在政、無費於財也、皇侃云、民水居者利在魚鹽蜃蛤、山居者利於葉實材木、明君爲政、即而安之、不使水者居山、渚者處中原、是因民所利而利之、而於君無所損費也、翟灝云、周易益卦注、周禮旅氏疏、文選洞簫賦注引、因民所利而利之、皆無上之字、擇可勞而勞之、又誰怨、欲仁而得仁、又焉貪、君子無衆寡、無小大、無敢慢、孔安國曰、言君子不以寡小而慢之也、皇侃云孔子知子張並疑、故并歷答之也、言凡使民之法、各有等差、擇其可應勞役者而勞役之、則民各服其勞、而不敢怨也、斯不亦泰而不驕乎、君子正其衣冠、尊其瞻視、儼然人望而畏之、斯不亦威而不猛乎、皇侃云、正其衣冠者、衣無撥、冠無免也、尊其瞻視者、瞻視無回邪也、儼然者、若思以爲容也、子張曰、何謂四惡、子曰、不教而殺、謂

之虐、不戒視成、謂之暴、馬融曰、不宿戒、而責目前成、爲視成也、皇侃云、爲君上見民不善、當宿戒語之、戒若不從、然後可責、若不先戒勗、而急卒就責、目前視之取成、此是風化無漸、故暴卒之君也、暴淺於虐也、慢令致期、謂之賊、孔安國曰、與民無信、而虛刻期也、皇侃云、與民無信、而虛期、期不申勅丁寧、是慢令致期也、期若不至、而行誅罰、此是賊害之君也、袁氏曰、令之不明、而急期之也、猶之與人也、出內之吝、謂之有司、孔安國曰、謂財物也、俱當與人、而吝嗇於出內、惜難之、此有司之任耳、非人君之道也、陸德明云、出尺遂反、又如字、內如字、又音納、本今作納、皇侃云、有司謂主典物者也、猶庫吏屬也、庫吏雖有官物、而不得自由、故物應出入者、必有所諮問、不敢擅易、人君若物與人而吝、即與庫吏同、故云謂之有司也、朱熹云、猶之、猶言均之也、尹焞云、告問政者多矣、未有如此之備者也、故記之以繼帝王之治、則夫子之爲政可知也、

案、皇本問下有政字、下文云何如斯可以從政矣、此不必言政、今從邢本、皇本因民之所利而利之民下有之字、而疏中再述經文、皆無之字、當以無之字爲正、民所利極多、皇疏所說、特其一端而已、擇其可勞而勞之、即以逸道使民也、皇疏爲擇可勞之人、非也、下再言君子者、欲仁而得仁已上、以行事言之、故以上一君子蒙之、無衆寡一節、論心術、正其衣冠一節、論儀容、故皆以君子起之、孔注云、不以寡小而慢、是以常情解之、然人亦有喜慢衆大以爲剛直者、經所以衆大并言也、衆寡以徒屬言、大小以祿位言、正其衣冠、皇云、冠不免、免冠則失禮之大者、古人自非寢與謝罪、未嘗免冠、此正謂不欹斜耳、側弁之俄、非正也、不戒視成、謂使臣也、致期、致期於民也、始不嚴令、而致期於民、使民應期成事、輸物、是賊之也、

孔子曰、不知命、無以爲君子也、孔安國曰、命謂窮達

之分也、陸德明云、魯論無此章、今從古、焦循云、按論語言五十而知天命、不知命、無以爲君子、又云、死生有命、又云、道之將行也與、命也、道之將廢也與、命也、至命之爲命、則孟子詳言之、云殀壽不貳、脩身以俟之、所以立命也、莫非命也、順受其正、是故知命者、不立乎巖牆之下、盡其道而死者、正命也、桎梏而死者、非正命也、又云、口之於味也、目之於色也、耳之於聲也、鼻之於臭也、四體之於安佚也、性也、有命焉、君子不謂性也、仁之於父子也、義之於君臣也、禮之於賓主也、知之於賢者也、聖人之於天道也、命也、有性焉、君子不謂命也、皆發明孔子知命之說也、死生窮達、皆本於天、命宜死、而營謀以得生、命宜窮、而營謀以得達、非知命也、命可以不死、而自致於死、命可以不窮、而自致於窮、亦非知命也、故子畏於匡、回不敢死、死於畏、死於桎梏、死於巖牆之下、皆非命也、皆非順受其正也、知命者不立巖牆之下、然則立巖牆之下、死於畏、死於桎梏、皆爲不知命、味色聲臭安佚、聽之於命、不可營求、是知命也、仁義禮智天道、必得位乃可施諸天下、所謂道之將行命也、不得位則不可施諸天下、所謂道之將廢命也、君子以行道安

天下爲心、天下之命、造於君子、孔子栖栖遑遑、不肯與沮溺荷蕢、同其辟世者、聖人於天道、不謂命也、百姓之飢寒、囿於命、君子造命、則使之不飢不寒、百姓之愚不肖、囿於命、君子造命、則使之不愚不不肖、口體耳目之命、己溺己飢者操之也、仁義禮智之命、勞來匡直者主之也、故己之命、聽諸天、而天下之命、任諸己、是知命也、君子爲得位者之稱、君一邑、則宜造一邑之命、君一國、則宜造一國之命、視百姓之飢寒、不能拯之衽席、視百姓之愚不肖、不能開其習俗、徒付之無可如何、是不知命、不知命故無以爲君子、知回何敢死之故、乃知死生有命之命、知天下有道丘不與易之故、乃知道行道廢之命、第以守窮任運爲知命、非孔子所云知命也、阮元云、唐石經、宋石經、釋文、皇本、高麗本、以及十行本、閩本、北監本、毛本、並作孔子曰、據此則集本作子曰、非也、**不知禮、無以立也、不知言、無以知人也、**馬融曰、聽言、則別其是非也、江熙云、不知言、則不能賞言、不能賞言、則不能量彼、猶短綆不可測於深井、故無以知人也、物茂卿云、先王之法言在詩書、而先王之詩書禮

樂、君子所以學也、上論首學與知命、而下論又以此終之、是編輯者之意也、一案、命、孔安國云、謂窮達之分是也、焦并以君子造一邑一國之命、爲知命、此乃孟子所謂性耳、非命也、孟子、聖人之於天道、謂吉凶付人者、爲天道、焦以爲天所以生育之道、故以知命爲造百姓之命耳、禮則爲之、非禮則不敢爲、威武不能屈、貧賤不能移、富貴不能淫、是能自立定脚根也、若不知禮、無遇一事、左徙右遷、前却無度、故無以立也、言者心之宣也、布納以言、唐虞之所以選人也、雖有言者、未必有德、然舍此、無以知人、而治國之本、莫大於得人才、故君子亦貴知言也、夫子之得邦家、二帝三王之化、可復行於當時、故以子張章繼堯曰章、而夫子終不得位、天下之亂、日以益甚、蓋亦命焉耳、故以此章繼子張章、以終開卷人不知而不慍、不亦君子乎之意、其義旨周備、圓轉無窮、實如車之輪、先儒爲論兼有輪義、詢不誣也、

論語集說卷六終

三都書林

京都寺町通松原下ル　勝村治右衛門
大坂心齋橋北久太郎町　柳原喜兵衛
同安土町　石田和助
東京日本橋通壹町目　北畠茂兵衛
同二町目　小林新兵衛
同芝神明前　佐久間嘉七
同所　牧野吉兵衛
兩國横山町三町目　太田金右衛門
日本橋通二町目　稻田佐兵衛

中庸首章發蒙圖解

提要

《中庸首章發蒙圖解》不分卷，日本尾藤孝肇撰，日本龍谷大學大宫圖書館藏明治三年（一八七〇）刊本，一册。圖解係其門人池暢手書，并附錄《發蒙十二説》。卷首鈐「前田慧雲」「惠雲」等印記。卷尾有前田慧雲明治三年題識，鈐「前田慧雲」印，另有「昭和七年五月十七日寄贈前田致遠殿」記。尾藤孝肇（一七四七—一八一三），字志尹，號二洲、約山等，通稱良佐，江戸時代後期儒學者。

中庸首章發蒙圖解

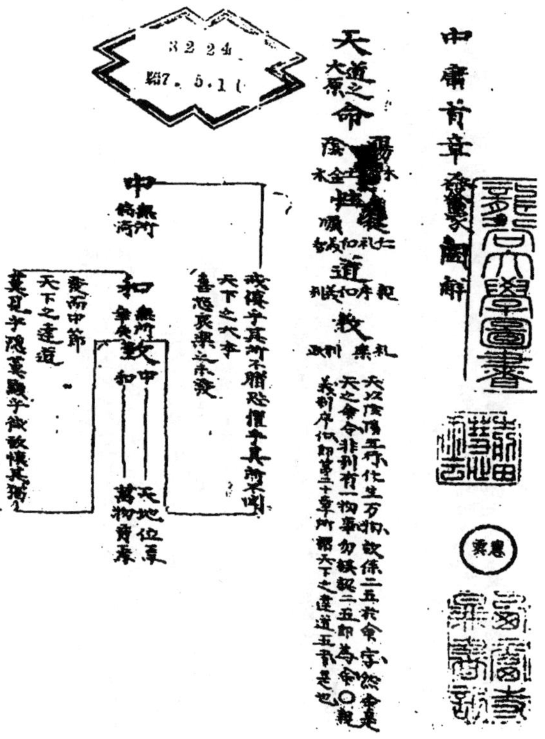

天是上天，即理之全體；命是天道，即理之妙用。性即理之具於心，道即理之在於事，教者品節此理以立事物之定則。未發之中，所以狀天命之性；已發之和，所以狀率性之道。戒懼慎獨，則不離道之方；位育，則致中和之效。

戒懼以致其中，天地位焉；慎獨以致其和，萬物育焉。靜存動察，一體一用，每句各有實，亦非有兩事也，當深思。

天命之性　人物各得所賦之理，以為健順五常之德。

天命　陽木火　陰金水土　性　健仁禮　順義智　人　禽獸　草木

陰陽五行，氣也；健順五常，理也。氣以成形，而理亦賦焉，人物之所以同一其性也。此即原頭之一，若人物氣稟之異，則且未論。

率性之道　人物各循性之自然，則日用事物各有當行之路。

人　性　健仁禮　順義智　道　親序別信　事　慈孝　物　父子　兄弟　朋友　君臣　夫婦

有物斯有事，有事斯有道，非耳目口鼻四肢之所宜，以至於家國天下，四事無一無道而不然矣。

禽獸　道　事　物

羽之翔，鱗之潛，虫之蠢，獸之走，亦皆有物有事，而有其蜂蟻鳥獸，交於中國，是為失其當行。

草木　道　事　物

枝葉花實，榮枯開落，亦皆有物有事，而有其開落，不以其時，是為失其當行。

性，體也，理一也；道，用也，分殊也。人物之當行，所以各不同也。人以德行言，禽獸以知覺言，草木以生氣言，分之殊，道亦隨而不同。

氣稟之異 正通爲人，偏塞爲物。

稟 人 聖 智 賢 愚 不肖 氣之清明者爲賢智，昏濁者爲愚不肖。上智之極，與天合德；下愚之至，人而獸行。氣稟萬殊，如面之不同。

禽獸 其禽獸不正，其性亦全偏，間亦有其通處，彷彿于人者，所謂物而人者。

草木 其故以本爲下，以末爲上，直塞而無所通。

雖同爲人而氣稟各殊，智愚賢不肖之所以分也。至於物亦然。氣稟之異，非先有性道而後有之也，天命之始固既然。洪合置之於此者，以明立教緣有氣稟之異，亦章句之意。

脩道之教 因率性之道而品節之，以爲教，若禮樂刑政之屬是也。

道 道 親序信別智

教 樂 禮 刑 政

人 可教者，設因其當行而品節之，以爲日用彝倫之定則，使天下人皆得由之以行。禮樂刑政所以爲教之具也。禮所以立事物之宜，樂所以情性之和，政所以觀道不及，刑所以懲不改而復其倫。

禽獸 馴 逐 難教者，故驅逐以制其暴，又因材質之宜，取以爲人之用，雖犬之畏，牛馬之拜，亦是也；若以其肉充食，庖則亦制其之節，雖豹之畜，無失其時，數罟不入洿池之類是也。

草木 斧 斤 不可教者，教斧斤以使其滋，又因材質之宜，取以爲人之用，若杞柳之杯棬，特梓之琴瑟是也。其伐之也，亦自有斧斤，斧斤以時入山林之類是也。

九族既睦，以至鳥獸草木咸若，皆是聖人立教之所謂能盡人物之性，以贊天地之化育者。以人爲主，推以及物，但物性偏塞，無所用教化，故性隨其材而處之，亦是教化。於人詳，且多於物略且次。

問：陰陽五行爲氣，健順五常爲理。不知五行上又有陰陽，五常上又有健順。曰：水火木金是陰陽之老少，土則其旺。非五行上又有陰陽也，健順是陰陽之理，五常是五行之理，非五常上又有健順也。陰陽本一氣，健順本一理，亦皆非二物也。且夫理即氣之理，非氣外更有一物。故曰：氣以成形，而理亦賦焉。人物皆莫非此氣之成，亦莫非此理之賦。故曰同一其性。仁禮爲健，義智爲順，信未之說備矣。

問：性爲理一，道爲分殊。道既分殊，性似不一。曰：人物是此氣之所成，性是此理之所賦。氣既一，氣理豈有二耶？性所以一也。又若子孝君仁臣敬及鳶飛魚躍之類，是當行之隨分而殊也。

問：同爲人，何以有氣稟之異？曰：受正氣爲人，受偏氣爲物。而正氣中又有正偏，偏氣中又有正偏。清明者爲聖賢，正中之正也；昏濁者爲愚不肖，正中之偏也。物之有麟鳳龜龍、虎狼蛇蝎，亦猶人之有賢智愚不肖，蓋二五之變無窮，萬物之稟所以無窮也。人能知其所以無窮，則自上聖至下愚，自麟鳳至蛇蝎，其正其偏亦皆可以默識矣。

問：自九族既睦，至黎民於變，教化之效須如是說，而止若會歟草木則恐非中庸本旨曰首章萬物育焉以下說躰物說盡物不一而足何謂非本旨且吾物萬殊本吾一躰聖人豈得置諸度外哉若盡子深意至第三章亦可以畧觀其及物意吾又所謂親親而仁民而愛物此是爲節次序

圖解既成性道教之分畧著稱氣稟圖猶覺未備更錄圖之附於後

天命　陽木火土　陰金水

人性　健仁礼信　順義智

稟之至純是爲聖人若顏子之稟則所謂具躰而微者也

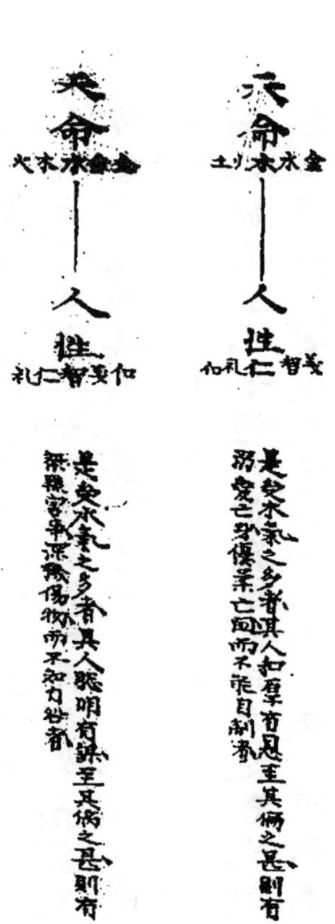

仁者見之謂之仁知者見之謂之知者是也

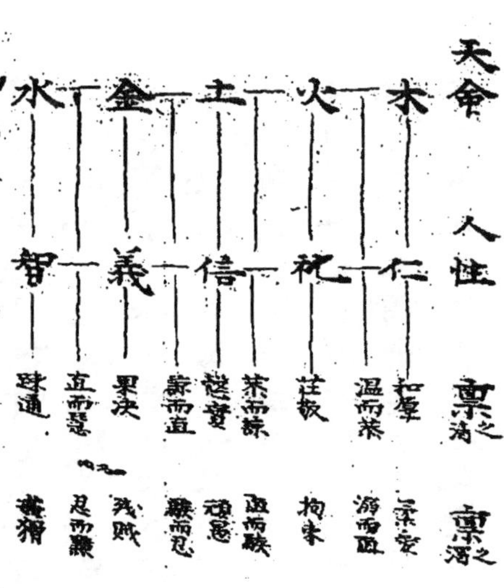

稟之清者爲君子稟之濁者爲小人

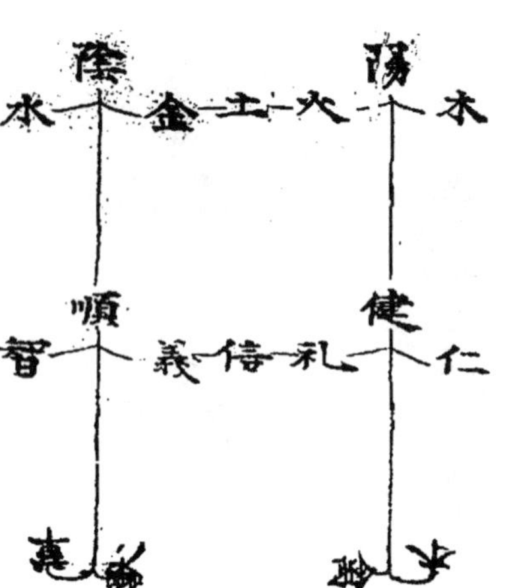

二五之變不可窮萬物之稟不可盡姑舉其識易者以為圖他當例推

己亥春與二三同志論性道教義而著圖解一卷既成自謂其説久詳恐不足以啓發蒙士當重修補之矣爾後曰循不甚置意近日諸友傳寫頗廣有曰為後生講中庸説此精示甚易入也於是又謂傳寫之謬或差圖之位置則誤人者亦不鮮不若刻而傳之冬夜無事燈下取之更加訂正又一二補其説太畧者以為旁注附入各圖之下雖亦未能詳悉然比之初本差爲明備以授蒙士或庶乎有以發之矣若夫義理之精微則章句或問備矣今不復贅也　天明乙巳仲冬望千州藤孝肇識

問以形體謂之天以主宰謂之帝中庸首章天字乃以兼主宰而言者曰然天是蒼々之名而專言天則其中有主宰在所謂主宰即太極之全體是也故程子云天專言之則道也命字如何曰太極之賦予萬物譬如人君之命百職故謂之命所謂乾道變化繼之者善是也性字如何曰性太極之在人者所謂各正性命成之者性是也然則道者性之自然乎曰然道之於性猶命之於天性是道之體道是性之用著見于事上者也若父慈之子之孝兄之友弟之敬及足之蹈手之恭是也品節之以為一定之則乃謂之教合而言之則道教皆性也

中庸本説人道之原出于天然道即天々即道故首章原于天字以説出性道教字末章以君子成德之妙説歸于天之無聲無臭故中間多少説話固莫非説道亦莫非説天五達道三達德九經三重礼儀三百威儀三千皆循自然而品節焉者聖人何曾加意於其間哉讀中庸者須先知此意不然漫々讀過曷能知子思本旨之所在

礼儀三百威儀三千所以使斯民共由之之教也教即品節斯道者也道循于性々命于天々即太極

命即太極之流行夫命性道教唯是一理唯是一
氣耳
第一圖性道教之出于天而其理之為一故其說不
及氣禀第二圖以下細分說之以明立教之所由
中庸本旨唯在明斯道之出于天故脊々為圖固近
乎支離也但余意欲使初学因此以畧知性氣之
分道教之别若夫明者豈待此哉
右圖解　先生在津所著往年嘗欲上木而不
果今先生之闕就暢乞借者猶多為之請刻諸
家塾其手録答問五條附焉辛酉十一月门人池
暢謹書

所録發蒙十二說
無聲無臭說
或問無声無臭之說余應之曰陰陽寒暑由是以行
天地人物由是以成而無形色之可見无声氣之可
言此之謂無声無臭則然道之原果無也歟曰氣之
行也萬古如彼形之成也萬古如此陰陽寒暑未嘗
汨其時天地人物未嘗易其秩秩然有序整然不紊
此何所由而然也必有其所以然之理以為之主而
不可得違也夫此理也無消息無存亡非若形氣之
時生時滅或往或来要謂之有之接實之至焉得以
無言之哉而所云者以无言語之可名状而已非說
無此事也上天之載無声無臭夫無声無臭即指上
天之載今乃舍此而獨取彼豈我儒之学乎哉子其
顧而思之知無之即為有則實為有所見矣
天說二首
天之名大矣所該其廣矣其理謂之太極其氣謂之
陰陽其主宰謂之帝其賦予謂之命其功用謂之鬼
神析而言之則猶可數也尊而名之則天而足也今
夫指蒼々者謂之天人誰曰不然以然為然者人之
常者也指其理謂之天人或不之然以不然為然者

人之智者也，而庸者徒識其蒼々而不知理之即天，智者乃會其蒼々而独指理爲天，皆非古人言天之義也。夫天之名大矣，所該其廣矣。是故不知太極者，不識天之理也；不知陰陽者，不識天之氣也；不知帝者，不識天之主宰也；不知命者，不識天之賦予也；不知鬼神者，不識天之功用也。太極也、陰陽也、帝也、命也、鬼神也，皆知其所以然，而又默會神融，知其所以爲一，然後仰而觀之，依然是蒼々之天也，乃可與言天也已。然是特舉其目而言之，深造而尽其微妙，則亦在乎学者自得之矣。

近取諸人，太極其性也，帝其心也，命其情也，陰陽其氣息也，鬼神其魂魄也。夫人有性情心氣魂魄，乃有耳目口鼻之用。性情心氣魂魄，本也；耳目口鼻之用，末也。若徒備其末而不問其本，其謂之有知而可乎？故屑々焉察乎日月星辰之行，而不明其理者，亦是蚩々之類耳。日月星辰，天之家也；耳目口鼻，人之敌也。猶敌家斯有所以然之理，窮其所以然而格之，太極陰陽鬼神之說可得聞也，性情心氣魂魄之義可得而明也。夫学至于此，則於道之大原已爲有所見。此若未能然，所学竟不免乎支離決裂，学者不可忽諸。

本然說

炎上，火之本然，火而不炎上，是有物抑之也；潤下，水之本然，水而不潤下，是亦物壅之也；仁義，人之本然，人而不仁義，是有物蔽之也。物也者何？氣質也、人欲也。氣質如何？曰：均之火也，或熾焉或不焉，所以然者其本有燥有濕也；均之水也，或冽或不冽，所以然者其源有清有污也；均之人也，或賢焉或愚焉，所以然者其有純有駁也。是故以堯爲父而有嚚訟之朱，以舜爲兄而有允傲之象，父子不能相似，兄弟不能相齊，千人千品，万人万品，即巧歷莫能究焉，是謂氣質。人欲如何？曰：視之於色也，聽之於聲也，寒之於衣也，飢之於食也，凡有斯欲者不能無斯欲，而各有定分，希覦可焉。若夫不察定分，不安義命，放其所好，惟其所嗜，而流蕩不返者，是謂人欲。本然之說如何？曰：其射則仁義禮智，其情則惻隱羞惡辭讓是非，隨感而見，藹藹而發，如火之始然，如水之始流，苟能充養而無害焉，則炎々乎深々乎，生乎此而達乎彼，雖得而禦之。然則本然之於氣也，如氷炭之不相容乎？曰：本然猶玉本琳，自然言性之自然耳，非氣質外別有一性也。今人値其可喜而喜，値其可怒而怒者，是氣也。

而亦莫非本然矣若怒其當喜々其當怒或當大喜而小喜或當小怒而大怒諸失其所當然乃謂之氣質専用事然則即凡天下之人亦可見其皆具斯性乎曰本躰之發見非待賢者而後然也象之暴至于欲殺其兄者也而入宫乃有忸怩之色彼豈有所畏避云乎所謂中心達於面目者自然不能已夫象猶然况其未至於斯者乎今夫惡醜姬胡亥而哀申生扶蘇者天下之至情也一旦欲是醜姬胡亥而快申生扶蘇則舉天下未有能應乎者由之觀之可以見人皆具斯性也然則人性之所以然者何也曰一陰一陽往来不已絪縕交錯以化生萬物其氣之可睹者春夏秋冬其理之可言者元亨利貞人得斯氣以為形得斯理以為性是以其為形也四肢百骸整然若物之子々枸々也其為性也四德具衆美萃非若物之膠々擾々也故能出乎萬物而為之靈是則人性之所以然者云爾雖然学者其切求諸近勿汎求諸遠孟子曰知其性則知天矣夫既知性則天豈外是乎哉

情性說

天下讀學者豈啟哉何為性情之說紛紜乎今莫之能一哉異撰之徒始舍之號称正学者猶且以氣為理以知覺為性終身憒憒遠而不返吁是豈独两家之罪哉道在邇而求諸遠事在易而求諸難蓋俗儒之見自古而爾也夫性者天之所命而人物所共受之理其目有四焉曰仁義礼智何謂仁人莫不有慈愛惻怛之心夫慈愛惻怛情也所以慈愛惻怛之理是性也所謂仁者目是理云耳何謂義人莫不有断制裁決之心夫断制裁決情也所以断制裁決之理是性也所謂義者目是理云耳何謂礼人莫不有恭敬辭遜之心夫恭敬辭遜情也所以恭敬辭遜之理是性也所謂礼者目是理云耳何謂智人莫不有分辨是非之心夫分辨是非情也所以分辨是非之理是性也所謂智者目是理云耳夫此四者萬理之綱百行之源天下之善莫不由此而出程子乃一言括之曰性即理其不亦明且盡乎哉故慈愛惻怛仁之情也断制裁決義之情也恭敬辭遜礼之情也分辨是非智之情也情猶絲之端緒性之感物而發見于外者也夫有明斯照有振斯生也天下之物莫不皆然程子乃一言括之曰情者性之動其不亦明且盡乎哉苟能玩味此二句以有得焉則性情之義奚

翅指掌哉雖然學貴躬諸己設不躬諸己徒喋〻騰之口說而已幾何其不爲異說之所欺也天子論學者固多其必有知而體之者矣吾願與其人論之

理氣說

寒暑風雨氣也所以寒暑風雨理也而其得時者乃理之自然也喜怒愛悪氣也所以喜怒愛悪理也而其中節者乃理之自然也理即太極在人爲天命之性理之自然即命在人爲率性之道古昔聖人因而脩之以爲教敷之天下故自五礼六樂以至一揖讓一舉措之微無適而非理之所寓也是以洛閩之学貴乎窮理而窮理之要在於弁理与氣之分此之弗明則所見差而所趨背矣於是或直以寒暑風雨即爲理之自然而不問其得時与否或直以喜怒愛悪即爲理之自然而不問其中節与否其究至于視聽辭氣一切動作皆以爲全躰妙用一隨其心所發而肆然不顧悍然自信侮慢聖言蔑視聖人乃曰已独有造是所謂差以毫釐謬以千里者乃不審諸始之罪也豈可不速弁之哉余故曰窮理之要在於弁理与氣之分然理氣之分亦不易知觀諸天地觀諸人身就事分之即物析之必見此理之在於形氣而不雜乎形氣在於事物而不雜乎事物顯矣如誠意之有街衢然後可得尋耳朱子於論語開卷第一章註示學者曰德之所以成亦由學之正習之熟說之深夫學之不正所習所悅皆與道背矣何從之能成哉爲學之道不可不辨正邪欲弁正邪不可不弁理氣々々之弁明乃邪徑之惑無由而入矣志斯學者其必先之

正學說

學一也何爲稱正世蓋有不正者也何謂正孔孟之所說程朱之所傳是也何謂不正陸王之主知覺陳葉之專功利是也老仏奈何彼既殊類何必舉之也吾所謂不正者名儒而實非者也正不正何以弁之質諸天而天不違也徵諸人而人不拂也斯之謂正質諸天而違也徵諸人而拂也斯之謂不正天人違拂何以知之天之所以爲天理也於理不安天違也人之所以爲人性也於性不順人拂也性理如何可以明之循孔孟之所說程朱之所傳而學之斯可以明也明而後択之何不可弁之有

爲学說

君子之爲学也欲以明人之義也何謂人之義外乎

有親也君臣有義也夫婦有別也長幼有序也朋友有信也是謂天下之大經人之所以爲義者是已苟欲明之乎不可弗求諸聖賢之訓聖賢之訓有在方策亡論四子六經洛閩之書即漢唐諸詁之爲詁元明諸説之爲説旁逮馬班諸史董韓諸家森然備矣嶷然存矣而其讀之也亦各有次第不可紊駁無年稚鄉先奏亦須有所參択矣讀之之方宜奈何朱子曰讀書之法莫貴於循序而致精而致精之本則又在於居敬而持志蓋不循序而致精則所涉雖廣所歷雖博亦汗漫而已矣紛錯而已矣何所得而明之哉

夫記問之學不足以爲人師戴記以譏其无得也故君子之爲学也自卑而高自邇而遠盈乎此而進乎彼優而游之涵而泳之怡然有以自得焉而後爲愉快然徒欲其致精而不知居敬而持志則所謂釈卷而茫然者亦何所得而明之哉夫子曰操則存舍則亡出入無時莫知其鄉惟心之謂與大學曰心不在焉視而不見聽而不聞食而不知其味故操而存之使心常在焉然後乃始可以致夫精也學者誠能從事於斯則人之義者其亦庶乎有以明之矣

博文約礼説

博文者何致其知也曷爲致其知致知而後道可得而明也曷爲欲明焉爾人之所以爲人者有斯道也人而无道與禽獸奚択約礼者何力其行也曷爲力其行力行而後德可得而成也曷爲欲成焉爾人之所以爲人者有斯德也人而无德與禽獸奚択博文之方奈何詩書雖缺聖謨猶可考焉今之爲学其舍此而何以哉故曰博学之審問之慎思之明弁之博文其務諸此也約礼之方奈何可考之謂之文可履之謂礼既考矣乃択其可履而敬履之也已故唯曰篤行之而不復煩言然務博者將以約諸我也不約諸我則博亦何益是故博而要之約博非泛濫也約而求之博約非隘陋也是謂聖学之法是法也非昉乎吾夫子虞廷精一之訓斯其所以原也乎學者胡不率而由之

三近説

一日爲諸生講中庸因挙三近説以告之曰此聖人所以親切勉人入德者諸生韋聞其説欲吾請爲演申而陳之好學之可以近乎知也非學無以明義理非明無以應事物故學而明之義以考事之理理以察物之性凡是於是而定凡非於是而決孳孳朝研究

々々兢好學不倦、以廣其才、豈非近乎知乎、力行之可以近乎仁也、非行無以實道德、非實無以施事業、故行而實之道、以正事之始、德以安業之終、凡善由是以長、凡惡由是以消、勉々日邁、循々月進、力學不怠以成其性、豈非近乎仁乎、至夫知恥之、可以近乎勇、則又所以勵其不逮而進之也、孟子云、不恥不若人、何若人有、故不知恥者、無能為也、苟有知於恥、則能自奮起、乃所好足以不倦、所力足以不怠、不倦不怠、以奏其功、此其所以近乎勇也、諸生其亦勤于斯、則所謂三達德者、何患乎其不可幾及矣、若乃有好学、力行之志、而無知恥之心、則宴安之毒害之、其究將為懦者歸也、而可不自勵乎

習說

兩兒相嬉在于閭巷之中、跨竹而走、驅犬而鬭、其所為莫不相似也、稍長各異趨、含日棘月、遂其所為、莫不相及也、迨其壯也、乃一龍一豬、奚啻韓子所言而已哉、嗚呼此何故也、豈非習使之然也歟、是故習可以成智、可以成愚、可以成賢、可以成不肖也、習之於人、所係其不大乎、吾視馬之習火者、聞災則嘶、見焰卽馳、與常馬慄而却走者、殆如殊其類、故君子慎乎習々而弗懈、何憂于其無成焉、夫子曰、性相近也、習相遠也、習之於人、甚可不慎哉

又

住于屠坊者、不知𦞦穢可隱、役于法場者、不知梟磔可惨、彼豈獨無惻怛之性乎、沃土之民多安逸爽業而不悔也、豐豪之子、多淫蕩亡身而弗覺也、彼豈獨無是非之性乎、乃習之移人焉爾也、方今升平之久、人心驕惰、風俗奢靡、日汚一日、於是有賤吏而服擬顯貴者、有武人而貌類婦女者、頑然自安而無恥焉、人亦視以為常、而不相異也、習之為蔽也、其可不察乎哉、然是下流之汚耳、苟渫其源矣、於濫之乎何有、是故謳閧東紀而知其民奢侈、謳閧塲紀而知其民妖亂、又何責之於在下者耶、独怪世之為学者、手執古經、口誦古道、而亦驕惰奢靡、冒貴其服、婦女其貌、頑然無恥者、滔々乎衆也、吁、是何所習哉、手執古經、口說古道、父兄所命、師友所謗、亦皆在于此、而其心之所嚮乃如彼、吾不能知其故也、嗚乎庶民之習可變也、俗吏之習可更也、唯學者而不自察焉、吾未如之何也已矣

又

攀絶壁蹈懸崖而勝焉乃人之情而山中之民不勝也涉狂涛歷驚瀾而慣焉乃人之情而海上之民不慣也夫絶壁懸崖衝天且欲顛狂涛驚瀾捲地且忽倒彼奚為而不勝不慣也習而便之然也故習而熟之山海之險猶可爽視況事之近于人情者乎然世之為学者孜々矻々非不勤焉而言行才藝百職之務終不能充其志者何也是豈非以習之不熟耶嗚乎山中之民善其事而吾不能也海上之民善其事而吾不能也即其孜々矻々惡在其為習也是以君子其學也洽其思也精循々不已綿々其達无不明焉無不察焉而言行才藝百職之務凡其所習无之而不自得焉乃可以攀絶壁可以蹈懸崖可以涉狂涛可以歷驚瀾天下之事何不可為之有此君子之所以為習也於柳亦君子之所以不厭也哉

虛心平氣說

讀書偶獲一說質諸古人而協焉徵諸今世而未悖焉欣然自喜以為至理他日無事獨坐寂下條思之協焉者猶有不協也未悖焉者猶有悖也是何其見之粗乎後而勝乎前哉論事偶獲一義考諸古人而合焉驗諸今世而未謬焉快然自足以為至道也日無事独坐寂下條思之合焉者猶有不合之未謬焉者猶有謬也是何其知之昭于後而昏于前哉嗚呼我知之矣蓋心不虛則蔽氣不平則蕩當其獲之々時也欣々然快々然者其氣為之蕩也以為至理以為至道者其心為之蔽也他日能覺之者甚心虛其氣平也今夫水之性也澄冽可鑒而土泥汩之五色之不能分苟心蔽氣蕩寧不謬業於朱乎哉是故舍其所執而讀之無讀不通忘其所持而論之無論不當儻柔厭飫以之講習切劘以之凡書之微旨事之得失莫不冰釋理順焉譬諸出於荊棘塗於平原正路之與焉徑宛在目中豈難於狀而由之乎豈不誠欣然快然乎橫渠先生曰濯去旧見以來新意夫唯虛乎可得而來之

祛蔽說

汝既欲聞道不可以不為学欲聞道也而不務為学譬如養苗而不糞田汝既欲為学不可以不祛蔽欲為学也而不務祛蔽譬如糞田而不除莠々之穢々苗胡得而長焉故欲聞道者以祛其蔽為急蔽之為害其端亦多於諸歷而舉之汝自察乃身胸襟不豁未可以聞道氣象不和未可以聞道識心不公未可

以聞道用意不誠而可以聞道不忘名利而可以聞道不舍知巧而可以聞道俾遠喜近而可以聞道厭卑騖高而可以聞道博雜自多而可以聞道偏假自適而可以聞道喪于謎俗而可以聞道過于整飾而可以聞道執其所見而可以聞道安其所識而可以聞道有所愛好而可以聞道有所輕易而可以聞道胸襟不豁則迫氣象不和則客設心不公則限用意不誠則妄不忘名利則汚不舍智巧則賊俾遠喜近則蕩厭卑騖高則虛博雜自多則濫偏[illegible]適則拈喪于謎俗則卑過于整飾則偽執其所見則固安其所識則膚有所愛好則溺有所輕易則慢凡如茲類有一于身必爲之掣肘絆足而道終不可得聞也易云損其疾使遄有喜夫非速損之何能與于有喜

答問七條

有客問性道之別曰仁義性也孝弟道也而仁義外無孝弟所謂性外無道也孝弟外無仁義所謂道外無性也然則性道果無別乎曰性譬則水也道其流也有本末源委何得謂之無別教果何曰教猶隄防也使水不橫流禮樂刑政則其具也導人使之由道而行不爾邪徑是謂之教

客問性與明德之別余應之曰性理也心具此理而自然光明能照謂之明德固非指性亦非直指心心之虛靈洞徹具衆理以應萬事者是也今人多混說了心譬如日明德者日之光明處其照萬事則日之照臨也問章句人之所得乎天此句或以爲指理或以爲指氣如何曰此是汎稱非指理亦非指氣直指明德爲言得字原德字來故曰明德者人之所得乎天見人唯有之而物不得而有耳故其下添虛靈不昧數語而其義始備虛靈不昧心也具衆理性也應萬情也下語本自明白

問博文約禮致知力行其義各別合解之者恐誤人曰是說爲學大意非解文義子且舍彼而玩此曰有以得於學之方可矣

客問近儒云誠意正心即是敬朱子於大學之亦必補敬字爲地足此說似有理曰誠意正心乃修己之事功夫甚密一敬字不足盡之也敬只是敬之而已非有工夫節次而動靜語默一無不由敬也故格致亦以之誠正亦以之修齊治平皆不可舍此而爲也又問大學不說敬必待後人補之者何也曰古人先從事於小學而後乃入大學不必說敬敬既習熟乎

坐立進退之中後世小學之教廢雖欲講脩己治人之學既無根本之養何以自進只以敬字縫可以自立故程朱說敬是所以補小學之闕寔古世不可易者也然則持敬法如何曰此不可說得甚緊亦不可說得甚泛朱子曰喚醒提撕令自省覺此言最爲明切且若是着切

朱子云平心和氣鄉是吾人學問根本表捩圖五切夫愈切處則心愈虛心虛而後能從善余嘗作虛妄讖僅舉得一端若是二語則皆已包含盡

学之正求之熟說之深朱子於論語首章註先下一正字學者最宜味玩學不得其正則高者虛遠無實卑者雜濫無統是等之學一生華々只是成一箇私故學者須先會此正字然後習是真習說是真說

戒懼是存養々々於身也慎独爲省察々々於用也有身必有用身是性用是道存養省察并進內外工夫備矣

右雜著十五篇及答問七條吾師　二洲先生壯歲前後之所之作暢嘗所謄藏今從附刻池

暢又記

明治三年庚午之秋九月以餘力專攻明窓之下此二洲先生之著述而學者必用之書也後之學者宜玩味之釈氏多聞記

寄贈　昭和七年五月下旬　前田致遠殿

多聞予幼名也明治三年予齡十[illegible]歲也

前田慧雲誌

孟子論文（一）

提　要

《孟子論文》七卷，日本竹添光鴻撰，日本東京圖書館藏明治十五年（一八八二）東京奎文堂刊本，共四冊。每半葉有界十行二十字，注文小字雙行三十八字。白口，上黑魚尾，四周雙邊。版心題卷數及葉數，上象鼻處題「孟子論文」，下題「奎文堂梓」。眉欄間有小字，字數不等。是編乃據朱子集注輯錄而成。卷首有奎文堂牌記。竹添光鴻（一八四二—一九一七），字漸卿，號井井，又號進一郎，熊本縣士族。嘗留學清朝，是編即其天津留學期間（明治十四年）手錄。另著有《左傳會箋》《論語會箋》《毛詩後箋》等。

井々竹添先生手錄

孟子論文

全七冊

東京　奎文堂版

孟子論文卷之一　據朱子集注

竹添光鴻漸卿氏手錄

梁惠王上

孟子見梁惠王章　二句立柱，中用分頂，後用倒結格。

孟子見梁惠王。王曰：叟不遠千里而來，亦將有以利吾國乎。孟子對曰：王何必曰利，亦有仁義而已矣。王曰何以利吾國，大夫曰何以利吾家，士庶人曰何以利吾身。上下交征利而國危矣。萬乘之國弑其君者，必千乘之家；千乘之國弑其君者，必百乘之家。萬取千焉，千取百焉，不為不多矣。苟為後義而先利，不奪不饜。未有仁而遺其親者也，未有義而後其君者也。王亦曰仁義而已矣，何必曰利。

不奪不饜句，筆力斬截。梁王一腔貪……

如冷水澆背。

收句如峭壁懸崖，乃文家歸題法之所本也。

王何必曰利二句，立一篇之柱。中間王曰節應何必曰利句，反連用王曰、大夫曰、士庶人曰，作疊勢，此逆頂法也。未有仁節應亦有仁義句，反連用未有仁、未有義，作疊勢，亦逆頂法也。結處若仍用前語作收，便屬呆板，故急接王亦曰仁義句，而以何必曰利倒煞之，收局便緊。只此一篇，開後人立柱、分頂、結案無數法門。○惠王開口便說利字，孟子開口便喝何必曰利。通篇雖分利與仁義兩段，其實單破王之言利。曰危、曰弑、曰奪、曰遺、曰後，俱是利字反面，故結出何必曰利。總是破一利字，利字起，利字結。文有擒住一字，橫說豎說，無不一線貫串者，如此。○此章主在禁王言利，故王曰節痛陳言利之害，說得最是危悚動人。○董思白論文九字訣，一曰反。蓋反言最能聳動人精神也。如此篇若正言仁義，梁王必聽而欲臥矣。惟用反接，將利字害處說得痛快淋漓，而以仁義之必無此害作收則利之不當言較然矣非輕言仁義也蓋必拔去利字病根而後可與言仁義也可知作文不知用反筆者斷不能說透題目也○文字須知翻空出奇波瀾頓宕詳略相間之妙如此文而已矣下忽有王曰云云撰出虛景如海市蜃樓聳人耳目此翻空出奇也自王曰至百乘之家如黃河一氣瀉下其勢直矣萬取三句將筆提起如水勢作一洄洑而愈覺其洶湧此波瀾頓宕也求利之害已痛言之仁義之利復如此痛說則文字累贅不靈看他只將上邊一掉轉而意已足是多少簡勁跳動此詳略相間也○仁義之益人國多矣豈止不遺不後而已曰遺曰後實從上弑奪生下此二句不過於上節作一反照也

尊仁義而黜利是孟子一生抱負故以此為首篇也○叟非絕句連下文讀○當時游說之士見諸侯王皆言利人之國故王謂孟子亦將有以利吾國古之帝王皆以仁義為治平故孟子曰亦有仁義而已矣兩亦字中皆含有事實而已矣三字見此外再無足言且亦不可言也○萬乘千乘蓋就

當時之實言周季諸侯兼并僭竊擁萬乘者有之故大諸侯皆稱萬乘若曰以萬乘之國伐萬乘之國曰不受於萬乘之君曰刺萬乘之君曰萬乘之君行仁政皆是又曰方千里者九曰以千里畏人千里即萬乘矣乃此萬乘指諸侯也非謂天子千乘之家指國臣也非謂天子公卿如晉六卿魯三桓齊田氏之類皆可稱千乘矣○韓魏趙分晉而魏令最大孟子說到萬乘之國弑其君者必千乘之家眼前實事惠王聞之能無悚然聳懼乎○注方百里出千乘者失筭是沿趙注之謬也朱子於詩傳明言千乘之地則三百十六里有奇矣若求其詳漢書刑法志云因井田而制軍賦地方一里為井井十為通通十為成成十為終終十為同同方百里同十為封封十為畿畿方千里有稅有賦稅以足食賦以足兵故四井為邑四邑為邱邱十六井也戎馬一匹牛三頭四邱為甸甸六十四井也有戎馬四匹兵車一乘牛十二頭甲士三人卒七十二人干戈備具是謂乘馬之法一同百里提封萬井除山川沈斥城池邑居園囿術路三千六百井定出賦六千四百井戎馬四百匹兵車百乘此卿大夫采地之大者也是謂百乘之家一封三百一十六里提封十萬井定出賦六萬四千井戎馬四千匹兵車千乘此諸侯之大者也是謂千乘之國天子畿方千里提封百萬井定出賦六十四萬井戎馬四萬匹兵車萬乘故稱萬乘之主然此古制乃爾非孟子所指也○萬取千焉千取百焉承上文萬乘千乘則此亦謂車數注所云每十分而取其一分是也取猶得也非侵取之謂○後義先利先後只當輕重字看非先利而後及義也後義先利只指在下者言其根源却在上不遺不後亦是在下人事必上之人先行仁義方有此效○仁義原非二事故後義先利不必補仁字於文亦便○魏世家三十五年惠王數敗於軍旅卑禮厚幣以招賢者鄒衍淳于髡孟軻皆至梁注因之此不然也孟子生于周烈王四年己酉明年庚戌魏武侯擊卒子罃立是為惠成王明年辛亥梁惠王元年以三十五年乙酉計之孟子止三十七歲耳而惠王以叟稱之乎孟子至梁當在惠王後元十六年辛丑孟子時年五十有三矣邵卿所謂老而之魏者信也史記魏世家六國表並云惠王在位

三十六年始辛亥終丙戌司馬溫公以魏史書魏事必得其真故通鑑從竹書紀年而不從史記以惠王在位凡五十二年始辛亥終壬寅以孟子經文證之通鑑較是蓋惠王惟東敗於齊是三十年庚辰事至三十六年改元為一年其後元六年辛卯七年壬辰八年癸巳皆數獻地于秦所謂西喪地於秦七百里也而楚襄陵之辱又在後元之十三年戊戌是惠王在位實有五十二年明矣是時井制壞學制亦壞滕文公雖賢而其地僅五十里耳於天下舉安之志固未逮焉於是孟子去滕之梁彼齊宣好勇好貨好色猶不害為善而魏罃好戰孟子遂以為不仁大抵梁民內死于賦者半外死于兵者亦半惠王經三折之後幸孟子至焉不思奉國以從猶皇皇焉唯利之問豈知仁義固未嘗不利哉杜佑通典引君卿之語曰商鞅富强之術誘三晉之民力耕於內而使秦民應敵於外若使梁王用孟子之言施仁政於民秦焉得而誘之哉○蓋秦之併天下自三家分晉而力不足以禦秦始秦之有韓魏猶人之有腹心之疾也其實三家又唯魏最強梁河東今之安邑等縣梁亦有河

西六國表魏入河西地于秦是也梁河内今之河内濟源等縣梁亦有河外蘇秦傳大王之地北有河外注云謂河南地是也河東西亦謂之河内外魏世家無忌曰所亾於秦者河外河内是也國居嶺阨之西地最險要為東諸侯之蔽周顯王十九年秦徙都咸陽與魏界髙陵尤密邇故商君曰非魏并秦秦即并魏魏塞秦之衝秦人安得出入于其間使天下徧受其禍哉自周顯王二十九年秦用商君東地至河而齊趙又數破魏於是徙治大梁去河山之固而就平衍四達之地棄文侯武侯兩代之覇業而為新造之邦始也不過偷旦夕之安卒不振以底于亡所謂我能往寇亦能往者未幾而秦兵至大梁矣又未幾而秦伐我圍大梁矣然則謂畢萬十葉已亡于魏號為梁之日也可矣稱梁者猶之趙改國號曰邯鄲韓改國號曰鄭是也梁襄王六年復改為魏而孟子已去梁有年矣故終七篇止稱梁云○孟氏譜謂周定王三十七年己酉孟子生赧王二十六年壬申孟子卒壽八十四有明以來考訂家於孟子之卒皆從譜說緣與本經符合也至於其生之年則誤矣𠈁書定王

止二十八年無三十七年一誤也定王自癸酉元年至庚子王陟有己亥無己酉二誤也若自定王己亥至赧王壬申則孟子年當一百五十四尤必無之事陳士元孟子雜記則謂孟子當生安王時定字乃安字之誤然安王自庚辰元年至乙巳王陟凡二十六年亦有己亥無己酉若生於安王之己亥則孟子年亦當九十四皆與譜不合惟自赧王之二十六年逆而溯之至烈王之四年己酉適八十有四孟子明明自云由孔子而來百有餘歲孔子卒於敬王壬戌距烈王己酉一百八年與孟子合是史鶚三遷志謂孟子生周烈王四年者較譜說足據也孟子之年以七篇之文斷之孟子之遊亦以七篇之文證之而已史稱孟軻前後凡兩至齊中間適魏他無聞焉今觀公孫丑問夫子加齊之卿相而曰我四十不動心知其為四十歲以後之言也充虞問夫子若有不豫色然而曰由周而來七百有餘歲知其為八百歲以前之言也自武王有天下歲在己卯至顯王四十五年丁酉計之猶未滿八百也時孟子四十九歲矣是孟子前客齊當在周顯王三十七年己丑至四十五年丁酉九年之間去齊乃之宋之薛以陳臻問餽而知之也去薛乃由鄒之滕以世子過宋然友之鄒知之也然合之亦不過一二年周顯王四十八年庚子齊封田嬰于薛而孟子在滕矣時年五十二歲其明年為慎靚王之元年辛丑孟子至梁惠王稱之以叟又明年壬寅惠王卒襄王立而孟子去梁在梁者甫二年不若前居齊之久也於是復自梁之齊為齊卿又自齊葬母于魯居喪三年反於齊而當齊人伐燕時周赧王元年丁未齊宣王之十九年也孟子五十九歲矣至周赧王三年己酉燕人畔而孟子再去齊前後在齊者合閱七八年夫然而復之宋與戴不勝語稱宋王是在偃僭王之後可知也夫然而卒歸魯觀臧倉言後喪踰前喪是在葬母反齊之後又可知也孟子蓋年六十餘而轍迹終焉君𡙡然後稱諡梁襄王魯平公並卒於周赧王之十九年而孟子猶及見之時年七十七歲則譜稱壽八十四之說信也約而論之大都前四十年居魯為講學之時後二十年返魯為著書之日中間傳食諸侯止二十三四年事蹟耳

王立於沼上章　立案分應後不另結格

孟子見梁惠王王立於沼上顧鴻鴈麋鹿曰賢者亦樂此乎孟子對曰賢者而後樂此不賢者雖有此不樂也詩云經始靈臺經之營之庶民攻之不日成之經始勿亟庶民子來王在靈囿麀鹿攸伏麀鹿濯濯白鳥鶴鶴王在靈沼於牣魚躍文王以民力為臺為沼而民歡樂之謂其臺曰靈臺謂其沼曰靈沼樂其有麋鹿魚鼈古之人與民偕樂故能樂也湯誓曰時日害喪予及女偕亾民欲與之偕亾雖有臺池鳥獸豈能獨樂哉

提筆奇横恣肆極鼓舞亦極悚惕

緊接詩意作一總頓逼出偕樂倒煞能樂婦如龍虎

民欲與之偕亾止頓一句短音促節不堪聞矣

此篇亦以賢者二句立一篇之局，以下分須二段。似與首篇同格，而實大不同。首篇中二段用議論分疏，此篇中二段用引述分証。首篇用王曰未有作反接，此篇用詩云湯誓作突接。首篇分寫二段，末用收結；此篇分寫二段，截然竟住，不用收結。但上段故能樂句已結賢者樂此句，下段豈能獨樂句已結不賢不樂句，則首篇是單結法，此篇是雙結法。兩篇文字同一格局，而變化出奇如此。○只賢者而後樂此，正荅下句，乃反言以決之，非對論也。㊀偕字獨字，係樂不樂所以然，最是兩段緊要處。上段重偕字，却不一直放出，故作盤旋頓挫之筆，如春月風日之駘蕩，妙在用曲。逼下段重獨字，偏緊接書意疾忙說出，畧無含蓄，如冬月巖松之挺挺，妙在用直。放蓋曲後用直，即曲者轉覺便利；直前用曲，斯直者無嫌突盡也。㊁上引詩極繁，下引書又極簡，繁簡相間，化板為活，亦古文錯變之法。○文字引證引喻，須貼切不泛，又須新奇拍合本旨，須靈快輕便，不費力。觀詩云靈臺二節與下章王好戰節，可悟。

此一見乃在其國而燕見之，與初見不同。㊀麋鹿之類，在藪曰麋，在山曰鹿。○顧鴻鴈麋鹿曰為句，非顧不在孟子也。㊁賢者謂賢君，非指孟子。王意賢者未必樂此，乃慚詞，不是疑詞。○經始謂始經營之，倒字也。經之以度其地，營之以正其位。○不日與國風不日有曀之不日同，詩中語自如此。或疑臺非一日可成，乃欲從舊注不設期日之說，是不解詩語者也。○勿亟言文王不督促也，是詩人言如此，非文王有此語。勿字當做無字看，注拘勿字，恐失。○王在靈囿，此為鳥獸特舉靈囿耳，其實臺沼皆在囿中。注宜云囿中有臺有沼，不得云臺下有囿。○鶴詩作翯，从隺从高，古多通用。㊂以民力，以作用字看。○民歡樂之，音義曰本亦作勸樂。左傳昭九年叔孫昭子引詩曰經始勿亟，庶民子來。杜注詩大雅，言文王始經營靈臺，非急疾之，衆民自以為子義來，勸樂成之。正義曰衆民以為子成父事而來勸樂而早成之耳。是可知晉唐時本皆作勸樂，故杜注孔疏據之，與孫宣公音義合。○詩小序民樂文王有靈德，據此則靈臺因文王之德命名也。靈如靈雨之靈。說苑脩文篇云積

若先說無望民之多於鄰國，然後以譬喻曉之，文勢便平看，此何等奇快。

此段直敘突兀老橫，若與上不接續者，俣語勢既畢，然後倒跌出王道之始句來，遂覺精力百倍。

提王道之始，將移民移粟壓得粉碎，却只為下段作引襯法。五畝一段方正陳王道。

恩為愛，積愛為仁，積仁為靈。靈臺之所以為靈者，積仁也。其義與小序合矣。如說倏然而成，如神靈所為，則靈却屬民，不屬文王。○舉文王以概古之賢者，故煞句直曰古之人，而不曰文王。蓋言文王似止此一人為然，而曰古之人，則見賢君莫不皆然也。○時日害喪，湯誓枚傳謂比桀於日，是也。詩柏舟毛傳曰日君象也，月臣象也。東方之日傳曰君明於上若日也。是詩人之辭每以日喻君。時日害喪，予及女偕亡，此兩句乃韵語，疑是夏民歌謡之辭，故與詩義相近也。韓非子內儲說曰吾聞見人主者夢見日。哀六年左傳有雲如衆赤鳥夾日以飛，周太史曰其當王身乎。並古人以日喻君之證，不必據尚書大傳為因桀自言而目之。害曷通，猶云何時也。

寡人之於國章　起結用喻，中分二段，末用反收格。

梁惠王曰：寡人之於國也，盡心焉耳矣。河內凶則移其民於河東，移其粟於河內；河東凶亦然。察鄰國之政，無如寡人之用心者。鄰國之民不加少，寡人之民不加多，何也？孟子對曰：王好戰，請以戰喻。（實接。孟子最善喻，此以戰喻，尤有奇致。）塡然鼓之，兵刃既接，棄甲曳兵而走，或百步而後止，或五十步而後止。以五十步笑百步，則何如？曰：不可。直不百步耳，是亦走也。（出妙）（令他自供）曰：王如知此，則無望民之多於鄰國也。（暗應加多意）不違農時，（突敘）穀不可勝食也；數罟不入洿池，魚鼈不可勝食也；斧斤以時入山林，材木不可勝用也。穀與魚鼈不可勝食，材木不可勝用，是使民養生喪死無憾也。養生喪死無憾，王道之始也。五畝之宅，樹之以桑，五十者可以衣帛矣；雞豚狗彘之畜，無失其時，七十

此係孟子實在經綸，故不憚詳言之。

剌人而殺，即從上以戰喻生來，可謂文生情、情生文。

末一句，迴繳王字，帶應不加多意，密甚。

者可以食肉矣。百畝之田，勿奪其時，數口之家，可以無饑矣。謹庠序之教，申之以孝悌之義，頒白者不負戴於道路矣。七十者衣帛食肉，黎民不飢不寒，然而不王者，未之有也。暗應加多意。狗彘食人食而不知檢，塗有餓莩而不知發。人死則曰非我也，歲也。是何異於剌人而殺之，曰非我也，兵也。王無罪歲，斯天下之民至焉。

惠王自矜移民移粟，欲與鄰國較量民之多少，孟子開口突用王好戰喝起，將王與鄰國較量之意，於譬喻內發明。此段文字得劈空指點法。中間亡一大段，上段言王道之始，三疊不可勝句，下段言王道之成，三疊可以句。上段以穀與魚鼈四句複綴上文，跌出王道之始句，下段以七十者二句複綴上文，跌出然而不王句。文章用疊句則層次深厚，用複寫則跌宕有神，歐蘇之文，善用疊，善用複，皆祖乎此。上段以王道二字作正結，下段以不王二字作反結，此是變法。○王好戰用一喻起，收處剌人而殺之，又用一喻以相應，姿態橫生，精神完固，亦極有色澤。○不違段疊用五也字，五畝段疊用四矣字，末又用一也字，與前段合成一片，筆勢淩雲。○王如知此二句，是一大呼，王無罪歲二句，是一大應，中間二節，文勢魚貫而下，如珠走盤，如馬下坂，至末節忽換以龍跳虎臥之筆，最是奇觀。○文章之妙，順逆吞吐之間而已。此篇狗彘數語，原可直接，則無望句，王無罪歲即包不違二節在內，若以狗彘至兵也數句直接無望說下，然後說出不違二節，而以天下之民至焉收結，便平庸而拖沓矣。知其妙者，可與言文。○此章講家多重看罪歲二字，細看來梁王並無罪歲之意，孟子亦並無責他罪歲之意。梁王之意不過自恨其不富庶耳，何嘗有罪歲之意乎？孟子人死則曰二句，蓋言人死皆王殺之耳。所謂王無罪歲者，蓋言王當先發倉廩，後行王道耳，又何嘗責他罪歲？此章大旨以民之加多為主，梁王是望民之多於鄰國，孟子是言這般行徑，不能使民之多於鄰國，惟能行王政

孟子論文　卷一　八

則天下之民至，不但多於鄰國已也。○人死則曰非我也歲也句，是因他河內凶、河東凶，揀出空子來，極言其不知發、不知檢耳。其實梁王無此意，無罪歲句乃承上句就勢說下，句內包三層意，先發倉廩一意也，行王道之始二意也，行王道之終三意也。只用無罪歲三字，省卻多少言語，蘊藉之至。若認定無罪歲三字是責備梁王罪歲，便與通章脈絡神氣不合。○首章言仁義，次章言與民同樂，即五畝之宅一節事，止孟子一生經濟，來梁所欲行之於王者，乃言仁義而王不知問，言與民同樂，而王又不知問，今不得已，於王不加多之問，乘此一機，帶口說出。

盡心與用心稍異，盡心是心無餘蘊，就內言；用心是用心於民政，就外言。○焉耳助語，與焉爾同，趙注為懇至之辭者，下有矣字，而上又置焉耳二字，以鄭重之故也。○周官大司徒，大荒大札，則令邦國移民通財，古者耕九餘三，雖遇歲祲，中家皆可自保其餘，貧民則發縣都之委積，其遇大荒，則移民以就粟，揆荒政十二，有散利而無移民移粟，凡荒之事，移粟是散利之一也。蓋凶年之民，凶年有穀而之四方者，故移貧民以使不流亡，移民間之粟以紓凶荒之苦，此惠王之所以為惠已。○移民非必壯者移、老稚留之謂，蓋老稚亦有耐移者，壯者亦有不得不留者，如疲癃殘疾，固不能移，又如極老若產婦，亦不能移，凡其有待侍養看護者，壯者不能不為之留，各從其便耳。○加猶曰漸次，少是兼消耗逃亡二意，多亦兼繁衍歸附二意。○百步五十步，與牧誓六步七步之步同，只是步趨，不拘六尺為步。○直，特也，但也，直、特古同聲，史記叔孫通傳云吾直戲耳，漢書直作特。○憾猶云遺憾也，謂有所不足而嗛，言食物材木備具，生死無不給之，憾也，非謂民不恨上，朱注以憾為恨，故生得民心之解耳，失正意。○是時法制未能具備，且就目前安撫其民，使生計稍立，然後徐為之圖，爾若民壽富孝弟，帛肉不戴之類，則未也，故為王道之始，言行王道以是為下手之初耳。○五畝之宅，一處五畝，百畝之田，九區百畝，正文太明白，蓋農民所宅，必是平原可居之地，別以五畝為一處，取於便農功，通饋餉，去田亦不宜遠，其所聚居，或止八家，或倍八家以上，各隨便宜，聚為一邑，置堡以相守

孟子論文　卷一　九

望故舉成數言則有十室之邑千室之邑非必都
邑然後為邑也○二畝半在田二畝半在邑漢書
食貨志之文班固據毛詩中田有廬以創此說然
廬寄也謂田間憩息守畝之所耳不可混冒宅名
以合五畝之數夫田中有樹必妨五穀春令民畢
出居野冬則畢入於邑煩擾亦甚民必不樂先王
因民立法不如此也古者耕者有餉餉者婦女齎
食往餉耕者於田中所以省其往還之勞而便於
耕者若以廬舍為家而婦子居焉則可就而食也
夫廬舍之與耕處相距幾何復何用餉為○仁政
不過教養二項而教中有養養中有教五畝之宅
數句是養之事而五十衣帛七十食肉則既有教
存焉謹庠序之教申之以孝悌之義是教之事而
曰頒白不負戴則教亦是養矣夫既富方穀母養
而父教之仁政於是乎舉矣○古者五百家為黨
黨有庠二千五百家為州州有序至萬二千五百
家為鄉則立之校通一國而後立之學大抵田間
子弟未有不游之於庠者在庠之優者則進於校
至校之優者則升於學夫是以在野無不學之人
在學無不選之士其時民有淳風而朝無倖位者

以此也此處根上田宅說來故只舉庠序若論備
制則當兼設學校如告滕文公所云矣至庠序之
教其詳雖不可悉考然庠之主於養老名義甚明
而序之為射則以鄉射之禮行於州序故也考儀
禮將行鄉射必先鄉飲是禮之行要皆老老長長
之為則亦未遠於庠之意也蓋此二者皆以其人
甫離乎農畝故其教惟先乎本行本文又足一語
云申之以孝悌之義意正如此至鄉校雖亦小學
然德行道藝已無不兼舉至大學之道則天德王
道燦然具備朱子所謂以達其技者非庠序時之
所遽及也○申乃約束之義漢書文帝紀勤兵申
教令元帝紀公卿其明察申教之師古注竝以申
為約束說文申部申神也七月陰氣成體自申束
從臼自持也是申之訓束乃其本義申之以孝弟
之義謂以孝弟之義約束之也○黎衆也黎民猶
言民庶不必為黑髮以對七十者七十者衣帛食
肉則就黎民中特舉之耳五十非帛不煖七十非
肉不飽者言至此年紀必不可無帛穿必不可無
肉食若未五十者便無帛亦不至凍未七十者便
無肉亦不至餒非斷不得衣不得食之謂○然而

者詞之承上而轉者也猶云如是而也○狗彘食
人食是王之六畜肥而民瘠也注得字失語氣○
塗有餓莩莩當从𠬪作芆芆與莩不同莩音孚說
文草也趙注餓死者曰芆詩云芆有梅芆零落也
然則餓芆猶云餓落毛詩標字正芆之假借凡餓
芆芆落字今从孚者𠬪變為孚信之孚傳寫誤爾
芆亦作殍○程子當其開說之初便論天命恐是
大早計且似以位論王與其論管仲不能致主於
王道相矛盾矣王只是王道人心所歸往即其實
也不必以躬踐天位言湯七十里西伯百里其道
則皆王道矣惠王望民之多故孟子舉其實耳下
文斯天下之民至焉是一王字○春秋時五霸迭
興臣強君弱漸有驅制同儕決裂臣道睥視周君
之意故孔子作春秋寓意於尊周所以維持臣道
也孟子時七國雄據其地強悍自用而草菅人命
各圖恢擴孟子游齊梁說以王道所以維持君道
而已與孔子
非有異也

寡人願安承教章　全篇用反格

父母句似乎情親意懇不免句何等慘刻傷心以上句反襯下句尤覺悱惻動人

梁惠王曰寡人願安承教孟子對曰殺人以梃與刃
有以異乎曰無以異也以刃與政有以異乎曰無以
異也曰庖有肥肉廄有肥馬民有飢色野有餓莩此
逌用四有字累如貫珠
率獸而食人也獸相食且人惡之為民父母行政不
免於率獸而食人惡在其為民父母也仲尼曰始作
離開另起
俑者其無後乎為其象人而用之也如之何其使斯
民飢而死也

孟子方是對惠王承教之問乃通篇不曾正說一
句自首至尾俱是說他所行不仁全是反說文之
全以反面作正面者俱如此法前二節用反覆問
難法令他自決後二節用層次辨駁法令他自思
總之說他不仁處正是教他仁處佛氏地獄變相
即此文法○善作文者正面不多幾筆其餘或援

古以証、或罕譬而喻、皆從旁面襯染、以醒出正面、操縱之以取勢、跌宕之以生姿、而文自然入妙矣。此章只說梁王之以政死民耳、而前用挺刃引出、後用獸相食、象人而用、跌出波濤洶湧。○庖有肥肉四句、是使民飢死正面、率獸食人、是以政殺人替身語。○若曰是以政殺人也、為民父母行政不免於以政殺人、惡在其為民父母也、則直捷矣、今却曰是率獸而食人也、語更沈痛、因此生出獸相食一䧟、更極絢爛。○作俑無後、意極狠毒、著在前面而以如之何慭住、却又搖曳不盡、極文情之妙。○中間指陳時弊、言言迫切、如暴雨迸簷、迅雷擊物、令人毛骨悚然、繪流民圖者無此的確酸痛也、末路文勢將竭、乃又忽離忽合、忽斷忽續、寫得岌岌震動、令中間文字分外添出一番氣色、可稱後勁、

惠王此問不必承上章說。○願安承教、安乃語詞猶焉字也、漢書史丹傳安所受此語、師古注曰安焉也、是安焉二字古通用、論語子罕篇焉知來者之不如今也、新序雜事篇引此焉作安、季氏篇則將焉用彼相矣、漢書王嘉傳引此焉作安、竝其證也、願安承教猶云願焉承教、趙朱訓為安意是誤以語詞為實字矣。○對字與答字稍別、孟子對惠王承教之言、故發問亦曰對、非答其問也。○殺人以挺與刃、謂殺人以挺與以刃也、非謂左挺右刃以殺人、省一以字、語捷耳。○注象人猶云偶人、故曰用、朱注往往用此法、非解正文象人為偶人也、

晉國天下莫強章

梁惠王曰、晉國天下莫強焉、叟之所知也。及寡人之身、東敗於齊、長子死焉。西喪地於秦七百里。南辱於楚。寡人恥之、願比死者一洒之。如之何則可。孟子對曰、地方百里、而可以王。王如施仁政於民、省刑罰、薄稅斂、深耕易耨。壯者以暇日脩其孝悌忠信。入以事其父兄、出以事其長上、可使制挺以撻秦楚之堅甲（句有光整）

仁政是大主腦、刑罰稅斂耕耨孝弟等項、俱包於中、而又特提壯者、預為撻秦楚地步、

利兵矣。彼奪其民時、使不得耕耨以養其父母。父母凍餓、兄弟妻子離散。彼陷溺其民、（複頓）王往而征之。夫誰與王敵。故曰仁者無敵。王請勿疑。

推原可撻之故、一層分作兩層、筆鋒犀利、

梁王之問、欲雪恥也、孟子之對、正敎以雪恥之道也、王如施仁政於民以下至末、是正意、其曰地方百里而可以王者、乃高一層起法、言以百里之地圖王、尚且不難、況以千里之地報仇、更何難之有哉、此是孟子文章靈奇跳脫處、講家見一王字、便謂惠王之志在于報怨、孟子之論在於救民、遂將百里可王句作通章之主、誤矣。○王無可如何而孟子則曰可王、又曰可撻、三可字正相呼應。○施仁政節是主意、前用高一層法、後用推原法、筆勢如龍跳虎伏、不可捉摸。○王如段從王說到鄰國、彼奪段從鄰國說到王、有迴環法、下段疊用彼字有變換法。○三節非對搭文字、上節似言我有勝形、下二節似言彼有敗勢、然其實上節意已盡矣、恐王視秦楚太大、疑孟子之言太夸、是以又將秦楚之民自不與敵、以申之、引古語作証、以王請勿疑結之。○施仁政便是仁者、制挺撻秦楚便是無敵、夫秦楚非小弱也、何以制挺可撻哉、蓋彼既陷溺其民、夫誰與王敵、語氣是如此。○梁王之言來得衰颯、故孟子先以地方百里而可以王二句一提、以振作其氣、鼓動其心、氣象何等雄偉、王如施仁政以下、申明洗恥之本、皆洞切時勢、以立言指陳利害、愷惻詳明、末二句借証作結束、簡峭蒼寒、有古柏高松挺然孤立之狀、

東敗於齊、孟子又曰梁惠王以土地之故、糜爛其民而戰之、大敗、將復之、恐不能勝、故驅其所愛子弟以殉之、明指此事、但云大敗、云復、未有注及者、按周顯王十五年丁卯、魏圍趙邯鄲、十六年戊辰邯鄲降、齊使田忌孫臏伐魏、敗魏桂陵、時惠王十八年也、惠王初立、即與二家不和、後遂相讐無已、曩者邯鄲垂拔、中敗於齊、固無時不圖報復者、至三十年庚辰、為周顯王之二十八年、又令太子申為上將軍、以伐趙、惟其為趙也、故曰復、惟其在桂陵之敗之後也、故曰大敗、將復之、此孟子之經

之明注也。然則魏世家魏伐趙、趙告急齊之說、不爲無據。因趙與韓親、共擊魏、不利、致韓有南梁之難、而請救於齊、故田齊世家又曰齊起兵救韓、趙以擊魏也。孫子列傳謂魏與趙攻韓、則誤已。○西喪地於秦七百里、賈誼過秦論言秦孝公據殽函之固、擁雍州之地、拱手而取西河之外、秦之強實自梁始。按周顯王十五年丁卯、梁惠王十七年也、魏與秦戰元里、魏師敗、秦取魏少梁、少梁故城在同州韓城縣南二十二里、古梁國也、注引爲喪地於秦之證、又因少梁無七百里、故曰後魏又數獻地於秦、案顯王三十七年、爲惠王後元四年己丑、梁以陰晉和秦、更名寧秦、六年辛卯、梁予秦河西之地、秦圍梁焦曲沃、七年壬辰、秦渡河取汾陰皮氏、八年癸巳、秦公子桑圍梁蒲陽、降之、梁盡入上郡於秦、至此喪於秦不止七百里也。蓋梁地自河西逶迤而至河南、殺將二千里、蘇秦言地方千里者、從長而橫不足、截長補短算也。惠王蓋就成數約言之、猶曰十已喪七耳。閻百詩謂七百里即惠王三十一年辛巳、割河西之地獻于秦以和者、非數獻也。不知辛巳當顯王二十九年、時魏猶以安邑西偏於秦、遂徙大梁以避之、實未嘗割地。秦本紀、魏世家、六國表皆謂獻河西地在顯王之三十九年、此史記之足信者也。即河西地止自華州北至同州一帶、亦無七百里、唯丹鄜延綏等州北至固陽、盡爲秦并、則自鄭濱洛以北、向所爲築長城以界秦者、都委棄之矣。然而秦更無阻於魏也、秦無阻於魏、而魏先折而入于秦矣。魏折而入于秦、而山東諸侯且偏受其禍矣。然則自己丑以下四五年間、魏數獻地於秦、並惠王改元後實事、不知者悉舉而屬之於襄王、誤已。○南辱於楚、惠王既不得志於秦、連年伐楚。紀年、周顯王二十二年甲戌、魏孫何侵楚、入三戶郛、明年乙亥、魏章帥師及鄭師伐燕、取上蔡、孫何取瀙陽。此梁惠王二十四五年事、皆在三十五年乙酉以前、辱楚而非辱於楚也。改元後七年壬辰、楚威王卒、子懷王立。魏又乘楚喪伐楚、取陘山、楚使景鯉于秦、聲言將與秦遇、謀報梁也。魏嚮好戰、秦難未已、復與楚仇、至後元十三年戊戌、楚昭陽敗梁襄陵、卒見挫焉、非不幸也。注遂取爲南辱於楚之證、惟云以其七邑、七當作八耳。紀年在周顯王四十五年、當梁惠王

孟子論文　卷一　〇十四　奎文堂梓

通篇文字、俱包在出語人曰四字內、前半句句摹神、後半正喻夾發、用筆縱送、騁宕摇走馬行雲之妙、

王曰孰能與、問得原可笑、孟子亦止以淺語答之、天下莫不與、苗之與、誰能禦、似諧似莊、

後元十二年丁酉、史記較後一年、然實是惠王、非襄王、故曰及寡人之身、云爾。紀年以魏史書魏事、必當得其實也。○廣雅釋詁云、比、代也、蓋比者以物擬物之義、比死者言身代死者以雪恥也、後章比化者之比、可參看。死者指太子申及戰亡將卒。○仁政兼教養、自省刑罰至出入二句、皆說仁政之施當如此。蓋省刑罰、薄稅斂、是君事、深耕以下四句、是民事、但使民得然者、仍係君政。○深耕易耨、易與深對、蓋坦平整齊之意。滕文公篇以百畝之不易爲己憂者、農夫也、亦同。○暇日之暇、與奚暇治禮義哉之暇同。孝悌忠信、原民自有之物、故曰其節文、其過不及、故曰修。○制、當讀爲掣、揭也、言可使提掣木梃、以撻其堅甲利兵也。○陷溺字、是借言陷於溝壑也、阱則出於人爲、非此取譬之類、

見梁襄王章　化敘事爲議論格

孟子見梁襄王。出語人曰。望之不似人君。就之而不見所畏焉。卒然問曰。天下惡乎定。吾對曰。定于一。孰能一之。對曰。不嗜殺人者能一之。孰能與之。對曰。天下莫不與也。王知夫苗乎。七八月之間旱。則苗槁矣。天油然作雲。沛然下雨。則苗浡然興之矣。其如是。孰能禦之。今夫天下之人牧。未有不嗜殺人者也。如有不嗜殺人者。則天下之民皆引領而望之矣。誠如是也。民歸之。由水之就下。沛然誰能禦之。

○反○跌○法○又○覆○跌○法○

此章製格甚奇、通幅皆是出語人曰話、此文家運實於虛之法。○若正作問答之文、自應以不嗜殺人者能一之句爲主、今皆爲語人之詞、則一切議論都成蜃樓海市矣。○孰能一之、孰能與之、皆王問也、而無兩曰字、蓋有兩曰字、其勢便稍緩、惟突如其來、正見隨口直接、略不存想、亦所以形容其

孟子論文　卷一　〇十五　奎文堂梓

可得二字問得鄭重，一段歆羨幾章之情

卒然也○想其卒然急遽之態，必有許多可笑處，故孟子以孰能禦之，誰能禦之對之，雖是正論，而中藏冷敵暗打之神，然則襄王之醜態，雖後半未之及，而其實始終未嘗放鬆也，若徒看作危言莊論，則章法不幾於首尾橫決乎○前已以苗為喻，後又以水喻，一正意而兩喻相形，長短不一，尤古文神筆。

蘇秦言魏君擁土千里，帶甲二十六萬，恃其強而攻郢鄢，從十二諸侯，以朝天子，以西謀秦，楚世家所云三晉益大，魏惠王尤強者，此也。惠王初政，實勝他王，中晚始漸為秦困，七篇中與惠王語止五章，孟子原想為桑榆之補，而卒不能新君初服，注目共瞻，又出乃考下遠甚，所以孟子去魏也。按周顯王四十七年己亥，張儀相梁，犀首弗利，時惠王後元十四年也，至慎靚王四年甲辰，為襄王二年，梁因張儀請成於秦，犀首相則辛丑壬寅兩年，孟子在梁，正張儀為相，與景春論大丈夫，當在此，從衡捭闔之士，鬭之唯恐不力，謂儀相而孟子尚可留乎，然則孟子於辛丑至梁，明年即去，不旋踵而

梁襄首敗從約，致強秦坐成兼併之形，魏一搖，諸國動矣。襄王卒于周赧王十九年乙丑，孟子七十七歲矣，襄先孟子而卒，此襄王之謚所以猶見於經也○孰能與之，能字甚輕，因前後例聯之耳，與字與以天下與人易之與同，言孰能以己之民與人與之而使之一也，然世固無有以己之民與人之事，然是難說，是以止說民之歸，如有不與，則必能禦民之歸而後可，既不能禦，則未嘗與而猶之乎與之矣，故曰天下莫不與也○沛然下雨，文公十四年公羊傳云力沛若有餘，注云沛有餘貌，華嚴經音義引文字集略云霈謂大雨也，大雨亦有餘意○廣雅釋訓沛沛流也，劉熙釋名釋水云水從河出曰雍，沛言在河岸限內時見，雍出則沛然也，水之雍出與雨之下，注同，故皆云沛然，言民之來如水之湧也○

孰能汎，誰能切。

齊宣王問章

齊宣王問曰：齊桓晉文之事，可得聞乎。孟子對曰：仲尼之徒無道桓文之事者，是以後世無傳焉，臣未之聞也。無以，則王乎。曰：德何如則可以王矣。曰：保民而王，莫之能禦也。曰：若寡人者，可以保民乎哉。曰：可。曰：何由知吾可也。曰：臣聞之胡齕曰：王坐於堂上，有牽牛而過堂下者，王見之，曰：牛何之。對曰：將以釁鐘。王曰：舍之，吾不忍其觳觫，若無罪而就死地。對曰：然則廢釁鐘與。曰：何可廢也，以羊易之。不識有諸。曰：有之。曰：是心足以王矣。百姓皆以王為愛也，臣固知王之不忍也。王曰：然，誠有百姓者。齊國雖褊小，吾何愛一牛，即不忍其觳觫，若無罪而就死地，故以羊易之也。

如見

孟子開口便將齊王歆羨桓文一腔熱心，楊得冰冷

臣聞之一段引述處，妙在一字不肯遺

是心以下三句，一句一轉，抑揚擒縱之妙，如弄丸

曰：王無異於百姓之以王為愛也，以小易大，彼惡知之。王若隱其無罪而就死地，則牛羊何擇焉。王笑曰：是誠何心哉，我非愛其財而易之以羊也，宜乎百姓之謂我愛也。曰：無傷也，是乃仁術也，見牛未見羊也。君子之於禽獸也，見其生，不忍見其死，聞其聲，不忍食其肉，是以君子遠庖廚也。王說曰：詩云：他人有心，予忖度之，夫子之謂也。夫我乃行之，反而求之，不得吾心，夫子言之，於我心有戚戚焉，此心之所以合於王者何也。曰：有復於王者曰：吾力足以舉百鈞，而不足以舉一羽，明足以察秋毫之末，而不見輿薪，則王

即使蕩宕開去，若惟恐傷之者，攻擊愛惜之情如畫。

此段文勢浩如江河，重如山嶽，是文字中權一篇最得力處。

即用王所引詩中一度字還問之，妙甚。

許之乎。曰否。今恩足以及禽獸，而功不至於百姓者
獨何與。然則一羽之不舉，為不用力焉。輿薪之不見，
為不用明焉。百姓之不見保，為不用恩焉。故王之不
王，不為也，非不能也。曰不為者與不能者之形何以
異。曰挾太山以超北海，語人曰我不能，是誠不能也。
為長者折枝，語人曰我不能，是不為也，非不能也。故
王之不王，非挾太山以超北海之類也。王之不王，是
折枝之類也。老吾老以及人之老，幼吾幼以及人之
幼，天下可運於掌。詩云刑于寡妻，至于兄弟，以御于
家邦。言舉斯心加諸彼而已。故推恩足以保四海，不

推恩無以保妻子。古之人所以大過人者無他焉，善
推其所為而已矣。今恩足以及禽獸，而功不至於百
姓者獨何與。權然後知輕重，度然後知長短，物皆然，
心為甚。王請度之。抑王興甲兵，危士臣，構怨於諸侯，
然後快於心與。王曰否，吾何快於是，將以求吾所大
欲也。曰王之所大欲可得聞與。王笑而不言。曰為肥
甘不足於口與，輕煖不足於體與，抑為采色不足視
於目與，聲音不足聽於耳與，便嬖不足使令於前與。
王之諸臣皆足以供之，而王豈為是哉。曰否，吾不為
是也。曰然則王之所大欲可知已。欲辟土地，朝秦楚

說得情勢的確明白。

上說如緣木求魚，又說後必有災，一連兩番按抑，使齊王神消氣沮，如病人更經重創，奄奄欲盡，若不[illegible]

為說以可喜可幸之事，使發動其[illegible]之氣，不來此段，正足與上二段相對。

莅中國而撫四夷也。以若所為，求若所欲，猶緣木而
求魚也。王曰若是其甚與。曰殆有甚焉。緣木求魚，雖
不得魚，無後災。以若所為，求若所欲，盡心力而為之，
後必有災。曰可得聞與。曰鄒人與楚人戰，則王以為
孰勝。曰楚人勝。曰然則小固不可以敵大，寡固不可
以敵衆，弱固不可以敵彊。海內之地方千里者九，齊
集有其一，以一服八，何以異於鄒敵楚哉。蓋亦反其
本矣。今王發政施仁，使天下仕者皆欲立於王之朝，
耕者皆欲耕於王之野，商賈皆欲藏於王之市，行旅
皆欲出於王之塗，天下之欲疾其君者皆欲赴愬於
王。其若是，孰能禦之。王曰吾惛，不能進於是矣。願夫

子輔吾志，明以教我，我雖不敏，請嘗試之。曰無恒產
而有恒心者，惟士為能。若民則無恒產，因無恒心。苟
無恒心，放辟邪侈，無不為已。及陷於罪，然後從而刑
之，是罔民也。焉有仁人在位，罔民而可為也。是故明
君制民之產，必使仰足以事父母，俯足以畜妻子，樂
歲終身飽，凶年免於死亡，然後驅而之善，故民之從
之也輕。今也制民之產，仰不足以事父母，俯不足以
畜妻子，樂歲終身苦，凶年不免於死亡。此惟救死而
恐不贍，奚暇治禮義哉。王欲行之，則盍反其本矣。五

畝之宅。樹之以桑。五十者可以衣帛矣。雞豚狗彘之畜。無失其時。七十者可以食肉矣。百畝之田。勿奪其時。八口之家。可以無飢矣。謹庠序之敎。申之以孝悌之義。頒白者不負戴於道路矣。老者衣帛食肉。黎民不饑不寒。然而不王者。未之有也。

結局處、連用四疊文法、更複說衣帛三句、單收、波瀾洶湧、氣象崢嶸、格法嚴整、眞是徹底神力、

通章分五大段看、自首至王之不忍也、是許王不忍之心、可以致王、次至遠庖廚也、是啓王察識此不忍之心、次至王請度之、是啓王擴充此不忍之心、次至孰能禦之、是言不能擴充、由於興兵以求大欲、次至末、是言擴充不忍之心、則大欲可遂、其本在制民恒產、○一篇主意、在不忍之心可以保民而王、而保民之仁、又在制產、看他五段中處處將不忍字心字保民字王字仁政字、層層照逗、層層呼喚、或用埋伏、或用照應、此文家顧母之法、○齊桓晉文之事可得聞乎、齊王開口便是大欲所發動、無以則王乎、孟子開口便含要發政施仁、兩語已將通章精神振起、又極渾含、大凡文字發端處須如此、○起數節、王將齊桓晉文說得太重、孟子說得極平常、王將王字看得太卑、孟子說得極容易、王將自己看得太難、孟子說得極有作為、皆是一味鼓舞、○曰可、一口慨然許他、略無矜重、妙、○是心足以王矣、突然許他、一句於最小中見最大、令他無處摸索、○百姓皆以王為愛也、二句、纔搧倒一句、即便救轉、妙、○牛羊何擇焉句、極力一難、令齊王無處着想、○君子之於禽獸數語非閒文、蓋上文文氣俱緊、非此則無以舒其氣、此如名山突起峰巒之後、必有漫衍坡坂數十里者是也、○此心之所以合於王者何也句、要知自何由知吾可也一問以後、齊王急欲明此一事、卻被易牛事牽纏問難、到此不禁湧出、○曰有復於王者云云、齊王急急問可王處、孟子卻用譬喻反詰之、一路蕩漾排宕、往而不往、斷而不斷、縈迴牽挽、怡然入人、○齊王知愛牛、而不知愛百姓、所以不合于王、正在此、孟子偏舉此一事、以為足王、愛牛本易、愛百姓本難、孟子卻將百鈞一羽秋毫輿薪比

喻、變易是非、倒置難易、橫說豎說、自成文理、眞大無礙辯才、○老吾老二句、是說推、其老老幼幼者以保民、天下可運於掌、言舉天下而惟我所欲、為是說可以致王、此數語雖是保民而王正面、然此只要說出王天下之易來、意注在運於掌及兩而已矣、○引詩三語、特為揭出心字、言不過舉此感感之心加於彼而已、推恩即推斯心、故推恩句遂接是心足以王矣、正答他此心之所以合於王者何也一問、大過人、指保四海、善推其所為、指推恩、保四海即王天下、○推恩甚易、不過舉心加彼而已、能推便可保四海、此心所以合於王也、而王有不忍之心、而不善推何也、本節語意不過如此、○前面比喻譎肆、文勢排宕、到此忽入正論、與切深厚、令聽者肅然起敬、○抑王興甲兵節、既云王請度之、宜待齊王自言其故、乃急說抑王興甲兵四語、又代他揣摩、何也、蓋百姓之重於禽獸、愛百姓之當先於禽獸、此理最明、齊王之能加恩禽獸、不能加恩百姓、此事易見、此一請度、直令齊王閉口無言、再難答應、若不用抑王一轉、下面許多議論俱來不得矣、蓋進言之法、有閉塞他到極處、令他自尋出路、時有閉塞他到極處、我卻為他開一出路時、此中機用、但可意會、不可言傳、○上文逼得太緊了、故肥甘云云、故作游衍、王之諸臣皆足以供之、不是笑罵齊臣、只言此皆不須求、求的畢竟是何物、欲闢土地四句、排宕而出、極力鋪揚、如花如火、使王色飛、以若所為三句、冰泉雪水、劈面一淋、使王骨戰、○殆有甚焉、更加一淋、○上太緊了、鄒人一喻略作一舒、○蓋亦反其本矣句、輕輕畧帶五畝之宅意、卻不遽下、含蓄頓挫、養意養局之妙在此、○然則以下、激電奔雷、蓋亦反其本矣句、頓然一霽、今王發政施仁下、忽換出一片景星慶雲氣象、使人心曠神怡、○今王發政施仁六句、一氣讀去、其如是孰能禦之、正應莫之能禦也、作一重大結束、○此一段極力一提、不說正意、先將功效痛快淋漓數落一番、使人神氣飛揚、羡慕不禁、文勢亦如高屋之建瓴水、○願夫子輔吾志句前俱說心、到此變心言志、心纔動時、如草木微有萌芽、志則心有所之、已專向此一處、齊王被孟子攻擊鼓舞一番、心中便真要如此做去、故下曰明以教我、又曰請嘗試之、○明以教我句、孟子前雖許他

可王、只是到要緊處、却半吞半吐、一味左推右敲、故此曰明以教我、亦是虛心、亦是着急○我雖不敏請嘗試、齊王到此一槩雄心雜念被孟子掃蕩洗剔得乾淨、胸中空洞無物、眞可為受教之地、故下文直言恒產○若民則無恒產段、此雖直言恒產、却不遽說五畝之宅、先將恒產關係處極力洗發一番、最痛最切○是故明君段、極力洗發制恒產之利○今也制民之產段、極力洗發不制恒產之害○盍反其本矣句、自鄒敵楚以前、俱是攻擊辨難、只老吾老一節、畧與五畝之宅一炤、至今王發政以下、將入正意、却極力提唱、如不忍遽下、一連四段、然後結穴、如長江大河百折而入於海、眞是氣力千鈞光鋩萬丈○謹庠序之教三句、天下之所以亂、在民不聊生、民所以不聊生、在上失其養、故王政以養民為大、其所以教民者、欲使老安少懷、只是全一養字、故禹謨曰、德是善政、政在養民、孟子深見此意、其陳王政、亦是養意居多、至于謹庠序申孝弟、而曰頒白不負戴、可見教亦是養○老者衣帛食肉二句、畢竟歸結在養上○然而不王者未之有也、又作一重大結束○章首保民而王莫之能禦一提、章末禦字王字、作兩處應、全不扳樣○實着只在五畝之宅一節、此理雖萬世不易、若開口便說、竟屬老生常談、聞者厭矣、看他千回百轉、無數波瀾、頓挫、峰巒起伏、簇擁五畝之宅出來、眞是可駭可愛○五經皆莊重典醇、獨詩有比興、引物援喩、人最易、故諫論之文、必參風義、篇中如百鈞一羽、秋毫輿薪、挾山超海、緣木求魚等、不特罕譬明理、亦使文字點染生動○文章之訣一曰離、題本如此、文却如彼、所謂意與題相生、不與題相迫、此離字妙用也、此篇是心足王之下、本可直接此心之所以合於王者何也、却幻出百姓皆以王為愛一波、此心之所以合於王者何也下、可直接老吾老云云、却幻出有復於王一波、王請度之以下、竟可直接五畝之宅云云、却又生出興兵構怨一波、逼取他大欲出來、求吾所大欲之下、又可直接闢土地云云、若是其甚之下、又可直接鄒人云云、蓋亦反其本矣之下、又可直接五畝之宅云云、請嘗試之之下、更可直接五畝之宅云云、文乃不然、偏處處突起波瀾、令觀者迷離晃眩、而本意更為明快、此離合之妙也、

孟子論文　卷一　二十二　奎文堂梓

史稱孟子道既通、游事齊宣王、並未詳在何年、說者遂有分一王為二王、混兩至為一至、按史記通鑑、並記齊宣王在位十九年、惟史記始己卯終丁酉、通鑑始己丑終丁未、較後十年、竹書紀年則又後通鑑十三年、後史記二十三年、而始辛丑終乙丑、凡二十五年、今以孟子之書考之、前後兩至齊皆當于宣王之世、宣王元年當從通鑑、前乎此則威王也、孟子實未見威王、而謂齊威王問好樂者非也、宣王在位亦不止十九年、後乎此則湣王也、孟子實未事湣王、而謂勸齊湣王伐燕者亦非也、孟子前後再至齊、其初至當在周顯王三十七年己丑齊宣王元年、孟子年四十之後、其前去齊當在周顯王四十五年丁酉齊宣王九年、由周而來未滿八百歲、以前是皆以七篇之文斷之也○無以則王乎、越世家越以服為臣、漢書張良傳羽翼以就、皆以以為已、荀子非相篇人之所以為人者何已也、則又以已為以、後篇木若以美然、不以急乎、不以泰乎、皆以已通用○可以保民乎哉、蓋乎哉兩字、王胸中既有必不能之意存焉、非直閒詞○王坐於堂上、堂是離宮、非朝堂○將以釁鐘、釁血祭也、其禮有二、一殺牲以血塗之、即以為祭、是也、一殺牲薦血是也、小祝大師掌釁祈號祝、先鄭云、釁謂釁鼓也、春秋傳曰、君以軍行、祓社釁鼓、祝奉以從、樂記車甲衅而藏之府庫、羊人凡沈辜釁耽、共其羊牲、先鄭云、耽讀為漬、漬軍器也、蓋初出師時、軍器自鼓以下皆釁、其祭名釁、師還復釁其祭名漬、對文則異、而散文皆曰釁也、凡此皆因出師而祭、乃塗血之釁也、天府上春釁寶鎮及寶器、先鄭云、釁讀為徽、雞人凡祭祀面禳釁、共其雞牲、凡此皆因尊貴之器有神、歲一祭之、乃薦血之釁也、若其所由名、則薦血之釁、徽也、祭之而祝其神愈嶽美也、塗血之釁、隙也、祭之而祝其神保其物之無釁隙也、此經趙注云、新鑄鐘、殺牲以血塗其釁郤、因以祭之曰釁、而集注仍之、夫鐘鼓有釁隙必不成音、自當改鑄、更冒以血塗之、曾何所補、此亦謂神保護其無罅隙耳○若無罪而就死地、若字訓如者多、有彷彿之意、牛不能言、以人心度牛之心、故曰若○誠有百姓者、誠字作眞字解、不作實字解、與子誠齊人也同、猶言眞個是蚩蚩之氓淺識處、是哂百姓以小人之腹度君子之心者、文

孟子論文　卷一　二十三　奎文堂梓

氣一直貫下、注分作兩截、似多然字一轉矣。○以小易大、彼惡知之、言王既以羊易牛、則似愛之者、百姓安知王之不忍乎。○我非愛其財、是一句、而易之以羊也、是一句、此十一字、不可作一句讀、言我非愛其財而竟易之以羊也、非愛其財、是其心易之以羊、是其迹、半解半疑、不自知其何心者在此。○無傷也、孟子既難之以牛羊何擇、又解之以無傷也、言是無害於道理耳、此句與百姓之言無干涉。○仁術、是行仁權宜處、不忍一牛、是仁、曲全不忍之心、不為禮所妨礙、即仁術、不宜以牛得全鐘得釁乎說、孟子只重全牛、不重釁鐘、見牛未見羊、亦只重見牛上、蓋見則不忍己形、不見則不忍未形、彼此相易、委曲以全其不忍之心、非術而何。○聞聲見生、就耳目分言之、是一套事、聲亦謂生時之聲也、不必為臨死之哀鳴。○此心、謂前日以羊易牛之心、合、猶足也、上文孟子曰、是心足以王矣、故王問曰、此心之所以合於王者何也、說文、給部、給、相足也、合與給通、故趙注以足字釋合字。○說苑辨物篇云、三十斤為一鈞、百鈞三千斤也、約畧當我千斤。○明足以察秋毫之末、尚書堯典、鳥

獸毛毨、枚傳曰、毨、理也、毛更生整理、周官司裘疏引鄭注同、是鳥獸之毛、皆生於秋、故夏言希革、秋言毛毨、明夏時毛羽脫落、至秋更生也、新生之毛、其細可知、故古人言細必稱秋毫、注謂毛至秋而末銳、小未詳其意。○挾山超海、皆取齊境內之地設譬、北海在齊北境、乃縈入之海、其北厓望幽遼、故有超海之喻耳、非謂極北之海。○挾泰山為長者二句、各先揭二事、以狀其不為不能之異、繼以語人曰、是用倒句法、若順下則當云語人曰挾泰山以超北海我不能、今揷語人曰三字于中間、文之警策也、上文有復於王者曰云云、此再提、譬喻故變文以行之。○為長者折枝、枝與肢通、折枝如斂手屈膝折腰之類、只是卑幼常用之禮貌耳、注折草木之枝於禮似無據、且於長者二字不切。○刑于寡妻、寡妻與寡君寡兄寡人同、周公直錄文王之言、故有此謙辭耳。○以御于家邦、御通作訝、訝之言逆也、周官小宰職、以逆邦國都鄙官府之治、鄭注曰、逆、迎受之、又司會職、以逆邦國都鄙官府之治、注曰、逆、受而鉤考之、此經御字、毛傳訓迎、而鄭箋訓治、治即受而鉤考之之謂、周官鄉師職、

以逆其役事、注曰、逆、猶鉤考也、御之徑訓為治、猶逆之徑訓為鉤考也、尚書顧命篇、御王冊命、正義引鄭注曰、御、猶嚮也、蓋亦即迎受之義、而引申之、相迎故相嚮也、御之為享、正猶御之為嚮、古訓引申、往往如此。○古之人所以大過人者、此受上所引詩、則古之人斥文王。○權然後知輕重五句、權是活字、謂權之也、度亦活字、音鐸、與下文度之之度同、謂度之也、凡物皆有輕重長短、必權度之而後可知、今王愛物之心重而長、仁民之心輕而短、是失其當、而不自知也、故欲其自省度之、心為甚者、謂心之當度甚於物、非謂心之難度甚於物也、度字上下相呼應、注本然之權度、似鑿空。○抑王興甲兵、抑、抑上起下之辭、是姑舍權度輕重之說而別發端也、不當以權度輕重作說、下節倣此。○危士臣、搆怨二事、纔可論快不快也、若興甲兵未得論快不快、且是二事所由生、非可平說者、注因本文有三件、偶云三事、己勿泥、又注以足為快句過當、蓋此二事、實人心所不快、孟子亦知王之不快也、特以快詰王耳、故王答以何快也、此節只詰問所以興甲兵之由而己、無他說、下節求吾所大

欲、王被詰問、而吐實情而己、亦無他說。○便嬖、謂便於容而順於人也、若嬖幸之稱、則在後一層、非此文所指。○豈為是哉、是疑詞、非反語、與上文可以保民乎哉之哉同。○緣、攀而升也、鳥巢在木、魚潛在淵、緣木而求魚、是求魚於鳥巢、可得乎、引喻意蓋如此。○殆有甚焉、殆、近也、非發語。○齊集有其一、戰國策蘇秦說齊宣王曰、齊南有泰山、東有琅邪、西有清河、北有渤海、此所謂四塞之國也、齊地方二千里、蘇秦侈言齊之強大、孟子言齊小弱、故一言方二千里、一言方千里、大抵俱約畧之辭、太山至渤海、南北不足千里、自清河至琅邪、東西不止千里、絕長補短、計其積數、約方千里、故曰集有集會也。○蓋亦反其本矣、蓋與盍古通、檀弓重耳謂申生曰、子蓋言子之志於公乎、又曰、然則蓋行乎、又柳若謂子思曰、子蓋慎諸、史記孔子世家亦曰、夫子蓋少貶焉、皆何不之義、其本者、闢土地朝秦楚、莅中國而撫四夷之本也、本字即照五畝之宅云云、下文盍反其本、是反覆言之、前後本字無兩樣、但發政施仁說得虛、制民恒產說得實、發政施仁說得籠統、制民恒產說得直切耳、注倣兩

本說支離○欲藏於王之市藏謂居積○欲疾其君言欲困苦其君也即顧譬之之意或以疾作憎惡之義則欲字不可讀○有恒心不失恒心也無恒心失恒心也○焉有仁人在位二句焉有字與也字呼應而字輕襯貼當如之字看○樂歲終身飽謂樂歲內身以飽終也與單言終身者不同○王欲行之承請嘗試之來

國字稍寬是對臣語

去國字漸識是對常說

先從百姓起具三峽倒流之勢韓潮蘇海

有自來矣

一賓一主兩段俱用倒煞筆陳凌空然此自不患平板

與莫衆於一國之百姓則甚莫甚於與一

梁惠王下

莊暴見孟子章　通篇費局至末結出主意格

莊暴見孟子曰暴見於王王語暴以好樂暴未有以對也曰好樂何如孟子曰王之好樂甚則齊國其庶幾乎（○奇○語○令○人○難○解○）他日見於王曰王嘗語莊子以好樂有諸王變乎色曰寡人非能好先王之樂也直好世俗之樂耳（添○一○語○圓○滿○勢○尤○徹）曰王之好樂甚則齊其庶幾乎今之樂由古之樂也（捷而脆妙）曰可得聞與曰獨樂樂與人樂樂孰樂曰不若與人（○此○段○只○在○半○空○中○盤○旋○擊○退○不○即○不○離○此○種○處○步○巽○妙）曰與少樂樂與衆樂樂孰樂曰不若與衆臣請爲王言樂（空中樓閣陸地波濤）今王鼓樂於此百姓聞王鐘鼓之聲管籥之音擧疾首蹙頞而相告曰吾王之好鼓樂夫何使我至於此極也父子不相見兄弟妻子離散（間疏滲色）今王田獵於此百姓聞王車馬之音見羽旄之美擧疾首蹙頞而相告曰吾王之好田獵夫何使我至於此極也父子不相見兄弟妻子離散此無他不與民同樂也（反○照○倒○繁○）今王鼓樂於此百姓聞王鐘鼓之聲管籥之音擧欣欣然有喜色而相告曰吾王庶幾無疾病與何以能鼓樂也（傳神　間中）今王田獵於此百姓聞王車馬之音見羽旄之美擧欣欣然有喜色而相告曰吾王庶幾無疾病與何以能田獵也此無他與民同樂也（正○通○倒○繁○　○結○出○一○篇○正○意○）今王與百姓同樂

國之百姓同樂、而以則王矣三字注明其庶幾、饗之愈遲、醒之愈快、

則王矣。○與○起○矣、兩庶幾相應、

此章單重末節同樂則王一句、他前面三番四覆、都是此意、却步步用虛含、用暗寫、用對照、以跌出此意、開口好樂甚三字、便含同字意、庶幾二字、便含王字意、此二句連呼疊喚、而同樂則王意便已躍然、此虛含法也、次忽插入獨樂樂二層、將常情指點一番、而中間同樂不同樂兩段意、亦便躍然、此暗寫法也、中將獨樂情景描寫一段、次將同樂情景描寫一段、雖不明言獨樂不若同樂、而兩兩相形、其不若意又便躍然、此對照法也、一路用虛含用暗寫用對照、直至結處、纔正唱同樂則王二句、收出主意、熟此可悟文家養局之法、○齊王欲聞好樂甚而庶幾之說、孟子不與直陳、忽着獨樂樂兩段問答、此文家急脈緩受之法、中二段本說鼓樂、忽又聯寫田獵、此文家襯筆夾寫之法、兩大段中、一反一正、描寫情景、而鐘鼓之聲等句、反復重用、不換一句、此文家換意不換句之法、○中間獨樂同樂二段、俱從百姓之所聞所見、以及形為歎嗟、發為頌禱上描寫、直至末處、纔出不同樂同樂來、此逐段倒煞法、夫何使我句、正指下父子不相見二句、反唱在上、而以下二句找足此三句、倒裝法、因鼓樂而喜無疾病、今先以疾病句呼起此句、倒跌法、文勢用順便寬緩、用倒便警策、古人云鍊句乃不傳之秘、正謂此也、末節百姓二字、收上兩節內四百姓字、今王字、直應今之樂今字、與上兩節內四今王字、通篇疊用六個今字、都與齊王口中先王二字對針、○孟子最善辯、亦最善詩、問獨不若與人、少不若與衆、已將與民同樂方可樂意、令王自己說出、然後止用一點便明、此是極好諷諫的疏劄、亦是最輕省活動的文字、○一段寫民之怨、實實寫出怨來、看夫何使我至於此極也二句、又悲憤又氣咽、一時聲淚俱下、覺得真若有無數人在旁詛咒怒罵焉者、一段寫民之喜、實實寫出喜來、看吾王庶幾無疾病二句、又歡心又放懷、一時眉開臉笑、覺得真若有無數人在旁拊掌稱慶焉者、此為第一寫生手段、後世惟史遷稍能彷彿、餘子遠不逮矣、○夫何使我三句一氣讀、不可停斷、吾王庶幾二句、中間着不得不然二字、解者當自為領會也、○以無疾寫民慶幸真說得

於傳四字、圓活、

一問其大、一對其小、奇峰矗起、

好、便覺君與民成了一個人、雖父子骨肉、不過是矣、○寫鼓樂又舉田獵、固是推拓及之、而其取類亦非鶻突、車輾而馬嘶、鸞鳴而和應、恰與樂音相似、翟羽之鮮美、旌旄之翩翻、恰與舞儀相似、舉來伴說、殊妙、○暴意蓋以王之好樂、為不是、故問孟子、突然一許、說個甚字、令人不測、對齊王照樣、不易一字、又令人不測、至王問可得聞與、即宜實言其故、下却用兩層翻空文字、又令人不測、臣請為王言樂一句、鄭重之極、看到此處、以為下文必是講如何甚、如何庶幾矣、下却不用實寫而用虛寫、不用順寫而用倒寫、更令人不測、○與民同樂之實、即前章五畝之宅云云也、妙在只就樂言樂、絕不實鋪一句、

空靈之極、

由古之樂也、由猶通、○以夫子告顏淵用韶樂、而放鄭聲例之、則今之樂與古之樂、必有辨矣、然孟子置之不論、止以樂之大段道理、說到與民同樂上、此中見其苦心、亦見其大本領也、○二樂字音注不可易、上樂鼓樂也、左傳成公九年、晉侯問伶人曰、能樂乎、與此同、下樂音洛、樂在王、不在衆、若依金仁山、上音洛、下如字、則衆亦既與樂之與下文疾首蹙頞意相礙、注中獨樂與少樂二樂字、亦當如字讀、○注以頞為額誤也、額顙也、頞鼻莖也、二字原不相假借、且人心喜說則眉揚而額舒、愁苦則眉皺而鼻莖蹙、易頞為額反矣、○極如六極之極、言禍難之窮極也、○吾王庶幾亦近辭也、百姓不能親見王、故推度之如此、○民至疾首蹙頞、是民不樂矣、王尚能樂乎、此不與民同樂之故也、民至喜色相告、是民皆樂矣、王能不樂乎、此與民同樂之故也、○末節同樂之樂、亦音洛、為是、或以注無音、又有好樂而能與百姓同之語、遂讀如字、注意或然、然非本文之意也、

文王之囿章　雙呼雙應格

齊宣王問曰、文王之囿、方七十里、有諸。孟子對曰、於傳有之。囿○菜○木○色○○○ 曰、若是其大乎。曰、民猶以為小也。曰、寡人之囿、方四十里、民猶以為大、何也。曰、文王之囿、方七十

然後敢三字、亦寫出可畏意、

特曰爲阱、字甚奇險、則其弊不止於不與民同而已、

從道字提出仁智、從仁智說出樂天畏天、從樂畏說出保國保天下、寫盡仁智之妙、即寫盡交鄰之道、

里。芻蕘者往焉。雉兔者往焉。與民同之。民以爲小。不（說○出○極○正○大○道○理○）亦宜乎。臣始至於境。問國之大禁。然後敢入。臣聞郊關之內。有囿方四十里。殺其麋鹿者。如殺人之罪。則是方四十里爲阱於國中。民以爲大。不亦宜乎。

此雙結法。與後好貨好色章同。而雙呼雙應。則此章所獨。○此章亦以與民同之爲主。○孟子文章初間極奇。後却極平實。如賢者而後樂此。好樂甚則齊其庶幾。及此章是也。○民猶以爲小也。驀地作奇語。全在下邊申說得妙。孟子多此機權作用。於救世爲苦心。於行文爲慧舌。○齊王意中先有寡人之囿。故問及文王之囿。孟子意中先有與民同之。故答以於傳有之。齊王曰若是其大。便見寡人之囿不爲大。孟子曰民猶以爲小。便見他人之囿皆大。須得他言外之意。○民以爲小不亦宜乎下。若遽接今王之囿。則平板矣。忽從臣始至於境起。則文有峰巒。韓公往往用此法。

孟子論文　卷一　三十　奎文堂梓

文王之囿方七十里。其實是亦齊東野人語耳。孟子蓋識王援此以爲自解。遂倒把做話柄。夤緣以開誘他。是權教也。注認爲實事。謂在三分有二之後。何等呆看。○於傳有之。不必拘做古書。野史俗說亦是傳。孟子只任他錯。不與抵辨耳。○芻者飼牛馬之草。蕘者供燃火之草。說文。蕘。草薪也。○國門之外有郊。郊外有關。如是而已。勿以百里制度作解。又注引禮入國而問禁。曲禮作入境。蓋臆記偶誤。

交鄰國有道乎章　上下兩截一意貫串格

齊宣王問曰。交鄰國有道乎。孟子對曰。有。惟仁者爲能以大事小。是故湯事葛。文王事昆夷。（實証）惟智者爲能以小事大。故大王事獯鬻。句踐事吳。（實証）以大事小者。樂天者也。以小事大者。畏天者也。（粘連而下、氣脈甚緊、有○轆○轤○珠○聯○之○妙○）樂天者保天下。畏天

仁者引湯文兩人作證、知者引太王句踐兩人作證、勇者引文武兩人作證、局奇而整、

王方以其好爲疾、不知民却恐其不好、趺進一步、正與疾字究

轉關生、

者保其國。詩云。畏天之威。于時保之。王曰。大哉言矣。（趁、水、生、波、、、隨手寫）寡人有疾。寡人好勇。（出一個小勇摸擬醒快悅人）對曰。王請無好小勇。夫撫劍疾視曰。彼惡敢當我哉。此匹夫之勇。敵一人者也。王請大之。詩云。王赫斯怒。爰整其旅。以遏徂莒。以篤周祜。以對于天下。此文王之勇也。（○頓○句○硬○健○）文王一怒而安天下之民。書曰。天降下民。作之君。作之師。惟曰其助上帝寵之四方。有罪無罪。惟我在。天下曷敢有越厥志。一人（再）衡行於天下。武王恥之。（接出二句、更變動有分曉）此武王之勇也。（○接○入○正○位○）而武王亦一怒而安天下之民。今王亦一怒而安天下之民。民惟恐王之不好勇也。

孟子論文　卷一　三十一　奎文堂梓

上段文勢融和。如春風之扇物。下段文勢雄厲。如駿馬之下坂。○保天下。恐彼民之不安也。保其國。恐吾民之不安也。後幅血脈。前幅未嘗不貫通。一怒而安天下之民。則以天吏奉行天討。正善用仁知處。前幅血脈。後幅未嘗不貫通。○細玩通章神氣。齊王兩層言語。只是一層意。孟子兩層言語。亦只是一意。蓋與甲兵危士臣構怨於諸侯。原是齊王本色。亦孟子之所素知也。交鄰國之問。原是憤疾之談。意謂鄰國互相侵伐。除命將興兵攻城攻野之外。我實無法可處也。然則此問原因好勇而生也。孟子早已窺破此旨。故正言仁知之道。以抑其血氣之勇。迨齊王不能自克。而以有疾好勇明白供吐。而後以無好小勇駁之。其所謂王請大之以下云云者。與前數章賢者而後樂此。王之好樂甚則齊其庶幾乎一樣機鋒。蓋曰王而好勇。殊是如此方可耳。小勇則斷斷不可好也。如此看來。前後原只是一意。○不能一怒而安天下之民。還是仁知以交鄰國爲妙。前半正言也。後半反語也。後之反語。所以足前之正言也。此孟子之意也。交鄰國之問。隱語也。有疾好勇。明言也。後之明言。即藏

同樂二字、一篇主意、

於前之隱語也、此齊王之意也、看破此旨、則孟文之奇妙、不煩詳疏矣、

小事大大字小、見於左傳注、蓋據此解事小爲字小也、然本文事小、分明是奉事、非字養、故宣王得以好勇辭之耳、夫能事小者、則事大不足言矣、能事大者、未必能事小、是仁知之分、卽云字小恤小亦是知者分內之事、何貴於仁哉、注非、○小之事大、是理之當然、亦勢不得不爾也、若大之事小、非勢使之然也、亦難言理之當然、已大而彼小、不必事之可也、唯仁者之心、正大公平、不自見其國之大、至誠惻怛、絶爭競之念、滿腔子不嗜殺人之心矣、故能事小、自無忿慾也、卽以事小爲理之當然、則亦大輕易無以見仁者大過人處、○畏天爲畏天之威、則樂天爲樂天之德也、樂天含弘光大也、畏天、小心翼翼也、○畏天之威、國君之分當然、故引詩單證畏天、不必補樂天意、講○莒詩作旅、謨也莒旅協韻、若作其旅徂旅、則須其徂協韻、而一韻又無二旅、則詩下旅字當依孟子作莒、謂𦒍整其旅、則周之起師在阮共既侵之後、可知也、謂敢距大邦、則密人旣不受命可知也、周禮春官典命穀圭以和難、密阮共莒、皆周之鄰國、蓋密將侵阮文王使人問之、而密人距不受命、卒以侵阮、又往侵共、又往侵莒、於是文王怒而整旅、以按止密人使不得往莒、此毫無黨比貪利之意、純是濟弱之事、故曰厚周家之慶、答天下之心也、○惟曰其助上帝、是推天意言之、尚書多此例、寵尊居也、夫天之爲民置君師也、其心曰、其宜助上帝而尊寵之於四國、武王曰、我受天寵、作下民之君師、以助上帝、天下何敢有踰越其志者乎、○衡行與橫行同、放肆無忌憚之意、○而武王亦一怒云云、書中無怒字、故加而字以補其意、

孟子論文　卷一　〇三十二　大全文堂梓

見孟子於雪宮章　通篇援引以証本意格

齊宣王見孟子於雪宮。王曰、賢者亦有此樂乎。孟子對曰、有。人不得則非其上矣。（止二字應之下怨二轉、如急流挾舵、輕撇）不得而非其上者非也。爲民上而不與民同樂者亦非也。樂民之樂者、民亦

從樂字對面、添出憂一層、更周到氣厚、

好樂章純用虛頓、是奇峰、此純用實詮、是正傳、合觀之、可悟文心之變、

師行句是發端、故用而字、五言特立、

畜君者好君也、欲齊王納諫之意、隱然言外、而本句只擬無尤二字、一似絶不及齊王者、妙妙、

樂其樂、憂民之憂者、民亦憂其憂。樂以天下、憂以天下、然而不王者、未之有也。（以下俱引證發明）昔者齊景公問於晏子曰、吾欲觀於轉附朝儛、遵海而南、放於琅邪。吾何修而可以比於先王觀也。晏子對曰、善哉問也。天子適諸侯曰巡狩。巡狩者巡所守也。（隨叙隨注）諸侯朝於天子曰述職。述職者述所職也。無非事者。春省耕而補不足、秋省斂而助不給。（此憂樂與民同之証）夏諺曰、吾王不遊、吾何以休。吾王不豫、吾何以助。一遊一豫、爲諸侯度。今也不然。（挾轉）師行而糧食。飢者弗食、勞者弗息。睊睊胥讒、民乃作慝。方命虐民、飲食若流。（此憂樂不同民之証）流連荒亡、爲諸侯憂。從流下而忘反謂之流。（自説自注）從流上而忘反謂之連。從獸無厭謂之荒。樂酒無厭謂之亡。先王無流連之樂、荒亡之行。惟君所行也。景公說、大戒於國、出舍於郊。於是始興發補不足。召太師曰、爲我作君臣相說之樂。蓋徵招角招是也。其詩曰、畜君何尤。畜君者好君也。

此當與前保民而王章參看、與後逢蒙章例看、保民章援引牽牛一事、立案於前、以爲通篇議論之本、此章則先發議論於前、以後援引景公問答、以證之、一引在前、一引在後、故當參看、逢蒙章先斷羿之有罪、以下引子濯孺子事、以證之、與此章先發明同樂意、以下引晏子之告景公、以證之同一格法、然逢蒙章起處、但說羿之有罪、其取友必端意、在引事中點出、此是借賓明主之法、此章起處已提明憂樂同民、以下援引、不過層層點逗此意、此是借賓證主之法、逢蒙章於援引子濯孺子事

孟子論文　卷一　〇三十三　大全文堂梓

後不繳轉正意一句，羿之不端，令人言外自覷此章援引景公事末用一結，然只釋畜君二字之義，指點出晏子忠愛其君，則孟子進言之心亦於言外令人自思，故當合兩篇例看。○賢者亦有此樂句正面無可發揮，故止以一有字輕輕荅之。以下乃用人不得則非其上，引到當樂民之樂、憂民之憂，極小題能大發揮，於此可悟後來歐公豐樂亭記、范文正岳陽樓記皆本此。○今也不然一節因上夏諺遂亦用韻語，文情興會所至，無所不可。○上段說巡狩述職，隨說隨釋；下段說畢流連荒亡，然後逐一釋之。上段以為諸侯度結住，下段說為諸侯憂尚未結住。上段句句頓挫，有瞿瞿顧慮之象；下段句句直遞，有流蕩不反之象，皆肖其事以為文，情真乃各盡其變。上說流連荒亡，文勢拖沓，隨用先王無流連之樂、荒亡之行，惟君所行也三句斬釘鐵文字結住，此文家相救之法。○說至樂以天下，如此可王意已畢矣，忽引景公晏子一番問荅，又寫景公聞言即行，又寫相說作樂，且并揹出樂章樂名，寫得濃郁深至之極，而結處止引一詩句釋之，截然便住，更不再作一語，將上文如許說話盡化為輕雲飛烟，筆墨真入化境矣。

孟子論文　卷一　二十四　奎文堂梓

元和郡縣圖志：齊雪宮故址在青州臨淄縣東北六里。臨淄即齊故都，蓋雪宮，齊離宮之名，為游觀勝迹。晏子春秋所謂齊侯見晏子於雪宮，即是宣王延見孟子於此，非就見孟子也。○賢者亦有此樂乎，與梁惠王賢者亦樂此乎一例，猶云賢君亦有此樂乎，非指孟子言。○有字承有此樂乎之問，言賢者亦有之也，與上章交隣國有道乎對曰有、公孫丑不動心有道乎曰有同一例，注太深看似誤。○人不得則句是發端泛說，下數句乃翻折其是非者，此處未當講主意。○不得而非其上二句，用上句陰助下句非乎說。○樂民之樂，謂人君視民之所歡樂即樂之也；民亦樂其樂，即上章所謂欣欣然有喜色而相告曰吾王庶幾無疾病歟，何以能鼓樂也之類是也。憂民之憂二句亦放此意。○樂民之樂四句以一國而言，樂以天下、憂以天下又開拓一埸，非徵上文。○轉附、朝儛皆山名。司馬相如子虛賦云：且齊東有巨海，南有琅邪，觀乎成山，射乎之罘。蓋之罘即轉附也，之與轉一聲之轉，之之為轉，猶之之為旃也；罘與附古音通，罘之為附，猶不之為柎也。秦皇漢武所游，自琅邪而北則至之罘成山，自之罘成山而南則至琅邪。齊景欲觀乎轉附朝儛，轉附即之罘也，朝儛即召石山也。召石山與成山相近，而召石與朝儛聲音相近。計其自齊都臨淄一千三百里抵於海，復自海一千一百餘里至瑯邪，凡二千四五百里。以春秋之侯封而騁其雄心，肆其遠畧如此，眞從前所未有。或疑今青州為齊地，若萊州則萊子國，登州則牟子國，皆非齊有，恐齊景不得任其車轍馬跡所之，殊不知萊國已滅靈公十五年，所以晏子對景公言聊攝以東、姑尤以西。聊為今聊城縣，攝為今博平縣；姑，大沽河；尤，小沽河，一出黃縣，一出掖縣，實齊之東界也。惟今寧海州文登縣尚屬牟子國，要亦不過蕞爾附庸，素服役于強大者，何難登其山而臨其海乎。○先王觀與觀民風之觀同。○無非事者一句捭在中間，意繫於上下。晏子承景公先王觀之問，從巡狩述職說起，此是天子諸侯一大遊觀也，固非無事而空行也；至天子省耕斂於畿內，諸侯省耕斂於國中，此又境內一小遊觀也，亦非無事以病民也。○遊豫互文，自遊行謂之遊，自豫樂謂之豫，其實一也。休助亦互文，補助即休美。○師行而糧食，師只是衆，不必拘為二千五百人。旅中之食、兵食總謂之糧，非必裹齎然後為糧，又與糗異。此言以民間之粟為糧，看下弗食弗息句可見大衆隨行，到處取供億，而民飢勞疲弊也。○胥讒，胥猶皆也、率也，謂民皆相率而謗，與相字稍有分辨，云相謗則是一謗一被謗者。○民乃作慝，邪慝悖亂之謂也。左傳日入而慝作，言叛人驚君也，字義可証，注不切。○方命虐民，命者先王安民之命，方、放同，廢棄也。堯典方命圮族，西漢章奏引用多作放命。○為諸侯憂，古注以為列國諸侯得之。僖公四年，桓公欲循海而歸，轅宣仲謂申侯曰：師出陳蔡之間，供其資糧屝屨，國必甚病。霸者之世，役小役弱，不可勝言，豈但徵百牢、索三百乘而已，為諸侯憂可謂甚矣。然此節本受夏諺而言之，故對上文為諸侯度立辭如此，其實晏子意尚戒景公，則為諸侯憂猶曰為下之憂耳。注以附庸縣長充諸侯，恐泥。景公之時，唯楚僭王，而其臣稱公，餘國無是例也。○樂酒若樂山樂水，即好酒也。○

孟子論文　卷一　二十五　奎文堂梓

窮民一段本與上文平分六項却又衍開

亡當讀爲芒荀子富國篇芒軔優推楊倞注云芒昧也或讀爲荒是荒芒義通故淮南子詮言篇曰自身以上至於荒芒爾遠矣流連與荒芒皆古之恒言從流下而忘返謂之流從流上而忘反謂之連連與流一也從獸無厭謂之荒樂酒無厭謂之芒芒與荒一也流連荒亡亦猶上文遊豫之比只是互文必逐字爲之說則失之泥矣○惟君所行緊頂先王無流連之樂二句以結比先王觀一問不是雙收上兩段所行猶云所當效○出舍于郊只是次舍行與發之令即省耕省斂之舉矣非自責不寧之謂○徵招角招蓋因音制而名焉不必有爲民爲事之意○畜君何尤尤咎也何尤猶言有何咎我哉○畜君者好君也孟子釋詩且以自寓焉說文嬸媚也孟康注漢書張敞傳云北方人謂媚好爲詡畜畜與嬸通說文媚說也故媚好謂之畜相說亦謂之畜又謂之好畜君者好君也好畜古聲相近畜君何尤即好君何尤祭統云孝者畜也順於道不逆於倫是之謂畜孔子閒居及坊記注竝云畜孝也釋名云孝好也愛好父母如所悅好也畜孝好聲竝相近畜君者好君也洚水者洪水也皆取聲近之字爲訓後世聲轉義乖而古訓晦矣○此章分爲兩截前截言憂樂當與民同之後截則引景公晏子以實之憂樂與民同之者爲諸侯度憂樂不與民同之者爲諸侯憂晏子之言即孟子之意也末又舉景公之能聽於晏子以諷切之抑管晏孟子所羞稱而茲詳及晏子對景公一段故實者以雪宫曾爲先齊君臣游觀之處就近事以爲鑒則其言易入也

人皆謂我毀明堂章 一頭兩脚格

齊宣王問曰人皆謂我毀明堂毀諸已乎孟子對曰（特提王者）夫明堂者王者之堂也王欲行王政則勿毀之矣王曰王政可得聞與對曰昔者文王之治岐也耕者九一仕者世祿關市譏而不征澤梁無禁罪人不孥（對舉 變二句 亦對舉 二句）老而無妻曰鰥老而無夫曰寡老而無子曰獨幼而無（又添出四層上五層分敘此四層總敘又變）

敘說悽惻動人

將貨色與王政說得水乳交融直異樣出色驚人之筆而其實本平平無奇也唯道理爛熟於胸中故横豎說來無非妙義以平實之理化作奇警之文吾於孟文嘆觀止矣

父曰孤此四者天下之窮民而無告者文王發政施仁必先斯四者詩云哿矣富人哀此煢獨（証明）王曰善哉言乎曰王如善之則何爲不行（一詰問便轉出奇文）王曰寡人有疾寡人好貨對曰昔者公劉好貨（捷如響應）詩云乃積乃倉乃裹餱糧于橐于囊思戢用光弓矢斯張干戈戚揚爰方啓行（頓出同民）故居者有積倉行者有裹糧也然後可以爰方啓行王如好貨與百姓同之於王何有（重跌）王曰寡人有疾寡人好色（異想天開 提醒更好）對曰昔者大王好色愛厥妃詩云古公亶父來朝走馬率西水滸至于岐下爰及姜女聿來胥宇（頓出同民）當是時也內無怨女外無曠夫王如好色與百姓同之於王何有

讀此篇須知文章有立柱之法行王政是主意則文王治岐節是一篇柱子以下因好貨而說到與民同行王政也因好色而又說到與民同亦行王政也文章立一柱縱横說去到底不出一意者如此又要看他有段段顧毋之法明堂二字是一章原頭明堂係周天子所作則周家積德累仁以成王業於此可見三段內不足言古帝王但引文王引公劉引太王以三聖人皆周之祖宗皆明堂之所由來則段段說行王政實段段顧着明堂二字以勸他行王政文章顧毋之法如此又要看他段段有分寸法蓋孟子教齊王行王政而齊王實諸侯也豈必以天子期之不知王政是隨時隨地皆可行者故三段內不引武王成王事而但引文之治岐公劉之遷邠太王之至岐皆言王業所由基以見諸侯亦當行王政文章分寸之法如此○要看三段內用三個昔者三個詩云此是遥對整齊法然首段先詳叙文王之行王政至末引詩云証之下二段先引詩詞以下就詩詞以釋之此是摻

引變化法。○公劉好貨而與民同，引詩之言積倉餱糧諸語，尚渾，故特點明民之富足，則其與民同之意可見。太王好色而與民同，引詩只證得箇愛厥妃，而與民無與，故必須補出無怨無曠，然後方見得與民同其好色也。○文章妙境，須於奇難極阻，人所思路不通，措手不得處，發一想轉一筆，自然不同。所謂行到水窮處，坐看雲起時也。只如王以好貨好色對，他人當此，畢竟撤去好貨好色，纔有話頭。若就好貨好色，更無入路。孟子却搭上云好貨可王，好色可王，豈不奇妙。天開突兀，驚人。○此章引詩之法，劉向得之而爲災異封事，韓愈得之而爲上宰相書，皆雜引諸詩，斷章取義，成文。然亦非創自

孟子也。

此明堂則天子巡守之行宮而已，其制雖相倣彿，不能如國中明堂之備矣。荀子築明堂於塞外而朝諸侯，楊倞注：明堂，壇也。謂巡守至方嶽之下，會諸侯，爲宮方三百步，四門，壇十有二尋，深四尺，加方明於其上，左氏傳爲王宮於踐土，亦其類也。是揚氏以方嶽之明堂，卽覲禮之壇，然壇者隨地會

諸侯之所，但爲壇壝，無復宮室。周不巡守四百餘年，壇壝豈復有存，何待宣王之毀。故知壇之與方嶽明堂似同而實異也。蓋壇亦倣明堂爲之，又加略焉。事至而築，事過則毀耳。揚氏以此義釋荀，未爲得也。又引築帝宮以釋荀，近之矣。○孟子意固在勸王政，今就明堂一問，輒夤緣說出王政，蓋宣王之問，只在毀不毀，內而孟子之荅，則實存於毀不毀外。此意須善透看。○周禮司關國凶札則無關門之征，猶譏。司市國凶荒則市無征而作布。此關市非無征也。夫大利之所在，不爲之限制，則民必趨之而反足以致爭奪奢僭之害，故必有所取以抑之。若民方困，則不妨盡以予之，故關市譏而不征者，文王時不如是不足以䘏如燬之虐，而齊宣時不如是亦不足以救當時之爲暴也。此便因時節宜處。耕者九一亦然。○煢，孤立之義。煢獨，只是單獨包鰥寡孤獨四者，不耑指老而無子者。周公曰：文王不敢侮鰥寡。孟子此言，大發明周書之義。○啓行，首途也。○古公亶甫，毛傳云：古，言久也。亶甫，字。鄭箋云：諸侯之臣稱君曰公。二說是也。周人詠詩而所詠之公乃在殷之世，豈非久乎。○古

者馬以駕車，駕車卽不得云走馬。今古公亶父曰走馬，此時已變乘爲騎矣。蓋創造之初，不敢自安，宜不乘車，然跋行則岐地險阻，徧歷爲難，故用單騎也。且姜女不堪勞苦也。或謂騎兵始于戰國之初，不知滕文公好馳馬，則必前此已有馳馬者。國策趙武靈王好騎射，則必前此已有騎射者。騎馬騎射於此見之，不必於此始之也。故春秋泌之戰晉師敗績，趙旃以良馬二濟其兄與叔父，則一人一馬明是騎馬。魯昭在齊時，左師展將扶公使乘馬而歸，所云乘馬，正騎馬也。公羊傳載齊景公唁昭公于野井，據鞍爲几，則齊景騎馬可知。論語載孟之反奔而殿，將入門，策其馬，則孟之反騎馬可知。誰謂騎馬始戰國邪。○今岐山縣爲古岐周地，在鳳翔府東五十里，東北至西安府邠州百二十里。岐山在岐山縣東北十里，岐水在岐山縣西北四十五里，東南至扶風界入於漆，西水卽漆水也，太王胥宇，循此在西之滸水涯岸，嚮北行，又嚮東行至岐山下也，非此日始至岐下，特以胥宇而諱審耳。宇，卽土宇之宇。注：胥，相也，是相人相劍之相。宇，居也，是居室居宅之居。○自莊暴至明堂五章，

止是一意，皆發揮保民而王之大旨也。丁寧反覆，懇切纏綿。王好樂、好囿、好勇、好遊、好貨、好色，止是一箇大欲。作崇欲者人情所固有也。故孟子不斁王斷欲，但勸王與民同之。

王之臣有託其妻子章　借客形主格

孟子謂齊宣王曰：王之臣有託其妻子於其友而之楚遊者，比其反也，則凍餒其妻子，則如之何？王曰：棄之。曰：士師不能治士，則如之何？王曰：已之。曰：四境之內不治，則如之何？王顧左右而言他。

此變調文字，以三如之何作章法。○上二事雖設問以發其意，然亦非泛舉閒話。凍餒其妻子，便含飢寒無告影子；不能治士，便含刑罰失當影子。四境之內不治，兼此二意，而妙在不露。此文家借映法也。○國策文字，其縱橫諸篇，槩雄豪不可羈紲，而有一種輕黠冷逗、清微淡遠、絕不說煞而含韻

妙在前二問應聲如響，更覺得末句可笑，善於摹神。

以喬木引至世臣、以世臣引至親臣、文氣甚從容、

如不得已一節是綱、下兩段是目、

用之去之兩段是主、殺之一段是賓、

賓位中卻拖一句、上二段俱從此影出、尤妙、

無窮者、孟子亦然、大篇飄蕩縱橫、如名山大川、此種小品、則卷石幽花、清疎閒冷也、

上文云王之臣、則棄者、放棄而不用也、○周禮鄭注、士師主察獄訟之事、士察也、○總注趙氏失輕重、可刪、

所謂故國者章　賓主夾說格

孟子見齊宣王曰、所謂故國者、非謂有喬木之謂也、有世臣之謂也、王無親臣矣、昔者所進、倒補、妙、今日不知其亡也、王曰、吾何以識其不才而舍之、曰、國君進賢、如不得已、○字○形○容、得妙、將使卑踰尊、疏踰戚、可不慎與、左右皆曰賢、未可也、諸大夫皆曰賢、未可也、國人皆曰賢、然後察之、見賢焉、然後用之、左右皆曰不可、勿聽、諸大夫皆曰不可、勿聽、國人皆曰不可、然後察之、見不可焉、然後去之、左右皆曰可殺、勿聽、諸大夫皆曰可殺、勿聽、國人皆曰可殺、然後察之、見可殺焉、然後殺之、故曰國人殺之也、如此然後可以爲民父母、

此篇因齊王輕於進退賢才而發、通篇重一慎字、下兩個未可也、四個勿聽、六個然後、俱是寫慎字之神、文章用虛字傳神之法、如是、要之進退賢才之國君、即是好惡同民之父母、故結以爲民父母、又用然後二字、所謂趣勢作收也、○三段內連用三個察字、正與前識字對針、齊王說何以識、便有輕忽之意、孟子說然後察、便是鄭重之心、齊王欲舍之於後、何不慎於之先、文之針鋒相對處、無一懈筆、中間三段只換數字、使各一意、所謂換意不換句也、三段文法段段用疊、三段內句法又句句用疊、疊法之妙、盡於此矣、○故曰國人殺之也一句、明柬可殺一段、暗柬用之去之二段、古人文字

孟子論文　卷一　四十　奎文堂梓

用一夫字換他君字、用誅字駁倒弒字、針鋒緊對、道理森然、

簡古、止說一面、而數面俱到、若必曰國人用之、國人去之、國人殺之、則冗矣、

孟子見齊宣王、句絕、例與見梁惠王、見梁襄王同、曰字須引起、○宣王之齊、是田齊、非姜齊、國雖故而世臣或無之、況乎宣王今無親臣矣、則豈得復有世臣哉、孟子乃從容進戒如此、○不知字、倣不省字看、只是恬不以爲意之意、○不得已者、非其所願欲而弗得不然之意、如不得已四字、是形容語、將使三句、是申解語、蓋尊戚不必賢、則不得不進用卑疎之人、然是事體不輕、苟有過差、則人心眦然、故尤可慎重者云爾、注分疏常禮非常、未安、夫進賢舉能、安得云非常禮、○未可與勿聽、有別、私譽不輕信、足矣、至於嫉賢、便斷然勿聽、纖毫猶豫不得、○去之、與上文舍之不同、舍、不用之也、去、罷之也、○故曰國人殺之也、蓋原春秋書法云、

湯放桀章　論斷格

齊宣王問曰、湯放桀、武王伐紂、有諸、孟子對曰、於傳有之、曰、臣弒其君可乎、曰、賊仁者謂之賊、賊義者謂之殘、殘賊之人、謂之一夫、聞誅一夫紂矣、創○論○卻○是○正○論○未聞弒君也、

於傳有之四字甚活、與文囿章同、○若只云應天順人、從武王這邊寫、不從商紂那邊說、似乎紂雖無道、儼然君也、究何解於弒君之罪乎、孟子直從對面提出賊仁賊義、謂之一夫、則天理上無有這個君、人心裏無有這個君、則紂在當日自絕於天下、而爲獨夫、斷斷不是君矣、殘賊之一夫、既不爲天下君、而仁義之武王、天下皆戴以爲主、乃謂爲紂之臣、安可乎、故以至仁誅至不仁、以至義誅至不義、以非其臣者而誅非其君、天理既順、人心自安、孟子精義入神、故明目張膽發揮至此、世間亂臣賊子、何得藉口、末兩句驚魂動魄、老蘇以爲其鋒不可犯、此類是也、○不曰不仁不義、而曰賊仁賊義、字法極警、

孟子論文　卷一　四十一　奎文堂梓

注。放置也。然放以放於此爲言。置以置于彼爲言。自有不可混者。○答語單及紂者。舉重以兼輕也。然亦受臣弑其君之問來。

為巨室章

三個則字正見不用一毫思索

一義分作兩層譬喻絕妙

孟子見齊宣王曰。爲巨室則必使工師求大木。工師得大木。則王喜以爲能勝其任也。匠人斲而小之。則王怒以爲不勝其任矣。夫人幼而學之。壯而欲行之。王曰姑舍女所學而從我則何如。今有璞玉於此。雖萬鎰必使玉人彫琢之。至於治國家。則曰姑舍女所學而從我。則何以異於教玉人彫琢玉哉。

爲王不用而發姑舍女所學句是正面。前後都用譬喻而文法變換。又無板對排偶之迹。所以妙絕。○勝任不勝任連頓。下文便起得有勢。則何如三字。不住而住。住而不住。下接今有璞玉於此。殊有一波未平一波又起之妙。○前後兩喻只是一意。但前段工師匠人比賢者與王。而王喜怒之引喻寬。後段玉人比賢者。而王直教之引喻急。

能勝其任。謂工師能勝其任。非謂大木勝巨室之任。○斲而小之。謂隨削隨細。遂失大木之用。非謂截而短之。商頌方斲是虔。可以見字義。○漢儒皆以鎰爲二十兩。韋昭注國語亦然。唯文選詠懷詩黃金百鎰盡。注引賈逵國語注云。一鎰二十四兩。又吳都賦。金鎰磊砢。劉淵林注云。金二十四兩爲鎰。當是李善衍四字。賈公彥既夕疏云。二十四兩曰鎰。亦衍四字。○萬鎰是價之貴者。凡事物深愛重之者。必不敢付人。唯彫琢玉不得弗付玉人。勢然耳。非愛故付之玉人也。不然。閑却雖字。高士傳王斗謂齊王曰。王之憂國愛民。不若王之愛尺縠也。舊解往往用是意。皆失之。凡議論不當附會他說。以差主意。○教只是指教。從我字生。或讀爲平聲。非是。

齊人伐燕勝之章　上下逐段對照格

齊王妄認天意孟子正以民心破之

末節正發明不悅勿取之意

齊人伐燕勝之。宣王問曰。或謂寡人勿取。或謂寡人取之。以萬乘之國伐萬乘之國。五旬而舉之。人力不至於此。不取必有天殃。取之何如。孟子對曰。取之而燕民悅則取之。古之人有行之者。武王是也。取之而燕民不悅則勿取。古之人有行之者。文王是也。以萬乘之國伐萬乘之國。簞食壺漿。以迎王師。豈有他哉。避水火也。如水益深。如火益熱。亦運而已矣。

宣王先言勿取。後言取。明明主意是要取。故下面數語。極力縮涨當取的光景。然妙在反言不取必有天殃。極其決斷。正言取之何如。極其委婉。立言可謂妙有斟酌。孟子先言取。後言勿取。明明主意是不當取。故末節數語。極力縮涨不當取的光景。然又妙在不極力止他取。只亟言取後有許多可慮處。立言又高出宣王數倍。○人力不至於此。不點天字。即於下句中帶出。省文法。○武王文王引語迂緩。得妙。不然便嫌促迫無味。○豈有他哉。正駁倒天字。

齊宣王伐燕事。孟子所親見也。國策在燕則宣王。在齊則湣王。史記以爲湣王。通鑑以爲宣王。當以孟子爲是。黃氏日抄曰。史記齊伐燕有二事。齊宣王先嘗伐燕。燕文公卒。易王初立。齊宣王因燕喪伐之。取十城。是即孟子梁惠王篇所載問答稱齊宣王者也。此一事也。齊湣王後又伐燕。燕王噲以燕與子之。齊伐燕下燕七十城。是即孟子公孫丑篇所載沈同問燕可伐與者也。此又一事也。按齊前伐燕在周顯王己丑。燕易王元年。後伐燕在周赧王丁未。燕君噲七年。齊之伐燕雖有二。而七篇所述。確是後伐燕之役。有不可不辨者。世家載燕噲讓國于子之。三年國大亂。衆人恫恐。百姓離志。故曰。今燕虐其民。文公何有也。其辨一。文公卒。子易王立。齊宣王因燕喪伐我。斯時燕豈無君也者。

急脉緩受、偏與他談笑而道之、

只末數語是正答、前大半篇是因他不聽勿取之言、故與盡情發露、

孟子謂謀於燕衆置君而後去之、易王安在也、其辨二、燕民世被召公之深仁、固澤於姬姓、獨後亡、觀他日燕人畔、可見齊伐我喪而一再、曰簞食壺漿以迎王師、是謂不知燕、其辨三、蘇秦說燕曰、燕地方二千餘里、說齊曰、齊地方二千餘里、故曰以萬乘之國伐萬乘之國、乃僅取十城、而曰今又倍地而不行仁政、是不知燕亦不知齊、其辨四、燕噲之亂、趙召燕公子職立爲王、所謂諸侯將謀救燕也、若前伐燕時、從約初解、諸侯必不之救、況齊即歸燕侵地、又將何救之有、而曰諸侯多謀伐寡人者、而曰是動天下之兵也、是不惟不知齊燕、并亦不知諸侯、其辨五、然則前後兩伐燕之皆宣非湣實無可疑者。○以萬乘之國數句、宣王自陳己之意也、非或人之言。○孟子援文武爲證、亦略據事跡言之耳、非精討論文武之道、故隨文作解可也、未當深議焉、張注傷於快利。○簞壺俱活字、簞食壺漿、謂盛食漿于簞壺也、下篇亦與實玄黃于匪對、並寫郊迎之狀、語勢與一簞食一豆羹身別、壺瓠也、可用貯酒漿、豳詩八月斷壺、鶡冠子一壺千金、皆同、非銅陶之器。○如水益深云云、如是假如之如、非如似之如、言避水火而益深熱、則又將求避於他也、水火要切定燕國無主說、避之者正藉齊以圖存也、齊不之存而取之、係累父兄、遷其重器、此即水益深矣、火益熱矣、不可泛指暴虐不行仁義作郭廓不切語也、

孟子論文　卷一　○四十四　奎文堂梓

齊人伐燕取之章

齊人伐燕取之、諸侯將謀救燕。宣王曰、諸侯多謀伐寡人者、何以待之。孟子對曰、臣聞七十里爲政於天下者、湯是也。未聞以千里畏人者也。書曰、湯一征自葛始。天下信之。東面而征西夷怨、南面而征北狄怨、曰、奚爲後我。民望之、若大旱之望雲霓也。歸市者不止、耕者不變、誅其君而弔其民、若時雨降。民大悅。書

首段先引書而後釋、次段先釋書而後引

曰、徯我后、后來其蘇。今燕虐其民、王往而征之、民以爲將拯己於水火之中也、簞食壺漿、以迎王師。若殺其父兄、係累其子弟、毀其宗廟、遷其重器、如之何其可也。天下固畏齊之彊也、今又倍地而不行仁政、是動天下之兵也。王速出令、反其旄倪、止其重器、謀於燕衆、置君而後去之、則猶可及止也。

長句愈見肆沛、紘茲善明倒裝法耳、行不仁迫異詳君弔民之師、先處按

殺父兄四句、預爲末段叙清來歷、後便省手易於收拾、

猶可、緊承速字、對上將字正應待字、

民望之二句、爲上書詞描畫若時雨降、又先描畫而後引書、以誅君弔民實事夾在中間、於顚倒作對中、又一貫直下文法奇絕。○天下信之至雲霓也句、寫其師未至之民情、歸市者不止二句、寫其師已至之人事。○齊之伐燕、原非弔民、引湯一段連他從前伐燕之非、俱爲補出。○若時雨降、貼后來其蘇、雲霓總是驟雨時摸擬、不曰望雨而曰望雲霓、欲下用若時雨降語、故藏雨字於雲霓內、在作文家自當知之。○王速出令節、乃正答他何以待之、無待諸侯法、只有待燕法、待燕乃所以待諸侯也。

國策云、齊破燕、趙欲存之、乃以河東易齊、楚魏憎之、令淳滑惠施之趙、請伐齊而存燕、又云楚許魏六城、與之伐齊而存燕、此天下諸侯謀齊救燕之事也。○天下信之、蓋揷出一句、以提大意耳。○其蘇、在商書未然詞、今引爲已然詞、其字如乃字看、○凡物之小者謂之兒、嬰兒謂之倪、鹿子謂之麑、小蟬謂之蜺、老人齒落更生細齒謂之齯、齒義並同也。○謀於燕衆謀字照首節謀字看、蓋諸侯謀議未決、王速謀於燕衆置君、此先着不可後也。○猶可及止也、及者不愆時之謂、迨天下之兵可止之時也、莊子曰、美成在久、惡成不及改、造語相同○自王之臣至伐燕六章、是孟子去齊張本、王顧左右而言他、姑舍汝所學而從我、用賢之意荒矣、伐燕之諫又不行、所以去也、

鄒與魯鬨章　上下對照格

孟子論文　卷一　○四十五　奎文堂梓

今而後。既字反之改。又恨反之遲。頓斷重讀。堪爲下淚。

鄒與魯鬨。穆公問曰。吾有司死者三十三人。而民莫之死也。誅之則不可勝誅。不誅則疾視其長上之死而不救。如之何則可也。孟子對曰。凶年饑歲。君之民老弱轉乎溝壑。壯者散而之四方者。幾千人矣。而君之倉廩實。府庫充。有司莫以告。是上慢而殘下也。曾子曰。戒之戒之。出乎爾者。反乎爾者也。夫民今而後得反之也。君無尤焉。君行仁政。斯民親其上。死其長矣。

穆公言有司之死。皆民之疾視以致其死。孟子言民之死。實有司坐視其民。以致之死。穆公開口言吾有司。孟子開口言君之民。穆公言三十三人。孟子言幾千人矣。針鋒正相對。○次節孟子口中只歸罪有司。未節方說君行仁政。蓋鄒君之虐其民自不便當面斥言。只用君行仁政句一轉。他自隱然可悟耳。○上慢上字。意中指君。口中只說有司○前語只歸罪有司。不便斥言君之不仁也。而一則曰君之民。再則曰君之倉廩實府庫充。亦自隱隱打動。○夫民今而後句。接得跳脫之至。今而後言其遲也。○民莫之死。反有司乎。反君也。君不得而反。故反助君爲虐者耳。

鬨从門下。者下降切。義與巷同。此鬨字从門下丁豆反。與鬭不同。劉熙曰。鬨。構也。構兵以鬭也。說文云。鬭也。○誅不誅上。當各補一欲字看。○疾視有快之之意。疾視至不救。乃其罪狀。而可憎者。注此處未當。露民怨其上意。蓋穆公慮未及此。○凶年與饑歲同。必兩言之者。言非一年也。於文亦宜然○戰國時。邾改爲鄒。鄒本邾也。其爵次於魯者僅二等。哀公七年。魯貢八百乘。邾賦于吳。邾亦六百乘。是其賦減於魯者。二百乘耳。故以比鄰構怨爲世敵仇。竟與春秋相終始。至孟子時。而猶有與魯鬨之事。按新序載穆公食不重味。衣不列采。自刻以廣民。親賢以定國。鄒國之治。路不拾遺。豈穆公

孟子論文　卷一　四六　本堂藏梓

文公不求盡其在己。專羨他人作生活。故孟子勉以守死。一撒一頓。曾便之至。

苟字大轉。

尊信孟子。以行仁政。而民皆親其上歟。觀夫君者民之父母。一言則不徒國策所載。養鳥以粃爲富邦之計也。邾魯相距僅七十六里。孟子之游當自鄒始。蓋授徒講學。大約居魯之日多。而曹交得聞人皆可爲堯舜之說。遂欲假館鄒君。則此時在鄒也。任氏約旨謂鄒穆公卒。乃應滕聘者。說似足信。特以孟子爲郎鄒人則誤耳。

滕文公問章

滕文公問曰。滕小國也。間於齊楚。事齊乎。事楚乎。孟子對曰。是謀非吾所能及也。無已則有一焉。鑿斯池也。築斯城也。與民守之。效死而民弗去。則是可爲也。

國君死社稷。此自不刊之義。故孟子前後皆以此告滕君也。○此下三番問答。當在滕文問爲國之後。鑿池築城。豈果足以存國。蓋爲國之道。前已言之矣。果能力行王政。而又加鑿築。則無事之時。井田學校。有事之時。深溝高壘。保國之方。盡乎此矣故曰則是可爲也。○民何以弗去。緣有井田學校在也。如此看並次章爲善二字。皆有著落。大凡看書須就聖賢所已言。而思及所未言。且當就現在之言。而合以從前之言。若死於句下。則聖賢之言。有多少滲漏矣。

孟子於齊宣交鄰之問。則答以事大事小。抑其暴陵之心也。於滕文事齊事楚之問。則答以鑿池築城。振其怯弱之氣也。言各有所當。而理則歸一矣。

齊人將築薛章

滕文公問曰。齊人將築薛。吾甚恐。如之何則可。孟子對曰。昔者大王居邠。狄人侵之。去之岐山之下居焉。非擇而取之。不得已也。苟爲善。後世子孫必有王者矣。君子創業垂統。爲可繼也。若夫成功則天也。君如

孟子論文　卷一　四七　本堂藏梓

彼何哉彊爲善而已矣。

苟爲善以下是正意引太王一段是賓意君子三句蓋恐文公以迫於強齊不容他爲善爲慮故爲之打穿後壁也○孟子主意全在彊爲善一句而起手先從太王緩緩引証一層又從爲善後世必王急急轉進一層再用停頓法以圓其意然後一筆跌出彊字以而已二字結住句句跌頓筆力如鐵

孟子意謂特患不能爲善耳苟爲善雖使其不得已而避如太王亦且子孫有王者矣井田學校設誠而致行之不在其身則在子孫王可必也而又何恐乎猶有說焉君子有創業垂統之事而無圖度天命之心功之成不成皆有天在故在今日君只強爲善而已矣如彼薛之齊置諸不問可也○薛在周顯王之四十八年以七篇證之孟子是年在滕也孟子適滕在去齊之後前所見者已是宣王則此時安得更有威王紀年以爲威王者誤也孟子去滕之魏去魏復至齊後所見者仍是宣王則此時安得先有湣王史記以爲湣王者亦

誤也然則所云齊人當指宣王蓋威滅邳以封成侯忌宣滅薛以封庶弟嬰至是而奚仲之祀始斬也戰國策載靖郭君將城薛矣以客海大魚之諫乃輟城薛列傳言諸侯皆使人請薛公田嬰以文爲太子嬰許之嬰卒而文果代立於薛豈是年嬰欲城不果至文立而乃遂城之歟

滕小國也章　借客陪主格

滕文公問曰。滕小國也。竭力以事大國。則不得免焉。如之何則可。孟子對曰。昔者大王居邠。狄人侵之。事之以皮幣。不得免焉。事之以犬馬。不得免焉。事之以珠玉。不得免焉。乃屬其耆老而告之曰。狄人之所欲者。吾土地也。吾聞之也。君子不以其所以養人者害人。二三子何患乎無君。我將去之。去邠。踰梁山。邑于岐山之下居焉。邠人曰。仁人也。不可失也。從之者如歸市。或曰。世守也。非身之所能爲也。效死勿去。君請擇於斯二者。

勿論無地可遷民從如歸市非文公所能讓上兩段合觀已無待於擇矣卻說請擇妙妙

借賓陪主先詳後略錯綜不拘末用一語作結似寬而實緊極鞭逼之勢仍留不盡之情峭壁懸崖可以喻此妙境○說個梁山岐山便見太王有地可遷非滕之今日無地可遷者比卽遷矣亦必若太王之仁人從如歸市而後乃不妨遷不然則寧效死而已請擇之說本逼歸一路非游移兩可之見也細思應自得之

則不得免焉則字倣亦字看○何患乎無君是與民訣別之言○雍州有二梁山一在今韓城郃陽兩縣境書冶梁及岐詩奕奕梁山春秋梁山崩皆是於孟子之梁山無涉此章梁山則在今乾州西北五里其山橫而長自邠抵岐二百五十餘里山適界乎一百三十里之間太王當日必踰此山然

後可遷狄患營都邑○效死勿去可謂常法矣若太王去邠固出於常情之外故以常法非常判之可也注以經權判之不是且遷國圖存句失太王之心太王之去邠逃也非遷也迫於狄難而不忍害民以自保也乃仁人之心矣豈豫料民之必從而後遷哉

魯平公將出章

魯平公將出。嬖人臧倉者請曰。他日君出。則必命有司所之。今乘輿已駕矣。有司未知所之。敢請。公曰。將見孟子。曰。何哉。君所爲輕身以先於匹夫者。以爲賢乎。禮義由賢者出。而孟子之後喪踰前喪。君無見焉。公曰。諾。樂正子入見曰。君奚爲不見孟軻也。曰。或告寡人曰。孟子之後喪踰前喪。是以不往見也。曰。何哉。

有司二字裝點得妙

何哉十三字一氣讀以爲賢乎句緊接上一乎字冷然譏諷橫生

臣儼然出令君宛然受命寫嬖字如畫

曆其名而述其言兩問兩答而後發如見

耳寫孽字如神、

說到天字、將臧倉撇開、毫不嗔怒、何等胸襟、

君所謂踰者、前以士、後以大夫、前以三鼎、而後以五鼎與、曰否、謂棺椁衣衾之美也、曰非所謂踰也、貧富不同也、樂正子見孟子曰、克告於君、君爲來見也、嬖人有臧倉者沮君、君是以不果來也、曰行或使之、止或尼之、行止非人所能也、吾之不遇魯侯、天也、臧氏之子焉能使予不遇哉、

倒裝　四語波瀾蕩漾　二語簡得妙　緩　讀不作尖薄語看

史記叙事、全於描寫得神、點綴盡態、與夫詳略得體處見長、讀此篇始知一部史記全從此脫胎而出、首段將臧倉力沮平公口氣、先佯爲不知之狀于其前、及聞見孟子、復故爲驚異之情於其繼、末君無見焉句、始力爲決絕之語於其終、其描寫點綴處、眞覺盡態極姸、以下兩段、俱複述臧倉之沮、而平公口中止或告寡人三句、而上意便已該括、正子口中止克告于君四句、而來見卒沮兩層之意亦已該括、兩番俱用複述、而妙在段段變化、文章詳略得體之法、於此可悟焉○樂正子告孟子之賢於平公、故欲見之、而文偏突如其來曰魯平公將出、又突如其來曰樂正子入見、若先將樂正子之薦在章首叙出、然後叙平公將見孟子、則平順矣、此無端陡起、末節方補點出克告於君一語、不惟筆法省淨、抑且布局變幻、史公之補序追序、皆此妙也、○行止非人所能、不補天字、而天字於下句點臧氏之子、不補人字、而人字於上句見、此省筆法、亦互筆法、

臧倉者、用者字鄙之也、○臧倉稱孟子、嬖人之辭也、樂正子稱孟軻、君子之辭也、○臧倉以後喪踰前喪毁孟子、則孟父之没、孟子年既長矣、列女傳載孟子三遷之事、蓋孟父官游、而孟母自遷其家也、○前以士四句、不是問辭、乃是折倒平公語、○毛詩巧言篇亂庶遄沮、傳云沮止也、○行或使之、止或尼之、與論語道之將行將廢參看、或字中便隱含天字、不宜將使尼著人上說、別推出所以行所以止一層、○不遇只是不得合遇、不必拘面見、○平公欲見孟子、斷在去齊之宋、去宋歸魯之日、也、孟子再去齊、已知道之不行也、聞宋王偃行王政、遂復之宋、見偃終不足與有爲、不旋踵而即歸魯、蓋自是而數十乘之後車、不復傳食諸侯矣、聞樂正子爲政、喜而不寐者、喜道不行於身、猶得見於及門也、○此篇凡二十二章、合之是一篇大文字、以仁義爲主、中間所言、無非仁義之事、歷叙孟子之見梁王齊王不用、繼至鄒不用、滕國危無可用、歸魯而又不遇、末以天字結吾之不遇魯侯天也、明收一章、暗收全篇、見凡不遇於齊梁諸國、皆天也、序書之法、高妙如此、

孟子論文卷之一終

明治十四年十一月二日版權免許
同　年同月　出版

手錄兼出版人　熊本縣士族　竹添進一郎　清國天津在留

出版人　東京府平民　奎文堂　野口愛　東京日本橋區呉服町六番地

孟子論文卷之二　據朱子集注

竹添光鴻漸卿氏手錄

公孫丑上

夫子當路於齊章　整散相間格

公孫丑問曰。夫子當路於齊。管仲晏子之功。可復許乎（借管晏生波起）。孟子曰。子誠齊人也。知管仲晏子而已矣。或問乎曾西曰。吾子與子路孰賢。曾西蹵然曰。吾先子之所畏也。曰然則吾子與管仲孰賢。曾西艴然不悅曰。爾何曾比予於管仲。管仲得君如彼其專也。行乎國政如彼其久也。功烈如彼其卑也。爾何曾比予於是。曰管仲曾西之所不為也。而子為我願之乎。曰管仲以其君霸。晏子以其君顯。管仲晏子猶不足為與（以此數句作一翻轉入以齊王乃有力）。曰以齊王由反手也。曰若是則弟子之惑滋甚（加一進步）。且以文王之德。百年而後崩。猶未洽於天下。武王周公繼之（先撤）。然後大行。今言王若易然（退還本位）。則文王不足法與。曰文王何可當也。由湯至於武丁。賢聖之君六七作。天下歸殷久矣。久則難變也。武丁朝諸侯有天下。猶運之掌也。紂之去武丁未久也。其故家遺俗。流風善政。猶有存者。又有微子微仲王子比干箕子膠鬲。皆賢人也。相與輔相之。故久而後失之也。尺地莫非其有也。一民

子誠二句，撇筆輕快。

不直說己不為管晏，而以曾西不為襯起，省力跳脫。

爾何曾比，來復又複一句，描畫盡艴然不悅之神。

以齊王猶反手也，陡開出大局面，轉折有力。

且字凌空橫擧，生龍活虎，不可以方其勢。

由湯至失之也，就商一面說時，而時字中又分三層意，尺地三句，就周一面說勢。

齊人有言、亦從子誠齊人生下、

發揮透闢、

末節故字、照前是以字、惟此時爲然、應轉今時則易然也、滴水不漏、

莫非其臣也。然而文王猶方百里起、是以難也。齊人有言曰、雖有智慧、不如乘勢、雖有鎡基、不如待時。今時則易然也。夏后殷周之盛、地未有過千里者也、而齊有其地矣。雞鳴狗吠相聞、而達乎四境、而齊有其民矣。地不改辟矣、民不改聚矣、行仁政而王、莫之能禦也。且王者之不作、未有疏於此時者也。民之憔悴於虐政、未有甚於此時者也。飢者易爲食、渴者易爲飲。孔子曰、德之流行、速於置郵而傳命。當今之時、萬乘之國行仁政、民之悅之、猶解倒懸也。故事半古之人、功必倍之、惟此時爲然。

此言其勢　○一○東○○　○此○然○字○指以齊王言　包德字　二句有功　此○節○連○下○節○讀○　佳○得○筆○力○千○鈞

若叙丑直問孟子所以爲齊者、而孟子答以王道、亦有何味、乃從管晏翻轉下來、又於中再作一曲、於是直接以齊王猶反手文字、便大有波瀾。○管仲功大、晏子功小、引曾西之不屑爲管仲、則不屑爲晏子意自在內、是一筆作兩筆法。○言齊王之易、亦不直叙、又用文王陪來、眞有色澤。○說文王無時勢處、一長一短、文家參差詳略之法。○文王之難、齊之易、皆分時勢、文王段先言時後言勢、齊一段先言勢後言時、而俱用暗寫、不用明點、於中間忽揷齊言、點出時勢二字、此是文之善用虛處。下則止標時字、言時勢即在其中也、王者不作二句連醒時字、至末又結歸時字、五時字互相呼應。○文王段先用一矣字、起文氣甚雍容、下疊用八也字、如飛如掃、又甚擻脫、齊一段上用一也字起文氣甚飄揚、中疊用四矣字、下節疊用二也字、若頓若挫、又甚精悍、末則結以莊重之筆、誠各極其致也。○文章鋪襯點綴處、全憑疊句作勢、篇中前段疊用三個若彼句、中間疊用久矣未久也故久而後失之、寫時之難、疊用莫非有莫非臣、寫勢之難、後段疊用有其地有其民、不改辟不改聚、寫勢之易、疊用未有疏未有甚、易爲食易爲飲、寫時之易、或用疊段、或用疊句、或用疊字、善用疊則文便有勢、讀此可悟。○說時勢關係極重、似把德字抛荒、故橫揷孔子節、見德行固速、況時勢尤易乎、亦文章相救法。○公孫丑將霸王看得極高、孟子看得極輕、丑將王道看得極難、孟子看得極易、後數節於時勢之難易、看得極透、說得極明、此所謂識時之傑也、不然則爲迂闊狂妄矣。德之流行、行仁政二句是一篇歸宿。

曾申字子西、子夏以詩傳曾申、左邱明作春秋傳以授曾申、則是曾西即曾申、爲曾子之子、故正文云吾先子、非曾子之孫也。申爲西方之辰、如春秋楚鬪宜申、公子申皆字子西、可證。○或人之問亦自辦等級、比子路而整然、故就其下等、以管仲比之也、觀然則二字可見矣、不如公孫丑之沒沒也。○何曾猶何乃也。○曾西之不悅、以管仲得君之專、行國政之久、而功烈之卑也、則其心以子路之見於施爲者、爲勝於管仲也、孔子嘗以千乘治賦稱子路、是特舉其所長、非謂其才限於此也。子路

又自許以千乘攝大國、饑饉兵革、爲之三年、有勇知方、孔子雖哂之、哂其不讓而已、非謂其不能也。設使子路居管仲地位、則其功殆有不可測者、揚注以範驅詭遇言之、謬矣。○且以字掌到後崩與猶未字呼應。○言王若易然、易然者猶云易爲也、下文可徵。○故家勳舊世家、謂臣也、遺俗敦龐善俗、謂民也、流風之播恩澤之政、謂君上也。○說文欘斫也、齊謂之鎡錤、說文有斸字、亦訓斫、斫擊也、欘从木、當爲鉏、斸从斤、則斤屬、一以起土田器之句而斫之者也、故曰鎡錤、一以攻木、今木工斧劈之後、木已粗平、然後用欘斤向懷句斫之者是也、二者同名異實、然皆擊而用之、故同訓斫也、蓋曰欘曰斸、皆言其器之爲曲體、無論治田與攻木、並向懷而斫擊之、其倨句之度則皆一宜有半。○今時與今之時不同、今字小頓、時謂時勢。○雞鳴狗吠相聞而達乎四境、亦指三代時事而言、雞鳴狗吠非汎言、雞豚狗彘皆家畜、蓋就食料之饒以見居民之稠也。○地不改辟、改猶更也。○未有疏於此時者、疏久也、淮南子氾論訓云、體大者節疏、高誘注、疏長也、長與久同義。○飢者易爲食二句、易

爲當從我言之食飲並去聲，食飲之也。飢渴固甘食飲，故我食飲之亦易爲耳。若從舊解，飢者甘食，渴者甘飲，則本文作飢者易食，渴者易飲，亦無不可，不必須着爲字。○郵，驛館也。置郵，設置驛館也。風俗通曰漢改郵爲置。置訓驛，非古。

夫子加齊之卿相章　三大段十三問答格

公孫丑問曰，夫子加齊之卿相，得行道焉，雖由此覇王不異矣。如此則動心否乎。孟子曰否。我四十不動心。曰若是則夫子過孟賁遠矣。曰是不難，告子先我不動心。曰不動心有道乎。曰有。北宮黝之養勇也，不膚撓，不目逃，思以一毫挫於人，若撻之於市朝，不受於褐寬博，亦不受於萬乘之君，視刺萬乘之君，若刺褐夫，無嚴諸侯，惡聲至，必反之。孟施舍之所養勇也，曰視不勝猶勝也，量敵而後進，慮勝而後會，是畏三軍者也。舍豈能爲必勝哉，能無懼而已矣。孟施舍似曾子，北宮黝似子夏。夫二子之勇，未知其孰賢，然而孟施舍守約也。昔者曾子謂子襄曰，子好勇乎。吾嘗聞大勇於夫子矣，自反而不縮，雖褐寬博，吾不惴焉。自反而縮，雖千萬人，吾往矣。孟施舍之守氣，又不如曾子之守約也。曰敢問夫子之不動心，與告子之不動心，可得聞與。告子曰，不得於言，勿求於心，不得於心，勿求於氣，不得於心，勿求於氣可，不得於言，勿求於心，不可。夫志，氣之帥也；氣，體之充也。夫志至焉，氣次焉。故曰持其志，無暴其氣。既曰志至焉，氣次焉，又曰持其志，無暴其氣者，何也。曰志壹則動氣，氣壹則動志也。今夫蹶者趨者，是氣也，而反動其心。敢問夫子惡乎長。曰我知言，我善養吾浩然之氣。敢問何謂浩然之氣。曰難言也。其爲氣也，至大至剛，以直養而無害，則塞乎天地之間。其爲氣也，配義與道，無是餒也。是集義所生者，非義襲而取之也。行有不慊於心則餒矣。我故曰告子未嘗知義，以其外之也。必有事焉而勿正，心勿忘，勿助長也。無若宋人然。宋人有閔其苗之不長而揠之者，芒芒然歸，謂其人曰，今日病矣，予助苗長矣。其子趨而往視之，苗則槁矣。天下之不助苗長者寡矣。以爲無益而舍之者，不耘苗者也。助之長者，揠苗者也。非徒無益，而又害之。何謂知言。曰詖辭知其所蔽，淫辭知其所陷，邪辭知其所離，遁辭知其所窮。生於其心，害於其政，發於其政，害於其事。聖人復起，必從吾言矣。宰我子貢善爲說辭，冉牛閔子顏淵善言德行。孔子兼之，曰我於辭命則不能也。然則夫子既聖矣乎。曰惡，是何言也。昔者子貢問於孔子曰，夫子聖矣乎。孔子曰，聖則吾不能，我學不

我四十不動心句，提起通篇。

不動心有道乎一句，關下賓主三項。

養勇是不動心之道，以勇字引起下文大勇，以養字引起下文善養。

黝舍求氣不動心之一道也。

上既埋伏曾子，此便出得有來歷，不同無端扯入。

告子勿求，不動心之又一道也。

孟子求心不動心之正道也。

言浩然之氣，用難言也三字，頓住下兩以其爲氣也唤起，文字極精神。

忽然入一喻，筆有餘閒。

不可爲告子之勿求，亦不可爲黝舍之求氣。

說知言，由外知內，並由內知外，源流分明。

意注願學、倘故意含蓄、留寬步、

仍不說明、蓄勢絕妙、

不動心來歷、原本孔子、前子襄節已隱隱說出、至此點醒、

本是說異、却先寫同處、開合之妙也、

先將三人一提、

說到願學孔子、大意已盡、然不極力推尊、願學意覺索然無甚意趣、故必借三子言補寫在後、方見生民未有之極、而行文亦滿暢無虧、又與前半無數曲折文字、遙遙相稱、此又局法之一定者、

厭而教不倦也、子貢曰、學不厭、智也、教不倦、仁也、仁且智、夫子既聖矣、夫聖、孔子不居、是何言也、昔者竊聞之、子夏子游子張、皆有聖人之一體、冉牛閔子顏淵、則具體而微、敢問所安、曰姑舍是、曰伯夷伊尹何如、曰不同道、非其君不事、非其民不使、治則進、亂則退、伯夷也、何事非君、何使非民、治亦進、亂亦進、伊尹也、可以仕則仕、可以止則止、可以久則久、可以速則速、孔子也、皆古聖人也、吾未能有行焉、乃所願則學孔子也、伯夷伊尹於孔子、若是班乎、曰否、自有生民以來、未有孔子也、曰然則有同與、曰有、得百里之地

（再放開一步、趁勢引入）（陪句、生出下段文字）（至此方落明）（即皆古聖句一宕）（預伏末三）（再緊作一跌）

而君之、皆能以朝諸侯有天下、行一不義、殺一不辜、而得天下、皆不爲也、是則同、曰敢問其所以異、曰宰我子貢有若、智足以知聖人、汙不至阿其所好、宰我曰、以予觀於夫子、賢於堯舜遠矣、子貢曰、見其禮而知其政、聞其樂而知其德、由百世之後、等百世之王、莫之能違也、自生民以來、未有夫子也、有若曰、豈惟民哉、麒麟之於走獸、鳳凰之於飛鳥、泰山之於丘垤、河海之於行潦、類也、聖人之於民、亦類也、出於其類、拔乎其萃、自生民以來、未有盛於孔子也、

（緊頓）（遠放宕瀾）（漸漸緊來）

此篇分三大段、不如曾子之守約也以前、是引起、宰我子貢之詞、敢問夫子之不動心以下、是正意、宰我子貢以下、又是證己之所學出於孔子也、○宰我子貢至末、說願學孔子、意似於知言養氣後另起波瀾、而不知前幅吾嘗聞大勇於夫子節、已藏願學孔子之根、妙在有意無意間、打通血脉、此埋伏法、○欲說曾子之守約、先說孟施舍之守約、欲說孟施舍之守約、先說二子之勇、未知其孰賢、皆停頓作勢法、○孟施舍似曾子節、鎖結二子、帶出守約二字、以起曾子之大勇、夾縫中承上生下、是脫卸法、○孟施舍守約下、突接昔者曾子云云、斷也、說完曾子、又云孟施舍之守氣、續也、此斷續法、○北宮黝之養勇、實敘其事、孟施舍之養勇、就其自言上見得、已變化了、至曾子之大勇、就告子襄語見得、則又變化、乃告子襄者、非己語、却援引孔子之言、玲瓏活脫、則尤變化之至、○告子先我不動心、便含強制意、下文極力敲剝、早已藏根於此、亦埋伏法、○不得於言、勿求於心、以不可二字斷煞、夫志以下、只申明勿求於氣之所以可、而不得於心之亦不可不求於心、不用說出、而意自明、此爲神化之筆、○敢問夫子之不動心、與告子之不動心下、卻先承告子之不動心、我知言、我善養吾浩然之

氣下、卻先承浩然之氣、皆文法變幻處、○不言集義、卻言養氣、又先提氣字、倒捲到配義求心、迷離恍惚、莫可端倪、○疏養氣、詳之又詳、疏知言、數語已了、此文家詳略相間法、○引宋人事、趣甚、如此恣肆大篇、中間略帶詼諧、愈覺閒處生情之妙、而不動苗長者寡矣、不耘苗者也、揠苗者也、正喻相化、神妙之筆、○發揮知言養氣正意已完、後又生出境界、以明願學孔子意、層巒疊嶂、不令人一覽而盡、○只是願學孔子、前不敢以孔子自居作開宕、次以姑舍子夏諸賢、未能行伯夷伊尹作陪襯、何等紆徐不迫、花簇有色、○說到願學孔子、下當問孔子、却問夷尹之班於孔子、說生民以來未有孔子、下當問孔子、却又問夷尹之同於孔子、皆是將合忽離、宕開頓挫之法、○敢問其所以異下、直發孔子矣、却不自說、借三賢之言以發之、運實於虛、玲瓏活變、○一篇純用賓主法、告子是正賓、北宮黝孟施舍亦是正賓、乃言黝舍、忽引出子夏曾子、是子夏曾子爲賓中賓、而其實孟子則由子夏曾子歸到自己、是子夏曾子爲賓中之主、然卽子夏亦是陪出曾子、曾子實爲主中主也、抑不但此、

曾子雖是孟子影照，而曾子之大勇則聞諸夫子，夫子者孟子之所願學者也，是孔子乃此篇主中之眞主，惟孔子爲此篇之眞主，故其後又用子游、子夏、子張、冉伯牛、閔子、顏淵以陪之，又用伯夷、伊尹以陪之，又用堯舜百王以陪之，且又用麒麟、鳳凰、泰山、河海以陪之，賓主之法至斯極矣。

夫子加齊之卿相章講義

公孫丑問曰：夫子加齊之卿相，得行道焉，雖由此霸王不異矣。如此則動心否乎？

加施也，加施齊之卿相於夫子之身也。先言夫子者，提綱之辭。○霸王並稱，特俗常語如此，孟子非屑霸業者，但以問目主意所不干，故不與抵辨耳。○異字作怪字解，言由此而霸王，亦優爲之事，不足怪異也，蓋謂孟子致此不難耳。○不動心不是不恐懼不疑惑，不恐懼不疑惑乃不動心之由，非不動心正面。不動心正面，指未成時無畏其不成之心，既成後無喜其成之心，所謂得失不驚、寵辱

不驚也。朱注於首節遽下恐懼疑惑四字，不是。○是章不必承上章。

孟子曰：否。我四十不動心。

進德人人有遲速，雖聖賢亦不得以年槪之。四十不動心，是孟子自點檢而知之，不當泛作年格，若孔子四十不惑，不當援引傳會焉。

曰：若是，則夫子過孟賁遠矣。曰：是不難，告子先我不動心。

丑言孟賁，並非以孟賁爲不動心者，蓋以力言耳，意謂孟子力能制心，遠過孟賁之力能扛鼎也。若以孟賁爲不動心，則與下是不難句、告子先我不動心句，針鋒皆不相對，可見孟賁與不動心了無交涉也。○丑以孟子爲力制其心，使之不動，故孟子謂若以制言，告子已先我制之矣。○告子與浩生不害，恐是別人。

曰：不動心有道乎？曰：有。

丑問不動心有道一句，開出黝、舍、告子及孟子三道。北宮黝、孟施舍，求氣而心不動者也；告子，不求心并不求氣而心不動者也；孟子則求心而心不動者也。如此看，則此篇自是兩賓一主：黝、舍爲一賓，告子爲一賓，孟子爲一主。講家或謂黝、舍二節影下告子，錯矣。惟曾子之求心，原本於孔子，爲後幅願學孔子伏案，則孟子之求心所自出耳。

北宮黝之養勇也，不膚撓，不目逃，思以一毫挫於人，若撻之於市朝；不受於褐寬博，亦不受於萬乘之君；視刺萬乘之君，若刺褐夫；無嚴諸侯，惡聲至，必反之。

不膚撓不目逃，不猶無也，言其體挺然無膚撓之狀，其視凝然無目逃之狀，摸寫他必勝意如此。若說膚被刺而不撓，目被刺而不逃，則本文宜云膚不撓、目不逃，如是便是無懼，非必勝。○挫，折也。以

一毫挫於人，挫折於人如一毫也。○天子諸侯有三朝，此市朝謂大門外之朝，左傳尸三郤於朝，及論語肆之市朝，皆是也。○撓、逃、朝是韻協。○不受於褐寬博，注云褐毛布，蓋本滕文篇趙注以毳織之，若今馬衣者之文以爲說。考馬衣即左傳定八年之馬褐，蓋以極粗之毛布爲之，若今之毯，雖至賤無以爲衣者，即令爲衣，而織毳皆至煖之物，許子安能常衣，不異暑月之暍乎？若毛布之精者，則又價倍紈綺，故漢書高祖紀令賈人毋得衣錦繡綺縠絺紵罽，注云罽織毛，若今毼及氍毹之屬，皆言其貴也，安得言褐即爲貧賤之服？褐又出北方，南土所無，自非富貴人，鮮有衣褐者。許行生長南楚，服用撲儉，舍其土宜之布，而求褐於北，費愈不憚煩矣。趙注又云：或曰褐，枲衣也，即說文褐編枲衣也、褐編枲韤也之說，蓋編未績之枲爲衣，衣之極惡者。然編枲之衣亦不常見，且許、趙二家皆主衣爲言，似褐乃衣名，如短褐之褐。然考之史記劉敬傳曰：臣衣褐，衣褐見；衣帛，衣帛見。滕文篇亦以衣褐與冠素並言，則褐與帛素相對者也，自當以淮南齊俗訓高注褐大布也之說爲確。寬博云者

謂貧賤之夫。內無褎纊之襯。外披麤布。邊幅不收。即當濶大也。○無嚴諸侯。言不憚大人之巍巍也。

孟施舍之所養勇也。曰視不勝猶勝也。量敵而後進。慮勝而後會。是畏三軍者也。舍豈能爲必勝哉。能無懼而已矣。

孟施。字也。舍。名也。連言之曰孟施舍。猶左傳稱孟明視矣。周官小司徒職曰。凡征役之施舍。鄉師職曰。辨其可任者與其施舍者。然則名舍而字孟施。名字正相應。注以施爲發語聲。不知發聲在首。如吳曰句吳。越曰於越是也。於姓與名中間插一字爲發聲。是不成語。○視不勝猶勝也。不勝謂其勢不敵。必不可勝也。是先戰量度之言。非既戰之事。

孟施舍似曾子。北宮黝似子夏。夫二子之勇。未知其孰賢。然而孟施舍守約也。

曾子數子襄勇。則子夏亦必有得於勇與氣者。雖今不可得而考。觀韓詩外傳載子夏抗言於衛靈公之前。以折勇士夏湯。說與北宮之勇似。注止以學問言之。覺不切。

昔者曾子謂子襄曰。子好勇乎。吾嘗聞大勇於夫子矣。自反而不縮。雖褐寬博。吾不惴焉。自反而縮。雖千萬人。吾往矣。孟施舍之守氣。又不如曾子之守約也。

吾不惴焉。不。豈不也。焉。反語辭。見左傳杜注。戰國策高注。○不縮而惴。即下文行有不慊於心則餒意。縮則吾往。即下文直養無害則塞於天地之間意。兩面推論。以見理直然後氣壯也。

曰敢問夫子之不動心與告子之不動心。可得聞與。

告子曰。不得於言。勿求於心。不得於心。勿求於氣。

不得於言者。不解他人之言也。孟子知言。正與此針鋒相對。勿求於心者。勿求其義於己之心也。不得於言。不得於心。句法正同。而一屬之人。一屬之己。古文多此類。不必拘也。不得於心者。自己行事有不慊於心也。勿求於氣。對北宮黝孟施舍說。黝舍蓋不得於心而求於氣者也。○注云於心有所不安。則當力制其心。而不必更求其助於氣。不知心有不安。何以當求助於氣。氣是何物。求之即可以助心。且如何求助法。及觀小注則朱子又云。不得於心。如應一事差失。接一人差失。此由氣之應接失其道也。正當求其助於氣。悔過謝愆而補其差失可也。告子隨他差失。更不悔過遷善以補之。夫人受天之六氣以生。祇此呼吸周身者。名之曰氣。不知此呼吸周身者。何以應事接人。試思人有心。有身。應事接物。必主之於心。而行之於身。於此呼吸周身者。了無涉也。乃既以應事接人歸之此物。則偶一失道。便當就此物之呼吸周身中求補差失。乃復以悔過謝愆四字當之。謂之補差失。謂之求助。則止此一氣字。與求氣二字。全未有一着落語。以致附和影響之徒。展轉几臬。遂有以耳目手足之形體當氣字者。夫氣與體別。故曰氣者體之充也。若氣即是體。則體者體之充矣。亦思耳目手足何以能餒。何以能剛大。此不容有兩岐語也。蓋不動心有道焉。有養勇一道。皆以氣制心而使之不動。此即告子所云求氣也。有直養一道。則專以直道養其心。使心得慊然而氣不餒。此即孟子所云持志。告子所云求心也。是不動心之道。有直從心上求者。自反是也。有轉從心之所制上求者。養勇是也。曾子自反。只求心。北宮黝孟施舍養勇。則但求氣。告子則不求心。并不求氣。如心不得於言。則當求心。此所貴乎知言也。而告子則惟恐動心。而強而勿求。又如行有不得於心。則仍當求心。自反而縮。則行無不得於心。而心自不動。此曾子與孟子之求心不求氣也。若不得於心。惟恐心動。即急求之氣以強制此心。此黝舍之求於氣也。而告子則既不求心。并不求氣。凡有所不得者。皆一概屛絕。而更不求一得心之道。徒抱此冥頑方寸。謂之不動。此其所以不動心有先於孟子者矣。○心焉能不動。纔說不動。便是道家之嗒然若喪。佛氏之離心意識參。儒者無是也。故孟子平日亦以存心爲主。蓋存心是工夫。不動心是效驗。心之本體。不能不動。學人用功。則不使不動。此不過以鄉相王霸不攖於心，直是得失不讋寵辱不驚一鎮定境界。故孟子自言不動心有道，則明有前事矣。

不得於心，勿求於氣。可。不得於言，勿求於心。不可。

可是可，不可是不可，未有可復不可者。不得心而不求氣，則合當如是，故曰可也。生平既不能自反，而一有不得，則借此虛矯之氣以爲心之制，此黝舍之所爲，豈可爲法。若心不得於言，則正當在心上求，於此不求，當復何待，故不得而不求氣則可，不求心則斷斷不可矣。○不得於言勿求於心，以不可二字斷煞。夫志以下，申明勿求於氣之所以可，而不得於心之亦不可不求於心，不用說出，而意自明。

夫志，氣之帥也。氣，體之充也。夫志至焉，氣次焉。故曰持其志，無暴其氣。

夫所謂不得於心勿求於氣可者何也。心之所之謂之志，志爲氣之帥，氣爲體之充，志之所至氣卽

無不隨，故君子之功，但持其志，力求之於心，以直自守，而氣之在體，則第不暴戾，而使之充周已耳。此不得於心勿求於氣之所以爲可也。○至者，至到之至，非極至之至。次者，次舍之次，非次第之次。志至焉，氣次焉，志之所至而氣從之之謂也。小注周禮官正掌次，天官書元枵之次，星紀之次，皆同謂志是第一件，氣是第二件，則與下公孫丑何也一問有礙，祇因志所至而氣卽止，同功一體，不容兩事，故有既曰又曰之辨，且至於此曰至焉，次於此曰次焉，兩焉字卽兩相應詞，若是等第，則宜如論語生知上也，學知次也，直作煞上詞，未有以第一第二作呼應者。○自反之學，只是求心，故曰持志，若不問其縮與不縮，而徒曰雖千萬人吾往矣，是孟施舍所爲能無懼者也，不知持志而但知守氣，是暴之也。○小注云，如當喜當怒，便是持志，喜怒得過分，便是暴氣。夫喜怒情也，非氣也。今既以喜怒屬志，又復以喜怒屬人之氣，則志氣喜怒無分，且未有喜怒失中而歸其咎於氣者，特怒極亦能暴氣，然怒極與暴氣到底兩層，惟怒故暴，非怒卽暴也。若喜則與暴無涉，卽喜有過分，亦祇能動

氣，而必不能暴，且所謂持志，只當喜當怒四字盡之，則其所謂過分者，是喜怒自暴，並無有從而暴喜怒者，然則氣何以暴乎。○北宮黝孟施舍之不動心，可以爲忠義氣節之士，亦可以爲犯上作亂之流，卽其爲忠義氣節，亦止氣不肯下耳，非眞知其理之當如是而循理以爲之也。告子之不動心，可以爲淡泊寧靜之士，亦可以爲剛愎自用之人，卽其淡泊寧靜，亦止是堅守此心耳，非眞知其理之當如是而循理以守之也。

既曰志至焉，氣次焉。又曰持其志，無暴其氣者，何也。曰。志壹則動氣，氣壹則動志也。今夫蹶者趨者，是氣也，而反動其心。

志壹動氣，自然之理，惟志壹能動氣，故志至而氣卽從也。若氣壹動心，則帥轉爲卒，所動反常之道，故須無暴。○蹶者趨者，是氣也，謂氣偏在於此，以至於暴也，語勢急，故文省耳。○持志無暴，氣總是

心功，非有氣功，所云無暴，纔有檢點，并無功夫也。告子勿求氣所以爲可，若不求心則悖矣。

敢問夫子惡乎長。曰。我知言。我善養吾浩然之氣。

我知言，謂我與告子之不得於言相反也。我善養吾浩然之氣，謂我與告子之勿求於氣已不同，而與黝舍之專求於氣更相反也。○不動心雖由知言養氣二端，而工夫尤重在養氣，觀下文說知言處別無工夫可見。○緊要處在一善字，下文必有事焉云云，卽善養注脚。○浩然之氣，以其既養成者而言，故曰吾浩然之氣也。吾字可見孟子所獨有而非人人有之也，殊非復初之謂。注以浩然爲固有，失正意。夫所固有只是氣矣，豈自能浩然哉，故孟子養之云爾。凡孟子論性，每揭固有之善，輒繼之以養之之方，若曰人皆可以爲堯舜，謂有可爲堯舜之性存焉，非謂赤子之心全與堯舜之德同也。養性養氣，意思正同，宋諸儒主張固有之善大過，衆善衆德皆歸之復初，是故克治之功勤，而擴充之旨微矣。其理氣之說與孟子不相符者皆坐此。

敢問何謂浩然之氣。曰難言也。

丑先問氣者、注語承上文論志氣、似不允、凡古書中問答、甲有前後二語、則乙先從後語問起、此例極多、

其爲氣也、至大至剛、以直養而無害、則塞于天地之間。

至大至剛、亦以其養成者而言、其爲氣其字、緊承上文浩然之氣、下節微之、○至大至剛、正言浩然、卽下文塞於天地之間、意蓋從直養而無害來也、○直卽義也、○直養、集義、有事、勿忘、對針告子之勿求、無害、及配義與道、勿正、勿助、對針黜舍之求氣、○至大至剛節、是言氣之浩然、配義與道節、從氣歸到道義、是言氣本於道義、非若黜舍之徒求於氣也、是集義所生節、從義歸到心、是言義本於心、異於告子之勿求於心也、必有事焉節、引揠苗事、又是言黜舍之謬、過於告子也、

其爲氣也、配義與道。無是、餒也。

義道只是一箇理、自人之處此理謂之義、自天之賦此理謂之道、特補道字、以助文勢耳、○下節曰生、則所謂配者非合而有助之謂也、蓋氤氳而化之謂也、○是字語助辭、論語季氏篇、求無乃爾是過與、襄十四年左傳、晉國之命未是有也、以是字爲語助辭、古書多例、餒是氣餒、不當作體餒、注是節說無氣之餒、而下節說無道義之餒、非也、夫無氣之餒義未安、況兩餒字豈容兩邊說、○以下三節、是覆說上一節、以申明其義、故仍以其爲氣也喝起、此節則推原其所以塞于天地之間之故、語意蓋謂所以能塞於天地之間者、蓋其爲氣也、非黜舍之所謂氣也、黜舍之謂氣者、離義與道而言之也、吾之所謂氣者、以與道義合一者而言之也、此氣配道義、故無餒而能塞於天地之間、若無道配之則餒矣、何以能塞於天地之間乎、

是集義所生者。非義襲而取之也。行有不慊於心則餒矣。我故曰告子未嘗知義。以其外之也。

集義則事事慊於心、而氣自生、○此節申釋以直養之意、而歸到心、義卽直也、以直養者、以義養也、養之以義、故能集義而生也、太意若曰、此氣是求義於心、集義而生者、非以義爲在外襲焉而取之者也、觀行有不慊於心則氣餒、可知氣生於義、而義載於心、則心中有義、而不可不求於心也明矣、而告子不得於言、曰勿求於心、不得於心、亦不知求於心、而但曰勿求於氣、我故嘗曰告子未嘗知義、蓋以其外義於心、而一概勿求也、○非義襲而取之、注云非由只行一事偶合於義、便可襲於外而得之也、未妥、凡人一有不慊於心則氣餒、一事偶合於義、能慊於心、則此時之氣便壯、不可以言襲取、義襲而取、言以義襲焉而取此氣、蓋是見得義在此處、便假托而行之、以張吾氣耳、如齊桓召陵之師、便是看得責他包茅不貢、問他昭王不復、是義之所在、便假託此義以征之、其實不過借其名、以遂其私耳、及屈完問諸水濱、一對齊桓便索然而餒矣、蓋吾心不能無愧怍故也、然則義豈在外、而此心豈可不求哉、○無道義則氣餒可知、徒求於氣者非也、行不慊心則氣餒、可知勿求於心者非也、

必有事焉、而勿正心。勿忘。勿助長也。無若宋人然。宋人有閔其苗之不長而揠之者。芒芒然歸。謂其人曰。今日病矣。予助苗長矣。其子趨而往視之。苗則槁矣。天下之不助苗長者寡矣。以爲無益而舍之者。不耘苗者也。助之長者。揠苗者也。非徒無益。而又害之。

此節論養法、以申明無害之義、○孟子論養氣、整整有次序、上曰至大至剛、論其體段、配義與道、推論其所以然、是集義所生、論其所生、必有事焉、論養之之法、集義自是集義、養氣自是養氣、集義工夫不可便有斟酌、故必有事焉、謂就集義上一面別有一段養法、以此當一件事、存之於心也、既存

之於心、恐其期待也、故曰勿正心、既使勿正、恐其不存也、故曰勿忘、既使勿忘、恐其助長、故曰勿助長、四者渾是養氣工夫、在集義上一面用此培養之法、孟子至是詳論善養之法也、今夫天下之行義者、未可謂必皆善養氣、則其自謂善養者、其必有所自覺者、且如種樹、所用力者在水土、而必須生枯存于心、如烹物、所用力者在薪火、而必須生熟存于心、行一事之合於宜、其慊於心者、自認而不失、日行日認、存存在心、是必有事焉之謂也。○正字、借射之正鵠而言、故爲期限之義。○勿助長也、也字非衍文、蓋助長以上是正意、無若以下是譬喩、故下一也字、以結上文也。○揠、小爾雅拔心曰揠、以爲無益而舍之、指告子之勿求於氣、天下之不助苗長者寡矣、指北宮黝孟施舍一輩人。○害字、卽申明以直養而無害之害。○前幅言孟施舍之守氣、是以求氣陪求心、非以求氣陪養氣、精義以知言、求心也、集義以養氣、亦求心也、求心二字包括知言養氣兩條。○細玩善養數節語意、闢告子意重、闢黝舍意更重、觀引揠苗一段、及以爲無益而舍之者五句、可見蓋戰國時、多刺客、尚戰

功、擾害生民、其禍更烈、故孟子痛切言之、而或者以爲專闢告子、而以黝舍爲賓中之賓、此書遂不可解矣

何謂知言。曰、詖辭知其所蔽。淫辭知其所陷。邪辭知其所離。遁辭知其所窮。生於其心、害於其政。發於其政、害於其事。聖人復起、必從吾言矣。

知言、知他人之言也、孟子不得於他人之言、則輙求之於己之心、積學之久、能喩他人之言所由出、故聞詖淫邪遁之辭、則知其心受蔽陷離窮之病、也、詖淫邪遁是病症、蔽陷離窮是病根、須四件各說爲是。○四知字、當做照破透徹意、認其辭之詖淫邪遁、已是知言、遂討出其心之蔽陷離窮、是其照破透徹處。○本文偏擧言之病、而知言之正亦可倒推矣、且言之病亦不止於此、今姑擧類耳。○凡從皮之字、皆有分折之義、分則偏、偏則各持一說、此詖之正義也、淫爲浸淫、隨理、蓋水循理隙而入、浸漸其中、不得復出、荀子非十二子、所謂持之有故、言之成理、是淫辭之有所陷入也、此與滕文公下篇好辯章互相發、彼云吾爲此懼、閑先聖之道、距楊墨、放淫辭、邪說者不得作、作於其心、害於其事、作於其事、害於其政、聖人復起、不易吾言矣、又云我亦欲正人心、息邪說、放淫辭、則是詖淫邪三者、楊墨兼有之、蓋楊偏執於爲我、墨偏執於兼愛、是詖也、楊之爲我、有合於曾子居武城、墨子兼愛、有合於禹稷三過其門而不入、各浸淫失其本、則淫也、至於無父無君則邪也、生於其心四句承上、蔽陷離窮皆心也、詖淫邪遁生於心之蔽陷離窮、是生於其心也。○上文不得於心、謂己心、此生於其心、謂爲四辭者之心、故曰其。○聖人復起句、惟承生於其心四句、四句卽所謂吾言矣、不連蒙詖淫邪遁句、滕文公篇可徵。○知言蓋於從政者尤爲要務、不知言無以知人、所以不免於疑惑也、言者心之聲也、凡詞爲詖淫邪遁者、其心必有所蔽陷離窮、故從其言倒討到於心、畢竟人不能廋矣。○此節緊對告子之不得於言說、因其詖淫邪遁之辭、得其所蔽陷離窮、且因其心而得其所害之政與事、一得而無不得、告子有是乎、知言則無所疑、養氣則無所懼、此所以不動心也、黝舍告子何足云、

宰我子貢善爲說辭。冉牛閔子顏淵善言德行。孔子兼之、曰、我於辭命則不能也。然則夫子既聖矣乎。

善爲說辭、說音義與游說之說同、此與蘇張游說有邪正之分而已、字義則一矣、說者平常應酬上時亦有之、不必指于諸侯、辭是辭命矣。○善言德行、言字輕看。○然則夫子既聖矣乎、丑蓋疑必從吾言之言、非疑知言、知言是知人言、與詞命無干涉、注渾看、誤

曰、惡、是何言也。昔者子貢問於孔子曰、夫子聖矣乎。孔子曰、聖則吾不能。我學不厭、而敎不倦也。子貢曰、學不厭、智也。敎不倦、仁也。仁且智、夫子既聖矣。夫聖

孔子不居。是何言也。

惡不然之詞也。○學不厭，即智之事矣，敎不倦，即仁之事矣。唯智也故不厭，唯仁也故不倦。子貢就不倦不厭，推知其仁智也。已注兩所以句，舛。

昔者竊聞之，子夏子游子張皆有聖人之一體，冉牛閔子顔淵則具體而微。敢問所安。曰姑舍是。

姑舍是，學者當志孟子之所志，有必求爲聖人之志，而後學可得而言。孟子於聖雖謙不敢當，而亦不欲以數子自處，則其所志之槪可見。

曰伯夷伊尹何如。

何如字屬二子，不屬孟子。蓋丑意，汎問二子何如，因以探孟子地位耳。

曰不同道。非其君不事，非其民不使。治則進，亂則退，伯夷也。何事非君，何使非民。治亦進，亂亦進，伊尹也。可以仕則仕，可以止則止，可以久則久，可以速則速，孔子也。皆古聖人也。吾未能有行焉。乃所願則學孔子也。

不同道，謂伯夷伊尹不同道也。告子下篇答淳于髡，亦擧伯夷伊尹柳下惠曰，三子者不同道，其趨一也。正與此同。○注遯國餓死，當刪，此不必誦。

伯夷伊尹於孔子，若是班乎。曰否。自有生民以來，未有孔子也。

班，序列也。謂高下序列不甚相遠耳。非全齊等，又非形容之辭。

曰然則有同與。曰有。得百里之地而君之，皆能以朝諸侯有天下。行一不義，殺一不辜，而得天下，皆不爲也。是則同。曰敢問其所以異。曰宰我子貢有若，智足以知聖人，汙不至阿其所好。

汙字注作汙下之汙解，非也。夫三子命世之賢，智足以知聖，何云識見汙下乎。古訓，汙迂諸字皆有大義。詩溱洧洵訏且樂，毛傳訏大也。禮記文王世子，況于其身以善其君乎，鄭注于讀爲迂，迂猶廣也，大也。檀弓于則于，正義曰于音近迂，迂是廣大之義。淮南原道訓而隤陷于汙壑穽陷之中，高誘注汙壑大壑。成公綏嘯賦大而不洿，李善注洿漫也。潘岳西征賦注汙與洿古字通。此言三子縱爲大言，必不肯阿私所好以譽其師，所謂言有大而非夸也。

宰我曰，以予觀於夫子，賢於堯舜遠矣。

賢於堯舜，亦以德而言也。若夫孔子之敎萬世服從者，自今日言之則可，宰我之時，未能預信其必然而言之也。且謂聖不異，則與下文子貢有若之語背馳，程說不當采入。

子貢曰，見其禮而知其政，聞其樂而知其德。由百世之後，等百世之王，莫之能違也。自生民以來，未有夫子也。有若曰，豈惟民哉。麒麟之於走獸，鳳凰之於飛鳥，太山之於丘垤，河海之於行潦，類也。聖人之於民，亦類也。出於其類，拔乎其萃。自生民以來，未有盛於孔子也。

趙注曰，垤蟻封也。集注因之。然蟻封者，穴外之浮壤耳，其高不能以寸，其大不足以觀。巖巖泰山，安得謂之同類。且堯戒曰，戰戰慄慄，日愼一日，人莫躓于山而躓于垤。新論曰，跨阜垤而好顚蹶者，輕于小也。若是蟻封，豈亦能顚越人乎。蓋垤有二義。豳詩曰，鸛鳴于垤，婦嘆于室，二句蒙上零雨來，故

標出一心字是此章骨髓

毛傳訓垤爲螘塚此與堯戒之垤其義各殊柳宗元斬曲几文曰訖地塊垤此與郤垤之垤皆謂土地突起如小阜者非螘封矣堯戒新論之垤義亦同此○豈惟民哉一句直冐全節言豈惟凡民不及孔子哉雖自古有許多聖人其於凡民亦猶麒麟之於走獸鳳凰之於飛鳥泰山之於郤垤河海之於行潦耳皆類也若出類拔萃則惟孔子獨耳或疑出類四句俱就孔子講則是群聖人與凡民比而同之何不均之甚殊不知抑揚之詞多有如此者不必疑也且自文不已明曰聖人之於民亦類也乎不可泥於注而明背經文也

以力假仁章　借客形主格

孟子曰以力假仁者霸霸必有大國以德行仁者王王不待大湯以七十里文王以百里以力服人者非心服也力不贍也以德服人者中心悅而誠服也如七十子之服孔子也詩云自西自東自南自北無思不服此之謂也

此章雖以霸王並言其實以霸形出王來霸是客王是主上引湯文証不待大句下引孔子與武証中心悅服句但証王者不証伯者有賓主輕重之法○七十子之服是虛形引詩是實証○前段不用一虛字煞脚後段却連用五也字取致於此可悟文家音節

力是德之反如威力勢力皆是不必拘土地甲兵○伯必大國如當時齊晉秦楚人所共知也至於王不待大後人久不見矣故前引湯文後引有聲以實之○文王之始實不止百里孟子蓋大概言之耳

仁則榮章　雙起雙收格

孟子曰仁則榮不仁則辱今惡辱而居不仁是猶惡

前起後結對舉以爲章中幅抑揚以爲正看似平平兩對實以不仁爲主局陣之妙迷人心目

賓甚詳而主却略

又提一句開下作收局愈必益切

五段漫空蟲起勢如

濕而居下也如惡之莫如貴德而尊士賢者在位能者在職國家閒暇及是時明其政刑雖大國必畏之矣詩云迨天之未陰雨徹彼桑土綢繆牖戶今此下民或敢侮予孔子曰爲此詩者其知道乎能治其國家誰敢侮之今國家閒暇及是時般樂怠敖是自求禍也禍福無不自己求之者詩云永言配命自求多福太甲曰天作孽猶可違自作孽不可活此之謂也

此爲當時不仁者而發今惡辱二句是通章之主說仁處榮處是賓末用雙結意亦重在不仁邊○通篇文情俱從今字生出來故首二句雖平列總冐而意實側注不仁之辱蓋不仁者及時行樂而自取其辱何如及時圖治而自居於仁者之有榮而無辱乎前從惡辱轉到居仁以福自己求陪出禍自己求用及是時三字兩相比較尤能發人深省至雜引詩書旁證聖訓低徊詠歎如聞太息之聲更覺文情無盡○引詩作喻與惡濕句掩映引孔子說詩道出正意

惡辱即羞惡之心也由義以求仁孟子之教每每如此○濕宜作溼素問生氣通天論云秋傷於溼注溼謂地溼氣也○賢者在位是貴德能者在職是尊士朱注以貴德尊士爲一事不妥○桑土韓詩作桑杜毛詩釋文云土音杜方言云東齊謂根曰杜○下民只是人也鳥在樹上而言故曰下民耳○般旋也樂而又樂樂而忘返有般旋之意○詩小雅嘉賓式燕式敖毛傳云敖遊也說文出部云遨出游也敖同遨○永言配命言助字也在詩者皆同廣雅釋詁云配當也○天作孽謂天之爲孽自作孽做此孽當作蠥說文蠥从虫薛聲孽庶子也从子薛聲

尊賢使能章　倒綱格

孟子曰尊賢使能俊傑在位則天下之士皆悅而願

風檣陣馬、青摃與倫、

通體精神、全在信能行三字、吃緊得力、率其子弟攻其父母、說得親切動人、

立於其朝矣、市、（市字單提、二句對敘）廛而不征、法而不廛、則天下之商、皆悅而願藏於其市矣、關、（提關字單行、）譏而不征、則天下之旅、皆悅而願出於其路矣、耕者、（提耕者、亦用單行、）助而不稅、則天下之農、皆悅而願耕於其野矣、廛、（提廛字、單句兼行、法又變、）無夫里之布、則天下之民、皆悅而願爲之氓矣、信能行此五者、則鄰國之民、仰之若（此是頓筆、）父母矣、率其子弟、攻其父母、（此是下句原筆、）自生民以來、未有能濟者也、（接頓有力）如此則無敵於天下、無敵於天下者、天吏也、然而不王者、未之有也、

此篇前列五段、後用單收、此是文中倒綱掐末段法、無敵于天下句、收上天下之士與天下之農商旅氓、末又以一王字收上五者之政、上是目、下是綱、先目而後綱、文章倒綱之法、盡于此文、○此章轉關處、在信能行此一句、上收上五節、起下節、天吏二字、是孟子獨造文家鍊字之法、如此、○爲之氓矣下、本可直接無敵於天下、必再加兩層者、蓋不推原其所以然、則意不醒也、

廛而不征、以市肆言、計廛收其宅稅、不復征其貨也、法而不廛、以市場言、無肆立持、治以司市之法、不計廛取其地稅也、廛本死字、今却作活字用、言取其稅也、張子逐末者多、廛以抑之之說非也、抑末起於漢祖、高祖恨賈人、稽市物、米石萬錢、馬一匹百金、天下已平、令賈人不得衣絲乘車、重租稅以困辱之、後人因有抑末之說、若聖賢之言則但曰、來百工則財用足、商賈皆欲藏於王之市而已、無所謂抑末云云也、○助而不稅句、孟子他日引詩雨我公田、以證周行助法、則當時諸國無行助法者、此欲其復助法而革稅畝之法、注云私田則猶有公田、非孟子之意也、○凡民居區域關市邸舍、通謂之廛、上文廛而不征法而不廛之廛、是市宅也、廛無夫里之布之廛、謂民居、卽周禮上地夫廛、許行願受一廛之廛、非市宅也、布者泉也、卽錢也、非布帛之布、里謂里居、卽孟子收田里之里、非

二十五家也、蓋夫布是戶別錢、里布是地子錢、當時蓋謂民無田者亦不可無上供、於是令戶別出錢、名之爲夫布、謂宅不毛者亦不可無上供、於是令出地子錢、名之爲里布、然其多少之數則不可考、孟子本意、原是說廛無夫之布、里之布、省言之故曰夫里之布、廛原有廛布、卽地租也、又收夫里之布、所以爲虐政、夫有田而不耕、宅可毛而不毛、罰之可也、豈可施諸無田業之貧民、環堵之窮人、欲耕而不能、欲毛而不得者哉、○上節廛字活、又在市中、此廛是死字、謂邑居之宅耳、二者大不同、注已賦其廛句舛、市宅句亦謬、○氓與民小別、蓋自他來徙之民則謂之氓、故字從民亡、此囊傭賃客作以給食、又與工商異、○五者、是五節各上半截、民字包士商旅農民在內、

首句之下、本可云有不忍人之心、當行不忍人之政、今却推到先王上去、妙妙、

乍字妙、

仁爲元善之長、故惻隱居衆情之首、羞惡辭讓是非、俱以惻隱打頭、殊非判然爲二、渺不相涉也、唯並及之、道理乃全、而文氣亦暢、

反擊正接、勢如風雨、

人皆有不忍人章　逐段提喝、逐層推開格

孟子曰、（開門見山）人皆有不忍人之心、先王有不忍人之心、（接得緊）斯有不忍人之政矣、以不忍人之心、行不忍人之政、治天下可運之掌上、（補寫有法）所以謂人皆有不忍人之心者、今人乍見孺子將入於井、（指點得親切）皆有怵惕惻隱之心、（不忍替身）非所以內交於孺子之父母也、非所以要譽於鄉黨朋友也、非惡其聲而然也、（連用三也字有致）由是觀之、（四應皆有）無惻隱之心、非人也、（類敘法）無羞惡之心、非人也、無辭讓之心、非人也、無是非之心、非人也、（趁勢又用四也字）惻隱之心、仁之端也、（推原）羞惡之心、義之端也、辭讓之心、禮之端也、是非之心、智之端也、（又用八也字）人之有是四端也、（承上起下）猶其有四體也、（喻切）有是四端、而自謂不能者、自賊者也、謂其君不能者、賊其君者也、凡有四端於我者、（正入擴充）知皆擴而充之矣、若火之始然、泉之始達、苟能充之、

說到盡頭卽住。愈見氣力雄拔。

足以保四海。苟不充之。不足以事父母。

首句開端。卽標出一仁心。使人知而推之也。先王是能推的樣子。治天下運之掌。卽保四海也。下文將此仁心指點出來。見人旣皆有是心。則推是心以加之人。亦非人所不能者。故反覆以發明之。正使人人知之。人人推之也。歸穴在知皆擴而充之句。○由是觀之一句。開下半篇文字。蓋前半只說不忍人之心。將此一句推開。便由惻隱說到羞惡辭讓是非。又說到仁義禮智。俱從此一句發出。文章有用一句展拓者。皆如此法。前半明其皆有。故說心。後半欲其擴充。故說端。前說先王用斯有二字。說得自然。後望世主。連用三個能字一個知字。說得勉然。此是用字細密處。入井段疊用非所以三句。中間疊用非人也。及仁之端也等句。段段用疊。此是襯筆作勢處。○不忍是一層。擴充是一層。重在擴充而講。不忍處偏多。此行文之妙訣。○當世諸侯是主。先王是賓。怵惕惻隱是主。納交要譽惡聲是賓。四端是主。四體是賓。知擴充是主。火然泉達是賓。能充是主。不能充是賓。而運掌四體火然泉達三番入喩。更極花樣。說理文字。如此絢爛可悟爲文之道。○中間連用多少也字。勢如花飛蝶舞。前後却語語斬截。屹如山岳。

皆有是固有。先王斯有。是能推其固有。○此章特以人而言。不兼物。人皆有不忍人之心。此只就人性論其所固有也。非討固有之出處。注天地生物心不必講。○次節注云惟聖人全體此心。隨感而應云云。理固如此。而孟子語意只說先王不徒有其心而必有其政耳。未嘗以先王之無待於擴充與衆人之有待於擴充較量聖凡也。此節緊接首節說。便隱然見得人當擴充。○今人乍見。今字小頓。假設之詞。或連人字讀。非是。○內交。古與納通。○非人也。言非人則禽獸矣。旣是人矣。則必有是四端也。不須慮其無也。語氣尤緊。○羞惡一類。惡亦惡己之不義。惡猶忌也。○惻隱羞惡辭讓是非。須就常人之情自然發出者說。○仁義禮智元是德名。性者具是德之種子而已。唯其然。故或謂仁義禮智爲性。一轉言之耳。若是章仁義禮智。還其本位。端者將成之端緖。蓋謂人性善。自然有惻隱之心。擴而充之。則德斯立矣。名之爲仁。故曰仁之端也。羞惡以下倣此。又推而言之。惻隱之心卽是仁心矣。故下篇曰惻隱之心仁也。○自謂不能能字能全其有也。卽能惻隱能羞惡。卽含下擴充意。但語意且渾。○自賊。卽自棄矣。是人之無志氣者。未當以欲蔽斷之。○知皆擴而充之。知字不可輕看。擴充謂養之長之。以極其大也。注滿本然之量。仍是復初之說矣。恐非孟子之旨。蓋性者水源也。四德者江河也。而四端是水源發動之處。苟理導無壅塞。必能成江河也。水源雖微乎。江河之理存焉。故曰性具四德也。乃謂水源卽江河。不須理導。豈其然乎。○始字見方盛之勢。○知皆擴而充之四句。是就功夫說。言能知擴充。則下面由不忍以達之於所忍。由不爲以達之於所爲。工夫自住不得手。至苟能充之四句。則是就效驗說。以見不可不擴充。所以勉當世之人君也。下四句能充不能充卽是能擴充不能擴充。不言擴字者。省文也。從上文一氣讀來。細玩語氣確是如此。注旣曰不能自已。何以又曰不能充之可疑。○凡有四端四句。是言擴充之易。苟能充之二句。是言擴充之效。各不相蒙。不可牽連說下。苟能充之。所謂以不忍人之心。行不忍人之政也。足以保四海。所謂治天下可運之掌上也。○外注程子第二條不可從。孟子明明把四體譬之四端。乃今攙入信字以爲說。亦沿襲漢儒之誤。

影喩而起。勢如天外飛來。

忽入喩以映首節。

莫如爲仁。是本章主句。

矢人章 借說到底格

孟子曰。矢人豈不仁於函人哉。矢人惟恐不傷人。函人惟恐傷人。巫匠亦然。故術不可不愼也。(妙從反面入)孔子曰。里仁爲美。擇不處仁。焉得智。(卽透下求己意)夫仁。天之尊爵也。人之安宅也。(夾槪沫)莫之禦而不仁。是不智也。不仁不智。無禮無義。人役也。人役而恥爲役。由弓人而恥爲弓。矢人而恥爲矢也。(正面只一句)如恥之。莫如爲仁。仁者如射。射者正己而後

〇喩〇生〇求〇而〇更〇義〇不〇同〇
發發而不中不怨勝己者反求諸己而已矣

大意爲恥人役者進以仁也但祗說恥爲人役當求仁之在己難得醒快要之仁原尊爵安宅何苦自入於不仁而爲人役分明是不智了故借孔子言引起來而又先從矢函術異人當愼重遠遠跌入由前看來眞有無數曲折後又追進一層爲仁由己之意借射點醒能使愚迷心動〇此章空中游行一筆不著活潑變化不可端倪劈頭喝一層云矢人豈不仁於函人哉陡然而來第二層承上分疏幾只兩句第三層疊上一句巫匠亦然使上無單弛下無徑遂之病第四層故術不可不愼也就上一束第五層引証孔子云云正入仁字又將擇字上與愼字相箭下與智字相生然却說擇里而處殊飄忽第六層提仁實講尊爵安宅點綴殊妙尊爵上照矢函巫匠下照人役安宅映帶仁里聖賢雖不作意爲文然亦奇合第七層莫之禦云云鎖上不智又帶轉不仁第八層兼承不仁不智備舉無禮無義而斥之曰人役也然語却輕按筆不少留第九層忙接人役逗出恥字而申之曰猶弓人而恥爲弓矢人而恥爲矢飛翔之勢映合之情眞仙筆也第十層云如恥之莫如爲仁又帶上恥字振起文勢竪立章旨第十一層仁者如射云云以反求諸己實闡爲仁要指收束全局而其妙處在射上設色此章只二十六句而有十一層幾於一字一轉一字一意若其篇法之妙本說仁先說不仁又說不智又說無禮無義紛紛錯錯令人目光欲眩又此章開口說矢人中間又說弓矢末又說射只就一邊借影若有意若無意離合俱化全以神行

首節仁字與後節數仁字毫無干涉首節原是與體不可牽入正意〇巫匠亦然巫即醫也楚辭天問篇化爲黃熊巫何活焉王逸注云言鯀死後化爲黃熊入於羽淵豈巫醫所能復生活是巫醫古得通稱蓋醫之先亦巫也說文酉部曰古者巫彭初作醫是也故廣雅釋詁曰醫巫也巫之與醫對文則別散文則通孟子所謂巫止是醫耳〇里仁爲美里人所居故趙注云里居也此言所以居身之地故下文云擇不處仁〇尊爵與安宅並稱則亦只謂尊貴之義注謂仁尊於智禮義故曰尊爵似鑒〇不仁不智無禮無義四德之叙始乎仁終乎智既不仁不智則禮義烏有文義如此〇仁統義禮智以四者分之仁其體而義禮智用也故有由義禮智以求仁者擇不處仁焉得智是由智以求之者也如恥之莫如爲仁是由義以求仁者也正己而後發反求諸己是由禮以求仁者也

說舜之大處渾郁深至有笙歌墨舞之樂

子路人告之章　三段逐層遞進格

孟子曰子路人告之以有過則喜（從對面說來）禹聞善言則拜（從本面說）大舜有大焉（變〇總〇綱〇下〇二句爲目）善與人同舍己從人樂取於人以爲善自耕稼陶漁以至爲帝無非取於人者取諸人以爲善是與人爲善者也故君子莫大乎與人爲善

喜字拜字緊相對針兩大字緊相呼應〇舍己樂取兩面說來方完同字意但舍己在前樂取在後雖非舍己陪樂取而樂取實該舍己故下面直跟取字說去正以見解理之圓〇子路喜聞過大禹

拜善言本不是小小分量然取同善之舜對照互勘猶嫌未大蓋舜之同善橫竪說來俱見渾淪包括流行不息之狀直與天地同其覆載此何等分量今卽其橫竪說者細分之內而己外而人同在善中己不舍微有意見之私而不能淨盡卽天理不能流行何以從人非同也且取而不樂稍涉勉強之迹將善推在人上着力去取己將善離了亦奚以同乎玆則舍己爲樂取之根樂取見舍己之至人己兩忘渾然大同此橫說也夫人己兩忘渾然大同者一日如此終身無不如此由窮而達總無間斷如天地之化流而不息此竪說也如此同善於人而人之生於此世不識不知順帝之則日遷善而不知其爲之者過化存神之應亦於此著矣嗚呼大哉〇末句六字妙在不粘舜說而正是應舜之大

聞過則喜實爲百世學者之標的視之若易實體則難孔門之爲學進之勇而有力者無如子路惟孟子深知之所以每每拈出以示學者〇喜字狀眉字不可掩拜字狀兩膝不覺屈同字狀物我一

體形迹泯然○拜善言只好善之心切至不必作忸己○與人爲善猶曰與人共爲此善也與如字卽上文善與人同之與注說涉形迹不是

伯夷非其君章 兩大扇一結格

孟子曰伯夷非其君不事非其友不友不立於惡人之朝不與惡人言立於惡人之朝與惡人言如以朝衣朝冠坐於塗炭推惡惡之心思與鄉人立其冠不正望望然去之若將浼焉是故諸侯雖有善其辭命而至者不受也不受也者是亦不屑就已柳下惠不羞汙君不卑小官進不隱賢必以其道遺佚而不怨阨窮而不憫故曰爾爲爾我爲我雖袒裼裸裎於我側爾焉能浼我哉故由由然與之偕而不自失焉援而止之而止援而止之而止者是亦不屑去已孟子曰伯夷隘柳下惠不恭隘與不恭君子不由也

反襯　正解順行　句法稍變　反說更暢滿　淘涤生色　代描曲至　亦反宕取法撇　㬋然而進

伯夷節一步緊一步寫出一個隘來柳下惠節一步寬一步寫出一個不恭來而不說出隘與不恭直至末節斷論然後點出此是文章用伏脈法○夷惠兩節俱一樣收束法而敘述得甚歷落盡致正敘夷中加一二形容語又作一推原語敘惠又夾述惠之自己言語而以一句總形容之文字方不板直此其相救法也○一篇中用兩個孟子曰惟此篇與聖之清章先敘事而後論斷史記太史公曰做之○結處分明是願學孔子而不說出最有餘情若竟明提孔子壓倒夷惠以時中與隘不恭互相比較便無此雋永之味

推惡惡之心是孟子推究到底抽出伯夷心中細微處說如此較前更進一層○思字棠下十七字

第一層是實事、第二層是其心、第三層是從其心推到其心、第四層打轉第一層、玩是故字可見、

與鄉人立至去之其事也若將浼其思也思字若字正與北宮黝章伊尹章同○望望如怨望之望望不是○不自得之貌是由由之反對注去而不顧之貌不是○不屑就屑潔也自有慊快之意詩云不我屑以說文不必據○進不隱賢隱謂緘默避害如甯武子之愚是也未必枉道○袒露肩臂也裼開衣前也是爲本義然袒裼連言者是露半身卽肉袒也是一事非袒外別有裼若夫裼襲是常禮矣非不敬之事又禮之裼襲特以表衣而言此袒裼無表中之別裎之言呈也○不自失卽自得矣上文由由然言其容此言其意也注添一正字文義俱乖○伯夷偏於清故其弊隘柳下惠偏於和故其弊不恭非謂其流之弊○看起語結束便知此章旨歸在論去就非論情和

劈空直起、筆鋒犀利、要知二句是曡下、非平對。

得道以下數句、反正相形、轉換夭矯、

公孫丑下

天時不如地利章　立案分應單結格

孟子曰、天時不如地利、地利不如人和。三里之城、七里之郭、環而攻之而不勝。〔虛頓〕夫環而攻之、必有得天時者矣。〔跌得飄逸〕然而不勝者、是天時不如地利也。城非不高也、〔接妙〕池非不深也、兵革非不堅利也、〔連用四跌〕米粟非不多也、委而去之、是地利不如人和也。故曰、域民不以封疆之界、〔三不以對上〕固國不以山谿之險、〔文四非字〕威天下不以兵革之利。得道者〔人我〕多助、失道者寡助。寡助之至、親戚畔之。多助之至、天下順之。以天下之所順、攻親戚之所畔。故君子有不戰、〔暗應〕戰必勝矣。

首二句立案、却是二句不平對、抑揚趨重人和上。次節三節亦不平對、細玩此兩節語氣、乃是一氣直起出不如人和。蓋天時地利爲一類、策士所知、人和乃策士所不知、若平對講、便呆。○城非不高也四也字連疊而下、一往飄逸、有雲行水流之致。不曰高深而曰非不高非不深、正中帶反、快利中寓有頓挫意。故知用筆之忌平直也。若前三里之城、平直矣、下却用夫字提起、跌宕然而字折落轉合、則有低昂而跳動矣。故曰以下、一氣奔放、其勢甚急、如黃河直瀉千里、却用君子有不戰一頓挫之、方不太急直瀉中有迴流逆浪、亦造化自然之機勢也。○次節說天時不如地利、但只說天時之不足恃、未說地利之如何好。三節說地利不如人和、亦只說地利之不足恃、全未說出人和好處。倘一說出、便於三項中、略分高下、非抹倒天時地利、單表人和本旨。故末又單申一段、而人和之所以有利無害、有勝無敗者、發得斬截明快。如操利刃、一割兩斷、眞通世務之論、不同功利巧習、亦絕不是老生迂談。○夫環而攻三句、就上二句推出、是用襯筆法。兵革二句、就上復說、是用複筆法。第四段申言人和、而引古語呼起、仍帶地利意跌入、此用纓帶法。多助是主、寡助是賓、四句俱以寡助翻起多助、此用以賓伴主法。○君子有不戰、非泛作頓語、蓋仁者無敵、原主不戰、即戰亦不得已耳。聖賢言語、故有斟酌。○結出必勝、應前不勝、神完氣足、而妙於無迹。

此爲當時好戰者發。天時是泛說、如寒暑陰晴晝夜朝夕之類是也。注沿趙岐爲孤虛王相之屬、兵家雖亦有是言、而孟子本意恐不如此。又趙注支干下有五行二字、孤虛謂支干、王相謂五行。注沿趙岐、而去五行二字、王相二字遂無所屬蹟矣。○下文云城池非不深高、故注以三里之城七里之郭爲城郭之小者。然經曰不如地利、則三里七里亦城池深高者。孟子互言之耳。古之城制、都城不過百雉、三丈爲雉、百雉者面百雉、三百丈耳。而城中積萬雉矣。三百步爲一里、步凡六尺、一里百八十丈、三里凡五百四十丈、是三里之城爲百八十雉、而城中積三萬二千四百雉、已過於大都矣。七里之郭爲四百二十雉、但孟子之時、五等之制不復存、或以三里之城爲伯子男之城則泥矣。○環攻謂四面共攻擊、非言圍守無曠日持久之意。○兵革米粟無關於地利、而地之所恃以爲利也、非是數者則地利之說猶有未盡。大意謂城高池深外、更有兵革之利米粟之多、足以嬰城自守、而人不爲守、委而去之、則是地利不如人和也。○兵可以利言、革則難以利言。今曰兵革之利、是連類語爾、猶潤之以風雨、鼓之以雷霆之類。或謂是便利非銳利、失之。○域民三句是引證語。○君子有不戰、戰必勝矣、言君子固不用兵而服天下、如不得已而用之必勝也。注謂不戰則已、稍左。

就字與後就字對照、

一層王詭詞、

二層孟子詭詞

孟子將朝王章　通篇養局格

孟子將朝王。王使人來曰、寡人如就見者也、〔虛婉絕妙〕有寒疾、不可以風、〔不直召而托疾、則其不可召、王已自知之〕朝將視朝、不識可使寡人得見乎。對曰、不幸而有疾、不能造朝。〔一路敍次、甚有情致〕明日、出弔於東郭氏。公孫丑曰、三層說詞。

孟仲子一段詐飾聲口，慌張神情，眞覺可笑，寫生之技，追魂取魄矣。

四層說詞。

五層說詞，譚空起義，海市蜃樓。

一落千丈殘

晏子對敬字，丑謂王敬孟子，謂王慢，針鋒相對。然只是解曾子何慊之意，泛以爵德槩言之。

昔者辭以病，今日弔，或者不可乎。曰：昔者疾，今日愈，如之何不弔。王使人問疾，醫來。孟仲子對曰：昔者有王命，有采薪之憂，不能造朝。今病小愈，趨造於朝，我不識能至否乎。使數人要於路，曰：請必無歸而造於朝。不得已而之景丑氏宿焉。景子曰：內則父子，外則君臣，人之大倫也。父子主恩，君臣主敬。丑見王之敬子也，未見所以敬王也。曰：惡，是何言也。齊人無以仁義與王言者，豈以仁義為不美也，其心曰：是何足與言仁義也云爾，則不敬莫大乎是。我非堯舜之道不敢以陳於王前，故齊人莫如我敬王也。景子曰：否，非

此之謂也。禮曰：父召無諾，君命召不俟駕。固將朝也，聞王命而遂不果，宜與夫禮若不相似然。曰：豈謂是與。曾子曰：晉楚之富，不可及也。彼以其富，我以吾仁；彼以其爵，我以吾義，吾何慊乎哉。夫豈不義而曾子言之，是或一道也。天下有達尊三：爵一，齒一，德一。朝廷莫如爵，鄉黨莫如齒，輔世長民莫如德。惡得有其一以慢其二哉。故將大有為之君，必有所不召之臣。欲有謀焉則就之。其尊德樂道不如是，不足與有為也。故湯之於伊尹，學焉而後臣之，故不勞而王；桓公之於管仲，學焉而後臣之，故不勞而霸。今天下地醜

孟子本意原欲借管仲抬起自己身分，然於文不得趣勢，故必將湯於尹、桓於仲複說一遍，然出不召字，然後折轉來，行文眞難事也。

德齊，莫能相尚，無他，好臣其所教，而不好臣其所受教。湯之於伊尹，桓公之於管仲，則不敢召。管仲且猶不可召，而況不為管仲者乎。

孟子托疾之意，以王之召己也。出弔之心，欲王知己之不可召也。然於公孫丑之問則不說明，此一層烟波。而孟仲子之對偏為掩蓋，此二層烟波。至景丑之宿，初問亦不說出，此三層烟波。前如許烟波，極情景綿邈之妙，後發為議論，有氣勢雄放之能。文家有蓄勢法，所謂持之愈固，則其發之愈勇。此章景丑初責，卽可直抒正議，卻用仁義一段，疑陣停頓之，如水之欲流，東之使不流，其勢因湍急，後遂衝堤破閘，極洶湧澎湃之觀矣。所以豈謂是與以下議論滔滔滾滾不盡，如長江也。〇通篇只不可召三字是主，不召是敬，召是不敬，妙在先不說王之不敬己，而偏說己之敬王。又妙在不先說王之不可慢己，而只發明曾子之言，泛講有德者之不可慢。有此兩層波瀾，便覺文情恣肆無

比。〇豈謂是與，應非此之謂，似從前不解至此方明，卻奪槊竟入。〇是或一道，對與禮不相似，此段解曾子之言，雖是正論，而尚非主位。〇故將大有為段，方轉入正意，喝出大有為之君必有不召之臣二句來，何等筆力。尊德樂義二句，又申明不召之旨。以下將湯之於尹作一證，將桓之於仲作一證。兩句學焉後臣，是申明不召；不勞而王，不勞而霸，是申明大有為。今天下節作反證，莫能相尚是反證有為，好臣二句是反證不召。上下兩節無非申明大有為二句意。末段又掌上湯與桓二句，作複跌單抽之法，結出不為管仲，歸到孟子自己身上。末句說到自己，則前面伊尹管仲兩段，也是為己之不可召作波折，好臣二句也是為齊王之召見作隱刺。步步寬，正步步緊，文章之妙至此極矣。王使人來，事蓋在拂曉。〇如就見者也，如字，言寡人於義如宜就見者也。如者，不決之辭。〇朝將視朝，上朝字孟子朝也。言孟子儻可來朝，寡人欲力疾臨視朝，因得見孟子也。〇三遷志：孟子娶田氏，生子名仲子。孟子譜云：仲子名睪，孟子之子也。闕里志敘子夏詩傳至於小毛公，中間有魏人李

後三段不明點是字、而是字神理俱足、可

克傳魯人孟仲子語、詩維天之命傳、閟宮傳並引孟仲子、譜云孟仲子、子思弟子、蓋與孟子共事子思、後學于孟子、今按孟仲子以趙氏從昆弟之說爲信、至序録所稱子夏傳曾申、申傳魏人李克、克傳魯人孟仲子者、當別是一人、王厚齋以爲名氏之同是也、○采薪之憂、言以薪樵感疾也、曲禮云負薪之憂、○使數人要於路、歸途不一、故分遣數人要邀其歸塗也、○孟子蓋既圖王必使人來問疾、時舍人必當以實對、廢因以致語、是不屑之教誨之類、而今孟仲子乃權辭對之、本意不違、故不得已之於景丑氏宿焉、孟仲子之意、欲使孟子即以是日造朝、而孟子必宿於景丑氏、待明日乃朝者、所以踐仲子之言、而不以是日造朝、則仍所以明不可召之義也、是賢者多少苦心所在、○云爾云然也、云然云如是也、言其所云如是、何以下也上用曰字、下殘云爾字、論語及公穀有此例、或以云爾屬下句者誤也、○宜與夫禮、宜猶殆也、成二年左傳、宜將竊妻以逃者也、○豈謂是與、豈、幾也、丑意與孟子所說異、孟子聞其言、如始喩之、因言子所謂不敬、幾指君命召之禮、與因引曾子之語以折之、然非臣事君之常禮、故云是或一道也、言爲賓師者、君臣常禮外、別有此自重一理也、○嗛字義見穀梁傳、穀不升謂之嗛、彼注云、嗛不足貌、○學焉而後臣之、言師學之而臣任之也、以其先乎師學、故曰而後耳、後字輕看、古文多例、○管仲且猶不可召云云、且猶二字見不足於管仲之意、不爲管仲、以德業而言、非以位次、上篇管仲曾西所不爲、與此正同、

陳臻問曰章　上雙夾下反托格

陳臻問曰、前日於齊王餽兼金一百而不受、於宋餽七十鎰而受、於薛餽五十鎰而受、（以上序清）前日之不受是、則今日之受非也、今日之受是、則前日之不受非也、（前後互勘）夫子必居一於此矣、孟子曰、皆是也、（○句○總○接分疏）當在宋也、予將有遠行、行者必以贐、辭曰餽贐、予何爲不受、（先着此句、有力、有處）當在薛也、予有戒心、辭曰聞戒、故爲兵餽之、予何爲不受、（句○句○轉○句○句○緊○跌○醒）若於齊、則未有處也、無處而饋之、是貨之也、焉有君子而可以貨取乎、

語化板之法

何爲、焉有、上下照應、

有處　接○轉○

陳臻之問、用雙夾法、孟子三辨、用反托法、○前日之不受是數語、筆意婉曲、孟子曰皆是也、接得老勁有力、此文家曲直相間之法、○皆是也、一句截住、是正答、下三節推原其所以然、各末句反決其是、○有處無處、鐵案如山、○首節叙事、先齊後宋薛、孟子答處、先宋薛後齊、是文法變化處、不然則板、末節收到齊、與首句回抱、精神完固、○宋薛二節、明煞出受來、於齊節不受意、於言下得之、絃外之音、悠然不盡、

古者以一鎰爲一金、一鎰二十兩也、史記平準書一、黃金一斤、臣瓚曰、秦以一鎰爲一金、漢以一斤爲一金、考漢律歷志、斤十六兩、是秦之斤、溢漢之斤四之一也、食貨志、黃金重一斤、直錢萬、朱提銀重八兩爲一流、直一千五百八十、他銀一流直千、是金價亦四五倍于銀也、惠帝紀注、師古曰、諸賜金不言黃者、一斤與萬錢、而公羊隱公五年傳、百金之魚、注、百金猶百萬也、古以金重一斤、若今萬錢、則知自三代以迄兩漢、金價一律如此、滑稽列傳、齊威王使淳于髡之趙、齎金百斤、車馬十駟、髡仰天大笑、威王乃益齎黃金千鎰、車馬百駟、蓋十倍也、是齊亦以一鎰爲一斤、然則黃金至二千四百兩之多、所餽毋乃過于厚歟、是不然、當戰國時、淳于髡傳、梁送黃金百鎰、孟嘗君傳之載黃金百鎰、虞卿傳、趙賜黃金百鎰、聶政傳、嚴仲子奉黃金百鎰、荊軻傳、夏無且賜黃金二百鎰、至蘇秦傳、趙肅侯以黃金千鎰、約諸侯、田單傳、即墨富豪以金千鎰遺燕將、即平原君爲魯連壽、亦以千金、呂不韋令能增損其書一字、予千金、尚有什倍于齊餽者、安在其遂過于厚耶、又漢時文帝賜周勃黃金至五千斤、宣帝賜霍光至七千斤、武帝以公主妻欒大、至齎金十萬斤、衛青出塞斬捕首虜之士受賜黃金二十餘萬、而後漢光武紀言、王莽末天下旱蝗、黃金一斤易粟一斛、宋太宗問學士杜鎬曰、

兩漢賜予多用黃金而後代遂爲難得之寶元史至大銀鈔一兩準至元鈔五貫白銀一兩赤金一錢是金價已什倍于銀也豈非古黃金多而價廉故贈遺者亦多今黃金少而價昂故贈遺者亦少歟○今日謂後日也對前日之辭召誥曰相古先民有夏天迪從子保面稽天若今時既墜厥命今字義可見○文選魏都賦藉白馬賦麟曲水詩三注引孟子贐字皆作賮蒼頡篇云賮財貨也說文賮會禮也蓋以財貨爲會合之禮也或假作進如漢高紀蕭何爲主吏主進是也○聞戒故爲兵餽之皆薛君之辭也注以聞戒二字爲薛君之辭以故爲兵餽之五字爲孟子叙事之辭不可從○處是處置之處兩處字並從餽者言之若曰贐曰爲兵是也未有處言辭之無以處其貨也○以貨取者謂無辭而取之也言既名爲貨則君子者豈可取之哉取如字從君子言之也非致君子之謂○按宋世家辟公元年卽周烈王四年也立三年辟公卒子剔成立剔成立四十一年剔成弟偃攻襲剔成剔成敗奔齊偃自立爲宋君時周顯王之四十一年也孟子四十後始遊齊則其去齊之宋已在君偃之世也滕文公爲世子將之楚過宋見孟子往反及之亦可知在宋之非一日也又按史記田嬰者齊威王少子而齊宣王庶弟也周顯王四十八年始封于薛嬰卒謚爲靖郭君其子文代立是爲孟嘗君以孟子之經考之孟子之薛當在田嬰未封以前是時下邳遷于薛邳薛皆同姓其君猶以諸任之國奉奚仲之祀然則孟子適宋受宋餽值宋君偃之時而適薛受薛餽不值孟嘗君之時也以然友之鄒然友復之鄒觀之則孟子去薛而反鄒也明年滕薛而孟子在滕矣

孟子之平陸章　借言格

孟子之平陸謂其大夫曰子之持戟之士一日而三失伍則去之否乎曰不待三然則子之失伍也亦多（○接○得○緊○ ○ ○ ○）矣凶年饑歲子之民老羸轉於溝壑壯者散而之四方者幾千人矣曰此非距心之所得爲也（得此反推生出下面文情○○○○）曰今有受人之牛羊而爲之牧之者則必爲之求牧與芻矣求牧與芻而不得則反諸其人乎抑亦立而視其死與（落清正位）曰此則距心之罪也（後路再進一層卻是倒陪之法）他日見於王曰王之爲都者臣知五人焉知其罪者唯孔距心爲王誦之王曰此則寡人之罪也（爲王誦之絕○妙○作○用○不說明王之罪而王自不能辭其過然此卻是寫）

牛羊一喻切甚

添出五人正是無意中爲舉國百姓請命

距心之罪先推後認中間生出牧牛羊一段奇文闢首先借失伍引起閒閒冷冷若不相及忽象奇勢騰空而入梅杏交接巧奪化工後復將令王認罪一層補陪前意以成局勢有謂此章專注末段或兩責並重者皆不知文法者也○然則句上無曰字蓋孟子意中先有此句故不待其辭之畢也善傳急神繪水有聲○兩此則與此非緊相呼應梁襄王章出語人曰文章之一法也此章爲王誦之文章之又一法也○始曰大夫次曰距心次曰孔距心左傳多此例哀公十五年書孔伯姬始曰內次曰孔姬次曰孔伯姬

戰國策齊據河濟足以爲阻而左傳杜注任城封近于濟實世祀之則孟子由鄒之任卽當由任之齊而處平陸者依距心也平陸齊邊邑田齊世家康公貸十五年魯敗我平陸張守節曰平陸唐兗州縣孔子時爲魯中都地爾時屬齊卽今汶上縣按汶水出泰山萊蕪西南入齊在齊南魯北齊魯之界以汶分孟子所謂臣始至於境者當卽指此時儲子爲齊相以幣交受之而不報戰國時尚武備雖邑大夫亦日日陳兵自備如商君列傳持矛而操闟戟者旁車而趨聶政列傳韓相俠累方坐府上持兵戟而衛侍者甚衆孟子所爲子之持戟之士是也此則孟子處於平陸時之言也當日國相皆得周行其境之內如范雎列傳秦相穰侯東行縣邑車騎至湖關湖今閿鄉縣去秦都咸陽亦幾六百里孟子所謂儲子得之平陸是也此則孟子由平陸之齊之後之言也孟子既之齊不見儲子亦不卽見齊王故陳代以不見諸侯爲小而萬章亦有不見諸侯何義之問孟子皆舉齊景公招

緩入洽擊、詞令妙品、序蚳鼃事、筆法高簡、

此最難答、看他答得不輕不重、恰好合式、

虞人不往爲說、以其爲齊故事人易曉耳、至於王疑其有異使人瞯之、則意儲子通意、宣王知、先加禮、故孟子遂見王也、○持戟之士、是守備者、伍是班次、失伍、不在班也、失伍不必戰陳之時、去之是罷去、不是殺、○牛羊段諷距心處、見責不容辭、非諷之去也、○都只是大邑、不必泥邑有先君之廟、

謂蚳鼃章　議論中夾叙事格

孟子謂蚳鼃曰、子之辭靈丘而請士師、似也、爲其可以言也、今既數月矣、未可以言與、蚳鼃諫於王而不用、致爲臣而去、齊人曰、所以爲蚳鼃則善矣、所以自爲則吾不知也、公都子以告、曰、吾聞之也、有官守者、不得其職則去、有言責者、不得其言則去、我無官守、我無言責也、則吾進退、豈不綽綽然有餘裕哉、

就通篇論、前半是賓、後半是主、就孟子口中論、官守言責是賓、我無四句是主、總是無一死句、

史記趙敬侯二年、敗齊于靈邱、田敬仲完世家、齊威王元年、三晉因齊喪伐我靈邱、趙世家、惠文王十四年、相國樂毅將趙秦韓魏燕攻齊取靈邱、明年燕獨深入取臨菑、是靈邱爲齊邊邑明矣、蚳鼃以去王遠、無以箴王闕、故特辭靈邱請士師也、○孟子仕齊居賓師之位、故進退由己而已、

爲卿於齊章　前叙後論格

孟子爲卿於齊、出弔於滕、王使蓋大夫王驩爲輔行、王驩朝暮見、反齊滕之路、未嘗與之言行事也、公孫丑曰、齊卿之位、不爲小矣、齊滕之路、不爲近矣、反之而未嘗與言行事、何也、曰、夫既或治之、予何言哉、

記事似驚天動地、問語更小疑大怪、孟子只以扯淡語了却之、此眞扯淡矣、然淡中有深味、將孟子

嚴氣正性、泰山巖巖一段光景、言外已和盤托出盡露眼前、

經文明言孟子爲卿、驩爲大夫、則公孫丑所言之卿、指孟子也、且卿聘大夫爲介、禮也、未聞有兩卿爲使介者、蓋豪傑之士、或卑小官、有進而隱其賢者焉、孟子已在三卿之中、故丑擧以問之、言卿位不小、使命不輕、宜與副介相議行事也、○夫指王驩、夫既或治之二句、方得與小人處之法、蓋孟子有公事無私言、彼公事有未曉而不與之言、則辱君命、固不可、若公事外與他私說、是失待小人之體矣、○孟子前居齊、未爲卿、至再至齊、乃爲客卿、此周慎靚王二年、孟子去梁後事也、淳于髡曰夫子在三卿之中、三卿指上卿亞卿下卿而言、樂毅初入燕乃亞卿、是其証矣、或曰、一卿是相、一卿是將、其一爲客卿、亦通、滕定公之薨、孟子時居鄒、非此爲齊卿時也、其與王驩使滕、爲文公之喪也、非大國之君、無使貴卿及介往弔之禮、此蓋重文公之賢、而隆其數、亦孟子與文公有舊、欲親往弔、以盡存沒始終之大禮也、

此事不容不請、亦不容早請、故特記其時地、

心字一篇之骨、語凡四轉、無限烟波、

自齊葬於魯章　以一字作骨格

孟子自齊葬於魯、反於齊、止於嬴、充虞請曰、前日不知虞之不肖、使虞敦匠事、嚴、虞不敢請、今願竊有請也、木若以美然、曰、古者棺槨無度、中古棺七寸、槨稱之、自天子達於庶人、非直爲觀美也、然後盡於人心、不得不可以爲悅、無財不可以爲悅、得之爲有財、古之人皆用之、吾何爲獨不然、且比化者無使土親膚、於人心獨無恔乎、吾聞之也、君子不以天下儉其親、

充虞之問、其詞甚婉、孟子答詞、初則平、繼則甚跳脫、如生龍活虎、不可捉摸也、○總以盡於人心句爲主、下兩爲悅字、於人心恔字、皆所謂盡其心也、○古者以下四節、有四層意、古者節言中古之制

是從厚的不得節言得之而又有財何獨不從厚
且比節言不但送終時悅即從千百年後著想亦
必從厚而後快末節又引語作結以見不可不從
厚○後四節節節轉句句轉起伏頓挫之無極
悅字悅字雖俱是悅心然悅字是從終時著想悅
字是從千百年後著想故下一且字雖不是更端
却是深
一層語
自齊葬於魯則必喪在齊而葬於魯者也若母喪
在魯則其文當云孟子自齊奔喪於魯戰國游子
多家於寄以孟母娶婦孟子孤兒則出必偕出處
必偕處未有拋母居魯而可獨身仕齊者故列女
傳云孟子處齊有憂色孟母見之是孟母與孟子
同在齊國矣至是而母沒于齊記曰周人卒哭而
致事注謂還職事於君蓋喪不貳事不從政也於
是孟子去官爲親行服養生者不足以當大事惟
送死可以當大事自齊葬於魯禮也既至魯歸葬
即在魯居喪此禮之斷不可易者也孝子之喪親
言不文今也援古論今幾於文矣三年之喪言而
不語語爲人論說也孟子在不語之地不應如此

喋喋故充虞問答斷在於免喪之後然則何以云
前日也孟子之書有以昔與今對言昔似在遠而
亦指昨日者昔者辭以疾是也有以前日與今對
言前日似在所近而亦指最遠者前日願見而不
可得是也夫孟子去齊之日上溯其未遊齊之日
猶目之爲前日安在僅三年者而不可目以前日
耶或疑充虞蓄一疑於心至三年始發之殊不知
此尤足以見孟門弟子之好問也陳臻從於齊於
宋於薛辭受之後而問屋廬子從居鄒處平陸以
至見季子不見儲子之後而問其事之相距誠非
止一二年而歷歷記憶反覆以究其師之用心者
猶一日也夫充虞亦猶是爾至木若以美然之問
亦自有說當時墨道大行殯皆從薄見有今於禮
者反以爲踰禮與孔子時事君盡禮人以爲諂者
何異孟子遵古制而盡人心亦所爲距楊墨之道
也以與充虞論匠事于止嬴日故繫止於嬴亦猶
與公孫丑論不受祿于居休日故繫以居休豈必
別有義在乎○敦匠句事嚴句言孟子居喪之禮
謹嚴非弟子舉問質疑之時也○財材通謂棺槨
之材也○得之爲有財得之爲猶云得爲之是倒

字法言得行其禮也○化者不曰死而曰化蓋爲
親諱也比字與梁惠王篇願比死者之比同死者
無知故自我推而體之也○不以天下儉其親是
句所該者廣不專就棺槨言○趙氏題辭孟子鄒
人也鄒本春秋邾子之國至孟子時改曰鄒矣今
鄒縣是也朱子序說注沿之非也史記本云孟子
鄒人不云鄒國人如云子路弁人曾子武城人不
言魯明乎弁武城鄒皆魯下邑也此經云自齊葬
於魯不云葬於鄒因其時邾國亦改爲鄒處鄒國
鄒邑後人失考者或合爲一故葬母大事特書自
齊葬於魯明魯爲父母之邦也孟子父名激字公
宜一名彥璜母仉氏魯公族孟孫之後鄭樵通志
氏族畧云季友之後傳家則稱季孫不傳家則去
孫稱季叔牙之後傳家則稱叔孫不傳家則去孫
稱叔故曰以族系爲氏然則孟孫之後去孫稱孟
者不傳家也田齊世家田太公相齊宣公宣公四
十八年取魯之郕郕孟氏邑也孟氏之不傳家久
已觀孟子書不侵及魯三桓一語獨稱孟獻子百
乘之家友德不挾以比於費惠公之師子思晉平
公之尊亥唐上溯堯舜以天下友匹夫其所以述

祖德者不亦淵遠哉是孟子之爲孟孫氏後無可
疑者則孟子世爲魯人非邾人也使孟子果爲邾
人何以不首其母於故丘而託之異鄉乎葬諸齊
亦可也乃遠葬於魯乎且孟子之非邾人辨有五
焉邾魯世敵仇也春秋季孟屢伐邾戰國時猶聞
鄒與魯鬨孟子爲孟孫後則安得爲邾人其辨一
孔子生故鄒城即叔梁紇所治所謂鄒人之子也
孟子亦生於其鄉故曰近聖人之居若此其甚邾
在兗北青境鄒在兗南徐境安得云甚其辨二孟
子於齊稱臣爲卿也於梁不稱臣未爲卿也對鄒
穆公不稱臣而其語倨曰君之民曰夫民今而後
得反之視對滕文公尤不同以此知其爲異邦非
本國其辨三樂正子曰君奚爲不見孟軻君前臣
名也孟子曰吾之不遇魯侯天也即孔子吾舍魯
何適意其辨四曰後喪踰前喪棺槨衣衾之美專
議孟子家事也使其在邾臧氏何由知之若此之
悉也其辨五然則孟子世爲魯人趙氏謂三桓子
孫既以衰微分適他國固未足信而索隱本邾人
徙鄒之說
亦不然也

以其私三字，伏後未也何爲勸。

有仕於此數語，淺淺設譬，止爲說明兩不得字，用筆曲折爽亮之極。

天吏二字輝煌鄭重，自天而下。前段取譬透極，後段淋漓奇峭，字字欲舞。

沈同以其私問章　兩層辨論格

沈同以其私問曰：燕可伐與？孟子曰：可。子噲不得與人燕，子之不得受燕於子噲。有仕於此，而子悅之，不告於王而私與之吾子之祿爵；夫士也，亦無王命而私受之於子，則可乎？何以異於是？齊人伐燕。或問曰：勸齊伐燕，有諸？曰：未也。沈同問燕可伐與，吾應之曰可，彼然而伐之也。彼如曰孰可以伐之，則將應之曰：爲天吏則可以伐之。今有殺人者，或問之曰：人可殺與？則將應之曰：可。彼如曰孰可以殺之，則將應之曰：爲士師則可以殺之。今以燕伐燕，何爲勸之哉？

上段就燕論燕，而明其可伐，以其不奉王命也。下段就齊論齊，而明其未嘗勸齊，以齊非天吏也。上段發明可字處，以子噲二句定案，以下將有仕一層比子噲，以夫士一層比子之，兩人之罪俱於譬喻內托出，末以何異一句作結，以喻言作正意，此文章善用虛處。下段發明未也二字，複述沈同之問答，以三句該之，以下生出彼如曰一轉，忽然代沈同作問，又設爲應之一層，此是文家無中生有之法。又生出今有殺人一段，於譬喻中代或人作問，又設爲答之一層，又生出彼如曰一轉，此於無中生有中又復生有，如一毫中現出塵塵剎剎來，眞是極奇極幻。看他層層問答，都無非發明未也二字之意，直至煞處，喝出以燕伐燕二句，而未嘗勸之之意已於上面句句托出。○前以擅爵人爲喻，後以擅殺人爲喻，兩喻相照成章法。○此文奇特處，在於前後兩扇俱用後賓先主。○以燕伐燕，語妙得未曾有。

是章問答，蓋在方伐燕未勝之時也，決不在於既勝燕係累殺遷之後也。問者亦以問勸伐之信否，已非燕畔之後歸咎之謂。據下章注，朱子亦是之意，而此采楊說，殊不可曉。○以其私問，實受王命而不以王命問也，不然是句聱語耳，注不通。○曲禮士載言，注曰：士或爲仕。周禮載師以宅田士田賈田任近郊之民，注曰：士讀爲仕。後漢書趙壹傳昔人或惡士而無從，亦以士讀仕。論衡刺孟篇述此文，仕作士。古仕與士多通用，有士於此，猶言有人於此。下文夫士也即承此。○今有殺人者三句，此以有罪之人比無道之燕，燕何以可伐，以無道也；人何以可殺，以有罪也。如云今有殺有罪之人者，或問之曰有罪之人可殺與，則將應之曰可云云。兩人字只是一人，或乃以上人字爲被殺之人，下人字爲殺人之人，若惟恐人之枉殺也者，而岐而二之，則非孟子之意矣。

添一也字，是古文取趣處。

蓄機運步，陳賈眞是千伶百利，孟子妙似不知其來意者而隨口應之。

燕人畔章　一路翻駁格

燕人畔。王曰：吾甚慚於孟子。陳賈曰：王無患焉。王自以爲與周公孰仁且智？王曰：惡，是何言也。曰：周公使管叔監殷，管叔以殷畔。知而使之，是不仁也；不知而使之，是不智也。仁智，周公未之盡也，而況於王乎？賈請見而解之。見孟子問曰：周公何人也？曰：古聖人也。曰：使管叔監殷，管叔以殷畔也，有諸？曰：然。曰：周公知其將畔而使之與？曰：不知也。然則聖人且有過與？曰：周公，弟也；管叔，兄也。周公之過，不亦宜乎？且古之君子，過則改之；今之君子，過則順之。古之君子，其過也，如日月之食，民皆見之；及其更也，民皆仰之。今之君子，豈徒順之，又從爲之辭。

前段知而使之兩翻，是用雙夾法；次段周公何人四問四答，前三問三答是逐層剝入法，後一問一答是隨。難隨。解法。末段古之君子四層、前兩層句法相對、後兩層句法參差、是用疊句變換法。○齊王慙者、以孟子有取之而燕民不悅則勿取、并置君而去之言、而王不聽也。此正王由足用爲善之機、而陳賈又從而塞之、甚矣佞人之覆家邦也。○周公弟也四句、是正破陳賈之言、弟之不料其兄、與齊之不料夫燕、豈可同語。而妙在不說破。○文字要緊得有力、若賓位無力則主位不醒矣。陳賈之言、一似眞可爲王解者、妙在孟子只以兄弟二字、輕輕打轉陳賈、便覺賈盡心力、落得索然無味、奇絕。○末節上四句、是以順過對改過說、下文九句、又就上文充拓言之。如日月之食二句、只對下文過見、君子不自掩護意。過字亦只大概說、不必單粘定周公、且周公之過豈可改哉。照定周公反與本文義不合、要知孟子說此一段、是隱寫賈爲君、文過於不言之表、而責之從擧古之君子以鐵對今人。不必拘拘印證周公也。看起首一且字已脫開上文矣。○末節對跖責躡鞭答一頓、妙在始終只似不知其來意者、奇絕。○只就周公言周公、並不及王、下文提起從論、亦並不及王與賈而已。

刺入。貫之。聯中矣。妙妙、

呂氏大事記、周赧王元年、孟軻致爲臣而歸。通鑑綱目、亦並書孟軻去齊于丁未齊人伐燕之下。皆不然矣。蓋伐燕是孟子所以去、而孟子不必即去、案史記年表、赧王元年、君噲及相子之皆死、三年燕人共立太子平、四年爲燕昭王元年、觀孟子與陳賈問答之辭、則後二年孟子猶在齊也。後二年猶在齊、安得謂元年即去乎。○周公使管叔監殷、本文但言使管叔耳、而注兼及蔡叔霍叔、考經傳並無三叔共監殷事、惟大誥書序有云三監叛、孔安國注始云、三監者管蔡與商、而漢書地理志遂謂管蔡武庚三分邶鄘之地、而各尹之以爲監、即尹也。夫邶鄘衛三國也、非三監、即以武庚當三監之一、是直以殷監殷、謬甚。其後鄭氏作詩譜據蔡仲之命、謂霍亦流言、因以霍代商、竊補三數、殊不知監殷流言、本是兩事、流言有霍、而監殷無霍也。據周禮施典之官、顯有牧監參伍殷輔六名、牧監以諸侯爲之、參伍殷輔則以各國之大夫士爲之、史記衛世家、誤認監作輔、有云武王恐武庚有賊

心、使管叔蔡叔傅相之、夫傅相漢官置之諸侯王國、如膠東王相長沙王傅、即輔也。未有二叔爲武侯輔者。蓋監是官名、所以監視諸侯者、九州一千八百諸侯、每州立方伯、統領其事。春秋傳謂之九伯、王制除王畿謂之八伯、尚書多方謂之胥伯。然總謂之牧、曲禮九州之長入天子之國曰牧是也。自牧而下、又有卒正連帥屬長三等官。多方謂之小大多正是也。自牧而上、又有王朝之二伯、一等官、春秋傳謂之分陝之伯、曲禮謂之五官之長之伯、總監官也。且三監之稱、自古有之。王制記商制云、天子使其大夫爲三監、監於方伯之國、國三人。惟商制無二伯、但以王大夫三人監方伯國、而周制則特設二伯於王畿、即以連帥正長三等官冀三監之名、所謂小大多正者總名三監、是初以三人爲三、繼即以三等爲三、多官稱三監、一官亦稱三監、管不必及蔡、更何論於霍也。蓋武王十二年伐紂之時、即分師俘衛霍諸國、旣立武庚、至師西還、此時未取殷尺土一民也。十三年使管叔爲殷監、是使監實出武王、但周公亦必與聞耳。據周書文政篇、此時管叔禁九慝、昭九行、尊九德、順九典、東隅之侯咸祗于王、是監殷之功、初不可泯。武王崩成王立、周公相商人多兄弟、傳及管叔見己在外、而公在內、疑有周者必公、故布流言撼公、遂挾武庚以叛也。○周公乃管叔之弟、管叔乃周公之兄、此注似可省、而朱子詳之者、蓋因趙注云周公惟管叔弟也、故愛之、管叔念周公兄也、故望之、是以周公爲兄管叔爲弟也。○如日月之食、如字當到民皆仰之、更謂食畢明復也、雖鄙君子而不直指君子、

就見之誠、追前想後、虛情冷面、却極熱鬧、其情可以懸、而文自入妙。

王旣不能用孟子、而猶欲留之者、在博養

孟子致爲臣而歸章

孟子致爲臣而歸。王就見孟子曰、前日願見而不可得。得侍同朝甚喜。今又棄寡人而歸、不識可以繼此而得見乎。對曰、不敢請耳。固所願也。他日王謂時子曰、我欲中國而授孟子室、養弟子以萬鍾、使諸大夫

倒說孟子絶己妙、逆計更妙、史裝點得

賢之名耳。

全不說出道不行、止用反業妙。

引古釋古便結、並不挽合本直、使人領畧於語言文字之外。

國人皆有所矜式。子盍為我言之。時子因陳子而以告孟子。陳子以時子之言告孟子。孟子曰、然。夫時子、惡知其不可也。如使予欲富、辭十萬而受萬、（從萬鍾來）是為欲富乎。季孫曰、異哉子叔疑。使己為政、不用、則亦已矣。又使其子弟為卿。（應養弟子以萬鍾）人亦孰不欲富貴。而獨於富貴之中、有私龍斷焉。古之為市者、以其所有、易其所無者。有司者治之耳。有賤丈夫焉。必求龍斷而登之、以左右望而罔市利。人皆以為賤。故從而征之。征商自此賤丈夫始矣。

文有以說破為妙者、有以不說破為妙者。況同章以說破為妙者、前章及此章、以不說破為妙者也。

○不用二字、是孟子去齊之故。卻不正說、而於季孫口中、子叔疑身上帶出之。有神無迹。○季孫以下文字、如神龍舒卷於烟霧之中。但可識其意、而不可執其迹。眞奇觀也。

得侍同朝者謙辭。言與孟子得為君臣而同朝也。甚喜王自言甚喜也。俗讀得侍絶句者謬。○萬鍾當我五千七百四十八石七斗餘。十萬鍾則五萬七千四百八十七石二斗餘。我邦封建之世、大藩大夫有食六萬石者。實米二萬四千石。其食二三萬石者、指不勝摟。七國爭雄、地至方千餘里。其卿所食必不止十萬。漢土至趙宋、俸給已薄。至朱明甚薄矣。閻百詩生於積薄之世、故以十萬為大多而疑之耳。至通計仕齊所辭之數、又大謬。孟子仕齊未嘗受祿。見下公孫丑問章。所云辭者、辭而不受耳。非辭而還之也。○夫時子、不指王而指時子、亦見忠厚之意。○季孫卽魯季孫氏。叔疑不知何人。當在春秋後。○市者、宋石經宋本、俱作市也。張南軒本孟子集疏本、亦皆作市也。○後三段孟子謂時子必非誑言。但其中有不可者。非時子所知耳。何者。謂我貪此萬鍾。無辭多受少之理。若謂享

孟子論文　卷二　〇四十六　奎文堂梓

叙事中、先作如許怪狀、然後解明、文境奇變。

弟子之祿、則尤龍斷賤丈夫、我矣賤丈夫、卽今牙行大儈也。辭商賈之名、而扼要布黨、居間作合、坐收四方商賈之利。季孫譏己不為政、而子弟為政。孟子喻己不受祿、而弟子受祿也。題儈擅司市平價之權。故後世立搉儈之法。搉儈因而幷搉商矣。此章舊解、蒙混牽强。上下文義全不合。準總由不明龍斷賤丈夫之義耳。○孟子前後兩至齊。所見皆宣王、非湣王也。其前居齊未仕為卿。再至齊當在周愼靚王二年。去梁以後、卽於是年為齊卿。至周赧王三年、已有八年矣。中間有母之喪、歸魯居憂者三年。又反齊、當齊人伐燕。又二年燕人畔。而孟子去齊。則實仕齊者亦得五年。但其去齊者再矣。故齊王有今又棄寡人之語也。

宿於晝章

孟子去齊、宿於晝。有欲為王留行者。坐而言。不應、隱几而臥。客不悅曰、弟子齊宿而後敢言。夫子臥而不聽。請勿復敢見矣。曰、坐。我明語子。昔者魯繆公無人乎子思之側、則不能安子思。泄柳申詳無人乎繆公之側、則不能安其身。子為長者慮而不及子思。子絶長者乎。長者絶子乎。

○抑○揚○有○致。

魯繆公兩段、重兩繆公字、子思不去者、繆公使人留之。泄柳申詳不去者、人勸繆公留之。兩繆公字正與為王二字相照。○子思是賓、泄柳申詳又是賓中賓。○雙引側承、妙在天衣無縫。

注晝如字、又引或說曰、當作畫。齊固有晝邑。知無畫邑。趙岐注、晝齊西南近邑。是明有晝邑矣。若晝邑在臨淄縣西北三十里、卽戟里城。戰國燕破齊時、將封王蠋以萬家、卽此地。是燕從西北至齊。當是晝邑。孟子從西南至宋、當是晝邑。一南一北、字形雖相蒙、地勢不可混也。○必云坐而言者、欲見下文客怒起欲去之狀也。故下又云曰坐。○古宿與肅通。儀禮特牲饋食禮、乃宿尸。禮記祭統

孟子論文　卷二　〇四十七　奎文堂梓

尹士之譏，一連三層，層層折跌，步步輕蹴，居然爲孟子文作一小引。

一段中予字凡十三見，一字一摟法，略無複者，奇艷。

低徊往復，無限深情，有兩層進步透過去，則三宿之非濡滯自明。

予豈三十五字一氣讀，反收上文，筆力千鈞。

語人以告，聞之，是章法。

篤宮宰宿夫人。鄭注竝云，宿讀爲肅，然則齊宿猶齊肅也。賈子保傅篇有司齊肅端冕，國語楚語，故齊肅以承之，竝以齊肅連文，齊宿而後敢言，正自言極其敬謹爾。○此人自稱弟子，而孟子與之語，自稱長者，與語樂正子同，然則留行之客，雖不知何人，要必孟子弟子之留仕於齊者，若盆成括之流歟。蓋客旣爲王留行，則必欲孟子在晝少留，而後自至齊國，力言於王，使王復用孟子，其所坐而言者，雖不詳何語，大旨如此而已矣。若然，是孟子有人乎齊王之側也，是爲孟子求容也，故孟子曰，子爲長者慮，而不及子思，蓋孟子在齊，居客卿之位，師道也，非臣道也，奈何不爲子思而爲泄柳申詳乎，況其人自稱弟子，顯是游孟子之門，而爲孟子說王，尤不可矣，宜其絕之之深也。

尹士語人曰章

孟子去齊。尹士語人曰，不識王之不可以爲湯武，則是不明也。識其不可，然且至，則是干澤也。千里而見（突然而起）

王不遇故去，三宿而後出晝，是何濡滯也。（意在與上二句特陪之也）士則茲不悅。高子以告。曰，夫尹士惡知予哉。千里而見王，是予所欲也。不遇故去，豈予所欲哉。予不得已也。予三宿而出晝，於予心猶以爲速。王庶幾改之。王如改諸，則必反予。夫出晝而王不予追也，予然後浩然有歸志。予雖然，豈舍王哉。王由足用爲善。王如用予，則豈徒齊民安，天下之民舉安。王庶幾改之。予日望之。予豈若是小丈夫然哉。諫於其君而不受，則怒，悻悻然見於其面。去則窮日之力而後宿哉。尹士聞之曰，士誠小人也。（映茲不悅）

彼一時二語，無限深情，塗炭之痛，遲暮之傷，皆在其中矣。

委曲廻環，牢騷眷顧，此太史公伯夷傳屈原傳之祖。○尹士口中三層，以濡滯一層爲主，故孟子只辨此一層，而於上兩層未之及，然云足用爲善，則非不明矣，云安齊安天下，則非干澤矣，只辨一層，而餘者已於無意中映到，此爲神化之筆。○予豈字，蒙到宿哉，若以常文法，則宿哉之哉，似合做矣字，今疊用哉字，乃覺語氣跌宕。

三宿而後出晝，蓋孟子三宿於晝而後發出也，上章宿於晝而留行者及焉，晝前後可見。○悅，服也，詳見于滕文公上篇。○改諸，諸，之乎也，疑辭也，改諸改之不同，猶有諸有之，毀諸毀之，上下異文，此例唯論語孟子多出。○再三期王改之者，似指興兵搆怨之事，而取燕一事，尤其著者，觀其致爲臣而歸，繫於燕人畔章之後，此必因燕初畔之後，孟子日前勸王反旄倪，置重器之言，王至今猶不能用，故再三期其改也。古之君子，過則改之，孟子固言之矣。至謂豈徒齊民安，天下之民舉安，日後燕將樂毅率五國之師，以伐齊，齊幾亡，而天下亦皆騷動矣，孟子似前知其事者然。○孟子爲由足

用爲善者，蓋指以羊易牛，我甚慚於孟子之類，至於好貨好色之類，則廉恥拂地矣，楊氏深懲僞君子，故以自言其過爲朴實足爲善，而不悟其言之詭於正也。○若是小丈夫然哉，是猶夫也，禮記三年問，今是大鳥獸，荀子禮論篇作今夫，宥坐篇今夫世之陵遲亦久矣，韓詩外傳作今是，是小丈夫，小丈夫也，是訓爲夫，故夫亦訓爲是。○後世人臣不講究恕字，如朱雲褚遂良輩，一有訶譴，便至於折檻納笏，人看此二事，多以爲君不能容臣，而不知臣不能容君也，君不能容臣，其失固明，臣不能容君，此亦害事，學者欲知事君之道，當以孟子忠厚爲法。

充虞路問曰章

孟子去齊。充虞路問曰，夫子若有不豫色然。（若俗筆）前日虞聞諸夫子曰，君子不怨天，不尤人。（此三句定要頓在前矣）曰，彼一時，此一時也。五百年必有王者興，其間必有名世者。由周而來，

七百有餘歲矣。以其數則過矣。以其時考之則可矣。三矣字俱下得妙

夫天未欲平治天下也。如欲平治天下。當今之世。舍我其誰也。吾何爲不豫哉。

數過時可。而王者不興。聖賢不能名世。正不豫之由。已將充虞之問答畢矣。下文又掉轉說。夫天特未欲平治天下耳。如欲平治天下。當今之世。舍我其誰也。吾何爲不豫哉。夫天句。乃呼起下文。作自寬自信之詞。若認成死句錯矣。○已經承認不豫矣。乃末忽又翻轉說何爲不豫。此如人之悲者。必說不悲。正深於悲也。

論衡引此作彼一時也。此一時也。文選荅客難五等諸侯論二注。引孟子亦云彼一時也。觀趙氏注。則彼一時下。當有也字。○彼謂不怨不尤。此謂有不豫色。彼一時此一時。言時專於樂天。則知彼時專於憂世則如此也。○不豫與怨尤相類。而原其所發自有公私之不同。怨尤只是一身之窮達。不豫。則世道之升降。所以爲異也。孟子只就憂一邊答之。未及公私之辨耳。○名世二字。指聖賢而得位者注。故以臯稷等言之。若聖賢而不得位。不能名世也。王者名世並重。有王者興。則聖賢名世數過時可。而王者不興。則聖賢不能名世。此孟子所以不豫也。孟子以名世自占焉。下文舍我其誰也。意可見。○此書記事散出。而無先後之次。故其說必參攷而後通。孟子致爲臣而歸。與宿於晝。尹士語人。居休數章。皆爲孟子後去齊事。明矣。至此章則斷爲前去齊事。何以知之。孟子明言由周而來七百有餘歲。若在周赧王元年丁未。逆數至武王有天下歲在己卯。當得八百有九年。孟子方欲言其數過。庸有未滿其數。而侈言之。未有既踰其數而短言之者。豈肯以八百有餘歲。而減作七百邪。然則孟子前去齊。不獨不在赧王時。亦不在愼靚王時。當在顯王四十五年丁酉。未滿八百歲以前。是時孟子四十九歲矣。此則七篇之文。鑿鑿可證者也。

數過時可下識道不豫一層。忽然掉轉反言之。飛仙之筆。○未完忽起。轉换如飛。此謂沉鬱頓挫。

去齊居休章

孟子去齊居休。公孫丑問曰。仕而不受祿。古之道乎。曰非也。於崇吾得見王。退而有去志。不欲變。故不受也。繼而有師命。不可以請。久於齊。非我志也。

師命二句。言所以不速去之故。凡水生波。○孟子於齊。仕不受祿。正此篇中十數章之權輿也。孟子去齊居休者。據路史國名紀。休在潁川。爲宋境。此去齊之宋之明證也。閻百詩謂故休城在今兗州府滕縣北一十五里。謬矣。○師命不特國被兵也。出兵外征亦是。○孟子欲平治天下。而可與平治天下者。惟齊宣王。而王終不能用也。孟子之去齊。不獨一人窮通於此判。而一世之治亂於此分。所係甚大。故特鄭重而紀之曰。孟子致爲臣而歸。而又提去齊者再三。將孟子前去齊時事。夾敘其間。舉孟子濟世安民之念。與悲天憫人之心。曲曲傳出。此是一部孟子大樞紐。不可草草忽過。○公孫丑一篇。合之又是一篇大文字。首敘孟子內聖外王之學。繼言仁政。繼敘在齊去齊之事。而以天字結。中間忽夾敘舜之與人爲善。伯夷隘。柳下惠不恭二節。所以爲孟子出處張本也。孟子抱內聖外王之學。而欲出而救世者。與人爲善之心也。不敢由伯夷之隘也。然出處必以正。不肯稍有依違者。又不由柳下之不恭也。隘則流爲不仁。不恭則流爲不義。孟子之心只是仁至義盡。

孟子論文卷之二終

明治十四年十二月二日版權免許

同　十五年　三月　出版

定價［illegible］

熊本縣士族

手録兼出版人　竹添進一郎

清國天津在留

東京府平民

出版人　奎文堂　野口愛

東京日本橋區吳服町六番地